AF238121

ACCESO GRATIS a la Lectura en la Nube

Para visualizar el libro electrónico en la nube de lectura envíe junto a su nombre y apellidos una fotografía del código de barras situado en la contraportada del libro y otra del ticket de compra a la dirección:

ebooktirant@tirant.com

En un máximo de 72 horas laborales le enviaremos el código de acceso con sus instrucciones.

PROCESO CIVIL

Derecho Procesal II

PROCESO CIVIL

Derecho Procesal II

3ª Edición

Coordinadores

JUAN-LUIS GÓMEZ COLOMER
SILVIA BARONA VILAR

Autores

SILVIA BARONA VILAR
IÑAKI ESPARZA LEIBAR
JOSÉ FRANCISCO ETXEBERRÍA GURIDI
JUAN-LUIS GÓMEZ COLOMER
ELENA MARTÍNEZ GARCÍA
ANDREA PLANCHADELL GARGALLO

tirant lo blanch
Valencia, 2023

© Juan-Luis Gómez Colomer
Silvia Barona Vilar (Coordinadores)

© TIRANT LO BLANCH
EDITA: TIRANT LO BLANCH
C/ Artes Gráficas, 14 - 46010 - Valencia
TELFS.: 96/361 00 48 - 50
FAX: 96/369 41 51
Email: tlb@tirant.com
www.tirant.com
Librería virtual: www.tirant.es
DEPÓSITO LEGAL: V-2236-2023
ISBN: 978-84-1169-695-1

Si tiene alguna queja o sugerencia, envíenos un mail a: *atencioncliente@tirant.com*. En caso de no ser atendida su sugerencia, por favor, lea en *www.tirant.net/index.php/empresa/politicas-de-empresa* nuestro procedimiento de quejas.

Responsabilidad Social Corporativa: http://www.tirant.net/Docs/RSCTirant.pdf

ÍNDICE

CAPÍTULO I
HISTORIA

Lección 1ª
HISTORIA DEL PROCESO CIVIL Y SU REFORMA

Juan-Luis Gómez Colomer

CAPÍTULO II
PRESUPUESTOS PROCESALES Y OBJETO DEL PROCESO DE DECLARACIÓN

Lección 2ª
LA COMPETENCIA CIVIL

Juan-Luis Gómez Colomer

Lección 3ª

LAS PARTES: CAPACIDAD

Elena Martínez García

Lección 4ª
LAS PARTES: LEGITIMACIÓN
Elena Martínez García

Lección 5ª
PLURALIDAD DE PARTES
ELENA MARTÍNEZ GARCÍA

Lección 6ª
EL OBJETO DEL PROCESO DE DECLARACIÓN
IÑAKI ESPARZA LEIBAR

CAPÍTULO III
ACTIVIDADES PREVIAS NO JURISDICCIONALES

Lección 7ª
ACTIVIDADES DE ESTRATEGIA PROCESAL Y ACTIVIDADES PREVIAS AL PROCESO
Silvia Barona Vilar

CAPÍTULO IV
EL JUICIO ORDINARIO: LA PRIMERA INSTANCIA

Lección 8ª
LA DEMANDA
Silvia Barona Vilar

Lección 9ª
ACTITUDES DEL DEMANDADO FRENTE A LA DEMANDA
Silvia Barona Vilar

Lección 10ª
LA AUDIENCIA PREVIA Y LA AUDIENCIA PROBATORIA (JUICIO)
Silvia Barona Vilar

Lección 11ª
LA PRUEBA. ASPECTOS COMUNES
Juan-Luis Gómez Colomer

Lección 12ª
LOS MEDIOS DE PRUEBA EN CONCRETO (I)
JUAN-LUIS GÓMEZ COLOMER

Lección 13ª
LOS MEDIOS DE PRUEBA EN CONCRETO (II)
Juan-Luis Gómez Colomer

Lección 14ª
LOS MEDIOS DE PRUEBA EN CONCRETO (III)
Juan-Luis Gómez Colomer

CAPÍTULO V
CRISIS Y TERMINACIÓN DEL PROCESO

Lección 15ª
CRISIS PROCESALES. DESARROLLO Y TERMINACIÓN ANORMAL DEL PROCESO

SILVIA BARONA VILAR

Lección 16ª
LA SENTENCIA
Iñaki Esparza Leibar

Lección 17ª
LA COSA JUZGADA
Iñaki Esparza Leibar

CAPÍTULO VI
EL JUICIO VERBAL

Lección 18ª
EL JUICIO VERBAL
IÑAKI ESPARZA LEIBAR

CAPÍTULO VII
MEDIOS DE IMPUGNACIÓN

Lección 19ª
MEDIOS DE IMPUGNACIÓN: CONCEPTOS GENERALES
JOSÉ FRANCISCO ETXEBERRÍA GURIDI

Lección 20ª
LA APELACIÓN
José Francisco Etxeberría Guridi

Lección 21ª
EL RECURSO EXTRAORDINARIO DE CASACIÓN
José Francisco Etxeberría Guridi

Lección 22ª
IMPUGNACIÓN DE LA COSA JUZGADA
Silvia Barona Vilar

CAPÍTULO VIII
EL PROCESO DE EJECUCIÓN

Lección 23ª
EJECUCIÓN FORZOSA. CONCEPTOS GENERALES Y TÍTULO EJECUTIVO
Andrea Planchadell Gargallo

Lección 24ª
LA EJECUCIÓN PROVISIONAL
ANDREA PLANCHADELL GARGALLO

Lección 25ª

PROCEDIMIENTO DE EJECUCIÓN. INICIO, DEMANDA Y OPOSICIÓN

ANDREA PLANCHADELL GARGALLO

Lección 26ª
PROCEDIMIENTO DE APREMIO
ANDREA PLANCHADELL GARGALLO

Lección 27ª

EJECUCIONES NO DINERARIAS

Andrea Planchadell Gargallo

CAPÍTULO IX

EL PROCESO CAUTELAR

Lección 28ª

LA TUTELA CAUTELAR. ELEMENTOS PERSONALES Y MEDIDAS CAUTELARES

Silvia Barona Vilar

Lección 29ª
PROCESO Y PROCEDIMIENTO CAUTELAR
Silvia Barona Vilar

CAPÍTULO X
GASTOS Y COSTAS DEL PROCESO

Lección 30ª
COSTES, GASTOS Y COSTAS PROCESALES
José Francisco Etxeberría Guridi

CAPÍTULO XI
LOS PROCESOS ESPECIALES

Lección 31ª
PROCESOS CIVILES PRIVILEGIADOS
Juan-Luis Gómez Colomer

Lección 32ª

PROCESOS CIVILES NO DISPOSITIVOS

Juan-Luis Gómez Colomer

Lección 33ª
EL PROCESO MONITORIO
Juan-Luis Gómez Colomer

Lección 34ª
EL PROCESO CONCURSAL
Juan-Luis Gómez Colomer

Lección 35ª
LA EJECUCIÓN HIPOTECARIA. LOS PROCEDIMIENTOS PARA LA DIVISIÓN JUDICIAL DE PATRIMONIOS. EL JUICIO CAMBIARIO
José Francisco Etxeberría Guridi

CAPÍTULO XII
JURISDICCIÓN VOLUNTARIA

Lección 36ª
LA JURISDICCIÓN VOLUNTARIA

ELENA MARTÍNEZ GARCÍA

Listado de autores e índice de lecciones

JUAN-LUIS GÓMEZ COLOMER

Catedrático de Derecho Procesal de la Universidad Jaume I de Castellón
Doctor honoris causa por la Universidad Tecnológica de Honduras
Presidente de la Sección Quinta (Derecho Procesal) de la Comisión General de Codificación
Lecciones 1, 2, 11, 12, 13, 14, 31, 32, 33 y 34

SILVIA BARONA VILAR

Catedrática de Derecho Procesal de la Universitat de València
Doctora honoris causa por las Universidades de Santa Cruz de la Sierra (Bolivia), Örebro (Suecia) e Inca Garcilaso (Perú), Norbert Wiener (Perú) y Autónoma (Chile)
Presidenta de la Corte de Arbitraje y Mediación, Cámara Valencia
Vocal Permanente de la Sección Quinta (Derecho Procesal) de la Comisión General de Codificación
Presidenta de la Asociación Alexander von Humboldt de España
Lecciones 7, 8, 9, 10, 15, 22, 28 y 29

IÑAKI ESPARZA LEIBAR

Catedrático de Derecho Procesal de la Universidad del País Vasco / EHU
Miembro del Consejo Consultivo de la Agencia Vasca de Protección de Datos/DBEB
Lecciones 6, 16,17 y 18

JOSÉ-FRANCISCO ETXEBERRÍA GURIDI

Catedrático de Derecho Procesal de la Universidad del País Vasco / EHU
Árbitro
Vocal de la Comisión de Videovigilancia y Libertades del País Vasco
Lecciones 19, 20, 21, 30 y 35

ELENA MARTÍNEZ GARCÍA

Catedrática de Derecho Procesal de la Universitat de València
Becaria de la Fundación Alexander von Humboldt
Lecciones 3, 4, 5 y 36

ANDREA PLANCHADELL GARGALLO

Catedrática de Derecho Procesal de la Universitat Jaume I de Castellón
Vocal Permanente de la Sección Quinta (Derecho Procesal) de la Comisión General de Codificación
Lecciones 23, 24, 25, 26 y 27

Abreviaturas

ADR	Resolución alternativa de conflictos
AN	Audiencia Nacional
AP	Audiencia Provincial
Art.	Artículo
BO Com Aut.	Boletín Oficial Comunidades Autónomas
BOE	Boletín Oficial del Estado
BO Prov.	Boletín Oficial de la Provincia
CA	Comunidad Autónoma
CC	Código Civil
CCo	Código de Comercio
CDAE	Código Deontológico de la Abogacía
CDFUE	Carta de Derechos Fundamentales de la Unión Europea
CE	Constitución Española
CEDH	Convenio Europeo de Derechos Humanos
CGPJ	Consejo General del Poder Judicial
CP	Código Penal
DD	Disposición Derogatoria
DF	Disposición Final
DOUE	Diario Oficial de la Unión Europea
DUDH	Declaración Universal de Derechos Humanos
EGAE	Estatuto General de la Abogacía de Española
EGP	Estatuto General de los Procuradores de los Tribunales de España
EOMF	Estatuto Orgánico del Ministerio Fiscal
EST. VICT.	Estatuto de la Víctima del Delito
JCA	Juzgado de lo Contencioso-Administrativo
JCCA	Juzgado Central de lo Contencioso-Administrativo
FGE	Fiscal General del Estado
JCI	Juzgado Central de Instrucción
JCM	Juzgado Central de Menores
JCP	Juzgado Central de lo Penal
JCVP	Juzgado Central de Vigilancia Penitenciaria
JI	Juzgado de Instrucción
JME	Juzgado de Menores
JMerc	Juzgado de lo Mercantil

JPaz	Juzgado de Paz
JP	Juzgado de lo Penal
JPI	Juzgado de Primera Instancia
JPII	Juzgado de Primera Instancia e Instrucción
JS	Juzgado de lo Social
JurVol	Jurisdicción Voluntaria
JVM	Juzgado de Violencia sobre la Mujer
JVP	Juzgado de Vigilancia Penitenciaria
LAJ	Letrado de la Administración de Justicia
LAJG	Ley 1/1996, de 10 de enero, de asistencia jurídica gratuita
LArb	Ley 60/2003, de 23 de diciembre, de Arbitraje
LAR	Ley 49/2003, de 26 de noviembre, de Arrendamientos Rústicos
LAU	Ley 29/1994, de 24 de noviembre, de Arrendamientos Urbanos
LConc	Ley 22/2003, de 9 de julio, Concursal
LCCH	Ley 19/1985, de 16 de julio, Cambiaria y del Cheque
LDComp	Ley 15/2007, de 3 de julio, de Defensa de la Competencia
LDInd	Ley 20/2003, de 7 de julio, de Protección Jurídica del Diseño Industrial
LDPJ	Ley 38/1988, de 28 de diciembre, de Demarcación y Planta Judicial
LEC	Ley 1/2000, de 7 de enero, de Enjuiciamiento Civil.
LECRIM	Ley de Enjuiciamiento Criminal
LGPub	Ley 34/1988, de 11 de noviembre, General de Publicidad
LH	Ley Hipotecaria aprobada por Decreto de 8 de febrero de 1946
LJCA	Ley 29/1998, de 13 de julio, reguladora de la Jurisdicción Contencioso-Administrativa
LJSO	Ley 36/2011, de 11 de octubre, reguladora de la Jurisdicción Social
LJV	Ley 15/2015, de 2 de julio, de la Jurisdicción Voluntaria
LMarc	Ley 17/2001, de 7 de diciembre, de Marcas
LO	Ley Orgánica
LOGP	LO 1/1979, de 26 de septiembre, General Penitenciaria
LOPDPyGDD	LO 3/2018, de 5 de diciembre, de Protección de Datos Personales y Garantía de Derechos Digitales
LOPJ	Ley 6/1985, de 1 de julio, Orgánica del Poder Judicial
LORPM	LO 5/2000, de 12 de enero, de responsabilidad penal del menor
LOTJ	LO 5/1995, de 22 de mayo, del Tribunal del Jurado
LPat	Ley 24/2015, de 24 de julio, de Patentes
LPInt	Ley de Propiedad Intelectual, texto refundido aprobado por Real Decreto Legislativo 1/1996, de 12 de abril

LRM	Ley 23/2014, de 20 de noviembre, de reconocimiento mutuo de resoluciones penales en la UE
LRCivil	Ley 20/2011, de 21 de julio, del Registro Civil
LSCap	Ley de Sociedades de Capital, texto refundido aprobado por Real Decreto Legislativo 1/2010, de 2 de julio
LVPBMueb	Ley 28/1998, de 13 de julio, de Venta a Plazos de Bienes Muebles
MF	Ministerio Fiscal
PIDCP	Pacto Internacional de Derechos Civiles y Políticos
RH	Reglamento Hipotecario, aprobado por Decreto de 14 de febrero de 1947
TC	Tribunal Constitucional
TEDH	Tribunal Europeo de Derechos Humanos
TFUE	Tratado sobre el Funcionamiento de la Unión Europea de 13 diciembre 2007
TRLConc	Real Decreto Legislativo 1/2020, de 5 de mayo, por el que se aprueba el texto refundido de la Ley Concursal
TS	Tribunal Supremo
TJ	Tribunal del Jurado
TJUE	Tribunal de Justicia de la Unión Europea
TSJ	Tribunal Superior de Justicia
UE	Unión Europea

CAPÍTULO I
HISTORIA

Lección 1ª

HISTORIA DEL PROCESO CIVIL Y SU REFORMA

JUAN-LUIS GÓMEZ COLOMER

SUMARIO: I. ANTECEDENTES HISTÓRICOS DEL PROCESO CIVIL ESPAÑOL. II. HASTA LA CODIFICACIÓN. 1. El «solemnis ordo iudiciarius». 2. Los procesos plenarios rápidos. A) En materia comercial. B) En materia civil. III. LA CODIFICACIÓN. 1. Del proceso mercantil. 2. Del proceso civil. IV. LA LEY DE ENJUICIAMIENTO CIVIL DE 1881. 1. Principios básicos. 2. Principales lagunas y defectos. V. EVOLUCIÓN LEGISLATIVA POSTERIOR. VI. LA LEY DE ENJUICIAMIENTO CIVIL DE 2000. 1. Los principios del proceso y del procedimiento. 2. Las características más sobresalientes. VII. LA CONSTITUCIONALIZACIÓN DE LA REGULACIÓN ESENCIAL.

BIBLIOGRAFÍA BÁSICA

FAIRÉN GUILLÉN, V., *El juicio ordinario y los plenarios rápidos*, Bosch, Barcelona, 1953.

LASSO GAITE, F. (Coord.), *Crónica de la Codificación española*, vol. 2 «Procedimiento Civil», Ministerio de Justicia, Madrid, 1970.

MONTERO AROCA, J., *Análisis crítico de la Ley de Enjuiciamiento Civil en su centenario*, Civitas, Madrid, 1982.

MONTERO AROCA, J., *El proceso civil. Los procesos ordinarios de declaración y de ejecución* (2ª ed.), Tirant lo Blanch, Valencia, 2016.

I. ANTECEDENTES HISTÓRICOS DEL PROCESO CIVIL ESPAÑOL

La Ley de Enjuiciamiento Civil española (en adelante abreviada LEC) vigente es de 7 de enero de 2000. En esta primera lección del tomo del manual dedicado al proceso civil debemos conocer sus antecedentes y los movimientos reformistas más importantes que nos han llevado a la situación actual. Cuatro grandes etapas deben contemplarse: Desde que se conocen textos escritos vigentes en España hasta la Codificación, la etapa de la codificación, la Ley de Enjuiciamiento Civil de 1881, y su evolución posterior hasta la LEC vigente.

Sin duda alguna, de todas ellas la etapa más importante es la de la LEC de 1881, pues estuvo vigente casi 120 años en España, y eso que no fue bien acogida por los especialistas de la época, que inmediatamente propugnaron su reforma, postura también alentada desde los propios Tribunales, algo por cierto normal en nuestro país cuando se produce un cambio legal importante. Lo que sucedió, como también es normal, y de ahí su larga vigencia, fue que con el paso de los años la práctica acabó por acomodarse a ella, se creó la rutina y se hizo muy difícil cualquier reforma. Ello no quita ningún mérito a Las Partidas, pues el proceso civil del Derecho común recogido en ellas estuvo vigente en España casi seis siglos, que no es poco tiempo dados los numerosos cambios políticos sociales y económicos que en todo ese tiempo hubo en nuestro país. No fueron bien aceptadas por los ciudadanos, que preferían sus normas consuetudinarias propias al Derecho Romano, y durante unas cuantas décadas se produjo el contrasentido de aplicarse por los tribunales no estando vigentes.

Pero veamos esquemáticamente esas etapas:

II. HASTA LA CODIFICACIÓN

Históricamente coexistieron dos sistemas procedimentales distintos, como ha demostrado FAIRÉN GUILLÉN, en los que la *cognitio* judicial era plena: El *solemnis ordo iudiciarius*, que responde a una concepción medieval del proceso siendo el proceso ordinario; y unos procesos simplificados, más rápidos que el anterior.

1. El «solemnis ordo iudiciarius»

La recepción del Derecho común se produce por obra de JACOBO DE LAS LEYES en Las Partidas (1213), concretamente en la Tercera. Cuando se conoce en occidente la obra de JUSTINIANO, a finales del siglo XI y principios del s. XII, surge la necesidad de organizar el estudio del *Corpus Iuris Civilis* de una manera metodológicamente correcta, de forma tal que empieza a conformarse el estudio de Derecho como carrera universitaria en centros universitarios (obviamente empleamos terminología actual para explicarlo). La Partida III es hija de ese movimiento y, en lo que a nosotros afecta, toma el *solemnis ordo iudiciarius*, caracterizado, en tanto es el proceso ordinario, por disponer las partes con toda su amplitud de los medios de ataque y de defensa que consideraran oportunos, alegando y probando sin limitaciones el conflicto o litigio existente entre ellos, y resolviéndose por el Juez con efectos de cosa juzgada, sin que fuera posible, por tanto, otro juicio posterior entre las mismas personas, con el mismo objeto y causa de pedir.

La articulación procesal concreta de ese espíritu exigía muchos actos procesales, con multitud de posibilidades para ambas partes, sobre todo para el demandado, hasta tal punto que se hablaba de la división del pleito en nueve «tiempos», que traducidos a terminología actual eran los siguientes: Demanda, comparecencia ante el Juez, excepciones y defensas, comienzo del pleito, juramento, prueba, conclusiones, citación para sentencia, y sentencia. Ello tenía como consecuencia clara su gran duración y su elevado coste.

Este proceso fue el recogido en la citada Partida III, y estuvo vigente en España durante seis siglos, a través de diferentes Leyes y Recopilaciones, siendo la *litis contestatio* (contrato por el que el demandante y el demando quedaban sometidos al juez y a la decisión que tomara tras el desarrollo del procedimiento) su piedra angular.

2. Los procesos plenarios rápidos

Pronto resultó evidente que el *solemnis ordo iudiciarius* no podía satisfacer los pleitos normales, poco complicados, los que se suscitaban cada día en suma, de ahí que se creara un nuevo proceso, también con plena *cognitio*, es decir, plenario, y mucho más rápido.

Este proceso fue creado primero por el Derecho Canónico, a través de la *Saepe contingit* del Papa CLEMENTE V (1306). En el ámbito común, las reformas provienen de los Estatutos de las ciudades mercantiles italianas.

Las características esenciales de este proceso fueron la supresión de las formalidades superfluas, el aumento de las facultades de control del proceso por parte del Juez, la suavización del principio de preclusión, el acortamiento de los plazos, la limitación de los recursos interlocutorios, y el predominio del principio de oralidad frente al de escritura.

La recepción inmediata de esta legislación en España se produjo primero en el ámbito mercantil o comercial, y después pasó a lo civil. Citemos como ejemplos:

➤ Las Ordenanzas del Consulado del Mar (PEDRO III, 1283 en Valencia, PEDRO IV, 1343 en Palma de Mallorca, y 1347 en Barcelona, etc.).

➤ La Jurisdicción del Prior y de los Cónsules de la Universidad de Mercaderes de Burgos (REYES CATÓLICOS, 1494), etc.

Conforme se iban creando consulados en distintas ciudades, se otorgaban esas ordenanzas (1554 en Sevilla, 1632 en Madrid, 1737 en Bilbao, etc.).

A) En materia comercial

La evolución inmediata en el ámbito mercantil de este proceso rápido fue la exigencia del acto de conciliación previo entre los comerciantes en litigio, que daba lugar inmediatamente al proceso en caso de fracasar. El proceso se iniciaba mediante demanda, en la que lo importante eran los hechos. Desaparecieron la mayor parte de las reglas legales de valoración de la prueba, se eliminó el trámite de conclusiones, la sentencia se dictaba por el cónsul, ayudado por asesores en caso de litigios complejos (no se requería usualmente asistencia letrada), y cabía recurso de apelación.

B) En materia civil

En el campo civil, marchando ya el proceso mercantil por sus propias normas, se manifestaron igualmente grandes deseos de abreviar y simplificar el proceso ordinario, aunque los ejemplos a citar nos hablaban todos ellos de reformas parciales. Por ejemplo, el Ordenamiento de Alcalá (1348), que permitió dictar sentencia aunque faltara alguna formalidad, las Leyes de Toro (1505), o la reforma de Felipe II en 1564, que permitió limitar la declaración de rebeldía a una sola.

En 1534 se creó un auténtico proceso plenario rápido para asuntos civiles de pequeña cuantía, que se recogió en la Nueva Recopilación (1567). De acuerdo con la doctrina española, éste fue el origen del vigente juicio verbal español.

La evolución doctrinal se ciñó más a comentar prácticamente el proceso civil ordinario, dedicando muy poca atención al plenario rápido, olvidando además la legislación mercantil antes reseñada.

III. LA CODIFICACIÓN

Llegamos así al siglo XIX español, en donde coexisten esos dos sistemas (mercantil y civil), prácticamente sin relacionarse entre sí. Enseguida se advirtió, como consecuencia de las ideas de la Revolución Francesa, la necesidad de codificar las normas reguladoras de ambos procesos, pero curiosamente no se procedió inmediatamente a unificar ambos procesos. Siguiendo a MONTERO AROCA podemos distinguir los siguientes apartados:

1. Del proceso mercantil

En efecto, el Código de Comercio de 30 de mayo de 1829 previó una Ley específica para el enjuiciamiento de los negocios y causas de comercio hasta que se aprobara el Código o Ley de Enjuiciamiento Civil. Lo que se quería, por tanto, era acabar con la multitud de normas y con la no menor existencia de jurisdicciones consulares, unificando toda la legislación mercantil y procesal mercantil. Unificar en lo civil pareció entonces impensable, no obstante la vejez y inutilidad del proceso ordinario y precisamente por ello.

De ahí la publicación de la Ley de Enjuiciamiento sobre los Negocios y Causas de Comercio de 24 de julio de 1830, que reguló dos juicios, el de mayor cuantía y el de menor cuantía:

> ➤ Las fases del juicio de mayor cuantía eran: Demanda y contestación escritas, excepciones dilatorias, réplica, dúplica, prueba, alegatos de bien probado y sentencia, recurrible en apelación a partir de determinada cuantía

(también existía la posibilidad de recurrir en nulidad por violación de las formas esenciales del juicio). Se observa que era un proceso más rápido que el ordinario civil, pero no se prescindía totalmente de los trámites de éste.

➢ El juicio de menor cuantía era el clásico verbal de los Estatutos italianos: Demanda escrita, citación de las partes a juicio, audiencia única y sentencia sin recurso.

Esto significó una aproximación del proceso mercantil al civil, puesto que se pasó de la oralidad inicial al principio de la escritura.

2. Del proceso civil

La regulación vigente a principios del siglo XIX era la contenida en la Novísima Recopilación (1805). La reseña reformista exige considerar los siguientes datos:

➢ El Reglamento de las Audiencias y Juzgados de Primera Instancia de 1812, en donde se regulan tres juicios plenarios en función de la cuantía del pleito: El juicio ordinario, el juicio verbal, y un juicio intermedio basado en el ordinario en el que se suprimía el recurso de apelación contra la sentencia.

➢ El Reglamento Provisional para la Administración de Justicia de 1835, en el que se recogen esos tres juicios, sentándose las bases de lo que será el juicio de menor cuantía en el intermedio a que hacíamos referencia.

➢ La Ley Provisional para la Sustanciación de los Juicios de Menor Cuantía, de 10 de enero de 1838, aprobada para regular en concreto el juicio de menor cuantía, caracterizado por la vigencia de los principios de oralidad (sólo eran escritas la demanda y la contestación), de concentración (no había excepciones dilatorias y toda la práctica de la prueba se concentraba en una sola audiencia), de inmediación, de publicidad, de impulso de oficio, y la perentoriedad e improrrogabilidad de todos los plazos. Esta Ley, y el proceso que reguló, chocó frontalmente con el proceso ordinario, suponiendo una auténtica innovación, pero tuvo poca acogida entre la doctrina y los prácticos.

➢ La Instrucción sobre el Proceso Ordinario del Marqués de Gerona, de 30 de septiembre de 1853, cuyo fin fue corregir los abusos, corruptelas, dilaciones innecesarias, y otros elementos negativos del proceso ordinario, introduciendo en éste los principios antedichos del juicio de menor cuantía, aumentando los poderes directivos del Juez y suprimiendo trámites. Recibió tantas críticas que fue derogada un año después, pero sirvió para acelerar la codificación.

La doctrina de la época (desde 1800 a 1855) reflejó el fracaso de las reformas, a la par que las criticó arduamente. Casi toda ella defendió la tradición, entendiendo que las solemnidades procesales eran garantías de la seguridad del juicio y que, desde luego, el Juez imparcial en un Estado liberal era aquél que no controlaba el proceso, sino que lo dejaba en manos de las partes, sus auténticas dueñas. Con esta defensa lo que se hacía en realidad era mostrar la conformidad con la legislación existente en esos momentos, aunque había acuerdo en eliminar las corruptelas, en simplificar lo verdaderamente superfluo y, para acabar con la lentitud, en crear más órganos jurisdiccionales.

➢ Llegamos así a la Ley de Enjuiciamiento Civil de 5 de octubre de 1855, cuyos fines principales fueron dar brillo a los principios tradicionales del proceso civil, extinguiendo los abusos surgidos a su sombra, pero sin destruir sus seculares cimientos. Su autor principal fue GÓMEZ DE LA SERNA.

No fue un verdadero Código, sino más bien una ordenación y compilación de leyes procesales civiles. Se centró en la reforma del proceso ordinario, porque era el aplicable también en los juicios que carecieran de tramitación específica, y supletorio en los demás. Contuvo 1415 artículos y reformó radicalmente el juicio de menor cuantía introducido en 1838, volviendo a los principios tradicionales (escritura), es decir, a los del proceso ordinario, y suprimió algunos trámites (*v.gr.*, réplica y dúplica, alegaciones de bien probado, etc.).

Con ello, observamos, se consagra el *solemnis ordo iudiciarius* medieval, ahora regulado más técnicamente y en una sola Ley, apartándose de las tendencias reformistas aludidas y rechazando cualquier innovación.

Por otro lado, el proceso mercantil seguía su curso, sin haberse producido la unificación.

Es de notar igualmente que en esas fechas, la tendencia europea, principalmente en Alemania e Italia, fue el desarrollo de los procesos plenarios rápidos, arrinconando el proceso ordinario.

Hasta la Ley de Enjuiciamiento Civil de 1881 se recoge la siguiente evolución normativa:

1º) El Decreto de Unificación de Fueros de 6 de diciembre de 1868, clave porque suprime los Tribunales especiales de Comercio en favor de los Tribunales ordinarios, que pasan a ser los únicos competentes para conocer de los litigios mercantiles, derogando la Ley de Enjuiciamiento sobre los Negocios y Causas de Comercio de 1830, lo que supuso el ajuste de los procedimientos a la LEC de 1855. Esto significó en realidad no la unificación de los procesos mercantil y civil por fusión, sino la supresión del proceso mercantil, permaneciendo en vigor el civil, es decir, el peor de los dos.

2º) Como consecuencia de esa supresión, se añadieron algunos preceptos atinentes a la materia mercantil en la LEC de 1855.

3º) La Ley de 30 de diciembre de 1878 autorizó al Ministerio de Justicia a redactar y publicar una nueva Ley de Enjuiciamiento Civil.

4º) La Ley de Bases para la Reforma de la Ley de Enjuiciamiento Civil de 2 de febrero de 1880, significó no obstante un deseo reformista de mayor calado, aunque manteniendo el proceso ordinario.

Se pretendió, por tanto, no hacer una Ley nueva, sino mejorar la existente. Con ello llegamos a la segunda Ley de Enjuiciamiento Civil que hemos tenido en España, cuyo autor principal fue MANRESA.

IV. LA LEY DE ENJUICIAMIENTO CIVIL DE 1881

La Ley de Enjuiciamiento Civil de 1881 contuvo 2.182 artículos, siendo entonces la ley española más extensa, y la procesal civil de más artículos de los países de nuestro entorno cultural, y a pesar de ello no acogió en su seno toda la normativa procesal civil (*v.gr.*, parte de la prueba se regulaba en el Código Civil). Fue además claramente heterogénea y desproporcionada, repitiendo incomprensiblemente muchos artículos de la Ley Orgánica del Poder Judicial de 1870, entonces en vigor.

1. Principios básicos

La LEC de 1881 fue producto de la ideología liberal individualista imperante a finales del siglo XIX en España. Para ello se sirvió del principio de oportunidad, entroncado directamente con el principio material de la autonomía de la voluntad, que ya hemos tratado en el vol. 1 dedicado a la Introducción al Derecho Procesal.

El problema fue que principios clave derivados o muy relacionados con el de oportunidad, se entendieron por la Ley incorrectamente. Así:

➤ El principio dispositivo se desarrolló de manera tal que el Juez se convirtió en un espectador pasivo del proceso, siendo las partes las verdaderas dueñas del mismo. Pero el proceso era y es un instrumento público, en tanto que en él se ejerce una función pública, la jurisdiccional, por lo que es Derecho Público. De ahí que en determinados aspectos la actividad del Juez no sólo no deba ser descartable, sino que es deseable. Por ejemplo, en la prueba, a la hora de decretar el recibimiento del pleito a prueba o en la proposición de los medios concretos de prueba (las diligencias para mejor proveer fueron así una institución anómala, producto de esos malos entendimientos y contradicciones).

Otro buen ejemplo serían las escasísimas facultades del Juez a la hora de vigilar la concurrencia de los presupuestos procesales, que llevó al absurdo de tener que dictarse sentencia de absolución en la instancia si se apreciaban al final del proceso.

➤ El principio de impulso de parte se entendió de tal manera que eran las partes las que tenían que instar el paso de un acto procesal a otro. A partir de 1924 se introdujo, afortunadamente, el principio de impulso oficial, salvo en la ejecución, en el que tanto para iniciarla, como después, rigió en realidad el impulso de parte al no existir plazos para la realización de las distintas actividades ejecutivas.

➤ El principio de igualdad de las partes, basado en el principio liberal (y constitucional) de la igualdad de los ciudadanos ante la Ley, a pesar de su carácter netamente liberal, no logró su perfecto cumplimiento en el proceso. Por un lado, las desigualdades sociales, económicas y culturales lo dejaron prácticamente inoperante; por otro, la lentitud y carestía del proceso civil lo hicieron difícilmente soportable, aun existiendo el beneficio de asistencia jurídica gratuita.

En cuanto al procedimiento, la LEC se basó toda ella prácticamente en el principio de la escritura, dentro de un formalismo muchas veces arcaico e inoperante. Con ello, no se logró ninguna de las ventajas de la oralidad, particularmente la inmediación, pues en España el Juez civil sentenciador podía no ser el que hubiese presenciado la práctica de la prueba, ni tampoco la publicidad, lo que excluyó el control político del pueblo que implicaba, al ser en realidad nuestro proceso civil secreto.

Otro de los defectos importantes de nuestra LEC fue su falta de sistema y de precisión terminológica. Se ha dicho que en el Libro I los materiales estaban colocados «por sorteo» (ALCALÁ-ZAMORA). Destaquemos como ejemplos siete regulaciones del recurso de apelación, o las normas dedicadas, a saltos, para la ejecución. Respecto al lenguaje, la LEC confundió, por ejemplo, término y plazo, a veces no distinguió bien entre autos y sentencias, habló de «recurso» de revisión, etc.

2. Principales lagunas y defectos

Expuesto lo anterior, podemos citar como lagunas y defectos más evidentes de la LEC de 1881 los siguientes:

1. Casos en los que no existía regulación: Los siguientes:

➤ Insuficiente regulación de las partes. Sólo se dedicó a este tema el art. 2, que se remitía a normas materiales, tampoco muy perfectas, y nada se dijo de la pluralidad de partes, ni de la intervención de terceros en el proceso. Fue la jurisprudencia del Tribunal Supremo la que tuvo que sentar la doctrina correspondiente.

➤ Actos de disposición: La LEC sólo aludía al allanamiento y nada dijo de la renuncia procesal, habló algo más del desistimiento, pero no en la primera instancia, y nada de la transacción, debiéndose acudir a escasas normas materiales y a las construcciones jurisprudenciales correspondientes.

➤ El tema de la paralización del proceso brilló también por su ausencia.

➤ No se reconocieron las pretensiones declarativas puras, que habían sido admitidas por la jurisprudencia, ni se estableció una regulación de las pretensiones declarativas de condena de futuro, de tanta importancia práctica.

➤ La LEC desconoció la existencia del proceso monitorio, suprimido por la LEC de 1855 y que hoy, restablecido de nuevo, tanta importancia tiene.

➤ En la ejecución no se reguló la oposición, por pensar la LEC que en esta fase no había ni contradicción ni igualdad. Se reguló la de terceros, pero no la del propio ejecutado.

➤ En la ejecución faltó también cualquier referencia al reembargo o concurrencia de embargos sobre un mismo bien.

➤ Tampoco se reguló en la ejecución la administración judicial.

➤ Finalmente, no se contempló como medida cautelar la administración judicial de bienes litigiosos.

2. Supuestos de regulación defectuosa: Citemos como casos:

➤ Se distinguió todavía entre representación (procurador) y defensa (abogado), lo cual entonces y hoy carece de justificación.

➤ La cuestión de competencia por inhibitoria dio lugar a un procedimiento muchas veces más complicado que el propio proceso sobre el fondo del asunto.

➤ El auxilio judicial, a pesar de la unificación de reglas producida por la Ley Orgánica del Poder Judicial de 1985, era muy complicado, considerando el deber de auxiliar a la Justicia de profesionales externos a ella (Registradores de la Propiedad, Notarios, etc.).

➤ Los supuestos de inadmisibilidad de la demanda por falta de presupuestos procesales no estaban ni aclarados, ni sistematizados.

➢ Defectuosísima regulación de la reconvención.

➢ Confusión en la prueba de confesión entre la declaración de lo que perjudica y el juramento.

➢ Caótica regulación de los incidentes.

➢ La ya aludida proliferación de tipos procedimentales, destacando en muchos de ellos complicaciones procedimentales sin sentido.

➢ El proceso cautelar estaba regulado de manera dispersa y fragmentaria.

➢ Finalmente, la casi absoluta ineficacia del proceso de ejecución, no existiendo medidas coercitivas que obliguen al condenado a cumplir el fallo.

A estos defectos y características negativas de nuestra Ley de Enjuiciamiento Civil, habría que añadir:

➢ Una regulación absolutamente impresentable, por la burla e insatisfacción que significaba para los acreedores, de la ejecución, prevista en varias Leyes y en más de 500 preceptos, verdadero atentado contra el Estado de Derecho, como se ha dicho (PRIETO-CASTRO), porque se desconocían en ella los más elementales principios de la seguridad jurídica. Ello fue particularmente notable en la quiebra y en la suspensión de pagos.

➢ Una anacrónica concepción de la llamada jurisdicción voluntaria, distinguiéndose entre actos civiles y actos comerciales, prácticamente inútiles (o derogados hoy), que ya entonces exigieron una nueva regulación, coordinación, adaptación y modernización, a efectos de que fuese útil y que cumpliese con los fines que verdaderamente deben corresponderle (lo que no se logró, en parte, hasta 2015).

➢ Multitud de Leyes especiales que regulaban o procesos especiales o particularidades procesales, consecuencia de la insuficiencia del proceso civil de la LEC para resolver los problemas que la vida moderna generaba. Esta proliferación, que afectó a muy diversas materias (sociedades, Derecho matrimonial, arrendamientos, propiedades especiales, seguros, hipotecas, derechos fundamentales de la persona, etc.), no fue sino un reflejo de la pésima regulación legal, una huida de la LEC y principalmente de su proceso ordinario hasta 1984, es decir, del llamado juicio de mayor cuantía. Pero también ese reflejo tuvo lugar en la propia LEC, al crearse en 1952 el llamado juicio de cognición. Y a pesar de ello, tampoco se consiguieron la celeridad y economía procesales pretendidas, y las estadísticas no mienten.

Era preciso, por tanto, acrecentar la innovación en los procesos plenarios rápidos (realmente con dos debería bastar), suprimiendo definitivamente el *solemnis ordo iudiciarius*.

V. EVOLUCIÓN LEGISLATIVA POSTERIOR

Desde la entrada en vigor de la LEC de 1881 se intentaron corregir muchos de sus defectos, aunque lógicamente se incurrió en otros. Destaquemos, por su importancia, de entre todas las reformas producidas, y hasta ahora no aludidas, las siguientes, cuya característica general no fue precisamente intentar suprimir el proceso medieval, ni proceder a la simplificación procedimental:

➢ El Decreto de 16 de junio de 1931 reformó los arts. 1449 y 1451 LEC sobre retención de sueldos y pensiones.

➢ En 1952, aparte de la creación del juicio de cognición, la Ley de 20 de noviembre de ese año modificó diversos preceptos de la LEC sobre bienes inembargables, retenciones de salarios y jornales, y aumentó cuantías.

➢ La Ley 46/1966, de 23 de julio, modificó muchos artículos de la LEC, fijando unos topes para las cuantías de los juicios ordinarios, reformó el juicio de desahucio y suprimió el apuntamiento en los recursos.

➢ La Ley 34/1984, de 6 de agosto, de gran calado por su intento de innovar en la reforma de la LEC, abrevió plazos y eliminó trámites superfluos. La modificación afectó al juicio de menor cuantía fundamentalmente, introduciendo la llamada audiencia preliminar y transformándolo ahora en el juicio ordinario tipo, reformó el beneficio de justicia gratuita y, sobre todo, el recurso de casación, unificando sus trámites y haciéndolo más flexible al refundir los motivos y otros extremos.

➢ La Ley 10/1992, de 30 de abril, volvió a significar una reforma del recurso de casación, particularmente su trámite de admisión, pero también se modificó la sumisión en la competencia territorial, el juicio verbal, aspectos concretos de la ejecución (subastas), y determinados actos de jurisdicción voluntaria pasan a ser competencia de los Notarios.

➢ Finalmente, la Ley 1/1996, de 10 de enero, reconfiguró totalmente el beneficio de justicia gratuita, que tiene desde entonces carácter administrativo y no judicial.

Ante esta situación, sobre todo tras la Constitución de 1978, se empezó a pensar en serio en una totalmente nueva Ley de Enjuiciamiento Civil, que sólo empezó a ser una realidad con el Anteproyecto de abril de 1997, enmarcado en un contexto internacional y europeo de muchas reformas del proceso civil, que culminó en la LEC hoy vigente.

VI. LA LEY DE ENJUICIAMIENTO CIVIL DE 2000

La vigente Ley de Enjuiciamiento Civil española es del año 2000 (entrada en vigor un año más tarde). Consta de 827 artículos, así como varias disposiciones adicionales, transitorias, derogatoria y finales.

1. Los principios del proceso y del procedimiento

No variando el principio básico del Derecho sustantivo al que sirve, es decir, el principio de la autonomía de la voluntad del Derecho Privado, la máxima procesal fundamental, a saber, el principio de oportunidad, y los que de él se derivan, esencialmente el principio dispositivo y el principio de aportación de parte, deben seguir siendo y son las guías fundamentales del nuevo proceso civil.

Pero ello no quiere decir que el principio de oportunidad, el principio dispositivo y el principio de aportación de parte se entiendan de la misma manera, pues ha habido cambios, debiendo reseñar en efecto los tres siguientes:

➢ Se aumentan las potestades materiales de dirección del proceso residentes en el órgano jurisdiccional (aportación de hechos e investigación oficial), muchas de ellas producto de enmiendas aceptadas durante la tramitación parlamentaria, pero sin que ello signifique una ruptura respecto a la legislación derogada.

La LEC pretende llegar a un equilibrio, en el que el aumento de los poderes del juez no sea debido a ideologías autoritarias, es decir, a una injerencia del Poder Ejecutivo en el proceso civil, en detrimento de las facultades de las partes derivadas de una concepción jurídica liberal, lo que hoy implicaría restar efectividad a los derechos subjetivos de los ciudadanos, sino a intervenciones parciales que, al ser excepción, confirmen la regla dominante del principio dispositivo.

Sorprende no obstante que no se haya aplicado esta intencionalidad en el interrogatorio de las partes, de testigos y de peritos, pues el juez no tiene la iniciativa y en muchos casos ello sería decisivo, o que no se haya pensado en aumentar sus posibilidades en la ordenación de diligencias finales, sin sustituir naturalmente los actos probatorios de parte.

➢ Se establece una nueva configuración del control de los presupuestos procesales, de manera que el Juez, con la ayuda de las partes, pueda entrar en el fondo del asunto, evitándose a toda costa las sentencias procesales o de absolución de la instancia. Ello implica un aumento de los poderes del Juez en el control de oficio de los presupuestos procesales, una mejor regulación de la técnica de la subsanación de los defectos procesales, y el establecimiento del examen de los presupuestos procesales con carácter anticipado, en una primera comparecencia.

➢ Se obliga a las partes a invocar todos los hechos en un mismo proceso, impidiéndose por tanto otro posterior, cuando lo que se pida en la demanda pueda fundarse en diferentes hechos, o en distintos fundamentos o títulos jurídicos, lo que significa que las partes ya no van a poder aportar los hechos que quieran, sino que tendrán que aportarlos todos.

En donde se han producido las variaciones más importantes es en los principios del procedimiento, pues ahora ya no es la escritura su esencia, sino el principio de oralidad y los que de él se derivan, básicamente los de inmediación, concentración y publicidad, en consonancia con los criterios antes expuestos.

2. *Las características más sobresalientes*

Las características principales de la nueva LEC son, en nuestra opinión, las siguientes:

1ª) La intención de aprobar una nueva LEC se fundamentaba en la existencia de un consenso político, más o menos amplio, en los principios que debían regir el proceso civil. El perceptible cambio de la realidad social en los últimos años aconsejaba plasmar ese consenso en diversos ámbitos jurídicos, siendo uno de los principales el procesal civil. Si está en juego en el fondo el derecho de propiedad, la protección del crédito requiere una nueva concepción global del enjuiciamiento civil, frente al caduco e inútil hasta ahora vigente, que pasa por dar la importancia que merece ese tema de cara a la solidez del funcionamiento de la economía de mercado que protege nuestra Constitución, para lo que se requería el mayor grado posible de acuerdo entre las fuerzas políticas democráticas.

Desde luego, que se haya aprobado la LEC representa por sí sólo un gran éxito, sin duda alguna. Pero que la LEC responda a una ideología política determinada, más o menos mayoritaria, también presenta problemas, como es natural, aunque de menor entidad que la esperada antes de su tramitación, pues se aceptaron más de 700 enmiendas de la oposición.

2ª) Se ha dicho que la nueva LEC se basa en dos grandes pilares: Simplificación del proceso y del procedimiento al máximo, considerado en conjunto, en su totalidad, lo que no se ha conseguido plenamente, como veremos; y aportación al enjuiciamiento civil el estado actual de la Ciencia Procesal, su acervo científico, lo que plantea problemas al resolver por opción temas científicos de gran envergadura, que todavía son objeto de una fuerte discusión, razón por la que fue tachada de doctrinaria.

3ª) Con carácter general la LEC regula exclusivamente la materia procesal atinente a las instituciones del proceso civil, por lo que deja fuera la regulación de los actos judiciales de Jurisdicción Voluntaria y el Derecho Concursal Procesal, aspectos regulados hoy en día por su propia legislación.

4ª) En cuanto a los temas competenciales, la idea del legislador es dejar las mínimas competencias posibles al JP, dar más competencias a los TSJ, y dejar al TS como órgano en lo civil principalmente encargado de la Jurisprudencia. Por otra parte, el tratamiento procesal de los presupuestos de jurisdicción, competencia civil genérica y criterios objetivo, funcional y territorial resulta muy novedoso, sobre todo en punto a la declinatoria, a la que nos referiremos en la lección siguiente.

5ª) Una de las cuestiones que resalta de manera notable tras un estudio inicial de la LEC es la potenciación de la primera instancia que refleja. En efecto, uno de los principales problemas del proceso civil derogado era la conciencia en la práctica forense de que el asunto terminaba de verdad con la sentencia del TS, o de la AP si no cabía recurso de casación, desvalorizando absolutamente la decisión del JPI, pues un elevado número de sentencias se apelan sin excepción, prácticamente siempre por el demandado condenado. Como acertadamente se ha dicho, la sentencia de primera instancia era sólo un paso inicial carente de eficacia práctica. La LEC quiso acabar con ello facilitando extraordinariamente la ejecución provisional de la sentencia, pues será posible su determinación por mor de la ley sin prestación de fianza, con muy pocas excepciones. Con ello se pretende disuadir al recurrente de que interponga la apelación con fines meramente dilatorios, por tanto, se quiere conseguir que la decisión de la primera instancia sea la realmente importante y efectiva.

Pero a veces la revocación de la sentencia por el tribunal superior implica problemas prácticos si no se ha exigido aquella fianza, ya que es posible que no se pueda restablecer el estado jurídico (ni el económico, por supuesto, si existe insolvencia), pudiendo llegarse incluso a una denegación de justicia en contra del art. 24.1 CE.

6ª) La configuración de los procesos declarativos ordinarios se articula mediante dos cauces distintos, basados ambos en el principio de oralidad y, en consecuencia, en los que se derivan de él, fundamentalmente la concentración: Un juicio ordinario, radicalmente distinto a nuestro juicio de mayor cuantía (heredero como hemos dicho en esta lección del *solemnis ordo iudiciarius* de la Partida III, del año 1265, con el que se acaba), y un juicio verbal, en cierta manera heredero de nuestro juicio verbal introducido en la legislación española en 1534 y vigente desde entonces. Se trata por tanto de la consagración de los juicios plenarios rápidos, introducidos por los comerciantes hace 3 siglos, en su versión más moderna y dinámica, por el que se pretenden resolver con igual eficacia todos los litigios propios de la sociedad industrial, agrícola y de servicios, de la sociedad rural y urbana, en que se descompone el espectro de litigantes posibles. El principio procedimental que funda básicamente esos dos procesos ordinarios es el de oralidad, lo que en los últimos tiempos ha exigido un cambio de hábitos drástico en el juez y en los abogados, pues la inmediación se quiere cumplir a toda costa, sancionando con nulidad la infracción. El nuevo esquema del proceso ordinario resulta así mucho más claro: Demanda, contestación, audiencia previa al juicio, juicio y sentencia. En el verbal, todavía más: Demanda, contestación, vista y sentencia.

7ª) El sistema de recursos presenta novedades fundamentales, pues se pretende que la Sala I del TS se dedique tan sólo a la formación de la Jurisprudencia en materia de Derecho Privado, por lo que es preciso limitar la casación a los aspectos sustantivos de la litigiosidad de Derecho privado, dejando las cuestiones procesales más importantes a los TSJ mediante la introducción de un nuevo recurso extraordinario, que se llama por infracción procesal, articulando una combinación algo complicada ciertamente. Este diseño no ha entrado aún en vigor, sin embargo.

8ª) Finalmente, la LEC quiere ante todo reforzar la tutela del crédito, mejorando la posición jurídica del acreedor, una de las cuestiones más importantes atendidas las extraordinarias facilidades que tenía el deudor con la legislación derogada para incumplir las sentencias (se decía con razón que la LEC de 1881 era un paraíso para los deudores morosos, perjudicando de manera relevante a profesionales, bancos y entidades de crédito). Para ello se adoptan medidas como éstas: Sistematización y ordenación de la ejecución (se unifica el tratamiento de los títulos judiciales y extrajudiciales), y de las medidas cautelares (se unifica también el procedimiento); modernización de la manifestación de bienes con el fin de traer a la ejecución los del ejecutado que realmente existan y sean suyos sin posibilidad de ocultamiento; facilitación de la realización forzosa de los bienes a través de personas expertas en ejecución; se garantiza la efectividad de la ejecución imponiendo multas coercitivas frente a las dilaciones e incumplimientos; la ejecución provisional se regula de manera distinta a la actual teniendo que evitar el ejecutado su decretamiento, como acabamos de ver; y se introduce el proceso monitorio, una de las piezas capitales del nuevo sistema ejecutivo que se pretende, en principio uno de los grandes logros de la nueva LEC según se destacó por la doctrina.

Evidentemente, no es una norma perfecta y pronto se vieron sus defectos. La corrección de éstos y la mejora de sus instituciones es la labor que ha implicado a legislador y doctrina en los últimos 20 años, contabilizándose más de 50 reformas de nuestra LEC vigente desde su entrada en vigor (sólo en 2015 se reformó 9 veces), de mayor o menor calado, obviamente, pero ahí están todas.

VII. LA CONSTITUCIONALIZACIÓN DE LA REGULACIÓN ESENCIAL

La incorporación a la CE de 1978 de normas procesales (civiles y penales) no es, en absoluto, innovación de la norma fundamental vigente (viene de 1812). De un lado, se ha limitado normalmente a la constitucionalización de derechos fundamentales de la persona, de otro, ha creado el Tribunal Constitucional como garante de los mismos. Su aplicabilidad directa viene encomendada a todos los Juzgados y Tribunales, quedando el último control en manos del Tribunal Constitucional.

Estos derechos fundamentales o principios procesales (civiles y penales, si bien estos últimos no son ahora objeto de nuestra atención), recogidos directamente en la Constitución son fácilmente enumerables, pero difícilmente clasificables, porque condicionan el proceso desde todas las ópticas posibles.

Seguiremos la clasificación de los conceptos básicos de nuestra disciplina analizados en el vol. 1 de esta obra, dedicado a la Introducción al Derecho Procesal, es decir, distinguiremos en «Jurisdicción», «Acción» y «Proceso»:

A) De la Jurisdicción: Determinados principios procesales constitucionales hacen referencia a la Jurisdicción y tienen plena aplicación en el proceso civil:

> ➢ El principio de su unidad (art. 117.5 CE).

> ➢ El principio de la exclusividad de la Jurisdicción (art. 117.3 CE).

> ➢ El principio de la independencia judicial, expresamente reconocido en el art. 117.1 de la Constitución.

> ➢ El principio del juez legal (art. 24.2 CE).

> ➢ El sistema español ha optado casi siempre por el Juez técnico o de carrera, con la excepción del Juez de Paz y, ahora, del Tribunal del Jurado, que no tiene en ningún caso competencias civiles.

B) De la Acción: Con relación a ella, la CE consagra los siguientes principios:

> ➢ El fundamental es, sin duda, el derecho al libre acceso a los Tribunales de Justicia (derecho de acción en sentido abstracto: Art. 24.1 CE). Ello alcanza incluso a las personas con medios económicos limitados, pues tienen garantizado constitucionalmente el derecho al beneficio de justicia gratuita en el art. 119 CE (LAJG de 1996).

➢ A su vez, la constitucionalización del derecho de acción ha implicado la elevación al rango fundamental de una serie de garantías que tienden a hacerlo efectivo, concretamente, prohíbe nuestra norma suprema las dilaciones indebidas del proceso (art. 24.2), puesto que la tardanza en otorgar Justicia significa, evidentemente una denegación de la misma, una cortapisa o, incluso, negación del derecho de acción.

C) Del Proceso: Los principios del proceso también son reconocidos por la CE, aunque de manera en lo que hace referencia al proceso civil, demasiado parca, debiendo intuirse o deducirse varios de ellos de otros principios o garantías fundamentales.

Con relación a las partes, rigen los de dualidad de posiciones (implícito en la CE), contradicción o audiencia e igualdad (art. 14 CE). En cuanto al principio de contradicción, no mencionado expresamente en la CE, se manifiesta muy especialmente en la prohibición de la indefensión (art. 24 CE), y en el derecho fundamental a la asistencia letrada, entendida en el proceso civil como derecho a ser asistido jurídicamente por Abogado en ejercicio cuando la Ley lo repute necesario (con fundamento asimismo en el art. 24 CE).

También la CE establece determinadas garantías específicas con relación al proceso:

➢ Principios de observancia de las garantías procesales debidas (art. 24.2).

➢ Principio de la presunción de inocencia (art. 24.2), que puede ser aplicable en procesos no penales siempre que se trate de normas represivas, sancionadoras o limitadoras de derechos (muy difícil en lo civil), según doctrina del TC. No afectaría, si entrara en juego, al principio de la valoración legal de la prueba en los casos previstos legalmente para el proceso civil. Naturalmente, en cuanto a la prueba, rige también en el proceso civil el principio o derecho a utilizar los medios pertinentes de prueba (art. 24.2 CE) para justificar las alegaciones de parte.

➢ Principios de oralidad y publicidad (arts. 24 y 120 CE), con vigencia absoluta desde 2000 en los juicios civiles; y principio de motivación de las sentencias (art. 120.3 CE), éste plenamente aplicable en el proceso civil.

Pero la CE no se refiere directamente al principio troncal, es decir, al principio de oportunidad, visión procesal del principio material de la autonomía de la voluntad, que encuentra su apoyo en el régimen económico de sistema de economía de mercado consagrado por la CE, básicamente en el reconocimiento del derecho a la propiedad privada y del derecho a la libertad de empresa, cuyo fundamento exige esa libertad y autonomía de la voluntad, a pesar de los límites sociales establecidos o de los intereses públicos (arts. 33 y 38).

Tampoco al principio dispositivo, cuyo fundamento es la naturaleza privada del derecho subjetivo que se hace valer en el proceso a través de la demanda; y menos todavía al principio de aportación de parte, íntimamente relacionado con él, ni al principio de impulso de oficio.

CAPÍTULO II
PRESUPUESTOS PROCESALES Y OBJETO DEL PROCESO DE DECLARACIÓN

Lección 2ª
LA COMPETENCIA CIVIL

JUAN-LUIS GÓMEZ COLOMER

SUMARIO: I. EXTENSIÓN Y LÍMITES DE LA JURISDICCIÓN ESPAÑOLA EN EL ORDEN CIVIL. 1. Criterios de atribución. A) Exclusividad. B) Generales. C) Especiales. 2. Tratamiento procesal. II. LA COMPETENCIA CIVIL GENÉRICA. III. LAS CUESTIONES PREJUDICIALES. 1. La llamada prejudicialidad civil. 2. Prejudicialidad laboral y administrativa. 3. Prejudicialidad penal. 4. Prejudicialidad constitucional. 5. Prejudicialidad comunitaria. IV. LOS CRITERIOS DE ATRIBUCIÓN DE LA COMPETENCIA. 1. Objetivo. 2. Funcional. 3. Territorial. V. COMPETENCIA OBJETIVA Y FUNCIONAL. 1. Especificación para cada juzgado y tribunal. A) Juzgados de Paz. B) Juzgados de Primera Instancia. C) Juzgados de lo Mercantil. D) Juzgados de Violencia sobre la Mujer. E) Audiencias Provinciales. F) Salas (de los Tribunales Superiores de Justicia) de lo Civil y Penal. G) Sala de lo Civil del Tribunal Supremo. 2. Tratamiento procesal. A) Control de oficio. B) A instancia de parte. VI. LA COMPETENCIA TERRITORIAL. 1. Fueros convencionales. A) Sumisión expresa. B) Sumisión tácita. 2. Fueros legales. A) Especiales. B) Generales. VII. EL PRINCIPIO DE PRUEBA. VIII. TRATAMIENTO PROCESAL. 1. Control de oficio. 2. La declinatoria. A) Planteamiento. B) Tramitación. C) Decisión. D) Recursos. IX. EL REPARTO DE ASUNTOS.

BIBLIOGRAFÍA BÁSICA

ORTEGO PÉREZ, F., *La competencia territorial indisponible*, Aranzadi, Pamplona, 2002.

SENÉS MOTILLA, C., *Las cuestiones perjudiciales en el sistema procesal español*, McGraw-Hill, Madrid, 1996.

I. EXTENSIÓN Y LÍMITES DE LA JURISDICCIÓN ESPAÑOLA EN EL ORDEN CIVIL

Los tribunales españoles no pueden asumir el conocimiento de cualquier asunto que le plantee cualquier persona y referido a cualquier materia. La jurisdicción española, ahora sus tribunales del orden civil, ejercen su potestad necesariamente dentro de un ámbito y atendiendo a los límites establecidos en los arts. 22 y ss. LOPJ y 36 LEC.

Los límites pueden estar fijados bien por el propio Estado español de modo unilateral (arts. 9.1 y 21.1 LOPJ), bien por el Derecho Internacional Público con referencia a los tratados y convenios internacionales en que España sea parte (arts. 21.2 LOPJ y 36 LEC). Los tratados más importantes han sido el Convenio de Bruselas de 1968 (entre los países de la Unión Europea) y el de Lugano de 1988 (entre los países de la Asociación Europea de Libre Cambio), pero desde el 1 de marzo de 2002 ha de estarse al Reglamento núm. 44/2001 del Consejo, de 22 de diciembre de 2000 (llamado Bruselas I), relativo a la competencia judicial, el reconocimiento y la ejecución de resoluciones judiciales en materia civil y mercantil (DOCE núm. L 012, de 16 de enero de 2001), que modifica y sustituye en parte a los anteriores.

Ha de estarse también al Reglamento núm. 1215/2012 del Parlamento y del Consejo, de 12 de diciembre de 2012, relativo a la competencia judicial, el reconocimiento y la ejecución de resoluciones judiciales en materia civil y mercantil, así como a la DF 25ª LEC (introducida por la Ley 29/2015, de 30 de julio, de Cooperación Jurídica Internacional en materia civil).

En cualquier caso, debe tenerse en cuenta que las normas internas sobre la materia no «reparten» los asuntos entre los tribunales españoles y los tribunales de cada uno de los países distintos de España, sino que se limitan a afirmar cuándo un asunto debe ser conocido por los tribunales españoles, sin poder decir cuándo un asunto corresponde a la jurisdicción de otro determinado país.

1. *Criterios de atribución*

La extensa reforma operada en la LOPJ por la LO 7/2015, de 21 de julio, ha introducido varios artículos que regulan con sumo detalle la extensión de la jurisdicción española en el ámbito civil. Siguen distinguiéndose tres criterios, pero ahora los supuestos se concretan mucho más:

A) Exclusividad

En primer lugar, se establece la existencia de pretensiones sobre materias respecto a las que los tribunales españoles van a ejercer su jurisdicción con carácter exclusivo, exista o no pacto de sumisión.

Se detallan en el art. 22 y son: 1º) Derechos reales y arrendamientos de bienes inmuebles que se hallen en España. No obstante, en materia de contratos de arrendamiento de bienes inmuebles celebrados para un uso particular durante un plazo máximo de seis meses consecutivos, serán igualmente competentes los órganos jurisdiccionales españoles si el demandado estuviera domiciliado en España, siempre que el arrendatario sea una persona física y que éste y el propietario estén domiciliados en el mismo Estado; 2º) Constitución, validez, nulidad o disolución de sociedades o personas jurídicas que tengan su domicilio en territorio español, así como respecto de los acuerdos y decisiones de sus órganos; 3º) Validez o nulidad de las inscripciones practicadas en un registro español; 4º) Inscripciones o validez de patentes, marcas, diseños o dibujos y modelos y otros derechos sometidos a depósito o registro, cuando se hubiera solicitado o efectuado en España el depósito o el registro; y 5º) Reconocimiento y ejecución en territorio español de sentencias y demás resoluciones judiciales, decisiones arbitrales y acuerdos de mediación dictados en el extranjero.

Este último criterio no tiene nada que ver con la exclusividad jurisdiccional, sino que es algo connatural a la soberanía que sean los tribunales españoles los que homologuen y ejecuten en España las sentencias, laudos y acuerdos de mediación dictados en el extranjero.

B) Generales

Siempre que no se trate de una de las materias exclusivas, la LOPJ establece en segundo lugar dos reglas generales de atribución de la jurisdicción a los tribunales españoles. A saber:

1ª) Sumisión expresa o tácita (art. 22 bis): Siempre que una norma expresa lo permita el acuerdo de sumisión, sea expreso o tácito, a jurisdicción española es válido, atendidos además los requisitos particulares fijados en el precepto, básicamente que se cumpla con el acuerdo de sumisión formalmente definido y que no afecte a los fueros especiales que veremos a continuación.

2ª) Domicilio del demandado en España (art. 22 ter): En defecto de fuero exclusivo y no existiendo sumisión, la jurisdicción española es procedente si el demandado tiene su domicilio en España, en función de los requisitos fijados en el precepto.

C) Especiales

En defecto de los criterios generales, la LOPJ establece varios fueros especiales para atribuir jurisdicción a los tribunales españoles, en realidad largos listados de los cuales puede deducirse, ahora todavía más que antes de la reforma, la existencia de un cierto «imperialismo» jurisdiccional.

La LOPJ los ha distribuido de la siguiente manera: 1º) Fueros especiales en algunas materias relacionadas con las personas y el Derecho de familia (art. 22 quáter); 2º) Fueros especiales en determinadas materias de Derecho de obligaciones civiles y mercantiles, así como de derechos reales (art. 22 quinquies); 3º) Fueros especiales en materia de adopción de medidas provisionales y aseguramiento respecto a personas que se hallen en España (art. 22 sexies); y, en su caso, en materia concursal (art. 22 septies).

2. *Tratamiento procesal*

La falta del presupuesto procesal de la jurisdicción, aparte de producir la nulidad de pleno derecho de lo actuado (arts. 238-1° LOPJ y 225 LEC):

> ➤ Es controlable de oficio por el tribunal (art. 22 octies.2 LOPJ), quien deberá tener en cuenta las normas vigentes y las circunstancias concurrentes en el momento de presentación de la demanda. Los tribunales españoles no serán competentes si no se cumplen los fueros anteriores (art. 22 octies.1 y 3), y, por otro lado, no podrán declinarla si hay alguna relación con España y los tribunales de los otros Estados posibles afectados se han negado a conocer (art. 22 octies.3, II). Antes de decidir, el tribunal deberá oír a las partes y al Ministerio Fiscal (art. 38 LEC). Normalmente, el momento para efectuar esa declaración es el trámite de admisión de la demanda (arts. 404 y 440 LEC), pero también es posible en la audiencia previa (art. 416.2) y, en último caso, en el de la sentencia.

> ➤ A instancia de parte, pues el demandado podrá alegar la falta de jurisdicción por medio de la declinatoria (art. 39 LEC), para la que debe estarse a lo dispuesto en los arts. 63 a 65 LEC. La falta de jurisdicción sólo puede alegarse por la parte por este medio procesal.

> ➤ La defensa procesal de litispendencia (y de cosa juzgada internacional, aunque no lo diga la ley), así como de conexidad internacional, se alegarán conforme lo dispuesto en las leyes procesales (art. 22 nonies LOPJ).

II. LA COMPETENCIA CIVIL GENÉRICA

La LOPJ atribuye competencia a los tribunales partiendo de la existencia de cuatro órdenes jurisdiccionales. En concreto el art. 9.2 dice que los tribunales y juzgados del orden civil conocerán: 1) De las materias que les son propias, es decir, de la actuación del derecho privado; y 2) De todas aquellas materias que no estén atribuidas a otro orden jurisdiccional, con lo que establece una norma general de competencia y con *vis attractiva*.

Los tribunales del orden civil se convierten así en los tribunales ordinarios por excelencia, pues su competencia se extiende, además de a la aplicación del Derecho privado, al conocimiento de todas las materias que no estén atribuidas, por el art. 9.4 y 5, a los órdenes contencioso-administrativo y laboral, los cuales son, por esto mismo, tribunales de competencia especializada. Naturalmente no puede existir confusión entre la competencia de los tribunales penales (que se extiende siempre a la imposición de penas o de medidas de seguridad) y la de los tribunales civiles.

Para el tratamiento procesal de esta competencia puede repetirse lo dicho antes, pues es controlable: a) De oficio: El tribunal debe abstenerse de oficio de conocer de los asuntos atribuidos a otro orden jurisdiccional (art. 37 LEC), previa audiencia de las partes y del Ministerio Fiscal (art. 38), lo que hará normalmente en el trámite de admisión de la demanda, en la audiencia previa y, en último caso en la sentencia; y b) A instancia de parte, por medio de la declinatoria (art. 39 LEC).

III. LAS CUESTIONES PREJUDICIALES

Estas cuestiones son aquellas conexas con la cuestión de fondo planteada en el proceso civil, que por su naturaleza están atribuidas al conocimiento de juzgados y tribunales de distinto orden jurisdiccional, en el que pueden dar lugar a un proceso y resolución propia.

Las verdaderas cuestiones prejudiciales son aquéllas que:

1º) Existiendo un proceso civil en marcha, la resolución sobre el mismo está condicionada por la decisión que se adopte respecto de una cuestión que está en conexión con el objeto del proceso civil (no con su tramitación procedimental), de modo que el proceso civil no puede ser resuelto sin antes decidir sobre esta cuestión conexa.

2º) La cuestión conexa no está atribuida a la competencia de los tribunales del orden civil, sino a los tribunales de cualquier otro orden jurisdiccional, pues si en un proceso civil surge una cuestión civil conexa, se tratará de una cuestión incidental.

Las cuestiones prejudiciales han dado siempre lugar a graves problemas de aplicación en la práctica, que han pretendido ser solucionados, primero, por el art. 10.1 y 2 de la LOPJ y, después, por los arts. 40 a 43 de la LEC, y lo han hecho a base de distinguir una clasificación de estas cuestiones.

1. La llamada prejudicialidad civil

En un proceso civil no puede surgir una verdadera cuestión prejudicial civil, pues cuando para resolver sobre una pretensión debe decidirse antes de modo lógico sobre otra cuestión civil, ello no ofrecerá problemas, dado que el tribunal civil tendrá competencia. En este caso estaremos ante una cuestión incidental relativa al objeto del proceso que dará lugar a un incidente (arts. 387 y ss. LEC). A pesar de lo anterior, el art. 43 LEC se refiere a la que llama prejudicialidad civil, si bien debe tenerse en cuenta que no existe realmente tal.

En el art. 43 se distinguen tres supuestos: 1º) Cuando en un proceso civil surge una cuestión civil que es presupuesto lógico de la decisión sobre aquél, y sobre ella no existe otro proceso civil ya en marcha, la decidirá el mismo tribunal sin más; 2º) Cuando para resolver sobre el fondo de un proceso civil sea necesario decidir sobre una cuestión que es, a su vez, objeto principal de otro proceso civil ya pendiente, ante el mismo o ante distinto tribunal, puede acudir a la acumulación de procesos de los arts. 74 y ss.; y 3º) Cuando en el caso anterior no sea posible la acumulación de procesos, el tribunal, a petición de ambas partes o de una de ellas y oída la contraria, podrá decretar la suspensión del curso de las actuaciones hasta que finalice el proceso que tenga por objeto esa cuestión.

2. *Prejudicialidad laboral y administrativa*

La regla general consiste en que el tribunal civil que está conociendo de un proceso de esta naturaleza en el que surge una cuestión prejudicial laboral o contencioso-administrativa, se pronunciará sobre ella como elemento lógico para decidir el objeto del proceso civil, si bien a los solos efectos prejudiciales (arts. 10.1 LOPJ y 42.1 LEC).

La decisión a los solos efectos prejudiciales supone que lo decidido por el tribunal civil no produce efectos de cosa juzgada, de modo que puede surgir después un proceso laboral o contencioso-administrativo en el que lo que fue cuestión prejudicial en el proceso civil se convierta en objeto principal de ese proceso posterior. Esto es lo que viene a decir el art. 42.2 LEC.

Lo anterior no impide que excepcionalmente el proceso civil pueda suspenderse mientras en un proceso laboral o contencioso-administrativo se decide la cuestión prejudicial, siempre que así lo prevea la Ley expresamente o lo decida el tribunal civil ante el acuerdo de las partes. En este caso lo decidido por el tribunal laboral o por el tribunal contencioso-administrativo vinculará al tribunal civil, al haber sido decidida ya la cuestión (art. 42.3 LEC).

3. *Prejudicialidad penal*

El que en la tramitación de un proceso civil aparezca la existencia de un hecho aparentemente constitutivo de delito o falta perseguible de oficio, no implica existencia de cuestión prejudicial penal. En este supuesto, el tribunal se limitará a poner el hecho en conocimiento del Ministerio fiscal por si hubiere lugar al ejercicio de la acción penal (art. 40.1 LEC).

1ª) Clases: Las verdaderas cuestiones prejudiciales penales que afectan al desarrollo del proceso civil son de dos tipos:

➢ General: En el caso de que un mismo hecho aparezca, por un lado, como elemento que fundamenta la pretensión o la resistencia de las partes en un proceso civil y, por otro, como hecho investigado en un proceso penal ante su apariencia delictiva, la consecuencia debe ser la de suspender el proceso civil hasta que se decida el proceso penal (art. 40.2), aunque esa suspensión sólo se acordará una vez que el proceso civil esté ya pendiente de dictar sentencia (art. 40.3).

Ahora bien, para que ello sea necesario deben concurrir estos requisitos: 1) Que se acredite la existencia del proceso penal relativo al mismo hecho; y 2) Que la decisión del tribunal penal relativa al hecho pueda tener influencia decisiva en la resolución a dictar en el proceso civil.

➢ Documental: Supuesto especial es el relativo a la posible falsedad de un documento aportado al proceso civil, pues entonces la suspensión de éste podrá acordarse tan pronto como se acredite que se sigue proceso penal sobre ese hecho (art. 40.4 y 5).

En este caso los requisitos son: 1) Que se acredite ante el tribunal civil la existencia de proceso penal sobre el delito de falsedad relativo precisamente a un documento determinado; y 2) Que ese documento pueda ser decisivo para resolver la cuestión de fondo planteada en el proceso civil.

La posibilidad de que suscitando esta cuestión prejudicial se pretenda retrasar la tramitación del proceso civil es lo que lleva a dos normas: 1ª) Si la parte a la que favorece el documento en el proceso civil renuncia a él, y es separado de los autos, no se acordará la suspensión o se levantará la ya acordada; y 2ª) Si el proceso penal, incoado por denuncia o querella de una de las partes, finaliza declarándose auténtico el documento o sin haberse probado su falsedad, la parte perjudicada por la suspensión del proceso civil (que será normalmente el actor) podrá pedir en éste indemnización de daños y perjuicios, que se liquidarán conforme a lo previsto en los arts. 712 y siguientes (lecc. 27ª).

2ª) Disposiciones comunes: La prejudicialidad penal puede llevar a la suspensión del proceso civil, lo que supone la existencia de decisión del tribunal acordándola o denegándola.

Esa resolución es necesariamente un auto y:

➢ Si se deniega la suspensión contra el auto cabe sólo recurso de reposición, sin perjuicio que la petición de suspensión pueda reproducirse durante la segunda instancia y pendientes los recursos extraordinarios de infracción procesal y de casación (art. 41.1).

> Si se acuerda la suspensión, debe distinguirse: a) Contra el auto que la acuerda cabe recurso de apelación, y contra el auto dictado en apelación acordando o confirmando la suspensión se dará, en su caso, recurso extraordinario por infracción procesal (art. 41.2); y b) La suspensión durará hasta que se acredite en el proceso civil que el proceso penal, bien ha terminado, bien se encuentra paralizado por motivo que haya impedido su normal continuación (art. 40.6).

3ª) Vinculación del tribunal civil: La existencia de un delito declarado en sentencia penal no produce consecuencias civiles, pues el delito es la calificación jurídica de un hecho. A lo que puede quedar vinculado el tribunal civil es a los hechos declarados o no probados en la sentencia penal, que es cosa muy diferente.

La mera existencia de una sentencia penal puede ser el supuesto de hecho de una norma civil que le atribuya consecuencias de esta naturaleza. Por ejemplo, el art. 756, 2º CC convierte en incapaz para suceder por indignidad al que fuere condenado en juicio por haber atentado contra la vida del testador, su cónyuge, descendientes o ascendientes.

La vinculación del tribunal civil a lo declarado en los hechos de la sentencia penal es, en ocasiones, obvia. En el supuesto de la prejudicialidad documental si el tribunal penal declara el documento falso, ese documento no puede ser tenido en cuenta por el tribunal civil para fundamentar su decisión sobre el fondo del asunto. Otras veces las cosas se presentan mucho más complicadas y la norma básica a tener en cuenta es el art. 116 LECRIM, conforme al cual la sentencia penal firme declarando que no existió el hecho vincula al tribunal civil, que no podrá declararlo existente.

La norma es manifiestamente insuficiente para resolver todas las cuestiones posibles, pero debe tenerse en cuenta que: 1) Declarado existente un hecho en la sentencia penal, el tribunal civil no podrá declararlo inexistente; y 2) Estimado por el tribunal penal que un hecho no ha sido probado (no que no existe objetivamente, sino que no ha sido probado), es posible que el tribunal civil en su proceso declare probado ese hecho, lo que supone que puede existir absolución penal y condena civil.

4. Prejudicialidad constitucional

Los tribunales ordinarios no pueden proceder a declarar la inconstitucionalidad de las leyes promulgadas después de la entrada en vigor de la Constitución, pues el sistema español es de jurisdicción concentrada, quedando atribuida esa función en exclusiva al Tribunal Constitucional. Aparece así, cuando sea necesario plantear la constitucionalidad de la ley por el tribunal civil, la cuestión prejudicial constitucional, a tramitar conforme a lo previsto en los arts. 163 CE y 35 a 37 LOTC.

Deben tenerse en cuenta dos consideraciones: 1ª) El TC tiene el monopolio de la declaración de inconstitucionalidad de las leyes promulgadas después de 1978, pero no es el único que aplica la CE, pues ésta es de aplicación directa por todos los tribunales, como recuerda el art. 5.1 LOPJ; y 2ª) Los tribunales ordinarios sí pueden y deben declarar que la CE ha derogado las leyes anteriores a la misma, en aplicación de la Disposición Derogatoria 3ª.

5. *Prejudicialidad comunitaria*

Hay que estar al Tratado de Lisboa de 2007, y a las nuevas versiones consolidadas del Tratado de la Unión Europea y del Tratado de Funcionamiento de la Unión Europea (ambas de 2010). La competencia para pronunciarse con carácter prejudicial sobre determinadas cuestiones se atribuye tanto al Tribunal de Justicia de la Unión Europea con carácter general (art. 267 TFUE) como al Tribunal General para algunas materias específicas (art. 256.3 TFUE).

La cuestión prejudicial es clave para lograr una aplicación uniforme del Derecho de la Unión Europea en cada uno de los países miembros, porque implica la solicitud por el juez nacional al tribunal europeo que emita una opinión sobre la interpretación o validez de una norma comunitaria en un tema de influencia decisiva para la resolución del pleito interno. El planteamiento de la cuestión por un órgano jurisdiccional español es obligatorio si no hay posibilidad ya de recurso; mientras que en otro caso puede plantearla si estima necesaria una decisión al respecto para poder emitir su fallo.

IV. LOS CRITERIOS DE ATRIBUCIÓN DE LA COMPETENCIA

Los criterios de atribución de la competencia son los clásicos objetivo, funcional y territorial (que ya fijamos en la lecc. 6ª del tomo I). El art. 44 LEC insiste en el principio de legalidad, que en materia de competencia guarda relación con la garantía del juez legal o predeterminado por la ley (art. 24.2 CE).

En este momento bastará recordar esos criterios en general, para atender después a la competencia en concreto de cada tipo de órgano jurisdiccional:

1. *Objetivo*

Presupone la existencia de variedad de tribunales del mismo tipo y toma como base, bien la cuantía, bien la materia de la pretensión para determinar a cuál de esos tribunales se atribuye la competencia para conocer de los procesos, se entiende en primera o única instancia (para la determinación de la cuantía y de la materia, vid. lecc. 6ª del tomo I de esta obra y las lecciones 8 y 18 de este tomo 2, *infra*).

En el orden civil nos resuelve si una pretensión es de la competencia de los Juzgados de Paz, de los Juzgados de Primera Instancia, de los Juzgados de Familia, de los Juzgados de Violencia sobre la Mujer o de los Juzgados de lo Mercantil (y para casos muy determinados de la Sala de lo Civil y Penal de los Tribunales Superiores de Justicia y de la Sala de lo Civil del Tribunal Supremo), partiendo de la regla general de los arts. 85.1 LOPJ y 45 LEC: los Juzgados de Primera Instancia conocerán de los juicios que no estén atribuidos por disposición legal expresa a otros Juzgados o Tribunales.

2. *Funcional*

Atiende a la existencia de etapas o fases en la actividad jurisdiccional, e incluso dentro de cada una de ellas de incidentes o secuencias y, correlativamente de tribunales de distinta naturaleza. Lo fundamental en este criterio es la existencia de instancias, recursos y ejecución (arts. 61 y 62). En el orden civil distribuye la competencia entre todos los tribunales antes indicados, más la Audiencia Provincial.

3. *Territorial*

Presupone que existen varios (o muchos) órganos del mismo tipo entre los que hay que distribuir la competencia con base en el territorio. Nos servirá para atribuir competencia a los Juzgados de Paz, a los Juzgados de Primera Instancia, a los Juzgados de Familia, a los Juzgados de Violencia sobre la Mujer, a los Juzgados de lo Mercantil, a las Audiencias Provinciales y a la Sala de lo Civil y Penal de los Tribunales Superiores de Justicia.

V. COMPETENCIA OBJETIVA Y FUNCIONAL

Los conceptos generales anteriores deben concretarse en el orden civil especificando para cada juzgado y tribunal civil sus competencias concretas:

1. Especificación para cada juzgado y tribunal

En la LEC se ha efectuado una relativa simplificación, dentro de lo que era posible sin modificar la LOPJ (aunque reformas posteriores lo han complicado). Debe atenderse pues a los varios juzgados y tribunales:

A) Juzgados de Paz

Conocen principalmente del juicio verbal de cuantía no superior a 90 euros, siempre que no se trate de juicio verbal por razón de la materia (art. 47).

B) Juzgados de Primera Instancia

Son el órgano básico de la justicia civil, a los que se atribuye competencia objetiva de modo general, conociendo de todos los asuntos no atribuidos a otro órgano judicial civil, y los atribuidos por la LOPJ (arts. 85.1 LOPJ y 45 LEC) (debe recordarse que en muchas ciudades determinados Juzgados de Primera Instancia pasan a denominarse Juzgados de Familia con competencias específicas).

La regla anterior implica que los Juzgados de Primera Instancia conocen: 1) Del juicio ordinario; 2) Del juicio verbal (en todo caso por razón de la materia y por razón de la cuantía cuando excede de 90 euros, teniendo en cuenta que en las poblaciones donde estén radicados conocen de todos los juicios verbales, sea cual fuere la cuantía); y 3) De casi todos los juicios especiales.

A pesar de su denominación, conocen también funcionalmente de los recursos de apelación y queja contra las resoluciones dictadas por los Juzgados de Paz de su partido (arts. 85, 3º LOPJ y 455.2, 1º y 494 LEC), de la impugnación de resoluciones de la Dirección General de los Registros y del Notariado en materia de Registro Civil (art. 87 LRCivil de 2011), de la rescisión de sentencias firmes a instancia del rebelde cuando la sentencia la hubiere dictado el mismo Juzgado de Primera Instancia (art. 501 LEC) del reconocimiento y ejecución de sentencias y demás resoluciones extranjeras (art. 85.5 LOPJ; y de los concursos de persona natural que no sea empresario en los términos previstos en su Ley reguladora (art. 85.6).

Es posible que determinados JPI adquieran competencias objetivas y funcionales exclusivas para conocer en forma especializada de determinados asuntos y de la ejecución forzosa (art. 98.2 LOPJ).

C) Juzgados de lo Mercantil

Creados en 2003, tienen competencia (varias veces modificada, la última por LO 7/2022, de 27 de julio) para conocer de cuantas cuestiones se susciten en materia concursal, pero además, de un conjunto de materias que van desde pretensiones relacionadas con el concurso, en cuanto afectan al patrimonio del concursado, hasta pretensiones simplemente mercantiles (derecho marítimo, competencia desleal, propiedad industrial) o de naturaleza no tan definida (propiedad intelectual, publicidad, disolución de sociedades cooperativas europeas), aparte de condiciones generales de la contratación (en ciertos casos), defensa de la competencia y protección de consumidores y usuarios, transportes y arbitraje, así como de los recursos contra calificaciones negativas de los registradores mercantiles o, en su caso, contra las resoluciones expresas o presuntas de la Dirección General de Seguridad Jurídica y de Fe Pública relativas a esas calificaciones, además de la ejecución de sentencias o resoluciones judiciales extranjeras en materias que sean de su competencia (arts. 82 a 86 quinquies LOPJ).

D) Juzgados de Violencia sobre la Mujer

Creados en 2004, como órgano mixto, es decir, con competencia civil y penal (art. 87 bis LOPJ), conoce en lo civil de las materias fijadas en el art. 87 ter.2 LOPJ, con los requisitos de su núm. 3, básicamente procesos matrimoniales, relaciones paterno-filiales y de adopción cuando se dé una situación de violencia de género. Las posibles colusiones competenciales con los Jueces de Familia se regulan en el art. 49 bis LEC.

E) Audiencias Provinciales

Sólo tienen competencia funcional para conocer de los recursos de apelación y queja contra las resoluciones de los Juzgados de Primera Instancia (constituyéndose en un solo magistrado si es un recurso en juicio verbal por razón de la cuantía, de acuerdo con el art. 82.2-1º, II LOPJ), de los Juzgados de lo Mercantil (art. 82.2-2º LOPJ) y de los Juzgados de Violencia sobre la Mujer (art. 82.4 LOPJ). El art. 80.3 permite la creación de Secciones especializadas, como ha ocurrido con la materia de familia, con lo mercantil y con violencia sobre la mujer.

De importancia menor es la competencia para conocer de la rescisión de la sentencia firme a instancia del demandado rebelde (art. 501 LEC).

Caso específico es la AP de Alicante, pues tiene una sección especializada para conocer con jurisdicción nacional de la segunda instancia en pleitos sobre marcas, dibujos y modelos comunitarios (art. 82.4 LOPJ, reformado en 2022).

F) Salas (de los Tribunales Superiores de Justicia) de lo Civil y Penal

Estas Salas de los Tribunales Superiores de Justicia tienen tanto competencia objetiva como funcional, si bien su importancia cuantitativa es reducida.

Objetivamente conocen, en única instancia, de las demandas de responsabilidad civil, por hechos cometidos en el ejercicio de sus cargos, dirigidas contra: 1) El presidente y miembros del Consejo de Gobierno de la Comunidad Autónoma y contra los miembros de la Asamblea Legislativa, cuando tal atribución según el Estatuto de Autonomía no corresponda al Tribunal Supremo [art. 73.2, a) LOPJ]; y 2) Todos o la mayor parte de los magistrados de una Audiencia Provincial o de cualquiera de sus Secciones [art. 73.2, b) LOPJ].

Funcionalmente conocen del recurso de casación y del «recurso de revisión» contra las resoluciones dictadas por las Audiencias Provinciales de la Comunidad Autónoma, siempre que el Estatuto haya previsto esta competencia, y el recurso se funde en infracciones de normas de derecho civil, foral o especial, propio de la Comunidad [arts. 73.1, a) y b) LOPJ y 478 y 509 LEC]. También conocen de la ejecución de laudos o resoluciones arbitrales extranjeras en materias que sean de su competencia.

G) Sala de lo Civil del Tribunal Supremo

Su competencia básica es funcional: Recursos de casación, «recursos de revisión» y otros extraordinarios que establezca la ley (arts. 56, 1º LOPJ, 478 y 509 LEC). Entre estos últimos, y mientras no se reforme en este sentido la LOPJ, se cuenta el recurso por infracción procesal (Disp. Final 16ª LEC). También el recurso en interés de la ley (art. 490 LEC).

Objetivamente conoce la Sala I del TS en instancia única de las demandas de responsabilidad civil, por hechos realizados en el ejercicio de su cargo, dirigidas contra los más altos cargos políticos de la Nación y los más altos cargos judiciales (art. 56, 2º y 3º LOPJ). Debe recordarse la existencia de la Sala Especial del Tribunal Supremo (art. 61, 3º LOPJ) que conoce también de demandas de responsabilidad civil.

2. *Tratamiento procesal*

Las normas de competencia objetiva y funcional son de *ius cogens* o, si se prefiere, de orden público.

A) Control de oficio

La falta de competencia objetiva se apreciará de oficio, tan pronto como se advierta, por el tribunal que esté conociendo del asunto (art. 48.1 LEC), lo que supone que esa declaración debe hacerse por cualquier tribunal y en cualquier fase del proceso, si bien para ello debe antes el tribunal oír a las partes y al Ministerio Fiscal (art. 48.3).

El momento lógico para efectuar esa declaración es el de la admisión de la demanda (arts. 404 y 440.1 LEC), pero también es posible en la audiencia previa (art. 416.2) o en la vista (por aplicación supletoria del anterior precepto) y en la sentencia, comportando la declaración de nulidad de lo actuado. Lo mismo sucede cuando se declare por el tribunal que conoce de un recurso devolutivo (art. 48.2). Para la falta de competencia funcional debe estarse al art. 62.

B) A instancia de parte

El demandado podrá denunciar la falta de competencia objetiva por medio de la declinatoria (art. 49 LEC) y esa es la única manera en que puede hacerlo (arts. 416.2 LEC).

Debe tenerse en cuenta que una cosa es impugnar la falta de competencia objetiva por razón de la cuantía, lo que debe hacerse por la declinatoria (sin perjuicio de que se hará rara vez, pues la competencia de los Juzgados de Paz recordemos que sólo llega a los 90 euros), y otra distinta impugnar la cuantía y la clase de proceso (ordinario o verbal) o la adecuación del recurso de casación, para lo que debe estarse al art. 255 LEC).

Respecto de la competencia funcional no existe norma para el control a instancia de parte, si bien el art. 63.2 dice que la declinatoria es el medio para denunciar la falta de competencia de todo tipo.

VI. LA COMPETENCIA TERRITORIAL

Sabiendo ya qué tipo de órgano jurisdiccional civil es competente objetiva y funcionalmente, el último criterio para que se pueda fijar con exactitud ante qué juez tendrá que iniciarse el proceso es el territorial, dado que existen varios órganos iguales del mismo tipo, por tanto, con la misma competencia objetiva, que pueden ser competentes.

La determinación de quién va a ser el juez territorialmente competente se realiza mediante la articulación de una serie de reglas, que se denominan tradicionalmente en nuestro Derecho «fueros». Para la LEC la esencia del tratamiento de esta cuestión consiste en prever ella misma fueros, llamados por esto mismo «fueros legales», pero también permitir que las partes puedan acordar la fijación de un lugar, en virtud del carácter dispositivo que históricamente han tenido estas normas, que es el que consideren en principio conveniente, llamándose a éstos «fueros convencionales», que por esta razón serán los primeros a tratar. A su vez, los fueros legales pueden ser generales o especiales, siendo en verdad posibles otras muchas clasificaciones.

En verdad, demasiadas normas, pero no se crea por ello que se resuelven todos los problemas competenciales (v. Circular 2/2021, de 30 de abril de la FGE sobre el tratamiento de la competencia territorial en el orden jurisdiccional civil).

1. Fueros convencionales

La LEC quiere que sea tribunal competente territorialmente, en primer lugar, aquél al que las partes se hayan sometido expresa o tácitamente (art. 54.1), bien entendido que para ser válida la sumisión ese tribunal debe ser competente objetivamente (art. 54.3), dado el carácter indisponible (improrrogable) de este criterio de atribución.

Obsérvese, pues, que el legislador parte de la autonomía de la voluntad, y si falta el fuero convencional, entonces entran en juego los fueros legales, especiales o generales, que consideraremos más adelante. Pero la autonomía de la voluntad no se admite en todos los casos, siguiendo las últimas tendencias legislativas de prohibir o limitar los fueros convencionales. Por ello, la competencia territorial es, como lo ha sido inveteradamente en nuestro Ordenamiento Jurídico, prorrogable, o, si se prefiere este término, disponible (art. 54 LEC). Y esta disposición puede hacerse expresa o tácitamente.

Antes de continuar la exposición, conviene explicar claramente la preferencia entre los distintos fueros: Si existe pacto válido de sumisión expresa, es tribunal competente el del territorio acordado por las partes; no existiendo pacto, puede entrar en juego la sumisión tácita si se dan los presupuestos que estudiaremos a continuación; y sólo si no concurren éstos, y el demandado impugna en tiempo y forma la elección efectuada por el actor, entonces se consideran primero los fueros legales especiales y, en su defecto, los generales.

A) Sumisión expresa

Antes de considerarla en particular, debe decirse que existe desde la reforma de la LOPJ por la LO 7/2015, de 21 de julio, una definición legal de sumisión que es válida tanto para el sometimiento a la jurisdicción española como para el sometimiento al tribunal territorialmente competente. Con ello se ha pretendido modernizar la ley y dar cabida a la interpretación jurisprudencial de la sumisión más avanzada.

Dispone el art. 22 bis. 2 que: «Se entenderá por acuerdo de sumisión expresa aquel pacto por el cual las partes deciden atribuir a los Tribunales españoles el conocimiento de ciertas o todas las controversias que hayan surgido o puedan surgir entre ellas respecto de una determinada relación jurídica, contractual o no contractual. La competencia establecida por sumisión expresa se extenderá a la propia validez del acuerdo de sumisión».

En aplicación del principio material de la autonomía de la voluntad y del principio procesal dispositivo, la LEC sienta éste como el primer criterio de fijación de la competencia territorial, con alguna excepción que veremos a continuación (art. 54.1), especificando además que «se entenderá por sumisión expresa la pactada por los interesados designando con precisión la circunscripción a cuyos tribunales se sometieren» (art. 55).

Este precepto es fruto de la interpretación jurisprudencial producida ante las extralimitaciones contractuales que se daban. En realidad, obsérvese, los peligros provienen de la indefensión que puede significar para una de las partes, la más débil, la firma de este pacto, pues al contratar se encuentra normalmente con una cláusula (de adhesión en puridad), en la que se dice escuetamente, por ejemplo, que «serán competentes para el conocimiento de los litigios que se deriven del presente contrato los Juzgados y Tribunales de la villa de Madrid», o algo similar para cualquier otra población, no teniendo más remedio que firmarla. Y esa cláusula significa casi siempre que él, el más débil como decimos, debe renunciar a su propio fuero, que no es otro que el de su domicilio, normalmente, en favor del domicilio del más fuerte. De ahí que la jurisprudencia haya ido exigiendo los siguientes requisitos para que el pacto de sumisión sea válido:

➤ El pacto debe constar por escrito, pues sería muy difícil constatar la concurrencia de los requisitos en un pacto oral, aparte de las dificultades para probar su existencia, en una cláusula incluida en un contrato o en un acuerdo independiente (que se regirá por sus propias normas sustantivas), o verbalmente con confirmación escrita; también se admite la sumisión pactada conforme a usos comerciales, o cuando no se haya negado por la otra parte (art. 22 bis.2, II).

➤ La sumisión expresa no puede ser válida cuando se contenga en contratos de adhesión o en condiciones generales impuestas por una de las partes o que se hayan celebrado con consumidores o usuarios (art. 54.2). Con esta norma se trata de permitir la sumisión expresa cuando es realmente fruto de la libertad contractual de las partes, no cuando proviene de la imposición de la parte más fuerte sobre la más débil.

➢ Hay que designar con precisión la circunscripción a cuyos tribunales se someten las partes, dice el art. 55, con lo que se excluyen las designaciones vagas o imprecisas, las alternativas y las subsidiarias. La sumisión expresa no es a un «tribunal», ni a un «órgano», sino que se refiere a una circunscripción territorial, o sea, a los órganos judiciales que son competentes en ese territorio.

➢ Naturalmente la sumisión expresa no puede afectar al reparto de los asuntos entre los tribunales del mismo tipo radicados en una misma localidad. Como dice el art. 57, las partes no pueden someterse a un determinado tribunal radicado en la localidad, sino a los tribunales de una circunscripción, entre los cuales se estará después al reparto.

De esta manera la sumisión expresa implica el acuerdo entre las partes para declarar la competencia de los órganos judiciales de un territorio concreto, en caso de que surja algún litigio sobre el negocio entre ellas.

B) Sumisión tácita

El art. 56 LEC dispone que la sumisión tácita se entiende hecha:

1º) Desde el punto de vista del demandante, por el mero hecho de acudir a los tribunales de una determinada circunscripción interponiendo la demanda o formulando petición o solicitud que haya de presentarse ante el tribunal competente para conocer de la demanda; y

2º) Desde el punto de vista del demandado, por alguno de estos dos actos: a) Por el hecho de hacer, después de personado en el juicio tras la interposición de la demanda, cualquier gestión que no sea la de proponer en forma la declinatoria (impugnación de la competencia, art. 22 bis.3 LOPJ); o b) Por no comparecer en juicio o por hacerlo cuando haya precluido la facultad de proponer la declinatoria, habiendo sido emplazado o citado en forma.

La Ley opera así con criterios ficticios o suposiciones para evitar que pueda surgir una cuestión de competencia, dado que el demandado no podrá plantearla con éxito después de personado y contestada la demanda, al haberse sometido tácitamente, aunque el tribunal elegido por el actor hubiera sido territorialmente incompetente (art. 59 LEC).

La sumisión tácita requiere, efectivamente, una actividad determinada por parte del actor (demandar); y otra, en realidad dos, por parte del demandado (personarse y no impugnar). Pero la práctica obliga a prever más allá de esta posibilidad, pues el actor puede realizar otros actos previos a la demanda, como confirma el propio art. 56, 1º LEC, que signifiquen igualmente, si el demandado actúa correspondientemente, la sumisión tácita, como, por ejemplo, pedir unas diligencias preliminares del art. 256 LEC, etc. Pero no hay sumisión tácita por el intento de conciliación.

Por lo que hace referencia al demandado, no debe plantear problemas de interpretación la expresión «cualquier gestión» del art. 56.2 LEC, a la vista de la explicación anterior. La LEC resuelve precisamente en este sentido que sólo la declinatoria impide la sumisión tácita, al presuponer, aunque no se diga en el texto legal, que el no personarse y no comparecer equivale a someterse.

No obstante, las explicaciones anteriores, o quizá por esto mismo, la sumisión está cuestionada hoy en día. Prueba de ello son las numerosas prohibiciones de sumisión establecidas en el art. 54.1 LEC, en una clara evolución restrictiva de las ideas puramente liberales surgidas en torno a autonomía de la voluntad sustantiva y poder dispositivo procesal.

Se trata de las siguientes:

➢ No cabe la sumisión, ni expresa ni tácita, cuando el procedimiento adecuado para un asunto sea el juicio verbal;

➢ No cabe en el mismo sentido ni la sumisión expresa, ni la tácita, rigiendo los fueros legales establecidos para los casos especiales recogidos en el art. 52.1 LEC, pero no en todos los supuestos, sino en la mayoría (núms. 1º y 4º a 15º de ese apartado, además de los comprendidos en el art. 52.2 LEC); y

➢ Tampoco cabe cuando la ley atribuya expresamente carácter imperativo a la competencia territorial fijada legalmente, lo que se hace, bien diciendo que no cabe sumisión (arts. 813, II y 820, III), bien que el tribunal examinará de oficio su competencia territorial (art. 769.4). Naturalmente la existencia de una norma legal especial de esta competencia no equivale a prohibir sin más la sumisión.

2. Fueros legales

Cuando las partes no se hayan sometido o cuando exista prohibición legal de las sumisiones, entran en juego las normas de atribución de la competencia territorial, denominadas «fueros legales».

Estos fueros están establecidos por la ley, a su vez, con base en dos consideraciones distintas: Se fija la competencia territorial, en primer lugar, teniendo en cuenta la naturaleza de diversas pretensiones que podrían dar lugar a dificultades de interpretación, y, en segundo lugar, para el caso de que la pretensión no haya sido prevista en esas normas, se establecen otras reglas también supletorias. Las primeras se denominan «fueros legales especiales», y las segundas «fueros legales generales».

A) Especiales

El larguísimo art. 52 LEC (muchas veces modificado, la última en 2022), determina especialmente en sus 17 reglas (en realidad son 18), fueros de competencia territorial tomando en consideración pretensiones y objetos procesales diferentes. Pero ténganse en cuenta igualmente los fueros legales especiales fijados para determinados procesos especiales, que tienen carácter imperativo en todo caso (procesos matrimoniales y de menores, art. 769.1 LEC; o proceso monitorio, art. 813, I LEC).

B) Generales

No estando previsto especialmente un fuero territorial, los arts. 50, 51 y 53 LEC establecen cuatro reglas que sirven para determinar con carácter general qué tribunal va a ser el territorialmente competente.

a) Personas físicas: El fuero territorial es el juez del domicilio del demandado (art. 50.1 LEC, teniendo en cuenta las normas específicas del CC, como los arts. 40 y 70).

Si el demandado no tuviere domicilio en España, será tribunal competente el de su residencia en España (art. 50.1 in fine LEC), y si no tiene ni domicilio ni residencia, el demandado podrá serlo en el lugar en que se encuentre dentro del territorio nacional, o en el de su última residencia, o, como última solución, en el lugar del domicilio del actor (art. 50.2 LEC).

Tratándose de empresarios y profesionales, en los litigios derivados de su actividad empresarial o profesional, podrán ser demandados también, es decir, sin perjuicio de los fueros anteriores a nuestro entender, en el lugar en donde se desarrolle su actividad y, si tuvieren establecimientos a su cargo en diferentes lugares, podrán ser demandados en cualquiera de ellos a elección del actor (art. 50.3 LEC).

b) Personas jurídicas y entes sin personalidad: Para las personas jurídicas, se entiende que en cualquier forma prevista por el Ordenamiento Jurídico, rige el fuero de su domicilio legal en primer término. También podrán ser demandadas en el lugar en donde la situación o relación jurídica a que se refiera el litigio haya nacido o deba surtir efectos, siempre que en dicho lugar tengan establecimiento abierto al público o representante autorizado para comparecer en juicio en nombre de la entidad (art. 51.1 LEC). Los entes sin personalidad serán demandados en el domicilio de sus gestores o en cualquier lugar en que desarrollen su actividad (art. 51.2 LEC). En cuanto al Estado e instituciones señaladas por el art. 15 Ley 52/1997, de 27 de noviembre, de asistencia jurídica al Estado e Instituciones públicas, son demandadas en las capitales de provincia, en Ceuta o en Melilla.

c) Acumulación de pretensiones: En caso de acumulación de pretensiones («acciones» en terminología legal), el art. 53.1 LEC dispone que será tribunal competente el del lugar correspondiente a la pretensión que sea fundamento de las demás, y, en su defecto, aquél que deba conocer del mayor número de pretensiones acumuladas y, en último término, el del lugar que corresponda a la pretensión más importante cuantitativamente.

d) Litisconsorcio pasivo: El art. 53.2 LEC dispone que, cuando hubiere varios demandados, será tribunal competente el de cualquier lugar al que pudiera corresponder la competencia territorial conforme a las reglas generales, a elección del demandante.

VII. EL PRINCIPIO DE PRUEBA

La aplicación de las normas de competencia territorial para la resolución de las cuestiones que se susciten (a tratar infra), depende de la verificación de los supuestos de hecho de esas normas, *v.gr.*, la existencia y contenido del acuerdo de sumisión (art. 54.1 LEC), cuál es el lugar de desarrollo de la actividad en orden a la aplicación del art. 50.3 LEC, o cuál es la población en la que el demandado vive para la aplicación del fuero del domicilio (art. 50.1 LEC).

El problema, por un lado, es que no puede decidirse la competencia por la mera afirmación del actor sobre aquellos extremos, porque se harían inútiles las reglas de la competencia y se lesionarían los derechos que éstas confieren a las partes, y, por otro, que todavía no estamos en fase probatoria, por lo que no puede practicarse ningún medio de prueba. Menos todavía puede pensarse en la posibilidad de que se puedan producir en esta materia sorpresas e indefensiones, en contra del art. 24 CE. Aparece así lo que se denomina principio de prueba.

No se trata de una prueba que produzca total convicción, sino de una apariencia, de unos elementos que hagan considerar inicialmente como ciertos los hechos relevantes para la aplicación de la regla competencial. Y esta apariencia de certeza ha de resultar de los documentos.

De acuerdo con la STS de 29 de noviembre de 1975 (RA 4316), por principio de prueba por escrito hay que entender «todo elemento que, sin servir para formar de una manera plena la convicción del Juez sobre la existencia de determinados hechos, induzca sin embargo a una creencia racional de su certeza». Se consideran principio de prueba a los efectos de la decisión de competencia los documentos siguientes, entre otros:

1º) En primer lugar, es principio de prueba el reconocimiento o la mera falta de negación expresa de hechos alegados por la otra parte. Estas manifestaciones se han de deducir del escrito del demandado proponiendo la declinatoria, frente a las alegaciones del demandante en la demanda, y de la propia demanda. Se trata del procedimiento de fijación de hechos por admisión.

2º) No fijados los hechos por admisión, han de acreditarse mediante documentos. Éstos no pueden ser otros más que los presentados por el actor con la demanda, por el demandado al proponer la declinatoria y por el actor al alegar sobre ella, y así se desprende claramente del propio art. 65.1 LEC.

Estos documentos se consideran principio de prueba cuando no haya sido expresamente impugnada su autenticidad, aunque se hubiesen negado los hechos; también cuando se haya impugnado su autenticidad, pero por el contenido del documento no se estime verosímil que hubiera sido producido falsamente.

VIII. TRATAMIENTO PROCESAL

El control de la aplicación de las normas de competencia territorial puede realizarse, bien de oficio por el tribunal, cuando se está ante normas imperativas, bien a instancia de parte, cuando se trata de la aplicación de normas dispositivas.

1. Control de oficio

Cuando la competencia territorial viene determinada en virtud de normas imperativas la aplicación de éstas se realiza de oficio por el tribunal, y ese control se efectuará normalmente después de presentada la demanda y antes de su admisión (arts. 58, 404 y 440 LEC), pero nada impide que el pronunciamiento sobre la misma se efectúe también en la audiencia previa (art. 416.2) o en la vista (por aplicación supletoria de ese precepto).

El examen de la competencia territorial por el tribunal precisa la audiencia del Ministerio fiscal y de las partes personadas, pudiendo decidirse: 1º) Que es competente territorialmente, caso en el que continuará el proceso por trámites normales (auto de admisión de la demanda o continuación de la audiencia o de la vista); y 2º) Que es incompetente, supuesto en el que lo declarará así por medio de auto, remitiendo las actuaciones al tribunal que considere competente, en su caso, es decir, cuando fueren aplicables fueros electivos, oyendo y estando a lo que manifieste el actor, tras ser requerido para ello (art. 58).

El tribunal ante el que se ha presentado la demanda debe decidir sobre la competencia territorial oyendo a las partes personadas, y ello condiciona la eficacia de su decisión en el caso de declararse incompetente. En efecto, según el art. 60:

> ➢ Si están personadas todas las partes, el tribunal al que se han remitido las actuaciones después de la inhibición del primero habrá de estar a lo decidido sin que pueda declarar de oficio su incompetencia territorial.

> ➢ Si no están personadas todas las partes, el tribunal al que se remitan las actuaciones podrá declarar de oficio su falta de competencia territorial, previa audiencia de las partes personadas ante él, y con ello se plantea una verdadera cuestión de competencia.

Para la decisión sobre esta cuestión se declara competente al tribunal inmediato superior común a los dos tribunales entre los que ha surgido la cuestión, al que deben remitirse todos los antecedentes. El tribunal superior, sin oír ya a las partes, pues fueron antes oídas, decidirá por auto irrecurrible, ordenando la remisión de las actuaciones al tribunal que estime competente y, en su caso, emplazando ante él a las partes, dentro de los diez días siguientes.

2. *La declinatoria*

Cuando no se trata de norma de competencia territorial imperativa, el demandado y quienes puedan ser parte legítima en el proceso pueden impugnar la competencia por medio de la declinatoria (art. 59).

La referencia a «quienes puedan ser parte legítima» debe entenderse con relación, bien a la intervención de sujetos inicialmente no demandados o a la intervención provocada (arts. 13 y 14), bien a la integración del litigio de los litisconsortes necesarios no demandados (art. 420). En los dos supuestos no puede privarse a los intervinientes ni a los litisconsortes de la posibilidad de oponerse a la competencia territorial por medio de la declinatoria.

La LEC concibe la declinatoria como el medio procesal único por el que el demandado cuestiona la jurisdicción del tribunal ante el que se ha interpuesto la demanda, por corresponder el conocimiento de ésta a tribunales extranjeros [también el arbitraje (art. 11.1 LArb), la mediación civil o mercantil, o el pacto previo entre consumidor y empresario de someter el asunto a resolución alternativa de litigios, la competencia genérica del mismo, por estar atribuida al conocimiento de órganos judiciales de otro orden jurisdiccional o a árbitros, y la competencia de todo tipo (art. 63.1).

De este modo queda claro que la oposición por el demandado a la jurisdicción y a la competencia abre un incidente específico, de previo pronunciamiento, que debe ser resuelto antes de que se conteste a la demanda. La oposición a la jurisdicción y a la competencia no es una excepción a alegar en la contestación a la demanda y a decidir en la audiencia previa, sino una cuestión incidental de previo pronunciamiento.

A) Planteamiento

La declinatoria se plantea ante el mismo tribunal que esté conociendo del pleito y al que se considere carente de jurisdicción o de competencia (art. 63.2), por medio de escrito que ha de presentarse dentro de los 10 primeros días del plazo para contestar a la demanda (tanto en el juicio ordinario como en el juicio verbal) y surte siempre el efecto de suspender, hasta que sea resuelta, el plazo para contestar y el curso del procedimiento principal (art. 64.1).

Se admite también que el escrito se presente ante el tribunal del domicilio del demandado, que lo hará llegar por el medio de comunicación más rápido al tribunal ante el que se hubiera presentado la demanda, sin perjuicio de remitírsela por oficio al día siguiente de su presentación (art. 63.2).

En general ese escrito de declinatoria habrá de acompañarse de los documentos o principios de prueba en que se funde (art. 65.1) y en especial cuando se trate de la competencia territorial habrá de indicarse el tribunal que se considera competente y al que habrían de remitirse las actuaciones (art. 63.1, II).

B) Tramitación

Del escrito de declinatoria se dará traslado a los restantes litigantes, los cuales, en el plazo de cinco días, podrán alegar y aportar lo que consideren conveniente para sostener (y lógicamente también para impugnar) la jurisdicción o la competencia del tribunal, el cual resolverá sin más trámite en el plazo de cinco días (art. 65.1).

En esta tramitación deben tenerse en cuenta algunas particularidades:

➢ Tratándose de la competencia territorial, el actor al impugnar la declinatoria podrá alegar la falta de competencia territorial del tribunal a favor del cual se hubiese pedido declinar el conocimiento del asunto (art. 65.1, II).

➢ La suspensión del procedimiento principal no obsta para que el tribunal acuerde, a instancia de parte, bien el aseguramiento de la prueba (lección 11ª), bien la adopción de medidas cautelares, salvo que el demandado preste caución bastante para responder de los daños y perjuicios que se derivaran de la tramitación de una declinatoria desprovista de fundamento (art. 64.2).

C) Decisión

La declinatoria se decide por medio de auto, cuyo contenido depende de la decisión que en él se adopte. Naturalmente siempre que se desestime la declinatoria el proceso continúa por su tramitación normal. La diferencia radica en que se estime la declinatoria pues entonces el art. 65 tiene que distinguir las diversas posibilidades. Estas posibilidades son:

➤ Falta de jurisdicción de los tribunales españoles y sometimiento de la cuestión a arbitraje o mediación: Se abstendrá de conocer sobreseyendo el proceso.

➤ Falta de competencia genérica (a la que la LEC llama también jurisdicción, pero incorrectamente) y de competencia objetiva: Se abstendrá de conocer y señalará a las partes ente qué órganos han de usar su derecho.

➤ Falta de competencia territorial: Se abstendrá de conocer y ordenará remitir las actuaciones al tribunal que estime competente, pero teniendo en cuenta que: 1) Si se trata de norma competencial imperativa, habrá de estar a lo dispuesto legalmente; y 2) Si la norma es dispositiva, habrá de considerar competente al tribunal señalado por el promotor de la declinatoria (salvo que el actor haya cuestionado esta atribución proponiendo otro tribunal).

D) Recursos

Los pronunciamientos sobre la jurisdicción y la competencia, que pueden producirse bien de oficio, bien por la declinatoria, son recurribles de modo limitado, pues los arts. 66 y 67 distinguen entre:

➤ Respecto de la jurisdicción, el sometimiento a arbitraje, el sometimiento a mediación civil o mercantil, la competencia genérica y la competencia objetiva: 1) Contra el auto de abstención cabe recurso de apelación; y 2) Contra el auto por el que se rechaza la declinatoria, sólo cabe reposición, sin perjuicio de alegar la falta del presupuesto procesal en la apelación contra la sentencia definitiva.

➤ Respecto de la competencia territorial, los autos que se pronuncien sobre la misma son irrecurribles, si bien en los recursos de apelación y extraordinario por infracción procesal contra la sentencia definitiva se permitirá alegar su falta cuando se trate de la aplicación de normas imperativas (aunque el art. 469.1, 1° no alude a la competencia territorial).

IX. EL REPARTO DE ASUNTOS

La LEC contiene, finalmente, disposiciones sobre el reparto de asuntos, que, en virtud de su carácter de norma común y supletoria (art. 4), deberían ser aplicables en todos los procesos, civiles o no. Para sede de la LOPJ se dejan las normas relativas a la aprobación del reparto, y a la vigilancia de su aplicación (arts. 152, 160.9 y 167).

Estamos ante disposiciones no competenciales, sino gubernativas, de una gran importancia, pues caen conceptualmente bajo los efectos del principio del juez legal del art. 24.2 CE. Ese carácter gubernativo se desprende igualmente de la LEC, pues su art. 68.3 excluye la declinatoria como medio de impugnación del reparto, pudiendo las partes denunciar la vulneración en el momento de la presentación, parece, de la demanda.

Pero su fundamento constitucional tiene un tratamiento procesal todavía más indubitado, pues la infracción de las normas de reparto causa la nulidad de todo lo actuado con posterioridad (art. 68.2 y 4), que es todo el procedimiento, pues la diligencia de reparto es la primera actuación que debe realizar el Juez Decano cuando se le presente un escrito, sin cuya constatación no se puede cursar (art. 68.2), acto sujeto al plazo de 2 días (art. 69).

Partiendo de esa primera, las demás reglas de la LEC atienden básicamente al hecho de que, para que deba repartirse un asunto civil, se requiera que en la ciudad o población haya dos o más JPI, o más de una Sección si se trata de AP (art. 68.1).

Finalmente, debe tenerse en cuenta que los Jueces Decano y los Presidentes de Tribunales y Audiencias podrán, a instancia de parte, adoptar las medidas urgentes en los asuntos no repartidos cuando, de no hacerlo, pudiera quebrantarse algún derecho o producirse algún perjuicio grave e irreparable (art. 70).

Lección 3ª

LAS PARTES: CAPACIDAD

ELENA MARTÍNEZ GARCÍA

SUMARIO: I. CONCEPTO DE PARTE Y TERCERO. 1. Dualidad de posiciones. 2. Contradicción e igualdad. 3. Características de la parte. 4. Tercero. 5. El Ministerio Fiscal como parte del proceso civil. II. CAPACIDAD PARA SER PARTE. 1. Capacidad de las personas físicas. 2. Capacidad de las personas jurídicas. 3. Entes sin personalidad jurídica. 4. Tratamiento procesal de la falta de capacidad para ser parte. A) Examen de la capacidad para ser parte al constituirse inicialmente el proceso. B) Examen de la capacidad para ser parte en momentos procesales posteriores. III. LA CAPACIDAD PROCESAL. 1. Capacidad procesal de las personas físicas. 2. Capacidad procesal de las personas jurídicas. 3. Capacidad procesal de los entes sin personalidad. 4. Tratamiento procesal de la falta de capacidad procesal. IV. REPRESENTACIÓN PROCESAL POR PROCURADOR/A Y ASISTENCIA TÉCNICA DE ABOGADO/A. 1. La representación procesal mediante procurador o procuradora. 2. La asistencia y defensa técnica del abogado o abogada. 3. Tratamiento procesal de la falta de capacidad de postulación.

BIBLIOGRAFÍA BÁSICA

DÍAZ PITA, M. P., *Las partes en el procedimiento civil. Capacidad, legitimación, representación y defensa*, Marcial Pons, Barcelona, 2018.

MONTERO AROCA, J./ FLORS MATÍES, J., *Tratado de Derecho Procesal Civil*, Tirant lo Blanch, Valencia, 2013.

I. CONCEPTO DE PARTE Y TERCERO

A tenor del art. 117.3 CE «El ejercicio de la potestad jurisdiccional en todo tipo de procesos, juzgando y haciendo ejecutar lo juzgado, corresponde exclusivamente a los Juzgados y Tribunales determinados por las leyes, según las normas de competencia y procedimiento que las mismas establezcan». Con ello la Constitución nos define la potestad jurisdiccional, sujeta a unas reglas de juego. La más básica es que su ejercicio requiere de la iniciativa de las partes (*nemo iudex sine actore*), que le piden la resolución de un conflicto y la protección de sus derechos e intereses legítimos. Siendo esto así, el *actus trium personarum* en que consiste un proceso requiere de un sujeto *supra partes* con autoridad para decidir el derecho en el caso concreto y dos posiciones.

1. Dualidad de posiciones

Fruto del principio dispositivo, la iniciación del proceso civil dependerá de que exista una *parte activa* (actor), que interpone la demanda donde solicita una concreta pretensión y, por su lado, una parte *pasiva (demandado),* a saber, frente a quien se pretende; existe, pues, una *dualidad de posiciones.* Este es el principio que entraña la existencia de intereses contrapuestos entre las personas que ocupan ambas posturas opuestas con el fin de poder debatir con contradicción.

Ambas posiciones, a su vez, pueden estar integradas por una o varias partes. Así se dispone en el artículo 12 LEC cuando afirma que «1. Podrán comparecer en juicio varias personas, como demandantes o como demandados, cuando las acciones que se ejerciten provengan de un mismo título o causa de pedir. 2. Cuando por razón de lo que sea objeto del juicio la tutela jurisdiccional solicita-da sólo pueda hacerse efectiva frente a varios sujetos conjuntamente considera-dos, todos ellos habrán de ser demandados, como litisconsortes, salvo que la ley disponga expresamente otra cosa».

Sin estos tres sujetos (juez y partes) no puede haber proceso. Para poder enta-blarse un proceso basta que una parte afirme ser el titular del derecho o interés en cuestión frente a la otra parte, pero quién sea o no realmente el titular defini-tivo es algo que solo se sabrá al final del juicio en la sentencia.

2. Contradicción e igualdad

Los principios de contradicción e igualdad vienen anudados directamente al concepto de parte, como derecho a conocer y participar en el proceso. La igual-dad de armas es una garantía del proceso declarativo para llegar al buen fin de la obtención de una resolución justa y adecuada a derecho, de ahí la importancia de la intervención letrada y la figura de la asistencia jurídica gratuita (donde se prevé la participación de la misma incluso cuando no es preceptiva su interven-ción, pero una parte sí acudirá asistida a juicio mediante dicha postulación); la ley prevé estas compensaciones porque, de otra forma, se rompería el equilibrio de las armas procesales por una cuestión, probablemente, de desnivel económi-co entre las partes.

3. Características de la parte

A partir de aquí se hacen necesarias ciertas precisiones de calado procesal a tener en cuenta para entender qué supone ser parte procesal:

➤ Parte es la persona que, en nombre propio o en nombre de otra persona, interpone la pretensión (o solicitud de tutela jurisdiccional), así como la persona frente a la que se interpone la misma.

➤ Inicialmente las partes se definen con la demanda, allí se ha de determinar desde un principio quién tiene calidad de parte, sin perjuicio de que se puede provocar *a posteriori* la entrada de terceros para convertirse en parte procesal (Vid. Lecc. 5ª).

➤ La parte es quien litiga y asume derechos, obligaciones y cargas procesales en su lado activo y pasivo.

➤ Para constituirse como parte en un proceso es necesario tener la *capacidad para ser parte*, la *capacidad procesal* y la *legitimación*. Una vez la relación jurídica procesal está bien constituida, surge el derecho a una sentencia sobre el fondo del asunto.

➤ La condición de parte determina *a posteriori* numerosas cuestiones procesales, tales como la competencia territorial (domicilio del demandado o la sumisión expresa de las partes a un tribunal), tipo de procedimiento, eficacia de cosa juzgada, litispendencia, derecho al recurso o a la ejecución de una sentencia, motivos de abstención o recusación, posibilidad de comparecer y ser interrogado como testigo, asistencia jurídica gratuita, determinación de quién debe pagar las costas, etc. Son muchas las repercusiones derivadas de esta condición.

4. Tercero

Por oposición, quién no sea «parte» del proceso en los términos expresados, recibirá la denominación de «tercero». Para litigar en un proceso debe adquirirse la condición de «parte» y, hasta entonces, se es «tercero», sea cual sea la relación que tenga con el objeto litigioso.

Alguna de estas características propias de la situación de tercero son las siguientes:

➤ Los terceros pueden quedar afectados por el proceso simplemente *de facto*, por ejemplo, porque ese tercero había establecido un acuerdo preliminar con la parte sobre el bien que ahora está en litigio con intención de comprarlo o, tal y como ocurre en el proceso de ejecución de sentencias, por existir una tercería sobre un bien de una persona ajena a dicho proceso.

➤ Los terceros pueden quedar afectados jurídicamente, por ejemplo, por ser el tercero un «okupa» que habita la vivienda en conflicto —que cree haberla usucapido—, reclamada ahora por el banco frente a su titular.

> Los actos de disposición que se realicen por las partes en el proceso no deben de ser atendidos por el Juez, si éste cree que puede haber un perjuicio de tercero (arts. 19 y 21 LEC), por lo que no podrá dictarse sentencia de fondo, salvo subsanación (arts. 12.2 y 40 LEC).

> A partir de ahí, incorporado el tercero al proceso por resolución judicial, pasará a ser parte del proceso, de modo, que cuando sea admitido como tal, tendrá la misma posición procesal que las partes con las que quedó constituido inicialmente dicho proceso.

5. El Ministerio Fiscal como parte del proceso civil

En el proceso civil, podemos encontrar intereses dignos de tutela por el Estado. El artículo 124 CE, 541 LOPJ y 3 EOMF establecen que el Ministerio Fiscal debe actuar en defensa de la legalidad, del interés público y social y de los derechos de los ciudadanos y ciudadanas. Podemos afirmar que su participación puede ser en calidad de parte, en representación de personas con discapacidad y ausentes y en concretas actuaciones procesales determinadas en las que debe de ser oído (se define en este caso su función como dictaminador). En todos estos casos su intervención, como se explicará, se basa en su legitimación *ex lege* para litigar.

> *Participación del MF en calidad de parte.* Cuando actúe como parte, por ejemplo, ejercitando una acción de nulidad en la adquisición de la nacionalidad española, acciones en defensa del medioambiente o de menores o personas con capacidad jurídica integrada por medidas de apoyo, etc., el MF gozará del estatus de derechos, cargas y obligaciones que cualquier otra parte, defendiendo los intereses que la ley le encomienda.

> *Cuando actúe como representante provisional de personas con medidas de apoyo para el ejercicio de su capacidad jurídica,* tal y como establece el artículo 3.7 EOMF, en este caso, la parte es la persona incapaz o ausente que no puede comparecer en juicio, la labor del MF consistirá en que no pierda las oportunidades procesales de juicio y se le conceda la tutela judicial efectiva. Por tanto, el MF defiende derechos de otro sujeto.

> Por último, nos referimos a supuestos donde *la ley habilita al MF para que realice determinados actos procesales concretos,* tales como, ser oído antes de que el juez resuelva sobre una falta de competencia internacional de jurisdicción (art. 38 LEC), de competencia objetiva (art. 48.3 LEC), y territorial (58 LEC). En los recursos de casación para la unificación de doctrina (art. 491 LEC) o la procedencia sobre la estimación o no de un juicio de revisión de una sentencia firma (art. 514.3 LEC).

II. CAPACIDAD PARA SER PARTE

Para responder a la pregunta quién puede ser parte en un proceso, con carácter general, debemos estar al fenómeno de la capacidad jurídica y personalidad del derecho privado (arts. 29 y 35 CC), entendida como la *aptitud* para ser titular de derechos y obligaciones en el tráfico jurídico. Entonces, la capacidad para ser parte, se trata de esa aptitud que tiene un sujeto para ser titular de derechos, obligaciones y cargas *en un proceso.*

Mientras que las personas físicas, por el concepto de personalidad jurídica, tienen reconocida la capacidad para ser parte en un proceso, a las personas jurídicas le tiene que venir establecida legalmente. Sin embargo, adelantamos que hay sujetos que carecen de personalidad jurídica o simplemente se trata de grupos de personas que se unen para un fin y realizan actos jurídicos válidos para el derecho material y el procesal. Todas estas variantes deben tener capacidad para ser parte en un juicio. Finalmente, afirmar que la persona que tiene capacidad para ser parte, se le reconoce para todo tipo de procesos.

1. Capacidad de las personas físicas

El nacimiento marca la capacidad jurídica de las personas y su capacidad para ser parte, sean españolas o extranjeras, la cual la mantendrán hasta su muerte (art. 6.1.1 LEC y 29 y 30 del CC). Se le reconoce dicha capacidad o aptitud al *nasciturus* —o concebido no nacido— con el fin de proteger su patrimonio, dado que según indica el Código Civil, tendrá personalidad jurídica a todos los efectos jurídicos, es decir, también para la defensa de su patrimonio cuando hubiera nacido y estuviera desprendido del seno materno.

El fallecimiento extingue su personalidad (art. 32 CC) y, por tanto, su capacidad de ser parte, es decir, no podrá tener capacidad para iniciar un proceso ni ser demandada la persona fallecida. Entra el juego, entonces, de la sucesión procesal (*Vid.* Lecc. 6).

2. Capacidad de las personas jurídicas

Las personas jurídicas tienen personalidad desde que son constituidas (acto jurídico) y, a partir de ese momento, pueden ser parte en juicio para demandar o ser demandadas (art. 6.1.3 LEC), tanto en el ámbito civil como criminal (art. 38 CC), se trate de fundaciones, corporaciones o asociaciones, sean de interés público o privado. Por su lado, cesa su capacidad en el momento de su extinción (acto jurídico de fusión, disolución y liquidación). En el caso concreto de la fusión entre entidades, podrá darse la sucesión procesal (art. 17 LEC). A este respecto (*Vid.* Lecc. 6).

Es necesario acudir a las normas, estatutos o reglamentos que regulan cada tipo de persona jurídica para poder determinar las condiciones para ser parte procesal. Por su lado, para la capacidad de las personas jurídicas extranjeras, se deberá de estar a la norma aplicable a su ley personal (art. 9.11 CC).

La integración de dicha capacidad requiere personas y, por tanto, comparecerán en juicio las personas «físicas» que legalmente les representen (art. 7.4 CC). Las sociedades serán integradas en su capacidad por los administradores, las asociaciones por su órgano de representación elegido por asamblea general y, por último, las fundaciones por su patronato, según sus respectivas leyes reguladoras. Pero es muy importante resaltar que no se trata de dos voluntades diferentes (representante y representado), sino que el representante es la voluntad del ente representado y ello le hace responsable, con derechos y obligaciones, es decir, que la voluntad es única, la de su órgano de decisión, aunque parezca una dualidad de personas.

3. Entes sin personalidad jurídica

La enorme casuística de la realidad jurídica ha desbordado la propia regulación legal. De esta forma encontramos entes sin personalidad jurídica que actúan en el tráfico jurídico adquiriendo derechos y obligaciones porque crean, modifican y extinguen relaciones jurídicas en la sociedad y que, por tanto, deben de tener capacidad para ser parte en juicio, tanto activa como pasiva. Por esta razón, la LEC les reconoce capacidad para ser parte, en casos, solo como demandado y, en otros, como demandante y demandado. Sobre estos entes conviene saber:

➢ *Masas patrimoniales y patrimonios autónomos* (art. 6.1.4 LEC): Bien porque una herencia es yacente y no hay herederos todavía, o bien porque una persona sea privada temporalmente de la capacidad de administrar y disponer de un patrimonio (proceso concursal), esa masa patrimonial tiene la capacidad para ser parte tanto para litigar (lado activo) como para responder ante una litigación (lado pasivo). Por dichos patrimonios, comparecerán en juicio, quienes conforme a la ley los administren dichos patrimonios (art. 7.5 LEC).

➢ *Comunidades de propietarios de bienes* (art. 6.1.5 LEC y arts. 392-406 CC): Por la comunidad de bienes actúa y representa en juicio el presidente y, por tanto, tiene capacidad para ser parte y capacidad procesal, así como legitimación para litigar (art. 13.3 y 21.1 de Ley 8/1999, de 6 de abril sobre Propiedad Horizontal).

➢ *Sociedades irregulares* (art. 6.2 LEC): Las sociedades que no se han constituido de forma regular conforme a derecho, carecen de personalidad jurídica (arts. 116 y 119 Código de Comercio), pero es posible que hayan actuado en el tráfico jurídico y por tanto, con el fin de proteger a las personas que con ellas negociaron, se les reconoce la capacidad para ser parte en juicio y ser demandadas, siendo sus representantes sus gestores, promotores o administradores partícipes de la sociedad irregular (art. 7.7 LEC).

➤ *Uniones sin personalidad* (art. 6.1.5 LEC): Es posible encontrar un sumatorio de personas que se unen temporalmente por un fin lícito común, tal como aportar dinero al viaje de final de carrera, la realización de una fiesta por la jubilación de un compañero, un colectivo de personas que compra lotería, etc. Estos grupos de personas contratan servicios y adoptan decisiones en el tráfico jurídico y deben, por tanto, tener capacidad para ser parte en un juicio, pedir y responder. A tal fin el art. 7.6 LEC afirma que corresponde a la Ley, en cada caso, atribuir la representación en juicio de dichas entidades.

➤ *Grupos de personas* (art. 7.3 LOPJ): En la LOPJ de 1985 se introdujo un nuevo concepto como es el de «grupo de personas» que tienen un interés (grupal) en litigar contra un hecho dañoso.

- Se trata de sujetos determinados o determinables (art. 6.1.7 LEC), y la ley exige que se organicen y decidan actuar procesalmente la mayoría de afectados para evitar sentencias contradictorias (para lo que podrán instar la diligencia preliminar del art. 256.1.6 LEC con el fin de identificarlos).

- Estos grupos de personas pueden actuar:

  ✓ a través de la representación de uno de ellos, que haya liderado de hecho o en virtud de pactos, actuando en su nombre frente a terceros (art. 7.7 LEC)

  ✓ o, como ocurrirá en la mayoría de ocasiones, a través del fenómeno de *representación voluntaria de determinadas asociaciones,* que no es más que el ejercicio de la autonomía de la voluntad a través de un mandato (arts. 1709 y ss. CC), generado al asociarte, por ejemplo, a una asociación de consumidores y usuarios.

➤ *Entidades de protección de consumidores* europeas habilitadas legalmente por la transposición de determinadas directivas (Ley 38/2002, de 28 de octubre) (art. 6.1.8 LEC). En el marco de la protección de intereses colectivos y difusos, las asociaciones de consumidores y usuarios pueden tener capacidad para ser parte en procesos celebrados en España, aunque sus representados no residan legalmente en España. En este sentido, hay que contemplar las novedades establecidas en la Directiva 2020/1828 del Parlamento Europeo y el Consejo relativa a las acciones de representación para la protección de intereses colectivos de los consumidores.

> *Ministerio Fiscal.* El art. 6.1.6 LEC define incorrectamente la capacidad del Ministerio fiscal al afirmar que tiene capacidad «El Ministerio Fiscal, respecto de los procesos en que, conforme a la ley, haya de intervenir como parte». El error consiste en que ese artículo se refiere, en realidad, a la *legitimación* del mismo, porque su capacidad viene fijada legalmente por su función; que se le permita o no litigar como parte en un proceso depende de su legitimación, no de su capacidad.

4. *Tratamiento procesal de la falta de capacidad para ser parte*

En este epígrafe nos referimos a cómo puede ponerse de manifiesto en un proceso la existencia o inexistencia del requisito de capacidad para ser parte en juicio, dado que sin este presupuesto la relación jurídico procesal no está bien constituida; dicha capacidad, además, debe mantenerse a lo largo de todo el proceso, lo que hará que sea revisable durante el mismo.

La ausencia de la capacidad para ser parte tiene el importante efecto de impedir dictarse sentencia sobre el fondo de asunto, pues si los efectos de cosa juzgada deben de aplicarse a las partes materiales (art. 222.3 LEC), el tribunal no puede someter a dichos efectos a quien no reunía los requisitos para ser parte en el proceso. Ello por la razón de que es insubsanable, se tiene o no se tiene esa capacidad. Pueden darse dos situaciones que sí permiten esa subsanación:

> El fallecimiento de una persona física, trae consigo la activación de los mecanismos de sucesión procesal (*Vid.* Lecc. 6).

> Por su lado, la disolución de una persona jurídica conlleva que se mantenga la entidad en liquidación hasta resolver sus responsabilidades y en caso de procederse a la fusión con otras entidades, la nueva resultante asumiría tal posición (*Vid.* Lecc. 6).

Por último, cabe precisar que el demandante no puede alegar su propia falta de capacidad, pues para eso es quien ha decidido litigar. El demandado, por su lado, sí podrá alegar su falta de capacidad para ser parte y la falta de representación (capacidad procesal).

Dicha falta de capacidad puede ser apreciada de oficio por el órgano jurisdiccional en cualquier momento del proceso (art. 9 LEC) o a instancia de parte demandada en la contestación a la demanda.

A) Examen de la capacidad para ser parte al constituirse inicialmente el proceso

Según el art. 9 debe controlarse de oficio por el órgano jurisdiccional la presencia de este presupuesto procesal en el momento de admitir la demanda (arts. 9 y 403.1 LEC). Es más, no debería admitirla, tanto si falta la capacidad del actor como del demandado, debiendo dictar auto de inadmisión procesal, que es recurrible en apelación (art. 455.1 LEC). Si el auto definitivo acaba confirmando la inadmisión por falta de capacidad, también a continuación cabe recurso por infracción procesal (art. 468 LEC).

Sin embargo, si observamos las causas de inadmisión de la demanda no aparece expresamente recogido este presupuesto; ello puede hacernos entender que el juez debe de continuar, admitir la demanda, apreciarlo de oficio, y abrir un debate en la audiencia previa o al inicio del juicio verbal (art. 414.1.2, 415.1 o 443.3, respectivamente); allí, si se demuestra su falta, dictará auto poniendo fin al proceso. Sin embargo, considero que actuar y llegar hasta ese momento, cuando la ausencia de este requisito se ha apreciado de oficio *ab initio* por falta de capacidad, podríamos entender que es excesivo.

En segundo lugar, si no se hubiera apreciado de oficio, la parte demandada deberá alegarla en la contestación a la demanda a través de las excepciones procesales (art. 405.3 LEC). Si se alega en un momento posterior en la audiencia previa del juicio ordinario o al inicio de la vista del verbal, deberá ser tratado en esa sede (art. 416.1.1 y arts. 443.2 y 3, respectivamente).

Si la parte ha intervenido más tarde en el proceso mediante el fenómeno de la sucesión procesal o la intervención (arts. 14 y 15 LEC *Vid.* Leccs. 5 y 6), seguirá siendo posible bien de oficio o bien a instancia de parte, precisamente en el cauce de intervención de estas nuevas partes (art. 13.2 LEC).

B) Examen de la capacidad para ser parte en momentos procesales posteriores

Si la pérdida de capacidad fuera sobrevenida, a tenor del artículo 9 LEC, podrá controlarse de oficio en cualquier momento del proceso. También se podrá plantear un artículo de previo pronunciamiento (art. 387-391 LEC). Esto que decimos tiene sentido para las personas físicas, pero no para las jurídicas, porque no se pierde la capacidad mientras dure la liquidación de la empresa.

III. LA CAPACIDAD PROCESAL

Junto a la capacidad para ser parte, también existe un segundo presupuesto como es la capacidad procesal. Se trata de la aptitud para *comparecer* en juicio e *intervenir de forma activa*, determinando *por sí misma* la conducta procesal a seguir, por estar en pleno ejercicio de los derechos civiles. Como decimos, en ocasiones ocurre que la persona que solicita la aplicación del derecho (parte activa en sentido formal y que debe poseer capacidad procesal) no es en realidad quien sea titular del derecho o interés que se solicita para su protección (parte activa en sentido material). Y ello es consecuencia de que en el proceso judicial no todas las personas que tienen capacidad para ser parte en el proceso, también la tienen para actuar en él (capacidad procesal), sino que es preciso que concurran ciertas cualidades intelectivas y volitivas, y en el caso de que no se cumplan dichos requisitos (como en el de personas para el ejercicio de su capacidad jurídica o menores) las normas procesales disponen la figura de la *representación*. Por tanto, la capacidad procesal es más restrictiva que la capacidad para ser parte.

1. Capacidad procesal de las personas físicas

El Código Civil determina quién está en situación de ejercer plenamente sus derechos y, en tal sentido debemos hacer una doble distinción entre quienes tienen plena capacidad y las personas que no la tienen:

➢ El pleno ejercicio de los derechos civiles se adquiere a partir de la mayoría de edad (art. 322 CC). Las personas menores de 18 años serán representadas legítimamente por quien ostenta la patria potestad y, en su defecto, por el tutor (art. 222 CC). Si entre los representantes legales hubiera conflicto, se nombrará un defensor judicial y, se obrará igualmente del mismo modo, si el tutor es la Administración pública y existiera un conflicto de interés con el menor. Todo ello a tenor de la Ley 8/2021, de 4 de junio de protección integral de la infancia y adolescencia.

➢ Cuando no nos encontremos en esta situación de plena capacidad procesal, acudiremos al fenómeno que le denomina «*representación legal*» y es este representante quien sustituye la voluntad del sujeto representado, también para comparecer en juicio como parte procesal.

Hay grados de discapacidad o, mejor dicho, de necesidades de integración de la capacidad jurídica, y por tanto, diferentes formas de representación e integración de esa capacidad. Mientras el representante legal no se nombre, se designará por providencia un defensor judicial para estas personas puedan continuar siendo parte procesal en juicio. Como la designación del defensor judicial también lleva su tiempo, le corresponde al Ministerio

Fiscal representar y defender los intereses del menor o persona que necesita integrar su capacidad jurídica (art. 8.2 LEC).

Las situaciones que podemos encontrar son las siguientes:

- Es posible encontrar *un mayor de edad que tenga declarada judicialmente la necesidad de integrar su capacidad jurídica* (art. 7.1 LEC, 199, 201 y 171 CC). Estas personas dispondrán de un curador declarado judicialmente, que tendrá la capacidad procesal de representarle en juicio.

- Para los *menores de edad no emancipados* se estará a la representación de la persona que tenga su patria potestad (art. 7.2 LEC y 162.1 CC), pero si hubiere conflicto entre los progenitores o entre ellos y el hijo, se nombrará un defensor judicial del menor. Si la contradicción solo existe con uno de los progenitores, el otro le representará en sus intereses al menor. Sobre este aspecto véase la Lección destinada a la jurisdicción voluntaria (*Vid.* Lecc. 36). Se nombrará un defensor judicial también en el caso de que la tutela la ostente la Administración pública y existiera un conflicto de interés con el menor. Todo ello a tenor de la Ley 8/2021, de 4 de junio de protección integral de la infancia y adolescencia.

- El *naciturus* también puede comparecer en juicio por medio de las personas que legalmente le representaría, si ya hubiera nacido (art. 7.3 LEC).

- Los *menores de edad emancipados* (art. 334 CC) tienen capacidad procesal plena (art. 323.2 CC), aunque requieran para ciertos actos materiales el consentimiento de los padres o curadores (arts. 323 y 324 CC).

- Las *personas sujetas a una declaración judicial de medidas de apoyo a su capacidad jurídica* tendrán su capacidad procesal limitada a lo que diga la sentencia para cada acto concreto. Si la sentencia le ha sujeto a curatela, significa que no tendrá ninguna capacidad procesal para comparecer en juicio y debe ser suplida por su representante legal (art. 7.2 LEC); pero si la integración de capacidad alcanza solo a determinados actos jurídicos, podrá actuar de consuno con la persona designada como medida apoyo, su guardador de hecho, curador o defensor judicial de conformidad con el art. 250 del Código Civil y si entre estos hubiera conflicto, se nombrará un defensor judicial para que le represente en el caos (art. 299.1 CC).

- Lo mismo ocurre con los *ausentes* que, por el desconocimiento de su paradero, deben de ser representados en juicio para defender sus derechos (art. 181 CC). A tal fin, salvo que hubiera dejado establecida una representación voluntaria, se le nombrará defensor para que actúe en su ausencia (art. 184 CC).

- Las personas declaradas judicialmente *pródigas* (art. 286.3 CC) serán representadas por el curador (arts. 298 CC y 760.3 LEC).

2. Capacidad procesal de las personas jurídicas

Las personas jurídicas, una vez constituidas tienen capacidad procesal, siempre a través de la «representación necesaria» y, tal y como establece el art. 7.4, «por las personas jurídicas comparecerán quienes legalmente las representen». Ello supone que la voluntad de la persona jurídica es realmente la de su representante. Sin esta representación no habría ninguna capacidad de actuar, es decir, esta representación es, en realidad, quien conforma su voluntad, quien habla y decide por la persona jurídica. De ahí que se le llame «representación necesaria», porque no puede ser de otra forma su actuación. Para que se entienda la entidad de lo que decimos, pensemos que cuando una persona jurídica otorga poderes a un procurador o procuradora, éste actúa en representación de la persona jurídica, pero en ningún caso en nombre del titular de la misma. Ello conlleva la siguiente conclusión: la sustitución del órgano de gestión o titular de la persona jurídica no extingue la representación del procurador a dicha entidad (art. 30.2 LEC).

Existe una variedad de regímenes de los órganos que actúan por la persona jurídica:

> ➢ Por la Administración General del Estado actúan los Servicios Jurídicos del Estado. Las normas rectoras suelen ser diferentes según se trate de interposición de demandas o de una intervención en procesos no instados por el Estado o, por su lado, sea demandada la Administración.

> ➢ Para la actuación en juicio de las Administraciones de las Comunidades Autónomas, se personan sus servicios jurídicos autorizados, bien por la Presidencia de la Comunidad o por el Consejo de Gobierno; para ser lado pasivo o demandado en un proceso, dicha autorización no es necesaria.

> ➢ Las Diputaciones provinciales actúan por autorización de su Pleno, salvo en asuntos urgentes, que podría actuar la Presidencia (arts. 32 y 34 de la Ley de Régimen Local.

> ➢ La actuación del Ayuntamiento requiere acciones del Pleno, salvo en supuestos de urgencia que la competencia es del Alcalde (arts. 21 y 22 de la Ley de Régimen Local).

> ➢ Los Colegios Profesionales son representados por su Presidente, Decano o Decana o cargo de naturaleza similar (art. 7.4 de la Ley de Colegios Profesionales).

> ➢ Para sociedades colectivas habrá que estar a lo que diga la escritura pública de constitución.

> ➢ Las sociedades anónimas serán representadas, según sus Estatutos, por quienes tengan encomendada como administrador dicha representación.

➤ Igualmente, las sociedades de responsabilidad limitada, se estará a sus administradores según consta en sus Estatutos (arts. 57 a 63 de la Ley de Sociedades de Responsabilidad Limitada).

➤ Las cooperativas se regirán por lo que diga su Consejo Rector, presidente o vicepresidente (art. 32 de las normas reguladoras de Cooperativas).

➤ Sobre los derechos e intereses de los consumidores y usuarios, las asociaciones destinadas a tal fin que los representan tendrán su capacidad procesal delegada en sus órganos de representación, según sus estatutos. En este sentido, hay que contemplar las novedades establecidas en la Directiva 2020/1828 del Parlamento Europeo y el Consejo relativa a las acciones de representación para la protección de intereses colectivos de los consumidores.

3. Capacidad procesal de los entes sin personalidad

Existe, como hemos visto, una serie de supuestos en los que, no siendo personas jurídicas legalmente constituidas como tal, sí adquieren derechos y obligaciones jurídicas y, por tanto, deben de poder ser parte con capacidad procesal en juicio. Dada su proximidad con los entes con personalidad jurídica, el régimen es muy similar (arts. 6, 7,8, 30.2 LEC).

➤ Las *comunidades de bienes*, tales como la comunidad de propietarios, a tenor de la Ley 8/1999, de 6 de abril, no son personas jurídicas, pero su presidente representará a la comunidad en juicio, por lo que intrínsecamente se le reconoce la capacidad procesal.

➤ Las *uniones sin personalidad* también pueden litigar en juicio a través de la capacidad procesal reconocida en el art. 7.6 LEC por medio de las personas a quienes la Ley, en cada caso, atribuya la representación en juicio.

➤ Por las *sociedades irregulares* comparecerán en juicio las personas que, de hecho o en virtud de pactos de la entidad, actúen en su nombre frente a terceros como gestor o administrador (art. 7.7 LEC).

➤ Los *patrimonios autónomos* estarán representados por el administrador de la herencia (art. 7.5 y 798 LEC) y por el administrador del concurso (art. 7.8 LEC, art. 50.2, 51.2, 54.1 Ley concursal).

➤ *Grupos de consumidores o usuarios* afectados por un hecho dañoso (art. 7.3 LOPJ): es imprescindible que dicho grupo se constituya por la mayoría de los afectados. La capacidad procesal y, por tanto, la capacidad para comparecer en juicio corresponderá a las personas que actúan en nombre de dicho grupo de consumidores frente a terceros (artículos 6.7 y 7.7 LEC).

A tal fin se prevé que se encomiende la representación en juicio de estas personas afectadas de la forma más organizada posible y, por tanto, lo habitual será personarse a través de una asociación o un tercero, tratándose en ambos casos de un fenómeno de «representación voluntaria», que no es más que el ejercicio de la autonomía de la voluntad a través de un mandato (arts. 1709 y ss. CC).

➢ Sobre el Ministerio Fiscal remitimos a lo dicho en el apartado de la capacidad para ser parte: su participación responde a un mandato legal que le «legitima» para participar; la capacidad la tiene siempre.

4. *Tratamiento procesal de la falta de capacidad procesal*

La capacidad procesal es presupuesto para la válida constitución del proceso, cuya falta viciaría los actos de quien la adolezca, debiendo el órgano jurisdiccional no entrar a decidir sobre el fondo del proceso. La capacidad procesal, al contrario de lo que ocurría con la capacidad para ser parte, sí es subsanable.

Dicha capacidad debe de tenerse al inicio del proceso y mantenerse durante el mismo, sin perjuicio de que, en caso de pérdida de la misma, podrían realizarse cambios en las personas físicas que actúan en el proceso, a través del fenómeno de la representación procesal que acabamos de ver.

➢ Así, si la parte, que es menor de edad o persona con medidas de integración de su capacidad jurídica, adquiriera la mayoría de edad o fuera recuperada su capacidad, debe de desaparecer del proceso quien actuaba hasta entonces como representante.

➢ Por su lado, la persona jurídica siempre tiene capacidad procesal desde su constitución, de conformidad con la ley o sus estatutos; si hubiera un cambio o incapacitación en la persona que representa la entidad jurídica, según sus estatutos deberá ser sustituida por la nueva persona designada para la representación legal de la empresa o sociedad.

La falta de capacidad procesal puede ser apreciada de oficio (art. 9 LEC) o a instancia de parte y, como decimos, es subsanable en la audiencia previa. Es posible encontrar dos situaciones:

➢ Para el proceso ordinario:

• Si la falta de capacidad es subsanable: la parte que esté afectada podrá corregirlo en el mismo acto de la audiencia o, por el contrario, el tribunal puede otorgar un plazo de hasta 10 días, para subsanar, suspendiendo la audiencia hasta entonces (art. 418 LEC).

- Si el defecto de la capacidad no es subsanable: se dará por concluida la audiencia y se dictará auto, que ponga fin al procedimiento (art. 418.2 LEC).

- Si no ha subsanado el demandante procede el archivo y supone denegar la pretensión y se le impondrán las costas procesales.

- Téngase en cuenta que cuando el defecto de capacidad afecta al demandado y no es subsanado, el órgano jurisdiccional le declarará en rebeldía, sin dejar queden constancia de las acciones que haya llevado a cabo en el procedimiento, dado que no las hizo al no estar bien constituido como parte procesal.

➢ Por su lado, si se trata del juicio verbal: Debe de ser en la vista oral, donde las partes puedan realizar alegaciones sobre los defectos de la relación jurídica procesal mal constituida. Oídas las partes, el tribunal resolverá, pudiendo dar dos soluciones:

- Que aprecie la falta de capacidad: pedirá a la parte que esté afectada que rectifique o subsane.

- Que no aprecie la falta de capacidad y, por tanto, ordenará la continuación del procedimiento, pero la parte demandada podrá pedir que conste en acta su disconformidad, para así poder pedir, en la fase del procedimiento que corresponda, apelación contra la sentencia definitiva que recaiga.

IV. REPRESENTACIÓN PROCESAL POR PROCURADOR/A Y ASISTENCIA TÉCNICA DE ABOGADO/A

Dado el carácter técnico-jurídico del proceso, así como el interés del Estado en el correcto funcionamiento de la función jurisdiccional, la Ley exige en la mayoría de los casos que las personas que son parte del proceso estén asistidas por especialistas en Derecho. En consecuencia, la *aptitud para realizar actos válidos en juicio* se llama «capacidad de postulación procesal». En este sentido, las partes tienen que estar representadas por procurador (art. 23 LEC) y asistidas o defendidas por abogado (art. 31 LEC). El RD 64/2023 de febrero sobre acceso a la procura y abogacía hacen incompatible el ejercicio simultáneo de ambas funciones, pero no sucesivo, recibiendo ambas carreras la misma formación de Máster, según se vio en Parte General.

1. La representación procesal mediante procurador o procuradora

La presente capacidad viene establecida en un contrato de mandato (arts. 26 a 29 LEC). Este mandato reconoce al procurador como la persona que se comunica con Juzgados y con las partes. El art. 28 LEC establece que «mientras se halle vigente el poder, el procurador oirá y firmará los emplazamientos, citaciones, requerimientos y notificaciones de todas clases, incluso las de sentencias que se refieran a su parte, durante el curso del asunto y hasta que quede ejecutada la sentencia, teniendo estas actuaciones la misma fuerza que si interviniere en ellas directamente el poderdante sin que le sea lícito pedir que se entiendan con éste. También recibirá el procurador, a efectos de notificación y plazos o términos, las copias de los escritos y documentos que los procuradores de las demás partes le entreguen en la forma establecida en el artículo 276».

El «poder» se puede otorgar ante Notario (art. 24.1 LEC), por comparecencia ante el LAJ del tribunal que haya de conocer el asunto o, por último, mediante designación del Colegio de Procuradores, siempre a instancia de la parte que quiere ser representada. La aceptación por el procurador inicia la representación. Extinguido el poder ya no podrá realizar válidamente ningún acto en representación de la parte. Las causas de extinción pueden ser la revocación expresa o tácita, la renuncia voluntaria, cese en la profesión, sanción por suspensión, fallecimiento del poderdante o del procurador, por separase de la pretensión o por haber terminado el proceso o el derecho a la justicia gratuita (art. 30 LEC).

El poder de representación puede ser general o un poder especial.

➢ El *poder general* autoriza al procurador para intervenir en representación de la parte en cualquier tipo de procesos y, además, le permite realizar en él cualquier tipo de actuación, salvo aquellos actos donde la ley exige un poder especial (art. 25 LEC). Cualquier restricción a un poder general es posible, pero exige que se realice de forma expresa e inequívoca.

➢ *Poder especial* es el que faculta al procurador para hacer actos procesales específicos, determinados bien por la ley o por voluntad del poderdante, por haber decidido excluirlos del poder procesal general.

➢ A veces la Ley se refiere a *poder especialísimo*, es decir, no solo para hacer un determinado acto procesal sino para exigir hacerlo en un concreto sentido, por ejemplo. Realmente, la naturaleza es la misma, pero simplemente la especificidad de la autorización y mandato es mayor.

La persona procuradora tiene derecho a que se haga una provisión de fondos por parte de la parte representada y, es más, puede entablar un cauce de exigencia y recuperación de los honorarios a través de la jura de cuentas (art. 34 LEC).

No es preceptiva la representación del procurador en los casos establecidos en los arts. 23 y 32 LEC. A tenor del artículo 6.3 Ley de Asistencia Jurídica Gratuita, el órgano jurisdiccional puede decidir que la parte actúe con postulación para equilibrar el principio de igualdad de armas procesales.

2. La asistencia y defensa técnica del abogado o abogada

Corresponde al abogado o abogada dirigir la estrategia procesal y la defensa material de su cliente, mediante un acuerdo de mandato de servicios implícito. Su importancia es tal que la ausencia de la defensa y de su firma de los actos procesales, salvo subsanación, comportaría la nulidad del acto correspondiente (art. 225.4 LEC y 238.4 LOPJ).

La LEC parte del reconocimiento de la existencia de conflictos complejos y sencillos, donde las exigencias de asistencia jurídica no son siempre las mismas. La regla general es la necesidad de asistir con defensa letrada (art. 31.1 LEC), pero también hay excepciones establecidas en los arts. 31.2 y 32 LEC. Al igual que ocurría con la representación, con el fin de asegurar la igualdad de armas procesales y evitar la desventaja de la parte que no acudiera asistida de postulación, el Juez, en aplicación del art. 32 LEC, dará la oportunidad a equilibrar esta situación a través, en su caso, de la asistencia jurídica gratuita se garantice a la misma (art. 6.3 Ley de Asistencia Jurídica Gratuita).

La jura de cuentas también es aplicable en este caso (art. 35).

3. Tratamiento procesal de la falta de capacidad de postulación

Para poner de manifiesto la inadecuación de la capacidad de postulación, debemos de atender a la existencia del poder del procurador y a la intervención del abogado, así como a la insuficiencia del mismo y los defectos formales.

El poder del procurador debe de acompañarse al primer acto procesal, a saber, la demanda, o, antes de la primera actuación, si se trata de un juicio verbal oral (art. 24.1 LEC), salvo que el poder se haya otorgado *apud acta* ante el LAJ (art. 264.1 LEC). Su falta debe conllevar la posibilidad de subsanación. Por su lado, la falta de la firma del abogado, conlleva directamente la inadmisión del acto (art. 31.1 LEC).

Los defectos formales serán revisables en la audiencia previa (art. 416.1 LEC) o al inicio del juicio verbal (arts. 443.2 y 443.3 LEC), dando como consecuencia la finalización del proceso, si no se subsanó el error o deficiencia por el actor o, por su lado, también se podrá generar la declaración de rebeldía, si el defecto no se subsanó por demandado.

Por último, puede que se extinga la representación procesal durante el proceso; se resolverá, entonces, en el trámite del art. 30.1 LEC o como cuestión incidental, de conformidad con el artículo 391.1 LEC.

Lección 4ª

LAS PARTES: LEGITIMACIÓN

ELENA MARTÍNEZ GARCÍA

BIBLIOGRAFÍA BÁSICA

DÍAZ PITA, M. P., *Las partes en el procedimiento civil. Capacidad, legitimación, representación y defensa*, Marcial Pons, Barcelona, 2018.

JUAN SÁNCHEZ, R., *La legitimación en el proceso civil. Los titulares de la acción: Fundamentos y Reglas*, Aranzadi, Pamplona, 2014.

MONTERO AROCA, J., *De la legitimación en el proceso civil*, Tirant lo Blanch, Valencia, 2006.

I. CONCEPTO DE LEGITIMACIÓN E INTERÉS

Una vez establecida la capacidad de las partes, se puede decir que esa parte puede *ejercer su derecho de acción* (art. 24 CE); sin embargo, el concepto de «legitimación» será un elemento adicional para poder ejercer el derecho a *obtener la tutela efectiva de los jueces y tribunales* «en el ejercicio de sus derechos e intereses legítimos».

Entramos ahora en contacto con el objeto litigioso. El objeto (derecho o interés) litigioso determinará no solo el tipo de proceso, el objeto del mismo, sino también las personas que tienen una *íntima relación o vinculación* con él para poder pedir su tutela en juicio y llegar a obtener una sentencia sobre el fondo del asunto. Hay veces que esas personas son fácilmente determinables *a priori* (por ejemplo, el comprador y vendedor de un bien o la comunidad de vecinos) y otras veces, o bien requieren de un mayor esfuerzo para su determinación por tratarse de un grupo numeroso de afectados (por ejemplo, por un contrato con cláusulas abusivas), para lo que podrán instar la diligencia preliminar del art. 256.1.6 LEC; o, incluso, encontramos que a menudo son sujetos de imposible determinación, porque lo que se protege —objeto de tutela— son bienes comunes a toda la sociedad (cultura, igualdad, medioambiente). En este último supuesto, puede no haber un daño específico a personas concretas, sino que se daña un bien común que pertenece a toda la ciudadanía o sociedad, incluso a las futuras generaciones.

Normalmente las partes de la *relación jurídica material* en conflicto (el comprador y el vendedor del bien) suelen ser las legitimadas para accionar y ser titulares de la *relación jurídica procesal* (demandante y demandado). Pero debemos de saber que la certeza sobre quién es comprador y vendedor solo se tendrá al final del proceso con la sentencia de fondo, de esta forma, a diferencia de la capacidad para ser parte y procesal, la legitimación es una exigencia de la fundamentación de la sentencia para que el juez pueda entrar a dictarla. Así pues, la inexistencia de las capacidades da lugar a *una sentencia de archivo de carácter procesal*, absolutoria en la instancia (que no impide reiterar el proceso *a posteriori*), mientras que la demanda interpuesta sin legitimación (activa o pasiva) para pedir da lugar a una *sentencia (negativa) sobre el fondo del asunto*, con eficacia de cosa juzgada. Son dos efectos procesales diferentes, por tanto.

En el momento actual los intereses dignos de protección para el Estado están cambiando, acorde a una realidad local y global muy diferente a la que inspiró nuestras leyes procesales. Los animales son dignos de tutela como seres sintientes (Ley 7/2023, de 28 de marzo), el Mar Menor es titular de derechos (Ley 19/2022, de 30 de septiembre), colectivos históricamente discriminados pasan a tener voz (Ley 4/2023, de 28 de febrero),…Ello conlleva cambios en las legitimaciones para la defensa de intereses que, hasta ahora eran inexistentes o poco apreciados como dignos de tutela. La legitimación del MF, de las ONGDs, se nuevos sujetos… abre una nueva época para la defensa de las personas y del planeta.

II. TIPOS DE LEGITIMACIÓN

Para pedir correctamente en juicio con visos de tener éxito y que el juez llegue a pronunciarse sobre el fondo del asunto, quien pide en el lado activo y contra quién se pide en el lado pasivo, deben ser *partes procesales y materiales* del litigio.

A modo de introducción, podemos afirmar que la persona que va juicio tiene, en primer lugar, una titularidad del derecho de acción para pedir la tutela —que constituye la relación jurídica procesal que le convierte en *parte procesal*— y, en segundo término, la titularidad de un derecho material —relación jurídica material que le convierte en *parte material*—. A partir de ahí, la parte *procesal* puede coincidir o no con quien afirma ser titular de la relación jurídica *material*. Deriva-da de esta premisa surgen dos conceptos:

> ➤ Cuando quien pida en juicio (parte *procesal*) coincida con quien afirma ser el titular del objeto de litigio (parte *material*), nos encontraremos ante el fenómeno de la *legitimación ordinaria*.

> ➤ Por contraposición, encontramos casos en los que *la ley* legitima para pe-dir en juicio a personas que nada tienen que ver con dicha titularidad o vinculación con el objeto de litigio (parte *material*). A este fenómeno se le denomina *legitimación extraordinaria*.

1. La legitimación ordinaria

Cuando se afirma que alguien tiene legitimación ordinaria para litigar, nos encontramos ante una persona que ejercita el derecho de acción sobre la base de un derecho subjetivo que se afirma en nombre propio (por ser parte procesal) por quien se considera titular (por creer ser parte material). Este fenómeno se regula en el artículo 10.1 LEC.

A) Concepto

Para entender este concepto debemos acudir al propio origen histórico del derecho del concepto de acción (*Vid.* Lecc. 11 Tomo I). Fue un concepto jurídi-co diseñado solo sobre una estructura básica, a saber, sobre la idea de que a cada derecho material (siempre de naturaleza privada) le correspondía un derecho de acción (exclusivamente de naturaleza pública).

El proceso se creó precisamente sobre esta doble estructura, integrada entre las personas que piden y sobre lo que se pide (relación jurídica procesal pública) y las personas que verdaderamente son titulares de los derechos y obligaciones sobre el bien objeto de conflicto (relación jurídica material privada). La primera relación jurídica tiene que estar bien constituida para no dar lugar a una activi-dad procesal en vano; la segunda solo se sabrá si era correcta cuando se llegue al fondo del asunto por el Juez para dar o quitar la razón a la demandante. Esta doble estructura nos hace ver que:

> ➤ Por un lado, encontramos los conceptos de derecho de acción, parte pro-cesal y relación jurídica procesal.

> ➤ Por otro lado, existen los conceptos de derecho a la sentencia sobre el fon-do del asunto, parte material y relación jurídica material.

La tutela judicial que ejercita el particular que actúa por este tipo de legitima-ción, debe de hacerla por derechos que afirma ser propios y sobre la base del art.

24 CE, cuando alude a la defensa de *sus* derechos e intereses legítimos. A este fenómeno se refiere el artículo 10.1 de la LEC.

➤ El ordenamiento civil se basa en la autonomía de la voluntad y en la libre disposición y por ello solo puede estar legitimado quien afirme ser titular de un derecho o interés (titular de la relación jurídica material).

➤ Cualquier persona no titular de un derecho que interponga una acción sobre la base de la amistad, amor o familiaridad, por ejemplo, con quien es el verdadero titular de la relación jurídica material, no tendrá éxito porque la relación jurídica procesal no estará bien constituida.

➤ La autonomía de la voluntad y libre disposición de los bienes (artículos 1 y 15 CE), nos permiten hacer casi cualquier tipo de negocio o tomar una decisión con nuestros bienes (regalarlos con o sin condición, darlos en herencia a un desconocido…) con el único límite de la Ley y la protección de los terceros de buena fe; pero, contrariamente, ir a juicio a reivindicar la tutela de un derecho solo se puede hacer por el camino que marca la ley procesal, porque al final del proceso, el Estado ofrece a ese resultado de la función jurisdiccional la denominada eficacia de cosa juzgada, como vínculo jurídico público. La atribución de la legitimación se establece, pues, en una norma de naturaleza procesal.

➤ Por último, debemos saber que, si no hay una relación jurídica procesal bien constituida, porque la persona que pide no es la que determina la ley, la consecuencia será que no nace el derecho a la sentencia sobre el fondo del asunto.

B) Situaciones jurídicas especiales

Son varias las situaciones que debemos observar dentro del fenómeno de la legitimación ordinaria, que siendo una afirmación en nombre propio (parte procesal) de un derecho que afirma ser propio (parte material), tiene ciertos matices. Valga como ejemplo estas dos situaciones habituales.

➤ *La sucesión en la titularidad.* Es posible que, en virtud de una herencia, la persona que pide o contra quien se pide en juicio sea diferente a quien establece el título de propiedad. El fallecimiento y la sucesión *mortis causa* justifican este cambio de persona y titularidad. En este caso, al entablar la acción se tendrá que acreditar la condición de heredero y la existencia de la relación jurídica afirmada; de esta forma, la relación jurídica procesal estará bien establecida y dará derecho a que el juez pase a observar el fondo del asunto y decida si también hubo o no legitimación material (*Vid.* Lecc. 6).

➤ *Situaciones jurídicas en las que la ley marca las posiciones de la parte legitimada activa o pasivamente de forma ordinaria.* Hay ocasiones en las que no existe verdaderamente un derecho subjetivo que reivindicar, sino que es la ley la que marca una posición jurídica que legitima a una persona para ejercitar una acción o para que se entable frente a ella. Valga como ejemplo un divorcio o una incapacidad o un acoso sexual o por razón de sexo. Más que un derecho subjetivo y una relación jurídica material, lo que existe es una situación jurídica que habilita para pedir legítimamente y promover un divorcio o ejercer una de solicitud de medidas de integración de la capacidad sobre un concreto sujeto.

2. La legitimación extraordinaria

Cuando nos referimos a la legitimación extraordinaria nos encontramos ante la circunstancia procesal de que una parte ejercita un derecho de acción (parte procesal), sin que exista derecho subjetivo que le dé soporte y del que afirme ser titular (parte material). Es decir, cuando la Asociación Greenpeace ejercita una acción medioambiental contra una empresa que emite residuos por encima de lo legalmente permitido, esta asociación no afirma derechos propios de los que sea titular, sino que litiga por el derecho a un medio ambiente sano que nos pertenece a toda la ciudadanía (legitimación extraordinaria); por oposición, si Greenpeace litigara contra una campaña mediática de desprestigio iniciada por una empresa petrolera contra ella, como persona jurídica sí podría litigar en nombre propio por sus derechos y los de sus asociados dañados en su imagen (legitimación ordinaria). En el primer caso, Greenpeace afirma derechos que no son suyos (no es la parte material); en el segundo sí son suyos (es la parte material).

Por tanto, es la *ley* quien determina en qué casos una persona física o jurídica puede actuar en nombre propio (parte procesal) derechos que no son suyos (parte material), pero se le permite o *legitima* para defenderlos en juicio; se entabla entonces la relación jurídico procesal *ex lege* y lo que pida —y le den en la sentencia al fijar la relación jurídica material— no es para sí, sino para otro sujeto (consumidores y usuarios, por ejemplo). A este fenómeno se refieren los artículos 10.2 y 11, 11 *bis* y 11 *ter* de la LEC.

A partir de esta premisa, debemos de distinguir varios tipos de legitimación extraordinaria.

A) Legitimación extraordinaria por interés privado

En ocasiones la Ley permite lo que se denomina la *sustitución procesal,* es decir, se legitima a un particular para que ejerza derechos subjetivos particulares o privados que afirma, que pertenecen a otra persona. Valga como ejemplo la denominada acción subrogatoria del art. 1111 del Código Civil, por la que es posible que el ciudadano (A) sea acreedor de un derecho procesal *ex lege* destinado a ejercitar las acciones que tiene su deudor (B) frente a otro ciudadano (C). Para entender esta acción subrogatoria observemos las siguientes premisas:

> ➤ Existen dos relaciones jurídicas materiales, la de A con B y la de B con C.

> ➤ La Ley le da al ciudadano (A) una facultad *procesal* para ejercitar los derechos y acciones de su deudor (B) para ir directamente contra (C) y así integrar el patrimonio de su deudor (B), para que haya bienes suficientes en su caudal y así poder cobrar o recuperar lo que afirma ser suyo.

> ➤ Por tanto, (A) ejerce en nombre propio (parte procesal) un derecho ajeno (que pertenece a B frente a C).

> ➤ La acción subrogatoria no da al acreedor (A) derecho material alguno, sino solo procesal y, por tanto, este acreedor no pide para sí mismo sino para integrar el patrimonio de su deudor (B) —que verdaderamente tiene la relación jurídica material con C—.

> ➤ Esto solo se puede hacer porque la ley legitima a (A) frente a (C) con el que no tiene una relación jurídica material, sino solo recibe de la Ley una acción para ser parte e integrar el patrimonio de (B).

Valga citar este fenómeno en casos tales como, cuando el usufructuario puede reclamar créditos que forman parte del usufructo (art. 507 CC) o cuando un mandante puede ejercitar acciones contra el sustituto del mandatario (art. 1722 CC), entre otros.

B) Legitimación extraordinaria por interés social

El tráfico jurídico actual se caracteriza por darse numerosas o masivas relaciones jurídicas particulares que tienen en común a una única empresa vendedora de un servicio, que ha hecho un abuso concreto en el mercado. La realidad social y el tráfico jurídico está lleno de ejemplos mediáticos y nos sirven para entender este fenómeno.

El artículo 11 LEC de forma poco clara alude a diversidad de intereses basados en legitimaciones *ex lege* a *asociaciones de consumidores y usuarios* y *entidades legalmente establecidas para litigar* en nombre de estos intereses que exceden de la titularidad individual y responden a intereses colectivos y difusos. Ello precisa una primera conceptuación sobre qué es el interés social para el Estado, sobre el que decide legislar y crear este fenómeno de la legitimación extraordinaria.

a) Interés plural

Este interés plural se trata de un sumatorio de intereses individuales. Lo habitual es encontrar que, en las relaciones jurídico-comerciales, una de las partes es siempre la misma (empresa demandada por un mal servicio) y la otra parte es diferente (consumidor del producto). Estos contratos realmente son idénticos en su objeto y sólo cambia el nombre de una de las partes contratantes, la ahora demandante. Realmente el interés plural se traduce en una acumulación de acciones basadas en legitimaciones individuales a las que se les permite litigar de esta forma. Estamos ante los grupos de afectados del artículo 7.3 LOPJ al que aludíamos en el tema anterior, aunque sobre este aspecto volveremos más adelante.

b) Interés colectivo

Cuestión diferente, es el interés que tiene un grupo más o menos amplio de personas que, además, suelen estar siempre determinadas o ser fácilmente determinables, unidas por un vínculo jurídico previo como es la pertenencia a una asociación o entidad jurídica, a la que *la Ley* le encomienda defender los derechos de sus afectados colectivamente; de este modo, la asociación o entidad defenderá en juicio intereses *plurinidividuales* que son ajenos —denominados intereses colectivos—, pero que los accionará en nombre propio, dado que tiene encomendada por ley la tutela de los mismos. Aquí podríamos encontrar la defensa de los trabajadores por los sindicatos o la defensa de los derechos de los afectados por el mal servicio de la red de metro de una ciudad, cuya defensa está encomendada a la Asociación de Usuarios del Metro.

A ello se refiere el artículo 11.2 LEC cuando permite a determinados entes litigar por un «interés colectivo», con el fin de que el sujeto abusador cese en su acción y, además, indemnice a las personas afectadas. Por eso, la eficacia de la sentencia que se obtenga afectará *ultra partes* (*Vid.* Lecc. 17), es decir, a todas las personas que puedan presentar la existencia de ese título jurídico o fáctico que le coloca en esa situación de afectadas.

c) Interés difuso

Por último, existen intereses cuya afectación no pertenece a personas concretas por tratarse de intereses *supraindividuales* y, por tanto, los sujetos afectados son indeterminados o de difícil determinación.

Valga como ejemplo, las asociaciones como Greenpeace o la Asociación Themis; la primera que vela por el derecho al medio ambiente y un planeta sano y sostenible; la segunda por el derecho a la igualdad entre la mujer y el hombre. A ello se refiere el artículo 11.3 LEC cuando permite a determinadas entidades litigar por un «interés difuso», con el fin de que el sujeto abusador cese en su acción, se le prohíba iniciarla o se le exija eliminar los efectos dañosos producidos; en ningún caso, podrán solicitar indemnizaciones por la razón de que las personas afectadas somos todos los titulares del derecho al medio ambiente sano, la libertad de expresión, la igualdad entre la mujer y el hombre, etc. Por eso, la eficacia de la sentencia que se obtenga también afectará *ultra partes* (*Vid.* Lecc. 17), es decir, a toda la ciudadanía. Repárese en esta diferencia respecto al caso anterior. Aquí no es posible la acción resarcitoria porque no sería divisible entre las personas dañadas, por la razón de que lo somos todos y todas.

Son pocas las asociaciones legitimadas para litigar por intereses difusos; la especial finalidad tuitiva que tienen hace que el Estado legitime a pocas asociaciones con un gran potencial de tutela de estos intereses por una sociedad más justa y respetuosa con los derechos de las personas. Se trata, de las asociaciones que, de conformidad con la ley, sean representativas de dichos intereses para el ejercicio de la acción de cesación (art. 11.4), de conformidad con sus estatutos y bajo la comprobación judicial de dicha misión o finalidad.

d) El interés de las entidades habilitadas conforme a la normativa europea

Adicionalmente, el propio artículo 11.4 LEC cita la legitimación de las entidades habilitadas conforme a normativa europea para el ejercicio de la acción de cesación para la defensa de los intereses colectivos y difusos de los consumidores y usuarios. Ante el mercado global y transnacional en el que vivimos, la Unión Europea decidió legitimar a determinadas asociaciones de consumidores y usuarios para que puedan litigar por derechos de ciudadanos y ciudadanas extranjeros, tanto por intereses colectivos como difusos, para interponer las acciones de resarcitorias (intereses colectivos de personas determinables) como acciones de cesación (para que la empresa cese y evitar mayores daños a personas determinables pero también a las que no interesa determinar). Estamos, por tanto, ante las situaciones expresadas en los arts. 11.2 y 11.3 LEC.

C) Legitimación por interés público general

Por último, para la protección de los intereses generales, la Constitución prevé la encomienda de la tutela tanto al Ministerio Fiscal como a las Administraciones públicas y otras entidades públicas. A dichas legitimaciones nos referimos a continuación.

➢ El artículo 11. 5 LEC también se refiere a la defensa de los intereses generales o supraindividuales por el *Ministerio fiscal* (art. 124 CE). Ello por la razón de que el legislador entiende que determinados intereses no se puede dejar su protección en manos de sujetos individuales o entidades privadas, lo que les convierte en intereses públicos, tanto para que el MF demande o sea demandado.

➤ *La legitimación de las Administraciones públicas y de otras entidades públicas.* A tenor del artículo 103.1 CE les corresponde a las administraciones públicas velar por los intereses generales. De este modo, en los procesos judiciales puede aparecer como demandante y como demandado el Estado, las Comunidades Autónomas, las Corporaciones Locales e instituciones públicas de carácter cultural para instar, por ejemplo, la tutela de los derechos de autor tras la muerte del mismo (art. 16 Ley de Propiedad Intelectual) o, igualmente, podemos encontrar al Instituto Nacional de Consumo y otras entidades de las Comunidades Autónomas asimilables, para el ejercicio de acciones colectivas en materia de condiciones generales de contratación (art. 16.4 Ley sobre Condiciones Generales de la Contratación), o para reclamar la cesación de una publicidad ilícita (arts. 25 y 27 de la Ley General de publicidad).

Es una decisión política el legitimar a determinados órganos públicos para actuar en juicio y no dejar de su mano el control de ciertos intereses y la tutela de los mismos. Recientemente, la Ley 12/2023, de 24 de mayo por el derecho a la vivienda, legitima a las personas jurídicas sin ánimo de lucro para la defensa de intereses generales vinculados con la protección de la vivienda, siempre bajo los criterios de buena fe, y no abuso de derecho (art. 5). En este caso, les legitima para el control de la legalidad de las normas que afectan a dichos intereses.

III. BREVE ANÁLISIS DEL ARTÍCULO 11 DE LA LEC SOBRE LA LEGITIMACIÓN PARA LA DEFENSA DE DERECHOS E INTERESES DE CONSUMIDORES Y USUARIOS

Aprobada en el año 2000 la LEC, el artículo 11 de la misma supuso un gran avance, que procedo a esbozar a continuación. Se trata de un artículo clave en su comprensión como jurista, dado que la ciudadanía está sometida en su existencia a constantes relaciones jurídicas que nos ubican como consumidores y usuarios.

1. *Las legitimaciones ordinarias del párrafo primero*

El artículo 11. 1 afirma que *«Sin perjuicio de la legitimación individual de los perjudicados, las asociaciones de consumidores y usuarios legalmente constituidas estarán legitimadas para defender en juicio los derechos e intereses de sus asociados y los de la asociación, así como los intereses generales de los consumidores y usuarios».*

El párrafo primero del art. 11 se refiere a tres casos de legitimaciones ordinarias y una extraordinaria.

1) Por legitimación ordinaria pueden siempre los *perjudicados* acudir individualmente ante los tribunales para solicitar la tutela de sus derechos e intereses legítimos.

2) Igualmente se puede encontrar la defensa de estos mismos intereses de forma grupal, a través de las *entidades legitimadas* a tal fin (asociaciones de consumidores y entidades legalmente constituidas); estamos ante un supuesto de «*representación voluntaria*» de las voluntades de esas personas afectadas. Para ello es necesaria una afiliación o contrato de mandato y pertenencia a la asociación. Ésta, defiende, por tanto, derechos ajenos (la parte material es el representado) en nombre ajeno (la parte procesal es de nuevo el representado).

3) En tercer lugar, la propia asociación puede defender a través del fenómeno de legitimación ordinaria derechos que le son propios, como por ejemplo el derecho a su propia imagen. En este caso, defiende, por tanto, derechos propios (parte material) en nombre propio (parte procesal).

4) Por último, la asociación de consumidores y usuarios, reza este artículo 11.1 LEC que también podrá defender los *intereses generales* de los consumidores y usuarios. En este caso, encontramos un fenómeno diferente, a saber, la encomienda legal de determinados intereses a estas asociaciones para que los defiendan en exclusividad. Se trata de un fenómeno de *legitimación extraordinaria*.

2. *Las legitimaciones extraordinarias del párrafo segundo*

El artículo 11.2 LEC afirma que «*Cuando los perjudicados por un hecho dañoso sean un grupo de consumidores o usuarios cuyos componentes estén perfectamente determinados o sean fácilmente determinables, la legitimación para pretender la tutela de esos intereses colectivos corresponde a las asociaciones de consumidores y usuarios, a las entidades legalmente constituidas que tengan por objeto la defensa o protección de éstos, así como a los propios grupos de afectados*».

1) En este párrafo se otorga legitimación extraordinaria y, por tanto, *ex lege*, para la defensa de un «interés colectivo» a determinadas entidades (asociaciones de consumidores y usuarios o entidades legalmente constituidas). La Ley en estos casos exige:

➢ Que se organice a estos colectivos de afectados de la mejor forma posible para que una misma solución de tutela llegue al mayor número de personas afectadas posible y se asegure la coherencia en la resolución.

> Puedan ser identificadas dichas personas a efectos de reclamaciones resarcitorias y posibles indemnizaciones.

> En última instancia, estas demandas por intereses colectivos buscan de forma *inmediata* la tutela de los derechos de las personas afectadas y, solo de forma *indirecta* tienen una finalidad *tuitiva* frente a la sociedad para evitar esos abusos colectivos.

2) En el último inciso se refiere a la legitimación «de los propios grupos de afectados». A lo dicho en el epígrafe anterior sobre los *grupos* nos remitimos.

3. Las legitimaciones extraordinarias del párrafo tercero

El párrafo tercero del artículo 11 LEC afirma que «*Cuando los perjudicados por un hecho dañoso sean una pluralidad de consumidores o usuarios indeterminada o de difícil determinación, la legitimación para demandar en juicio la defensa de estos intereses difusos corresponderá exclusivamente a las asociaciones de consumidores y usuarios que, conforme a la Ley, sean representativas*».

En este artículo lo transcendental es el tipo de interés, el difuso, que no requiere en última instancia de determinación de las personas integrantes, porque lo relevante es que a dichas asociaciones les pertenece en exclusiva la defensa de ese derecho a defender la salud, al comercio seguro, al clima sano, o a la igualdad, …derechos cuya titularidad es de toda la ciudadanía, presente y futura. Hay una clara finalidad *tuitiva* en la norma de forma inmediata; es su razón de ser. Por eso aquí solo caben acciones de cesación, restauración de los efectos del daño…pero no acciones resarcitorias o indemnizatorias, por la razón de que tras esta legitimación estamos todas y todos sin posibilidad de determinación.

Estarán legitimadas para tales fines *exclusivamente*, las asociaciones de consumidores y usuarios que, conforme a la Ley, sean representativas. Las legitimaciones son restrictivas y hay pocas entidades avaladas por la ley para la defensa de dichos intereses difusos. En este caso, tal y como afirmábamos con anterioridad, estas entidades actuarían por legitimación extraordinaria fijada legalmente, porque defiende en nombre propio derechos que no son de nadie más o son de todos y que la ley le ha atribuido su tutela con exclusividad; siendo un supuesto de legitimación extraordinaria, tal «exclusividad» en la defensa de intereses, acaba pareciendo un fenómeno de legitimación ordinaria, por la razón de que individualmente las personas no pueden ejercer esta tutela de intereses difusos (MONTERO AROCA). En este sentido, la Ley 19/2022 reguladora de la personalidad jurídica del Mar Menor y su ecosistema, es ejemplo de esta evolución de la que hablaba el profesor Montero, de modo que al Mar se le ha convertido en sujeto titular en exclusiva de su derecho a la tutela (actuando por legitimación ordinaria y sólo requiriendo de alguien que le represente en juicio para defender su voluntad).

4. Las legitimaciones del párrafo cuarto

El párrafo 4 del artículo 11 LEC afirma que «*Las entidades habilitadas a las que se refiere el artículo 6.1.8 estarán legitimadas para el ejercicio de la acción de cesación para la defensa de los intereses colectivos y de los intereses difusos de los consumidores y usuarios. Los Jueces y Tribunales aceptarán dicha lista como prueba de la capacidad de la entidad habilitada para ser parte, sin perjuicio de examinar si la finalidad de la misma y los intereses afectados legitiman el ejercicio de la acción*».

A los fines establecidos con anterioridad, este número alude a dichas entidades que tienen encomendada con carácter exclusivo la tutela de los intereses colectivos y difusos ex arts. 11.2 y 11.3. Podrán ejercitar la acción de cesación de actividades ilícitas, pero también en caso de defender intereses colectivos, podrá ir acompañada de pretensiones resarcitorias para las personas que integran el colectivo de personas, determinado o determinable.

5. La legitimación del párrafo quinto

El artículo 11.5 afirma que «*El Ministerio Fiscal estará legitimado para ejercitar cualquier acción en defensa de los intereses de los consumidores y usuarios*».

Este párrafo fue introducido por la disposición adicional segunda de la Ley 3/2014, de 27 de marzo, por la que se modifica el texto refundido de la Ley General para la Defensa de los Consumidores y Usuarios y otras leyes complementarias, aprobado por el RD Legislativo 1/2007, de 16 de noviembre. Es una decisión política el convertir determinados intereses en públicos y legitimar para su defensa la participación del Estado a través del MF.

6. La legitimación para la defensa del derecho a la igualdad de trato y no discriminación (art. 11 bis LEC)

Son varias las posibilidades que ofrece la ley a la defensa de estos intereses. de conformidad con la Ley 15/2022, de 12 de julio, integral para la igualdad de tato y no discriminación.

A. Artículo 11 bis párrafo 1

El artículo 11 *bis* comienza afirmando que «*Para la defensa del derecho a la igualdad de trato y no discriminación, además de las personas afectadas y siempre con su autorización, estarán también legitimados la Autoridad Independiente para la Igualdad de Trato y la No Discriminación, así como, en relación con las personas afiliadas o asociadas a los mismos, los partidos políticos, los sindicatos, las asociaciones profesionales de trabajadores autónomos, las organizaciones de personas consumidoras y usuarias y las asociaciones y organizaciones legalmente constituidas que tengan entre sus fines la defensa y promoción de los derechos humanos, de acuerdo con lo establecido en la Ley integral para la igualdad de trato y la no discriminación».*

> ➤ En primer lugar, aquí se establece una *legitimación ordinaria e individual* que permite a la parte hacer dos cosas: (A) Actuar en nombre propio por ellas mismas, afirmando derechos propios; (B) autorizar a terceros representantes (sindicato, asociación,…) siempre con la autorización debida y por representación voluntaria.

> ➤ Pero, en segundo lugar, también es posible que las asociaciones, sindicatos, …, actúen en defensa del derecho a la igualdad, las asociaciones, sindicatos, etc. como entidades que tienen encomendada la defensa en juicio de ciertos intereses relevantes y *colectivos*, asumiendo la legitimación en nombre de las personas afectadas integrantes de su sindicato o asociación, etc. Se trata pues, de un supuesto de *legitimación extraordinaria* por intereses colectivos (similar a la establecida en el 11.2 LEC). La realidad es que, localizadas las personas afectadas, lo normal es que se asocien al sindicato, … volviendo de nuevo a estarse ante el supuesto del párrafo anterior.

B. *Artículo 11 bis párrafo 2*

En segundo término, «*Cuando las personas afectadas sean una pluralidad indeterminada o de difícil determinación, la legitimación para instar acciones judiciales en defensa de derechos o intereses difusos corresponderá a la Autoridad Independiente para la Igualdad de Trato y la No Discriminación, a los partidos políticos, los sindicatos y las asociaciones profesionales de trabajadores autónomos más representativos, así como a las organizaciones de personas consumidoras y usuarias de ámbito estatal, a las organizaciones, de ámbito estatal o del ámbito territorial en el que se produce la situación de discriminación que tengan entre sus fines la defensa y promoción de los derechos humanos, de acuerdo con lo establecido en la Ley integral para la igualdad de trato y la no discriminación, sin perjuicio en todo caso de la legitimación individual de aquellas personas afectadas que estuviesen determinadas*».

Se trata de un supuesto de legitimación extraordinaria por intereses *difusos*, otorgada con *exclusividad* a los sindicatos, asociaciones, *de ámbito estatal* con competencia en la materia, en cuyos estatutos aparezca como fin en sí mismo la protección de la igualdad (en relación con lo dicho en el art. 11.3).

Si se observa bien este mismo artículo in fine vuelve a reconocer la legitimación ordinaria de las persona afectada, para litigar individualmente o en grupo, cuando afirma "sin perjuicio en todo caso de la legitimación individual de aquellas personas afectadas que estuviesen determinadas".

7. La legitimación para la defensa del derecho a la igualdad de trato y no discriminación por razón de orientación e identidad sexual, expresión de género o características sexuales (art. 11 ter LEC)

La Ley 4/2023, de 18 de febrero en defensa del derecho a la igualdad real y efectiva de las personas trans y para la garantía de los derechos de las personas LGTBI introduce en la DA 5ª el presente artículo. Su contenido es prácticamente idéntico al 11 bis, por lo que a lo que acabamos de decir nos remitimos. Sin embargo, sí introduce un párrafo adicional que reconoce la exclusiva legitimación ordinaria en el proceso civil a la persona afectada por el acto discriminatorio, cuando afirma que "3. La persona acosada será la única legitimada en los litigios sobre acoso discriminatorio por razón de orientación e identidad sexual, expresión de género o características sexuales". Ello es algo que también se hace extensible a los casos de acoso sexual y por razón de sexo entre el hombre y la mujer, y que sí existía en la versión del artículo 11.2 de la LEC anterior a la reforma operada por la Ley 15/2002 citada.

IV. TRATAMIENTO PROCESAL DE LA LEGITIMACIÓN

Debemos responder a la pregunta relativa a qué ocurre si no se tiene legitimación y cómo poner esto de manifiesto. Ya hemos adelantado que existe una relación jurídica procesal que debe de estar bien constituida para que el proceso no se dé en vano y poder el juez evaluar la relación jurídica material en la sentencia de fondo. Esto nos hace pensar la importancia de este presupuesto y su necesidad de poder ser controlado a instancia de parte y también de oficio.

Por este motivo, debe el *Juez* de oficio controlar este presupuesto «a limine litis», al inicio del proceso, para que el mismo no se desarrolle ante personas que no tienen la vinculación exigida con el bien o derecho reclamado como fondo del asunto.

➢ *Falta de legitimación de la parte demandante:* Si falta esta relación intensa con el objeto de tutela (legitimación procesal), en estos casos el juez de oficio deberá estimarlo sin esperar al fondo del proceso. Sí podría iniciarse el proceso *a posteriori* por la persona que verdaderamente esté legitimada para pedir en juicio.

➢ *Falta de legitimación de la parte demandada:* En este caso, deberemos de estar al tipo procedimental de que se trate y a los trámites que allí se regulen para oponer esta causa tan importante. Así se establece expresamente en el artículo 416.1, 420 y 425 LEC para la alegación de la falta de litisconsorcio necesario y otras causas análogas, lo que significa que podrá contemplarse al inicio de la vista en el juicio verbal o en la audiencia previa en el juicio ordinario.

➢ La falta de legitimación pasiva trae consigo una sentencia absolutoria con eficacia de cosa juzgada frente a ese concreto demandado, lo que no obsta a que la demandante interponga demanda frente a otra persona legitimada.

Lección 5ª
PLURALIDAD DE PARTES

ELENA MARTÍNEZ GARCÍA

BIBLIOGRAFÍA BÁSICA

LÓPEZ JIMÉNEZ, R., *El litisconsorcio,* Tirant lo Blanch, Valencia, 2009.

GONZÁLEZ GRANDA, P., *El litisconsorcio necesario en el proceso civil,* Comares, Granada, 1996.

MONTERO AROCA, J./ FLORS MATÍES, J., *Tratado de Derecho Procesal Civil,* Tirant lo Blanch, Valencia, 2013.

I. CONCEPTO

La Constitución nos define la potestad jurisdiccional como un poder sujeto a unas reglas de juego, según estamos viendo. La más básica es que su ejercicio requiere de la iniciativa de las partes (*nemo iudex sine actore*), que le piden la resolución de un conflicto y la protección de sus derechos e intereses legítimos. Fruto del principio de contradicción, existe una *dualidad de posiciones,* que entraña la existencia de intereses contrapuestos entre las personas que ocupan ambas posturas en conflicto. Ambas posiciones, a su vez, pueden estar integradas por una o varias partes. Así se dispone en el artículo 12 LEC. Sin embargo, debemos saber que en un procedimiento judicial puede haber una pluralidad de partes debido a dos fenómenos procesales:

➢ Bien la acumulación de varios procesos.

➢ Bien el litisconsorcio o proceso único con pluralidad de partes.

Sobre el fenómeno de la *acumulación de procesos* profundizaremos en la lección 5. Cuando nos referimos al fenómeno de la *litigación litisconsorcial* o de pluralidad de partes, encontramos que el proceso es único, la pretensión es única, pero hay razones para que varias personas de forma voluntaria u obligatoria litiguen conjuntamente en dicho proceso, que acabará con una única sentencia con un único pronunciamiento, que afectará a todas las partes por igual.

Litisconsorcio significa «litigar varias personas con la misma suerte», de ahí que le sean propias estas características. Veamos algunas de ellas:

➢ La pluralidad de partes, tanto en el lado activo —como demandantes— o en el lado pasivo —como demandados—, están legitimadas para demandar o que contra ellas se ejerza pretensión, a saber, una única pretensión.

➢ Existe libertad a la hora de actuar en cada posición, de modo que se puede obrar de forma decidida unívocamente y no coordinadamente, con libertad a la hora de alegar o fijar su estrategia procesal.

➢ Esta llamada a participar en un proceso con pluralidad de partes puede hacerse, desde el inicio mismo del proceso, es decir en la demanda o, por el contrario, a lo largo del mismo.

II. EL LITISCONSORCIO

El artículo 12 LEC regula dos situaciones muy diferentes bajo la denominación de litisconsorcio. El art. 12.1 se identifica con lo que la doctrina y jurisprudencia han denominado *listisconsorcio voluntario*, cuando afirma que «podrán comparecer en juicio varias personas, como demandantes o como demandados, cuando las acciones que se ejerciten provengan de un mismo título o causa de pedir»; por su lado, en el párrafo segundo define lo que se denomina *litisconsorcio necesario*, «cuando por razón de lo que sea objeto del juicio la tutela jurisdiccional solicitada sólo pueda hacerse efectiva frente a varios sujetos conjuntamente considerados, todos ellos habrán de ser demandados, como litisconsortes, salvo que la ley disponga expresamente otra cosa».

En realidad, *strictu sensu* solo es litisconsorcio, en el sentido de «correr la misma suerte entre los litigantes o litigados», el supuesto determinado en el párrafo segundo, por la imposibilidad de litigar separadamente, por ser una obligación legal actuar conjuntamente porque la intensidad de la vinculación de las partes con el objeto del litigio impide que cada una de ellas vaya por su lado. Se trata, pues, de una carga para la parte que, de no llevarla a cabo, correrá con las consecuencias de no hacerlo (art. 12.2).

1. *Litisconsorcio voluntario*

El artículo 12 permite que varias personas, sobre la base de una misma *causa petendi* o causa de pedir, litiguen conjuntamente, bien como demandantes o como demandados, sin que exista obligación alguna de hacerlo. Valga como ejemplo, la acción por responsabilidad civil por un contrato de transporte que no ha realizado la compañía aérea. Las partes litigantes tendrán la libertad de formular su estrategia procesal de forma individual, pero la pretensión será única, la sentencia también y afectará a todas las partes por igual.

2. *Litisconsorcio necesario*

Podemos encontrar, en segundo lugar, procesos únicos con pluralidad de partes establecidos *ex lege* (art. 12.2 LEC). En este caso, son las normas jurídicas quienes determinan legitimación activa o pasiva a varias personas para que litiguen conjuntamente y no separadamente. Se trata ahora, al contrario de lo que acontecía en el caso anterior, de una carga procesal. Nadie puede litigar, activa o pasivamente, sin la presencia de las personas que son cotitulares de la relación jurídica material sobre la que se debate. Por esta razón, se trata de un único proceso, con una única pretensión que acabará en una única sentencia y con un único pronunciamiento, que afectará a todas las partes por igual.

Es importante entender que entre los litigantes existe *un nexo tan directo que no pueda emitirse un pronunciamiento solo respecto de una parte, dado el carácter de la relación jurídica material controvertida, que exige resolución uniforme e impide su manifestación por separado*. Es decir, si en un proceso se pretende la modificación, sea total o parcial, de una relación o situación jurídica plurisubjetiva, habrá que demandar a todos los titulares de la misma y ello en orden a no vulnerar el derecho a la tutela judicial efectiva que se encuentra recogido constitucionalmente en el art. 24 CE. Pensemos en litigios en una comunidad de bienes o una comunidad hereditaria. También nos encontramos ante un litisconsorcio necesario cuando una persona solicita la nulidad de un matrimonio que, necesariamente, debe hacerse valer frente a los dos cónyuges. Igualmente, cuando el artículo 600 LEC sobre la tercería de dominio, ordena que la demanda se dirija contra el ejecutante y el ejecutado.

Las características del tratamiento de la ausencia de litisconsorcio son las siguientes:

➢ La falta de litisconsorcio la puede observar el juez de oficio o a instancia de parte.

➢ Los tribunales de oficio *a limine litis* deben de velar porque el litigio se ventile con presencia de todas aquellas personas que puedan resultar afectadas.

➢ Las partes lo pondrán de manifiesto a través de la excepción procesal por falta de litisconsorcio pasivo necesario, bien en la audiencia previa (artículos 12.2 en relación con el 420), bien en la fase intermedia de un juicio verbal (a tenor del art. 443 LEC).

➤ Se inicia así un debate ante el juez tendente a determinar si es necesario ese llamamiento al litisconsorcio.

➤ En caso de que el litisconsorcio debiera ser activo, porque así lo argumentó la parte demandada:

- Si el demandante amplía la demanda, el proceso sigue su curso.

- Si el demandante no amplía la demanda a todos los litisconsortes, el efecto será un auto de archivo, sin que ello impida luego al mismo volver a demandar a todos los litisconsortes, pues no queda cubierto por la eficacia de cosa juzgada.

➤ Por su lado, en caso de que el litisconsorcio debiera ser pasivo, su evidencia conlleva:

- bien su integración, llamando al proceso a los litisconsortes demandados

- bien el archivo de la causa, que tampoco produce la eficacia de cosa juzgada.

➤ Si el juez entrara a conocer el fondo del asunto la sentencia que dictara —frente a los demandados sí personados— no sería nula, pero sí ineficaz y no sería oponible frente al que debió ser llamado a juicio y no lo fue; sería, por tanto, de imposible ejecución e impugnable por la parte litisconsorte que no fue llamada.

➤ Por último, la legitimación conjunta permite, incluso, una unidad en la defensa y procura, siendo ésta solo una posibilidad.

➤ La Ley sólo exige unidad de acción cuando actúen unívocamente ante un acto de disposición del objeto del litigio.

3. El litisconsorcio cuasi-necesario

Se trata de una litigación que, al igual que acontecía en el litisconsorcio voluntario, queda a disposición de la parte activa o pasiva decidir cómo quiere correr su suerte. Conforme acontecía allí, las partes deciden cómo litigar en un único proceso, con un único objeto procesal y un único pronunciamiento final, pero existe un matiz.

El ejemplo paradigmático que nos ofrece la Ley es el de las obligaciones solidarias, donde la ley deja a la voluntad de las partes esta decisión, de modo que, si se decide litigar contra varios demandados, solo hay una condición: deben de ser contra todos los posibles litisconsortes. Valga también como ejemplo, el caso de la impugnación de los acuerdos sociales nulos. La necesidad de evitar sentencias contradictorias impone que solo exista un proceso de impugnación sobre el acuerdo societario, y queda a decisión de la parte demandar o no colectivamente, de ahí que reciba la denominación de litisconsorcio *eventual*. La sentencia que finalmente se dicte desplegará sus efectos sobre todos los afectados, hayan litigado o no.

III. LA INTERVENCIÓN

El artículo 13 de la LEC regula la intervención de sujetos originariamente no demandantes ni demandados. Las características son las siguientes:

➤ Quien hasta ahora era un «tercero» en el proceso, iniciado por otros, va a convertirse en parte.

➤ Es presupuesto de la intervención procesal que exista la *litispendencia*. El tercero está interesado en la relación jurídica material debatida en juicio. Como la Constitución afirma, no se puede privar a ningún ciudadano de sus derechos o intereses que pretende hacer valer en juicio.

➤ La intervención tendrá, por tanto, dos vertientes, según se intervenga de forma *voluntaria* —que a su vez podrá ser «litisconsorcial» o también «adhesiva»—, o por ser *provocada* desde dentro del proceso pendiente, bien a instancia del demandante o del demandado.

➤ Existe un supuesto excepcional donde de forma voluntaria o provocada por el órgano jurisdiccional se puede provocar la intervención de la Comisión Europea, la Comisión Nacional de los Mercados y la Competencia y los órganos competentes de las comunidades autónomas en el ámbito de sus competencias para verter su opinión, presentar información u observaciones sobre cuestiones relativas a la aplicación de los artículos 101 y 102 del Tratado de Funcionamiento de la Unión Europea o los artículos 1 y 2 de la Ley 15/2007, de 3 de julio, de Defensa de la Competencia. En ningún caso será parte en el proceso (art. 15 bis).

1. *Intervención voluntaria*

El art. 13.1 LEC contiene la definición de intervención voluntaria cuando establece que, «mientras se encuentre pendiente un proceso, podrá ser admitido como demandante o demandado, quien acredite tener interés directo y legítimo en el resultado del pleito. En particular, cualquier consumidor o usuario podrá intervenir en los procesos instados por las entidades legalmente reconocidas para la defensa de los intereses de aquéllos». Dentro de ella podemos encontrar dos posibilidades.

A) La intervención litisconsorcial

La presente intervención de un tercero es una opción libre del mismo, sobre la base de su cotitularidad en el derecho objeto de debate procesal al que quiere incorporarse. Valga como ejemplo el acreedor solidario que decide litigar sin contar con el resto de acreedores. Si cualquiera de estos últimos, una vez iniciado el proceso, decidiera intervenir en el proceso, lo podrá hacer a través de la intervención litisconsorcial. Debido a que a este sujeto —hasta ahora tercero— se le va a extender la eficacia de cosa juzgada, se le permite decidir si entrar o no en el proceso; pero si interviene, lo hará en los términos entablados ya, adhiriéndose a la misma pretensión y contra las mismas partes. No cabe duda de que al ser cotitular de la relación jurídica material discutida, puede realizar actos de disposición material.

Podemos encontrar supuestos de intervención litisconsorcial cuando el titular de un bien embargado en fase de ejecución desea ejercer una tercería de dominio (art. 594.1 LEC) o los accionistas que en un proceso de impugnación de un acuerdo deciden intervenir para defender dicho acuerdo (art. 117 de la Ley de Sociedades anónimas). Por último, es habitual encontrar esta intervención litisconsorcial de personas afectadas, que se incorporan a un proceso iniciado por asociaciones de consumidores y usuarios (art. 13.1.2 y 15.2 LEC).

B) La intervención adhesiva simple

En segundo lugar, la intervención voluntaria puede basarse, no tanto en la cotitularidad de la relación jurídica material inicialmente planteada en juicio, sino en una relación muy próxima a ésta, un interés directo en apoyar a una parte procesal, de tal modo que la suerte de la primera (hecho impeditivo, extintivo o constitutivo), puede directamente repercutir en el interés que defiende el interviniente, por la razón de que la primera producirá la eficacia de cosa juzgada refleja en la segunda (*Vid.* Lecc. 17). Se trata de una suerte de prejudicialidad de una decisión sobre el interés del tercero, lo que justifica su intervención.

Su denominación como interviniente adhesivo simple se explica porque participa en un proceso ajeno, apoyando a una de las partes en su pretensión, pero con su propia razón de ser, su propia alegación y pruebas. Como ejemplo de intervención adhesiva se encuentran los casos de subarriendo, donde el subarrendatario está interesado en coadyuvar en la defensa del arrendatario frente al arrendador, que pretende la resolución del contrato.

C) Régimen procesal para intervenir

Conviene no olvidar que estamos ante un *proceso único con pluralidad de partes* y no ante un fenómeno de acumulación de procesos. Por tanto, nos encontramos ante una parte más que intervendrá a tener del artículo 13.2 del siguiente modo:

➢ La solicitud se realizará por escrito dirigido al órgano jurisdiccional que conoce del proceso ya iniciado, alegando el interés que justifica dicha intervención.

➢ El tribunal resolverá por medio de auto, previa audiencia de las partes personadas, en el plazo común de diez días.

➢ Admitida la intervención, no se suspende el procedimiento, ni se retrotraerán las actuaciones, pero el interviniente será considerado parte en el proceso a todos los efectos y podrá defender las pretensiones formuladas por su litisconsorte o las que el propio interviniente formule, si tuviere oportunidad procesal para ello, incluso aunque su litisconsorte renuncie, se allane, desista o se aparte del procedimiento por cualquier otra causa.

➢ También se permitirán al interviniente formular las alegaciones necesarias para su defensa, que no hubiere efectuado por corresponder a momentos procesales anteriores a su admisión en el proceso.

➢ De estas alegaciones el Letrado de la Administración de Justicia dará traslado, en todo caso, a las demás partes, por plazo de cinco días.

➢ El interviniente podrá, asimismo, utilizar los recursos que procedan contra las resoluciones que estime perjudiciales a su interés, aunque las consienta su litisconsorte.

2. *Intervención provocada*

Frente a la intervención voluntaria de tercero, aparece otra situación procesal exigida desde dentro de un proceso en curso, de modo que, bien a instancia de parte como de oficio, se puede requerir a un tercero que entre en el mismo y se convierta en parte (art. 14 LEC). Pensemos en la situación de un coheredero es llamado a participar en un proceso entablado contra su coheredero por un acreedor de éste; dicha demanda puede afectar, por tanto, a su parte de la herencia.

El artículo 14 LEC regula un procedimiento de intervención provocada y solo para la parte demandada, que es donde se encuentra la casuística práctica, lo que no excluye poder encontrar supuestos en el lado activo del proceso. Así pues:

➤ La parte demandada debe, dentro del plazo para contestar a la demanda, solicitar al órgano jurisdiccional que provoque la entrada de un tercero en el proceso.

➤ Si el juez acepta, se interrumpe el plazo para contestar a la demanda y se le da traslado a la parte demandante por 10 días, resolviendo a continuación el juez, lo que procesal.

➤ Admitida la intervención por el juez, el tercero pasará a ser parte con todos su derechos y cargas.

➤ Ello puede llevar a que la parte demandada inicialmente solicite salir del juicio, dado que a quien le corresponde estar en él sea este tercero, ahora convertido en parte (art. 18).

➤ Si en la sentencia saliera absuelto el tercero, corresponde a la parte que provocó su entrada sufragar las costas procesales.

3. *La intervención provocada por intereses colectivos y difusos*

Siguiendo en la línea de la protección de *los intereses supraindividuales* vista en torno al tema de la legitimación, procede ahora conocer el llamamiento al proceso de las personas afectadas titulares de derechos e intereses legítimos, en los procesos promovidos por asociaciones de consumidores y usuarios. Así los artículos 15, 15 *bis,* 15 *ter* y el nuevo artículo 15 *quater* LEC recogen diversos supuestos a los que les dota de tramitaciones específicas, según el tipo de interés que proteja. Todos ellos son supuestos de intervención provocada a los efectos de poder concretar de la mejor forma posible el grueso de personas afectadas, principalmente, para poder delimitar pretensiones indemnizatorias frente a la persona física o jurídica que abusó de la confianza del mercado.

Son varias las situaciones que describen estos artículos, en atención a lo visto al estudiar el art. 11 LEC.

➤ Llamamiento a consumidores y grupos de perjudicados al proceso incoado por asociaciones legitimadas para la defensa de estos derechos, con el fin de que estas personas ejerzan individualmente sus pretensiones por *legitimación ordinaria,* directamente o a través del fenómeno de representación (contrato de mandato). A tal fin el juez podrá ordenar la *publicación de la admisión de la demanda* en los medios de comunicación del ámbito territorial correspondiente (art. 15.1).

➤ Llamamiento a consumidores y usuarios para que se identifiquen ante la asociación de consumidores y usuarios que tiene legítimamente encomendada la defensa de esos intereses en juicio por *legitimación extraordinaria,* y pueda interponer *pretensiones colectivas resarcitorias* en función del número de personas dañadas en sus derechos e intereses. Con el fin de lograr esta determinación, con carácter previo a la interposición de la demanda, deberá haberse dado la *publicidad de la pretendida acción*. Iniciado el proceso, los nuevos perjudicados que quieran unirse lo podrán hacer en cualquier momento del proceso, sin perjuicio de la preclusión de actuaciones que ya se haya dado y que no se podrá retrotraer (art. 15.2). La determinación de los afectados es previa, por tanto, al inicio del proceso, porque en función de ella las pretensiones resarcitorias serán concretadas.

➤ Llamamiento a consumidores y usuarios para que se identifiquen ante la asociación de consumidores y usuarios que tiene legítimamente encomendada la defensa de esos intereses en juicio por *legitimación extraordinaria* pero, en esta ocasión, se trata de la defensa de *intereses difusos* (art. 15.3). Los daños al medio ambiente o a la salud serán protegidos en este caso, sin perjuicio de que se provoque la intervención de personas dañadas en su salud por el consumo de un fármaco o en sus posesiones por estar ubicadas junto al río contaminado, por ejemplo. Estos últimos tienen derecho a una indemnización, de ahí que la ley exija localizarlos *a priori* y acumular dichas pretensiones a las derivadas de la finalidad *tuitiva* que impone la defensa de los intereses difusos. A tal fin, se prevé la *suspensión del proceso* para hacer efectivo ese trámite tendente a lograr la personación del mayor número de afectados. A partir de ese momento, cualquier perjudicado que quiera resarcirse lo hará en el trámite de ejecución de sentencia (art. 519 LEC) y a través de la eficacia de cosa juzgada extendida por el art. 221 LEC.

➤ Quedan *excluidos de este fenómeno de intervención provocada*, los procesos iniciados mediante el ejercicio de una acción de cesación, porque en estos casos no hay determinación ni de perjudicados ni de indemnizaciones, dado que son acciones *tuitivas* del mercado, la salud, etc. (art. 15.4) para las que no hace falta ninguna concreción de personas ni de pretensiones indemnizatorias.

➤ Igualmente, el artículo 15 *bis* no se refiere al fenómeno de intervención provocada *sensu estricto*, porque las personas llamadas a intervenir en un proceso no lo hacen en calidad de «parte», sino como especialistas e instituciones afectadas por la aplicación de unas normas, todas ella de origen europeo en materia de defensa de la competencia y protección de datos. No interponen, por tanto, ningún tipo de pretensión o resistencia.

➤ El art. 15 *ter* introducido por la Ley de igualdad de trato hace referencia a los procesos promovidos por la Autoridad Independiente para la Igualdad de Trato y la No Discriminación, los partidos políticos, sindicatos, asociaciones profesionales de trabajadores autónomos, organizaciones de personas consumidoras y usuarias y asociaciones y organizaciones legalmente constituidas, que tengan entre sus fines la defensa y promoción de los derechos humanos, se llamará al proceso a quienes tengan *la condición de personas afectadas por haber sufrido la situación de discriminación que dio origen al proceso, para que hagan valer su derecho o interés individual.* El órgano judicial que conozca de alguno de estos procesos comunicará su iniciación al Ministerio Fiscal para que, de conformidad con las funciones que le son propias, valore la posibilidad de su personación.

➢ La Ley 4/2023, de 18 de febrero en defensa del derecho a la igualdad real y efectiva de las personas trans y para la garantía de los derechos de las personas LGTBI introduce unos contenidos prácticamente idénticos al 15 ter. En este nuevo precepto se incluye, además,

• La obligación de determinar, cuando sea posible, a las personas afectadas por la discriminación para comunicarles a la presentación de esta demanda por estas entidades legitimadas. En este caso, tras el llamamiento, la persona afectada podrá intervenir en el proceso en cualquier momento, pero solo podrá realizar los actos procesales que no hubieran precluido.

• Sin embargo, cuando se trate de un proceso en el que la situación de discriminación perjudique a una pluralidad de personas indeterminadas o de difícil determinación, el llamamiento suspenderá el curso del proceso por un plazo que no excederá de dos meses y que el Letrado de la Administración de Justicia determinará en cada caso atendiendo a las circunstancias o complejidad del hecho y a las dificultades de determinación y localización de las personas afectadas. El proceso se reanudará con la intervención de todas aquellas que hayan acudido al llamamiento, no admitiéndose la personación individual de personas afectadas en un momento posterior, sin perjuicio de que éstas puedan hacer valer sus derechos o intereses conforme a lo dispuesto en los artículos 221 y 519.

IV. LA SUCESIÓN PROCESAL

La situación jurídica procesal en la que se hallaba la parte demandante o demandada puede ser ocupada por otra persona, hasta ese momento, ajena al proceso, a causa de un hecho, acto o negocio jurídico extraprocesal, a través del cual recibe derechos o situaciones o relaciones que le vinculan como titular del objeto de la pretensión debatida en juicio. El fenómeno de la sucesión procesal se enmarca, entonces, dentro de la delimitación subjetiva de las partes en el proceso.

Los artículos 16 a 18 LEC establecen tres posibilidades de cambios de titularidad en los derechos o bienes que se encuentran en litigación y que pueden dar lugar a cambios en la identidad subjetiva de las partes.

➢ La sucesión procesal *mortis causa.*

➢ La sucesión procesal por transmisión del objeto litigioso.

➢ La sucesión en casos de intervención provocada.

En conclusión, los cambios en la titularidad de la relación jurídica material, producen modificaciones de la relación jurídica procesal afirmada en juicio. Sin embargo, si un menor alcanza la mayoría de edad, por ejemplo, desaparece su representante legal, pero ello no constituye una sucesión procesal, porque la persona hasta ahora representada sigue siendo la titular del bien jurídico en cuestión.

Para que se dé la sucesión procesal es necesario, por tanto:

➢ La *litispendencia* del proceso (art. 410 LEC).

➢ La existencia de actos, hechos o negocios jurídicos extraprocesales, que produzcan la transmisión del bien o derecho objeto de litigio.

➢ Si, por el contrario, la transmisión y sucesión de la persona se genera una vez recaída la sentencia firme, la única posibilidad de que esta persona, será solicitar la extensión de la eficacia de cosa juzgada (art. 222.3 LEC) o conseguir su impugnación (arts. 511 y 514 LEC) o, en su caso, la oposición de los sucesores en ejecución de condena (art. 540 LEC).

1. La sucesión mortis causa

A tenor del artículo 661 CC, el heredero sucede al difunto en todos sus derechos y obligaciones. Ello puede alcanzar al proceso cuando se transmita *mortis causa* lo que sea objeto del juicio, porque en estos casos la persona o personas que sucedan al causante podrán continuar ocupando en dicho juicio la misma posición que éste, a todos los efectos.

El artículo 16 LEC regula esta posibilidad de sucesión procesal *mortis causa.* De esta forma, producida la muerte y comunicada la defunción de cualquier litigante por quien deba sucederle:

➢ Corresponde al Letrado de la Administración de Justicia acordar la suspensión del proceso y dar traslado a las demás partes, con el fin de que acrediten dichos términos, a saber, la defunción, el título sucesorio y el cumplimiento de los trámites pertinentes.

➢ A partir de ahí, el LAJ tendrá, en su caso, por personado al sucesor del litigante difunto.

➤ Acto seguido, corresponde al Tribunal dictar sentencia de acuerdo a la sucesión subjetiva en la posición procesal que se haya dado.

➤ Cuando la defunción de un litigante conste efectivamente al Tribunal que conoce del asunto y no se personare el sucesor en el plazo de los cinco días siguientes:

- A instancia de parte, el LAJ deberá solicitar por medio de diligencia de ordenación, la identificación de los sucesores y de su domicilio o residencia, con el fin de que se les notifique la existencia del proceso y se les emplace para comparecer ante el tribunal en el plazo de diez días.

- En la misma resolución del LAJ por la que se acuerde la notificación, se resolverá la suspensión del proceso hasta que comparezcan los sucesores o finalice el plazo para la comparecencia.

- Pensemos que la sucesión procesal conlleva el cambio de procurador en todo caso, porque cesa el poder de representación que dio origen a dicho encargo, de hecho, será éste normalmente quien comunicará dicha sucesión por fallecimiento.

A partir de ahí, la situación será diferente según se trata de la sucesión procesal de la parte demandada o demandante:

➤ Cuando el litigante fallecido sea el *demandado* y las demás partes no conocieren a los sucesores o éstos no pudieran ser localizados o no quisieran comparecer, el LAJ ordenará la continuación del proceso declarándoles en rebeldía a los no personados demandados.

➤ Si el litigante fallecido fuese el *demandante* y sus sucesores no se personasen por no ser conocidos o éstos no pudieran ser localizados, se dictará necesariamente por el Letrado de la Administración de Justicia *decreto* en el que:

- Se tendrá por desistido al demandante.

- Se ordenará el archivo de las actuaciones, salvo que el demandado se opusiere, en cuyo caso se aplicará lo dispuesto en el apartado tercero del artículo 20 sobre la renuncia y desistimiento.

- Si, por el contrario, la no personación de los sucesores se debiese a que no quisieran comparecer, se entenderá que la parte demandante renuncia a la acción ejercitada.

➤ Puede ocurrir que la herencia se haya aceptado a beneficio de inventario. En representación de la herencia yacente asistirá el administrador de la herencia (art. 1026 CC).

➤ Por último, también es habitual que se haya constituido un legado por el que se transmite el bien objeto litigioso, lo que producirá la sucesión procesal en la persona del legatario (art. 882 CC).

Realizada la sucesión procesal tras la aceptación de la herencia conforme a la ley, corresponde a la autoridad judicial volver a activar el procedimiento.

2. *La sucesión procesal en los casos de fusión o absorción de las personas jurídicas*

Las personas jurídicas suceden por fenómenos de fusión o de absorción, pues la liquidación de la sociedad siempre extingue su personalidad; a partir de aquí, la sucesora es la nueva sociedad fusionada o absorbente. A este respecto, podemos encontrar dos situaciones diferentes:

➤ En primer lugar, los casos de extinción de una persona jurídica, donde la ley prevé mantener su personalidad hasta que se concluyan todas las operaciones existentes hasta el momento de su cierre.

➤ En segundo término, los casos de absorción y fusión de empresas, donde al haber una continuidad podemos afirmar que hay una asunción de la responsabilidad, derechos y obligaciones de dicha entidad. Solo en este último caso nos encontramos ante el fenómeno de sucesión procesal, donde la nueva empresa (la que absorbe o a la resultante de la fusión) sucederá en juicio a la desaparecida.

3. *La sucesión procesal por transmisión del objeto litigioso*

El artículo 17 de la LEC establece la sucesión procesal de una parte por motivos de cambio de titularidad en el objeto litigioso. La existencia de un proceso pendiente no impide su transmisión jurídica *inter vivos*. Se trata de una circunstancia habitual, dado que los derechos u objetos son comercializables y, ante una diputa judicializada, a menudo se deshacen las personas de la titularidad de ese bien. Sin embargo, parece esto ir en contra del propio sentido de la litispendencia, que propugna que los cambios de circunstancias, una vez iniciado el proceso, no deberían tener efecto en el mismo, regla dispuesta en el art. 413.1 LEC. Pero, la realidad del Código civil y el Código mercantil se imponen y se permiten dichos negocios, lo que hace que el legislador procesal haya optado por permitir la sucesión procesal por transmisión *inter vivos*. Ello garantiza el derecho de defensa del adquirente o cesionario que van a pasar a ubicar la posición del transmitente.

En este sentido, el art. 17 afirma que «cuando se haya transmitido, pendiente un juicio, lo que sea objeto del mismo, el adquirente *podrá solicitar*, acreditando la transmisión, que se le tenga como parte en la posición que ocupaba el transmitente». Repárese que la ley simplemente apunta una posibilidad, un derecho del nuevo adquirente a suceder al antiguo. Es posible, incluso, encontrar restricciones a dicha sucesión, porque entenderlo de otra forma permitiría probablemente actos de mala fe procesal, donde se interponen personas que afirmaría desconocer el conflicto y podrían impedir que el proceso llegara a buen fin. En este sentido, no se accederá a la solicitud (de sucesión) cuando dicha parte acredite:

> ➢ Bien que le competen derechos o defensas que, en relación con lo que sea objeto del juicio, solamente puede hacer valer contra la parte transmitente.

> ➢ Bien porque tiene un derecho a reconvenir, o porque pende una reconvención.

> ➢ Bien porque el cambio de parte pudiera dificultar notoriamente su defensa.

Admitida la petición de sucesión procesal, el LAJ dictará diligencia de ordenación por la que acordará la suspensión de las actuaciones y otorgará un plazo de diez días a la otra parte para que alegue lo que a su derecho convenga. A partir de aquí son varias las situaciones posibles:

> ➢ Que al parte no se opusiere dentro de dicho plazo, procediendo el LAJ, mediante decreto, a alzar la suspensión y disponer a realizar la sucesión, es decir, que el adquiriente ocupe en el juicio la posición que el transmitente tuviese en él.

> ➢ Si dentro del plazo concedido, la otra parte manifestase su oposición a la entrada en el juicio del adquirente, el tribunal resolverá por medio de auto lo que estime procedente, según las circunstancias descritas con anterioridad.

> ➢ En caso de denegarse la sucesión, la persona adquirente del bien siempre podrá solicitar la intervención del artículo 13 LEC, conforme a lo visto en el epígrafe anterior.

> ➢ Por último, cuando no se acceda a la pretensión del adquirente, el transmitente continuará en el juicio, quedando a salvo las relaciones jurídicas privadas que existan entre ambos.

4. *La sucesión procesal en los casos de intervención provocada*

Al estudiar el fenómeno de la intervención en el proceso, hemos comprobado que podía provocarse que el tercero comparecido pasara a ser ahora la parte demandada, hasta el punto de considerase que su lugar en el proceso debe ser ocupado por él en sustitución o sucesión procesal de la parte originariamente demandada. El artículo 14 LEC regula la intervención provocada, donde se recoge esta posibilidad de que el demandado originariamente salga del proceso y sea sucedido por otro.

Precisamente los artículos 15,15 *ter* y 15 *quater* LEC establece el supuesto habitual de intervención provocada por la existencia de intereses colectivos y difusos dignos de tutela. Piénsese en un proceso entablado por consumidores y usuarios individualmente, que son sucedidos finalmente por una asociación de consumidores y usuarios que, de conformidad con el artículo 11.2 y 3 LEC decide intervenir para proteger los intereses individualizables de los sujetos afectados, pero también un interés difuso.

En estos casos, se dará traslado por el Letrado de la Administración de Justicia a las demás partes para que aleguen lo que a su derecho convenga, por plazo de cinco días, decidiendo a continuación el Tribunal por medio de auto, lo que resulte procedente en orden a la conveniencia o no de la sucesión. A lo dicho en el epígrafe anterior nos remitimos.

Lección 6ª

EL OBJETO DEL PROCESO DE DECLARACIÓN

IÑAKI ESPARZA LEIBAR

BIBLIOGRAFÍA BÁSICA

DE LA OLIVA SANTOS, A., *Objeto del proceso y cosa juzgada en el proceso civil*, Thomson-Civitas, Madrid, 2005,

GASCÓN INCHAUSTI, F., *La acumulación de acciones y de procesos en el proceso civil*, La Ley, Madrid 2000.

MONTERO AROCA, J., *El proceso civil. Los procesos ordinarios de declaración y de ejecución*, 2ª ed., Tirant lo Blanch, Valencia, 2016.

PEDRAZ PENALVA, E., «Objeto del proceso y objeto litigioso», en *Presente y futuro del proceso civil*, Bosch, Barcelona 1998.

I. EL OBJETO COMO ELEMENTO ESENCIAL DEL PROCESO

Si tuviéramos que destacar uno, sobre todos los elementos e instituciones que conforman la realidad compleja que es el proceso, éste sería seguramente, por su significado e implicaciones, su objeto. En cualquier caso, el objeto del proceso es una pieza esencial y determinante del mismo, de su conformación y de la actividad procesal que se desencadena en torno suyo.

El objeto supone la cristalización del conflicto (extraprocesal) en su versión definitiva (procesal), y condiciona aspectos tan relevantes como la jurisdicción y la competencia, el procedimiento adecuado, la actividad probatoria, la sentencia o la cosa juzgada. Todos ellos, su inequívoca concreción, junto con otros, serán consecuencia directa de cómo quede fijado el objeto de cada proceso.

El ordenamiento ha venido estableciendo dichos elementos, así, de cuál sea el objeto de cada proceso se derivará la determinación de la extensión y límites de la jurisdicción española en el orden civil (art. 22 LOPJ) la competencia genérica o del orden civil en relación con los demás órdenes jurisdiccionales (art. 9 LOPJ), la competencia objetiva, por razón de la materia y de la cuantía (arts. 45 —modificado por la LO 7/2022, de 27 de julio, de modificación de la LOPJ, en materia de Juzgados de lo Mercantil— y 47 LEC), y la competencia territorial (arts. 50 y ss. LEC).

De la misma manera, el objeto de cada proceso, que deberá ser fijado cuanto antes, será determinante para establecer el concreto alcance de las prohibiciones de transformación de la demanda y de la contestación, que se contienen en el ordenamiento procesal, es el caso de los arts. 412 y 426 LEC.

Otras derivadas reseñables del objeto de cada proceso afectan a cuestiones tan relevantes como:

1) La exhaustividad y congruencia de las sentencias, en los términos del art. 218 LEC. La exhaustividad y la congruencia se refieren, y deben limitarse, a todos los puntos litigiosos que hayan sido objeto del debate. Se refiere a las demandas y demás pretensiones de las partes, deducidas oportunamente en el pleito. Parece indiscutible que la exigencia de un pronunciamiento exhaustivo y congruente, ha de referirse al objeto del proceso.

2) La fijación del objeto del proceso condiciona la acumulación. Se determinará en un primer paso si existen o no dos objetos diferentes (presupuesto de la acumulación misma) y, a continuación, la conexión entre ellos.

3) En lo que a la reconvención concierne, la única forma para determinar cuándo existe verdadera reconvención —que es cuando el demandado no se limita a oponerse a la pretensión del actor, sino que introduce un objeto nuevo, una nueva pretensión— consiste en delimitar con nitidez la parte del objeto del proceso introducida en la demanda.

4) La excepción de litispendencia sólo puede ser estimada cuando el objeto del segundo proceso es el mismo que el del primero, y para ello es imprescindible fijar y contrastar el uno y el otro.

5) El efecto de cosa juzgada, excluyendo «un ulterior proceso cuyo objeto sea idéntico al del proceso en que aquella se produjo», alcanzará «a las pretensiones de la demanda y de la reconvención» (art. 222.1 y 2 LEC).

II. EL OBJETO DEL PROCESO EN LA LEC

La LEC no entra a definir qué sea el objeto del proceso —propósito nada fácil de alcanzar por otra parte— habida cuenta de que se trata de una materia que ha sido, y es, objeto de atención preferente, especialmente por parte de la doctrina. El resultado ha sido un debate complejo que se ha extendido a lo largo de mucho tiempo, sin que se hayan llegado a alcanzar conclusiones indiscutidas y unánimemente compartidas.

1. El objeto del proceso en la LEC de 2000

La LEC se refiere al objeto en el apartado VI de la Exposición de Motivos, en el que lo vincula al principio de justicia rogada o principio dispositivo, siendo así que a los sujetos jurídicos que buscan la tutela de sus derechos e intereses legítimos, les «corresponde la iniciativa procesal y la configuración del objeto del proceso», además deberán obrar con diligencia para obtener la tutela que solicitan, configurando «razonablemente el trabajo del órgano jurisdiccional, en beneficio de todos». En el reparto de tareas entre el tribunal y las partes, se establece con nitidez que es «a quien cree necesitar tutela a quien se atribuyen las cargas de pedirla, determinarla con suficiente precisión, alegar y probar los hechos y aducir los fundamentos jurídicos correspondientes a las pretensiones de aquella tutela».

El apartado VIII de la Exposición de Motivos de la LEC se dedica monográficamente al objeto del proceso, reconociendo su complejidad y la existencia de diferentes posiciones, tanto en la doctrina como en la jurisprudencia. La LEC no pretende terciar y aspira exclusivamente, desde una perspectiva estrictamente operativa, a: «resolver problemas reales, que la Ley de 1881 no resolvía ni facilitaba resolver».

Lo que la LEC busca es una mayor eficiencia del sistema sobre la base de la necesaria seguridad jurídica y el uso adecuado del servicio público justicia, sin generar una actividad innecesaria de los órganos jurisdiccionales, provocando diferentes procesos «cuando la cuestión o asunto litigioso razonablemente puede zanjarse en uno solo». Quizá se vislumbra también el impulso hacia un cambio de mentalidad, de alejamiento de una cultura jurídica que normaliza el «abuso» de los limitados recursos públicos —en perjuicio de todos— sin sacrificar las garantías procesales.

En la misma línea argumentativa general, también está presente en la Exposición de Motivos de la LEC, la idea de fomentar la economía procesal, con un régimen de pluralidad de objetos que no sea indebidamente complejo e inflexible, que, una vez más, evite «multiplicar innecesariamente la actividad jurisdiccional». El legislador se atribuye, adicionalmente, innovar en materia de acumulación de acciones y aclarar y simplificar lo relativo a la acumulación de procesos.

2. El objeto del proceso. La pretensión y la resistencia

En sentido estricto el objeto del proceso, es decir, aquello sobre lo que versa éste de modo que lo individualiza y lo distingue de todos los demás posibles procesos, es siempre en su origen una pretensión, entendida como petición fundada que se dirige a un órgano jurisdiccional, frente a otra persona, sobre un bien de la vida.

Es necesario, por tanto, destacar que la pretensión es la aportación esencial en lo que concierne al objeto del proceso, a su formación y perfilado. La pretensión es una declaración de voluntad fundamentada, mediante la que se solicita una concreta tutela, que será consecuencia del devenir de los acontecimientos en el marco de las relaciones sociales, y que deberá ser perfectamente individualizada y descrita, con referencia a un conjunto fáctico preciso.

Con la pretensión, y precisamente como consecuencia de ella, surge la noción de resistencia o de oposición a la pretensión. La resistencia es la petición que el demandado, interpelado por el demandante, dirige al órgano jurisdiccional como reacción a la pretensión formulada contra él por aquél. Lo que hemos dicho sobre la naturaleza de la pretensión es igualmente aplicable a la resistencia. Esta es también una petición, si bien es siempre la misma, que se materializa en la solicitud —basada en la alegación de excepciones procesales o materiales— de no ser condenado.

A diferencia de lo que hemos visto que ocurre con la pretensión, la fundamentación en la resistencia no es necesaria. El demandado puede, aparte de no dar ninguna respuesta, limitarse a negar los fundamentos de la pretensión y formular petición de no condena. Aunque también cabe que la resistencia se fundamente, y entonces tendrán que afirmarse hechos distintos de los afirmados por el actor, sin que esta fundamentación sea, como decimos, necesaria.

En cualquier caso, la mera resistencia no contribuye a delimitar el objeto del proceso, ya que la mera oposición del demandado, esté o no fundamentada, no introduce un objeto nuevo y diferenciado en el proceso, un objeto distinto al fijado en la pretensión.

Cuando la actitud del demandado no se limite a la resistencia, sino que, aprovechando el cauce procesal abierto por el demandante, introduzca una, o varias pretensiones diferenciadas, pero conexas, frente a aquél, entonces sí constituirá un elemento adicional que contribuirá a configurar el objeto de ese concreto proceso. Es lo que se produce mediante la reconvención (art. 406 LEC, modificado también por la mencionada LO 7/2022), que evidentemente desborda lo que es la mera resistencia.

La resistencia sí podrá ampliar los términos objeto del debate procesal. Así ocurrirá cuando el demandado fundamente su resistencia, esto es, cuando alegue hechos que constituyan la base de excepciones materiales.

La resistencia fundada debe también ser tenida en cuenta para conocer los extremos a los que debe referirse la sentencia para ser exhaustiva y congruente, art. 218 LEC. Si el demandado opone excepciones, la congruencia de la sentencia no ha de referirse sólo a la pretensión, sino que ha de atender también, pronunciándose sobre ella, a la fundamentación de la resistencia.

La petición expresa y fundada de no ser condenado, realizada por el demandado como concreta opción de resistencia, no forma parte del objeto del proceso. El objeto de un proceso no es distinto dependiendo de que el demandado oponga o no resistencia expresa. En lo que sí repercutirá es en la configuración del objeto del debate, lo que a su vez incidirá y deberá ser tenido en cuenta, como acabamos de mencionar, en la exhaustividad y congruencia de la sentencia.

Hecha la anterior distinción y analizadas sus consecuencias, desde la perspectiva de la prueba podemos concluir lo siguiente: la prueba no se refiere ni a la pretensión ni a la resistencia, sino a la fundamentación de una y otra, es decir, a los hechos afirmados como causa de pedir de la petición que hace el actor y como causa de pedir de la resistencia que opone el demandado. En consecuencia, lo que es objeto de prueba en un proceso concreto son los hechos afirmados por ambas partes, naturalmente por el actor, pero también por el demandado, cuando no se ha limitado a negar la fundamentación de la petición del actor. Y de entre ellos, los hechos no controvertidos, estarán exentos de prueba (art. 281.3 LEC).

3. El objeto virtual del proceso civil

Afirma la LEC en el apartado VIII, *in fine*, de su Exposición de Motivos, que «la Ley incluye normas para evitar un uso desviado de la acumulación de procesos: no se admitirá la acumulación cuando el proceso o procesos ulteriores puedan evitarse mediante la excepción de litispendencia o si lo que se plantea en ellos pudo suscitarse mediante acumulación inicial de acciones, ampliación de la demanda o a través de la reconvención».

Dicho propósito cristaliza en el art. 400 LEC, relativo a la preclusión de la alegación de hechos y fundamentos jurídicos. Al respecto, el precepto afirma en su numeral 1º, que «Cuando lo que se pida en la demanda pueda fundarse en diferentes hechos o en distintos fundamentos o títulos jurídicos, habrán de aducirse en ella cuantos resulten conocidos o puedan invocarse al tiempo de interponerla, sin que sea admisible reservar su alegación para un proceso ulterior». Obviamente lo dicho lo será «sin perjuicio de las alegaciones complementarias o de hechos nuevos o de nueva noticia permitidas en esta Ley en momentos posteriores a la demanda y a la contestación».

El precepto limita cierto tipo de estrategia procesal, que podría llegar a suponer un abuso de los recursos públicos, a la que estamos más acostumbrados que en otros sistemas jurídicos y que, a la postre, podría repercutir negativamente en todos los ciudadanos al comprometer la eficiencia del sistema.

Desarrollando la misma línea argumentativa, se afirma en el precepto que. «De conformidad con lo dispuesto en el apartado anterior, a efectos de litispendencia y de cosa juzgada, los hechos y los fundamentos jurídicos aducidos en un litigio se considerarán los mismos que los alegados en otro juicio anterior si hubiesen podido alegarse en éste» (art. 400.2 LEC).

III. ELEMENTOS IDENTIFICADORES DE LA PRETENSIÓN

El objeto del proceso es siempre en su origen, como hemos afirmado anteriormente, una pretensión, entendida esta como una petición fundada que se dirige a un órgano jurisdiccional, frente a otra persona, sobre un bien de la vida.

Los elementos identificadores de cada pretensión son tanto subjetivos como objetivos. Los primeros, los que se refieren a las personas, es decir, a las partes contendientes, en lo que ahora nos interesa no aportan utilidad para perfilar el objeto del proceso, aunque sí son determinantes para cuestiones de tanta relevancia procesal como la congruencia o la cosa juzgada.

Los elementos objetivos son los que realmente sirven para la determinación del objeto del proceso, y se refieren tanto a la petición o *petitum*, como a su causa de pedir, *causa petendi*, o fundamentación.

1. La petición o petitum

La petición ha de referirse a un tipo de tutela y puede concretarse en:

a) Una petición de condena: Lo que se pide al órgano jurisdiccional es que declare la existencia de una prestación de dar, hacer o no hacer a cargo del demandado y le imponga el cumplimiento de la misma. Lo específico de las sentencias de condena es que, además de producir cosa juzgada, constituyen título ejecutivo, con el que podrá iniciarse después la ejecución forzosa.

b) Una petición de mera declaración: Se pide al órgano jurisdiccional la mera declaración de la existencia (positiva) o de la inexistencia (negativa) de un derecho o situación jurídica, de modo que la sentencia estimatoria agota su fuerza en la producción de la cosa juzgada, pero no llega a crearse un título ejecutivo.

c) Una petición de constitución: La petición de la pretensión se dirige a obtener la creación, modificación o extinción de una relación o situación jurídica, o de un negocio o acto jurídico, es decir, a lograr un cambio respecto de lo existente y con fuerza de cosa juzgada. Tampoco en este caso se produce la creación de un título ejecutivo.

2. La causa de pedir o causa petendi

Siendo evidente que una misma petición (*v.gr.*, que se condene al demandado al pago de 2.500€) puede ser consecuencia de múltiples razones o causas, la mera petición resulta claramente insuficiente a la hora de determinar el objeto de un concreto proceso. Por ello, son dos los elementos necesarios a considerar, la petición y la causa de la misma —entendida esta como conjunto de hechos o actos con trascendencia jurídica— siendo ambos imprescindibles para individualizar y distinguir una pretensión, y con ella perfilar el objeto de un proceso.

3. Irrelevancia de la fundamentación jurídica

Ni las normas ni la calificación jurídica aportan nada relevante al objeto del proceso, nada que ayude o permita individualizar un proceso con respecto a otros posibles. Es precisamente función de los órganos jurisdiccionales la de aplicar el derecho objetivo al caso concreto, conforme a las exigencias derivadas del principio *iura novit curia*, por lo que «resolverá conforme a las normas aplicables al caso, aunque no hayan sido acertadamente citadas o alegadas por los litigantes» (art. 218.1, II, LEC). Lo que evidenciaría que ni la alegación de normas ni la fundamentación jurídica que realicen las partes añade nada relevante a efectos de identificación.

IV. LA ACUMULACIÓN DE OBJETOS PROCESALES

Aunque el supuesto normal es que cada proceso tenga un único objeto, en el que cristaliza el conflicto que separa a las partes, la ley prevé también, con naturalidad, la posibilidad de que a través de un único procedimiento se puedan tramitar y resolver varios objetos, siempre, eso sí, que concurran las circunstancias en ella establecidas.

1. Concepto y necesidad de la acumulación

Es fácilmente aprehensible que en determinados casos parezca muy razonable que en un único procedimiento se conciten dos o varios objetos procesales, entonces hablaremos de acumulación. Precisamente de ello se ocupa la LEC en su Título III, bajo la rúbrica «De la acumulación de acciones y procesos» (arts. 71 a 98 LEC, modificados en algún aspecto puntual por la LO 7/2022). La idea básica subyacente consiste en no «multiplicar innecesariamente la actividad jurisdiccional», está por tanto presente la idea de economía procesal, pero no de cualquier manera, sino con base en la conexión verificable y suficiente, entre objetos que, además de para la eficiencia y la economía procesal, sirva también para evitar sentencias contradictorias. De tal manera que dos o más pretensiones serán tramitadas en un único procedimiento y decididas, con la adecuada separación de pronunciamientos, en una única sentencia.

Como aportación a la imprescindible claridad conceptual, a la que la LEC no siempre contribuye, podríamos decir con la mejor doctrina que: 1) Toda pretensión da lugar a un proceso, 2) Todo proceso se inicia y desarrolla formalmente por medio de un procedimiento, y 3) Un solo procedimiento puede ser la forma externa, o cauce, de dos o más pretensiones.

La acumulación es precisamente el nombre que recibe éste último escenario procesal, en el que existe un único procedimiento que contiene dos o más pretensiones.

2. Presupuestos y finalidad de la acumulación

Como hemos señalado ya, la posibilidad de la acumulación está supeditada a que entre las pretensiones ejercitadas cuya acumulación se pretende, exista conexión, esto es, a que alguno de los elementos relevantes de las varias pretensiones potencialmente acumulables sea igual en todas ellas. La conexión puede ser objetiva, en este caso nos fijaremos en la petición o en la causa de pedir de dichas pretensiones. La conexión puede ser también subjetiva, de manera que la identidad de algún elemento subjetivo podrá igualmente propiciar la acumulación.

La finalidad del instituto de la acumulación es doble. Por un lado, se pretende con ella evitar sentencias contradictorias, el presupuesto para ello es que exista conexión objetiva entre las pretensiones acumuladas. Por otro lado, se busca recurriendo a ella la economía procesal, es decir, que mediante un único procedimiento se debatan y en una sentencia única se resuelvan varias pretensiones.

Veamos a continuación los distintos tipos de acumulación regulados en la LEC y sus respectivos regímenes.

V. LA ACUMULACIÓN DE ACCIONES

De esta modalidad de acumulación, también denominada inicial por el momento en el que se produce, se ocupa le LEC en sus arts. 71 a 73. Su efecto principal es el de «discutirse todas (las acciones) en un mismo procedimiento y resolverse en una sola sentencia». Se produce cuando en una única demanda el actor interpone varias pretensiones frente a un único demandado (acumulación exclusivamente objetiva), pero también es posible acumular de forma simultánea «las acciones que uno tenga contra varios sujetos o varios contra uno» (acumulación objetivo-subjetiva, art. 72 LEC). También puede acumularlas el actor de una determinada manera, ordenadas y jerarquizadas, o no.

Como vemos, dentro del instituto de la acumulación podemos distinguir varios tipos que responden a diferentes criterios, y que pasamos a exponer.

1. *Acumulación exclusivamente objetiva*

Se produce cuando un demandante, y frente a un solo demandado, interpone en una única demanda dos o más pretensiones para que todas se conozcan en un único procedimiento y se resuelvan en una única sentencia (que, aun siendo única, evidentemente deberá contener tantos pronunciamientos como pretensiones). Este es el supuesto del art. 71.2 LEC: «El actor podrá acumular en la demanda cuantas acciones le competan contra el demandado, aunque provengan de diferentes títulos, siempre que aquéllas no sean incompatibles entre sí».

A) Presupuestos de admisibilidad

Para que la acumulación sea posible deberán concurrir los siguientes presupuestos:

a) Iniciativa del demandante: La acumulación sólo se producirá cuando el demandante así lo decida, con lo que queda excluida cualquier posibilidad de acumulación de oficio.

b) Competencia objetiva: Para que pueda admitirse la acumulación será preciso «Que el tribunal que deba entender de la acción principal posea jurisdicción y competencia por razón de la materia o por razón de la cuantía para conocer de la acumulada o acumuladas» (art. 73.1, 1º LEC).

c) Competencia territorial: Queda establecida en el art. 53.1 LEC, a favor del tribunal del lugar al que corresponda la «acción que sea fundamento de las demás, en su defecto, aquél que deba conocer del mayor número de las acciones acumuladas y, en último término, el del lugar que corresponda a la acción más importante cuantitativamente». Si hubiera varios demandados y la competencia pudiera corresponder a los jueces de más de un lugar, el demandante podrá elegir entre ellos (art. 53.2 LEC).

d) Procedimiento adecuado: Para que sea admisible la acumulación será preciso «Que las acciones acumuladas no deban, por razón de su materia, ventilarse en juicios de diferente tipo» (art. 73.1, 2º LEC). Es decir que, no pueden acumularse a un juicio ordinario pretensiones que deban conocerse en un proceso especial, ni tampoco pueden acumularse pretensiones para las que existan juicios especiales distintos. De la misma manera, no podrán verificarse acumulaciones cuando la ley lo prohíba «en razón de su materia o por razón del tipo de juicio que se haya de seguir» (art. 73.1, 3º, LEC).

e) Acumulación sin conexión objetiva: Lo que significa que un demandante puede acumular en la misma demanda, todas las pretensiones que desee frente a un único demandado, aun careciendo éstas de conexión objetiva.

f) Compatibilidad entre las pretensiones: «El actor podrá acumular en la demanda cuantas acciones le competan contra el demandado, aunque provengan de diferentes títulos, siempre que aquéllas no sean incompatibles entre sí» (art. 71.2 LEC). Serán incompatibles y no podrán acumularse las pretensiones «cuando se excluyan mutuamente o sean contrarias entre sí, de suerte que la elección de una impida o haga ineficaz el ejercicio de la otra u otras» (art. 71.3 LEC).

B) Efectos de la acumulación admitida

a) Procedimiento único: Todas las acciones acumuladas, que no pierden su individualidad, se discutirán y tramitarán en un mismo procedimiento (art. 71.1 LEC).

b) Sentencia única: Todas las acciones acumuladas se resolverán en una sola sentencia (art. 71.1 LEC). Dado que las pretensiones acumuladas no han perdido su individualidad como consecuencia de la acumulación, la sentencia tendrá que contener pronunciamientos separados para cada una de ellas, tantos pronunciamientos como pretensiones acumuladas.

C) Control de la acumulabilidad

La verificación de la concurrencia de los requisitos que permiten la acumulación debe realizarse de oficio por el tribunal (art. 73.3 LEC), y también puede hacerse a instancia de la parte demandada (arts. 402 y 419 LEC).

2. *Acumulación objetivo-subjetiva*

La previsión y cobertura normativas las hallamos en el art. 72 LEC, que establece que «Podrán acumularse, ejercitándose simultáneamente, las acciones que uno tenga contra varios sujetos o varios contra uno, siempre que entre esas acciones exista un nexo por razón del título o causa de pedir», a lo que añade en su segundo párrafo que «Se entenderá que el título o causa de pedir es idéntico o conexo cuando las acciones se funden en los mismos hechos». Los supuestos que ampara el precepto serían los siguientes: cuando un actor ejercita varias pretensiones frente a varios demandados, o bien varios demandantes ejercitan varias pretensiones frente a un único demandado o, finalmente, varios demandantes interponen varias pretensiones frente a varios demandados. En todos los casos mencionados, el efecto propio de la acumulación será que, una vez verificada, todas las pretensiones acumuladas se sustanciarán y tramitarán en un único procedimiento y se resolverán en una única sentencia.

En lo que a los presupuestos de admisibilidad concierne, resulta aplicable lo dicho antes para la acumulación exclusivamente objetiva, con una precisión: Conexión objetiva: para que esta acumulación sea posible lo determinante es la conexión objetiva o, como dice el art. 72 LEC, que entre las acciones exista un nexo por razón del título o causa de pedir. «Se entenderá que el título o causa de pedir es idéntico o conexo cuando las acciones se funden en los mismos hechos».

3. *Acumulación ordenada: simple, subsidiaria y accesoria*

El demandante puede, en el momento de materializar su estrategia procesal, disponer de un orden para la acumulación, orden que determinará el modo en que deben ser abordadas y resueltas las pretensiones por parte del juzgador.

A) Acumulación simple: es el supuesto normal por medio del que el demandante solicita del juzgador que sean estimadas todas y cada una de las pretensiones acumuladas que se ejercitan.

B) Acumulación subsidiaria (llamada también, y propiamente, eventual): el actor interpone varias pretensiones (contra el mismo o contra varios demandados), pero no pide la estimación de todas ellas, ya que son entre sí incompatibles, sino solo la de una, la de la acción principal. Para el caso de que la pretensión principal no se estime fundada, especificará él mismo, necesariamente, un orden subsidiario de preferencia (art. 71.4 LEC).

En este caso, tanto la competencia objetiva por razón de la cuantía, como el procedimiento adecuado, vienen determinados (art. 252, 1º, LEC) por la cuantía de la acción de mayor valor. En relación con la determinación de la competencia territorial, será siempre la pretensión principal, la que se ejercita en primer lugar según la preferencia del actor, la que es «fundamento de la demás», la que determine el tribunal competente (art. 53.1 LEC).

C) Acumulación accesoria: se produce cuando el actor interpone una pretensión como principal y otra u otras como accesorias o complementarias, debiendo ser estimadas éstas sólo en el caso de que lo sea la primera, pues dicha estimación se convierte en el fundamento de la estimación de la o las pretensiones accesorias.

VI. LA ACUMULACIÓN PENDIENTE EL PROCESO

El presupuesto de este tipo de acumulación, que se ha denominado también acumulación por inserción, es que ya se ha ejercitado una pretensión, lo que ha dado lugar al inicio del correspondiente procedimiento. En esta coyuntura, se permite incorporar al mismo otra u otras pretensiones que hasta ese momento no se habían ejercitado.

La acumulación en este caso puede provenir tanto del actor (ampliación de la demanda), como del demandado (reconvención), como, y finalmente, de un tercero (intervención principal).

1. La ampliación de la demanda

En este caso la acumulación procede del actor, el cual, después de haber iniciado el procedimiento con el ejercicio de una o más pretensiones —y antes de que la demanda sea contestada— ampliará la misma «para acumular nuevas acciones a las ya ejercitadas o para dirigirlas contra nuevos demandados», de manera que sean conocidas y decididas en el mismo procedimiento (art. 401 LEC).

Por estricta lógica procesal, la acumulación no podrá afectar ni a la competencia objetiva, ni a la adecuación del procedimiento, que ya determinó la demanda.

Debe tenerse en cuenta además que la ampliación de la demanda supondrá, en virtud de las exigencias derivadas del principio de contradicción, la concesión al demandado de un nuevo plazo para la contestación, plazo que se contará desde el traslado del escrito de ampliación (art. 401, II LEC). Por lo demás los efectos son los mismos que hemos visto antes para la acumulación de acciones.

2. La reconvención

Como hemos mencionado ya, la reconvención supone el ejercicio por parte del demandado de una o varias pretensiones —ante el mismo juez y en el mismo procedimiento, por tanto— contra quien le demandó. «Al contestar la demanda, el demandado podrá, por medio de reconvención, formular la pretensión o pretensiones que crea que le competen respecto del demandante» (art. 406.1 LEC). Requiere la LEC, como es razonable, que exista conexión entre las pretensiones de la demanda principal y las de la reconvención, además de que la competencia objetiva y el tipo de juicio lo permitan (art. 406.2, modificado por la LO 7/2022).

Al régimen de la reconvención dedica la LEC los arts. 404 a 409. En los que se contemplan cuestiones como la posibilidad de que la reconvención pueda dirigirse también contra sujetos no demandantes, art. 407; la alegación de la existencia de crédito compensable, art. 408; o, finalmente, que la sustanciación y la decisión de las pretensiones que haya deducido el demandado mediante la reconvención, se realizarán «al propio tiempo y en la misma forma que las que sean objeto de la demanda principal», art. 409 LEC.

3. La intervención principal

Esta modalidad de acumulación tiene como desencadenante la intervención de un tercero ajeno al proceso quien, iniciado y pendiente un proceso entre dos personas y aprovechando dicho cauce (por inserción, por tanto), ejerce una o más pretensiones acumulándolas a las que ya conforman el objeto del proceso. El resultado sería una acumulación objetivo-subjetiva, opción que es conocida y está admitida y regulada en otros ordenamientos, pero que en España es de dudosa aplicabilidad.

VII. LA ACUMULACIÓN DE PROCESOS

La finalidad de esta técnica es que dos o más procesos que se han iniciado de modo independiente, estando cada uno de ellos en trámite mediante su respectivo procedimiento, lleguen a acumularse en un cauce único para que, una vez reunidos, puedan ser seguidos en un solo procedimiento, y terminados en una única sentencia (art. 74 LEC).

1. Presupuestos de admisibilidad

Para que sea viable la acumulación de procesos deberá verificarse la concurrencia de los presupuestos y requisitos que recoge la LEC:

A) La acumulación se produce a instancia de parte, e incluso de oficio: Según el art. 75 LEC tienen legitimación para instar esta acumulación quienes sean parte en cualesquiera de los procesos cuya acumulación se pide. Además, la acumulación se deberá decretar de oficio en los casos del artículo 76 LEC, que con carácter general se justifican en la prejudicialidad entre procesos, o en la conexión que puede llevar a que pudieran dictarse sentencias con pronunciamientos o fundamentos contradictorios, incompatibles o mutuamente excluyentes.

B) No procederá la acumulación, según el art. 78 LEC, cuando el riesgo de sentencia con pronunciamientos o fundamentos contradictorios, o incompatibles o mutuamente excluyentes, pueda evitarse mediante la excepción de litispendencia. Tampoco procederá la acumulación si en su momento pudo promoverse un único proceso.

C) Requisitos procesales: Los hallamos expuestos en el art. 77 LEC —modificado en su apartado 2, al que se añade un segundo párrafo, por la LO 7/2022—, y básicamente se refieren a dos cuestiones. La primera, que se trate de procesos que se sustancien por los mismos trámites o cuya tramitación pueda unificarse sin pérdida de derechos procesales. La segunda, que los procesos se encuentren en la primera instancia, «y que en ninguno de ellos haya finalizado el juicio a que se refiere el art. 433 LEC».

D) La competencia: La competencia para conocer de los procesos acumulados se atribuye al tribunal que estuviera conociendo del proceso más antiguo, al que se formulará la petición de acumulación, art. 79 LEC. La antigüedad de los procesos se determinará por la fecha de la presentación de la demanda; y si se hubieren presentado el mismo día, el que se hubiere repartido primero. Cuando los procesos pendan ante tribunales distintos, o no fuere posible determinar qué demanda se repartió primero, «la solicitud podrá pedirse en cualquiera de los procesos cuya acumulación se pretende», y esa petición determinará el tribunal competente.

2. Procedimiento

La LEC contempla dos procedimientos diferentes para realizar la acumulación, en función de si de los procesos a acumular conoce el mismo o diferente órgano judicial. En ambos casos la estructura procedimental prevista responde a tres fases que sintetizan la esencia de toda actividad procesal: petición, traslado para información y alegaciones y resolución.

A) Cuando los procesos penden ante el mismo tribunal. La tramitación consta de tres pasos: a) Petición fundada, arts. 81 y 82 LEC. b) Traslado a las partes personadas en todos los procesos cuya acumulación de pide, por plazo de diez días, art. 83 LEC, y c) Decisión por auto, en el plazo de cinco días, otorgando o denegando la acumulación, contra la que únicamente cabe reposición (arts. 82 a 85 LEC).

B) Cuando los procesos pendan ante distintos tribunales. En la tramitación se distinguen dos partes: En la primera, muy similar al supuesto anterior, las actuaciones ante el tribunal al que se pide la acumulación constan de petición no suspensiva (arts. 87 y 88 LEC), traslado (art. 88 LEC) y, finalmente, decisión (arts. 88 y 89 LEC).

En la segunda parte, la que concierne a otro u otros órganos, el procedimiento comprende dar noticia al otro u otros tribunales, a fin de que se abstengan de dictar sentencia (art. 88.3 LEC). El requerimiento para la acumulación y la remisión de los correspondientes procesos, art. 89 LEC. El tribunal requerido, dará traslado a las partes personadas y decidirá sobre el requerimiento de acumulación, arts. 91, 92 y 93 LEC. En el caso de denegación, materializada la discrepancia entre los tribunales concernidos, deberá resolver el superior inmediato común a requirente y requerido, al que se remitirán testimonios de lo necesario para decidirla, cosa que hará en el plazo de 20 días. «Contra el auto que se dicte no se dará recurso alguno» (arts. 94 y 95 LEC).

CAPÍTULO III
ACTIVIDADES PREVIAS NO JURISDICCIONALES

Lección 7ª

ACTIVIDADES DE ESTRATEGIA PROCESAL Y ACTIVIDADES PREVIAS AL PROCESO

SILVIA BARONA VILAR

SUMARIO: I. ACTIVIDADES PARA PREPARAR LA ESTRATEGIA DE DEFENSA. NUEVAS HERRAMIENTAS DE INTELIGENCIA ARTIFICIAL. II. ACTIVIDADES PREVIAS Y PREPARATORIAS DEL PROCESO. 1. La conciliación. A) Noción de conciliación, voluntariedad y clases. B) Regulación y exclusiones. C) Competencia. D) Sujetos de la conciliación. E) Procedimiento. F) Ejecución. G) Posible acción de nulidad. 2. Las diligencias preliminares. A) Noción, finalidad y fundamento. B) Características. C) Sujetos. D) Diligencias preliminares en concreto. E) Procedimiento.

BIBLIOGRAFÍA BÁSICA

BANACLOCHE PALAO, J., *Las diligencias preliminares*, Civitas, Madrid, 2003.

CASTRILLO SANTAMARÍA, R., *La preparación del proceso civil: Las diligencias preliminares*, Bosch Editor, Barcelona, 2018.

FÉLEZ BLASCO, P. M., *El acto de conciliación pre procesal civil ante el juzgado*, Bosch, Madrid, 2019.

GONZÁLEZ GRANDA, P., *¿Quo Vadis, jurisdicción voluntaria?*, Reus, Barcelona, 2015.

MONTERO AROCA, J., *El proceso civil. Los procesos ordinarios de declaración y de ejecución*, Tirant lo Blanch, Valencia, 2ª ed., 2016.

I. ACTIVIDADES PARA PREPARAR LA ESTRATEGIA DE DEFENSA. NUEVAS HERRAMIENTAS DE INTELIGENCIA ARTIFICIAL

Antes de iniciarse el proceso civil los letrados de la parte pueden llevar a cabo determinadas actuaciones tendentes a preparar la estrategia de defensa. No son actos procesales, no hay proceso, y no siempre son preparatorios del proceso, dado que en ciertos supuestos son evitadores del mismo.

En la elaboración de esa estrategia la tecnología ha revolucionado el mundo de la Abogacía. Se han diseñado herramientas analíticas, de asesoramiento jurídico y apoyo en la toma de decisiones, especialmente a la hora de definir la estrategia procesal más idónea para el éxito del caso. Se trata de herramientas estadísticas y predictivas, que permiten emplear la inteligencia artificial y los *Big data* para extraer datos, relacionarlos y generar una serie de gráficos interactivos que ofrecen una ingente información acerca de lo que se denomina jurimetría del caso, valorando supuestos idénticos o similares, del juez, (si suele ser de los que estima o desestima, si adopta o no medidas, etc), del abogado, de la empresa, frente a la que una parte puede enfrentarse, conociendo sus capacidades y sus posibles cauces de actuación ante situaciones determinadas; así como del tribunal (entendido como órgano jurisdiccional en su conjunto, y no respecto de la estadística primera, referida a los jueces en particular). El análisis de estos componentes se transforma en una función predictiva, ofreciendo resultados porcentuales de éxito procesal, a partir de los cuales puede diseñarse la estrategia a seguir, evitando procesos inútiles o recursos inútiles, cambiando la estrategia procesal por una negocial, por ejemplo. E incluso han aparecido numerosos softwares que ofrecen razonamientos jurídicos a las partes, para presentar sus escritos y su estrategia.

Con el asesoramiento de estas herramientas analíticas o sin ellas, se van a desarrollar actuaciones previas a la presentación de la demanda en el proceso y por ello al inicio del mismo.

1. En primer lugar, los letrados de aquellas personas que se encuentran en situación de desavenencia o conflicto, pueden intentar una negociación entre las mismas, con el fin de evitar el litigio. Esta actuación evidentemente no se encuentra regulada en la LEC, no es procesal, pero puede formar parte de la estrategia de defensa.

2. En esa línea de posible evitación del proceso debemos considerar igualmente las vías autocompositivas de la mediación o la conciliación, y más especialmente de la mediación, en atención a la Ley 5/2012, de 6 de julio, de mediación. No se trata de aquella mediación o conciliación por derivación judicial o por imperativo legal, sino la que se intenta de forma voluntaria antes de que se inicie el proceso judicial.

3. Si las vías autocompositivas previas, evitadoras del proceso, no surten efecto o si directamente por las circunstancias concurrentes los letrados entienden que la mejor vía es acudir a los tribunales, realizarán las actuaciones pertinentes, y muy especialmente la búsqueda de fuentes de prueba, a efectos de preparar la estrategia procesal, antes de presentar la demanda. Puede que antes de la demanda y en el marco de la estrategia procesal se soliciten diligencias preliminares, para preparar el proceso subjetiva y objetivamente, o bien puede que se soliciten medidas cautelares *ante causam*. En ambos casos, se trata de actuaciones que requieren de la intervención judicial y permiten bien preparar el proceso o bien garantizar la efectividad de la tutela que en su día se obtenga al finalizar el proceso principal. A las primeras nos referimos en esta lección. A las segundas, en las lecciones 28ª y 29ª.

II. ACTIVIDADES PREVIAS Y PREPARATORIAS DEL PROCESO

En la actualidad las actividades previas al proceso, reguladas legalmente, son voluntarias. Hasta hace unos años era posible diferenciar entre actos previos preceptivos y actos previos potestativos. Entre los primeros se encontraba la reclamación administrativa previa cuando la demandada era una administración pública, si bien este privilegio de la administración desapareció con la Ley 39/2015, de 1 de octubre, del Procedimiento Administrativo Común de las Administraciones Públicas. En consecuencia, los actos previos son voluntarios y son dos: por un lado, la conciliación y, por otro, las diligencias preliminares.

1. *La conciliación*

A) Noción de conciliación, voluntariedad y clases

La conciliación es un medio autocompositivo que permite a las partes, de forma voluntaria, intentar componer sus diferencias o su conflicto con la intervención de un tercero, al que se denomina conciliador, favoreciéndose con ello la evitación del proceso posterior. Ha sido una institución muy vinculada históricamente con el modelo procesal, que puede desarrollarse, en atención a la pendencia o no del proceso, en momentos diversos, dando lugar a dos modalidades de conciliación:

➢ La conciliación preprocesal, realizada con carácter previo a las actuaciones procesales, que pretende, amén de componer el conflicto, evitar el proceso mismo, y es a ésta a la que nos referiremos en esta lección;

➢ La conciliación intraprocesal, que puede desarrollarse ya en el juicio ordinario en el trámite de audiencia previa (arts. 415 y 428.2 LEC), o bien en el juicio verbal (art. 443 LEC). En este último caso su fundamento legal se halla en la LEC, sus efectos vienen condicionados al momento procesal y lógicamente a la existencia o no de acuerdo entre las partes, y su competencia es judicial.

Una de las notas de la conciliación que marca la diferencia entre la legislación pasada y la actual se halla en la voluntariedad. Así, frente al carácter preceptivo de la conciliación previa o preprocesal durante siglos, convertida en un presupuesto procesal, en la actualidad acudir o no a la conciliación es una cuestión de la parte.

B) Regulación y exclusiones

La conciliación previa se regula en los arts. 139 a 148 de la Ley 15/2015, de 2 de julio, de la Jurisdicción Voluntaria. Si bien la regla general es la de permitir la conciliación con carácter previo en el proceso civil (art. 139 LJV), el legislador ha determinado unos supuestos de exclusión de la conciliación previa (art. 139.2 LJV), por motivos diversos, en los siguientes procesos:

> ➤ Los juicios en que estén interesados los menores y las personas con discapacidad con medidas de apoyo para el ejercicio de su capacidad jurídica. La razón de ser de esta exclusión se basa en las dificultades que podría conllevar una conciliación con personas que todavía no tienen plena madurez legal o que la pueden tener alterada, dada la naturaleza de intereses en juego.

> ➤ Los juicios en que estén interesados el Estado, las Comunidades Autónomas y las demás Administraciones Públicas, Corporaciones o Instituciones de igual naturaleza. En este caso la razón de la exclusión se encuentra en la dificultad para obtener autorización administrativa para efectuar la transacción, lo que no es óbice a la posibilidad real de que existan acuerdos o pactos que puedan desarrollarse con la administración, como sucede con algunos supuestos de mediación con intervención de la administración pública.

> ➤ El proceso de reclamación de responsabilidad civil contra jueces y magistrados. La supresión por la LO 7/2015, de 21 de julio, de la responsabilidad civil de los jueces y magistrados debiera haber llevado a la supresión de esta exclusión en el art. 139 LJV. Su incorporación provenía de la vieja regulación de la LEC/1881.

> ➤ En general, los que se promuevan sobre materias no susceptibles de transacción ni compromiso. Si no es posible la transacción ni el compromiso carece de sentido acudir a un procedimiento que tiene como objetivo tratar de buscarlos.

Excluir esta posibilidad de conciliación implica:

1. Que no debe admitirse a trámite la petición de conciliación. Si se admitiera indebidamente, supondría la declaración de nulidad de actuaciones.

2. Que pese a no admitirse a trámite la petición de conciliación, se desarrolla el procedimiento de conciliación culminando con acuerdo. En este supuesto, es posible la impugnación del acuerdo a través de la acción de nulidad (art. 148 LJV). Ahora bien, la situación es diversa según se trate de los dos primeros supuestos excluidos o, por el contrario, que lo sea de los dos últimos. En los dos primeros la exclusión no se basa en la imposibilidad de transigir, sino en su dificultad de obtener autorización para

ello; así, si se alcanza la transacción cumpliendo los requisitos exigidos, no tiene sentido anular el acuerdo, que sería válido siempre que se cumplan las condiciones legalmente establecidas. Cuestión diversa son los supuestos tercero y cuarto, dado que en ellos la exclusión lo es respecto del fondo, siendo que cualquier resultado —acuerdo total o parcial— que se hubiere podido alcanzar sí sería anulable por vulnerar la exclusión de la misma.

C) Competencia

➢ Competencia objetiva: Son competentes en estos procedimientos de conciliación los Juzgados de Paz (si la cuantía fuere inferior a 6.000 euros) y los LAJ en los Juzgados de Primera Instancia o en los Juzgados de lo Mercantil.

➢ Competencia territorial: El criterio será el del domicilio del requerido y, en su caso, el de la su última residencia en España (art. 140.1, 1. LJV).

➢ Si el requerido fuere persona jurídica, será competente el del lugar del domicilio del solicitante, siempre que en dicho lugar tenga el requerido delegación, sucursal, establecimiento u oficina abierta al público o representante autorizado para actuar en nombre de la entidad, debiendo acreditar dicha circunstancia (art. 140.1, II LJV).

➢ Si tras las averiguaciones pertinentes sobre el domicilio o residencia, éstas fueran infructuosas o el requerido de conciliación fuera localizado en otro partido judicial, el LAJ dictará decreto o el Juez de Paz auto dando por terminado el expediente, haciendo constar estas circunstancias y reservando al solicitante de la conciliación el derecho a promover de nuevo el expediente ante el Juzgado competente. (art. 140.1, III LJV).

➢ Si se suscitan cuestiones de competencia del Juzgado o recusación del LAJ o Juez de Paz ante quien se celebre el acto de conciliación, se tendrá por intentada la comparecencia sin trámites (art. 140.2 LJV).

D) Sujetos de la conciliación

En el procedimiento de conciliación intervienen:

➢ Por un lado, el conciliador o los conciliadores, que son los terceros neutrales que actúan dirigiendo la conciliación.

➢ Por otro, los sujetos afectados por el conflicto. Son aquellas personas que pueden convertirse en partes en el proceso judicial que se puede desarrollar tras la conciliación, cuando en ésta no se haya alcanzado la avenencia. Se trata del solicitante de la conciliación y del sujeto pasivo de la misma, solicitado o demandado, que es la persona a la que el solicitante de la conciliación pretende llamar al procedimiento de conciliación, a efectos de intentar solucionar el conflicto.

➢ Asimismo, pueden acudir a este procedimiento de conciliación los abogados y procuradores. La intervención de abogado y procurador en este procedimiento de conciliación no es preceptiva (art. 141,3 LJV). Esa innecesariedad no supone imposibilidad.

E) Procedimiento

➢ Solicitud: escrita, por el que pretenda la conciliación ante el órgano competente (puede ser mediante impresos normalizados). En ella se consignarán los datos y circunstancias de identificación del solicitante y del requerido o requeridos de conciliación, el domicilio o domicilios en que puedan ser citados, el objeto de la conciliación, y la fecha, determinando con claridad y precisión cuál es el objeto de la avenencia (art. 141 LJV).

➢ Admisión, señalamiento y citación: En los 5 días siguientes a la presentación se dictará resolución sobre admisión, citando a los interesados, señalando día y hora en que haya de tener lugar el acto de conciliación. Entre la citación y el acto de conciliación deberán mediar al menos 5 días, si bien en ningún caso podrá demorarse la celebración del acto de conciliación más allá de 10 días desde la admisión de la solicitud (art. 142 LJV).

➢ Efectos de la admisión: se interrumpe la prescripción desde el momento de su presentación (art. 143.I), y el plazo para la prescripción volverá a computarse desde que recaiga decreto del LAJ o auto del Juez de Paz, poniendo fin a la conciliación (art. 143.II LJV).

➢ Comparecencia al acto de conciliación: las partes pueden comparecer por sí mismas o por medio de Procurador. Si no comparece el solicitante ni alega justa causa, se le tendrá por desistido y se archivará el expediente, pudiendo el requerido reclamar al solicitante la indemnización de posibles daños y perjuicios que su comparecencia le haya originado. La petición de reclamación se traslada al solicitante, resolviendo el LAJ o JPaz, sin ulterior recurso. Si no comparece el requerido sin justa causa, se pone fin al acto, teniéndose la conciliación por intentada sin efectos. Si son varios los requeridos y concurre alguno de ellos, se desarrollará la conciliación con ellos, teniéndose por intentada la conciliación en cuanto a los restantes. En los supuestos de incomparecencia con justa causa, el LAJ o el JPaz señalarán nuevo día y hora para celebrar el acto de conciliación, en el plazo de los 5 días siguientes a la decisión de suspender el acto (art. 144 LJV).

➢ Celebración de la conciliación: con exposición de la reclamación por el solicitante y sus fundamentos, y la contestación del requerido, con posibilidad de exhibición o aportación de documentos. El órgano procurará avenirles. Si llegaren a una avenencia, se hará constar en el acta cuanto acuerden, sea total o parcial, debiendo ser firmada por los comparecientes. Si no se alcanza acuerdo, se hará constar que el acto terminó sin avenencia, y en todo caso, se registrará, en la medida en que sea posible, la comparecencia en soporte apto para la grabación y reproducción del sonido y de la imagen (art. 145 LJV).

➢ Resolución: finaliza mediante decreto del LAJ o auto del JPaz, que hará constar la avenencia o, en su caso, que se intentó sin efecto o que se celebró sin avenencia (art. 145.4 LJV).

➢ Testimonio y gastos: las partes podrán solicitar testimonio del acta que pone fin al acto. Los gastos serán de cuenta de quien lo promueve (art. 146 LJV).

F) Ejecución

Lo convenido en conciliación tendrá valor y eficacia de convenio consignado en documento público y solemne. El testimonio del acta, junto con el decreto del LAJ o el auto del JPaz haciendo constar la avenencia de las partes, llevará aparejada ejecución (art. 147.1 LJV en relación con el art. 517.2, 9º LEC).

La ejecución seguirá los cauces de la ejecución de sentencias y convenios judicialmente aprobados de la LEC, siendo competente para la ejecución el mismo Juzgado que tramitó la conciliación cuando se trate de asuntos de su competencia; en los demás casos, será competente para la ejecución el JP Instancia a quien hubiere correspondido conocer de la demanda (art. 147).

G) Posible acción de nulidad

Contra lo convenido en la conciliación solo podrá ejercitarse acción de nulidad por las causas que invalidan los contratos, debiendo interponerla a través de una demanda, en el plazo de 15 días desde la celebración de la conciliación. Se interpone ante el tribunal competente y se tramita a través del proceso que corresponda a su materia o cuantía (art. 148).

Durante la pendencia de este juicio, se suspende la ejecución de lo convenido en el acto de conciliación hasta que se resuelva la acción ejercitada (art. 148.3).

2. Las diligencias preliminares

En la antecesora y longeva LEC/1881 se regulaban con este título genérico «diligencias preliminares» un conjunto heterogéneo de actos orientados a averiguar datos y preparar el futuro proceso. No obstante, los orígenes de estas diligencias se hallaban en las leyes de las Siete Partidas. Pese a la regulación legal, las diligencias carecían de virtualidad práctica, en gran medida por las falencias en su regulación, que las hacían poco operativas.

La LEC/2000 vigente mantiene un conjunto de diligencias de naturaleza heterogéneas, si bien en unos casos introduce sus elementos conformadores, que difieren respecto de la regulación anterior, alterando incluso, en ciertos supuestos, la función y naturaleza que pueda atribuirse a la misma, y, por otro lado, introduce nuevas diligencias, desconocidas en la historia jurídica española. Para garantizar la efectividad y operatividad de las mismas, la LEC incorpora medios para impeler a su práctica.

A) Noción, finalidad y fundamento

Son un conjunto de actuaciones dirigidas a la preparación subjetiva u objetiva del proceso; preparación que puede dirigirse a una doble finalidad: bien a clarificar la identidad subjetiva de las partes en el futuro proceso para evitar que pudiera derivarse una mala conformación de la relación jurídico-procesal, o bien para aclarar alguna cuestión incierta u oscura en relación con el tema de fondo. Es por ello que con estas diligencias se pretende garantizar el resultado del posible proceso futuro, en cuanto puede obtener datos y elementos que permitan identificar a los sujetos del proceso, así como fundamentar objetivamente la *causa petendi* del mismo.

Ahora bien, junto a esa función preparatoria, puede desarrollar una función evitadora del proceso, dado que pueden llevar a considerar que no tiene sentido iniciar un proceso.

Estas diligencias se fundamentan, por ello, en responder a garantizar el derecho a la tutela judicial efectiva, asegurándolo a través de las mismas, y en favorecer, en su caso, la economía procesal.

B) Características

➢ Son actuación de jurisdicción voluntaria

Se tramitan las diligencias preliminares a través de un procedimiento, no de un proceso: no hay partes que formulen y mantengan la controversia, sino solicitante-solicitado; no hay decisión de fondo que resuelva una controversia, sino pronunciamiento por el que se accede o no a la práctica de las diligencias, y con ello no se produce eficacia de cosa juzgada. Son todos ellos elementos que permiten entender que nos hallamos ante actuación de jurisdicción voluntaria, en la que el órgano no ejerce jurisdicción, si bien tutela y garantiza por su *auctoritas* derechos privados, ejerciendo una función legalmente establecida en garantía de un derecho (arts. 117.4 CE en relación con el art. 2.2 LOPJ. v. lecc. 36ª).

➢ Tienen carácter instrumental

Estas diligencias son instrumento de un proceso posterior, que tratan de preparar, y con el que van a guardar una estrecha relación. Si bien existen antes que el proceso, deben existir a causa del mismo.

➢ Tienen carácter preparatorio

Con carácter general, las diligencias preliminares sirven o preparan la demanda del proceso ulterior, mediante la obtención de aquellos datos que pudieren ser necesarios para integrar los elementos que dan vida al proceso, ya fueren objetivos o subjetivos. Su función es, en esencia, la de preparar el proceso. Ahora bien, en ciertos casos, no siendo su finalidad, pueden evitarlo también haciendo innecesario el proceso, pese a no tener pretensión de evitabilidad.

Más allá de su carácter preparatorio, puede también provocar o afectar posibles contenidos de la sentencia que en su día pueda dictarse. Por ejemplo, derivado de lo que dispone el art. 261.1, 4ª LEC si se hubiera solicitado la diligencia de exhibición de documentos contables y no se atendiera al requerimiento, *se podrán tener por ciertos, a los efectos del juicio posterior, las cuentas y datos que presente el solicitante*. De este modo, podría, ante la negativa de atender a la diligencia, traducirse en consecuencias en la sentencia que se dicte.

➢ Anteceden o son previas al proceso principal

Solo son posibles cuando aún no existe proceso, antes de que se interponga la demanda, precisamente por la finalidad que cumplen de prepararlos.

➢ Tienen carácter voluntario

El carácter preparatorio, previo, introductor de estas acciones, unido al deseo de tutela judicial efectiva, es lo que lleva a plantear a quien tiene interés, justa causa y puede justificar los fundamentos, solicitar estas diligencias preparatorias.

C) Sujetos

> *Competente*: Juez de Primera Instancia o de lo Mercantil, cuando proceda, del domicilio de la persona que, en su caso, hubiere de declarar, exhibir o intervenir; o el tribunal ante el que haya de presentarse la demanda (art. 257 LEC); competencia que se controla de oficio, no pudiendo plantearse por la parte declinatoria. Si se considera incompetente, se abstendrá indicando el Juzgado competente. Si el segundo se inhibiere de conocer se produciría un conflicto negativo de competencia que debería resolverse a través del art. 57.

> *Solicitante-solicitado*: como no hay proceso no hay partes, sino solicitante frente al sujeto pasivo que es el solicitado. La petición se rige por el principio dispositivo o de justicia rogada. Respecto de la capacidad de postulación, puede considerarse excluida la necesidad de procurador (art. 23) y de abogado (art. 31), si se las considera urgentes antes del inicio del proceso.

D) Diligencias preliminares en concreto

El art. 256 LEC establece una enumeración de las diligencias preliminares que pueden solicitarse. Vamos a agruparlas en atención a la naturaleza de la acción requerida.

1º Diligencias para determinar la capacidad, representación y legitimación, en cuanto se pretende obtener información que sirva para preparar los elementos subjetivos que deben integrar la demanda del futuro proceso (art. 256. 1. 1º). Puede solicitarse:

> Que declare bajo juramento o promesa de decir verdad sobre algún hecho relativo a su capacidad, representación o legitimación, cuyo conocimiento sea necesario para el proceso. No se establece en la ley cómo debe efectuarse la misma, si bien puede entenderse aplicable la forma prevista para el interrogatorio de parte.

> Que se exhiban los documentos de los que puedan derivar esos datos referidos a la capacidad, la representación o la legitimación.

2º Diligencia de exhibición de la cosa que tiene en su poder la requerida y sobre la que se va a discutir en el proceso (art. 256.1 2º). Es posible que, tras la exhibición, se proceda a solicitar otras medidas complementarias, garantizadoras, en su caso, de la efectividad de la tutela que pueda solicitarse en el proceso principal posterior: por ejemplo, la medida de conservación de la cosa, a fin de ordenar al requerido por el juez que conserve el objeto en el estado en que se encuentra hasta que se resuelva el proceso principal; e igualmente, cabría adoptar la medida cautelar del secuestro de productos exhibidos para garantizar la tutela efectiva del proceso principal. No son diligencias, sino medidas complementarias que pueden adoptarse.

3° Exhibición de documentos. El art. 256.1 LEC determina en diversos apartados diferenciados diligencias preliminares dirigidas a solicitar la exhibición de un documento en poder del futuro demandado o de terceros. Son diversas las diligencias específicamente delimitadas:

➢ Exhibición de documentos del futuro demandado en los que conste su capacidad, legitimación o representación, antes citados (art. 256, 1, 1°).

➢ Exhibición del acto de última voluntad del causante de la herencia o legado, a petición del que se considere su heredero, coheredero o legatario (art. 256.1. 3°).

➢ Exhibición de los documentos y cuentas de la sociedad o comunidad, dirigida a esta o al consorcio o condueño que los tenga en su poder, a petición de un socio o comunero (art. 256.1, 4°).

➢ Exhibición del contrato de seguro, a petición del que se considere perjudicado por un hecho que pudiera estar cubierto por seguro de responsabilidad civil. Se solicita a quien lo tenga en su poder (art. 256.1, 5°).

➢ Exhibición de la historia clínica al centro sanitario o profesional que la custodie, en las condiciones y con el contenido que se establece legalmente (art. 256.1, 5° bis).

➢ Exhibición de documentos que acrediten los datos sobre los que verse el interrogatorio cuando se pretende demandar por infracción de un derecho de propiedad industrial o de un derecho de propiedad intelectual cometida mediante actos desarrollados a escala comercial (art. 256.1, 7° in fine).

➢ Exhibición de documentos bancarios, financieros, comerciales o aduaneros, producidos en un determinado tiempo y que se presuman en poder de quien sería demandado como responsable, para lo cual será necesario presentar un principio de prueba (art. 256.1, 8°).

4° Concretar los integrantes de un grupo de afectados cuando, sin estar determinados, sean fácilmente determinables (art. 256.1, 6°), a solicitud de quien pretenda iniciar un proceso para la defensa de los intereses colectivos de los consumidores y usuarios, pudiendo ser tanto una persona física como jurídica, que tenga una determinación individual como una proyección colectiva (por ejemplo, las asociaciones de consumidores). Como requerido puede actuar el que posiblemente llegue a ser demandado en el futuro proceso, amén de cualquier otra persona que pudiere colaborar en la determinación de los integrantes del grupo.

En este caso, el tribunal adoptará las medidas oportunas para la averiguación de los integrantes del grupo, de acuerdo a las circunstancias del caso y conforme a los datos suministrados por el solicitante, incluyendo el requerimiento al demandado para que colabore en dicha determinación. Si el requerido o cualquier persona que pudiere colaborar se niega, el tribunal podrá ordenar medidas de intervención como la entrada y registro.

Cuestión diversa es qué sucede si, a pesar de la práctica de esta diligencia, no se hace posible la determinación, en cuyo caso el legislador prevé la posibilidad de continuar el proceso e incluso es posible dictar una sentencia de condena genérica (cuando se trata de indemnización, art. 221, 1ª, II), sin perjuicio de la posible determinación de estos sujetos integrantes del grupo en la misma fase de ejecución, iniciándose un incidente para su determinación (art. 519).

5º Diligencias formuladas por quien pretenda ejercitar una acción por infracción del derecho de propiedad industrial o de un derecho de propiedad intelectual: se enumeran en el art. 256.1 LEC especialmente en los apartados 7º, 8º, 10º, 11º.

> Diligencia del interrogatorio de determinados sujetos (productores, fabricantes, distribuidores, etc) para averiguar datos sobre el origen y las redes de distribución de las mercancías o servicios que infringen los derechos de propiedad industrial o intelectual cometidos mediante actos desarrollados a escala comercial, con el fin de obtener beneficios comerciales o económicos directos o indirectos (art. 256.1, 7º). Lo solicitará aquel que pretenda ejercitar una acción por infracción de estos derechos, y podrá dirigirse a obtener información sobre: a) Los nombres y direcciones de los productores, fabricantes, distribuidores, suministradores y prestadores de las mercancías y servicios, así como quienes, con fines comerciales, hubieran estado en posesión de mercancías; b) Nombres y direcciones de los mayoristas y minoristas a quienes se les haya distribuido las mercancías o servicios; c) Las cantidades producidas, fabricadas, entregadas, recibidas o encargadas, así como las cantidades satisfechas como precio por las mercancías o servicios y los modelos y características técnicas de las mercancías.

> Diligencia de identificación del prestador de un servicio de la sociedad de la información si hubiera indicios racionales de que está poniendo a disposición o difundiendo de forma directa o indirecta, contenidos, obras o prestaciones sin que se cumplan los requisitos establecidos por

la legislación de propiedad industrial o de propiedad intelectual (art. 256.1, 10º).

➢ Diligencia de requerimiento de aportación por un prestador de servicios de la sociedad de la información de los datos necesarios para identificar a un usuario de sus servicios, si hubiera indicios razonables de que está poniendo a disposición o difundiendo de forma directa o indirecta, contenidos, obras o prestaciones sin que se cumplan los requisitos establecidos en la legislación de propiedad intelectual, y mediante actos que no puedan considerarse realizados por meros consumidores finales de buena fe y sin ánimo de obtención de beneficios económicos o comerciales (art. 256.1, 11º).

6º Diligencias y averiguaciones que, para la protección de determinados derechos, prevean las leyes especiales (art. 256.1 9º), por ejemplo, los arts. 123 a 126 de la Ley 24/2015, de 24 de julio, de Patentes, o la Ley 17/2001, de 7 de diciembre, de Marcas, o el art. 24 de la Ley 3/1991, de 10 de enero, de competencia desleal.

7º Junto a las anteriores, debemos considerar igualmente la exhibición de pruebas en los procesos para el ejercicio de acciones por daños derivados de infracciones del derecho de la competencia, regulada en los arts. 283 bis a, 283 bis b, 283 bis c, 283 bis d, 283 bis e, 283 bis f, 283 bis g, 283 bis h, 283 bis i, 283 bis j, 283 bis k LEC.

E) Procedimiento

El procedimiento para solicitar y, en su caso, acordar las diligencias preliminares, pese a la heterogeneidad de todas ellas, es único, aun cuando la manera de materializarse la práctica de cada una de las diligencias acordadas será diversa.

El procedimiento seguirá los siguientes trámites:

➢ Solicitud

Las diligencias preliminares se inician mediante solicitud de quien se halla interesado en que se acuerda la diligencia. Esta solicitud, que se formulará por escrito, deberá contener:

– el objeto de la misma en relación con el objeto del proceso que quiere preparar;

– identificación de los posibles sujetos pasivos del futuro proceso (demandados);

– igualmente en la solicitud habrá que justificarse los fundamentos en que se basa el solicitante de las mismas para la petición de las diligencias, lo que obligará a incorporar la adecuación de la diligencia con referencia al asunto objeto del juicio que se quiera preparar, así como la justa causa que le habilita para ello y el interés legítimo que le ampara, todo ello en relación con el asunto que pueda llegar a convertirse en el objeto del futuro proceso (art. 256.2 LEC).

➤ Resolución judicial

Sin oír a la persona frente a la que se pide la diligencia (no estamos ante una actuación jurisdiccional, sino ante un acto de jurisdicción voluntaria), el tribunal resolverá, dentro de los 5 días siguientes, si accede o deniega lo solicitado, teniendo en cuenta la adecuación de la finalidad que se persigue con la práctica de estas diligencias, y si concurren justa causa e interés legítimo para acceder a las diligencias.

La resolución adoptará la forma de auto y su contenido puede ser:

– Acuerda la diligencia o diligencias de la solicitud: fijará la caución que deba prestarse, con el fin de hacer frente a los gastos por la práctica de la diligencia, así como a los posibles daños y perjuicios que puedan producirse como consecuencia de su práctica. La caución deberá prestarse en los 3 días siguientes a haberse dictado el auto. Si no se presta la caución, se archiva este procedimiento de diligencias preliminares.

– Deniega la solicitud: Contra la decisión adoptada cabe interponer recurso de apelación (art. 258).

➤ Citación y requerimiento para la práctica

En el auto por el que se accede a la diligencia o las diligencias solicitadas, se citará y requerirá a los interesados, tanto al solicitante como a los posibles obligados por la diligencia, para que dentro del plazo de 10 días se lleve a cabo, en la sede de la Oficina Judicial (salvo cuando no se pueda) la diligencia acordada (art. 259.1 LEC). Esta regla será de aplicación también cuando se trate de exhibir documentos o títulos por medios telemáticos o electrónicos.

El solicitante, a su costa, podrá acompañarse de un experto cuando se trate de diligencias de exhibición y examen de documentos (art. 259.2), sea cual fuere el lugar en el que se deba realiza la exhibición y el examen.

Podemos destacar algunas reglas específicas en caso de alguna diligencia en concreto:

– Si la diligencia a practicar es la de determinación de los integrantes del grupo afectados, el juez adoptará las medidas oportunas para averiguarlo, atendiendo a las circunstancias del caso y tomando en consideración los datos suministrados por el solicitante, incluyendo el requerimiento al futuro demandado para que colabore (art. 256.1, 6°).

– Si se trata de interrogatorio o exhibición en materia de propiedad industrial o intelectual es posible que se celebre a puerta cerrada y que se restrinja estos datos tan solo a la posible tutela que se plantee, dado el contenido y la información que se solicita. E incluso sería posible que las actuaciones se declaren de carácter reservado, para garantizar la protección de los datos e informes que tuvieren un carácter confidencial (art. 259.3 y 4).

➢ Oposición

El art. 260 LEC regula la posible oposición a la práctica de diligencias preliminares, en el plazo de los 5 días siguientes a la recepción de la citación, dándose traslado de la oposición al requirente, quien podrá impugnarla por escrito en el plazo de otros 5 días.

– Si ambas partes solicitan una vista, ésta se celebrará siguiendo los trámites del juicio verbal, resolviendo el tribunal acerca de la oposición, considerándola justificada o no.

– Si la considera injustificada, condenará al requerido al pago de las costas causadas por el incidente. Dictará auto, contra el que no cabe recurso alguno.

– Si considera que está justificada la oposición, así lo declarará mediante auto, que podrá ser recurrido en apelación.

➢ Negativa a llevar a cabo las diligencias

Si la persona citada y requerida no atendiese el requerimiento ni formulare oposición, el tribunal acordará, cuando resulte proporcionado, las siguientes medidas, mediante auto (art. 261 LEC):

1º En el caso de declaración de hechos sobre su capacidad representación o legitimación: se podrán tener por respondidas afirmativamente las preguntas formuladas y los hechos se considerarán admitidos a efectos del proceso posterior.

2º En el supuesto de exhibición de títulos y documentos, si el tribunal aprecia indicios suficientes de que pueden hallarse en un lugar determinado, ordenará la entrada y registro de dicho lugar, procediéndose, si se encontraren, a ocupar los documentos y a ponerlos a disposición del solicitante, en la sede del tribunal.

3º En la exhibición de una cosa, si se conoce o presume conocer el lugar en que se encuentra, se podrá ordenar la entrada y registro, presentándose la cosa al solicitante, que podrá pedir el depósito o una medida de garantía más adecuada a su conservación.

4º En la exhibición de documentos contables, se podrán tener por ciertos, a los efectos del juicio posterior, las cuentas y datos que presente el solicitante.

5º En los supuestos de la concreción de los sujetos de un grupo (art. 256.1, 6º), ante la negativa del requerido o de otra persona que pudiere colaborar, el tribunal ordenará que se acuerden medidas de intervención necesarias, incluida la entrada y registro, para encontrar datos o documentos, sin perjuicio de la responsabilidad penal en que pudiera incurrir por desobediencia a la autoridad judicial.

6º Las mismas medidas del apartado 5º podrán ordenarse por el tribunal en los supuestos del art. 256.1, 5bis, 7º y 8º, ante la negativa del requerido a la exhibición de documentos.

7º En caso de exhibición de fuentes de prueba en procedimiento de reclamación de daños por infracción del derecho de la competencia, habrá que estar a las reglas del procedimiento establecidas en los arts. 283 bis e y 283 bis f.

➢ Decisión sobre la aplicación de la caución

Cuando se hayan practicado las diligencias acordadas o el tribunal las deniegue por considerar justificada la oposición, éste resolverá mediante auto, en el plazo de 5 días, sobre la aplicación de la caución a la vista de la petición de indemnización y de la justificación de gastos que se presenten, oído el solicitante de las mismas.

Contra el auto que decida acerca de la aplicación de la caución cabrá interponer recurso de apelación sin efectos suspensivos.

Cuando, aplicada la caución, quedare remanente, no se devolverá al solicitante de las diligencias hasta que transcurra el plazo de un mes (art. 256.3).

CAPÍTULO IV
EL JUICIO ORDINARIO: LA PRIMERA INSTANCIA

Lección 8ª

LA DEMANDA

SILVIA BARONA VILAR

SUMARIO: I. CONCEPTO Y FUNCIONES DE LA DEMANDA. II. REQUISITOS DE LA DEMAN-
DA. 1. Requisitos de los sujetos del proceso. A) Requisitos respecto del tribunal: Invocación
genérica del órgano. B) Requisitos respecto de las partes: identificación. 2. Requisitos objetivos.
A) Fundamentos fácticos y jurídicos. B) Petitum o petición. C) Determinación del tipo de proceso. D) Peticiones accesorias. E) Fecha y firma. III. PRESENTACIÓN Y DOCUMENTOS QUE
ACOMPAÑAN A LA DEMANDA. 1. Documentos procesales (art. 264). 2. Documentos materiales (art. 265). IV. ADMISIÓN E INADMISIÓN DE LA DEMANDA. 1. Admisión de la demanda. 2.
Inadmisión de la demanda. V. EFECTOS DE LA DEMANDA. 1. Efecto procesal esencial: litispendencia. 2. Efectos-consecuencia procesales de la litispendencia. A) Respecto de los sujetos del
proceso. B) *Perpetuatio iurisdictionis*. C) *Perpetuatio legitimationis*. D) Prohibición de la *mutatio
libelli*. 3. Efectos materiales.

BIBLIOGRAFÍA BÁSICA

CASTILLEJO MANZANARES, R., *Hechos nuevos o de nueva noticia en el proceso civil de la LEC*, Tirant
lo Blanch, Valencia, 2006.

FAIREN GUILLÉN, V., *La transformación de la demanda en el proceso civil*, Porto, 1949.

MONTERO AROCA, J., *El proceso civil. Los procesos ordinarios de declaración y de ejecución*, Tirant lo
Blanch, Valencia, 2ª ed., 2016.

PICÓ I JUNOY, J., *La modificación de la demanda en el proceso civil*, Tirant lo Blanch, Valencia, 2006.

I. CONCEPTO Y FUNCIONES DE LA DEMANDA

La demanda es el acto procesal del demandante, por medio del cual se ejercita el derecho a la tutela judicial efectiva, iniciando el proceso y delimitando el
objeto del mismo a través de la formulación de la pretensión frente al demandado. Es por ello un acto procesal multifuncional.

➤ Demanda como acto de ejercicio del derecho a la tutela judicial efectiva

La interposición de la demanda es un derecho. Es un derecho fundamental, reconocido en el artículo 24 CE, a la tutela judicial efectiva (o lo que
se denomina en otros ordenamientos como proceso debido). Y a través de
la demanda se insta la puesta en marcha de la actividad jurisdiccional del
Estado. El ejercicio de este derecho, a través de la demanda, se convierte
en deber para los órganos jurisdiccionales del Estado, en cuanto deberán
incoar el proceso a instancia de la demandante.

➤ Demanda como acto de iniciación del proceso

Paralelamente, la demanda se convierte en el acto en virtud del cual principia el proceso. El art. 399.1 LEC, referido al juicio ordinario, y el art. 437.1 LEC, referido al juicio verbal, señalan que el juicio «principiará por demanda». Esta función de iniciación del proceso responde a los principios que rigen el proceso civil, a saber, el principio de oportunidad y el principio dispositivo, de manera que el proceso civil solo es posible a instancia de parte, en cuanto elige libremente acudir a la vía judicial a luchar por su derecho, o no hacerlo, determinando el interés cuya satisfacción se solicita de los órganos jurisdiccionales; no cabe iniciar el proceso de oficio.

➢ Demanda como escrito de formulación de la pretensión de la demandante

La demanda es un acto procesal de la parte demandante en la que se pretende obtener una resolución judicial, es un acto complejo porque incorpora en ella una solicitud y alegaciones. Si bien con la formulación de la solicitud se postula del tribunal el inicio de la actuación jurisdiccional dirigido a obtener una resolución judicial en un determinado sentido favorable a la pretensión ejercitada, lo es porque la solicitud se complementa con unas alegaciones, entendidas como participaciones de conocimiento de hecho o de derecho que la parte realizará para conformar la resolución pedida.

Así, la parte demandante ejercita su derecho a poner en marcha la actuación jurisdiccional, iniciando el proceso como acto del demandante (que vendrá seguido por los correspondientes del demandando), y delimitando la petición, lo que pide y por qué lo pide, formulando la pretensión dirigida a obtener una respuesta favorable a quien la pide. Supone, en suma, la delimitación de la pretensión que se ejercita frente a la parte demandada.

II. REQUISITOS DE LA DEMANDA

El significado que tiene la demanda en el proceso civil exige que se deban cumplir con una serie de requisitos.

➢ Por un lado, se establece que la demanda sea escrita.

➢ Por otro, se establecen por el legislador los requisitos de contenido de la demanda (art. 399 LEC), a los que nos referimos a continuación.

➢ Curiosamente, no se establece en la LEC requisitos de forma, si bien históricamente se ha venido consolidando una estructura formal de la demanda, sin que sea imperativo continuar con la misma, ni que ello afecte a la admisibilidad de ésta.

1. Requisitos de los sujetos del proceso

La demanda deberá referirse a los sujetos del proceso, tanto al tribunal competente como a las partes del proceso.

A) Requisitos respecto del tribunal: Invocación genérica del órgano

Si consideramos que el derecho a la tutela judicial efectiva se ejercita ante un órgano jurisdiccional, debemos dirigir bien la demanda, escrito vehicular de ejercicio de este derecho, para garantizarlo.

➢ La demanda se dirigirá contra el órgano jurisdiccional competente, si bien se efectuará de manera genérica («Al Juzgado» si es unipersonal, o «A la Sala» si es órgano colegiado).

➢ Se trata de una invocación genérica de quien la parte estima será el competente para conocer de la demanda presentada, dado que no se conoce, al menos en aquellas localidades en las que exista más de uno, a cuál le corresponderá por reparto el conocimiento de la demanda.

B) Requisitos respecto de las partes: identificación

➢ En relación con la parte demandante: deberá identificarse, con nombre y apellidos al actor o actora (si fuere persona jurídica los datos oportunos deben referirse a la misma, no a la persona física que le representa), con su domicilio, residencia, a efectos de efectuar los actos de comunicación, profesión, etc; e igualmente con nombre y apellidos quien asuma la representación técnica de la parte como procurador/a, especificando si esta representación se ha obtenido por escritura de poder, por comparecencia *apud acta* o por medio del turno de oficio; e igualmente se identificará con nombre y apellidos al abogado/a que asuma la defensa.

➢ En relación con la parte demandada: se fijarán todos aquellos datos necesarios para identificar la parte pasiva del proceso, tratando de evitar que el proceso se dirija contra persona indeterminada. La demanda se dirige directamente contra el demandado (no contra su abogado o su procurador), de este modo quien deberá ser notificado es el demandado, de ahí la importancia de facilitar un domicilio o residencia para estos efectos, o varios si se conocen (utilizando el que aparece en el padrón municipal, o en registros oficiales o en publicaciones de colegios profesionales, o los profesionales), aportándose igualmente datos de número de teléfono, fax o similares (art. 155 LEC); si se desconocen todos los anteriores, puede pedir la notificación por edictos (art. 156 LEC).

Esta identificación de quien pide y aquel frente al que se pide permite la delimitación subjetiva del proceso en la demanda. Esto no impide que puedan producirse intervenciones de terceros sobrevenidas (por ejemplo, art. 13 LEC), que pueden alterar posteriormente esa delimitación subjetiva inicialmente configurada en la demanda.

2. Requisitos objetivos

La demanda debe contener, por un lado, la exposición de los hechos y fundamentos de derecho y, por otro, la petición. Estos pueden considerarse como los requisitos nucleares de contenido de la demanda, si bien deben igualmente incorporarse otros conceptos en la misma que integran su contenido objetivo.

A) Fundamentos fácticos y jurídicos

En la demanda deberán exponerse numerados y separados los hechos y los fundamentos de Derecho y se fijará con precisión lo que se pida (art. 399.1 LEC). Es importante la fundamentación en dos niveles diferentes:

Por un lado, para la admisión de la demanda, a saber, la falta o defectos de la fundamentación puede provocar la inadmisión de la demanda por defecto legal en el modo de proponerla (art. 416.1, 5).

Por otro lado, para la estimación de la demanda (o su desestimación en la sentencia), en cuanto falte un hecho base suficiente para configurar el derecho subjetivo o interés legítimo que se pretende amparar en el proceso.

➢ Hechos: (art. 399.3 LEC)

La demanda debe referirse a los hechos que son el soporte del derecho del demandante, de ahí que se les denomine «hechos constitutivos», que se convierten en la base de la consecuencia jurídica que se pide (MONTERO AROCA). Estos hechos solo pueden aportarse al proceso por las partes (principio dispositivo), con el fin de fundamentar la causa de pedir (de la petición), de ahí que deberá concurrir correlación entre los hechos aportados en la demanda, que deberán tener fundamento jurídico, y la petición de la misma.

El legislador, asumiendo que es una carga de la parte demandante presentar estas alegaciones fácticas en la demanda, ha querido establecer cómo se volcarán esos hechos en la demanda:

- Los hechos se narrarán de forma ordenada y clara, con el fin de facilitar de este modo su admisión o negación por el demandado al contestar, favoreciéndose con ello la defensa del sujeto pasivo del proceso, que conocerá de forma clara y con exactitud de qué debe defenderse.

- Con igual orden y claridad se expresarán los documentos, medios e instrumentos que se aporten en relación con los hechos que fundamenten las pretensiones.

- Se formularán igualmente valoraciones o razonamientos sobre éstos, siempre que se considere conveniente para el derecho del litigante.

- Si fueren varios los hechos en los que puede fundarse la demanda, deberán ser aportados «todos» en la misma, siempre que fueren conocidos o puedan invocarse al tiempo de interponerla, sin posible reserva de alegación para un proceso posterior (art. 400.1). Esto supone la alegación preclusiva de los hechos en que se funde la demanda —no podrán alegarse en un proceso posterior—, y adquirirá importancia en relación con los efectos de litispendencia y de cosa juzgada (art. 400.2 LEC).

➤ Fundamentos de derecho (art. 399.4 LEC)

En atención a lo que establece el art. 399.4 LEC podemos distinguir dos tipos de fundamentos de derecho: aquellos que tienen una naturaleza procesal (que serán los primeros en ser invocados) y los que se refieren a la cuestión de fondo.

- *Fundamentos procesales*: son los relativos a: 1) Por un lado, los que se refieren a los presupuestos procesales, a saber, la capacidad de las partes, representación de ellas o del Procurador, jurisdicción, competencia y clase de juicio en que se deba sustanciar la demanda; 2) Por otro, fundamentos específicos, como aquellos que versan sobre cualesquiera otros hechos de los que pueda depender la validez del juicio y la procedencia de una sentencia sobre el fondo (art. 399.4), referidos por ejemplo a las exigencias legales, cuando las hay, de cauciones, requerimientos, actuaciones previas obligatorias (por ejemplo, las desaparecidas conciliación previa o la reclamación administrativa previa), etc.

- *Fundamentos materiales o de fondo*: se refieren al asunto de fondo planteado (art. 399.4), referidos a las normas materiales aplicables a los hechos constitutivos que conforman las alegaciones fácticas de la demanda, de manera que existe una clara correlación entre estos hechos y las normas que amparan la pretensión ejercitada. Esta fundamentación jurídica es la que incide en la estimación de la pretensión ejercitada por la parte. En ocasiones no son las normas adecuadas para fundamentar la *causa petendi* de la pretensión, pero cierto es que rige el principio *iura novit curia*, que supone el conocimiento de la norma por el juez. En consecuencia, las normas que se alegan no son necesariamente condicionante de la estimación o desestimación de la demanda, dado que la decisión judicial puede adoptarse con base en otras normas diversas de las alegadas por las partes (art. 218.1, II LEC, dispone que el tribunal, sin apartarse de la causa de pedir fijada por las partes, *resolverá conforme a las normas aplicables al caso, aunque no hayan sido acertadamente citadas o alegadas por los litigantes*).

B) Petitum o petición

El art. 399.1 LEC establece la necesidad de que en la demanda se fije con claridad y precisión lo que se pida. Esa petición es lo que se ha venido denominando el *suplico* o el *solicito* de la misma.

Aun cuando todos los elementos que configuran el contenido de la sentencia son importantes, éste, la petición, el *petitum* de la demanda, es lo que le da sentido a la misma y ello por cuanto:

> ➢ Se determina el tipo de tutela pretendido, a saber, si es un pronunciamiento meramente declarativo, uno constitutivo o uno de condena, con la pluralidad de posibles pronunciamientos de condena posibles, por lo que se está «etiquetando» la pretensión (art. 5 LEC); obviamente, ello en relación con el bien concreto que solicita.

> ➢ Se limita la actuación judicial, esto es, configura un componente esencial a la hora de delimitar el ámbito de decisión judicial, por la exigencia de congruencia en la resolución que se dicte.

Por las razones expuestas, es importante la manera de redactar las peticiones. De ahí que el art. 399.1 LEC insista en la necesidad de que quede expuesta «con claridad y precisión». Se pretende con estos requisitos de claridad y precisión que el demandado pueda contestar a todo lo solicitado, garantizándole con ello el derecho de defensa. Es por esta razón que, aun existiendo poca claridad o imprecisión, es posible subsanarse a través de la audiencia previa, al amparo de lo previsto en el art. 424 LEC.

Puede suceder que en el suplico o petición de la demanda no se plantee una única pretensión, sino varias, contra el demandado (art. 400.1 LEC). En este caso deberán formularse con la debida separación los diversos pronunciamientos judiciales que se pretendan, presentándose por su orden y separadamente las peticiones que se formulan de forma subsidiaria para el supuesto de que las principales fuesen desestimadas (art. 399.5 LEC). Esta forma de exposición de las peticiones va a condicionar, igualmente, la labor del juzgador, en cuanto el art. 218.3 establece que también éste deberá pronunciarse en la parte dispositiva de la sentencia, con la debida separación.

C) Determinación del tipo de proceso

Aun cuando el art. 399 LEC no lo exige expresamente, es idóneo determinar en la demanda el tipo de proceso a seguir, en atención a las normas que permiten determinarlo bien por razón de la materia (arts. 249 y 250 LEC), o bien por razón de la cuantía en atención a las reglas establecidas legalmente, debiendo tener en cuenta que un juicio ordinario será aquel que se tramita respecto de demandas cuyas cuantías excedan los 6.000 euros y las que resulte imposible calcular la cuantía, ni siquiera en modo relativo (art. 249.2 LEC). Esta determinación no solo configura la vía procesal y, por ende, las normas que habrá que respetar en su desarrollo, sino igualmente permitirá resolver numerosas cuestiones, como la susceptibilidad o no de casación de la sentencia, las costas, etc.

D) Peticiones accesorias

Históricamente se ha venido empleando en la demanda la fórmula «otrosí digo» para efectuar posibles peticiones accesorias. Estas posibles peticiones obedecen a las circunstancias concurrentes y a la eventualidad del caso, de manera que no se formulan en todos los procesos.

E) Fecha y firma

Aun cuando la fecha que importa es la de la presentación, el escrito de demanda contendrá la fecha y la firma de abogado y procurador, siempre que su intervención es necesaria en el proceso. Cuando la parte comparece por sí misma, sin abogado ni procurador, el escrito de demanda se firmará por el mismo demandante.

III. PRESENTACIÓN Y DOCUMENTOS QUE ACOMPAÑAN A LA DEMANDA

La presentación de la demanda, junto a los documentos que deben acompañarla, se efectuará telemática o electrónicamente cuando existieren estos medios en la Administración de Justicia, en la forma adecuada para que se garantice la autenticidad de la comunicación y la fehaciencia de la remisión y recepción (art. 135.1 LEC), con recibo que exprese la entrada de registro y la fecha y hora de presentación, en la que se entenderán presentados a todos los efectos.

Si el servicio de comunicaciones telemáticas o electrónicas resultase insuficiente para la presentación de los escritos o documentos que deben acompañarse, se deberá presentar en soporte electrónico en la oficina judicial ese día o el día siguiente hábil, junto con el justificante expedido por el servidor de haber intentado la presentación sin éxito, entregándose recibo de su recepción (art. 135.3 LEC).

Se presentarán en soporte papel cuando los interesados no estén obligados a utilizar los medios telemáticos y no hubieran optado por ello, cuando no sean susceptibles de conversión en formato electrónico y en aquellos casos legalmente establecidos. Presentados, quedarán en depósito en el archivo de la oficina judicial, a disposición de las partes, asignándoles número de orden y dejando constancia en el expediente judicial electrónico de su existencia (art. 135.4 LEC).

La presentación de la demanda deberá efectuarse con el soporte documental que exige la ley. En este sentido, los documentos que van a acompañar a la demanda pueden ser procesales o materiales. Los primeros, procesales, condicionan la admisión o inadmisión de la demanda, refiriéndose a los presupuestos procesales. Los segundos, los materiales, se refieren al fondo.

1. *Documentos procesales (art. 264)*

➤ El poder de representación del procurador, siempre que éste intervenga (cuando la parte comparece por sí misma, no es necesaria la intervención), y la representación no se otorgue *apud acta* (art. 264.1º en relación con el art. 24 LEC). De este modo, puede considerarse que cuando el procurador interviene en representación de la parte demandante, a la demanda deberá acompañarse:

   1º) La copia electrónica del poder notarial de representación, informática o digitalizada;

   2º) O el acta del LAJ de otorgamiento *apud acta* de la representación por comparecencia personal o electrónica; o en su caso, con presentación de la certificación de la inscripción de este otorgamiento *apud acta* en el archivo electrónico de apoderamientos *apud acta* de las oficinas judiciales;

   3º) O por la comunicación del Colegio de Procuradores nombrando a un procurador colegiado del turno de oficio.

➤ Acreditación de la representación legal, cuando se trate de persona física que así lo requiera o bien cuando se trata de órgano de una persona jurídica (art. 264.2 LEC). Puede documentarse en el mismo poder notarial que otorga la representación procesal al procurador.

➤ Documentos o dictámenes que acrediten el valor de la cosa litigiosa a efectos de competencia y procedimiento (art. 264.3 LEC). Se trata de un documento procesal necesario cuando, por ejemplo, se considere adecuado uno u otro procedimiento por razón de la cuantía, debiendo documentarse la misma de una u otra forma con la demanda.

➢ Copias: de los documentos que se presenten se acompañarán tantas copias cuantas sean las otras partes (art. 273 *in fine*). La no presentación de las copias podrá permitir subsanación en el plazo de 5 días; si se remedia la omisión en dicho plazo, queda subsanado y si no se presentan, se tendrán por no presentados a todos los efectos (art. 275 LEC).

2. *Documentos materiales (art. 265)*

El art. 265 LEC se refiere a los documentos y otros escritos y objetos relativos al fondo del asunto, por lo que, incorporados en este momento procesal, se convertirán en prueba en el proceso. A toda demanda (o contestación por el demandado) deberá acompañarse:

➢ Los documentos en que la parte funde su derecho a la tutela judicial que pretenden (art. 265.1, 1ª). Se convertirán en prueba documental en el proceso.

➢ Los medios de reproducción de la palabra, el sonido y la imagen, así como los instrumentos que permiten archivar y conocer o reproducir palabras, datos, cifras y operaciones matemáticas llevadas a cabo con fines contables o de otra clase, relevantes para el proceso (art. 265.1, 2ª en relación con el 299.2 LEC).

➢ Las certificaciones y notas sobre cualesquiera asientos registrales o sobre el contenido de libros registro, actuaciones o expedientes de cualquier clase.

➢ Los dictámenes periciales en que la parte demandante apoya su pretensión. Aun cuando son escritos, no son propiamente prueba documental, sino pericial. En caso de que alguna de las partes sea titular del derecho de asistencia jurídica gratuita no tendrá que aportar con la demanda o la contestación el dictamen, sino que bastará con anunciarlo (art. 339.1 LEC).

➢ Los informes, elaborados por profesionales de la investigación privada legalmente habilitados, sobre hechos relevantes en que aquéllas apoyen sus pretensiones. El hecho de que el mismo legislador establezca que si no fueren reconocidos los hechos como ciertos, se practicará prueba testifical, naturaliza este informe como tal.

Debe considerarse, a estos efectos, como regla general:

a) El art. 265 LEC obliga a que se aporten con la demanda los documentos que sean *esenciales* en los que la parte está fundando su derecho a la tutela judicial que pretende, siempre que estén a disposición del demandante en ese momento, a fin de favorecer la defensa del demandado, a quien se le dará traslado de forma inmediata.

b) Cuando se trate de documentos, medios, instrumentos, dictámenes e informes *no esenciales o fundamentales* para fundar el derecho a la tutela judicial que pretende, el art. 265.3 permite que se presenten en la audiencia previa al juicio (o en la vista del juicio oral). En consecuencia, pueden aportarse con la demanda si se quiere, o en un momento posterior.

Pese a la regla general, el legislador ha establecido la posible excepción del art. 265.2, I: Si carece de disponibilidad de los mismos en el momento de presentación de la demanda, cuando de los tres supuestos primeros del art. 265.1 se trata, «podrán designar el archivo, protocolo o lugar en que se encuentren, o el registro, libro registro, actuaciones o expediente del que se pretenda obtener una certificación». Esta excepción, sin embargo, queda limitada en cuanto si lo que se puede es solicitar una copia fehaciente para su aportación, se entiende que el demandante podría haberlo hecho para acompañarlos a la demanda, sin que baste con la designación del archivo, protocolo, etc.

Además de los documentos expuestos —referidos a los procesos civiles en general— existen algunos casos especiales en los que se exige la aportación de determinados documentos junto con la demanda, como sucede, entre otros, con el documento que acredite el título por el que se piden alimentos (cuando es objeto de la demanda), o el documento en que conste fehacientemente la sucesión mortis causa en favor del demandante, así como la relación de testigos, cuando se pretenda la posesión de unos bienes que se afirma por el demandante han sido adquiridos en virtud de la sucesión (art. 266 LEC).

IV. ADMISIÓN E INADMISIÓN DE LA DEMANDA

Presentada la demanda y los documentos, medios e informes que la acompañan, se realizará el control de admisibilidad. De ese control puede:

➢ Admitirse la misma por el LAJ mediante decreto con carácter general, o bien mediante auto por el juez en los supuestos específicamente referidos en el art. 404.2 LEC.

➢ Inadmitirse en los supuestos específicamente regulados en el art. 403 LEC.

1. Admisión de la demanda

Realizado el control de admisibilidad, si no concurren los supuestos legalmente establecidos para lo contrario, se admitirá. Y esa admisión se efectuará por la autoridad competente, a saber: por el LAJ a través de decreto, o en supuestos específicos en los que el LAJ debe dar cuenta al juez, será éste el que la admitirá por auto.

2. Inadmisión de la demanda

La inadmisión de la demanda comporta la no tramitación de la misma. Dadas las consecuencias jurídicas que esta inadmisión produce, debe fundarse en motivos suficientes que permitan justificar esa denegación de la tramitación y deberá ser el juez el que, en su caso, inadmita. El art. 403 LEC se refiere a estos:

1. En primer lugar, las demandas solo se inadmitirán en los casos y por las causas expresamente previstas en la LEC.

2. No se admitirán las demandas cuando no se acompañen a ella los documentos que le ley expresamente exija para la admisión de aquéllas o no se hayan intentado conciliaciones o efectuado requerimiento, reclamaciones o consignaciones que se exijan en casos especiales.

En relación con los supuestos que pueden dar lugar a la inadmisión, pueden diferenciarse entre:

➢ Por motivos de fondo: La inadmisión de la demanda *in limine litis* implica *a priori* una denegación del derecho a la tutela judicial efectiva del art. 24.1 CE, dado que supondría impedir a la ciudadanía el acceso a la Justicia y, con ello, la obtención de una respuesta a la tutela jurídica pretendida. Sin embargo, podríamos pensar en situaciones excepcionales en las que lo solicitado en la demanda es de imposible obtención por medio del Poder Judicial, de modo que los tribunales no pueden pronunciarse sobre la tutela pedida, como puede suceder, a título de ejemplo, con la solicitud de hacer cumplir una promesa de matrimonio (que en EEUU es posible, pero en España la promesa de matrimonio no genera obligación jurídica de contraerlo), o por ejemplo, la demanda presentada en un tribunal de hacer cumplir una promesa electoral a quien fue elegido/a como rector o rectora de una Universidad, argumentándose que se le votó por esas promesas.

➢ Por motivos procesales:

a) Pueden tratarse de ausencias o defectos de requisitos y presupuestos procesales, subsanables o insubsanables. En el caso de que sean subsanables (por ejemplo, la falta de firma de abogado, o la falta de poder de representación) se concede por el LAJ un plazo para efectuar la sub-sanación; si se subsana, se admite; si no se subsana, el LAJ da cuenta al juez para que éste decida. En el caso de que sean insubsanables (por ejemplo, falta de capacidad de la parte, o falta de jurisdicción o de competencia genérica, o falta de competencia objetiva y funcional, etc), el LAJ da cuenta al juez para que resuelva.

b) Por no presentar junto a la demanda los documentos expresamente exigidos por la ley (art. 403.2 en relación con los arts. 265 y 266 LEC). En unos casos, se trata de documentos que justifican un presupuesto procesal (cabría pensar en aquellos casos en que es necesario un acto previo de procedibilidad), no pudiendo admitir la demanda por la no presentación del documento. En otros casos, se trata de documentos que inciden en el fondo, ya con carácter general (art. 265) o ya respecto de supuestos especiales a que se refiere el art. 266 (alimentos, título en que se funden las demandas de retracto, documento en que conste la sucesión mortis causa, etc) que fundamentan *ab initio* la legitimación en la causa concreta de forma documental. Estos documentos especiales no suponen inadmisión de la demanda, sino preclusión de prueba, en cuanto no se podrán presentar en momento posterior que permita probar la titularidad de quien reclama el derecho.

V. EFECTOS DE LA DEMANDA

La presentación de la demanda y su posterior admisión van a producir efectos jurídicos, de naturaleza procesal y también material.

1. *Efecto procesal esencial: litispendencia*

El primer efecto procesal de la demanda va a ser la litispendencia, y de ella, a su vez, se generan una serie de efectos procesales.

Al inicio de esta lección afirmábamos que la demanda es el acto de ejercicio del derecho a la tutela judicial efectiva (art. 24 CE), que implica la iniciación del proceso (art. 399.1 LEC) y la formulación de la pretensión de la demandante. Esto significa, en consecuencia, que con la interposición de la demanda —y su admisión— se provoca la pendencia del proceso, en el que se ejercita el derecho a la tutela judicial efectiva, mediante la formulación de la pretensión de la actora.

Esa pendencia del proceso —existe un proceso iniciado entre dos partes y con una pretensión— es lo que se denomina *litispendencia*.

A partir de esta pendencia procesal se originan una serie de relaciones y situaciones jurídicas entre la trilogía subjetiva del proceso, partes entre sí y partes con el juez, cuyo objetivo es desarrollar las actuaciones procesales legalmente establecidas, encaminadas a la resolución que ponga fin al proceso, en cumplimiento de la activación judicial para la tutela efectiva.

El art. 410 LEC ha resuelto la discusión que se planteaba en torno al momento en que se produce la litispendencia: *desde la interposición de la demanda, si después es admitida.* Y en el mismo sentido se da cuando se trata de litispendencia internacional (art. 37 de la Ley 29/2015, de 30 de julio, de cooperación jurídica internacional en materia civil).

De manera que la interposición no genera *per se* litispendencia, sino que habrá que esperar a la admisión de la misma para entender que la pendencia del proceso se ha iniciado desde que la demanda se interpuso. Este es el *dies a quo,* mientras que el *dies ad quem* se produce con la terminación del proceso (termina la pendencia del proceso y cesa la litispendencia).

2. *Efectos-consecuencia procesales de la litispendencia*

A) **Respecto de los sujetos del proceso**

➢ El juez asume el deber de continuar con el proceso hasta su terminación (sea de forma normal, con contradicción hasta el final y con sentencia de fondo; o bien de forma anormal. v. lecc. 15ª);

➢ Las partes del proceso aceptan las cargas, obligaciones, y también expectativas, que generan la existencia del proceso.

B) **Perpetuatio iurisdictionis**

Las condiciones personales, objetivas y territoriales del objeto procesal determinan la jurisdicción del órgano, inicialmente competente, hasta que se dicte la sentencia. Puede darse que alguna pueda cambiar, como, por ejemplo, el aumento o disminución de la cuantía litigiosa que lleve a variar el procedimiento adecuado, si bien no por ello se producen cambios en la competencia del juez. El art. 411 LEC así lo aclara: *Las alteraciones que, una vez iniciado el proceso, se produzcan en cuanto al domicilio de las partes, la situación de la cosa litigiosa y el objeto del juicio no modificarán la jurisdicción y la competencia, que se determinarán según lo que se acredite en el momento inicial de la litispendencia.*

C) Perpetuatio legitimationis

Del mismo modo, debe entenderse que quienes están legitimados inicialmente en el proceso y a quienes afecta la litispendencia, mantendrán esta legitimación. No obstante, podrían producirse algunas alteraciones en la legitimación fruto de las circunstancias concurrentes, como podría ser el fallecimiento de la parte (pudiendo dar lugar a la sucesión procesal o a la terminación del proceso, según los casos) o incluso cabría que en el caso de las personas jurídicas se produzca una fusión de partes, lo que incidiría indudablemente en las partes del proceso.

D) Prohibición de la mutatio libelli

A esta prohibición se refiere el art. 412.1 LEC: establecido lo que sea objeto del proceso, en la demanda y en la contestación-reconvención, las partes no podrán alterarlo posteriormente, sin perjuicio de las posibles alegaciones complementarias que puedan formularse, en los términos legalmente establecidos (art. 412.2). En relación con esta prohibición de la alteración de la demanda podemos considerar:

1. Esta prohibición se fundamenta en la idea de evitar la indefensión (art. 24.1 CE), dado que, si se fuera alterando sucesivamente la demanda y en especial su pretensión o incluso cambiando las personas frente a las que se dirige el proceso, produciría indefensión. Y obviamente, junto a esta justificación basada en el respeto a las garantías y derechos de defensa, se encuentra el motivo de operatividad procedimental, porque si hubiere sucesivos cambios en el objeto del proceso, éste tendría dificultades de avanzar.

2. Si la regla general es la inalterabilidad, la excepción es la posibilidad de que concurran excepciones a la misma o matices concretos. En ambos niveles de modificación se requiere que la ley así lo permita. En este sentido encontramos:

   ➢ *Ampliación objetiva y subjetiva de la demanda* (Art. 401.2 LEC): Antes de la contestación, podrá ampliarse la demanda para acumular nuevas acciones a las ya ejercitadas o para dirigirlas contra nuevos demandados. En tal caso, el plazo para contestar a la demanda se volverá a contar desde el traslado de la ampliación de la demanda.

   ➢ *Escrito de ampliación de hechos* (art. 286 LEC): Puede presentarse este escrito por cualquiera de las partes, una vez han precluido los actos de alegación, y antes de comenzar a transcurrir el plazo para dictar sentencia, salvo que la alegación pueda efectuarse en el acto del juicio (en el ordinario) o en la vista (en el verbal). Se trata de hechos nuevos —que han sucedido con posterioridad a la formulación de las alegaciones— o de nueva noticia —que aun habiendo ocurrido antes, no se hubiere podido alegar en su momento— que tengan relevancia para la decisión final del pleito.

➢ *Ampliación documental*: Como ya se expuso, los documentos que quieran hacerse valer como medio de prueba en el proceso deben acompañarse a la demanda. Existen, sin embargo, situaciones que permiten la aportación posterior cuando concurran las circunstancias establecidas en el art. 270 LEC: sean de fecha posterior a la demanda o contestación o, en su caso, a la audiencia previa al juicio, siempre que no se hubieren podido confeccionar u obtener con anterioridad; cuando se justifique por la parte no haber tenido antes conocimiento de su existencia; no haberlos conseguido con anterioridad por causas que no sean imputables a la parte, siempre que se haya efectuado las designaciones legalmente establecidas en el art. 265 LEC.

Igualmente, el art. 271.2 permite, de forma excepcional, que puedan aportarse sentencias o resoluciones judiciales o de autoridad administrativa, dictadas o notificadas en fecha no anterior al momento de formular las conclusiones, siempre que pudieran resultar condicionantes o decisivas para resolver en primera instancia o en cualquier recurso. Podrán presentarse incluso en el plazo para dictar sentencia.

3. La LEC permite que esta excepcionalidad, a saber, ampliación objetiva-subjetiva de la demanda, ampliación fáctica o ampliación de documentos, medios o instrumentos cuya presentación deba hacerse con la demanda, precluyendo como regla general en ese momento, pueda instrumentalizarse de forma diversa. En unos casos lo es, como vimos, mediante escritos; en otros, mediante aportaciones documentales extemporáneas, y de forma específica se regulan dos momentos procesales en el juicio ordinario que merecen destacarse como viables en la integración de estos complementos:

a) Por un lado, en la audiencia previa en el juicio ordinario, ex art. 426 LEC, de manera que se podrán delimitar los términos del debate mediante alegaciones complementarias, aclaración de alegaciones, peticiones accesorias o complementarias, así como efectuar alegaciones de hechos nuevos o de nueva noticia (art. 286 LEC). Y junto a ello, aportar documentos o dictámenes, en los términos ya expuestos.

b) Por otro, cabe la posibilidad de que al escrito de interposición del recurso de apelación se acompañen los documentos a que se refiere el art. 270 LEC y que no hayan podido aportarse en la primera instancia (art. 460.1 LEC). En ese escrito, además, se podrá pedir la práctica en segunda instancia de las siguientes pruebas (art. 460.2 LEC):

1) Las que indebidamente hubieren sido denegadas en la primera instancia siempre que se hubiere intentado la reposición de la resolución denegatoria o se hubiere formulado la oportuna protesta en la vista.

2) Las propuestas y admitidas en la primera instancia que, por cualquier causa no imputable al que las hubiera solicitado, no hubieren podido practicarse, ni siquiera como diligencias finales.

3) Las que se refieran a hechos de relevancia para la decisión del pleito ocurridos después del comienzo del plazo para dictar sentencia en la primera instancia o antes de dicho término siempre que, en este último caso, la parte justifique que ha tenido conocimiento de ellos con posterioridad.

3. Efectos materiales

Existen, además, efectos materiales, que están establecidos en el ordenamiento jurídico, especialmente en el Código Civil y en el de Código de Comercio. Así, podemos señalar:

Por un lado, los efectos materiales derivados de la demanda: a) La interrupción de la prescripción (art. 1973 CC y 944 CCo); b) Los bienes se convierten en litigiosos (arts. 1291 y 1535 CC); c) En caso de deuda solidaria, el deudor puede pagar la deuda a cualquiera de los acreedores solidarios, salvo que hubiere sido demandado por uno de éstos, en cuyo caso deberá pagar al acreedor demandante (art. 1142 CC).

Por otra parte, hay una serie de efectos que se van a producir cuando se estime en la sentencia la pretensión ejercitada en la demanda, si bien los efectos se retrotraen (los efectos se producen *ex tunc*), como sucede, por ejemplo, con la constitución en mora del deudor (arts. 1100 y 1101 CC); o la obligación del pago de intereses pactados o legales (art. 1109 CC), o la restitución de frutos por el deudor de mala fe (arts. 451 y 1945 CC).

Lección 9ª

ACTITUDES DEL DEMANDADO FRENTE A LA DEMANDA

SILVIA BARONA VILAR

BIBLIOGRAFÍA BÁSICA

GONZÁLEZ NAVARRO, A., *La reconvención en el proceso civil*, Bosch, Barcelona, 2009.

MONTERO AROCA, J., *Los procesos ordinarios de declaración y ejecución*, Tirant lo Blanch, Valencia, 2ª ed., 2016.

RICHARD GONZÁLEZ, M., *Reconvención y excepciones reconvencionales en la LEC 1/2000*, Civitas, Madrid, 2002.

I. DIVERSAS ACTITUDES DEL DEMANDADO FRENTE A LA DEMANDA

Presentada y admitida la demanda a trámite, se procederá a trasladarla al demandado, concediéndole el plazo de veinte días para que se persone y conteste en la forma y contenido previstos en los artículos 405 y siguientes de la LEC. De este modo, se crean dos cargas procesales para el demandado: por un lado, la de comparecer, y, por otro, la de contestar a la demanda. El incumplimiento de ambas o de una de ellas o su defectuosa materialización tiene consecuencias procesales.

Así, el demandado puede adoptar diversas posiciones ante la carga de comparecer en el proceso iniciado por el actor, así como desplegar su derecho de defensa frente a la demanda contra él planteada. Puede:

1. Por un lado, mantener una posición pasiva, sin comparecer en el proceso: la consecuencia procesal es la declaración de rebeldía por el LAJ (art. 496 LEC).

2. Puede comparecer, dando debido cumplimiento a la carga de hacerlo, si bien no contestando a la demanda, de manera que con ello evita la declaración de rebeldía, pero sin interactuar procesalmente a los efectos de responder a la demanda planteada.

3. Puede comparecer, no contestar a la demanda, pero interponer objeciones por falta de presupuestos procesales referidos a la jurisdicción y a la competencia, a través de declinatoria (art. 63 LEC).

4. Puede comparecer y contestar a la demanda, oponiéndose a ésta tanto respecto de la relación jurídico procesal como de la relación jurídico material.

5. Puede comparecer y contestar con un escrito de reconvención, a saber, interponiendo una pretensión contra el actor originario, de manera que, más allá de la oposición a la demanda o resistencia a la misma, el demandado acumula al proceso inicial su pretensión reconvencional.

II. REBELDÍA

La primera situación que puede darse por el demandado es la de no comparecer en forma en la fecha o en el plazo señalado en la citación o emplazamiento, quebrando la carga de comparecencia. Esta actitud da lugar a la rebeldía del demandado.

1. Aclaración y concepto

En primer lugar, una aclaración conceptual: la declaración de rebeldía solo es posible del demandado, no del actor. El hecho de presentar la demanda supone comparecer o personarse ante el tribunal, de ahí que en la regulación de la rebeldía (art. 496) se hace referencia tan solo al demandado rebelde.

Esto no implica que las ausencias o inactividades en que pueda incurrir el actor en el proceso no tengan efectos procesales, que los tienen, pero no es rebeldía. Por ejemplo, el actor puede mostrar esa inactividad respecto de un acto procesal que le corresponde, como puede ser la proposición o aportación de prueba, cuya consecuencia procesal es clara, la preclusión de la misma. No produce rebeldía del actor, porque ya ha comparecido, empero sí le acarrea consecuencias procesales respecto de la ausencia o falta de prueba en el proceso.

En segundo lugar, a efectos de poder configurar el significado conceptual de la rebeldía del demandado, debemos considerar:

➢ La rebeldía supone la ausencia del demandado en el proceso: no comparece en forma en la fecha o en el plazo señalado en la citación o emplaza-

miento (art. 496.1). Es una situación jurídica que supone la no personación del demandado.

➤ La rebeldía no exige voluntad del demandado de colocarse en esta situación jurídica. Las causas de su no comparecencia pueden ser múltiples y en
ciertos casos absolutamente ajenas a su voluntad. Esa involuntariedad no
va a afectar a la declaración de rebeldía, lo que no es óbice a la posibilidad
de incidir en el ejercicio del derecho de defensa o en la posible causa que
estime la audiencia al rebelde. La concesión de estos beneficios no afecta a
la declaración de rebeldía, sino a las consecuencias derivadas de la misma.

➤ *Conditio sine que non* para proceder a declarar la rebeldía del demandado
(así se le denomina en los arts. 496 y 497 LEC) son la pendencia de un
proceso (por la interposición de la demanda contra el demandado) y que
la citación del demandado se hubiera realizado conforme a Derecho.

➤ Esa declaración de rebeldía se efectúa de oficio (LAJ), sin que sea necesaria la solicitud del actor —excepto los supuestos legalmente establecidos
en los que la declaración de rebeldía corresponde realizarla el tribunal,
art. 496.1 *in fine*—. La declaración de rebeldía se realiza mediante resolución que debe ser notificada, para que produzca los efectos propios de
la rebeldía. En este sentido, el art. 497.1 establece que la resolución que
declare la rebeldía se notificará al demandado por correo, si su domicilio
fuere conocido y, si no lo fuere, mediante edictos.

2. *Efectos de la declaración de rebeldía*

Dado que la rebeldía exige una declaración del LAJ o tribunal, de oficio, que
confirme la situación jurídica del demandado rebelde, bajo las condiciones expuestas, hay que determinar qué efectos va a producir la rebeldía en el proceso:

➤ En primer lugar, debe tenerse en cuenta que el proceso civil en marcha
continuará sin el demandado rebelde; su no presencia no impide la continuación del proceso sin él.

➤ En segundo lugar, se produce una alteración en el régimen de notificaciones del demandado rebelde, dado que se le notifica en los términos del
art. 497 la resolución por la que se le declara en rebeldía y ninguna otra
actuación más, salvo la sentencia que ponga fin al proceso. E igualmente,
el legislador ha señalado que se le notificarán, si las hubiere, las sentencias
que puedan dictarse en segunda instancia o en recurso extraordinario de
casación o en el recurso extraordinario por infracción procesal (art. 497.2,
II). Estas notificaciones de sentencias recaídas en las diversas instancias
procesales se harán personalmente, en la forma prevista en el art. 160 y, si

no fuere posible, por edictos publicados en el BOE o en el de la C. Autónoma (art. 497.2).

➢ En tercer lugar, la declaración de rebeldía del demandado implica un *status procesal* de inactividad consentida, de manera que, al no cumplir con la carga procesal de comparecer y personarse, asume que pierde las posibilidades de actuar en el proceso, esto es, precluyen las actuaciones procesales que le permitirían, en su caso, el ejercicio del derecho de defensa.

➢ Complemento de la afirmación anterior, debe tenerse en cuenta que esta inactividad procesal no supone admisión de los hechos alegados por el actor, ni allanamiento, como sucede en otros ordenamientos jurídicos (art. 496.2 LEC), salvo que sea la misma ley la que expresamente disponga lo contrario. Podemos encontrar algún supuesto en la LEC en los que la incomparecencia del demandando a la vista se va a considerar allanamiento (art. 440.2 y 3; el art. 441.4 LEC), o en otros en los que la no contestación a la demanda en la tercería de dominio y en la de mejor derecho (arts. 602 y 618 LEC) se considera admisión de hechos. La atribución de este efecto implica que la sentencia será desfavorable al demandado.

3. *El proceso en rebeldía*

Declarada la rebeldía mediante resolución del LAJ o del tribunal, en su caso, no implica, como se expuso *supra,* una paralización ni terminación anormal del proceso, sino que éste, el proceso, continuará con el demandado en situación de rebeldía. Lo importante es determinar de qué manera esta declaración puede incidir en el proceso pendiente.

➢ En primer lugar, no altera los principios esenciales y consustanciales del proceso. Esto es, el proceso continúa con dos posiciones, la del actor y la del demandado, y la relación jurídica procesal pervive entre ellos; y los principios de contradicción y de igualdad entre las partes no quedan alterados por la rebeldía del demandado. Los mecanismos que ofrece la LEC para que el demandado rebelde pueda no solo conocer de la existencia del proceso, de su declaración de rebeldía y de las resoluciones que se dicten y le afecten en cuanto al fondo, amén de la posibilidad de plantear la audiencia al rebelde y sus efectos en caso de estimación, llevan a defender que los principios esenciales del proceso civil, dualidad, contradicción e igualdad, no quedan vulnerados por la declaración de rebeldía del demandado. Sigue habiendo dos partes y sigue el demandado teniendo la oportunidad de hacerse presente en el proceso, con las garantías de la contradicción y de la igualdad procesal.

➤ En segundo lugar, el actor procederá en el proceso con las actuaciones procesales que le correspondan. Deberá, amén de efectuar las alegaciones de los hechos constitutivos, probar los mismos. Su pretensión va encaminada a la obtención de la tutela pretendida mediante una sentencia estimatoria de aquélla, por lo que deberá actuar en el proceso dirigiendo su estrategia procesal a la consecuencia pedida.

➤ En tercer lugar, la actitud del demandado no puede condicionar los tiempos procesales, de modo que su no personación, comparecencia y su inactividad no afectarán al desarrollo actuacional del proceso. Obviamente, su actitud si repercutirá en lo que al ejercicio de sus actos procesales se trata, esto es, perderá posibilidades procesales (alegaciones, prueba, etc.).

➤ En cuarto lugar, la situación de rebeldía no es irreversible en el proceso. Para que pueda darse esa reversibilidad se requiere:

1. Efectuar las notificaciones de la forma establecida legalmente, tanto en la premisa de comunicarle la pendencia del proceso como de la declaración de rebeldía. Y, en este sentido, cuando por desconocerse el domicilio del demandado o estar en ignorado paradero, el emplazamiento se realizó mediante edictos, deberá, en cuanto se tenga noticia del lugar en que pueda llevarse a cabo, comunicarle de la pendencia del proceso (art. 498 LEC). Solo teniendo conocimiento de los mismos es posible decidir comparecer en el proceso.

2. Posible comparecencia del demandado en rebeldía (art. 499): Cualquiera que sea el estado del proceso en que el demandado rebelde comparezca, se entenderá con él la sustanciación, sin que ésta pueda retroceder en ningún caso, aceptando por ello el proceso en el estado en que se encuentra.

➤ Si finaliza todo el proceso en rebeldía, se dicta la sentencia en rebeldía del demandado. Se le notificará al demandado personalmente (art. 161 LEC), si bien cuando se halle en paradero desconocido, la notificación se realiza por edictos en los términos establecidos en el art. 497.2 LEC. La eficacia de la sentencia y sus consecuencias jurídico-procesales dependerá de la manera en que se haya podido notificar, de modo que:

1. Si se notificó personalmente: contra la sentencia cabe interponer recurso de apelación o los recursos extraordinarios por infracción procesal o recurso de casación, en los plazos legalmente establecidos.

2. Si se notificó por edictos, podrá interponer los mismos recursos, pero con plazos diversos, en atención a lo que prescribe el art. 500.2 LEC: el plazo para interponerlos se contará desde el día siguiente al de la publicación del edicto de notificación de la sentencia en el BOE, BO Com

Aut. o BO Prov. o, en su caso, por los medios telemáticos, informáticos o electrónicos a que se refiere el art. 497.2 y 3 LEC.

➢ Por último, los demandados que hayan permanecido en rebeldía constantemente podrán pretender del tribunal que la hubiera dictado, la rescisión de la sentencia firme (art. 501). Esto no significa que la sentencia dictada en rebeldía del demandado no produzca efectos procesales. Es una sentencia que adquiere firmeza, frente a la cual es posible plantear la audiencia al rebelde, como acción de rescisión (v. lecc. 22ª).

III. COMPARECENCIA SIN CONTESTACIÓN A LA DEMANDA

El demandado, recibida la demanda y el emplazamiento, puede comparecer personándose en el proceso civil, pero no formular contestación a la misma. Con esta actitud el demandado evita que se le declare rebelde y puede, a su vez, realizar dos conductas diversas:

➢ Comparecer sin contestar ni realizar conducta alguna: Aun cuando se trata de una situación más hipotética que real en la práctica, nada impide que pueda producirse. Se trata de evitar con la personación la declaración de rebeldía del demandado, si bien, sin realizar otra conducta que la mera personación. No formula contestación a la demanda ni cuestiona la validez de la relación jurídico-procesal existente. No es admisión de hechos, ni allanamiento ni oposición a la demanda, sino la actitud del demandado que, aun cuando evita la rebeldía, pierde la oportunidad de aportar al proceso alegaciones y prueba, dejando que sea tan solo el actor el que perfile el objeto del proceso y el objeto de debate.

➢ Comparecer, plantear declinatoria sin contestar a la demanda: el demandado se persona en el proceso, evitando la rebeldía, pero no para contestar a la demanda, sino para cuestionar a través de la declinatoria la falta de jurisdicción del tribunal ante el que se ha interpuesto la demanda, por corresponder el conocimiento de ésta a tribunales extranjeros, a órganos de otro orden jurisdiccional, a árbitros o a mediadores; o bien para denunciar la falta de competencia de todo tipo (art. 63. 1).

La declinatoria se propone dentro de los diez primeros días del plazo para contestar a la demanda, y suspende, hasta que aquélla se resuelva, el plazo para contestar y el curso del procedimiento principal; suspensión que declarará el LAJ (art. 64.1).

Esta actitud del demandado es diversa a la que provoca la rebeldía, si bien la gradación de intervención del demandado en las dos situaciones descritas es diversa también, por cuanto en el segundo caso, la declinatoria, su tramitación y decisión van a tener una incidencia notoria en el proceso civil iniciado por el demandante.

IV. CONTESTACIÓN A LA DEMANDA POR EL DEMANDADO

Entre las conductas que puede realizar el demandado frente a la demanda, la más común es sin duda la de contestar a la misma. Esa contestación podrá nutrirse de contenidos plurales, si bien su personación en el proceso le hace partícipe de cuanto significa estar presente como parte procesal en el mismo.

1. Concepto

La contestación a la demanda es el acto procesal del demandado por el que se permite ejercitar su derecho a la tutela judicial efectiva, con diversos grados de intervención y diversas posibilidades de entender la satisfacción de la tutela pedida. Debe considerarse:

➢ La contestación a la demanda es un acto de ejercicio del derecho a la tutela judicial efectiva del demandado

Frente a la demanda, el demandado tiene la posibilidad de defenderse, de evitar situaciones de indefensión (art. 24 CE), y puede hacerlo a través de la respuesta al demandante que supone formular una resistencia al proceso en sí (negando los hechos alegados por el actor en su demanda), o a las pretensiones de la actora de forma específica (hace aportaciones propias que contrarrestan las efectuadas de contrario). Este derecho reconocido en el art. 24 supone que todos los sujetos del proceso se encuentran en situación de igualdad de posiciones procesales, y cuentan legalmente con todos los instrumentos adecuados para garantizar la estrategia y el ejercicio de su derecho de defensa; cuestión diversa es cómo se ejercita ese derecho.

➢ La contestación a la demanda no es acto esencial del proceso

La demanda es el acto esencial del proceso, de modo que como acto de iniciación del mismo si no hay demanda, no hay proceso. Sin embargo, es posible —hemos hecho referencia en páginas anteriores— que no se formule contestación a la demanda y, sin embargo, sí que continúe el proceso.

➢ La contestación a la demanda comporta la formulación de la resistencia del demandado

El demandado resiste a lo pretendido por el actor. Esa resistencia implica adentrarse en el fondo del asunto planteado por el actor en su demanda, y responder a las peticiones alegadas y argumentadas por el demandante en su escrito de demanda. En unos casos esta resistencia es menos proactiva, a saber, implica la defensa genérica frente a la actora, solicitándose la no condena del demandado, mientras que, en otros casos, supone la petición de desestimación de las pretensiones ejercitadas por el actor en su demanda, aportando al respecto elementos que permiten la estrategia de defensa en este sentido, de manera que el demandado que pretenda la desestimación de las pretensiones de la demanda, deberá aportar hechos, pruebas y justificar lo que pide y por qué lo pide.

La conducta activa del demandado en el proceso, a efectos de aportaciones y pruebas, lleva a considerar que una cosa va a ser el objeto del proceso, delimitado por las pretensiones y las resistencias de demandante-demandado y otra, el objeto de debate, que puede ser menos extenso, al aceptar determinados hechos una u otra parte, restringiendo el debate a aquello sobre lo que pesa contradicción de las partes.

2. *Contenido*

Al contestar la demanda, el demandado puede integrar en el escrito de demanda contenidos diversos: puede alegar excepciones procesales, puede allanarse con la pretensión del actor, puede admitir los hechos expresa o tácitamente, puede oponerse mediante mera negación, puede oponerse mediante alegaciones de excepciones materiales referidas al fondo, e igualmente puede formular reconvención.

A) **Alegación de excepciones procesales**

Además de la posibilidad de plantear declinatoria en los supuestos antes expuestos —referidos al juez, por falta de jurisdicción o competencia, que deben plantearse antes de la contestación, a través de la declinatoria, no siendo éste el momento procesal oportuno (arts. 39, 63, 64 y 416.2 LEC)—, el demandado puede en su escrito de contestación a la demanda alegar defectos en los presupuestos procesales o en algunos requisitos procesales (excepciones procesales), o de algunas cuestiones procedimentales o de otra índole específicamente reguladas en la LEC que, de ser admitidas, impiden la sentencia de fondo y afectan a la buena conformación de la relación jurídico-procesal, obstaculizando la válida prosecución y término del proceso mediante sentencia sobre el fondo (art. 405.3).

En el juicio ordinario existe un trámite específico —audiencia previa— en el que se conocerán las alegaciones de excepciones efectuadas, subsanando las que puedan ser objeto de subsanación y resolviendo la suerte del proceso, en caso de que fueren insubsanables (v. lecc. 10ª).

Estas excepciones procesales suponen una manera de oposición del demandado, en tanto en ellas concurre una suerte de resistencia y una solicitud de no condena. La resolución que se dicta, en caso de ser estimadas, es una resolución procesal de sobreseimiento y archivo, por cuanto afectan a la relación jurídico-procesal.

Así, el demandado puede en este acto de contestación alegar:

➢ Excepciones procesales referidas a las partes, tales como la falta de capacidad de los litigantes o de representación en sus diversas clases —capacidad procesal de personas físicas y jurídicas, así como la capacidad de postulación—, e incluso cabría alegar la falta del debido litisconsorcio y algunos supuestos específicos de legitimación (art. 416.1, 1ª y 3ª, en relación con el art. 418, que establece el tratamiento en la audiencia previa).

➢ Excepciones referidas al objeto del proceso: podrían alegarse la litispendencia y la cosa juzgada (art. 416.1, 2ª, en relación con el art. 421 que establece el tratamiento que debe darse a estas cuestiones en el trámite de la audiencia previa).

➢ Excepciones que afectan a requisitos de los actos procesales, en especial el defecto en el modo de proponer la demanda, ya por falta de claridad o por falta de precisión en la determinación de las partes o de la petición que se deduzca (art. 416.1, 5ª). Se trata de requisitos que afectan a la admisibilidad de la demanda, no a la estimación —que vendrá referida a la alegación de cuestiones que afectan a los hechos constitutivos, tema de fondo, excepciones materiales, y no procesales—.

➢ Excepciones que afectan al procedimiento: se trata de la alegación de la inadecuación del procedimiento (art. 416.1, 4ª), tanto por razón de la materia como por razón de la cuantía (arts. 422 y 423 LEC, que regula el tratamiento que se les da en la audiencia previa). E igualmente, cabría alegar como defectos procedimentales el ya citado anteriormente de alegación de demanda defectuosa (cuyo tratamiento en la audiencia previa se regula en el art. 424); así como cabría igualmente alegar la indebida acumulación de pretensiones en la demanda (art. 419 LEC).

En todo caso, estas excepciones, a las que se refiere el art. 416 de la LEC, no son *numerus clausus,* de manera que es posible que se aleguen otros defectos procesales o falta o defecto en presupuestos procesales en este acto de contestación a la demanda que podrían llegar a impedir una sentencia que conociera del fondo del asunto (el art. 425 prevé esta posibilidad. v. lecc. 10ª).

B) Allanamiento como no oposición a la pretensión del actor

Existe una posibilidad de que el demandado en el trámite de la contestación a la demanda no se oponga, manifestando precisamente su voluntad de no oponerse a la pretensión del actor, conformándose con ella. Esta manifestación se denomina «allanamiento» (v. lecc. 15ª en las formas de terminación anormal del proceso).

El efecto inmediato de este contenido en la contestación de la demanda —puede realizarse en otros momentos procesales— supondría la terminación del proceso con sentencia estimatoria de la pretensión.

C) Admisión de hechos (total-parcial; tácita-expresa)

En el escrito de contestación a la demanda el demandado puede admitir los hechos constitutivos que conforman la pretensión del demandante. Esta admisión de hechos no es allanamiento, dado que, aun admitiendo los hechos, el demandado solicita que no se estime la pretensión de la actora —a diferencia del allanamiento—, basándose en los fundamentos de derecho.

Esta admisión de hechos puede ser total o parcial. Si es parcial existe contradicción respecto de algunos hechos constitutivos de la demanda, por lo que el proceso se centrará en aquellos hechos sobre los que permanece la contradicción. Si es total la admisión de hechos, la discusión se centrará, en su caso, en la norma jurídica y esto provocará un efecto: la innecesariedad de la prueba (art. 429.1 LEC).

Asimismo, la admisión de hechos puede efectuarse tácitamente o de forma expresa:

➢ La admisión de los hechos es tácita cuando el demandado no se pronuncia ni cuestiona los hechos constitutivos, quedando a la decisión del tribunal la valoración acerca de la real existencia de los mismos. El tribunal podrá considerar, a este respecto, el silencio o las respuestas evasivas del demandado como admisión tácita de los hechos que le sean perjudiciales (art. 405.2 LEC).

➢ La admisión de los hechos puede efectuarse, igualmente, de forma expresa, en cuyo caso desaparece la controversia sobre los hechos alegados por el actor en su demanda, de manera que el tribunal deberá considerarlos como fijos en la sentencia.

D) Posición negatoria de la demanda y de lo pretendido, sin aportaciones

Una de las posibles actitudes del demandado en el momento de formular su contestación a la demanda puede consistir en solicitar no ser condenado en la sentencia, negando sin más lo alegado por el actor en la demanda. No supone aportación de hechos nuevos sobre los alegados por el actor, ni tampoco probatoria (documental, informes), sino que tan solo niega y rechaza lo pretendido por el demandante. Ahora bien, estos hechos negados por el demandado se convierten en hechos controvertidos y, por ello, necesitados de prueba (*a contrario sensu,* art. 281.3 LEC).

E) Oposición a la demanda mediante excepciones materiales

En el escrito de contestación a la demanda el demandado puede oponerse a la misma respecto del fondo, afirmando nuevos hechos que pretenden desvirtuar los hechos constitutivos alegados por el demandante en la demanda. Es la posibilidad de oponerse mediante excepciones materiales (art. 405.1 LEC). Se trata, por tanto, de ir más allá de la mera negación o admisión de hechos; el demandado aporta hechos nuevos, «sus hechos», que podrán ser de tres categorías: hechos impeditivos, hechos extintivos y hechos excluyentes. Todos ellos van encaminados a que se desestime en la sentencia la pretensión ejercitada por el actor en su demanda.

➢ *Hechos impeditivos*: Son los hechos alegados por el demandado dirigidos a impedir la eficacia de los hechos constitutivos del actor, de manera que lo que se pretende con ellos es afirmar que, aun habiendo inicialmente existido el hecho alegado por el demandante, los derechos derivados de este hecho (o hechos constitutivos) no se generaron nunca (por ejemplo, porque no se cumplía las condiciones legales establecidas para que el contrato o la promesa tuviere eficacia jurídica, por ejemplo, por falta de consentimiento o por falta de causa).

➢ *Hechos extintivos*: Son los hechos alegados por el demandado en virtud de los cuales, admitiendo que los hechos constitutivos alegados por el actor en su demanda existieron y desplegaron su eficacia, suprimen los efectos posteriormente (por ejemplo, en el caso de la existencia de una deuda derivada de un incumplimiento contractual es posible que se alegue como hecho extintivo el pago o la cancelación de la deuda). No niega la existencia pasada, pero si la presente, en el proceso.

➢ *Hechos excluyentes*: Son los hechos que alega el demandado para excluir los efectos derivados de los hechos y de los derechos generados como consecuencia de aquéllos por el actor. Se trata, por ello, de que, aun no negando el derecho del demandante, alega un derecho del demandado que excluye la posible eficacia del derecho de aquél. Por ejemplo, podría considerarse la prescripción (art. 1964 CC), que permite que el transcurso del tiempo produzca el efecto de consolidar las situaciones de hecho, permitiendo la exclusión de la eficacia de otros derechos (por ejemplo, para adquirir una cosa, para reclamar una obligación pecuniaria...).

Los hechos impeditivos y los extintivos pueden ser considerados por el tribunal, de oficio, aun cuando no sean alegados por el demandado, si bien en el caso de los excluyentes necesariamente deben ser incorporados al proceso por el demandado, y, por supuesto, ser probados por éste.

De forma específica, el art. 408 LEC ha querido referirse al tratamiento procesal de dos alegaciones del demandado: a) Por un lado, en caso de alegación de la existencia de crédito compensable frente a la pretensión del demandante de condena al pago de cantidad de dinero; puede el actor contestar la compensación de la forma que se prevé para la reconvención (art. 408.1); b) Y si el demandado adujere en su defensa hechos determinantes de la nulidad absoluta del negocio en que se funda la pretensión o pretensiones del actor y en la demanda se hubiere dado por supuesta la validez del negocio, el demandante podrá pedir al LAJ contestar dicha alegación de nulidad en el plazo establecido para la contestación a la reconvención.

F) Reconvención

Aun cuando no es propiamente contestación a la demanda, es posible que en el trámite de contestación el demandado plantee una demanda contra el actor (originario), produciéndose acumulación de pretensiones. A la reconvención nos referimos específicamente *infra*.

3. *Documentos que deben acompañar a la contestación a la demanda*

A la contestación a la demanda el demandado deberá acompañar una serie de documentos, procesales y materiales, del mismo modo que se exigen acompañar a la demanda por el actor (arts. 264 y siguientes LEC). E igualmente, la presentación de la contestación, junto a los documentos, se efectuará en la forma expuesta para la demanda (art. 135).

A) Documentos procesales

Los documentos procesales son los que condicionan la admisión o inadmisión de la contestación, refiriéndose a los presupuestos procesales. Son:

➢ El poder que acredita la representación procesal del procurador (copia electrónica del poder notarial, informática o digitalizada), salvo que se hubiere otorgado la representación *apud acta* ante el LAJ (acta del LAJ), o bien se le hubiere atribuido por turno de oficio (por comunicación del Colegio de Procuradores) (arts. 24.1 en relación con el 264.1 LEC). Su no presentación implica no dar curso a la contestación, si bien es posible subsanar.

➢ Acreditación de la representación legal, cuando se trate de persona física que así lo requiera o bien cuando se trata de órgano de una persona jurídica (art. 264.1, 2º LEC). Puede documentarse en el mismo poder notarial que otorga la representación procesal al procurador. Si no se documenta, el LAJ no dará curso a la contestación, salvo que sea posible la subsanación.

➢ Copias: de los documentos que se presenten se acompañarán tantas copias cuantas personas sean las otras partes (art. 273 *in fine*). La no presentación de las copias podrá permitir subsanación en el plazo de 5 días; si se remedia la omisión en dicho plazo, queda subsanado y si no se presentan, se tendrán por no presentados a todos los efectos (art. 275 LEC).

B) Documentos materiales

Los documentos materiales se refieren al fondo del asunto. Están regulados, igual que respecto la demanda, en el art. 265 LEC. En caso del demandado lo que pretende es la desestimación de la pretensión del actor y deben incorporarse en este momento procesal, convirtiéndose en prueba en el proceso. Se trata esencialmente de los documentos, medios de reproducción de la palabra, el sonido y la imagen, así como los instrumentos que permiten archivar y conocer o reproducir palabras, datos, cifras y operaciones matemáticas llevadas a cabo con fines contables o de otra clase, relevantes para el proceso, las certificaciones y notas sobre cualesquiera asientos registrales o sobre el contenido de libros registro, actuaciones o expedientes de cualquier clase, dictámenes periciales e informes de la demandada. Todos ellos permiten al demandado fundar su derecho a resistir frente a la tutela judicial pedida por el actor.

Son necesarios para probar los hechos impeditivos, extintivos y excluyentes, esto es, cuando alega hechos nuevos frente a la demanda. La regla general será la de que se presenten con la contestación; la excepción, que puedan aportarse en un momento posterior, en los términos ya expuestos en relación con la demanda (art. 265).

4. *Prohibición de la transformación de la contestación de la demanda*

El efecto específico de la contestación a la demanda, consecuencia de la litispendencia, es el de la prohibición de transformar aquélla, al igual que se analizó en la lección 8ª respecto de la demanda. El art. 412.1 dispone: establecido lo que sea objeto del proceso, en la demanda y en la contestación-reconvención, las partes no podrán alterarlo posteriormente, sin perjuicio de las posibles alegaciones complementarias que puedan formularse, en los términos legalmente establecidos (art. 412.2). Su fundamento se encuentra en la necesidad de evitar la indefensión de la otra parte (art. 24.1 CE) que se podría producir si se alterara sucesivamente la resistencia.

Ahora bien, si la regla es la inalterabilidad, cabe la excepción cuando se permiten las siguientes situaciones (como sucede con la demanda, con matices):

➢ Posibilidad de escrito de ampliación de la contestación a la demanda (art. 286 LEC), precluidos los actos de alegación y antes de comenzar a transcurrir el plazo para dictar sentencia, salvo que la alegación pueda efectuarse en el acto del juicio (en el ordinario) o en la vista (en el verbal). Se trata de hechos nuevos —que han sucedido con posterioridad a la formulación de las alegaciones— o de nueva noticia —que aun habiendo ocurrido antes, no se hubiere podido alegar en su momento— que tengan relevancia para la decisión final del pleito. De este escrito se dará traslado por el LAJ a la parte contraria para que se manifieste.

➢ Posible ampliación documental, en los términos expuestos en relación con la demanda (v. lecc. 8ª), permitiéndose la presentación de documentos después de la contestación a la demanda, cuando sean de fecha posterior a ésta o, en su caso, a la audiencia previa, siempre que no se hubieren podido confeccionar u obtener con anterioridad; cuando se justifique por la parte no haber tenido antes conocimiento de su existencia; no haberlos conseguido con anterioridad por causas que no sean imputables a la parte, siempre que se haya efectuado las designaciones legalmente establecidas en el art. 265 LEC (art. 270). E igualmente, pueden aportarse de forma excepcional sentencias o resoluciones judiciales o de autoridad administrativa, dictadas o notificadas en fecha no anterior al momento de formular las conclusiones, siempre que pudieran resultar condicionantes o decisivas para resolver en primera instancia o en cualquier recurso. Podrán presentarse incluso en el plazo para dictar sentencia (art. 271.2).

➢ Esta excepcionalidad puede efectuarse en el trámite de audiencia previa (art. 426 LEC), delimitando el debate mediante alegaciones complementarias, aclaración de alegaciones, peticiones accesorias o complementarias, así como efectuar alegaciones de hechos nuevos o de nueva noticia (art. 286 LEC). Y junto a ello, aportar documentos o dictámenes, en los términos ya expuestos. E incluso cabe extender la excepcionalidad al recurso de apelación (art. 460.1 LEC).

V. RECONVENCIÓN

Entre las posibles actitudes que el demandado puede presentar tras el traslado de la demanda es posible que interponga una demanda reconvencional. Su posición aquí se invierte, dado que el demandado originario, más allá de oponerse, negar, admitir y todas las posibles conductas que se han expuesto, puede ejercitar una demanda (acumulada) siendo demandante frente al actor originario, que se convertirá en demandado reconvencional.

1. Concepto

La reconvención implica una nueva demanda, presentada por el demandado originario frente al actor originario, dando lugar a dos procesos acumulados. Se trata de un supuesto de acumulación objetiva, sucesiva y por inserción (MONTERO AROCA). En consecuencia:

➢ La reconvención es una demanda que plantea el demandado. No es contestación a la demanda.

➢ Se plantea en un proceso pendiente contra él.

➢ A través de la demanda reconvencional se ejercita una pretensión nueva (o varias); implica un nuevo proceso, con un nuevo objeto procesal, que exige un pronunciamiento específico en la sentencia, con efectos de cosa juzgada.

➢ Aun cuando se trata de ejercitar una pretensión nueva, se exige conexión entre ésta y la pretensión del proceso principal (art. 406.1). La exigencia de conexión pretende garantizar la compatibilidad de las pretensiones y la facilidad del debate y la prueba. No se trata de exigir una conexión estricta en relación con el objeto o la causa de pedir, sino respecto de las coordenadas que rodean a las pretensiones (la de la demanda principal y la de la reconvencional).

2. Requisitos

Los requisitos que deben exigirse a la reconvención han venido a establecerse, aun cuando de forma dispar, en la LEC.

➢ Conexión

Uno de los elementos que se exigen en la LEC en relación con la reconvención es el de la concurrencia de conexión. Así, aun cuando se trata de ejercitar una pretensión nueva, se exige conexión entre ésta y la pretensión del proceso principal (art. 406.1). Se trata de un elemento nuevo de la LEC que plantea no pocas dudas acerca de su interpretación.

Se pretende garantizar la compatibilidad de las pretensiones y la facilidad del debate y la prueba. No se trata de exigir una conexión estricta en relación con el objeto o la causa de pedir, sino respecto de las coordenadas que rodean a las pretensiones (la de la demanda principal y la de la reconvencional). Una solución sencilla es considerar que esta conexión sirva a los efectos de garantizar una tramitación conjunta de pretensiones que pueden concurrir entre las partes, favoreciéndose, con ello, el principio de economía procesal, que no solo permita agilizar sino simplificar la situación generada entre las partes, ante una variada conflictividad.

➢ Momento procesal de presentación de la reconvención

La reconvención debe formularse al contestar a la demanda (art. 406.1), aun cuando no es propiamente contestación a la demanda.

➢ Forma de presentar la reconvención

Si bien se presenta al contestar la demanda, debe formularse de forma separada a aquélla (art. 406.3 LEC), con el fin de que quede constancia de las dos conductas que puede asumir el demandado en el trámite de contestación: alguna de las que han sido expuestas como contenido del escrito de contestación, diferente a la formulación de una o varias pretensiones nuevas que, aun cuando se presentan junto al escrito de contestación, es una demanda nueva. De ahí que el mismo art. 406.3 LEC establezca que se acomodará formalmente a lo que dispone el art. 399 en relación con la demanda.

Presentada la reconvención en el escrito de contestación a la demanda, deberá darse traslado a los reconvenidos, para su contestación en el plazo de veinte días. Esta contestación a la demanda reconvencional deberá seguir lo dispuesto para la contestación a la demanda (art. 407.2 LEC).

➢ Legitimación pasiva

Como regla general, la reconvención solo es posible dirigirla contra la parte actora inicial, si bien excepcionalmente el art. 407.1 permite que la reconvención se dirija contra los litisconsortes voluntarios o necesarios del actor reconvenido por su relación con el objeto de la demanda reconvencional.

La situación es diversa según se trate de litisconsorcio necesario o litisconsorcio voluntario. En el caso del litisconsorcio necesario —proceso único con pluralidad de partes— no plantea dificultad demandar al actor y a otras personas, citándose y emplazando a las personas al proceso. La situación es diversa en el caso del litisconsorcio voluntario, dado que, más que reconvención, se trata de una acumulación de pretensiones, que deberán necesariamente ser conexas entre sí y respecto de la pretensión de la demanda principal (MONTERO AROCA).

➤ Competencia (art. 406)

No procede reconvención cuando el juez no sea competente para conocer de la pretensión reconvencional que se ejercita acumuladamente. Ahora bien, esta afirmación debe matizarse:

- En relación con la competencia objetiva pueden darse las siguientes situaciones: si bien no es posible alterar por la reconvención la competencia objetiva por la materia (art. 406.2 LEC), sí que es posible la reconvención cuando afecte a la competencia objetiva por la cuantía, a favor del tribunal más competente (art. 406.2, II LEC), de este modo si es posible reconvenir en el proceso ordinario ejercitando una pretensión que debería tramitarse a través del juicio verbal por razón de la cuantía.

- Asimismo, si se tramita un proceso ante un Juzgado de Primera Instancia y se plantea mediante reconvención una acción conexa a la principal que fuera competencia de los Juzgados de lo Mercantil, previa audiencia del actor y demás partes personadas por un plazo de cinco días, el Juzgado de primera Instancia deberá inhibirse del conocimiento del asunto, remitiendo los autos en el estado en que se hallen al Juzgado de lo Mercantil que resulte competente (art. 406.2, III). Igualmente se procederá cuando el demandado alegare la nulidad del negocio jurídico (art. 408.2) y ésta se funda en materia competencia de los Juzgados de lo Mercantil (art. 406.2, IV).

- Si se inadmite la reconvención por falta de competencia objetiva para conocer de la demanda reconvencional, cabrá plantear recurso de apelación, suspendiendo el proceso principal hasta que el recurso sea resuelto (art. 406.2, V).

- En relación con la competencia territorial, no existe dificultad para permitir que la reconvención cambie la misma, en cuanto el que conoce territorialmente de la pretensión principal, conoce de la reconvencional.

3. Tramitación y efectos

Las pretensiones que deduzca el demandado en la contestación y en la reconvención se sustanciarán y resolverán al mismo tiempo y en la misma forma que las que sean objeto de la demanda principal (art. 409 LEC). De este modo, en el mismo procedimiento iniciado por el actor se acumula la tramitación de la reconvención. Son dos procesos que se tramitan en un procedimiento y que dan lugar a una única sentencia, que contendrá tantos pronunciamientos como pretensiones se hayan ejercitado (en el primero y en el segundo proceso).

En consecuencia, los efectos que va a producir son:

a) Por un lado, ambas pretensiones ejercitadas (inicialmente o a través de reconvención), se van a canalizar procedimentalmente a través del mismo cauce;

b) Por otro, las dos pretensiones se resuelven en la misma sentencia, que deberá contener tantos pronunciamientos como pretensiones haya, que lógicamente no pueden ser contradictorios entre sí.

Lección 10ª

LA AUDIENCIA PREVIA Y LA AUDIENCIA PROBATORIA (JUICIO)

SILVIA BARONA VILAR

SUMARIO: I. LA AUDIENCIA PREVIA: ORIGEN Y SIGNIFICADO EN EL ACTUAL MODELO PROCESAL. 1. Origen y evolución. 2. Audiencia previa, eje nuclear del modelo procesal del Siglo XXI. II. NOTAS CARACTERÍSTICAS DE LA AUDIENCIA PREVIA. 1. Momento en que se lleva a cabo la audiencia previa. 2. Principios que rigen su desarrollo. 3. Obligatoriedad de la audiencia previa. 4. Presencia física del juez y de las partes. Efectos de la incomparecencia. III. FUNCIONES DE LA AUDIENCIA PREVIA. 1. Función primera: Intento de conciliación o transacción, función evitadora del proceso. 2. Función segunda: control de los presupuestos procesales, función saneadora. A) Jurisdicción y competencia. B) Capacidad y representación. C) Acumulación de pretensiones. D) Falta del debido litisconsorcio. E) Litispendencia o cosa juzgada. F) Inadecuación del procedimiento. G) Demanda defectuosa. H) Circunstancias procesales análogas. 3. Función tercera, delimitadora de los términos de debate. 4. Cuarta función, delimitadora de la prueba, de señalamiento y preparación del juicio. IV. AUDIENCIA PROBATORIA (JUICIO). 1. Finalidad. 2. Comparecencia e incomparecencia de las partes. 3. Desarrollo del acto del juicio.

BIBLIOGRAFÍA BÁSICA

FAIREN GUILLEN, V., *La audiencia previa. Consideraciones teórico-prácticas*, Civitas, Madrid, 2000.

MONTERO AROCA, J., *Los procesos ordinarios de declaración y ejecución*, Tirant lo Blanch, Valencia, 2ª ed., 2016.

I. LA AUDIENCIA PREVIA: ORIGEN Y SIGNIFICADO EN EL ACTUAL MODELO PROCESAL

La audiencia previa es una de las instituciones protagonistas de las reformas del proceso civil en la mayor parte de los sistemas jurídicos. Ese protagonismo en el proceso civil permite comprender el cambio de cultura procesal que ha experimentado la tutela judicial civil. Es, por ello, no solo importante analizar su regulación, funciones y estructura, sino también su significado y su origen.

1. Origen y evolución

Los modelos procesales «continentales», pergeñados en el S. XIX por la influencia del ordenamiento procesal napoleónico, entre los que se encontraba la LEC/1881 española, caracterizados por la escritura, preclusión, la lentitud, los tecnicismos y la imprescindible participación de expertos jurídicos en su desarrollo, arrastraron durante un largo periodo de tiempo un sistema formal, escrito y lento.

➢ En lo que al control de defectos procesales se trataba, se diseñó un sistema de excepciones dilatorias, con tramitación propia, que dilataban el procedimiento en cuanto debían resolverse de forma previa por el juez, provocando una duración excesiva de los procesos. E incluso consentía que el proceso finalizara con una sentencia meramente procesal (o de absolución en la instancia) por defectos que impedían entrar en el fondo del asunto, cuando no se hubiere alegado vía excepción dilatoria previa. Para paliar este frustrante sistema, se configuró un elenco *numerus clausus* de excepciones dilatorias, de modo que solo algunas podían interponerse con carácter previo para su resolución, paralizando el proceso, y las otras excepciones (denominadas perentorias) se planteaban con la contestación a la demanda para ser resueltas en la sentencia. Un escenario asimétrico que, además, no solucionaba, sino que complicaba aún más la situación.

➢ Si este modelo fue mayoritariamente seguido por la mayor parte de los países europeos —salvo los del sistema *common law*—, destacaba una excepción: el modelo procesal diseñado en Austria por Franz Klein (ZPO austriaca de 1895). En la norma austriaca se incorporó una figura interesante, la *Erste Tagsatzung* o *Vortermin*, por la que se anteponía al juicio una audiencia (se denominaba preliminar) que tenía como función preparar el juicio, corrigiendo posibles defectos procesales que pudieren obstaculizar la futura sentencia de fondo que se dictare al finalizar el proceso —ejerciendo una función saneadora de defectos subsanables—, y permitiendo igualmente la delimitación del ámbito objetivo del juicio —tanto respecto del objeto del proceso inicialmente delimitado por el actor, como el objeto de debate propiciado con la alegación objetiva del demandado—. Ahora bien, esta audiencia preliminar se realizaba tras la admisión de la demanda, pero antes de la contestación a la demanda, lo que la diferencia de nuestra actual regulación.

➢ La eficacia de la audiencia preliminar de la norma austriaca y la necesidad de adaptar el modelo procesal decimonónico a la realidad social, sociológica, económica y política del momento, llevó a que a lo largo del S. XX fueran diversos los países que incorporaron, con condicionantes, una institución como la audiencia preliminar.

➢ En España hubo en 1984 una reforma de la LEC, que, además de convertir el juicio de menor cuantía (uno de los cuatro existentes) en el ordinario común, incorporaba a este juicio de menor cuantía la «comparecencia preliminar» (arts. 691 y siguientes de la LEC/1881). Todos los defectos procesales debían plantearse en el escrito de contestación a la demanda para ser resueltos en la comparecencia preliminar. La idea era perfecta, una institución que pretendía frenar los absurdos de las sentencias meramente procesales o de absolución en la instancia, y a la que se atribuía grandes dosis de efectivismo en sus funciones. El resultado, sin embargo, no fue el esperado. Probablemente el marco jurídico era bueno, pero la puesta en práctica en el escenario no lo fue, porque los actores no estaban presentes, lo que propiciaba una inefectividad del sistema. Y tampoco fue paralelamente acompañada de una dotación presupuestaria que la favoreciera.

➢ La aprobación de la LEC/2000 supuso una transformación de la cultura procesal civil española. Una transformación que afectó a los sujetos del proceso: por un lado, el juez del modelo procesal decimonónico, asentado en su torre de marfil, dio paso a un juez proactivo, el verdadero director del proceso, con una ampliación de facultades de dirección que venía imbricada con los principios de oralidad, concentración, inmediación y publicidad de las actuaciones procesales; con una mayor visibilidad de los sujetos-partes, quienes tienen la posibilidad de actuar directamente en algunos actos del proceso. Y un cambio de principios del procedimiento, con preponderancia de la oralidad que, lejos de considerarse como un principio técnico o neutro, responde a nueva forma de concebir las actuaciones procesales. Entre las actuaciones orales se encuentran la audiencia previa y la audiencia probatoria (juicio), que responden a esa manera de desarrollarse oralmente, con un cambio de *modus operandi* de abogados, jueces y las partes en el proceso.

2. *Audiencia previa, eje nuclear del modelo procesal del Siglo XXI*

Desde estas premisas se entiende que la audiencia previa se convierta en uno de los elementos esenciales del modelo de justicia del Siglo XXI. Se regula en el Capítulo II (De la audiencia previa al juicio) del Título II del Libro I, en los arts. 414 a 430 LEC.

El art. 414.1 LEC establece que, una vez contestada la demanda y, en su caso, la reconvención, o transcurridos los plazos correspondientes, el LAJ, dentro del tercer día, convocará a las partes a una audiencia, que habrá de celebrarse en el plazo de veinte días desde la convocatoria. Esta audiencia previa al juicio se desarrollará, como eje nuclear del proceso, entre las alegaciones y el juicio, teniendo como funciones: 1º) Intentar un acuerdo o transacción entre las partes, como función evitadora del proceso; 2º) Control de los presupuestos procesales, como función saneadora; 3º) Función delimitadora de los términos de debate; 4º) Función delimitadora de la prueba.

Esta institución plurifuncional de la audiencia previa se presenta como exponente de ese cambio de modelo procesal, de «cultura procesal», que lleva no solo a incorporar nuevos instrumentos procesales, sino que exige capacidad de manejo de estos nuevos vehículos procesales, más ágiles, veloces, eficientes, con el fin de alcanzar sus funciones. En cualquier caso, de la experiencia se aprende. Y así ha sucedido con la LEC/2000 en materia de audiencia previa.

II. NOTAS CARACTERÍSTICAS DE LA AUDIENCIA PREVIA

A efectos de conformar la institución, y sin perjuicio de lo analizado *infra* sobre sus funciones, hay que tener en consideración las siguientes notas características.

1. Momento en que se lleva a cabo la audiencia previa

Frente a la concepción de audiencia preliminar austriaca de KLEIN, en la que la misma se practicaba tras la demanda y antes de la contestación, en la LEC la audiencia previa se desarrolla tras las alegaciones de ambas partes (demanda y contestación). Se justifica en su plurifuncionalidad, dado que algunas de sus funciones solo pueden desarrollarse tras las alegaciones de «ambas» partes.

2. Principios que rigen su desarrollo

Es un trámite fundamentalmente oral, y decimos fundamentalmente porque hay alguna manifestación que permite escritura, como sucede en relación con la necesidad de resolver cuestiones complejas que requieren más tiempo para ello, permitiéndose que el juez resuelva tras la finalización de la audiencia y por escrito. Obviamente, la preferencia por la oralidad comporta igualmente la concentración, la publicidad y la dirección y control directa e inmediata por el juez.

3. Obligatoriedad de la audiencia previa

No es un trámite potestativo, sino obligatorio. En la institución austriaca se atribuían poderes al juez para eliminarla. En España se dudó acerca de la posibilidad de que pudiera ser voluntaria cuando ninguna de las partes la solicitara, si bien el legislador optó por convertirla en una institución obligatoria, no quedando ni en manos del juez ni en manos de las partes su realización. La razón de esta obligatoriedad se halla en la atribución de sus funciones, a saber, *depurar el proceso y fijar el objeto del debate*.

4. *Presencia física del juez y de las partes. Efectos de la incomparecencia*

La exigencia de la presencia física del juez y de las partes es una clara consecuencia de la obligatoriedad de la audiencia previa.

➤ Por un lado, la audiencia previa exige el deber de dirección del juez, su presencia.

➤ Por otro lado, también afecta a la presencia de las partes, para las que es una carga procesal. Ahora bien, ello no implica la necesaria presencialidad de las partes directas, de modo que pueden comparecer a través de su representante, debiendo acreditar poder especial para realizar actos de disposición del objeto del proceso, como renunciar, allanarse o transigir.

➤ La carga procesal de comparecer de las partes comporta efectos derivados de su incomparecencia. Puede suceder:

• Si la incomparecencia es del demandante o de su abogado y el demandado que sí comparece no solicita la continuación del procedimiento, el tribunal dictará auto de sobreseimiento, ordenando el archivo de las actuaciones.

• Si incompareciendo el demandante, el demandado alega interés legítimo en la continuación del proceso, solicitando se dicte sentencia sobre el fondo del asunto (por ejemplo, para poner fin a las constantes reclamaciones que vienen siendo efectuadas por el demandante), el proceso continuará con la celebración de la audiencia, aun cuando limitada a algunas de sus funciones.

• Si la incomparecencia es del demandado o de su abogado, el proceso continúa con la audiencia con el actor tan sólo, limitándose sus funciones (por ejemplo, no puede intentarse acuerdo entre las partes). La ausencia del demandado no es un acto de disposición (allanamiento) ni admisión de hechos, si bien quedarán afectados algunos derechos procesales, por ejemplo, la proposición de prueba.

• Si incomparecen ambas partes, se produce la terminación del proceso mediante auto de sobreseimiento. Hay una falta de interés en la continuación del proceso, por lo que carece de sentido su continuidad.

III. FUNCIONES DE LA AUDIENCIA PREVIA

Es una institución procesal *multiusos,* al atribuirle ese carácter plurifuncional, aun cuando estas funciones puedan reagruparse en aquellas que permiten evitar el proceso y aquellas que lo preparan.

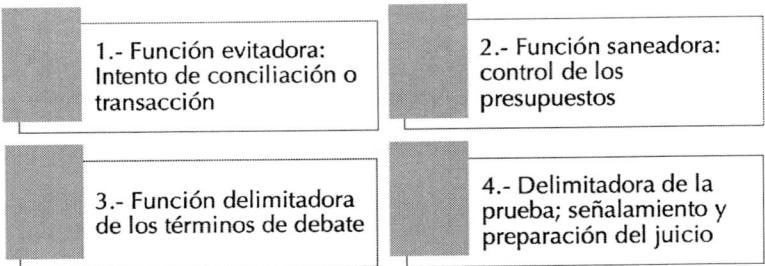

1. Función primera: Intento de conciliación o transacción, función evitadora del proceso

Comparecidas las partes, el tribunal declarará abierto el acto, desarrollándose, en primer lugar, esta función de la audiencia previa que puede evitar la continuación del proceso. El artículo 415 LEC regula esta función evitadora del proceso, que puede provocar la terminación del proceso.

➢ De la regulación del art. 415 se extrae que pueden darse tres situaciones diversas, que pueden llegar a evitar la continuación del proceso:

a) *Por acuerdo extrajudicial de las partes*

El art. 415.1 LEC establece que, comparecidas las partes, el tribunal declarará abierto el acto y comprobará si subsiste el litigio entre ellas, lo que supone la posibilidad de que las partes hubieren llegado a un acuerdo, careciendo de sentido la continuación del proceso por falta de objeto. Se daría eficacia procesal al acuerdo extraprocesal y extrajudicial alcanzado.

b) *Por acuerdo alcanzado en conciliación realizada en este trámite de audiencia*

El art. 415 LEC se intitula «intento de conciliación o transacción», lo que implica que en este momento procesal el tribunal podrá intentar la conciliación entre las partes en la audiencia previa. Es una conciliación intraprocesal que puede, de llegar a un acuerdo las partes, suponer igualmente la innecesariedad de continuar con el proceso.

Esta conciliación intraprocesal no queda regulada formalmente en la LEC (a diferencia de la conciliación preprocesal a que se refiere la Ley 15/2015, de Jurisdicción voluntaria); se trata de un acto oral en el que es el juez el que actúa de conciliador. Antes de realizar el intento de conciliación, el tribunal examinará la concurrencia de los requisitos de capacidad jurídica y poder de disposición de las partes o de sus representantes debidamente acreditados, que asistan al acto (art. 415.1, IV), en cuanto el acuerdo solo tendrá eficacia procesal si se tiene ese poder de disposición del objeto del proceso y del proceso mismo, bien por ser parte directa del proceso o bien por ser representante debidamente acreditado.

c) *Por solicitud de suspensión del proceso para acudir a mediación*

En este tercer supuesto, las partes de común acuerdo podrán solicitar la suspensión del proceso, de conformidad con lo que dispone el art. 19.4 LEC, para someterse a mediación. No continuaría, por tanto, la audiencia previa, siempre que el tribunal haya procedido, como en el supuesto anterior, a examinar si concurre la capacidad jurídica y el poder de disposición de las partes o de sus representantes debidamente acreditados (art. 415.1, III y IV).

No se trata de la mediación preprocesal, que es la que se produciría con carácter previo a la iniciación del proceso, sino aquella que podría propiciarse en el trámite de audiencia. No parece que sea la situación más común, empero es posible *ex lege*.

➢ Son tres vías diversas para poder evitar la continuación del proceso. Ahora bien, la manera en que se produce la innecesariedad —terminación— del proceso es diversa:

a) En el supuesto de *acuerdo previo* o que se mostrasen las partes dispuestas a concluirlo, puede terminar el proceso:

  1. Por desistimiento oral del actor (art. 20 LEC), admitido oralmente por el demandado, finalizando el proceso mediante un acto de disposición. Tras éste el tribunal dictará una resolución oral poniendo fin al proceso (equivalente a un auto de sobreseimiento), que quedará documentada en los medios técnicos de grabación o reproducción o en su caso en el acta. Supone terminación del proceso sin pronunciamiento del tribunal sobre el fondo.

  2. Por homologación judicial del acuerdo, cuando las partes no solo ponen fin al proceso como consecuencia del acuerdo, sino que lo incorporan al mismo como transacción. Aun no siendo transacción judicial se le equipara a ésta siempre que se incorpore al acta o a los medios de grabación o reproducción que documenten la audiencia previa que las partes han llegado a una transacción y su contenido, así como la resolución oral de terminación del proceso. Se produce la homologación judicial del acuerdo, convertido en título ejecutivo (art. 517 LEC), pudiendo llevarse a efecto por los trámites previstos por la ejecución de sentencias y convenios judicialmente aprobados (art. 415.2).

b) En el supuesto de que las partes llegan a un acuerdo consecuencia de la *conciliación* oral del tribunal, éste procederá a homologar el acuerdo —transacción judicial— a través de un auto. Parece razonable entender, aunque la LEC no lo disponga expresamente, que en este caso habrá un doble acto del juez: por un lado, la resolución oral en virtud de la cual se pone fin a la audiencia y se documenta en el acta o en cualquier de los medios de reproducción antes expuestos, y otra es la resolución judicial (auto) de homologación del acuerdo, que es título ejecutivo (art. 517.1. 3ª) y por ello podrá llevarse a efecto por los trámites previstos para la ejecución de sentencias y convenios judicialmente aprobados. El juez en este momento no puede rechazar el acuerdo, a menos que la ley lo prohíba, o cuando se establecen limitaciones por razones de interés general o en perjuicio de tercero.

c) En el supuesto de *suspensión para acudir a mediación*, será el LAJ el que, en virtud de lo que dispone el (art. 19.4 LEC) procederá a acordarla mediante decreto, siempre que no perjudique el interés general o a tercero y que el plazo de la suspensión no supere los sesenta días. Si se llegase a un acuerdo, habría que levantar la suspensión por el LAJ y proceder en los términos establecidos en el apartado a).

➤ Si el acuerdo alcanzado por cualesquiera de las vías anteriores fuere solo parcial, no afectaría a la continuación del proceso, de manera que la función evitadora del proceso no se produciría en el trámite de audiencia previa, sin perjuicio del posible valor de título ejecutivo que podría otorgarse al acuerdo parcial (extraprocesal o procesalmente alcanzado).

➤ En la LEC se regula en el desarrollo de la audiencia previa un segundo intento de fomentar el acuerdo y que el proceso termine con consenso de las partes. Tras el cumplimiento de las diversas funciones que son posibles en el marco de la audiencia previa (subsanación de defectos procesales, alegaciones complementarias y aclaratorias, posición de las partes respecto de documentos y dictámenes presentados, fijación de hechos controvertidos), el tribunal *podrá exhortar a las partes o a sus representantes y a sus Abogados para que lleguen a un acuerdo que ponga fin al litigio* (art. 428.2 LEC). Pareciera que en ese momento procesal las partes, a la vista del devenir procesal y previa invitación judicial (exhortar) pudieren intentar solventar su conflicto jurídico de forma consensuada y no continuando el proceso.

2. *Función segunda: control de los presupuestos procesales, función saneadora*

Una de las funciones de la audiencia previa que marcaron la esencialidad de la institución desde sus primeras incorporaciones legales fue la saneadora. Se pretendió paliar la situación generada por el viejo sistema de control de los presupuestos procesales (excepciones dilatorias y excepciones perentorias), así como evitar que el proceso finalizase, tras años de duración, con una sentencia de absolución en la instancia o meramente procesal, que no entraban a conocer del fondo del asunto por falta o mala conformación de los presupuestos procesales.

➢ El nuevo modelo, el de la audiencia previa, pretende concentrar en un único momento el control (previo) de los requisitos y los presupuestos procesales y darle unidad de tratamiento, favoreciendo mayor celeridad, sin perjuicio de que el control de algunos de ellos, como la jurisdicción y la competencia, se habrá realizado en momento anterior, iniciado el proceso, y a través de la declinatoria.

➢ Esta función saneadora puede permitir, cuando sea posible, subsanar aquellos defectos procesales que puedan ser objeto de subsanación, pero también evitar la continuación del proceso por ser insubsanables. La LEC establece el orden en que deben ser analizados los presupuestos y requisitos procesales, procediendo en primer lugar a considerar aquéllos que, de ser estimados, impedirían la continuación del proceso. Si no son estimados, se continuará con el examen de los siguientes.

➢ El examen de todas estas cuestiones se efectúa oralmente en el mismo acto de la audiencia. Contra la decisión oral no cabe recurso; si es posible la protesta en el acta, a efectos de posible recurso posterior contra la sentencia (art. 459). En casos de complejidad puede resolverse por escrito en los cinco días siguientes a la audiencia. Cuando finalice el proceso mediante auto de sobreseimiento —auto definitivo— cabe apelación contra el mismo (arts. 207, 451 y 455). Si el auto que se dicta decide continuar el proceso, cabe plantear reposición (art. 451), pudiendo reproducir la cuestión al recurrir la sentencia (art. 455).

➢ En cuanto a los defectos procesales que pueden plantearse en la audiencia previa se establece un elenco de posibles defectos (enumerados en el art. 416 y regulados en los arts. 417 a 424 LEC), lo que no es óbice a la posibilidad de que puedan plantearse otras cuestiones, dado que el art. 425 LEC abre la puerta a «circunstancias procesales análogas a las expresamente previstas». No estamos, por ello, ante una enumeración *numerus clausus*.

A) Jurisdicción y competencia

La alegación referida a la jurisdicción y competencia se debe efectuar por el demandado por medio de la declinatoria (art. 39, 49, 59 y 63 a 65 LEC). No se regula en el art. 416, por lo que se entiende que el demandado no puede alegar en la contestación a la demanda la falta de jurisdicción o de competencia como excepción procesal, sino que debe haberlo cuestionado anteriormente. Cuestión diversa es el posible examen de oficio del juez de estas cuestiones —no habiendo hallado defecto en trámite de admisión—, pudiendo determinar la falta de jurisdicción o de competencia objetiva (arts. 38 y 48 LEC) en la audiencia previa.

B) Capacidad y representación

Los defectos que puedan afectar a la capacidad y a la representación pueden ser subsanables, o susceptibles de corrección, o insubsanables.

a) Cuando el demandado haya alegado en la contestación, o bien el actor aduzca en la audiencia, defectos de capacidad o representación que sean subsanables o susceptibles de corrección (por ejemplo, falta de firma), se podrán subsanar o corregir en el acto. Si no fuere posible ésta en el acto, se concederá un plazo para ello que no debe ser superior a diez días, con suspensión, entre tanto, de la audiencia (art. 418.1).

b) Si siendo subsanables no se subsanan en el acto o en el plazo establecido, hay que diferenciar: Si se trata de defectos del actor, se pondrá fin al proceso (art. 418.2); si se trata de defectos del demandado, el proceso continuará, pero previa declaración en rebeldía del demandado, sin que de las actuaciones que hubiese llevado a cabo quede constancia en autos (art. 418.3).

c) Si son insubsanables se dará por concluida la audiencia y se dictará auto poniendo fin al proceso (art. 418.2).

C) Acumulación de pretensiones

El control de la acumulación de pretensiones puede efectuarse tanto de oficio (en el trámite de admisión a la demanda, art. 73.4, como en el trámite de audiencia previa), como a instancia del demandado en su contestación a la demanda, motivadamente. Cuando de alegación por el demandado se trata, el art. 419 establece que el tribunal, oyendo al actor en la audiencia previa, resolverá oralmente sobre la procedencia y admisibilidad de la acumulación. La audiencia y el proceso seguirán su curso respecto de la pretensión o pretensiones que, según la resolución judicial, puedan constituir el objeto del proceso (art. 419 *in fine*).

D) Falta del debido litisconsorcio

El demandado puede alegar en la contestación a la demanda, falta de litisconsorcio necesario, al considerar que son varios y todo ellos simultáneamente los que deberán ser demandados, como litisconsortes. O puede ser controlada por el juez. Puede suceder:

a) Que el actor admita la efectiva existencia de falta de litisconsorcio necesario, presentando escrito dirigiendo la demanda a los sujetos que el demandado considera deberían ser los litisconsortes. El demandante, al dirigir la demanda frente a los nuevos litisconsortes, solo podrá añadir aquellas alegaciones imprescindibles para justificar las pretensiones contra los nuevos demandados, sin alterar sustancialmente la causa de pedir. El tribunal, si estima procedente el litisconsorcio, lo declarará así, ordenando emplazar a los nuevos demandados para que contesten a la demanda, suspendiendo la audiencia (art. 420.1, I y II).

b) Si el actor se opone a la falta de litisconsorcio, el tribunal oirá a las partes sobre este punto, bien en el acto de la audiencia previa, resolviendo mediante una resolución oral o bien mediante auto cuando la complejidad del asunto lo aconseje. Deberá dictar el auto en el plazo de cinco días siguientes a la audiencia, sin perjuicio de que ésta —la audiencia— proseguirá respecto de las restantes finalidades (art. 420.2).

Si el tribunal no considera procedente el litisconsorcio, continuará el proceso con la delimitación subjetiva inicial. Si lo considera procedente, concederá al actor el plazo oportuno para constituirlo, que, aun cuando queda en manos del juez, se establece por ley que no podrá ser inferior a diez días (art. 420.3). En ese caso el actor puede:

– Integrar la demanda, en el plazo establecido, dirigiéndola contra los litisconsortes, dándose traslado a los nuevos litisconsortes para que contesten (art. 405), quedando las actuaciones en suspenso para el actor y los demandados iniciales.

– Dejar transcurrir el plazo sin presentar la integración del litisconsorcio (con sus correspondientes copias y documentos), en cuyo caso el tribunal dictará auto poniendo fin al proceso y se procederá al archivo definitivo de las actuaciones (art. 420.4).

E) Litispendencia o cosa juzgada

➤ El tribunal puede apreciar de oficio la pendencia de otro juicio —litispendencia— o la existencia de una resolución firme sobre objeto idéntico —cosa juzgada— (art. 222.2 y 3). La imposibilidad de subsanarlas hará que se tenga por finalizada la audiencia y el tribunal dicte, en el plazo de cinco días, auto de sobreseimiento (art. 421.1). No se sobreseerá, sin embargo, cuando el efecto de una sentencia firme anterior haya de ser vinculante para el tribunal que está conociendo del proceso posterior.

➢ Si el tribunal considera inexistente la litispendencia o la cosa juzgada, así lo declarará oralmente en el trámite de audiencia, para que éste pueda proseguir.

➢ Si por la dificultad o complejidad de la situación se aconseje mayor tiempo para tomar la decisión por el tribunal, continuará la audiencia respecto de las demás funciones, resolviéndose en el plazo de cinco días, mediante auto, finalizada la audiencia (art. 421.3).

F) Inadecuación del procedimiento

El control de la inadecuación del procedimiento puede realizarse de oficio o a instancia del demandado en la contestación de la demanda, para ser resuelta en la audiencia.

➢ Inadecuación del procedimiento por razón de la cuantía (art. 422): Se resolverá esta excepción oralmente en la audiencia, para lo cual valorará el posible acuerdo de las partes sobre el valor de la cosa litigiosa, así como, en su caso, los documentos, informes y otros elementos que permitan calcular su valor. Si el tribunal la estima, continuará la audiencia y el proceso; si la desestima, se pondrá fin a la audiencia y se citará a las partes al juicio verbal, salvo que la demanda apareciese interpuesta fuera del plazo de caducidad que, por razón de la materia, establezca la ley, siendo que en este supuesto el Juez declarará sobreseído el proceso.

➢ Inadecuación del procedimiento por razón de la materia (art. 423): La decisión judicial puede adoptarse en el acto de la audiencia, de forma oral, o bien mediante auto dentro de los cinco días siguientes a la audiencia. Puede estimar adecuado el juicio ordinario, continuando la audiencia y el proceso, o bien entender que el adecuado es el juicio verbal, en cuyo caso el LAJ citará a las partes a la vista, salvo que la demanda apareciese interpuesta fuera del plazo de caducidad establecido legalmente, declarándose sobreseído el proceso.

➢ Dispondrá también el tribunal el sobreseimiento si, al iniciarse la vista, no se cumplieren los requisitos especiales que las leyes exijan, por razón de la materia, para la admisión de la demanda (habrá que estar a los requisitos del art. 439.2, 3 y 4).

G) Demanda defectuosa

El art. 424 se refiere a esta posibilidad de que bien la demanda o bien la reconvención adolezcan de falta de claridad o precisión en la determinación de las partes o en las pretensiones deducidas, siendo alegados por el demandado en la contestación (art. 407) o por el demandado reconvencional (art. 409) (demandante originario). Y pueden ser apreciados estos defectos de oficio por el tribunal.

> ➢ Se trata de defectos referidos a la falta de claridad o precisión en la determinación de las partes o bien respecto de la petición planteada.

> ➢ Las partes podrán proceder a aclarar o precisar aquellas cuestiones que hubieren sido planteadas en el trámite de audiencia. La no subsanación no necesariamente implica la terminación del proceso mediante sobreseimiento, dado que el tribunal puede considerar que, a pesar de no aclarar o concretar, entiende delimitadas las pretensiones de las partes y los sujetos frente a los que se ejercitan éstas.

H) Circunstancias procesales análogas

Finalmente, el art. 425 LEC deja abierta la puerta abierta (no es *numerus clausus*) a otras cuestiones que se encuentran delimitadas expresamente, pero que podrían ser consideradas o tratadas de forma análoga. Aunque el elenco objetivo de la función saneadora queda bastante bien delimitado con las cuestiones anteriores, podría considerarse algún supuesto de legitimación cuyo conocimiento previo sería esencial para entender bien integrado el proceso: por ejemplo, en el ejercicio de la acción de anulación de un divorcio no cabría la legitimación de quienes no son los cónyuges, o por ejemplo en algunas pretensiones en materia de propiedad intelectual solo pueden plantear las entidades de gestión con legitimación extraordinaria aquellas pretensiones que protegen intereses supraindividuales de gestión de este derecho. En estos casos se debatirían en la audiencia y, en su caso, se pondría fin al proceso mediante sobreseimiento.

3. *Función tercera, delimitadora de los términos de debate*

Tras la función saneadora la audiencia previa continuará, sin alterar sustancialmente las pretensiones ni sus fundamentos, con la delimitación de la controversia. No se trata de configurar el objeto del proceso, sino de delimitar los términos del debate, aquello sobre lo que existe controversia entre las partes. De este modo:

> ➢ Aquellos hechos que fueron admitidos por ambas partes de contrario, quedan fijos sin necesidad de prueba, y siguen integrando el objeto del proceso, si bien no serán objeto de debate al no existir discrepancia.

> ➢ Puede que la aclaración o precisión respecto de hechos y argumentos de la demanda o contestación no se realice a instancia de parte, sino por requerimiento del tribunal (art. 426.6), manifestación de la función proactiva

del juez civil en la LEC. Si no se efectúan por las partes las aclaraciones o precisiones, el tribunal podrá advertir a quien no actuare que puede tener por conformes los hechos o argumentos aducidos de contrario.

➤ ¿En qué consisten estas actuaciones?

a) En primer lugar, en la posibilidad de formular oralmente en la audiencia *alegaciones complementarias* (art. 426.1), sin alterar sustancialmente ni las pretensiones ni sus fundamentos, esto es, se prohíbe la *mutatio libelli*, por cuanto implicaría un cambio sustancial de demanda o contestación a la que no llega preparada la otra parte.

b) Cabe efectuar *alegaciones aclaratorias o rectificatorias* de las pretensiones (art. 426.2) y siempre que no alteren ni las pretensiones principales ni sus fundamentos. En relación con los hechos, pueden aclararlos, o rectificarlos, sin alteración sustancial. En relación con los fundamentos de derechos, rige el principio *iura novit curia*, que permite alegar nuevos fundamentos jurídicos, salvo que las nuevas alegaciones jurídicas supongan una nueva causa de pedir o de oponerse.

c) Podrán formularse *peticiones accesorias o complementarias* de las pretensiones (art. 426.3). Por ejemplo, podría, respecto de una pretensión de cantidad pura formulada, solicitar los intereses no pedidos en las alegaciones iniciales, que no alteran su esencialidad, no afectan a la prohibición de la *mutatio libelli*. Si la parte contraria la admite, no plantea cuestionamiento en su integración; y si se opone, será el juez el que decidirá sobre la admisibilidad de su petición, que deberá en todo caso valorar que no genera a la otra parte indefensión.

d) Podrán alegarse *hechos nuevos o de nueva noticia*, siempre que tras la demanda o la contestación hubieren ocurrido los mismos y fueren relevantes para fundar las pretensiones de las partes, o bien porque, aun existiendo, se tuvo conocimiento de su existencia con posterioridad al momento de las alegaciones iniciales (art. 426.3, en relación con art. 286.4 LEC). La posible incorporación de los hechos nuevos deberá efectuarse mediante contradicción, a través de la audiencia previa, sometiéndolos a debate. Si se admiten por la parte contraria, no requiere prueba y quedan fijos; si se cuestionan, habrá que probarlos por quien los alegó.

e) También podrán aportar al trámite de la audiencia aquellos *documentos y dictámenes* que vengan referidos a las alegaciones complementarias, rectificaciones, hechos nuevos o de nueva noticia, así como peticiones accesorias o complementarias, (art. 426.5). Cada parte se pronunciará oralmente sobre los documentos aportados de contrario, y, en su caso, admitiéndolos, reconociéndolos o impugnándolos, proponiendo prueba en relación con su autenticidad. Y lo mismo cabe decir respecto de los dictámenes periciales y los informes (art. 427 LEC).

Todos los posibles contenidos expuestos son diversas actividades que van a servir para que en la audiencia previa se fijen los hechos sobre los que existe conformidad y sobre los que no la hay, esto es, fijar el objeto de debate. Solo desde su delimitación será posible conectar con la función determinadora de la prueba.

4. Cuarta función, delimitadora de la prueba, de señalamiento y preparación del juicio

Si no hubiese acuerdo de las partes para finalizar el litigio ni existiera conformidad sobre los hechos, la audiencia proseguirá para la proposición y admisión de la prueba (art. 429.1). Es la cuarta función de la audiencia, función de delimitación del tema de la prueba, que implica tanto a las partes o sus letrados como al tribunal.

➢ *Delimitación:* Quedarán establecidos los hechos que deben ser objeto de prueba (perdura la contradicción), respecto de los que no necesitan prueba, bien por conformidad de la otra parte —no son controvertidos— o bien por tratarse de hechos notorios.

➢ *Proposición de prueba por partes:* La prueba se propondrá de forma verbal, sin perjuicio de la obligación de las partes de aportar en el acto escrito detallado de la misma, pudiendo completarlo durante la audiencia. La omisión de la presentación de dicho escrito no supone inadmisión de prueba, sino que queda condicionada ésta a su presentación en el plazo de dos días siguientes (art. 429.1, II).

➢ *Proposición complementaria del tribunal:* Si el tribunal considera insuficientes las pruebas propuestas por las partes para el esclarecimiento de los hechos controvertidos, así lo indicará a las partes oralmente en el trámite de la audiencia previa, incidiendo en el hecho o hechos que, a su juicio, podrían verse afectados por la insuficiencia probatoria. Será en este momento cuando el tribunal podrá señalar prueba o pruebas que considere podrían ser convenientes respecto de los hechos que se pueden ver afectados por la insuficiencia o ausencia probatoria (art. 429.1, III). Se trata de una facultad del tribunal en materia probatoria. Su justificación se halla en la inmediación y presencia judicial de todo el proceso, que ha llevado al tribunal a conocer simultáneamente al devenir de las actuaciones, de modo que puede considerar necesario o conveniente probar los hechos controvertidos por medios más adecuados que los propuestos por las partes. Este actuar del juez puede permitir a las partes completar o modificar sus proposiciones de prueba originales (art. 429.1, IV); no supone sustituir al letrado de la parte y su actuación se realizará en el marco legalmente establecido y con el debido respeto a la imparcialidad exigida.

➤ *Admisión-inadmisión de prueba por el juez:* En todo caso, la función judicial consistirá en evaluar las pruebas propuestas y proceder, amén de la facultad de complemento de la prueba expuesta, a admitir o inadmitir las pruebas propuestas por las partes (pertinentes y útiles), resolviendo oralmente sobre la admisión de cada una de ellas, pudiendo plantear contra la decisión judicial reposición oral y resolviéndolo en el mismo acto. En caso de inadmisión es posible la protesta, a los efectos de hacer valer sus derechos en la segunda instancia.

➤ *Señalamiento de fecha del juicio:* Admitidas las pruebas pertinentes y útiles, se procederá a señalar la fecha y hora del juicio, que deberá celebrarse en el plazo de un mes desde la conclusión de la audiencia, salvo que toda o gran parte de la prueba deba practicarse fuera del lugar en que tenga su sede el tribunal, en cuyo caso podrá señalarse por el LAJ fecha dentro de dos meses (art. 429.3 LEC). Se intentará, en la medida de lo posible, que el señalamiento se realice en el mismo acto por el Juez, o, en su caso, por el LAJ conforme a lo previsto en el art. 182 (art. 429.2). Y no se considerará necesario efectuar una citación para juicio a las partes que, por sí o por medio de su Procurador, hayan comparecido a la audiencia previa, dándose por citados en la misma (art. 429.6 LEC).

➤ *Circunstancias a considerar para la preparación del juicio:*

a) Podrá practicarse la prueba en una o varias sesiones del juicio. Incluso cabría preverlo con antelación (si es una o varias), en atención a los medios de prueba que deben practicarse, comunicándolo a las partes en la citación, que indicará días y horas en que previsiblemente se desarrollarán las sesiones (art. 429.7 LEC).

b) Si la única prueba propuesta hubiera sido la documental o se hayan presentado informes periciales, y no han sido impugnados de contrario, y ni las partes ni el tribunal solicitan la presencia de los peritos en el juicio para la ratificación, el tribunal procederá a dictar sentencia, sin previa celebración del juicio, dentro de los veinte días siguientes a aquél en que termine la audiencia (art. 429.8 LEC).

c) Las partes deberán indicar qué testigos y peritos se comprometen a presentar en el juicio y cuáles, por el contrario, han de ser citados por el tribunal. La citación se acordará en la audiencia, para efectuarla con antelación suficiente. E igualmente las partes indicarán qué interrogatorios y declaraciones consideran deben realizarse por auxilio judicial, siendo valorado y decidido por el tribunal la pertinencia y necesidad de ello (art. 429.5 LEC).

d) Si cualquiera de los que hubiere de acudir al juicio no pudiere asistir, por fuerza mayor u otro motivo de análoga entidad, podrá solicitar nuevo señalamiento de juicio, sustanciándose la solicitud conforme a lo previsto en el art. 183.

IV. AUDIENCIA PROBATORIA (JUICIO)

El juicio o audiencia probatoria es el trámite oral que se desarrolla tras la audiencia previa, que lo prepara. Puede ser necesario o puede no serlo, en función de las situaciones que se han expuesto *supra*. Se regula en el Capítulo III (Del Juicio), el Título I del Libro II de la LEC, en los arts. 431 a 433.

1. Finalidad

El juicio o audiencia probatoria, cumple dos finalidades (art. 431 LEC): 1º) Por un lado, la práctica de las pruebas que requieren de la práctica bajo la inmediación (declaración de las partes, testifical, informes orales y periciales en las que concurra la contradicción, reconocimiento judicial, reproducción de palabras, imágenes y sonidos). 2º) Por otro, la formulación de las conclusiones.

2. Comparecencia e incomparecencia de las partes

Las partes comparecerán en el juicio representadas por procurador y asistidas de letrado, sin perjuicio de la posible intervención personal en el interrogatorio, si lo hubiere (art. 432.1 LEC)

Si no compareciere ninguna de las partes, se levanta acta haciéndolo constar y el tribunal, sin más trámites, declarará el pleito visto para sentencia. Si comparece una de las dos tan solo, se procederá a la celebración del juicio (art. 432.2 LEC).

3. Desarrollo del acto del juicio

➢ El juicio comienza practicándose las pruebas admitidas (habrá que estar a la regulación específica de cada uno de los medios, y siguiendo el orden del art. 300 LEC).

➢ Como cuestiones previas la LEC permite: a) Que pudiere concurrir vulneración de derechos fundamentales en la obtención de la prueba (prueba ilícitamente obtenida), en cuyo caso se resolverá primero esta cuestión (art. 433.1 LEC); b) Que se alegaren hechos acaecidos o conocidos después de la conclusión de la audiencia previa (hechos nuevos o de nueva noticia), debiendo procederse a oír a las partes con carácter previo y a la proposición y admisión de prueba previstas en el art. 286 (art. 433.1, II LEC).

➤ Finalizada la práctica de la prueba, las partes formularán oralmente las conclusiones sobre los hechos controvertidos, exponiendo de forma ordenada, clara y concisa, si, a su juicio, los hechos relevantes han sido o deben considerarse admitidos y, en su caso, probados o inciertos. A tal fin, realizan un breve resumen de cada una de las pruebas practicadas sobre los hechos, incidiendo en los que deban tenerse por ciertos y en los que se reputen dudosos, sin que en ningún caso se permita alegación de hechos nuevos. Asimismo, podrán informar igualmente sobre los argumentos jurídicos en que se apoyan sus pretensiones, que no podrán, en ningún caso, ser alteradas en este trámite (art. 433, 2 y 3 LEC).

➤ Si el tribunal no se considerare suficientemente ilustrado sobre el caso con las conclusiones, podrá conceder a las partes la palabra cuantas veces estime necesario para que informen sobre las cuestiones que les indique (art. 433.4 LEC).

Lección 11ª
LA PRUEBA. ASPECTOS COMUNES

JUAN-LUIS GÓMEZ COLOMER

BIBLIOGRAFÍA BÁSICA

GONZÁLEZ CANO, M. I., *La prueba*, tomo I, Tirant lo Blanch, Valencia, 2017.

MADRID BOQUÍN, Ch. M., *La prueba ilícita en el proceso civil*, Tirant lo Blanch, Valencia, 2020.

MONTERO AROCA, J., *La prueba en el proceso civil* (7ª ed.), Civitas, Madrid, 2012.

NIEVA FENOLL, J., *La valoración de la prueba*, Marcial Pons, Madrid, 2010.

TARUFFO, M., *La prueba de los hechos*, Trotta, Madrid, 2002.

I. CONCEPTO Y NATURALEZA

El proceso se ha ideado por el Estado para que un tercero imparcial decida, en un conflicto existente entre dos personas, quién tiene la razón. Ese tercero es el juez. Es imparcial porque no tiene ningún interés en el tema y es tercero porque es ajeno a la cuestión debatida. Para poder decidir con justicia quién tiene la razón no basta con las alegaciones, que ya conoce, formuladas por el demandante y el demandado en sus escritos iniciales. Sería prácticamente imposible poder resolver sólo con esos materiales porque bastaría con que el demandado se opusiera y negara todas las afirmaciones del demandante para llevar al juez a un callejón sin salida. Por eso nuestro sistema de Justicia obliga a las partes, además de a alegar (afirmar) los hechos que en su opinión les dan la razón, a indicar qué elementos tienen para convencer al juez de que esos hechos son verdad, han sucedido exactamente como dicen, en suma, que tienen la razón de su parte.

Este planteamiento basta para entender la importancia de esos elementos, a cuyo conjunto tradicionalmente se le denomina «prueba», aunque, naturalmente, el tema no es tan sencillo como aparenta. Sin la prueba a nuestro favor no podremos convencer al juez, que es ese tercero imparcial, que tenemos razón y, por tanto, no podremos ganar, aunque en conciencia la justicia deba estar de nuestra parte.

Por ello, la prueba se ofrece a ojos de la generalidad de las personas, y con mayor razón, de los juristas prácticos, como la institución más importante en cualquier proceso, pues si no probamos nuestras afirmaciones, perderemos el caso.

La prueba se regula en los sistemas continentales o de *civil law* en los códigos procesales (no así en el sistema adversarial anglosajón), aunque ejemplos históricos ha habido de no ser ello así, pues durante mucho tiempo se ha regulado en el Código Civil en parte también (como consecuencia de una decisión de los códigos napoleónicos), porque la prueba tiene sólo naturaleza procesal, se encuentre la norma ubicada en donde se encuentre. Por eso en lo civil la prueba se regula en la LEC, aunque alguna norma queda todavía fuera de ella, y por eso afecta a todos los procesos, sea cual fuere su clase. De esta manera todas las lagunas que podamos encontrar las tendremos que resolver exclusivamente con principios y máximas de naturaleza procesal.

Recordemos que el derecho a la prueba tiene naturaleza constitucional en España, siendo un derecho fundamental de todas las partes del proceso (art. 24.2 CE). Ha sido estudiado conceptualmente en el vol. 1 de esta obra.

II. LAS FUNCIONES DE LA PRUEBA (VERDAD, CERTEZA)

Las partes que alegan hechos tiene que probarlos, de acuerdo con las reglas de la carga de la prueba que veremos en esta misma lección. Probar no es investigar, y menos en el proceso civil. Probar es decidir que unos hechos son acordes con la realidad. En el proceso civil la prueba acredita los hechos de manera que puedan ser tomados en consideración por el juez para resolver el conflicto.

Por eso se dice, en primer término, que la primera función de la prueba es fijar o acreditar los hechos, de manera tal que puedan convencer al juez sobre quién tiene la razón y dársela en la sentencia.

Pero, en segundo lugar, la función de acreditar los hechos no es inmediatamente lo importante, pues detrás de la prueba está siempre la difícil cuestión de si los hechos sirven para demostrar la verdad de lo ocurrido, es decir, la pregunta que hay que hacerse es si la función de la prueba es descubrir la verdad.

Este es un tema muy complejo, porque la vigencia en el proceso civil de los principios dispositivo y de aportación de parte, mediante los cuales las partes pueden aportar los hechos en el proceso que les interesen que, una vez controvertidos, tienen que probar, choca frontalmente con la exigencia de una verdad absoluta, valor inalcanzable para el ser humano. Si el planteamiento del conflicto depende de la parte, la verdad está en entredicho o puede estarlo seriamente.

Por eso se prefiere hablar de que la prueba sirve para demostrar la certeza del hecho alegado. La certeza es un concepto menos absoluto que la verdad y con ello lo que se quiere decir es que la prueba sólo pretende comprobar si los hechos sucedieron tal y como los alega una parte. El problema es que en el proceso civil esa certeza viene a veces impuesta por la ley dados determinados requisitos, si bien en la mayor parte de las ocasiones no es así (v. en esta misma lección el tema de la valoración de la prueba), con lo cual todo es más complicado.

Este razonamiento no debe ser malentendido. Las Justicia quiere que triunfe la verdad y que gane el que tiene la razón jurídica de su parte, y todos los jueces sin excepción ponen todo su empeño en que así sea. Pero nuestra limitación como seres humanos por una parte, que sólo nos permite ver reflejos de los valores absolutos (Justicia, Verdad, Libertad, Igualdad), sin que poseamos ni uno sólo de ellos en su totalidad, y la estructura del proceso, en donde quien decide no conoce los hechos y es totalmente ajeno a ellos, hacen más viable confiar en una justicia humana que quiere aproximarse a la realidad, verificando o no las afirmaciones fácticas de las partes conforme a instrumentos que la tradición nos indica que son fiables (los medios de prueba), sin entrar en el fondo sobrehumano o divino del tema, a saber, sin decidir quién está en posesión de la verdad absoluta.

Buena prueba de ello es que existen normas probatorias que parecen absolutamente alejadas de la verdad, como por ejemplo, la prohibición de aportar documentos en los que la parte funde su derecho después de los escritos de demanda y contestación, pues, si se busca la verdad, ¿qué más da cuando se presenten? Pero si lo contemplamos desde el punto de vista de la certeza, ya no parece tan grave porque comprendemos que existan reglas del juego a las que las partes deben someterse para convencer al juez. Al fin y a la postre, recordemos de nuevo, se trata de un derecho constitucional reglado (art. 24.2 CE: Derecho a utilizar los medios de prueba pertinentes para su defensa, que obviamente la ley ordinaria tiene que desarrollar y articular.

III. OBJETO DE LA PRUEBA

¿Qué hay que probar? Esa es la pregunta que se esconde tras el epígrafe que comenzamos ahora. La respuesta es aparentemente sencilla. Hay que probar los hechos alegados por las partes que resulten impugnados o discutidos por la contraria, es decir, los hechos controvertidos. Pero hay más cosas que probar, porque a veces también hay que probar el Derecho y la costumbre.

1. Hechos

Es indiscutible que en todos los procesos civiles la prueba va a recaer principalmente sobre los hechos controvertidos, es decir, hay que probar las afirmaciones
fácticas hechas por las dos partes que resulten contradichas por la contraria en
sus respectivos escritos. Aunque no es completo, el art. 281.1 LEC así lo entiende.

Recordemos que, según el principio de aportación de parte, son las partes las
que alegan en sus demandas y contestaciones los hechos base del conflicto. Pero
no todos los hechos alegados necesitan prueba. La ley es clara:

> ➤ No necesitan ser probados los hechos admitidos por la parte contraria que
> le perjudiquen. Se admite aquí una máxima de la experiencia indubitada:
> Si la parte admite un hecho que le perjudica es porque es verdad, por tan
> to, al no ser un hecho controvertido, no necesita prueba (art. 281.3 LEC).
> Esto rige en todos los procesos dispositivos, pero no en los no dispositivos,
> por razones que explicaremos en la lecc. 32ª.

> ➤ No necesitan ser probados los hechos de conocimiento absoluto o general
> (art. 282.4 LEC), también llamados hechos notorios, aunque la doctrina
> distingue varias clases de notoriedad, no es complicado entender la expre
> sión. Lo que todo el mundo sabe, y por todo el mundo hay que entender
> una persona de cultura media, no necesita ser probado (la existencia de la
> Guerra Civil española). Lo que el tribunal debe saber, aunque no todo el
> mundo sepa, tampoco (la alta probabilidad de extensión incontrolada de
> contagios en medio de una pandemia por la realización de determinadas
> conductas incívicas). Sólo debe ser probado un hecho, aunque notorio,
> cuando es demasiado local para que sea de público conocimiento (el valor
> medio de mercado de los bienes inmuebles en determinada zona de una
> ciudad).

> ➤ Tampoco necesitan prueba los hechos favorecidos por una presunción.
> Esta cuestión es algo más complicada, por ello nos remitimos a la lecc. 14ª,
> pero en esencia se trata de no exigir prueba cuando la ley aplica una pre
> sunción para llegar a una conclusión determinada (el fallecimiento se ha
> producido por naufragio sin encontrar ni el buque ni el cuerpo), o cuando
> es el juez el que la fija (negligencia médica que causa el fallecimiento de
> un paciente en plena operación quirúrgica). Los indicios sí necesitan ser
> probados, pero los hechos presumidos, a los que se llega por aplicación de
> la lógica o de máximas de la experiencia, no.

Los tres supuestos presentan aspectos problemáticos. Así, los hechos admitidos pueden serlo expresa o tácitamente, pero si lo son tácitamente, la prueba
se evita mediante el mecanismo de la *ficta confessio* (v. por ejemplo, arts. 405.2 y
407.2 LEC), lo que no siempre es claro, como veremos; los hechos notorios pue

den ser impugnados, de ahí que sea conveniente que en la audiencia previa o en la vista el juez se pronuncie sobre los hechos que considera notorios, excluyéndolos de la prueba, y que no se espere a la sentencia privando de la contradicción a la parte a la que haya perjudicado esa notoriedad; finalmente, las presunciones admiten prueba en contrario, lo que significa ofrecer un contraindicio o acreditar que el indicio no está probado, u oponerse a la máxima de la experiencia que proporciona el enlace en la presunción.

2. Derecho

El tribunal conoce, sabe de Derecho (*iura novit curia*), por tanto, sería una ofensa para los magistrados que la ley obligara a las partes a probar el derecho que alegan. Es más, el propio tribunal puede corregir a las partes y aplicar un derecho distinto al alegado por ellas. Pero en dos supuestos sí que hay que probar el Derecho:

➢ Cuando se trate de Derecho histórico o de Derecho estatutario, ambos por la misma razón, porque la obligación de conocer el Derecho alcanza sólo al Derecho vigente y al Derecho publicado en el BOE (para todos los jueces), o en los diarios oficiales de las Comunidades Autónomas (para los jueces que intervengan en ellas), no al no publicado o al publicado en boletines locales, porque no tienen la característica de general.

➢ Cuando se trate de Derecho extranjero, de acuerdo con el art. 281.2 LEC, si es de aplicación en un proceso español deberá ser probado, y ello puede ser hecho por las partes o por el propio juez utilizando sus conocimientos jurídicos.

3. Costumbre

La costumbre, fuente del Derecho según el art. 1.3 CC, debe ser objeto de prueba, salvo que las partes estuvieren conformes en su existencia y contenido y ello no afectare al orden público (art. 282.2 LEC). No parece razonable validar una costumbre inexistente por el hecho de que las partes estén conforme con su existencia. No necesitará en este caso prueba, pero desde luego si el juez sabe que no existe, no deberá aplicarla.

4. Máximas de la experiencia

Todos los jueces saben de las cosas por su propio conocimiento, bien profesionalizado, bien vital, generalmente producto de su experiencia. Cuando ese conocimiento puede ser aplicado en un proceso se habla de conocimiento privado del juez. Por ejemplo, puede dar por probado un hecho, que las partes no han alegado o que alegado no han probado, o puede dar por probado un hecho distinto al que las partes han alegado y admitido porque él lo contradice. La vigencia de los principios dispositivo y de aportación de parte impiden que el juez pueda utilizar su conocimiento privado para resolver la cuestión, porque privaría de la prueba y de la contradicción que conlleva a las partes y tomaría una decisión autoritaria, que, aunque pudiera ser justa, vulneraría los principios constitucionales más sagrados. Podría utilizar su conocimiento privado del Derecho para resolverlo, pero no su conocimiento privado de los hechos de la vida que él desarrolla como cualquier otra persona.

Esto es relevante cuando tiene que aplicar definiciones o juicios hipotéticos de contenido general, desligados de hechos concretos que se juzgan en el proceso, procedentes de la experiencia, pero independientes de los casos particulares de cuya observación se han inducido y que, por encima de esos casos, pretenden dar validez a otros nuevos. Se trata de las máximas de la experiencia como las entendía STEIN, y la vida está llena de millones de ellas. Entre otras aplicaciones, constituyen el enlace en las presunciones entre los indicios y los hechos presumidos, pero tienen categoría como concepto aislado, porque, insistimos, nuestra vida las utiliza constantemente. Por ejemplo, ¿qué es la «debida diligencia»?

Pues bien, cuando las máximas de la experiencia sean comunes y todo el mundo con una cultura general pueda entenderlas, no necesitarán prueba, pero cuando sean especializadas (¿qué es la «debida atención médica»?), deberán ser probadas por la parte a quien interese su aplicación.

IV. PRUEBA PROHIBIDA

No podemos en el proceso civil propio de una democracia probar hechos vulnerando los derechos fundamentales de una de las partes o de un tercero. Lo prohíbe el art. 11.1 LOPJ, así como indirectamente nuestra Constitución (derecho al proceso con todas las garantías, art. 24.2, básicamente).

Es cierto que el proceso penal es aquél en el que mayor aplicación tiene esta cuestión, pero también son posibles vulneraciones de derechos fundamentales en el proceso civil, sobre todo de los derechos contenidos en el art. 18 CE (secreto de las comunicaciones, a través de llamadas telefónicas, emails, WhatsApp, etc.; inviolabilidad del domicilio, también de personas jurídicas; e intimidad personal y familiar, escuchando conversaciones, grabando videos con cámara oculta, documentación privada del hogar, banco u hospital, revelando secretos profesionales, muestras biológicas, seguimiento por detectives, localización por dispositivos GPS, pruebas biológicas, etc.), y de ahí que debamos considerarlo ahora.

Dos cuestiones se plantan fundamentalmente: En qué casos deben excluirse las pruebas obtenidas vulnerando derechos fundamentales, y cuál es el alcance de la exclusión.

1ª) La primera cuestión, desde que se planteó este tema, por separado, en Alemania doctrinalmente por BELING y en Estados Unidos jurisprudencialmente (caso *Weeks v. United States*, 232 U.S. 383, 1914), una vez llega a España con la STC 114/1984, de 29 de noviembre, obliga a distinguir la naturaleza del derecho fundamental violentado.

> La mejor doctrina afirma que si se trata de un derecho fundamental absoluto, entendiendo por absolutos los que no tienen limitación alguna, como el derecho a la vida, cualquier vulneración lleva directamente a la inadmisión de la prueba y, en consecuencia, si estuviera ya admitida, a su exclusión y prohibición de valoración (art. 283.3 LEC). Quizás la terminología debiera revisarse, porque no es claro que existan derechos fundamentales absolutos dado que todos tienen límites.

> Si se trata de un derecho fundamental relativo, a saber, los que sí tienen limitación (que podrían ser todos), es posible que sea la prueba inadmisible y es posible que no lo sea, dependiendo del derecho y del caso producido. El ejemplo típico sería la vulneración del derecho a la intimidad personal, porque el carácter público del personaje, o la dación de consentimiento, podrían validar lo que en un principio se pensaba que era una vulneración del art. 18.4 CE.

2ª) La segunda cuestión responde al tratamiento que la LEC da a esta cuestión, que es lo importante. Al respecto, debemos indicar dos cuestiones distintas:

> La exclusión probatoria únicamente afecta a las pruebas obtenidas con violación de derechos fundamentales, por tanto, si se trata de derechos no fundamentales, son admisibles las pruebas, sin perjuicio de la responsabilidad a que diere lugar la infracción. Por otro lado, de acuerdo con el propio art. 11.1 LOPJ, la exclusión afecta tanto a la prueba prohibida principal como a la derivada (por aplicación de la teoría de los frutos del árbol envenenado, también llamada de la eficacia indirecta o refleja, en virtud de la cual cuando se obtiene directamente una prueba vulnerando los derechos fundamentales, y aparecen indirectamente otras pruebas relacionadas que podrían ser de aplicación en el mismo proceso, se excluyen todas al estar contaminadas por la acción ilegal que implicó la obtención de la prueba directa).

> La parte debe alegar inmediatamente que una prueba se ha obtenido ilícitamente, es decir, que es prueba prohibida, de acuerdo con el art. 287 LEC, pudiendo hacerlo también de oficio el tribunal. Obsérvese

que la parte a quien perjudica la prueba no pude recurrir su admisión (v. *infra*), sino alegar su ilicitud ofreciendo prueba sobre ella (que es uno de los muchos casos en los que la ley exige una prueba de la prueba). Lo que hace el tribunal es admitir la alegación acompañada de esa prueba y diferir su análisis al acto del juicio (art. 433.1 LEC), o el comienzo de la vista (arts. 443.3 y 446 LEC), dependiendo de si estamos ante el juicio ordinario o ante el verbal. Contra la resolución oral cabe recurso de reposición (oral también), que se resuelve (oralmente) en el acto, quedando abierta únicamente a la parte la posibilidad del futuro recurso de apelación contra la sentencia que en su día se dicte, sin perjuicio de posteriores recursos. Si la prueba se declara prohibida de oficio, la parte únicamente tomará conocimiento de ello en la sentencia, que podrá apelar por esta razón. Esta solución es discutible, pues debería haberse articulado un procedimiento para someter a contradicción su decisión antes de excluirla en la sentencia.

V. CARGA DE LA PRUEBA

¿Quién tiene que probar? Esta pregunta es la clave para responder al tema que ahora vamos a tratar. Su respuesta es fácil si atendemos a los principios que rigen el proceso civil, pues si son las partes las que deben alegar los hechos, deberán ser éstas las que los prueben (arts. 217.1 y 282 LEC). Pero, insistimos, en Derecho no todo es tan fácil, ni tan claro.

En efecto, ante todo hay que afirmar que la posibilidad de introducir en el proceso civil prueba de oficio está permitida por el propio art. 282. Ello sucede en las diligencias finales (art. 435.2 LEC), y en los procesos no dispositivos (art. 752.1), pero la regulación básica atiende a las partes.

También debemos añadir que, si el proceso se ha desarrollado con normalidad, incluso en aquellos casos en los que hipotéticamente no hubiera habido prueba sobre hechos (algo casi imposible de imaginar), la carga de la prueba no jugará ningún papel porque cada parte habrá cumplido con sus deberes y el juez lo único que tendrá que hacer será valorar los resultados probatorios obtenidos, si los hubiere, o bien dictar sentencia directamente si el tema discutido fuera exclusivamente jurídico.

A este respecto, se suele distinguir entre carga objetiva y carga subjetiva de la prueba. No tiene mucha utilidad, pero como son conceptos utilizados, conviene alguna precisión. La carga subjetiva se refiere a las partes y significa qué debe probar cada una de ellas; mientras que la carga objetiva se refiere al tribunal e implica su deber de resolver atribuyendo consecuencias a quien debiendo haber probado no ha probado. Esta distinción, de origen alemán, no es seguida por la LEC, que resuelve la cuestión de otra manera.

Pues bien, lo importante es que los problemas surgen cuando las partes no han cumplido con esos deberes. Debemos decir en este sentido que cuando el estado organiza institucionalmente la resolución de los conflictos de los ciudadanos por los jueces a través del proceso, debe obligar a que éstos lo resuelvan, es decir, a que dicten una resolución decidiendo la contienda. Este es el principio de la prohibición del *non liquet*, contenido en el art. 1.7 CC. Por tanto, el conflicto debe resolverse y así lo exige el derecho a la tutela judicial efectiva de los ciudadanos como sabemos (art. 24.1 CE), siendo inadmisible que el juez evite pronunciarse, salvo que ello esté previsto expresamente por la ley.

Para ello, esa misma ley tiene que orientar al juez dándole criterios que le permitan resolver. Esos criterios son:

1°) Cuando el juez observe que un hecho no ha sido probado, debe atribuir la responsabilidad de esta omisión a quien debía probarlo.

2°) Para ello, las partes deben saber qué tienen que probar. La LEC lo dice así, siguiendo una tradición milenaria:

➢ El demandante debe probar sus hechos (llamados hechos constitutivos), según el art. 217.2 LEC.

➢ El demandado debe probar sus hechos (llamados hechos impeditivos, extintivos o excluyentes), de acuerdo con el art. 217.3 LEC.

De este modo, la verdadera carga de la prueba resuelve la incertidumbre de no haber probado una parte lo que tenía que haber probado, y el momento procesal oportuno de imponer las consecuencias de ese incumplimiento es en la sentencia. Por consiguiente, la carga de la prueba fija las consecuencias de la falta de prueba de los hechos o del Derecho, en los términos antes vistos.

Todas las partes presentan sus pruebas, en unos casos acompañándolos a la demanda o contestación (documentos de fondo o dictámenes), en otros al final de la audiencia previa en el juicio ordinario, o en la vista en el juicio verbal. La carga de la prueba no se refiere a esa presentación, sino a las consecuencias de su falta en el momento de sentenciar.

3°) Y qué ocurre cuando la parte quiere probar, pero no puede probar el hecho que alega. Estamos aquí ante situaciones en los que se da una dificultad probatoria real, que la LEC resuelve mediante la llamada inversión de la carga probatoria, de manera tal que tiene que probar aquella parte que tenga un más fácil acceso o una mayor disponibilidad a la prueba, independientemente de las normas generales sobre carga de la prueba. El criterio de la disponibilidad y facilidad probatoria rige en materia de

competencia desleal, publicidad ilícita y discriminación por razón del sexo, salvo disposición expresa en contrario (art. 217.4, 5, 6 y 7 LEC).

Una vez se han probado los hechos, no importa quién ha sido el que los ha
probado, si demandante o demandado, porque por el principio de adquisición
procesal el tribunal ha de tenerlos todos en consideración y valorarlos. Este principio, de origen italiano, ha sido poco estudiado, quizás por su obviedad. La
LEC no se refiere a él, pero nuestros jueces y nuestra jurisprudencia así lo han
reconocido.

VI. VALORACIÓN DE LA PRUEBA

¿Quién tiene la razón, qué hacemos con los resultados probatorios obtenidos
tras la práctica de la prueba propuesta y admitida? La respuesta nos lleva al complejo tema de la valoración judicial de la prueba. Una cuestión muy estudiada, a
veces en los límites no sólo del Derecho Procesal, sino también de lo difuso.

El entendimiento de la valoración de la prueba obliga a considerar, siquiera
sea brevemente, su evolución histórica, porque en nuestro sistema los criterios
de valoración son dos, que atienden a razones totalmente distintas: Valoración
legal y valoración libre. Y ello se explica por la existencia de pruebas cuyo valor
se obtiene por mor de la ley y pruebas cuyo valor se obtiene por mor del razonamiento judicial, conclusión a la que se ha llegado después de siglos de evolución
jurídica.

Una vez apreciada la prueba, para lo que el juez ha tenido que interpretar
y ordenar todos los resultados probatorios obtenidos después de la práctica de
cada uno de los medios de prueba admitidos en el proceso concreto de que se
trate, debe extraer consecuencias sobre la credibilidad que proporcionan esos
resultados. A esta operación mental se le denomina legalmente «valorar» la prueba. Para valorar hay dos posibilidades, todas ellas fundadas en reglas vitales a las
que, como ya sabemos, se les denomina máximas de la experiencia, aunque el
progreso de nuestra sociedad hace que también debamos considerar otro tipo de
reglas, como las científicas, por ejemplo.

> ➢ La primera posibilidad consiste en que sea la ley la que proporcione al juez
> el grado de credibilidad, de manera que éste no tiene más que acatarla
> y fijarla en la sentencia. A estos casos se les denomina de prueba legal, o
> pruebas valoradas legalmente, porque es la ley la que proporciona la valo-
> ración si se acredita el hecho recogido en la norma. Esa ley lo que hace es
> reconocer determinadas máximas de la experiencia (o reglas científicas),
> de manera que el juez está obligado a aceptarlas.

La explicación es histórica y marca dos niveles distintos de evolución. Durante siglos fue el único sistema posible de valoración de la prueba. En unos casos la máxima de la experiencia se fundaba en creencias religiosas (las ordalías), hoy totalmente superadas, pero que por evolución nos ha llevado a que en determinados supuestos sea la ley la que diga lo que es cierto objetivamente porque la parte así lo reconoce; en otros, se fundaba y funda en usos comerciales porque la seguridad jurídica así lo exige. Ejemplo del primer supuesto sería la declaración de un hecho perjudicial por la parte; del segundo, la fuerza probatoria de la escritura pública.

➤ La segunda posibilidad es que sea el juez el que deba, él mismo, fijar el grado de credibilidad de la prueba, lo que debe hacer mediante un razonamiento lógico a expresar en la sentencia. Ese razonamiento lógico es la expresión de las máximas de la experiencia o reglas científicas que como ser humano ha adquirido vitalmente o conoce por su grado de cultura. Estamos entonces ante la prueba libre o prueba a valorar libremente por el tribunal.

La explicación también es histórica, se basa en la íntima convicción del juzgador y aflora cuando la dignidad del ser humano ocupa el centro del ordenamiento jurídico, lo que sucede con la Revolución Francesa. Surge primero en el proceso penal, para acabar con todas las corruptelas existentes debidas a la valoración legal y transformar las normas reguladoras del proceso penal en un cuerpo legislativo racional, más cercano a la verdad (certeza), y de ahí pasa al proceso civil, siendo en éste el sistema mayoritario de valoración, pues la mayor parte de todas las pruebas se valoran libremente. Íntima convicción es un concepto equívoco, porque no hace referencia a lo que es esencial en la valoración libre, a saber, la motivación de la decisión, motivación que expresa un razonamiento lógico muy difícil de explicar, pero absolutamente necesario de entender. Aquí está la complejidad y la razón por las que este tema no es sólo objeto de estudio del Derecho Procesal (la Filosofía, y en concreto, la Epistemología jurídica lleva muchos años trabajando sobre ello). Por eso es preferible hablar del sistema de libre valoración, o de motivación razonable y fundada, prescindiendo de las muchas palabras o frases que se emplean por los ordenamientos jurídicos para definirlo o caracterizarlo (se habla, además de íntima convicción, de sana crítica, apreciación en conciencia, criterio racional, criterio humano, libre convencimiento, libre valoración, etc.). En definitiva, se trata de motivar racionalmente y, por tanto, no arbitrariamente, los resultados probatorios que llevan a la decisión de condena o absolución.

Nuestra LEC, al acoger ambos sistemas, opta por el llamado sistema mixto de valoración. En qué casos se aplica el legal, y en qué casos el libre lo veremos en las lecciones siguientes. Lo importante es destacar la necesidad de razonar cada prueba individualmente y no todas ellas en su conjunto, porque sólo con un relato fundado de por qué determinada prueba ayuda a formar la convicción judicial y qué prueba no, sabremos las verdaderas razones de la decisión final y podremos en consecuencia ejercer nuestro derecho a la tutela judicial efectiva recurriendo, o darnos por satisfechos al haberla obtenido con esa resolución.

VII. ANTICIPACIÓN Y ASEGURAMIENTO DE LA PRUEBA

La prueba sigue un procedimiento probatorio necesariamente, fijado por la ley, para poder ser admitida, practicada y valorada, con algunas particularidades distintas en función de ante qué medio de prueba concreto estemos. Pero a veces ese procedimiento, que veremos en el apartado siguiente, no puede desarrollarse, porque se dan las circunstancias necesarias para alterarlo. La causa más frecuente se debe al tiempo de su práctica, encontrándonos así con la necesidad de anticipar la prueba; en otras ocasiones lo que sucede es que es necesario retenerla para que se pueda practicar, hallándonos así ante la necesidad de su aseguramiento.

1) *Anticipación de la prueba*: Regulada en los arts. 293 a 296 LEC, se trata de poder practicar la prueba antes de su momento procesal oportuno (durante el juicio o en la vista, según el tipo de proceso ante el que estemos), porque existe el temor fundado de que, por causa de las personas o por el estado de las cosas, la prueba no se pueda practicar cuando le corresponda hacerlo. Por ejemplo, porque el testigo sufre una enfermedad terminal que, casi con toda seguridad, le impedirá poder declarar el día del juicio o de la vista.

La anticipación puede solicitarse antes de que se inicie el proceso o una vez ya iniciado. Esta distinción afecta a la competencia en el primer caso, pues la petición se dirige al tribunal que se considere competente, pero no en el segundo, que se dirigirá al que esté conociendo del proceso (art. 293.2); a la legitimación, pues antes del proceso sólo puede pedirla el futuro demandante, y si ya está iniciado cualquiera de las partes (art. 293.1); y a la interposición de la demanda, pues si el proceso no se ha iniciado la demanda debe presentarse en el plazo de dos meses después de practicada la prueba para que ésta conserve su validez (art. 295.3).

La solicitud se presenta por escrito, indicando la prueba que se desea anticipar, exponiendo las razones de la petición, resolviendo el tribunal (art. 294). La LEC no prevé ningún recurso frente a la denegación, probablemente porque carecen de utilidad, pero debería ser admisible la aplicación del régimen general.

Una vez autorizada su práctica, se realiza en unidad de acto y con contradicción, de acuerdo con las previsiones del art. 295. La prueba anticipada puede reiterarse en su momento procesal oportuno si una parte lo pide (porque el testigo no ha muerto), en cuyo caso el tribunal valorará libremente las dos, la anticipada y la reiterada (art. 295.4).

Los resultados probatorios obtenidos quedan bajo la custodia del LAJ y se aportan y valoran al proceso conforme a las previsiones del art. 296.

2) *Aseguramiento de la prueba*: Regulado en los arts. 297 y 298 LEC, su finalidad es evitar que el medio de prueba se pueda destruir o perder, de manera que no sea posible su práctica en el momento procesal oportuno. Afecta a cosas, no a personas, y con el aseguramiento lo que se pretende es que el objeto quede inmodificado, manteniéndose en el estado en que se encuentra en el momento de solicitarlo. Por ejemplo, el reloj de oro por cuya propiedad se ha entablado el pleito, razón por la que se pide su depósito judicial.

Puede solicitarse antes de iniciado el proceso o después, rigiendo las mismas normas que en la prueba anticipada (art. 297.3), pero el plazo para demandar es aquí de 20 días (art. 297.4).

La LEC no detalla las medidas, otorgando una potestad aseguradora general al tribunal para que adopte medidas de conservación, acompañadas de mandatos de hacer o no hacer con apercibimiento de proceder en caso de desobediencia, aunque sugiere alguna actuación respecto a infracciones de derechos de propiedad industrial o intelectual. También puede dejar constancia fehaciente de la realidad de las cosas y sus características, pero esto parece más bien una medida de anticipación de la prueba (art. 297.2).

La solicitud se resuelve con contradicción (audiencia previa del demandado), salvo que existan razones de urgencia (art. 298.4). En este caso, hay contradicción diferida, pues el demandado puede oponerse al aseguramiento decretado, convocándose a una vista y dictándose un auto que será irrecurrible (art. 298.6 a 8).

La autorización judicial depende del cumplimiento de varios requisitos, expuestos en el art. 298.1. El tribunal no está vinculado por la medida solicitada por la parte, pudiendo adoptar la que considere más apropiada (art. 298.1-3º). El demandante puede ofrecer garantía de responder de posibles perjuicios derivados del aseguramiento, que el tribunal tomará en cuenta para concederlo (art. 297.2). De igual manera, el demandado puede evitar el aseguramiento ofreciendo caución bastante (art. 297.3), disposición que no cuadra bien aquí, porque no estamos ante una medida cautelar que garantice la ejecución de la sentencia condenatoria, sino ante prueba.

VIII. EL PROCEDIMIENTO PROBATORIO GENERAL

La LEC establece un procedimiento probatorio general, sin perjuicio de las particularidades que cada medio concreto de prueba exija. El procedimiento obviamente está en función del principio de oralidad. Consta de cuatro fases, que en el juicio ordinario se encuentran separadas en dos audiencias, mientras que en el juicio verbal el procedimiento se desarrolla todo él concentrado en la vista.

1. Recibimiento a prueba

No tiene sentido en un procedimiento oral que la parte pida que el proceso se reciba a prueba, es decir, que declare ante el tribunal que hay hechos controvertidos que necesitan ser probados y que el tribunal así lo acuerde expresamente, porque con la oralidad todo se desarrolla sin solución de continuidad, de ahí que, no existiendo acuerdo entre las partes para finalizar el litigio y no existiendo conformidad en los hechos, lo que se constata al final de la audiencia previa en el juicio ordinario y en medio de la vista en el juicio verbal, se pasa directamente a proponer los medios de prueba (art. 429.1 LEC).

2. Proposición de los medios concretos de prueba

El tribunal, ante el no acuerdo y la no conformidad aludidas, pide a las partes que le indiquen de qué medios de prueba quieren servirse. La proposición es oral, acompañando un escrito detallado sobre la misma. Este escrito no hace ninguna falta, y en realidad es contrario a la oralidad, pero quizás el legislador quiera que se faciliten las cosas al LAJ y por ello obliga a su presentación, en donde constarán, entre otros datos, los nombres de los testigos y peritos con sus direcciones para ser correctamente citados.

La proposición de la prueba, por tanto, es consecuencia en nuestro ordenamiento jurídico del principio de aportación de parte. Pero el tribunal puede, sin perjuicio de su potestad de oficio en ciertos casos, que hemos visto en esta misma lección, hacer ver a una parte que las pruebas propuestas son insuficientes, dando detalles de dónde está a su juicio el problema, incluso puede sugerir pruebas, pudiendo ésta completar o modificar su propuesta (art. 429.1).

3. Admisión de los medios de prueba

A la propuesta sigue la admisión de los medios de prueba, que se realiza igualmente en forma oral. El criterio de admisión, dejando claro que debe versar sobre hechos controvertidos, es que la prueba sea pertinente y útil:

➢ Pertinente es la prueba que guarda relación con los hechos, de acuerdo con el art. 283.1 LEC.

➢ Útil es la prueba que, según reglas y criterios racionales y seguros, puede contribuir a esclarecer los hechos controvertidos (art. 283.2).

Recordemos que la prueba debe ser también lícita, conforme a lo estudiado en esta misma lección (v. art. 283.3 LEC).

Tanto la admisión como la inadmisión de la prueba se resuelven oralmente por el tribunal, siendo recurrible, también oralmente, en reposición, que se resuelve a su vez también en forma oral. Para que en su momento la parte perjudicada pueda apelar por causa de denegación, es preciso formular protesta (art. 285 LEC).

4. Práctica de la prueba

Una vez admitidas las pruebas, procede su práctica, que en el juicio ordinario tiene lugar en audiencia distinta, en el juicio, y en el juicio verbal, a continuación en la misma vista en su segundo tramo. Cada medio de prueba tiene sus propias normas, que estudiaremos en las lecciones siguientes, pero la LEC no se ha resistido a establecer unas normas comunes:

1ª) Todas las pruebas se practicarán en unidad de acto (art. 290 LEC). Esto significa que todas las pruebas se practicarán en la misma audiencia (juicio o vista), pero como también sabemos, hay excepciones (por ejemplo, en casos de prueba anticipada, reconocimiento judicial, o prueba por cooperación jurisdiccional).

2ª) La vigencia del principio de oralidad obliga a que sus principios consecuencia determinen la práctica de la prueba en el proceso civil. Así:

➢ La práctica de la prueba está sometida al principio de inmediación, porque, como hemos explicado en el vol. 1 de esta obra, la oralidad conlleva inmediación, de manera que el juez ante el que se practique oralmente la prueba es el mismo juez que deberá dictar la sentencia, también con excepciones (v. art. 289.2 LEC), pues la inmediación en el proceso civil no es tan rígida como en el proceso penal.

➢ La práctica de la prueba está sometida al principio de contradicción, lo que significa que todas las partes han de intervenir en ella y por eso todas son citadas para las respectivas audiencias (arts. 289 a 291 LEC), aunque hay alguna excepción, rara, como el interrogatorio domiciliario (art. 311 LEC).

➢ La práctica de la prueba, finalmente, está sometida al principio de publicidad, salvo alguna relevante excepción (art. 138 LEC).

3ª) La práctica de la prueba sigue el orden fijado en el art. 300 LEC, pero puede cambiarse.

4ª) La práctica de la prueba se graba en video, de manera que quedan registrados imagen y sonido, sin perjuicio de que se levante un acta sucinta sobre ello (arts. 146 y 147 LEC). Esta documentación se entrega a las partes.

PROCEDIMIENTO PROBATORIO GENERAL	CARACTERÍSTICAS ESENCIALES
➤ Recibimiento (en audiencia previa o vista)	✓ Implícito, no es necesario formalmente
➤ Proposición (en audiencia previa o vista)	✓ Por cada una de las partes ✓ Facultades de control por el Tribunal
➤ Admisión (en audiencia previa o vista)	✓ Por el Tribunal ✓ Siempre recurrible
➤ Práctica (en juicio o en vista)	✓ Ante el juzgado con presencia de las partes y vigencia de los principios de inmediación, contradicción y publicidad, salvo excepciones

IX. FUENTES Y MEDIOS DE PRUEBA

Finalmente, en cuanto a las cuestiones generales probatorias, queda por responder a la pregunta de con qué instrumentos puede probar la parte que tiene la razón. Esa pregunta nos lleva a los medios de prueba, pero antes conviene aclarar una útil distinción.

En efecto, sabemos que se prueban los hechos, principalmente, pero la vida la constituyen millones y millones de hechos, así como millones o millones de datos, circunstancias, antecedentes, elementos o referencias, que pueden tener relevancia para esclarecen los términos de un conflicto y resolverlo. Esos millones y millones de hechos y demás no pueden ser aportados desordenadamente a un proceso, porque nadie podría controlar su enorme diversidad, que llevaría al caos y a la más completa indefensión. Por eso es necesario distinguir entre los hechos de la vida y cómo introducir esos hechos en el proceso.

La primera cuestión hace referencia a las fuentes de prueba, a los hechos, datos, circunstancias, etc. de la vida. Forman parte de la realidad extrajurídica, son por tanto anteriores al proceso.

La segunda cuestión se refiere a los medios de prueba. Para que sea útil a la finalidad de resolver conflictos, los medios de prueba tienen que ser pocos y tasados legalmente, o al menos muy controlados y con carácter restrictivo. Forman parte, por tanto, del mundo jurídico y sólo existen con el proceso, es decir, después de producido el hecho a enjuiciar.

Esa es la decisión tradicional en nuestro derecho. Cualquier fuente de prueba sólo puede ser introducida en el proceso civil mediante uno de los medios de prueba que la propia norma reconoce. Lo que importa, consecuentemente, son los medios de prueba. Dicho con otras palabras, las leyes procesales únicamente pueden contemplar por ello los medios de prueba. Nuestra LEC lo hace en los arts. 299 y 300. Las leyes procesales civiles de los países que más nos influyen hacen lo mismo, aunque pueda existir alguna variación. El mundo anglosajón, prácticamente también, aunque pone más incidencia en regular las cuestiones probatorias que en la práctica tienen mayor incidencia.

Los medios de prueba en el proceso civil español son siete: 1°) Interrogatorio de las partes; 2°) Documentos públicos; 3°) Documentos privados; 4°) Dictamen de peritos; 5°) Reconocimiento judicial; 6°) Interrogatorio de testigos; y 7°) Medios de reproducción del sonido o la imagen e instrumentos de archivo.

Pero en realidad son por una parte menos y por otra parte pueden ser más. Son menos porque los documentos públicos y privados conforman una única prueba, la documental. Y más porque para la LEC no estamos ante una enumeración cerrada (*numerus clausus*), ya que, según el art. 299.3, «Cuando por cualquier otro medio no expresamente previsto en los apartados anteriores de este artículo pudiera obtenerse certeza sobre hechos relevantes, el tribunal, a instancia de parte, lo admitirá como prueba, adoptando las medidas que en cada caso resulten necesarias». Esta posibilidad, muy infrecuente, de «inventar» el juez nuevos medios de prueba no debe entenderse a favor de la opción de *numerus apertus* de los mismos.

Todos estos medios de prueba se admiten en todos los procesos, sin perjuicio de las particularidades que en cada caso concreto pueden tener lugar. Y todos ellos deben practicarse conforme al principio de legalidad, decir, de acuerdo con las disposiciones legalmente previstas.

Lección 12ª

LOS MEDIOS DE PRUEBA EN CONCRETO (I)

JUAN-LUIS GÓMEZ COLOMER

SUMARIO: I. EL INTERROGATORIO DE LAS PARTES. 1. Antecedentes. 2. Concepto. 3. Clases. A) Interrogatorio de personas físicas. B) Interrogatorio de personas jurídicas. 4. Las preguntas. 5. Procedimiento probatorio. A) Solicitud. B) Facultades del juez. C) Lugar. D) Cargas del declarante. E) Interrogatorio cruzado. F) Modo de responder al interrogatorio. G) Incomunicación de los declarantes. 6. Valoración. II. LA PRUEBA DOCUMENTAL. 1. Concepto. 2. Clases. A) Públicos. B) Públicos extranjeros. C) Privados. D) Documentos electrónicos. 3. Procedimiento probatorio. A) Momento de la presentación. B) Forma de la misma. C) Impugnación de la autenticidad. 4. Exhibición de documentos. A) Las partes. B) Terceros. C) Entidades de Derecho público. 5. Valoración. A) Documentos públicos. B) Documentos privados.

BIBLIOGRAFÍA BÁSICA

GONZÁLEZ CANO, M. I., *La prueba*, tomo I, Tirant lo Blanch, Valencia, 2017.

MONTERO AROCA, J., *La prueba en el proceso civil* (7ª ed.), Ed. Civitas, Madrid, 2012.

I. EL INTERROGATORIO DE LAS PARTES

El interrogatorio de las partes es en cierto modo una prueba similar a la confesión, que ha estado vigente formalmente como tal hasta la entrada en vigor de la LEC de 2000, pero no es su prueba heredera, sino su sustituta (EM XI, pár. 7). Se regula en los arts. 301 a 316 LEC.

1. *Antecedentes*

La confesión era la declaración de parte sobre un hecho o conjunto de hechos relevantes. Sin embargo, en la regulación del CC y de la LEC de 1881 confluyeron dos instituciones completamente diferentes, la confesión y el juramento, que se mezclaron en el siglo XIX.

Básicamente, el juramento no tenía como finalidad convencer al juez de nada, sino que era un medio formal de fijación de hechos como ciertos, pues se había invocado a Dios como testigo al declarar. El problema surgió porque la confesión se podía practicar en una doble modalidad, bajo juramento decisorio y bajo juramento indecisorio, según lo pidiera la parte. Realizándose de la primera forma, que fue históricamente el verdadero juramento religioso, los hechos quedaban fijados fuese cual fuere el sentido de la declaración. Mientras que confesándose bajo juramento indecisorio estábamos ante una mera declaración de la parte que había confesado, que hacía prueba legal sólo en lo que le perjudicaba, y no en lo que le beneficiaba.

Con esta mezcolanza acaba la LEC vigente, que ya no regula esa prueba de confesión, suprime el juramento y la sustituye por el interrogatorio de parte. Se derogan además los arts. 1231 a 1239 CC por la DD 2, 1ª LEC, y se termina igualmente con la polémica sobre su naturaleza jurídica, pues durante la vigencia de las normas anteriores, la jurisprudencia y la doctrina discutieron sobre si la confesión era un medio de prueba o un acto de disposición. Hoy debe estar completamente claro que el interrogatorio de parte sólo es un medio de prueba.

2. *Concepto*

El interrogatorio es la declaración que efectúan las partes, o los terceros en los casos que veremos (lo que implica entre otras cosas que la denominación de la prueba no sea muy precisa), sobre hechos y circunstancias de los que se tengan noticia y que guarden relación con el objeto del juicio (art. 301.1 LEC).

Además de esa relación, y aunque no lo diga expresamente la LEC, los hechos tienen que ser relevantes. Ello, porque utilizando esta prueba, una de las partes quiere convencer al órgano jurisdiccional de la existencia o inexistencia de ese hecho.

El interrogatorio se materializa a través de la formulación de unas preguntas, que pueden ser sobre hechos personales o no personales del declarante. El primer caso es lo normal, pero la LEC admite que un declarante conteste sobre hechos no personales, en cuyo caso éste responderá según sus conocimientos, dando razón del origen de éstos, en los términos del art. 308, I.

3. *Clases*

El interrogatorio de las partes puede clasificarse atendiendo a varios criterios. Apartándonos de la sistemática de la LEC, que no ordena correctamente este importante punto, habría que distinguir entre el interrogatorio de personas físicas y el interrogatorio de personas jurídicas.

A) **Interrogatorio de personas físicas**

La LEC distingue a su vez tres posibilidades:

➢ Declaración de parte contraria: Es el supuesto normal, implícito en numerosos preceptos, básicamente en el art. 301.1. Una parte solicita el interrogatorio de la otra o de las demás, es decir, de las contrarias. Ello, porque el sujeto del interrogatorio debe ser en primer término quien es parte en el proceso. Por consiguiente, tanto el demandante como el demandado pueden interrogar y ser interrogados.

➢ Declaración de parte colitigante: Aquí el interrogatorio se solicita respecto a otra parte que ocupa la misma posición procesal en litisconsorcio. Para que ello sea posible, entre quien pide la prueba y el colitigante debe existir oposición o conflicto de intereses (art. 301.1, segunda frase).

➢ Declaración de tercero: Que un tercero sea interrogado en el proceso puede ser necesario para no prescindir de la eficacia de la declaración, cuando los hechos no sean personales de la parte, que acepta así las consecuencias de la declaración de tercero. La LEC lo permite en dos casos:

  • Cuando la parte legitimada, actuante en el juicio, no sea el sujeto de la relación jurídica controvertida o el titular del derecho en cuya virtud se acciona, se podrá solicitar el interrogatorio de dicho sujeto o titular (art. 301.2). Por ejemplo, en los casos de cesión de derechos, o de sustitución procesal y, en general, en los de legitimación extraordinaria.

  • En segundo lugar, que es el supuesto tradicional, también cuando el interrogatorio no se refiera a hechos personales del que contesta, pudiendo entonces este declarante proponer que conteste a la pregunta un tercero que tenga conocimiento personal de los hechos, por sus relaciones con el asunto, aceptando las consecuencias de la declaración (art. 308, I). Para que se admita esta sustitución deberá ser aceptada por la parte que hubiese propuesto la prueba. De no producirse tal aceptación, el declarante podrá solicitar que la persona mencionada sea interrogada en calidad de testigo, decidiendo el tribunal lo que estime procedente (art. 308, II).

B) Interrogatorio de personas jurídicas

Distingue la LEC también dos supuestos, según la parte declarante sea un ente público o una persona jurídica privada:

➢ Declaración de una Administración: Cuando sea parte en un proceso cualquier Administración (central, autonómica, local, institucional o corporativa) u organismo público, y el tribunal admita su declaración, conserva el privilegio de no comparecer y de no contestar oralmente a las preguntas.

A pesar de esta alteración tan sustancial, no estamos en este caso especial ni ante prueba de informes, ni ante otro medio de prueba distinto a los enumerados legalmente, sino ante interrogatorio de parte, porque la declaración versa sobre hechos controvertidos y su valoración sigue las normas generales del interrogatorio.

En efecto, las preguntas del interrogatorio se formulan y se contestan por escrito, con base en la lista de preguntas declaradas pertinentes, de acuerdo con el procedimiento fijado en el art. 315.1. Las respuestas se leen en la vista, y las demás partes pueden formular preguntas complementarias, que responderá en forma oral su representante jurídico, si es posible, y en caso contrario de nuevo por escrito, pero como diligencia final (art. 315.2). Para evitar que la Administración no responda, infringiendo el principio de colaboración con la Justicia, se configura legalmente como novedad la amenaza de la *ficta confessio* (art. 315.3 por su remisión al art. 307).

➢ Declaración de persona jurídica o ente sin personalidad: El art. 309.1 obliga a esta clase de interrogatorio cuando la parte declarante sea una persona jurídica o ente sin personalidad, y su representante en juicio no hubiera intervenido en los hechos controvertidos en el proceso. Esta circunstancia se tendrá que alegar en la audiencia previa al juicio, y el representante deberá facilitar la identidad de la persona que intervino en nombre de la persona jurídica o entidad interrogada, para que sea citada al juicio, si bien puede serlo como testigo en el caso del art. 309.1, II. La declaración es inevitable (art. 309.2), pues no identificando a la persona que intervino en los hechos, se puede aplicar la *ficta confessio* (art. 309.3).

4. Las preguntas

El interrogatorio se funda en preguntas concretas. Para que se cumpla con la finalidad que se espera de la declaración y pueda ser valorada correctamente por el juez, la LEC configura la formulación de las cuestiones que la parte quiere saber de la siguiente manera:

➢ Puesto que estamos en juicios presididos por el principio de oralidad, las preguntas se formulan verbalmente en el acto del juicio o de la vista, en sentido afirmativo, y con la debida claridad y precisión (art. 302.1, primera frase).

➢ Queda prohibido incluir valoraciones o calificaciones, y si éstas se formulan a pesar de todo, se tendrán por no realizadas (art. 302.1, segunda frase).

En ambos casos se desean impedir las preguntas capciosas (las que engañan al declarante) o sugestivas (las que sugieren la respuesta), impidiendo la libertad del declarante, la necesidad de su comunicación veraz, y la espontaneidad y naturalidad con la que se debe producir la declaración. La forma más grave en que una pregunta es capciosa se produce cuando en una misma «pregunta» se hace mención de más de un hecho.

➤ Deben recaer sobre los hechos para los que ha sido admitido el interrogatorio (art. 302.2, primera frase), a saber, los hechos controvertidos en el proceso.

Téngase en cuenta que, además de recaer el interrogatorio sobre hechos, las partes tienen que actuar muy diligentemente a la hora de formular las preguntas, porque no será posible un segundo interrogatorio de las partes o personas a que se refiere el apartado segundo del art. 301, sobre los mismos hechos que ya hayan sido objeto de declaración por esas partes o personas (art. 314).

➤ Las preguntas tienen que ser declaradas admisibles por el juez, lo que se produce en el mismo acto tras su formulación (art. 302.2, segunda frase).

La admisibilidad queda condicionada a que la pregunta sea idónea, pertinente y útil para la averiguación o aclaración de la controversia que configura fácticamente el objeto del proceso (en cualquier caso, y no sólo respecto a las preguntas nuevas, como parece desprenderse del art. 306.1 in fine, en relación con el art. 283 LEC, y en consonancia con el art. 24.2 CE).

Siendo declarada pertinente la pregunta expresa o tácitamente, en el mismo acto oral y una vez se ha formulado, la parte que ha de contestarla o su abogado pueden impugnarla, de acuerdo con el art. 303 LEC. Este precepto no da razones, pero indiscutiblemente tiene que estar fundada la oposición en que no se cumplen los requisitos anteriormente indicados («sean … improcedentes»), debiendo explicar el porqué («hacer notar las valoraciones y calificaciones»). En similares términos se expresa el art. 306.3 LEC respecto a nuevas preguntas.

Aunque la LEC no lo diga expresamente, si triunfa la oposición, la pregunta debe tenerse por no realizada (art. 303 in fine), y si fracasa, la respuesta es ineludible, sin perjuicio de que pueda luego debatirse en apelación sobre su declaración de tenerla por no hecha.

5. *Procedimiento probatorio*

A) **Solicitud**

El interrogatorio solamente puede ser pedido por quien sea parte en cuyo proceso pretende utilizarse la declaración, y así lo confirma el art. 301.1.

Salvo lo que decimos a continuación, no existen más particularidades procedimentales con relación a este medio de prueba, por lo que se aplicarán las normas generales vistas en la lección anterior: Proposición oral del medio de prueba al final de la audiencia previa en el juicio ordinario (art. 429.1), y en la vista del juicio verbal (art. 443.4), expresando con la debida separación este medio de prueba (art. 284, I), admisión oral (art. 285), y práctica en el acto del juicio o de la vista, conforme a las normas generales del art. 289.

B) Facultades del juez

Además de las partes y sus abogados que formulan las preguntas del interrogatorio, como es natural, también puede el juez interrogar a la parte o persona que declara, con la finalidad de obtener aclaraciones y adiciones (art. 306.1, II).

Este precepto plantea dos problemas de interés:

➢ El primero consiste en que esta facultad se ubica exclusivamente en el supuesto de preguntas nuevas («una vez respondidas las preguntas», dice el art. 306.1 al principio, se podrán hacer «nuevas preguntas»), con lo que se plantea la duda de si el juez, directamente al comienzo de la vista, y sin perjuicio del derecho de las partes de interrogar, puede comenzar él el interrogatorio preguntando lo que desee acerca de los hechos controvertidos. Si atendemos al papel del juez en el proceso civil, la facultad judicial únicamente sería factible cuando las partes ya hubieran preguntado y se hubiera respondido a las preguntas. Lo contrario sería dar cauce a un juez inquisidor, totalmente contrario a nuestro sistema de enjuiciamiento civil.

➢ El segundo tema hace referencia a quién puede preguntar primero cuando se han dado las respuestas iniciales, si el juez o las partes. Como no se indica el orden en ese párrafo, a diferencia de lo que ocurre con las partes, entendemos que el juez debe ser el que interrogue el último, pues se trata con sus preguntas sólo de «aclaraciones y adiciones», lo que supone que ha acabado ya el interrogatorio de las partes. Debe tenerse en cuenta que las preguntas nuevas (que no fueran aclaración o complemento de una respuesta anterior) hechas por el juez no pueden llegar a suponer la introducción de hechos en el proceso por el órgano jurisdiccional, porque ello es contrario a los principios informadores del proceso civil y del papel del juez en el mismo.

C) Lugar

La declaración de las partes y personas obligadas se realiza normalmente en la sede del órgano jurisdiccional, por la obvia razón de que es allí donde tiene lugar oralmente el acto del juicio o vista, y así se declara expresamente en el art. 169.4, I, pero a veces no es posible.

En concreto ello sucede en los siguientes casos:

➤ Interrogatorio en el domicilio del declarante: Es posible en el caso previsto en los arts. 311 y 312, por causa de enfermedad o dándose circunstancias especiales.

➤ Declaración por auxilio judicial: Se acude al auxilio judicial para su práctica, si se está en alguno de los casos del art. 169.4, II, y siempre teniendo en cuenta que se prefiere el interrogatorio con inmediación.

D) Cargas del declarante

Las cargas que tiene el interrogado son tres:

a) Comparecer: Puesto que es un acto personal de parte (o de tercero), ésta debe comparecer personalmente para escuchar las preguntas y responderlas. Para ello deberá ser citada correctamente, una sola vez, pudiendo ser sancionada en caso contrario con multa y con tener por admitidos los hechos personales que le sean perjudiciales, de lo que será apercibida (arts. 292.4 y 304). Naturalmente, es posible que la incomparecencia esté justificada, en cuyo caso la vista ha de suspenderse, conforme al art. 188.1, 4°;

b) Declarar: El interrogado debe contestar a las preguntas, pudiendo ser considerados los hechos, frente a su negativa a hacerlo, o si da respuestas evasivas o inconcluyentes, como ciertos, si fueren personales y le resultaran perjudiciales, salvo que se ampare en una obligación legal de guardar secreto (art. 307); y

c) Además de comparecer y declarar, el interrogado debe responder a las preguntas categóricamente de acuerdo con el modo previsto en el art. 305, al que nos referiremos enseguida.

E) Interrogatorio cruzado

Una de las novedades de la LEC, que venía exigida al ser un acto totalmente oral, es la prescripción de que el acto del interrogatorio de las partes se desarrolle al modo como se practica en el sistema adversarial anglosajón (*cross examination* o «cruzado»), y entre nosotros «libre» (EM LEC XI, pár. 7), es decir, preguntando una parte después de la otra de manera recíproca, y contestando la otra de igual forma, sin sujeción a rigideces formales, de manera que la declaración surja espontánea y cómodamente (art. 306.1 y 2).

Se ha procedido a la supresión del «pliego de posiciones» (escrito de parte en el que se contenían las preguntas que debían hacerse a la parte contraria), aunque el mismo sigue existiendo en el interrogatorio domiciliario (art. 311.2), en el realizado por auxilio judicial (art. 313) y en el privilegio de los organismos públicos (art. 315).

F) Modo de responder al interrogatorio

La LEC es muy clara al respecto estableciendo cómo se responde y de qué tenor han de ser las respuestas:

a) La parte interrogada responderá por sí misma, sin valerse de ningún borrador de respuestas.

Ante las dificultades que ello puede suponer en ciertos casos, dado que a nadie se le puede exigir una memoria portentosa, el juez puede permitirle consultar en el acto documentos y notas o apuntes (art. 305.1).

b) Las respuestas serán afirmativas o negativas y, de no ser ello posible según el tenor de las preguntas, serán precisas y concretas. El declarante podrá agregar, en todo caso, las explicaciones que estime convenientes y que guarden relación con las cuestiones planteadas (art. 305.2).

G) Incomunicación de los declarantes

Norma previsora de gran importancia, el art. 310 dispone que cuando sobre unos mismos hechos controvertidos hayan de declarar dos o más partes o terceros, se adoptarán las medidas necesarias para evitar que puedan comunicarse y conocer previamente el contenido de las preguntas y de las respuestas, lo que también habrá que hacer cuando deban ser interrogados varios litisconsortes. No debe bastar con habilitar cualquier sala al respecto, *v.gr.*, la de espera, sino que la incomunicación ha de ser real y efectiva.

6. *Valoración*

Explicados en la lección anterior los criterios generales de valoración, hay que decir ahora que la prueba de interrogatorio de parte no se somete a un sistema de valoración único, pues cabe tanto la legal como la libre.

A) Las *reglas legales* de valoración de la prueba de interrogatorio de la parte son tres, una en función de lo declarado, y las otras dos como consecuencia de ciertas conductas no debidas del obligado a declarar:

a) Si no lo contradice el resultado de las demás pruebas, en la sentencia se considerarán ciertos los hechos que una parte haya reconocido como tales, si en ellos intervino personalmente y su fijación como ciertos le es enteramente perjudicial (art. 316.1). Por tanto, los hechos desfavorables reconocidos pasan a formar parte de la sentencia.

La novedad, importante, reside en que la valoración deja de ser legal si los resultados probatorios quedan contradichos por otras pruebas, *v.gr.*, la testifical o la documental, aun a pesar del reconocimiento de los hechos en los que intervino personalmente por la parte. Dándose esta contradicción, la valoración es libre. Esto es consecuencia en cierta manera de la práctica anterior a la LEC, que exigía alejarse del automatismo de la regla legal, si una apreciación conjunta de la prueba desmentía fundadamente el reconocimiento o admisión de hechos (EM LEC XI, pár. 8).

b) Si la parte citada para el interrogatorio no compareciere en la vista o juicio, el juez podrá considerar reconocidos como ciertos los hechos en que dicha parte hubiese intervenido personalmente y cuya fijación como ciertos le sea enteramente perjudicial, además de imponerle la multa prevista en el art. 304 (la apreciación probatoria por *ficta confessio* no es sin embargo automática y está sometida a requisitos estrictos, v. S TS núm. 21/2021, de 21 de enero, RJ 2021\98).

c) Si la parte llamada a declarar se negare a hacerlo, el tribunal la apercibirá en el acto de que, salvo que concurra una obligación legal de guardar secreto, puede considerar reconocidos como ciertos los hechos a que se refieran las preguntas, siempre que el interrogado hubiese intervenido en ellos personalmente y su fijación como ciertos le resultare perjudicial en todo o en parte (art. 307.1).

B) En todo lo demás, el sistema que rige es el de *valoración libre* de esta prueba, o reglas de la sana crítica (art. 316).

II. LA PRUEBA DOCUMENTAL

El paso del tiempo ha ido resaltando que el proceso civil sigue siendo el reino del documento, aunque éste va acomodándose a las nuevas circunstancias.

1. *Concepto*

El documento adquiere una extraordinaria importancia cuando constituye el medio principal de fijar la contratación originada por el tráfico jurídico de nuestros tiempos. Las partes contratantes no piensan en los futuros procesos a la hora de estampar por escrito sus estipulaciones, y en este sentido se dice que la prueba documental tiene carácter preconstituido, pero lo cierto es que de tenerse que llegar al proceso, el documento es un magnífico instrumento para formar la convicción del juez.

Cualquier definición de documento es válida siempre que refleje a su autor, al material y su contenido. Así, podríamos decir que documento es un objeto, por tanto, algo material, de naturaleza real, en el que consta por escrito una declaración de voluntad de una persona o varias, o bien la expresión de una idea, pensamiento, conocimiento o experiencia.

Esta definición doctrinal, basada en un concepto de escritura con relación al documento que influye claramente las normas del CC al respecto, tiene hoy más sentido, pues los otros medios, como por ejemplo las películas y otros avances tecnológicos de nuestra época, que en la etapa legislativa anterior no se contemplaban expresamente y que se equiparaban a los documentos para favorecer su aportación al proceso, tienen hoy su propio cauce (arts. 382 a 384 LEC).

La prueba documental tiene normas conformadoras en varios cuerpos legales, pues no sólo se regula en la LEC, su sede natural, sino también en el CC (por cierto, de los arts. 1216 a 1230, en los que se fijan las reglas a que se someten los documentos públicos y privados, sólo se ha derogado por la Disp. Derogatoria 2, 1º LEC el art. 1226, a pesar de que hay otros muchos que no son sustantivos, sino procesales), en el CdC, en la Ley del Notariado de 1862, y en el Reglamento Notarial de 1944.

2. *Clases*

La doctrina establece siempre, a la hora de estudiar este medio de prueba, unas clasificaciones de los documentos más o menos completas.

Se habla así, en general, por un lado, de documentos notariales, judiciales y administrativos, teniendo en cuenta el funcionario que autoriza el documento: El notario, el juez, o un funcionario administrativo; por otro, se habla también de documentos auténticos, indubitados, legítimos y legalizados, de acuerdo con la relación entre determinada cualidad del sujeto que autoriza el documento, y un acto procesal particular; también se habla de documentos constitutivos y testimoniales, según se contenga un determinado acto o negocio jurídico, o se limiten a proporcionar un dato o extremo relativo a un negocio jurídico; de documentos extranjeros y autonómicos, en función del país de origen y lengua; y finalmente, de documentos públicos y privados.

Esta clasificación en públicos y privados es la tradicional, y así se reconoce expresamente como medio de prueba por la LEC en ambos casos, documentos públicos (art. 299.1-2º), y documentos privados (art. 299.1-3º), estando pensada en función de los sujetos que intervienen en el documento. La forma del documento y el sujeto que lo autoriza califican al documento público; por el contrario, el que no reúne solemnidades específicas ni está autorizado por funcionario competente, es el documento privado.

A) Públicos

Conforme al art. 1.216 CC «son documentos públicos los autorizados por un Notario o empleado público competente, con las solemnidades requeridas por la ley». La LEC realiza una enumeración de los documentos que considera públicos.

En efecto, de acuerdo con el art. 317: A efectos de prueba en el proceso, se consideran documentos públicos:

1º Las resoluciones y diligencias de actuaciones judiciales de toda especie y los testimonios que de las mismas expidan los Letrados Judiciales.

2º Los autorizados por Notario con arreglo a Derecho.

3º Los intervenidos por Corredores de Comercio Colegiados (hoy notarios) y las certificaciones de las operaciones en que hubiesen intervenido, expedidas por ellos con referencia al Libro Registro que deben llevar conforme a Derecho.

4º Las certificaciones que expidan los Registradores de la Propiedad y Mercantiles de los asientos registrales.

5º Los expedidos por funcionarios públicos legalmente facultados para dar fe en lo que se refiere al ejercicio de sus funciones.

6º Los que, con referencia a archivos y registros de órganos del Estado, de las Administraciones públicas o de otras entidades de Derecho público, sean expedidos por funcionarios facultados para dar fe de disposiciones y actuaciones de aquellos órganos, Administraciones o entidades.

B) Públicos extranjeros

La LEC hace una referencia específica de los documentos públicos extranjeros, que son aquéllos a los que, en virtud de tratados o convenios internacionales o de leyes especiales, haya de atribuírseles la fuerza probatoria prevista en el artículo 319 (art. 323.1).

Cuando no sea aplicable ningún tratado o convenio internacional ni ley especial, se considerarán documentos públicos los que reúnan los requisitos fijados en el art. 323.2: 1) Que en el otorgamiento o confección del documento se hayan observado los requisitos que se exijan en el país donde se hayan otorgado para que el documento haga prueba plena en juicio; y 2) Que el documento contenga la legalización o apostilla y los demás requisitos necesarios para su autenticidad en España.

Si los documentos extranjeros contienen declaraciones de voluntad, el art. 323.3 establece una regla probatoria legal, pues se tiene por probada la existencia de éstas, pero no su contenido, porque su eficacia será la que determinen las normas españolas y extranjeras aplicables en materia de capacidad, objeto y forma de los negocios jurídicos.

C) Privados

Explicado anteriormente el concepto de documento, determinar cuáles de ellos tienen naturaleza de privado es fácil si se opera por vía negativa, pues son documentos privados todos aquéllos que no son públicos (art. 324 LEC); por tanto, los que no interviene un funcionario público, teniendo en cuenta que también lo son los documentos públicos defectuosos (art. 1.223 CC).

Los documentos privados, por otra parte, son imposibles de clasificar, ya que no se exigen requisitos de forma, ni siquiera que estén firmados. La LEC tan sólo hace referencia, como variedad, a los libros de los comerciantes, remitiéndose a las leyes mercantiles (art. 327).

D) Documentos electrónicos

La Ley 6/2020, de 11 de noviembre, regula en su art. 3 los documentos electrónicos públicos, administrativos y privados, con valor y eficacia jurídica de acuerdo con su naturaleza, rigiéndose su prueba por el art. 326 LEC. Esta ley, que deroga la Ley 590/2003, de 19 de diciembre, de firma electrónica, es muy trascedente para los contratos celebrados por vía electrónica (art. 24.2 de la Ley 34/2002, de 11 de julio, de servicios de la sociedad de la información y de comercio electrónico). Como es de suponer, estas previsiones son particularmente relevantes respecto a los documentos notariales (art. 17 bis de la Ley del Notariado de 1862) y procesales (arts. 27 y 28 de la Ley 18/2011, de 5 de julio, reguladora del uso de las tecnologías de la información y la comunicación en la Administración de Justicia).

3. Procedimiento probatorio

La prueba documental tiene un procedimiento probatorio muy simple, que puede reducirse prácticamente a la presentación del documento por la parte. Cuando la parte que desea utilizar un documento no dispone del mismo aparece la exhibición.

Debe estarse igualmente a las previsiones de la Ley 42/2015, de 5 de octubre, sobre la obligatoriedad de presentación de escritos y documentos por medios telemáticos, especialmente la reforma de los arts. 162 LEC y concordantes que implica (ver lecciones 16ª y 17ª del vol. 1de esta obra).

A) Momento de la presentación

Cuando la parte dispone del documento que desea presentar debe acompañarlo a la demanda y a la contestación a la misma. Esos son los momentos ordinarios de la presentación, y la consecuencia de no hacerlo así es que no podrá ya presentarse en un momento posterior (arts. 265 y 269).

Frente a la regla general anterior existen dos excepciones:

➢ Podrá el actor presentar en la audiencia previa del juicio ordinario o en la vista del juicio verbal los documentos cuya relevancia se haya puesto de manifiesto a consecuencia de las alegaciones efectuadas por el demandado al contestar a la demanda (arts. 265.3 y 272).

➢ Cualquiera de las partes podrá presentar fuera del momento preclusivo anterior, pero no después del juicio (ordinario) o vista (verbal) (art. 271.1, con las excepciones del párrafo 2), los documentos que se encuentren en alguno de los casos del art. 270: 1º) Ser de fecha posterior a la demanda o a la contestación o, en su caso, a la audiencia previa al juicio, siempre que no se hubiesen podido confeccionar ni obtener con anterioridad a dichos momentos procesales; 2º) Tratarse de documentos anteriores a la demanda o contestación o, en su caso, a la audiencia previa al juicio, cuando la parte que los presente justifique no haber tenido antes conocimiento de su existencia; y 3º). No haber sido posible obtener con anterioridad los documentos, por causas que no sean imputables a la parte, siempre que haya hecho oportunamente la designación a que se refiere el apartado segundo del artículo 265, o en su caso, el anuncio al que se refiere el número 4º del apartado primero del artículo 265 de la presente Ley.

B) Forma de la misma

Atendida las clases de documentos es distinto el modo de aportación al proceso:

a) Públicos: Estos documentos se aportan al proceso por medio de copia auténtica (notariales), certificación (administrativos) o testimonio (judiciales), quedando el original en el protocolo o archivo correspondiente. Sólo en algunos casos excepcionales se presenta en original (póliza de contratos mercantiles).

Este tipo de documentos puede presentarse en copia simple, que surtirá pleno valor probatorio si no se impugna su autenticidad. Impugnada se llevará a las actuaciones el original, la copia, o la certificación (art. 267).

b) Privados: Se presentarán en original.

Cabe también la presentación en copia autenticada por fedatario público (art. 268.1) e, incluso, en copia simple, con pleno valor probatorio si la parte contraria no impugna la conformidad de la copia con el original (art. 268.2).

En general debe tenerse en cuenta: 1°) Que es posible una presentación de los documentos públicos y de los privados, además de en formato papel, en soporte electrónico a través de imagen digitalizada incorporada como anexo, que habrán de ir firmados mediante firma electrónica reconocida; y 2°) Que si la parte no dispone de la copia, certificación o testimonio o del original privado, la presentación puede consistir en la designación del protocolo o archivo, expediente o registro en que se encuentra el original, si bien el art. 265.2 es restrictivo sobre esta posibilidad.

Requisito especial es el relativo a la lengua. El art. 144 LEC se refiere a los documentos redactados en idioma que no sea el castellano o, en su caso, la lengua oficial propia de la Comunidad de que se trate, exigiendo que el documento se presente con la traducción del mismo. Para los documentos en lengua oficial propia de la Comunidad debe estarse al art. 142.4 LEC (el art. 231 LOPJ no ha sido derogado).

C) Impugnación de la autenticidad

En la prueba documental prácticamente no existe actividad probatoria distinta de la presentación. Por eso el art. 289.3 dice que se llevará a cabo ante el letrado de la administración de justicia la presentación de documentos, con lo que no son necesarias ni la inmediación ni la presencia judicial. Esa actividad aparece realmente sólo cuando se impugna por la parte el documento presentado por la contraria.

En general debe tenerse en cuenta que las partes han de pronunciarse sobre los documentos aportados de contrario en la audiencia previa, en la que han de manifestar si los admite, impugna o reconoce o si, en su caso, propone prueba acerca de su autenticidad (art. 427.1) y también que si no se realiza la impugnación tendrán pleno valor probatorio (art. 318 para los públicos, art. 326.1 y 2 para los privados, y art. 326.3 y 4 para los documentos privados electrónicos).

a) Públicos: La impugnación puede referirse a aspectos muy distintos. Esos aspectos atienden al objeto de lo impugnado:

➢ La correlación de la copia auténtica, de la certificación o del testimonio con el original: La autenticidad se establecerá por el cotejo que realizará el letrado de la administración de justicia de conformidad con lo establecido en al art. 320. Se trata de comparar la copia, certificación o testimonio con el original para ver si aquéllos coinciden con éste o si están completos. Y ello aunque se hayan presentado en soporte electrónico, informático o digital.

Cuando lo que se presentó en juicio fue el original, caso de las pólizas de los contratos mercantiles intervenidas por notarios, no es posible el cotejo y entonces el art. 320 habla de comprobación, es decir, de que el original de la póliza coincida con los datos esenciales de la misma que el notario hubo de hacer constar en Libro registro.

En algunos casos el cotejo o la comprobación es imposible, y entonces los documentos tienen que hacer prueba sin necesidad de uno u otra, aunque puede ser posible el cotejo de letras, que es cosa distinta (art. 322).

➢ La falsedad del documento original, bien se haya presentado por la parte, bien se trate del que consta en protocolo o archivo. Con ello aparece la cuestión prejudicial penal regulada en el art. 40.4 (lección 2ª).

La impugnación del documento puede referirse a su falsedad ideológica, es decir, a que lo que se dice en el mismo no se corresponde con la realidad, pero en este caso, al no tratarse ni de la autenticidad ni de la falsedad formal, esa falsedad ha de demostrarse en el mismo proceso y por los demás medios de prueba.

b) Privados: Estos documentos se presentan normalmente en original y la impugnación (sin perjuicio de la posibilidad de alegar la falsedad del documento privado, lo que dará lugar a la cuestión prejudicial prevista en el art. 40.4 LEC), se referirá a su carencia de autenticidad. Formulada la impugnación debe acudirse, bien al cotejo de letras (que es una prueba pericial específica, arts. 349 a 351), bien a cualquier medio de prueba que se estime útil y pertinente al efecto (art. 320.2).

Dado el deber de las partes de pronunciarse sobre la autenticidad de los documentos presentados por la contraria precisamente en la audiencia previa (o en la vista si se trata de juicio verbal), normalmente no habrá lugar al llamado reconocimiento del documento por la parte a quien perjudica. En esa audiencia la parte o admite el documento o lo impugna, no debiéndole admitirse respuestas evasivas. Al reconocimiento se sigue refiriendo el art. 289.3 para decir que es acto que se realiza ante el letrado de la administración de justicia (sin inmediación ni presencia judicial) y habrá que entender que ese reconocimiento es posible cuando el documento privado se ha presentado después de la audiencia previa.

Supuesto especial es el de las copias reprográficas (es decir, de las fotocopias) para el que el art. 334 prevé que si la parte a quien perjudiquen impugna la exactitud de la reproducción se procederá al cotejo con el original, aunque es posible que las partes propongan prueba pericial. Si no puede establecerse la correlación de la fotocopia con el original su valor probatorio se determinará por las reglas de la sana crítica.

Téngase en cuenta que la impugnación de un documento electrónico privado o de la autenticidad de su firma electrónica, se realiza de acuerdo con las previsiones del ap. 3 al art. 326 LEC.

4. Exhibición de documentos

En todo lo anterior hemos partido del presupuesto de que la parte que quiere presentar un documento como medio de prueba dispone del mismo o, en último caso, que ese documento puede presentarse por el medio que es la designación del protocolo, archivo o registro en que se encuentra. La situación es distinta cuando la parte no puede disponer del documento, y para la misma los arts. 328 a 333 prevén la obligación de exhibir, que puede referirse a:

A) Las partes

Cada parte podrá solicitar de las demás la exhibición de documentos que no se hallen a disposición de la primera y que se refieran a los hechos objeto del proceso o a la eficacia de otros medios de prueba (art. 328.1).

En los procesos seguidos por infracción de un derecho de propiedad industrial o de un derecho de propiedad intelectual, cometida a escala comercial, la solicitud de exhibición podrá extenderse, en particular, a los documentos bancarios, financieros, comerciales o aduaneros producidos en un determinado período de tiempo y que se presuman en poder del demandado. La solicitud deberá acompañarse de un principio de prueba que podrá consistir en la presentación de una muestra de los ejemplares, mercancías o productos en los que se hubiere materializado la infracción. A instancia de cualquier interesado, el tribunal podrá atribuir carácter reservado a las actuaciones, para garantizar la protección de los datos e información que tuvieran carácter confidencial (art. 328.3).

Procedimentalmente es necesaria una solicitud de exhibición, que podrá hacerse bien por escrito, bien oralmente en la audiencia previa. Dados los efectos de la negativa a exhibir, la parte solicitante presentará copia simple del documento, si dispone de ella, o, en caso contrario, indicará en los términos más exactos posibles el contenido del documento.

Ante ese requerimiento, que se realizará normalmente en la forma prevista en el art. 161, aunque nada impide que sea oral en la audiencia previa, la parte requerida puede:

➤ Atenderlo y exhibir el documento: La exhibición supone, no la aportación del documento a las actuaciones, sino la realización de testimonio del mismo por el letrado, pudiendo la parte obligada exigir que ese testimonio se libre en su propio domicilio.

➤ No exhibirlo con negación injustificada: El tribunal, tomando en consideración las restantes pruebas, podrá atribuir valor probatorio a la copia simple presentada por el solicitante de la exhibición o a la versión que del contenido del documento hubiese dado (art. 329.1).

Siempre en el caso de negativa injustificada, el tribunal, en lugar de lo antes dispuesto, podrá formular requerimiento, mediante providencia, para que los documentos cuya exhibición se solicitó sean aportados al proceso, cuando así lo aconsejen las características de dichos documentos, las restantes pruebas aportadas, el contenido de las pretensiones formuladas por la parte solicitante y lo alegado para fundamentarlas (art. 329.2).

3º) No exhibirlo justificadamente: Si la negativa puede ser injustificada es porque también podrá ser justificada, en cuyo caso no habrá lugar a las consecuencias negativas indicadas en el art. 329.

B) Terceros

Partiendo de que no son terceros a estos efectos los titulares de la relación jurídica controvertida, o de las que sean causa de ella, aunque no figuren como partes en el juicio, el art. 330 se muestra reacio a imponer a los terceros el deber de exhibir documentos que sean de su propiedad y por eso dice que sólo se les requerirá a hacerlo cuando, habiéndolo pedido una de las partes, el tribunal entienda que el conocimiento del documento resulta trascendente a los fines de dictar sentencia.

Para determinar esa trascendencia el tribunal ordenará la comparecencia personal del tercero y, tras oírle, resolverá lo procedente. Si desestima la petición de la parte no cabe recurso alguno, pero la parte podrá reproducir la petición en la segunda instancia, al recurrir contra la sentencia. Si estima la petición, ordenará al tercero exhibir el documento, pero le impondrá presentarlo en el tribunal, por lo que el letrado procederá a testimoniarlo en el domicilio del tercero.

Lo que no se resuelve en el art. 330 es qué sucede si, a pesar de todo, el tercero incumple el mandato judicial de exhibición, siendo dudoso que quepa hablar de mandato de entrada y registro domiciliario o de delito de desobediencia.

C) Entidades de Derecho público

Deben entenderse incluidas en este apartado todas las entidades de Derecho público y todas las entidades y empresas que realicen servicios públicos o estén encargadas de actividades de cualquier administración. Todas ellas no podrán negarse a expedir las certificaciones o testimonios que les sean solicitados por los tribunales ni oponerse a exhibir los documentos que obren en sus dependencias y archivos, excepto cuando se trate de prueba documental legalmente declarada o clasificada como de carácter reservado o secreto (art. 332).

En todos los casos anteriores de partes, terceros y entidades de Derecho público, tratándose de dibujos, fotografías, croquis, planos, mapas y otros documentos que no incorporen predominantemente textos escritos, dispone el art. 333 que si únicamente existiese el original, la parte podrá solicitar que en la exhibición se obtenga copia, a presencia del LAJ, que dará fe de ser fiel y exacta reproducción del original; y si se aportan en forma electrónica, las copias realizadas por la Oficina Judicial tendrán la consideración de copias auténticas.

5. *Valoración*

Estamos ante otro caso, como vimos en la prueba de interrogatorio de las partes, en el que coexisten el sistema de libre valoración de la prueba con el sistema de prueba tasada:

A) Documentos públicos

El tema reviste cierta complejidad, porque el documento público es un medio de prueba cuyo valor viene determinado por la ley, es decir, estamos ante una prueba tasada, pero no siempre ni con extensión ilimitada. Al respecto hay que tener claras las siguientes reglas:

a) Para que tengan los documentos públicos el valor probatorio legal que ahora explicaremos, se han de aportar al proceso en original, o por copia o certificación fehaciente, o copia simple no impugnada, o impugnada sin éxito (art. 318 LEC). En caso de que se haya expedido testimonio o certificación fehacientes de sólo una parte de un documento, no hará prueba plena mientras no se complete con las adiciones que solicite el litigante a quien pueda perjudicarle (art. 321 LEC).

La legislación específica precisa estas cuestiones:

> Dado que el notario, tratándose de escrituras públicas, tiene constancia personal de la fecha y del hecho que motiva su otorgamiento, estos datos hacen prueba incluso contra tercero (art. 1218, I CC), salvo la

excepción prevista en el art. 1219 CC, conforme al cual: «Las escrituras hechas para desvirtuar otra escritura anterior entre los mismos interesados, sólo producirán efectos contra terceros cuando el contenido de aquéllas hubiere sido anotado en el registro público competente o al margen de la escritura matriz y del traslado o copia en cuya virtud hubiera procedido el tercero».

➢ Habiendo intervenido en la formación del documento alguna de las partes, hace prueba legal para ellas y sus causahabientes, respecto a las declaraciones efectuadas por ellos y consignadas en el documento (art. 1218, II CC).

➢ Sin embargo, si se trata de una escritura de reconocimiento de un acto o contrato anterior, no hacen prueba legal contra el documento que lo contuviera si se apartan de él por exceso o por defecto, salvo que conste expresamente la novación (art. 1224 CC).

➢ Finalmente, en cuanto al valor de las copias hay que estar a lo dispuesto en los arts. 1220 y 1221 CC. Este último precepto nos dice qué copias hacen prueba cuando haya desaparecido el documento original.

b) Los documentos públicos que se encuentren en el caso anterior, comprendidos en el art. 317, todos sin excepción, harán prueba plena del hecho, acto o estado de cosas que documenten, de la fecha en que se produce esa documentación y de la identidad de los fedatarios y demás personas que, en su caso, intervengan en ella (art. 319.1 LEC, regla probatoria legal).

Recordemos que también se recogen reglas valorativas legales en los arts. 320 (cotejo), 321 (testimonio o certificación incompleta), 322 (documentos no susceptibles de cotejo) y 323 (documentos extranjeros) LEC, en la parte en donde no se puede prescindir de la fijación conforme a ley del documento.

c) La fuerza probatoria de los documentos administrativos no comprendidos en los números 5º y 6º del art. 317 a los que las leyes otorguen el carácter de públicos, será la que establezcan las leyes que les reconozcan tal carácter. En defecto de disposición expresa en tales leyes, los hechos, actos o estados de cosas que consten en los referidos documentos se tendrán por ciertos, a los efectos de la sentencia que se dicte, salvo que otros medios de prueba desvirtúen la certeza de lo documentado (art. 319.2 LEC, regla probatoria también adscrita al sistema de valoración tasado).

Para todos los demás casos, es decir, documentos que pudieran calificarse de públicos no comprendidos en el listado del art. 317, o las partes de los documentos públicos recogidos en ese precepto, pero no mencionadas en el art. 319.1, rige el sistema de libre valoración o de sana crítica. La LEC se ve obligada a precisar, por la excepción que significa a favor de la libertad probatoria, que en materia de usura, los tribunales resolverán en cada caso formando libremente su convicción sin vinculación a lo establecido en el apartado primero del art. 319 (art. 319.3 LEC).

B) Documentos privados

La fuerza probatoria del documento privado está en función de su autenticidad, bien por reconocimiento de la parte a quien perjudica, bien por cotejo de letras y firma, antes vistas. Las reglas al respecto son igualmente complejas. La LEC parte del principio de que «los documentos privados harán prueba plena en el proceso, en los términos del artículo 319, cuando su autenticidad no sea impugnada por la parte a quien perjudiquen» (art. 326.1).

El CC precisa determinadas reglas de valor legal:

➢ De acuerdo con el art. 1225 CC, el documento privado reconocido legalmente tiene el mismo valor que la escritura pública entre los firmantes y sus causahabientes;

➢ Las garantías respecto a la fecha del documento privado se recogen, afectando a terceros, en el art. 1227 CC: Para éstos la fecha se cuenta desde el día en que el documento hubiere sido incorporado o inscrito en un registro público, desde la muerte de algún firmante o desde aquél en que se entregó a un funcionario público por razón del cargo. O sea, que ni siquiera la fecha consignada en el documento, salvo que se esté en uno de esos casos, tiene valor probatorio legal frente a terceros;

➢ Los documentos privados hechos para alterar lo pactado en escritura pública, carecen de efectos frente a terceros (art. 1230 CC); y

➢ Los documentos surgidos unilateralmente, como asientos, registros, papeles privados, notas, etc., tienen valor probatorio legal en el caso previsto en los arts. 1228 y 1229 CC.

En todos los demás supuestos no reflejados anteriormente, los documentos privados son valorados libremente por el juzgador. La LEC dice expresamente que cuando no se pudiere deducir su autenticidad o no se hubiere propuesto prueba alguna, el juez lo valorará conforme a las reglas de la sana crítica (art. 326.2, II in fine).

Lección 13ª

LOS MEDIOS DE PRUEBA EN CONCRETO (II)

JUAN-LUIS GÓMEZ COLOMER

BIBLIOGRAFÍA BÁSICA

ESPARZA LEIBAR, I., *El dictamen de peritos en la Ley 1/2000, de Enjuiciamiento Civil*, Tirant lo Blanch, Valencia, 2000.

FLORES PRADA, I., *La prueba pericial de parte en el proceso civil*, Tirant lo Blanch, Valencia, 2005.

GONZÁLEZ CANO, M. I., *La prueba*, tomo I, Tirant lo Blanch, Valencia, 2017.

LÓPEZ YAGÜES, V., *La prueba de reconocimiento judicial en el proceso civil*, La Ley, Madrid, 2005.

MONTERO AROCA, J., *La prueba en el proceso civil* (7ª edición), Civitas, Madrid, 2012.

PICÓ I JUNOY, J., *La prueba pericial a examen*, Bosch, Barcelona, 2020.

I. LA PRUEBA PERICIAL

El dictamen de peritos o prueba pericial es un medio concreto de prueba (art. 299.1, 4º, LEC), en virtud del cual una persona con conocimientos especializados (científicos, artísticos, técnicos o prácticos), que el juez no tiene, ajena al proceso, los aporta al mismo para que el órgano jurisdiccional pueda valorar mejor los hechos o circunstancias relevantes en el asunto, o adquirir certeza sobre ellos (art. 335.1, primera frase). Aparece regulada básicamente en los arts. 335 a 352 LEC).

1. Concepto de prueba pericial, naturaleza y admisibilidad

La prueba pericial es, como la testifical, una prueba de naturaleza personal, puesto que es una persona, el perito, quien dictamina e informa al juez. Es útil recordar ahora que, con relación a la distinción entre fuentes y medios de prueba, el perito y sus conocimientos especializados que van a servir para la valoración judicial de los hechos es la fuente de prueba, mientras que el informe que prestará en el proceso a través del procedimiento establecido para ello es el medio de prueba. Consecuentemente, habrá que distinguir aquí también entre prueba pericial y perito.

Para nosotros el perito es un auxiliar del órgano jurisdiccional, porque complementa la capacidad de juicio del juez proporcionándole unas máximas de experiencia que desconoce o no sabe aplicar.

El legislador exige, para que la prueba pericial sea admisible, que sean necesarios conocimientos especializados, como acabamos de ver, para valorar hechos o circunstancias relevantes. En realidad, existen requisitos subjetivos y objetivos a la hora de considerar este tema:

A) En cuanto a las personas que pueden ser peritos: Más adelante estudiaremos las causas de recusación del perito. Ahora hay que tener en cuenta:

➢ Que la intervención como perito es incompatible con la condición de juez en el mismo proceso, pues es causa de recusación (arts. 219-5º LOPJ, y 99.2 LEC); y

➢ Que la parte no puede ser admitida como perito en el proceso.

B) Por lo que se refiere al objeto: Del art. 335 LEC se deduce claramente que la prueba pericial es necesaria, en principio, cuando se requieran, para fijar unos hechos o averiguar su naturaleza, determinados conocimientos científicos, artísticos, técnicos o prácticos que el juez no posee.

Por lo mismo, es evidente que el objeto de la pericia puede ser cualquiera de las ciencias o de las artes, salvo el conocimiento del Derecho, pues del mismo se presume conocedor al juez. Por ello los informes elaborados por juristas que se presentan ante los tribunales acompañando a escritos de parte, *v.gr.*, de catedráticos de Derecho, nunca pueden ser considerados dictámenes periciales, sino escritos de ampliación de la fundamentación jurídica de aquéllos de los que traen causa, como la demanda o su contestación, como el recurso o su oposición.

Pero la prueba pericial puede tener un carácter instrumental, pues a veces es necesario acudir a ella cuando sea necesario o conveniente para conocer el contenido o sentido de una prueba o para proceder a su más acertada valoración. Esto ocurrirá cuando se desee saber técnicamente cómo se ha obtenido determinada palabra, imagen, o sonido, o cómo se han archivado determinadas palabras, datos, cifras y operaciones matemáticas, relevantes para el proceso, o se haya llegado a resultados probatorios de utilidad por cualquier otro medio (art. 299.2 y 3). Pues bien, en estos casos, las partes, no el juez de oficio, podrán aportar o proponer dictámenes periciales sobre esos otros medios de prueba admitidos por el juez (art. 352 LEC).

Finalmente, existen determinados supuestos, muy concretos y escasos, en los que la ley obliga al juez a practicar prueba pericial, como ocurre en caso de impugnación de patentes (art. 120.7 LPat).

2. Concepto de perito

Perito es un tercero, o sea, una persona ajena al proceso, que posee unos conocimientos técnicos especializados, tenga título profesional o no, y que los vierte en el mismo tras haberlos aplicado en el estudio de los hechos o de otros elementos objeto de prueba.

De esta definición se deducen las siguientes características:

➢ Puede ser una persona física o jurídica. Este último caso está previsto expresamente en el art. 340.2 LEC, pues cuando el dictamen pericial exija operaciones o conocimientos científicos especiales, el juez podrá pedir el informe a una academia, institución cultural o científica que se ocupe del estudio de las materias correspondientes al objeto de la pericia, o persona jurídica que esté legalmente habilitada para ello. Ahora bien, la pericia en sentido estricto ha de ser realizada materialmente por una persona física y de ahí el apartado 3 del art. 340.

➢ El perito no ha presenciado los hechos, o no es traído al proceso por esta circunstancia, sino que es buscado precisamente por poseer esos conocimientos técnicos especializados a que hacíamos referencia. No tiene importancia la forma y método de adquisición de los mismos, ni siquiera que posea un título oficial que le faculte para ejercer la profesión, en cuyo caso deberá ser un entendido en la materia, aunque la ley prefiera lógicamente a los titulados (art. 340.1 LEC).

En cuanto a las condiciones para ser perito, y en relación con las características anteriormente apuntadas, van a depender de las especialidades existentes y normativa aprobada para acceder a la titulación correspondiente. En principio, hay tantos peritos cuantas profesiones existen, si bien aquí deben excluirse obviamente las jurídicas.

El art. 340.1 LEC establece como condición general que el perito posea el título oficial que corresponda a la materia objeto del dictamen y a la naturaleza de éste, y si se trata de materias que no estén comprendidas en títulos profesionales oficiales, habrán de ser nombrados entre personas entendidas en aquellas materias.

3. Recusación y tacha del perito

La ley quiere que el perito proceda a elaborar su dictamen de una forma objetiva. Esto es básico si tenemos en cuenta la labor de auxilio al juez que realiza el perito. Pues bien, para garantizar la imparcialidad se concede a las partes el derecho de recusar a los peritos, y para poner de manifiesto alguna circunstancia que pone en duda su imparcialidad aparece la tacha.

Naturalmente el perito designado por el tribunal tiene el deber de abstenerse cuando en él concurre una causa de recusación (art. 105), lo que confirma su naturaleza de auxiliar del órgano judicial.

A) Recusación

Si el perito, tanto el titular como el suplente, ha sido designado por el juez mediante sorteo, sólo podrá ser recusado en los términos previstos en los arts. 125 a 128 LEC (arts. 124.1 y 343.1 LEC). Con la recusación lo que se persigue es que una persona no llegue a desempeñar el cargo de perito en un proceso concreto

Las causas son las previstas en el art. 219 LOPJ, más las añadidas por el art. 124.3 LEC: 1ª) Haber dado anteriormente sobre el mismo asunto dictamen contrario a la parte recusante, ya sea dentro o fuera del proceso; 2ª) Haber prestado servicios como tal perito al litigante contrario o ser dependiente o socio del mismo, y 3ª) Tener participación en sociedad, establecimiento o empresa que sea parte del proceso.

Los peritos pueden ser recusados en dos momentos distintos:

➤ Inmediatamente (el plazo es de 2 días) se notifica la designación del perito a la parte, si la causa de recusación fuera anterior (art. 125.2, I); y

➤ Si la causa de recusación se constituye después de la designación, pero antes de la emisión del dictamen, el escrito de recusación podrá presentarse antes del día señalado para el juicio (ordinario) o vista (verbal) o al comienzo de los mismos (art. 125.2, II).

Después de estos plazos no podrá recusarse al perito, aunque aquellas causas de recusación existentes al tiempo de emitir el dictamen, pero conocidas después, podrán hacerse saber al juez antes de que dicte sentencia, o en segunda instancia (art. 125.3 LEC).

Para la LEC la recusación del perito es un incidente (art. 127), que tiene una tramitación específica en los arts. 125 a 127 LEC. Se trata siempre de temas delicados, de ahí el detalle de esa regulación, a la que nos remitimos.

B) Tacha

Los peritos de las partes no pueden ser recusados, pero sí se puede alegar alguna o algunas de las tachas previstas en el art. 343. Con la tacha no se pretende impedir que una persona emita el dictamen como perito (entre otras cosas porque ya lo ha emitido y ha sido presentado), sino advertir al tribunal de la concurrencia de una circunstancia que hace poner en duda su imparcialidad, para que sea tenida en cuenta a la hora de valorar el dictamen atribuyéndole valor probatorio.

Las circunstancias que pueden alegarse como tacha son:

➤ Ser cónyuge o pariente por consanguinidad o afinidad, dentro del cuarto grado civil de una de las partes o de sus abogados o procuradores.

➤ Tener interés directo o indirecto en el asunto o en otro semejante.

➤ Estar o haber estado en situación de dependencia o de comunidad o contraposición de intereses con alguna de las partes o con sus abogados o procuradores.

➤ Amistad íntima o enemistad con cualquiera de las partes o sus procuradores o abogados.

➤ Cualquier otra circunstancia, debidamente acreditada, que les haga desmerecer en el concepto profesional.

Las tachas están sometidas a un plazo preclusivo: 1°) En los juicios verbales, no pueden formularse después de la vista; y 2°) En los ordinarios después del juicio. Ahora bien, en los juicios ordinarios, las tachas de los peritos autores de dictámenes aportados con la demanda o con la contestación se propondrán en la audiencia previa al juicio. Al formular tachas de peritos, se podrá proponer la prueba conducente a justificarlas, excepto la testifical (art. 343.2 LEC).

El procedimiento específico de resolución de la tacha se establece en el art. 344. En esta norma se tutela al perito frente a posibles tachas temerarias.

4. Deberes y derechos del perito

En cuanto a los derechos, el perito tiene el derecho básico de cobrar honorarios por la elaboración del dictamen, o derechos conforme al arancel correspondiente, en su caso, pudiendo solicitar provisión de fondos antes de iniciar sus tareas, a cargo de la parte que lo hubiese propuesto, siempre que ésta no goce del beneficio de asistencia jurídica gratuita, previéndose como novedad incluso que ambas partes colaboren económicamente para su ejecución si hubiese sido designado de común acuerdo (arts. 241.1-4° y 342.3 LEC).

Evidentemente, los honorarios (no los derechos que se rigen por arancel) pueden ser impugnados por excesivos, en cuyo caso hay que estar a las disposiciones sobre tasación de costas (arts. 245 y 246 LEC).

El deber primordial de los peritos es elaborar el dictamen correctamente, es decir, aplicar científicamente los conocimientos profesionales adquiridos que se requieren para el caso concreto, lo que se resume en la fórmula del juramento o promesa del art. 335.2: Actuar con la mayor objetividad posible, tomando en consideración tanto lo que pueda favorecer como lo que sea susceptible de causar perjuicio a cualquiera de las partes.

Para ello tienen la obligación previa de comparecer al juicio o vista para el que hayan sido citados (arts. 292.1 y 440.1, II), comunicación que debe hacerse de conformidad con lo previsto en los arts. 159 y 160, y de jurar o prometer decir verdad, indicando que ha actuado o que va a actuar con la mayor objetividad posible, tomando en consideración tanto lo que pueda favorecer como lo que pueda perjudicar a las partes, y manifestando que conoce las sanciones penales en caso de incumplimiento de sus obligaciones (art. 335.2, en relación con los arts. 459 y 460 CP).

5. *Procedimiento probatorio*

La novedad fundamental de la LEC en la prueba pericial consiste en articular un doble sistema de introducción del dictamen pericial y de nombramiento del perito en el proceso civil. En primer lugar y con carácter fundamental, son las partes las que lo traen a los autos, porque sobre ellas recae la carga de alegar y probar la certeza de los hechos relevantes en que se funda su pretensión o resistencia; en segundo lugar y subsidiariamente, el perito es nombrado por el juez si así lo solicitan las partes o resulta estrictamente necesario. A partir de esta distinción clave, cuya repercusión ya hemos visto al diferenciar entre recusación y tacha, la LEC quiere que la práctica de la prueba se simplifique extraordinariamente (EM XI, pár. 14 a 17).

La llamada pericia extrajudicial, es decir, el dictamen de profesional técnico pedido por la parte antes de iniciar el proceso con el fin, primero, de saber si es conveniente o no acudir a la reclamación judicial y, después, de acompañarlo a la demanda, ha sido algo sobradamente conocido y utilizado en la práctica, si bien siempre ha estado claro que no se trataba de prueba pericial en sentido estricto y que tampoco podía considerarse prueba documental; ni aun en el caso de que el dictamen fuera ratificado en el proceso por la declaración del profesional técnico cabía hablar de prueba testifical.

El Tribunal Supremo había concluido que ese dictamen no era un medio de prueba pero, al mismo tiempo, se refería a él diciendo que no carecía totalmente de valor probatorio, pudiendo ser elemento de juicio a tener en cuenta en la valoración conjunta de la prueba, con lo que incurría en una clara contradicción, pues si ese dictamen no era un medio de prueba mal podría tener valor probatorio.

Esta contradicción se resolvía teniendo en cuenta que el dictamen extrajudicial no era, efectivamente, un medio de prueba, porque no había consistido en la actividad procesal realizada conforme a la legalidad. Ese dictamen, acompañado a la demanda o a la contestación, formaba parte del acto de alegación, estaba integrado en el mismo, era alegación, y judicialmente así tenía que ser considerado. Eran argumentaciones que podían servir para fundamentar las afirmaciones de hechos y que tenían el valor que se deducía de su fuerza de persuasión y del prestigio científico que se otorgaba a la persona o a la institución que lo firmaba.

A la vista de lo explicado, en el procedimiento probatorio debemos tener en cuenta, consecuentemente, este doble origen de la aportación, llegando un momento a partir del cual las normas de procedimiento son comunes. Ahora queda claro que el dictamen pericial privado es prueba pericial.

A) Dictamen de perito designado por la parte

Cuando las partes estimen que son necesarios conocimientos científicos, artísticos, técnicos o prácticos para valorar hechos o circunstancias relevantes en el asunto o adquirir certeza sobre ellos, pueden aportar al proceso dictamen de peritos, posibilidad que se concreta en tres momentos procesales:

a) Con la demanda o la contestación: Los dictámenes de que los litigantes dispongan, elaborados por peritos por ellos designados, se aportarán con la demanda o con la contestación (art. 336.1), y ese momento de presentarlos opera preclusivamente para las dos partes (art. 336. 3 y 4).

Los dictámenes se formularán por escrito, acompañados, en su caso, de los demás documentos, instrumentos o materiales adecuados para exponer el parecer del perito sobre lo que haya sido objeto de la pericia. Si no fuese posible o conveniente aportar estos materiales e instrumentos, el escrito de dictamen contendrá sobre ellos las indicaciones suficientes. Podrán, asimismo, acompañarse al dictamen los documentos que se estimen adecuados para su más acertada valoración (art. 336.2).

Lo importante, con todo, es cómo opera la preclusión: 1) El actor no podrá presentar posteriormente dictamen pericial a no ser que justifique cumplidamente que la defensa de su derecho no ha permitido demorar la presentación de la demanda hasta haber obtenido el dictamen, lo que implica imponerle una carga de acreditación; 2) El demandado deberá justificar en la contestación a la demanda la imposibilidad de pedir el dictamen y de obtenerlo dentro del plazo para contestar y 3) Ante seguras dificultades para que el demandado pueda cumplir con ese plazo, el art. 336.5 permite acudir al juez para que le facilite ciertos exámenes de cara al posterior dictamen en los casos taxativamente determinados en él.

b) Antes de la audiencia previa (juicio ordinario) o de la vista (juicio verbal): Cuando el actor o el demandado no han podido aportar el dictamen pericial con la demanda o con la contestación, en esos escritos habrán de manifestar los dictámenes que en su caso pretendan presentar posteriormente, lo que habrán de hacer 5 días antes de iniciarse la audiencia previa (juicio ordinario) o antes de la vista (juicio verbal), para su traslado a la parte contraria (art. 337.1).

Concurriendo la excepción a la preclusión para demandante o para demandado del art. 336.3 y 4, el dictamen pericial tiene un segundo momento posible de presentación.

En los dos supuestos anteriores, presentados los dictámenes, las partes habrán de manifestar si desean que los peritos autores de los dictámenes comparezcan en el juicio regulado en los arts. 431 y siguientes de esta Ley o, en su caso, en la vista del juicio verbal, expresando si deberán exponer o explicar el dictamen o responder a preguntas, objeciones o propuestas de rectificación o intervenir de cualquier otra forma útil para entender y valorar el dictamen en relación con lo que sea objeto del pleito (art. 337.2 y por remisión a él, art. 336.1, in fine).

c) Antes del juicio: Por último cuando la necesidad del dictamen pericial se ha puesto de manifiesto a causa de las alegaciones del demandado en la contestación a la demanda o de las alegaciones o peticiones complementarias admitidas en la audiencia previa, a tenor del art. 426, cualquiera de las partes puede aportar dictámenes periciales siempre que lo haga con al menos cinco días de antelación a la celebración del juicio o vista en los procesos verbales, lo que generalmente sucede respecto al actor cuando el dictamen viene exigido por las alegaciones o dictámenes adjuntados por el demandado (art. 338, en relación con el art. 265.3).

También aquí pueden las partes pedir que concurra el o los peritos al juicio, conforme a lo dispuesto en el art. 337.2, y además el tribunal puede acordar de oficio la presencia de los peritos en el juicio.

B) Dictamen de perito designado por el tribunal

Este dictamen cabe ante tres situaciones diferentes:

a) Asistencia jurídica gratuita: Cuando cualquiera de las partes sea titular de este derecho no tendrá que acompañar a la demanda o a la contestación dictamen pericial, sino sólo anunciarlo a los efectos de que se proceda a la designación judicial de perito, conforme a lo dispuesto en la Ley de Asistencia Jurídica Gratuita.

b) A propuesta de las partes: La designación judicial del perito y el dictamen pericial puede solicitarse por las partes en dos momentos distintos:

➢ En la demanda y en la contestación: Pueden las partes pedir esta designación cuando lo consideren conveniente o necesario para sus intereses (art. 339.2).

En este caso, si el tribunal estima pertinente y útil el dictamen pericial procederá a la designación de perito, a costa de quien lo haya pedido o de las dos por mitad si ambas lo han pedido (sin perjuicio de la posterior condena en costas). Esta designación judicial deberá realizarse en el plazo de cinco días desde la presentación de la contestación a la demanda.

➢ Por alegaciones o peticiones complementarias: Sólo por alegaciones o peticiones complementarias, es decir, no contenidas en la demanda, puede pedirse en un momento posterior la designación judicial de perito, acordándolo el juez siempre que considere pertinente y útil el dictamen, y si estamos en un juicio verbal y el dictamen se ha pedido en la vista, se interrumpirá ésta hasta que se realice el dictamen (art. 339.3).

En los dos casos anteriores se procederá, en principio, a la designación de un único perito por cada cuestión o conjunto de cuestiones, y se designará primero a la persona o entidad en que las partes se hubieran puesto de acuerdo.

c) De oficio por el tribunal: La prueba pericial puede acordarse de oficio por el tribunal sólo en los procesos sobre declaración o impugnación de la filiación, paternidad y maternidad, capacidad de las personas y matrimoniales (art. 339.5).

C) Designación y nombramiento del perito

Hemos dicho que es posible que las partes se pongan de acuerdo en la persona o entidad que debe emitir el dictamen pericial, cuando se trata de dictamen de perito designado por el tribunal. En caso contrario, el art. 341 LEC prevé el procedimiento para la designación judicial del perito, basado en un sistema de sorteo conforme a listas previas.

El perito designado judicialmente, antes de elaborar el dictamen, debe manifestar si acepta el cargo. En caso afirmativo, se efectuará el nombramiento y el perito hará, en la forma en que se disponga, la manifestación bajo juramento o promesa que ordena el apartado segundo del artículo 335 (art. 342.1). Pero si el perito designado adujere justa causa que le impidiere la aceptación, y el tribunal la considerare suficiente, será sustituido por el siguiente de la lista, y así sucesivamente, hasta que se pudiere efectuar el nombramiento (art. 342.2).

Dado que en la lista de profesionales a designar se incluyen sólo los colegiados o asociados dispuestos a actuar como peritos, no cabe ya la aceptación libre de éstos. El perito designado sólo puede, bien abstenerse (art. 105), bien alegar justa causa que le impida la aceptación que debe ser considerada suficiente por el tribunal (art. 342.2). La designación judicial abre la posibilidad de recusación (arts. 343.1 y 124 a 128).

D) Elaboración del dictamen

Como es natural la LEC no regula cómo se procede a realización del dictamen por el perito nombrado por la parte, pues ésa es una actividad extrajudicial y previa o externa al proceso. La LEC atiende sólo a la actividad del perito de designación judicial y lo hace muy limitadamente pues contempla únicamente el caso de que requiera algún reconocimiento de lugares, objetos o personas o la realización de operaciones análogas, y a este efecto prevé que alguna de las partes solicite estar presente en aquél o presencie éstas, lo que puede acordar el tribunal (art. 345).

En cuanto a la emisión del dictamen, el perito lo formulará por escrito y lo hará llegar al tribunal por medios electrónicos en el plazo que se le haya señalado. De dicho dictamen se dará traslado a las partes por si consideran necesario que el perito concurra al juicio o a la vista, a efectos de que aporte las aclaraciones o explicaciones que sean oportunas. El juez podrá acordar siempre que lo considere necesario la presencia del perito en el juicio o en la vista, según estemos en un juicio ordinario o en juicio verbal, para comprender y valorar mejor el dictamen realizado (art. 346).

E) Intervención en el juicio

La LEC dedica una detallada atención a la intervención de los peritos en el acto oral del juicio o vista, que está en función de lo que las partes hayan pedido y el juez haya acordado, accediendo a todo lo que no sea impertinente o inútil (art. 347). Esta intervención no se refiere sólo a los peritos de designación judicial, pues ha de comprender también al perito designado por la parte y que presentó su dictamen con la demanda o con la contestación o posteriormente.

El juez puede en todo caso formular preguntas a los peritos y requerir de ellos explicaciones sobre lo que sea objeto del dictamen aportado, pero sin poder acordar, de oficio, que se amplíe, salvo que se trate de peritos designados de oficio (art. 347.2); y las partes y sus abogados pueden pedir las actuaciones recogidas en el art. 347.1, III.

En concreto:

➢ Exposición completa del dictamen, cuando esa exposición requiera la realización de otras operaciones, complementarias del escrito aportado, mediante el empleo de los documentos, materiales y otros elementos a que se refiere el apartado segundo del artículo 336.

➢ Explicación del dictamen o de alguno o algunos de sus puntos, cuyo significado no se considerase suficientemente expresivo a los efectos de la prueba.

➢ Respuestas a preguntas y objeciones, sobre método, premisas, conclusiones y otros aspectos del dictamen.

➢ Respuestas a solicitudes de ampliación del dictamen a otros puntos conexos, por si pudiera llevarse a cabo en el mismo acto y a efectos, en cualquier caso, de conocer la opinión del perito sobre la posibilidad y utilidad de la ampliación, así como del plazo necesario para llevarla a cabo.

➢ Crítica del dictamen de que se trate por el perito de la parte contraria.

➢ Formulación de las tachas que pudieren afectar al perito.

6. El caso particular del cotejo de letras

Hemos visto con ocasión de la prueba documental que en caso de impugnación de la autenticidad de documentos privados conforme al art. 326.2 (y excepcionalmente de documentos públicos, art. 322.1), debe acudirse al cotejo para comparar los documentos y poder decidir correctamente. Ahora hay que ver qué perito realiza ese cotejo y qué normas rigen esta prueba pericial especial.

En este sentido, el cotejo de letras es en efecto un caso particular de prueba pericial, únicamente apropiado cuando la autenticidad de un documento privado se niegue o se ponga en duda por la parte a quien perjudique, aunque también podrá practicarse cotejo de letras cuando se niegue o discuta la autenticidad de cualquier documento público que carezca de matriz y de copias fehacientes según lo dispuesto en el art. 1221 del Código Civil, siempre que dicho documento no pueda ser reconocido por el funcionario que lo hubiese expedido o por quien aparezca como fedatario interviniente (art. 349.1 y 2).

Una de las particularidades de esta prueba pericial especial consiste en que las partes no tienen ninguna intervención en su designación, pues el cotejo de letras se practica por perito designado por el juez conforme a lo dispuesto en los arts. 341 y 342 (art. 349.3).

Cotejar es comparar. Para que la comparación se efectúe correctamente, la LEC tiene que determinar qué documentos fijan sin duda alguna el contraste (los indubitados), a los que se acoge la parte que ha solicitado el cotejo o, ante su falta, qué es un cuerpo cierto de escritura.

Ello se establece, primero, mediante el mecanismo de documentos indubitados, que son los descritos en el art. 350:

> ➤ Los documentos que reconozcan como tales todas las partes a las que pueda afectar esta prueba pericial.

> ➤ Las escrituras públicas y los que consten en los archivos públicos relativos al Documento Nacional de Identidad.

> ➤ Los documentos privados cuya letra o firma haya sido reconocida en juicio por aquél a quien se atribuya la dudosa.

> ➤ El escrito impugnado, en la parte en que reconozca la letra como suya aquél a quien perjudique.

A falta de los documentos enumerados en el apartado anterior, la parte a la que se atribuya el documento impugnado o la firma que lo autorice podrá ser requerida, a instancia de la contraria, para que forme un cuerpo de escritura que le dictará el juez o el letrado. Si el requerido se negase, el documento impugnado se considerará reconocido.

Si no hubiese documentos indubitados y fuese imposible el cotejo con un cuerpo de escritura por fallecimiento o ausencia de quien debiera formarlo, el juez apreciará el valor del documento impugnado conforme a las reglas de la sana crítica (arts. 350.4 y 351.2).

El procedimiento probatorio específico del cotejo se fija en el art. 351 LEC. Básicamente se aplican las reglas generales antes vistas, con la salvedad de que el perito que lleve a cabo el cotejo de letras consignará por escrito las operaciones de comprobación y sus resultados.

7. *Valoración*

La prueba pericial es valorada libremente por el juez, pues el art. 348 LEC somete los dictámenes periciales a las reglas de la sana crítica. Recordemos que es en el momento de valorar esta prueba también cuando el juez debe tener en cuenta los efectos de la tacha aducida (art. 344.2)

Inmediatamente surge el problema de la aparente discordancia entre el sistema de valoración de esta prueba y el hecho de que su necesidad derive de que el juez carece de conocimientos especializados. La doctrina lo resuelve con dos argumentos:

> ➢ Si fuese prueba tasada, ¿qué habría que hacer con los dictámenes contradictorios?; y

> ➢ Aunque el juez carezca de conocimientos para verificar por sí mismo las operaciones periciales, los tiene para enjuiciar la corrección de las mismas y sus resultados, utilizando sus conocimientos, los propios de la persona común, para revisar el iter lógico y las conclusiones del dictamen.

Por su parte, la jurisprudencia ha entendido que no hay contradicción alguna en este punto, por lo que la prueba pericial es de libre valoración, sometida a criterios de racionalidad ajustados a la lógica (en este sentido, por ejemplo, las SSTS de 17 de abril de 1978, RA 1357; o de 29 de abril de 2005, RA 3647). De aquí la trascendencia de la motivación.

II. LA PRUEBA DE RECONOCIMIENTO JUDICIAL

El art. 299.1-5° LEC se refiere al reconocimiento judicial como uno de los medios de prueba. Su única regulación se contiene ahora en los arts. 353 a 359 LEC.

1. Concepto y admisibilidad

El reconocimiento judicial es la percepción por parte del juez, de una forma directa, de los hechos que son objeto de prueba.

La diferencia con los demás medios de prueba es la siguiente: En los otros, el juez no percibe los hechos de manera directa, sino indirecta, esto es, a través del testigo o del documento. Aquí nada se interpone entre el juzgador y el hecho, pues aquél percibe éste con sus sentidos, con cualquiera de ellos, y no sólo con la vista, como erróneamente se desprende de alguna denominación (inspección ocular).

Procede el reconocimiento cuando para el esclarecimiento y apreciación de los hechos sea necesario o conveniente que el juez examine por sí mismo algún lugar, objeto o persona, no sólo en fase declarativa (art. 353.1), sino también con ocasión del procedimiento de adopción de alguna medida cautelar (art. 734.2, I).

La práctica jurisprudencial anterior relativa a la consideración de que este medio de prueba sólo debía acordarse cuando con ella se obtuviera un resultado decisivo, si ese resultado no podía conseguirse por otros medios o cuando fuera absolutamente necesaria, ha perdido todo su soporte legal, pues el art. 353.1 emplea ahora las palabras «necesario o conveniente».

Concibiendo la prueba del modo más amplio posible, puede ser objeto del reconocimiento judicial:

> Naturalmente los lugares y sitios.

> Todo lo que no sea documento escrito, por tanto, todos los objetos, siempre que por su naturaleza (no incorporan signos de lenguaje), o por la finalidad de su examen (*v.gr.*, cotejo de documentos), no constituyan fuentes de prueba documental.

> La persona, tanto en su cuerpo como en su capacidad intelectiva.

> Los bienes muebles e inmuebles en general, tanto considerados en un aspecto estático (dónde están, cómo son), como dinámico (cómo funciona un mecanismo, efectos del funcionamiento de una fábrica o, en general, de cualquier acción o hecho continuado).

2. *Procedimiento probatorio*

Las partes deben solicitar la práctica del reconocimiento judicial, así como los extremos principales a que desean que se contraiga, pero la amplitud del mismo no depende de su petición, sino que la fija el juez (art. 353.2, I). De acuerdo con esa misma norma, debe indicar si asistirá a su desarrollo con personas entendidas o prácticas del terreno («persona técnica o práctica en la materia»), que no son exclusivamente peritos, pues también pueden ser testigos, de ahí que la doctrina entienda que estamos ante una figura mixta, ante un perito-testigo, puesto que declara y hace observaciones al juez, bajo juramento o promesa de decir verdad (art. 354.3).

La contradicción queda garantizada *ab initio*, pues la otra parte puede proponer también los extremos que le interese, e indicar igualmente si estará asistida de personas entendidas (art. 353.2, II).

La práctica de la prueba exige naturalmente inmediación, por ser ello connatural a este medio de prueba, pero en la LEC se ha vuelto a incurrir en el contrasentido de admitir su práctica por medio de auxilio judicial. El art. 169.2 alude de modo directo a la posibilidad de practicar el reconocimiento judicial por auxilio judicial, cuando el tribunal no considere posible o conveniente hacer uso de la facultad que le concede este Ley para desplazarse fuera de su circunscripción para practicarla.

A pesar de lo anterior habrá de concluirse que si es admisible el reconocimiento judicial de lugares o sitios por medio del auxilio judicial, no debe ser admisible respecto de objetos y personas, pues los primeros pueden ser llevados y las segundas pueden ir a la sede del tribunal que está conociendo del proceso. Si el medio de prueba se basa en el contacto directo del juez con los hechos, ese contacto requiere inmediación, es decir, que el mismo juez que presencia la prueba sea el que dicta la sentencia, para que pueda basar ésta en lo visto y en lo oído, no en su reflejo documental.

A) Ejecución del reconocimiento judicial como prueba única

La Ley permite la realización del reconocimiento como prueba que se practica de modo único, y respecto de él dispone:

a) Según el art. 354.1, la realización efectiva de la misma permite que el juez acuerde cualesquiera medidas que sean necesarias, incluida la de ordenar la entrada en el lugar que deba reconocerse o en que se halle el objeto o la persona que se deba reconocer.

Las partes, sus procuradores y abogados podrán concurrir al reconocimiento judicial y formular verbalmente al juez las observaciones que estimen oportunas (art. 354.2). Si, de oficio o a instancia de parte, el juez considerase conveniente oír las observaciones o declaraciones de las «personas entendidas», como dice el título oficial del artículo, les recibirá previamente juramento o promesa de decir verdad (art. 354.3).

b) En cuanto a las personas, el art. 355.1 ordena que su reconocimiento se practique a través de un interrogatorio realizado por el juez, que se adaptará a las necesidades de cada caso concreto. En dicho interrogatorio, que podrá practicarse, si las circunstancias lo aconsejaren, a puerta cerrada o fuera de la sede del órgano jurisdiccional, podrán intervenir las partes siempre que el juez no lo considere perturbador para el buen fin de la diligencia. En todo caso, en la práctica del reconocimiento judicial se garantizará el respeto a la dignidad e intimidad de la persona (art. 355.2).

La norma parece aludir sólo al reconocimiento psíquico de personas, pero es evidente que el reconocimiento judicial puede ser físico, recayendo sobre el cuerpo, caso en el que puede no ser necesario el «interrogatorio».

B) Conjuntamente con otra prueba

Siguiendo la tradición, la LEC regula la práctica del reconocimiento judicial combinado con la práctica de otras pruebas:

a) Conjuntamente con la prueba pericial: La LEC, en virtud del carácter instrumental de la prueba pericial, prevé el supuesto normal en la práctica de que el reconocimiento judicial se practique conjuntamente con una prueba pericial, sobre el mismo lugar, objeto o persona, lo que puede ocurrir de oficio o a instancia de parte (art. 356). No estamos aquí ante personas entendidas, sino ante verdaderos peritos.

b) Conjuntamente con la prueba testifical: Lo mismo ocurre con relación a la prueba testifical, sólo que aquí la práctica conjunta es a instancia de parte y a su costa, pudiéndose practicar el examen de los testigos tras la ejecución del reconocimiento judicial, cuando la vista del lugar o de las cosas o personas pueda contribuir a la claridad de su testimonio (art. 357.1).

c) Conjuntamente con la prueba de interrogatorio de parte: Se permite que, a petición de parte, el reconocimiento judicial sea seguido del interrogatorio de la parte contraria cuando se den las mismas circunstancias señaladas en el art. 357.1 (art. 357.2).

3. Documentación

Esta prueba se documenta especialmente, pues de lo reconocido y actuado se levantará un acta por el LAJ, que será detallada, consignándose en ella con claridad las percepciones y apreciaciones del juez, así como las observaciones hechas por las partes y por las personas a que se refiere el artículo 354. También se recogerá en el acta, en su caso, el resultado de las demás actuaciones de prueba que se hubieran practicado en el mismo acto del reconocimiento judicial, es decir, de la pericial y de la testifical (art. 358).

La norma vuelve a ser muy pobre en su referencia al contenido del acta. En ella falta toda alusión a lo que podemos llamar datos objetivos, sobre los que no se realiza percepción o apreciación, sino simple constatación de su existencia y circunstancias. Tampoco alude a los problemas derivados de la distinción entre autor del acto (el juez) y autor del acta (el LAJ), respecto de esos datos objetivos.

A efectos de una mejor documentación, el art. 359 autoriza el empleo de medios técnicos de grabación de la imagen o del sonido en el acto del reconocimiento judicial, de lo que se dejará constancia en el acta.

4. Valoración

No existe en la LEC norma alguna que aluda al sistema de valoración de esta prueba, y es lógico que así sea. Cuando un mismo juez realiza el reconocimiento judicial y dicta la sentencia, la misma distinción entre prueba legal y prueba libre carece de sentido, pues el juez ineludiblemente estará a aquello que ha percibido por sus sentidos y no podrá sustraerse a lo que ha constatado; la inmediación juega aquí de modo absolutamente prevalente.

Si el reconocimiento es valorado en la sentencia por un juez distinto del que lo efectuó, la lógica lleva a distinguir entre los datos objetivos del acta, aquellos que son mera constatación de lo percibido, y los datos subjetivos, los que consisten en apreciaciones o percepciones. Respecto de los primeros es muy difícil que el juez pueda negarlos en la sentencia, y de ahí la jurisprudencia relativa a datos irrefutables que no pueden ser desconocidos en la sentencia, mientras que si se trata de apreciaciones adquiere sentido aquella otra jurisprudencia que se refiere a la inexistencia de obligación de respetar los juicios de valor expresados en el acta.

Es libre, redundantemente pues no podía ser de otra manera, la valoración de los dictámenes periciales sobre Derecho extranjero, que nunca vinculan al juez español (art. 33.4 Ley 29/2015, de 30 de julio, de Cooperación Jurídica Internacional en materia civil).

Lección 14ª

LOS MEDIOS DE PRUEBA EN CONCRETO (III)

JUAN-LUIS GÓMEZ COLOMER

SUMARIO: I. LA PRUEBA TESTIFICAL. 1. Concepto, naturaleza y admisibilidad. 2. Concepto de testigo y diferencia con figuras afines. 3. Idoneidad para ser testigo. 4. Tachas de los testigos. 5. Derechos y deberes del testigo. 6. Las preguntas. 7. Procedimiento probatorio. A) Proposición y admisión. B) Práctica. C) Documentación. 8. Valoración. II. MEDIOS DE REPRODUCCIÓN DEL SONIDO O LA IMAGEN E INSTRUMENTOS DE ARCHIVO. 1. Concepto y admisibilidad. 2. Procedimiento probatorio. A) Reproducción ante el tribunal de imágenes y de sonidos. B) Instrumentos de archivo, conocimiento o reproducción de palabras, datos, cifras y operaciones matemáticas. 3. Valoración. III. LAS PRESUNCIONES COMO MÉTODO DE PRUEBA. 1. Concepto y naturaleza jurídica. A) La afirmación base, o hecho base, o indicio. B) La afirmación presumida, o hecho presumido. C) El nexo lógico o enlace entre ambos hechos. 2. Clases. A) Presunciones legales. B) Presunciones judiciales. 3. Requisitos y efectos. IV. LAS DILIGENCIAS FINALES. 1. Concepto y admisibilidad. 2. Adopción, forma y efectos.

BIBLIOGRAFÍA BÁSICA

ÁLVAREZ SÁNCHEZ DE MOVELLÁN, P., *La prueba por presunciones*, Comares, Granada, 2007.

GONZÁLEZ CANO, M. I., *La prueba*, tomo I, Tirant lo Blanch, Valencia, 2017.

MONTERO AROCA, J., *La prueba en el proceso civil* (7ª ed.), Civitas, Madrid, 2012.

NOYA FERREIRO, L., *Las diligencias finales en el proceso civil*, Tirant lo Blanch, Valencia, 2006.

RODRÍGUEZ TIRADO, A. M., *El interrogatorio de testigos*, Dykinson, Madrid, 2003.

I. LA PRUEBA TESTIFICAL

El interrogatorio de testigos o prueba testifical se regula en los arts. 360 a 381 LEC, básicamente. Tradicionalmente el legislador ha mostrado una gran desconfianza, no sin razón, hacia ella, de ahí que la LEC de 2000 haya querido revalorizarla, reforzando la contradicción y la inmediación en su práctica.

1. *Concepto, naturaleza y admisibilidad*

La prueba testifical es un medio concreto de prueba (art. 299.1-6º LEC), en virtud del cual se aporta al proceso, por parte de una persona ajena al mismo, una declaración sobre hechos presenciados (vistos u oídos) por ella o que ha sabido de referencia, sobre los que viene interrogada, siempre que esos hechos sean controvertidos y se refieran al objeto del proceso (art. 360). Es una prueba de naturaleza personal, dado que es una persona, llamada testigo, quien declara sobre aquellos hechos.

El testigo y su conocimiento de los hechos es la fuente de prueba, mientras que su declaración en el proceso a través del procedimiento establecido para ello es el medio de prueba. Esto tiene como consecuencia especial en este tema que haya que distinguir lo que es la prueba testifical de lo que es el testigo.

El legislador ha querido garantizar la efectividad de esta prueba exigiendo determinados requisitos de admisibilidad, ante la alta probabilidad de que sus resultados no sean fiables. Ello, por diversas razones: No todos los testigos poseen la misma inteligencia, no todos son capaces de percibir los hechos con la misma intensidad, ni tienen la misma memoria o capacidad de retención.

Pues bien, los requisitos de admisibilidad hacen referencia a las personas que pueden ser admitidas a declarar en calidad de testigos, así como al objeto de la prueba testifical:

a) En cuanto a las personas que pueden ser testigos: Las leyes regulan su idoneidad, a las que nos referiremos en el apartado siguiente. Ahora hay que considerar en general los siguientes:

  ➢ La intervención como testigo es incompatible con la condición de juez en el mismo proceso, pues es causa de recusación (arts. 219, 5º LOPJ; y 99.2 LEC).

  ➢ Tampoco puede admitirse como testigos a las partes en el proceso, sino tan sólo considerarlas como sujetos de la prueba de interrogatorio, pues los testigos son siempre terceros.

b) En cuanto al objeto: En principio no hay limitaciones por el objeto de la prueba testifical: Aunque nada diga la LEC, debe ser admisible (respecto a cualquier objeto) siempre que no esté expresamente prohibida.

2. Concepto de testigo y diferencia con figuras afines

Testigo es un tercero, es decir, una persona ajena al proceso, que aporta al mismo, declarando sobre ello, unos hechos que ha presenciado (visto u oído), o que le han contado.

De esta definición se deducen perfectamente sus características principales:

a) El testigo es siempre una persona física. No puede serlo una persona jurídica porque la utilidad del testigo reside en la aptitud para obtener percepciones sensoriales. De ahí que, como veremos, la ley le exija ciertos requisitos de capacidad.

No hay matización sobre la naturaleza física de la persona cuando se trata de los que han elaborado informes escritos, que versan sobre hechos que no han sido reconocidos como ciertos por todas las partes a quienes pudieren perjudicar, pues entonces son interrogados como testigos los autores del informe, en la forma prevenida legalmente, teniendo en cuenta las tres reglas que fija el art. 380 LEC. Este es el supuesto de las agencias de investigación y de sus informes y de la declaración como testigos de los autores de los informes.

La situación es distinta, cuando, sobre hechos relevantes para el proceso, sea pertinente que informen personas jurídicas y entidades públicas en cuanto tales, por referirse esos hechos a su actividad, sin que quepa o sea necesario individualizar en personas físicas determinadas el conocimiento de lo que para el proceso interese, pues entonces la parte a quien convenga esta prueba podrá proponer que la persona jurídica o entidad, a requerimiento del tribunal, responda por escrito sobre los hechos, por el procedimiento fijado en el art. 381 LEC. Parece sin embargo que estemos ante una prueba de informes o ante una prueba documental y no ante una prueba testifical en este caso, porque no declara una persona física, lo que es esencial a la prueba testifical.

b) Con relación al proceso, el testigo ha de tener la condición de tercero. Los que son parte sólo pueden someterse a la prueba de interrogatorio de parte.

c) El testigo, que ha llegado a conocer generalmente los hechos en el momento en que ocurrieron, aporta al proceso su percepción individual de los mismos, explicando su razón de ciencia. Ha de transmitir, pues, no sólo su conocimiento personal, sino también su fuente de conocimiento («la razón de ciencia de lo que diga», art. 370.3).

Es importante, al estudiar el concepto de testigo, diferenciarlo de figuras afines en el ámbito probatorio. A este respecto hay que considerar ahora tan sólo sus diferencias con el perito, que se manifiestan básicamente, como recoge MONTERO AROCA, en que:

➢ El testigo declara sobre unos hechos; mientras que el perito analiza los hechos y aporta máximas de la experiencia para que los valore el juzgador;

➢ El testigo no se elige, sino que viene determinado por su relación histórica con los hechos sobre los que declara; el perito es elegido por las partes entre las personas que tienen los conocimientos técnicos adecuados. Suele decirse en este sentido que el perito es fungible y el testigo no;

➢ El perito ha de poseer necesariamente conocimientos científicos, artísticos o prácticos; el testigo no;

➢ El perito puede ser una persona jurídica o corporación; el testigo no;

➢ El perito puede ser recusado; el testigo no;

➢ La persona que ha tenido conocimiento de los hechos está obligada a actuar como testigo, pudiendo exigirse coactivamente el cumplimiento de la obligación; el perito puede aceptar o no el cargo; y

➢ El perito cobra por su trabajo unos honorarios; el testigo no percibe retribución alguna, sino sólo la indemnización, por los gastos y perjuicios que el prestar declaración le ocasionen (art. 375).

La LEC reconoce expresamente la figura del testigo-perito, puesto que cuando el testigo posea conocimientos científicos, técnicos, artísticos o prácticos sobre la materia a que se refieran los hechos del interrogatorio, el juez admitirá las manifestaciones que en virtud de dichos conocimientos agregue el testigo a sus respuestas sobre los hechos, pudiendo ser tachado (art. 370.4, I y II).

3. Idoneidad para ser testigo

Una cuestión muy importante es la de la idoneidad o capacidad del testigo. Este tema está en relación con los requisitos de admisibilidad de carácter subjetivo de la prueba testifical, y se manifiesta en nuestra legislación a través de las inidoneidades para ser testigo.

En efecto, al ser el testigo una persona física que va a declarar sobre un hecho que conoce, es lógico que la ley le exija una cierta capacidad. La regla general es que podrán ser testigos todas las personas, salvo que se encuentren en alguna de estas dos circunstancias, de acuerdo con el art. 361:

➢ Que se hallen permanentemente privadas de razón.

➢ Que estén privadas del uso de sentidos respecto de hechos sobre los que únicamente quepa tener conocimiento por dichos sentidos.

Los menores de catorce años pueden declarar como testigos si, a juicio del tribunal, poseen el discernimiento necesario para conocer y para declarar verazmente, lo que supone que no están excluidos de serlo, si bien no se les exigirá juramento ni promesa de decir verdad (art. 365.2).

No dice la LEC cómo se puede poner de manifiesto esta falta de idoneidad, pero dado que esta prueba se practica oralmente, no cabe duda que las partes lo harán saber al comienzo de la misma, si no están ya advertidas al ser designados (art. 362). La inidoneidad excluye el declarar como testigo.

4. Tachas de los testigos

Si las causas de inidoneidad excluyen a una persona de declarar como testigo y de hacerlo en todos los procesos, las tachas se refieren a la imparcialidad y, por tanto, atienden a un proceso determinado, no excluyendo a una persona de declarar como testigo, sino evidenciando un hecho o circunstancias que la hace sospechosa de parcialidad, por lo que su concurrencia deberá ser tenida en cuenta por el juez en el momento de la valoración de la prueba.

El testigo puede ser tachado si concurre alguna o algunas de las causas del art. 377.1 LEC:

a) Ser o haber sido cónyuge o pariente por consanguinidad o afinidad dentro del cuarto grado civil de la parte que lo haya presentado o de su abogado o procurador o hallarse relacionado con ellos por vínculo de adopción, tutela o análogo.

b) Ser el testigo, al prestar declaración, dependiente del que lo hubiere propuesto o de su procurador o abogado o estar a su servicio o hallarse ligado con alguno de ellos por cualquier relación de sociedad o intereses.

c) Tener interés directo o indirecto en el asunto de que se trate.

d) Ser amigo íntimo o enemigo de una de las partes o de su abogado o procurador.

e) Haber sido el testigo condenado por falso testimonio.

En principio sólo puede tachar a un testigo la parte contraria a la que lo ha propuesto, pues si una parte sabe de la posible parcialidad de una persona lo lógico es que no la proponga como testigo. Sin embargo, el art. 377.2 LEC admite la tacha del testigo por la parte que lo ha propuesto si, con posterioridad a la proposición, llegare a su conocimiento la concurrencia de alguna de las causas de tacha.

El procedimiento de tacha es el siguiente:

➢ La tacha se propone por la parte a quien interese, antes de la declaración, y por eso el art. 378 LEC dice que habrá de proponerse desde el momento en que se admita la prueba testifical y hasta que comience el juicio (proceso ordinario) o la vista (proceso verbal).

➢ Lo que está diciendo la Ley es que la tacha se propone sin perjuicio de que la circunstancia o hecho que causa la tacha se ponga de manifiesto por el propio testigo al contestar a las preguntas generales del art. 367. Hechas estas preguntas y evidenciada la concurrencia de la tacha, la parte puede limitarse a manifestar al tribunal la existencia de la circunstancia relativa a la imparcialidad (art. 367.2 LEC).

➢ Con la alegación de las tachas, se podrá proponer la prueba conducente a justificarlas, excepto la testifical (art. 379.1 LEC).

➢ Si formulada tacha de un testigo, las demás partes no se opusieren a ella dentro del tercer día siguiente a su formulación, se entenderá que reconocen el fundamento de la tacha. Si se opusieren, alegarán lo que les parezca conveniente, pudiendo aportar documentos (art. 379.2 LEC).

➢ Para la apreciación sobre la tacha y la valoración de la declaración testifical, se estará a lo dispuesto en el apartado segundo del artículo 344 y en el artículo 376 (art. 379.3 LEC).

La formulación de la tacha, incluso en el caso de que la parte contraria se opusiera a ella, no supone que el tribunal dicte resolución alguna. Se trata simplemente de que el órgano jurisdiccional, en el momento de dictar sentencia, deberá tenerla en cuenta para conceder o no credibilidad a lo dicho por el testigo.

5. Derechos y deberes del testigo

a) Comenzando por los derechos, hay que decir que el testigo tiene el derecho, de carácter económico, de reclamar de la parte que le propuso la indemnización por los gastos y perjuicios que la comparecencia le haya originado, cuyo importe fijará el letrado de la administración de justicia, gozando de la vía de apremio el testigo en caso de impago, en los términos del art. 375 LEC, y del art. 16, II del Convenio de la Haya sobre procedimiento civil.

Debe quedar incluida dentro del beneficio de asistencia jurídica gratuita la exención del pago de las indemnizaciones a testigos cuando la parte goce de él, a pesar del silencio legal, so pena de vulneración del principio de igualdad (art. 14 CE) y negación del derecho de acción del art. 24.1 CE, en relación con el art. 119 CE.

b) En cuanto a los deberes, el testigo, sea nacional o extranjero, debe comparecer, jurar, declarar y decir verdad:

➢ El testigo está obligado a comparecer donde se realice el juicio, bajo sanción de multa y apercibimiento de proceder penalmente contra él por desobediencia a la autoridad (art. 292.1 y 2). Si el testigo a pesar de ello no comparece, la suspensión del juicio (ordinario) o de la vista (verbal) no es automática (art. 292.3).

La obligación de comparecer comprende incluso el supuesto de que el propuesto como testigo tenga su domicilio fuera de la circunscripción territorial del tribunal que le cita a declarar (lo que tiene especial importancia con referencia al partido judicial). Según el art. 169.4 sólo se acudirá a tomarle declaración por auxilio judicial cuando por razón de la distancia, dificultad del desplazamiento, circunstancias personales del testigo o cualquier otra causa de análogas características resulte imposible o muy gravosa la comparecencia de la persona citada. También es posible la declaración domiciliaria del testigo, por causa de enfermedad u otro motivo del art. 169.4, II, conforme al procedimiento fijado en el art. 364.

➤ El testimonio se presta siempre bajo juramento, o promesa de decir verdad, con conminación de incurrir en el delito de falso testimonio en causa civil (art. 458 CP), de lo que será instruido (art. 365.1 LEC). Cuando se trate de testigos menores de edad penal, no se les exigirá juramento ni promesa de decir verdad (art. 365.2 LEC).

➤ El testigo tiene deber de declarar, consistente en responder a las preguntas que se le formulen.

El modo de prestar esa declaración se fija en el art. 366. Los testigos declararán separada y sucesivamente, por el orden en que vinieran consignados en las propuestas, salvo que el juez encuentre motivo para alterarlo. No se comunicarán entre sí, ni podrán unos asistir a las declaraciones de otros, adoptándose con esta finalidad las medidas que sean necesarias. La LEC reconoce una excepción importante al deber de declarar en el art. 371, respecto a los testigos con deber de guardar secreto. La decisión es del juez.

➤ Finalmente, el deber de veracidad se recoge en el art. 365.1. Se trata también de un deber sancionado penalmente, porque si no es veraz en su declaración el testigo puede incurrir en el delito de falso testimonio previsto en el art. 458 CP.

6. Las preguntas

Las primeras preguntas que se formulan al testigo son las generales de la ley, que se contienen en el art. 367.1. Se trata por medio de ellas de identificar al testigo y luego de dejar reflejadas en el acta sus circunstancias, especialmente aquéllas que pueden afectar a su imparcialidad. Obsérvese la correlación existente entre los arts. 367.1 (preguntas generales) y 377.1 (tachas).

Las preguntas a formular se refieren a:

➤ Nombre, apellidos, edad, estado, profesión y domicilio.

➤ Si ha sido o es cónyuge, pariente por consanguinidad o afinidad, y en qué grado, de alguno de los litigantes, sus Abogados o Procuradores o se halla ligado a éstos por vínculos de adopción, tutela o análogos.

> ➢ Si es o ha sido dependiente o está o ha estado al servicio de la parte que lo haya propuesto o de su Procurador o Abogado o ha tenido o tiene con ellos alguna relación susceptible de provocar intereses comunes o contrapuestos.

> ➢ Si tiene interés directo o indirecto en el asunto o en otro semejante.

> ➢ Si es amigo íntimo o enemigo de alguno de los litigantes o de sus Procuradores o Abogados.

> ➢ Si ha sido condenado alguna vez por falso testimonio.

Una vez formuladas las anteriores preguntas, se inicia el verdadero interrogatorio, en el que las preguntas de las partes se formularán oralmente y con la debida claridad y precisión. No habrán de incluir valoraciones ni calificaciones, y si éstas se incorporaran, se tendrán por no realizadas (art. 368.1 LEC).

La decisión sobre la admisión de las preguntas la toma el juez acto seguido a su formulación, admitiendo las que puedan resultar conducentes a la averiguación de hechos y circunstancias controvertidos, que guarden relación con el objeto del juicio. Se inadmitirán las preguntas que no se refieran a los conocimientos propios de un testigo según el artículo 360 (art. 368.2 LEC), y si pese a haber sido inadmitida, se respondiese una pregunta, la respuesta no constará en acta (art. 368.3 LEC).

Las partes tienen la posibilidad de impugnar las preguntas formuladas por las partes contrarias, instando su inadmisión, para lo que harán notar las valoraciones y calificaciones que estimen concurren en ellas. Ante la decisión judicial de inadmisión de una pregunta, la parte podrá manifestarlo así y pedir que conste en el acta su protesta (art. 369).

7. *Procedimiento probatorio*

A) **Proposición y admisión**

Las de la prueba testifical se realizan en el juicio ordinario, en la audiencia previa, especificándose los testigos con los datos de identificación necesarios (nombre, apellidos, profesión y domicilio o residencia o cargo que ostente o cualquier otra circunstancia, art. 362), e indicando qué testigos se compromete la parte a presentar en el juicio y cuáles han de ser citados por el tribunal (y, en su caso, los que han de examinarse por auxilio judicial); en la misma audiencia se acordará la citación, a realizar conforme a lo previsto en el art. 159 (art. 429.5 y 284 LEC).

En el juicio verbal, el art. 440.1, IV se refiere a que las partes deberán indicar, en el plazo de los cinco días siguientes a la recepción de la citación para la vista, las personas que por no poder presentarlas ellas mismas, han de ser citadas por el tribunal para la vista, facilitando todos los datos precisos para efectuar su citación.

No hay límite en el número de testigos que pueden proponer las partes, aunque una limitación indirecta se produce por la vía de la imputación de los gastos. El tribunal sí puede limitar ese número a tres con relación a un hecho discutido, estimando que, respecto de ese hecho, ya ha quedado suficientemente ilustrado (art. 363 LEC).

B) Práctica

Después del juramento o promesa, la práctica de la prueba se inicia con las preguntas generales para pasar después a un verdadero interrogatorio cruzado y oral. Preguntará primero la parte que ha propuesto al testigo (y si lo han propuesto las dos, el demandante).

El testigo responderá por sí mismo, de palabra, sin valerse de ningún borrador de respuestas. Pero cuando la pregunta se refiera a cuentas, libros o documentos, se permitirá que los consulte antes de responder. En todo caso expresará la razón de ciencia de lo que diga (art. 370 LEC).

Una vez contestadas las preguntas formuladas por el abogado de la parte que propuso la prueba testifical, podrán los abogados de cualquiera de las demás partes plantear al testigo nuevas preguntas, que reputen conducentes para determinar los hechos. El tribunal deberá repeler las preguntas que sean impertinentes o inútiles. En caso de inadmisión de estas preguntas, será de aplicación lo dispuesto en el apartado segundo del artículo 369 sobre disconformidad con la inadmisión (art. 372.1 LEC).

Una muestra de las facultades del juez se explicita en el art. 372.2, pues con la finalidad de obtener aclaraciones y adiciones, también podrá el tribunal interrogar al testigo.

Las contradicciones entre testigos y entre éstos y las partes se resuelven mediante el careo, regulado en el art. 373, que puede ser acordado de oficio o a instancia de parte.

Algunas advertencias es necesario efectuar:

➤ El testigo es examinado por las dos partes, primero por la que lo propuso, pudiendo realizar las dos todo tipo de preguntas, siempre que se refieran a los hechos controvertidos, obviamente.

➤ Las facultades del tribunal no comprenden el realizar verdaderas preguntas, pues su objeto se limita a aclaraciones y adiciones, con lo que no puede preguntar sobre hechos que no han sido objeto del interrogatorio de los testigos por las partes.

C) Documentación

Las declaraciones testificales prestadas en vista o juicio se documentarán conforme a lo dispuesto en el apartado segundo del artículo 146 (art. 374).

8. *Valoración*

El juez es libre a la hora de apreciar y valorar los resultados producidos por las declaraciones de los testigos. Lo dice con toda claridad el art. 376: «Los tribunales valorarán la fuerza probatoria de las declaraciones de los testigos conforme a las reglas de la sana crítica, tomando en consideración la razón de ciencia que hubieren dado, las circunstancias que en ellos concurran y, en su caso, las tachas formuladas y los resultados de la prueba que sobre éstas se hubiere practicado».

Pero en algún supuesto la doctrina, más con relación a la situación derogada, ha entendido que podía existir una regla valorativa legal en la prueba testifical. De todos los posibles, en nuestra opinión la única manifestación de prueba testifical tasada es la que se contiene en el art. 51 CdC, pues prohíbe que en la sentencia se conceda valor alguno a la prueba testifical si ha sido la única practicada. Es sin embargo muy dudoso que sea un caso de prueba testifical legal.

Fuera de este caso, la valoración es libre, conforme a las reglas de la sana crítica, frase genuina española que debe ser entendida como conforme a los criterios de la lógica humana.

Esto no impide que la ley establezca una serie de instrumentos específicamente destinados a proporcionarle al juez elementos para la valoración crítica del testimonio, que es lo que pretende decir el art. 376 LEC:

➢ Necesidad de que el testigo exprese la «razón de ciencia» de lo que dice (art. 370.3 LEC), lo cual supone una justificación de la declaración, es decir, la expresión del cómo, cuándo y dónde se percibió lo que se declara.

➢ Las preguntas generales de la ley del art. 367.1, a través de las cuales pueden deducirse circunstancias subjetivas que pueden influir en la credibilidad de su declaración.

➢ Las tachas a su imparcialidad (arts. 377 a 379 LEC).

II. MEDIOS DE REPRODUCCIÓN DEL SONIDO O LA IMAGEN E INSTRUMENTOS DE ARCHIVO

La LEC recoge como nuevos medios de prueba los instrumentos que sirven para la reproducción de la palabra, el sonido y la imagen, y los instrumentos que sirven para archivar, conocer o reproducir palabras, datos, cifras y operaciones matemáticas llevadas a cabo con fines contables o de otra clase, relevantes para el proceso (art. 299.2).

1. Concepto y admisibilidad

Con la primera prueba, el legislador quiere que tengan cabida en el proceso civil directamente las películas, cintas de vídeo, casetes de grabación; con la segunda, los disquetes flexibles y discos duros de ordenador, los *cd-roms* y *dvds*, el correo electrónico, ficheros informatizados, así como cualquier otro medio técnico de estas características que en el futuro se pueda inventar.

Es fácil advertir que el legislador ha incurrido en un error ya tradicional. Los instrumentos de reproducción del sonido (la palabra es sonido) y de la imagen y los instrumentos que permiten archivar y conocer palabras escritas, datos y cifras son las fuentes de prueba, no el medio de prueba en sentido estricto.

2. Procedimiento probatorio

El procedimiento probatorio se distingue en la LEC en función de si estamos ante reproducción o ante archivo, cuidando de fijar las reglas mediante las que el juez visionará, oirá o comprobará los resultados que el proponente desee, sin perjuicio del derecho de contradicción de la otra parte:

En los dos casos, medios de reproducción e instrumentos de archivo, habrán de acompañarse a la demanda o a la contestación, «si en ellos se fundaran las pretensiones de tutela formuladas por las partes» (art. 265.1, 2°), si bien luego no hay alusión a la necesidad de presentar copia (art. 273, que se refiere a escrito y documento). Por otro lado, los arts. 382 y 384 no son lo suficientemente explícitos respecto del momento en que debe hacerse la presentación de los medios e instrumentos.

A) Reproducción ante el tribunal de imágenes y de sonidos

Las partes podrán proponer como medio de prueba la reproducción ante el tribunal de palabras, imágenes y sonidos captados mediante instrumentos de filmación, grabación y otros semejantes (art. 382.1, primera frase). A esta proposición, las partes:

> ➤ Deben acompañar la transcripción escrita de las palabras contenidas en el soporte de que se trate y que resulten relevantes para el caso (art. 382.1 segunda frase); y

> ➤ Pueden acompañar los dictámenes y medios de prueba instrumentales que considere convenientes. También las otras partes podrán aportar dictámenes y medios de prueba cuando cuestionen la autenticidad y exactitud de lo reproducido (art. 382.2 LEC).

La proposición del medio de prueba queda bastante indeterminado. Queda claro que la parte que propone la prueba no necesita acompañar copia para la otra parte («puede» acompañar transcripción escrita). No queda nada claro cómo ha de realizarse la proposición en concreto, aparte de que ha de hacerse en la audiencia previa al juicio o en la vista, ni cómo adquiere la otra parte conocimiento exacto de la proposición.

La documentación del acto de práctica de la prueba se recoge en el art. 383.1 LEC. La norma está presuponiendo, aunque no lo diga claramente que en el acto del juicio o vista debe procederse a ver la reproducción de la imagen y a oír la reproducción del sonido.

Se levanta acta, en la que se consignará cuanto sea necesario para la identificación de las filmaciones, grabaciones y reproducciones llevadas a cabo, así como, en su caso, las justificaciones y dictámenes aportados o las pruebas practicadas. El juez podrá acordar que se realice una transcripción literal de las palabras y voces filmadas o grabadas, siempre que sea de relevancia para el caso, la cual se unirá al acta. Finalmente, que contenga la palabra, la imagen o el sonido reproducidos habrá de conservarse por el órgano jurisdiccional, con referencia a los autos del juicio, de modo que no sufra alteraciones (art. 383.2 LEC).

B) Instrumentos de archivo, conocimiento o reproducción de palabras, datos, cifras y operaciones matemáticas

Las partes pueden aportar al proceso y pedir que sean admitidos como medios de prueba los instrumentos anteriormente citados (art. 384). Los requisitos que se establecen para ello son dos: Que sean relevantes para el proceso y que hayan sido llevados a cabo con fines contables o de otra clase. Son examinados por el juez con los medios que la parte proponente aporte o que el juzgado disponga utilizar y de modo que las demás partes del proceso puedan, con idéntico conocimiento que el tribunal, alegar y proponer lo que a su derecho convenga. Las partes pueden acompañar los dictámenes y medios de prueba instrumentales que consideren convenientes.

La práctica de la prueba exige que en el acto del juicio o vista se tome conocimiento directo del contenido del disquete, el disco duro del ordenador o del cd-rom. Finalmente, la documentación del acto se hará del modo más apropiado a la naturaleza del instrumento, bajo la fe del LAJ, quien, en su caso, adoptará también las medidas de custodia que resulten necesarias.

3. *Valoración*

El juez valorará las reproducciones de la palabra, el sonido y la imagen obtenidas mediante filmación, grabación y otros, así como los instrumentos que permiten el archivo, conocimiento o reproducción de datos relevantes para el proceso, conforme a las reglas de la sana crítica (arts. 382.3 y 384.3 LEC).

III. LAS PRESUNCIONES COMO MÉTODO DE PRUEBA

Se regulan en los arts. 385 y 386 LEC, que siguen tratando insuficientemente esta cuestión. Con las presunciones dejamos el análisis de los medios de prueba, porque éstas no lo son. Las presunciones, son un método probatorio, no una actividad probatoria, pero a partir de ahí las cuestiones interpretativas que se plantean no son nada fáciles de resolver.

1. *Concepto y naturaleza jurídica*

La presunción, entiende MONTERO AROCA basándose en la mejor doctrina, consiste en un razonamiento en virtud del cual, partiendo de un hecho que está probado o admitido por las dos partes, se llega a la consecuencia de la existencia de otro hecho, que es el supuesto fáctico de una norma, atendido el nexo lógico existente entre los dos hechos.

No estamos, pues, ante un verdadero medio de prueba. Las leyes no prevén, porque sería absurdo que lo hicieran, un procedimiento probatorio para su práctica. Las presunciones tampoco son, en sentido estricto, una actividad probatoria, sino, por mejor decir, un método de prueba. No se discute la gran importancia probatoria de las presunciones en la práctica judicial, pero ello no puede llevar a calificarlas de medio de prueba, ni a creer que precisan de una actividad probatoria. Son, insistimos, un método para probar.

La presunción está compuesta estructuralmente de una afirmación, hecho base o indicio, de una afirmación o hecho presumido y de un enlace.

A) La afirmación base, o hecho base, o indicio

La afirmación base, o el hecho base, como también se le llama doctrinalmente, recibe esta denominación porque es el punto de apoyo de toda presunción. Se suele acudir a él incluso con un tercer nombre: Indicio. La base de la presunción puede estar constituida por uno o varios indicios. Pero lo decisivo del indicio es que esté fijado en el proceso, que resulte probado. De ahí que el art. 385.1, II, diga que «tales presunciones sólo serán admisibles cuando la certeza del hecho indicio del que parte la presunción haya quedado establecida mediante admisión o prueba».

Esto significa que la afirmación o el hecho base ha de ser afirmado por una parte en el proceso y que luego ha de probarlo, pudiendo utilizar todos los medios de prueba para ello.

B) La afirmación presumida, o hecho presumido

La afirmación presumida o el hecho presumido es una consecuencia que se deduce del hecho base o indicio, que ha de ser afirmado también por la parte y que es el supuesto de hecho de la norma cuya aplicación se está pretendiendo en el proceso civil. Ese hecho presumido queda fijado de esta forma en el proceso y, en consecuencia, va a tener relevancia en la decisión del mismo. Lo característico de esta afirmación es que aporta un elemento de convicción que no ha sido posible obtener de otra manera.

C) El nexo lógico o enlace entre ambos hechos

Lo que hace posible la formación de presunciones en el enlace o nexo lógico que existe entre el indicio y el hecho presumido. En realidad, el nexo lógico entre los dos hechos es la presunción.

En unos casos la presunción viene fijada por la ley; en otros se forma directamente por el juez. Pero en ambas posibilidades es la misma presunción la que permite la fijación del nexo. En este sentido, el art. 386.1 dice que «a partir de un hecho admitido o probado, el tribunal podrá presumir la certeza, a los efectos del proceso, de otro hecho, si entre el admitido o demostrado y el presunto existe un enlace preciso y directo según las reglas del criterio humano» (STC 45/1987, de 9 de abril).

Veamos lo anterior referido a un supuesto concreto de presunción legal: el de declaración de fallecimiento.

La declaración de fallecimiento de los que se encuentren a bordo de una nave naufragada procede pasado un mes desde la comprobación (prueba) del naufragio, pero dadas las dificultades que a veces concurren para probar el naufragio, el art. 194-4º CC (a poner en relación con el acto de jurisdicción voluntaria regulado en los arts. 67 a 77 LJV), dice que se presume ocurrido el naufragio si el buque no llega a su destino, o si careciendo de punto fijo de arribo, no retornase y haya evidencias racionales de ausencia de supervivientes, luego que en cualquiera de los casos haya transcurrido un mes contado desde las últimas noticias recibidas o, por falta de éstas, desde la fecha de salida de la nave del puerto inicial del viaje.

En este supuesto, por tanto, la consecuencia jurídica es la declaración de fallecimiento, pero a la misma se puede llegar de dos maneras:

> ➤ Probando directamente el hecho del naufragio, que es el hecho previsto realmente por la norma como causa de la consecuencia jurídica.

> ➤ Probando los hechos de que la nave salió de viaje, de que nunca llegó a su destino y de que han pasado seis meses desde la partida del puerto inicial. Probados estos hechos la ley establece por presunción el hecho del naufragio.

En toda presunción legal hay, por tanto, uno o más indicios (hecho indiciario o base), que en nuestro ejemplo es la salida de viaje y la no llegada a destino del buque, y un hecho presumido, en el ejemplo el naufragio, y lo que la ley dice es que, probados los primeros (indicios), se entenderá por existente, en virtud de la lógico o de máximas de la experiencia, el segundo, que es el verdadero supuesto fáctico de la consecuencia jurídica pedida. En estos casos no es que no exista prueba; lo que sucede es que cambia el hecho a probar, de modo que no es correcto decir que las presunciones legales dispensan de toda prueba.

2. Clases

La tradicional distinción entre presunciones legales y presunciones judiciales se recoge ahora expresamente por la LEC:

A) Presunciones legales

Del art. 385.3 LEC se deduce que existen presunciones legales, que son las que admiten prueba en contrario (conocidas como presunciones *iuris tantum*), que constituyen la regla general o las presunciones normales, y las que no (denominadas presunciones *iuris et de iure*, si bien es una clasificación meramente teórica, pues de éstas no se puede poner ni un solo ejemplo).

La presunción legal *iuris tantum* es aquélla en la que el enlace o nexo lógico entre el indicio y la afirmación o hecho presumido está previsto y fijado en una norma (art. 385.2). Para que causen efecto, el hecho o indicio del que parte la presunción tiene que ser cierto, por tanto, tiene que haber quedado establecido mediante admisión o prueba (art. 385.1, II).

Hay numerosos ejemplos que se podrían citar, sobre todo en los códigos materiales, aunque no todos parten de una lógica que hoy se pueda admitir sin discusión: art. 29 CC (nasciturus), art. 116 (hijos del marido), art. 195 CC (fallecimiento, que nos ha servido de ejemplo antes), art. 433 CC (posesión de buena fe), art. 1407 CC (bienes gananciales), etc.

Ahora bien, cuando la ley habla de presunciones no siempre estamos ante un método probatorio de tal naturaleza. SERRA DOMÍNGUEZ ha dicho que, para identificar una verdadera presunción en una norma, es necesario que se den las siguientes características:

➤ Que la presunción se halle contenida en una ley positiva, de carácter procesal y con repercusión probatoria;

➤ Es preciso asimismo el enlace entre dos afirmaciones y que éstas sean cualitativamente distintas entre sí; y

➤ Pero, sobre todo, la afirmación base o indicio debe ser distinto de todas las restantes afirmaciones que concurren con la afirmación presumida para integrar el supuesto de hecho de la consecuencia jurídica pretendida.

Por otra parte, la presunción legal sólo dispensa, a la parte a la que favorezca la presunción, de la prueba del hecho presumido (art. 385.1 LEC), pero el hecho o afirmación base tiene que ser probado. Una vez el juez lo entienda probado, la norma legal de presunción da por cierto o existente el hecho presumido, si bien es posible una actividad probatoria de contrario, es decir, a iniciativa de la parte perjudicada, para demostrar que no es cierto o es inexistente dicho hecho presumido. Con ello obsérvese, el llamado principio de normalidad en la producción de los hechos, sobre el que gira la construcción de las presunciones como se puede ver, admite por sí mismo excepciones.

B) Presunciones judiciales

En las presunciones judiciales, al contrario que en las legales, el enlace o nexo lógico entre el hecho base o indicio y la afirmación o hecho presumido no lo efectúa la ley, sino directamente el juez (art. 386.1).

El enlace efectuado judicialmente a partir de un hecho o indicio admitido o probado, le permite presumir la certeza de otro hecho, si entre el admitido o demostrado y el presunto existe un enlace preciso y directo según las reglas del criterio humano (art. 386.1, I), es decir, de las reglas de la lógica o de la razón (STS de 30 de junio de 1988, RA 5199).

3. Requisitos y efectos

De la jurisprudencia y de la doctrina, podemos deducir los siguientes requisitos:

a) Para que el juez pueda aplicar los efectos previstos en la norma, o los que él mismo considere apropiados si se trata de una presunción judicial, es preciso, naturalmente, que el hecho base o indicio conste en el proceso porque ha sido introducido en él por la parte. Esta debe alegar también la afirmación presumida, es decir, la consecuencia que ella cree que debe producirse partiendo de aquel indicio. Si la presunción es legal hay que alegar la norma que la recoge.

b) En las presunciones legales *iuris tantum*, la prueba en contrario puede dirigirse tanto a probar la inexistencia del hecho presunto como a demostrar que no existe, en el caso de que se trate, el enlace que ha de haber entre el hecho que se presume y el hecho probado o admitido que fundamenta la presunción (art. 385.2 LEC).

c) Frente a la posible formulación de una presunción judicial, la parte perjudicada por ella podrá solicitar la práctica de prueba en contrario también (art. 386.2 LEC).

Los efectos procesales en materia de presunciones legales vienen establecidos en el art. 385.1 LEC, según el cual, las presunciones que la ley establece dispensan de la prueba del hecho presunto a la parte a la que este hecho favorezca.

Afirmar que los hechos favorecidos por una presunción legal no necesitan prueba es un error. Lo que quiere decir la ley es que cambia el objeto de la prueba puesto que el indicio o afirmación base (el indicio) hay que probarla siempre.

IV. LAS DILIGENCIAS FINALES

Las diligencias finales son actos de instrucción debidos a la iniciativa de las partes, o del juez, con la finalidad de formar su convicción acerca del material del proceso. Se regulan en los arts. 434.2, 435 y 436 LEC, y sólo caben en el juicio ordinario, no en el verbal.

1. Concepto y admisibilidad

La función directora del juez en el proceso puede versar, bien sobre el desenvolvimiento de aquél (ordenación formal o procesal), bien sobre el objeto del mismo (ordenación material). En un proceso regido por el principio dispositivo, las facultades de dirección sobre el objeto han de ser necesariamente reducidas; nulas en cuanto a la proposición y delimitación del objeto procesal; admisibles, sin embargo, en cuanto a la formación de la convicción del juez acerca de los hechos alegados. Pues bien, las diligencias finales se encuadran entre las facultades de dirección material, y constituyen probablemente la máxima concesión de la LEC al principio de investigación oficial dentro de un proceso dispositivo, pero el cambio importante que se da con la nueva LEC es, confirmando esta naturaleza, permitir su práctica sólo si las partes lo piden (art. 435.1), como regla general, porque el art. 435.2 autoriza su adopción de oficio excepcionalmente.

Naturalmente, acordar diligencias finales es algo que no puede considerarse discrecional del juzgador, por cuanto el acordarlas o no depende de la concurrencia del supuesto de hecho previsto en la norma. Si la parte las pide y el juez no las decreta no cabe recurso devolutivo directo, esto es, no se da apelación directa, pero el defecto deberá ser subsanado en apelación al interponerse el recurso contra la sentencia y atendido la posibilidad de acordar prueba en apelación.

Pero la mejor doctrina interpretadora de las diligencias para mejor proveer discutió, sin embargo, sobre si esas diligencias sólo deberían admitirse en cuanto vinieran aconsejadas por la conveniencia de una aportación probatoria de carácter complementario, lo que excluía su utilización cuando existiera una falta absoluta de prueba respecto al dato concreto (SSTS de 30 de junio de 1977, RA 3055; y de 23 de febrero de 1978, RA 442); o sobre si las diligencias sólo serían admisibles si los defectos de resultado de la actividad de la parte se debieran a errores involuntarios o a otras circunstancias ajenas a la voluntad.

El art. 435.1 parece recoger ambas posiciones con relación a las diligencias finales, porque no las permite cuando la parte pudo haberlas propuesto como prueba en tiempo y forma (regla 1ª), ni cuando actuó de manera poco diligente, porque no las propuso por su culpa (regla 2ª). Sea como fuere, es claro a nuestro juicio que el juez no puede llegar a convertirse en colaborador de una de las partes.

Las diligencias finales pueden llevar a actividad probatoria en los cuatro casos siguientes:

➢ Se pueden practicar los medios de prueba que por causas ajenas a la parte que lo hubiese propuesto, no se hubiese practicado (art. 435.1-2ª);

➢ Se pueden practicar las pruebas pertinentes y útiles que se refieran a hechos nuevos o de nueva noticia, previstos en el art. 286 (art. 435.1-3ª);

➢ Excepcionalmente, el juez podrá acordar de oficio, o a instancia de parte, que se practiquen de nuevo pruebas sobre hechos relevantes, oportunamente alegados, mediante auto detalladamente motivado, cuando de su práctica, a causa de circunstancias ya desaparecidas e independientes de la voluntad y diligencia de las partes, no se hubieran deducido resultados probatorios claros (art. 435.2);

Por tanto, obsérvese, en este caso se rechaza que a través de las diligencias finales puedan complementarse las alegaciones de hecho de las partes, porque es precisamente la duda sobre la prueba respecto a ellos, la que permite que el juez acuerde la diligencia que considere pertinente.

➤ En un supuesto la LEC impone la práctica de una diligencia final. Es el previsto en el art. 309.2, con ocasión del interrogatorio del representante de una persona jurídica que da razón de quién ha intervenido en los hechos en su nombre. Este último será interrogado como diligencia final.

2. Adopción, forma y efectos

En cuanto a las cuestiones procedimentales, hay que indicar que las diligencias finales han de acordarse dentro del plazo (impropio) para dictar sentencia (art. 434.2 LEC).

Las diligencias se han de practicar en el plazo de 20 días (art. 436.1 LEC), fijado por la Ley para intentar evitar maniobras dilatorias, quedando en suspenso entretanto el plazo para dictar sentencia (art. 434.2 LEC).

El principio de contradicción queda garantizado por el art. 436.1, pues después de su práctica, y sin perjuicio de su intervención durante su desarrollo, las partes pueden presentar escrito en el que resuman y valoren los resultados producidos, en plazo de 5 días, a partir del cual se volverá a contar el plazo para dictar sentencia (art. 436.2).

Por lo que toca a la forma de practicar estas diligencias, la LEC dice que cada una se ejecutará conforme a sus normas propias (art. 436.1), siendo los efectos de las diligencias acordadas respecto al objeto del proceso los propios de la prueba, que ya conocemos.

CAPÍTULO V
CRISIS Y TERMINACIÓN DEL PROCESO

Lección 15ª

CRISIS PROCESALES. DESARROLLO Y TERMINACIÓN ANORMAL DEL PROCESO

SILVIA BARONA VILAR

BIBLIOGRAFÍA BÁSICA

BARONA VILAR, S., *Mediación civil y mercantil. Tras la aprobación de la Ley 5/2012, de 6 de julio*, Tirant lo Blanch, Valencia, 2013.

DOIG DÍAZ, Y., *La terminación del proceso por satisfacción extraprocesal*, La Ley, Madrid, 2008.

CARBONELL TABENI, J., *Tratamiento procesal del allanamiento en el proceso civil*, J. M. Bosch, Barcelona, 2009.

I. ACLARACIÓN INICIAL

El proceso puede desarrollarse y terminar sin que se produzcan crisis procesales o bien pueden éstas producirse. En unos casos, surgen cuestiones que provocan la paralización del proceso por fenómenos diversos, incluso en algunos casos esas cuestiones se tramitan a través de los denominados incidentes o cuestiones incidentales, y en otros casos afectan a la terminación del proceso, provocando terminación por modos anormales que obedecen a actos de disposición de las partes, bien del proceso mismo, bien del objeto del proceso, o por causas objetivas a las que la ley atribuye esa consecuencia de terminación (caducidad o sobreseimiento).

II. PARALIZACIÓN

La detención total o parcial del proceso, no avanzando ni retrocediendo, por la concurrencia de una causa que la provoca da lugar a su paralización. Esta consecuencia paralizadora puede predicarse de todo el proceso o de actos procesales concretos.

1. Paralización del proceso principal

La paralización de todo el proceso, sin actividad, se produce por situaciones que afectan a su desarrollo normal del proceso, no alterando la litispendencia. Supuestos de esta paralización total son:

> ➢ Por petición de todas las partes litigantes (arts. 19.4 y 179.2 LEC); como sucede, por ejemplo, con la suspensión de la audiencia previa para someterse a mediación (arts. 415.1 y 443.1ª LEC). Los elementos de su régimen jurídico son:
>
>   1. Se acordará la suspensión por decreto del LAJ;
>
>   2. Queda condicionada a que no perjudique el interés general o a tercero;
>
>   3. Podrá reanudarse la actividad por petición de cualquiera de las partes; y
>
>   4. El plazo máximo de suspensión es de sesenta días, transcurridos los cuales, si ninguna de las partes solicitare la reanudación, se archivarán provisionalmente los autos, permaneciendo en tal situación mientras no se solicite la continuación del proceso o se produzca la caducidad de instancia garantizando los principios de certeza y seguridad jurídica.

> ➢ Por ley:
>
>   1. En ocasiones es paralización de toda la actividad procesal pendiente, como el planteamiento de las cuestiones prejudiciales devolutivas, que exigen previo pronunciamiento a la decisión del proceso (prejudicialidad penal (art. 40), prejudicialidad civil (art. 43), cuestión prejudicial constitucional (arts. 5.2 y 3 LOPJ, 163 CE y 35 a 37 LOTC), o cuestión prejudicial comunitaria, art. 267 TFUE);
>
>   2. En otros casos, surgen óbices que suspenden el curso del proceso principal, pero comportan la continuación de actividad procesal no principal, como en la declinatoria (art. 64), la acumulación de procesos (arts. 84.2, 88.1, 92.2 y 95), o por abstención de jueces y magistrados (art. 102.2), entre otros.
>
>   3. Podrá suspenderse por solicitud del los abogados/as por fallecimiento, accidente o enfermedad graves del mismo o de su cónyuge o persona ligada por relación de afectividad o de un familiar dentro del primer grado de consanguinidad o afinidad, en los términos del art. 170.3 y 4 LEC.

2. Paralización de actos procesales concretos

Puede producirse la paralización de determinados actos procesales, bien provocando la suspensión del inicio del acto, bien la suspensión del acto mismo, una vez se ha iniciado. En estos casos unas veces la suspensión del acto comporta sin más que, desaparecida la causa, continúa el proceso desde la actividad última que se realizó, y, en otras, por tratarse de unidad de acto, se hace necesario repetir el mismo.

El caso más destacado es el de la paralización de la vista, produciéndose bien la suspensión o bien la interrupción.

➢ *Causas de suspensión* (art. 188):

1. Por impedirla la continuación de otra pendiente del día anterior;

2. Por faltar el número de magistrados necesario o por indisposición sobrevenida del juez o del LAJ, si no pudiere ser sustituido;

3. Por acuerdo de las partes, alegando justa causa a juicio del LAJ;

4. Por imposibilidad absoluta de las partes citadas para ser interrogadas, siempre que no fuere posible nuevo señalamiento;

5. Por muerte, enfermedad o imposibilidad absoluta del abogado de la parte que pidiere la suspensión, justificadas suficientemente y no pudiendo haberse solicitado nuevo señalamiento;

6. Por tener el abogado defensor dos señalamientos para el mismo día en distintos tribunales, cuando acredita el intento de nuevo señalamiento;

7. Por suspensión del curso de las actuaciones o resultar procedente tal suspensión de acuerdo con lo dispuesto por esta Ley.

8. Por imposibilidad técnica en los casos que, debiéndose celebrar la vista o asistencia de algún interviniente por medio de videoconferencia, no se pudiese realizar en condiciones necesarias para su buen desarrollo.

Las consecuencias de la suspensión son: 1º) Comunicación inmediata por el LAJ a las partes personadas, y a los testigos, peritos; 2º) Se realiza nuevo señalamiento por el LAJ, para el día más inmediato posible, sin alterar el orden de los ya hechos, teniendo en cuenta, en su caso, las condiciones del art. 189.3 en caso de baja obligatoria del abogado/a (art. 189); 3º) Los cambios en la persona del juzgador se harán saber a las partes, sin perjuicio de proceder a su celebración, salvo recusación de alguno de los magistrados, suspendiéndose la vista, y haciéndose nuevo señalamiento una vez resuelta la recusación (art. 190), que será igualmente aplicable a los LAJ cuando se produzca su cambio después del señalamiento, cuando se trate de actuaciones que deban celebrarse ante ellos únicamente (art. 192 bis).

➢ *Causas de interrupción* (art. 193):

1. Por resolución de cuestión incidental que no pueda decidirse en el acto;

2. Por diligencia probatoria fuera de la sede del tribunal;

3. Por incomparecencia de los testigos o peritos;

4. Cuando, iniciada la vista, se produzca alguna de las circunstancias que habrían determinado la suspensión de la celebración.

La eficacia de las actuaciones realizadas en la vista se mantiene en los supuestos de interrupción, salvo que exceda de 20 días o, en caso de sustitución de un juez antes de celebrarse la vista interrumpida, produciéndose la celebración de nueva vista, haciéndose el oportuno señalamiento para la fecha más inmediata posible (art. 193.3 LEC).

III. CUESTIONES INCIDENTALES

Se regulan en los arts. 387 y siguientes LEC y son aquellas que se suscitan en el proceso, que guardan relación con el objeto del proceso o con el mismo proceso —no tienen sustantividad propia ni pueden plantearse sin la dependencia del proceso principal—, regulando la ley un procedimiento propio para su planteamiento y resolución. Son competentes para conocer de ellas los mismos órganos jurisdiccionales que conocen del proceso principal.

1. Clases

Pueden existir cuestiones incidentales que tienen señalada tramitación específica o que no la tengan específica, en cuyo caso se les aplican los arts. 392 y 393 LEC, que regulan el procedimiento incidental común.

Pueden igualmente diferenciarse dos tipos de incidentes en atención a los efectos que producen en relación con el proceso principal:

➢ De especial pronunciamiento y tramitación suspensiva del proceso; por ejemplo, por falta de capacidad o representación de las partes, defectos en presupuestos procesales o cualquier otra incidencia que ocurra durante el juicio y cuya resolución sea necesaria para decidir sobre la continuación procesal (art. 391 LEC).

➢ De especial pronunciamiento y no suspensivo: la decisión se efectuará en la sentencia, con carácter previo a la decisión de la cuestión principal (art. 389 LEC).

2. Tramitación procedimental

Los incidentes, suspensivos o no suspensivos, se tramitan del mismo modo. Lo que les diferencia es que bien se tramitan en pieza separada (no suspensivo, art. 389) o si se admite como suspensivo —previo pronunciamiento, art. 390—, se suspende el curso de las actuaciones del proceso principal.

IV. TERMINACIÓN ANORMAL DEL PROCESO

En ciertos casos el proceso finaliza no a través de la sentencia contradictoria (vía normal), sino de forma anormal, bien por razones procesales (sin pronunciamiento sobre el fondo del proceso), bien por razones materiales (existiendo pronunciamiento sobre el fondo del proceso).

1. Terminación por motivos procesales

En estos casos no existe pronunciamiento sobre el objeto del proceso o fondo del asunto, y, al quedar imprejuzgado, cabe que se inicie un ulterior proceso sobre la misma pretensión. Los actos que ponen fin al proceso son: desistimiento, sobreseimiento y caducidad (y algún otro de menor trascendencia).

A) Desistimiento

Es un acto procesal del demandante consistente en una declaración de voluntad por la que anuncia su deseo de abandonar el proceso iniciado por él, y por ello también la situación procesal creada por la presentación de la demanda, quedando la pretensión imprejuzgada, al no dictarse pronunciamiento alguno sobre ella. Esto permite la incoación de un proceso posterior entre las mismas partes y con el mismo objeto. La LEC regula dos tipos de desistimiento:

➢ *Unilateral*, producido por voluntad única del demandante. Caben dos supuestos: 1") Si la declaración de voluntad se produce antes de que el demandado sea emplazado para contestar a la demanda (juicio ordinario) o citado para la vista (juicio verbal), y 2") En cualquier momento cuando el demandado se encontrare en rebeldía (art. 20.2).

➢ *Bilateral*, en todos los demás casos, exigiéndose oír al demandado. Del escrito desistiendo se da traslado al demandado, por 10 días, el cual puede: 1") No oponerse, dictándose decreto acordando el sobreseimiento por el LAJ, y 2") Oponerse, resolviendo el Juez lo que estime oportuno (art. 20.3). La bilateralidad exige audiencia al demandado por los efectos que produce el desistimiento: queda la pretensión imprejuzgada y puede plantearse posteriormente otro proceso entre las mismas partes y con el mismo objeto. El demandado puede de este modo conformarse, no oponerse u oponerse; si se opone, es el juez el que decide, a la vista de la petición de ambos.

En todo caso, los efectos del desistimiento son:

1) Terminación del proceso;

2) Sin pronunciamiento de fondo sobre la pretensión, quedando imprejuzgada;

3) Cabe incoar un nuevo proceso posterior entre las mismas partes y con el mismo objeto; y

4) El desistimiento no consentido por el demandado supone la condena al actor de las costas; si existe consentimiento por el demandado, no se condena en costas a ninguno de los litigantes (art. 396 LEC).

Los requisitos que se exigen en el desistimiento son:

➢ *Subjetivos*: La parte necesita tener plena capacidad de actuación procesal e integrar debidamente su capacidad de postulación, debiéndose, según el art. 25.2, 1° LEC, otorgar poder especial al procurador para desistir.

➢ *Objetivos*: Es posible en todo tipo de procesos. El carácter disponible o indisponible no condiciona la viabilidad del desistimiento. Si queda imprejuzgada la pretensión, no se determina el contenido de la sentencia de forma dispositiva, sino abandonando el proceso que voluntariamente se inició.

El desistimiento puede ser total, produciendo la conclusión del proceso sin sentencia, o parcial, continuando el proceso sólo respecto de la parte de su objeto a la que no afectó el desistimiento.

➢ *De actividad*: Estos requisitos se centran en el tiempo y la forma:

1. Tiempo: El demandante puede realizarlo en cualquier momento de la primera instancia o de los recursos o de la ejecución de la sentencia (art. 19.3 LEC), si bien en fase de recursos o en ejecución de sentencia su alcance y significado, y sobre todo sus efectos, difieren del desistimiento en la primera instancia, que puede efectuarse desde la admisión de la demanda hasta que exista pronunciamiento de fondo en el

proceso. El momento preclusivo es la firma de la sentencia, dado que el desistimiento no pretende determinar su contenido.

2. Forma: Puede ser expreso, bien oral (como el del trámite de la audiencia previa, art. 415.1, II), bien escrito, en atención al principio esencial del procedimiento, y consiste en la declaración inequívoca de voluntad del demandante. También el desistimiento puede ser tácito, debido a determinadas conductas del actor, a las que la LEC les atribuye este efecto de dejación del proceso, como sucede con el art. 414, al referirse a la incomparecencia del actor a la audiencia previa, o en el art. 442.1, por inasistencia del demandante a la vista en el juicio verbal sin que el demandado alegue interés legítimo en la continuación del proceso.

B) Sobreseimiento

El sobreseimiento supone la terminación del proceso sin pronunciamiento sobre el fondo, consecuencia de la concurrencia de óbices que impiden su continuación, dejando imprejuzgada la pretensión. Puede dictarse por causa imputable a las partes (como el supuesto de incomparecencia, art. 414, o por desistimiento bilateral, art. 415) o por causa ajena a su voluntad (litispendencia o cosa juzgada, art. 421).

Estos óbices hacen referencia a cualesquiera circunstancias que puedan impedir la válida prosecución y término del proceso mediante sentencia sobre el fondo. Pueden referirse a:

➢ Falta de presupuestos procesales no subsanables, como litispendencia o cosa juzgada (art. 421 LEC);

➢ Falta de presupuestos procesales que, siendo subsanables, no se subsanan (falta del debido litisconsorcio, art. 420 LEC);

➢ Ausencia de requisitos procesales, como demanda sin los requisitos especiales exigidos, por razón de la materia, para la admisión de la misma (art. 423.3, II LEC) o por demanda defectuosa por falta de claridad o precisión en la determinación de las partes o de la petición que se deduzca (art. 424.2 LEC);

➢ Incomparecencia de las partes a la audiencia previa (arts. 414 y ss. LEC). En estos supuestos la defectuosa configuración de la relación jurídico procesal se exterioriza en la audiencia previa, evitándose una sentencia procesal.

Junto a éstas, la LEC, de forma ambigua, establece un supuesto de sobreseimiento del proceso por desaparición del interés legítimo en obtener la tutela judicial pretendida, al satisfacerse fuera del proceso las pretensiones del actor o porque se ha provocado una carencia sobrevenida del objeto procesal (art. 22 en relación con el art. 25.2, 1º). No es un supuesto de sobreseimiento por razones procesales, dado que, desaparecido el objeto del proceso, la LEC atribuye al sobreseimiento los mismos efectos que una sentencia absolutoria firme, impidiéndose volver a plantear la cuestión entre las mismas partes y con el mismo objeto. En este supuesto es el LAJ el que, mediante decreto, decide la terminación del proceso sin imposición de costas (art. 22.1).

E igualmente es posible poner fin al proceso mediante decreto de sobreseimiento del LAJ cuando el demandado presta su conformidad al desistimiento o no se opone a él (art. 20.3).

Los efectos que produce el sobreseimiento son:

1) Terminación del proceso mediante auto judicial o decreto del LAJ;

2) No existe un pronunciamiento de fondo sobre la pretensión interpuesta, quedando imprejuzgada la misma; y

3) El hecho de que quede la pretensión imprejuzgada no significa, sin embargo, que, al no producir efecto de cosa juzgada, quede abierta la posibilidad de incoar un nuevo proceso posterior entre las mismas partes y con el mismo objeto. Este efecto será sólo posible en los casos de óbice procesal subsanable, no en los insubsanables.

C) Caducidad

La caducidad supone la terminación del proceso por inactividad de las partes durante el lapso de tiempo previsto por la ley. Su fundamento se halla en la idea de que la litispendencia no puede prolongarse indefinidamente. Si bien tuvo sentido en un proceso que se regía por el principio de impulso de parte, hoy no tiene sentido con el principio de impulso oficial (art. 179.1 LEC).

No obstante, el legislador ha previsto los escasos supuestos en que la inactividad puede conducir a la caducidad, evitándose con ello la litispendencia indefinida (art. 237 LEC). Podría pensarse en los supuestos de suspensión del proceso a petición de todas las partes litigantes por más de sesenta días desde la solicitud de la suspensión sin que nadie solicite la reanudación, produciéndose primero el archivo provisional de los autos y, transcurridos los plazos previstos en el art. 237, la caducidad de instancia. Su régimen jurídico se caracteriza:

➢ La caducidad puede producirse en cualquier momento de tramitación del proceso de declaración, distinguiéndose (art. 237 LEC): 1") Inactividad procesal en la primera instancia durante 2 años, se produce la terminación del proceso por caducidad; 2") Inactividad en la segunda instancia o pendiente recurso extraordinario por infracción procesal o recurso de casación, se requiere el transcurso de 1 año, para que se ponga fin por caducidad. Estos plazos se contarán desde la última notificación que se hubiere realizado a las partes (art. 237.1, II LEC).

➢ Quedan excluidos de la caducidad, pese al transcurso del tiempo, la fuerza mayor u otra causa contraria o no imputable a la voluntad de las partes o interesados (art. 238), así como en ejecución forzosa. Llegado ese supuesto, deberá proseguirse hasta obtener el cumplimiento de lo juzgado, aunque hayan quedado sin curso durante los plazos legalmente señalados (art. 239 LEC).

➢ Debe declararse por decreto del LAJ, y de oficio; es una resolución meramente declarativa del efecto que supone el transcurso del tiempo. Contra este decreto cabe sólo recurso de revisión (art. 237.2 LEC).

➢ Los efectos que produce la caducidad, delimitados en el art. 240 LEC, son:

1. Si la caducidad se produce en la primera instancia: se entiende como desistimiento, por lo que, imprejuzgada la pretensión, es posible volver a incoar nuevo proceso entre las mismas partes y con el mismo objeto, salvo caducidad de la acción (art. 240.2).

2. Si la caducidad se produce en la segunda instancia o en fase de recursos extraordinarios, se tendrá por desistida la apelación o dichos recursos y por firme la resolución recurrida, devolviéndose las actuaciones al tribunal del que procedieren (art. 240.1).

3. La declaración de caducidad no contendrá imposición de costas. Cada parte pagará las causadas a su instancia y las comunes por mitad (art. 240.3).

En ciertos supuestos acontecen hechos inesperados en el proceso que van a provocar su terminación anormal. Por ejemplo, la muerte de una de las partes no necesariamente comporta como regla general la terminación del proceso, pudiendo dar lugar a la sucesión procesal (art. 16); podría provocar la finalización del proceso si comporta desaparición de la dualidad de posiciones y del objeto del proceso (la otra parte es el único heredero y aceptase la herencia), generando una confusión de partes. Asimismo, la muerte de una de las partes podría comportar la terminación del proceso en aquellos supuestos en que el objeto del proceso no puede transmitirse, como podría suceder en determinados ámbitos de los procesos matrimoniales.

2. *Terminación por motivos materiales*

Existen razones materiales que pueden dar lugar a la terminación anormal del proceso, con una decisión de fondo, si bien sin mantenerse hasta el final la contradicción. Son: la renuncia, el allanamiento, la transacción, la satisfacción extraprocesal y la enervación del desahucio. Se produce un acto de disposición de las partes sobre el objeto del proceso, impidiéndose nuevo conocimiento sobre la materia.

A) Renuncia del actor

Es un acto del demandante por el que manifiesta su dejación de la acción ejercitada o del derecho en que funde su pretensión (art. 20.1 LEC).

Frente al desistimiento, que puede ser unilateral o bilateral, la renuncia es siempre un acto unilateral del demandante, que no requiere de conformidad por el demandado, y que produce los siguientes efectos:

1) Terminación del proceso, si bien no por mero abandono del proceso (desistimiento), sino por dejación de la acción (entendida en sentido concreto) o del derecho en que funda su pretensión;

2) Determinación del contenido de la resolución que pone fin al proceso: sentencia desestimatoria de la pretensión con absolución del demandado;

3) La sentencia es de fondo, sentencia no contradictoria, con efectos de cosa juzgada.

Los requisitos de la renuncia son:

➢ *Subjetivos*: Para renunciar la parte debe tener plena capacidad procesal e integrar debidamente su capacidad de postulación, necesitándose, según el art. 25.2, 1°, LEC, poder especial al procurador para renunciar. En algunos supuestos la declaración de voluntad que comporta la renuncia exige una serie de requisitos: el representante voluntario necesita de mandato expreso del representado (art. 1713, II CC); por su parte, la renuncia de la persona jurídica necesita manifestación de la voluntad de su renuncia, no bastando la voluntad de la persona física que actúa por ella; asimismo, en los supuestos de litisconsorcio activo se necesita la renuncia de todos los litisconsortes.

➢ *Objetivos*: La renuncia solo es admisible si lo renunciado es disponible, no surtiendo efectos la renuncia cuando la ley la prohíba, por contraria a normas imperativas o prohibitivas (art. 6.3 CC), o por contraria al orden público (art. 6.2 CC) o cuando la ley establezca limitaciones por razón de interés general o en beneficio de terceros (art. 6.2 CC). En la misma dirección se manifiesta el art. 19.1 LEC.

La LEC recoge algún supuesto de ineficacia de la renuncia cuando ésta se lleva a cabo en supuestos de indisponibilidad del objeto del proceso (por ejemplo, en los procesos sobre capacidad, filiación y matrimonio, art. 751 LEC), si bien lo que sucede aquí es que no puede renunciarse lo que no se tiene, dado que no existe un verdadero derecho material a obtener una sentencia de contenido favorable en los mismos.

Atendida a la expansión del ámbito de objeto de renuncia, puede ser con carácter general total, dado que, si se ha ejercitado una sola pretensión, la renuncia sólo es posible respecto de toda ella. Excepcionalmente puede ser parcial, si se da un supuesto de acumulación de pretensiones.

➢ *De actividad*: Los requisitos atienden a:

1) Tiempo: El actor puede renunciar en cualquier momento de la primera instancia o de los recursos o de la ejecución de la sentencia (art. 19.3 LEC). En la primera instancia puede efectuarse la renuncia desde la litispendencia (desde la interposición de la demanda si después es admitida, art. 410) hasta el momento del pronunciamiento de fondo en el proceso; y

2) Forma: Tiene que ser expresa, no cabe la renuncia tácita o presunta, si bien puede efectuarse por escrito o verbalmente, en atención al principio que rige el procedimiento.

B) Allanamiento del demandado

Es un acto procesal del demandado por el que manifiesta su voluntad de no oponerse a la pretensión del actor o de abandonar la oposición interpuesta, conformándose con ella, provocando la terminación del proceso con sentencia estimatoria, pero sin contradicción.

El allanamiento —que se refiere a la pretensión, siendo acto solo de la parte demandada, y que condiciona el contenido de la sentencia— no es admisión de hechos —versa sobre hechos, no sobre la pretensión, pudiendo ser acto de demandante y de demandado, y no condicionan el contenido de la resolución, sino que determina en sentido negativo qué hechos dejan de ser controvertidos— ni es interrogatorio de parte —sobre los hechos controvertidos, que puede ser del actor y del demandado, que tiene solo efectos probatorios—.

El allanamiento, produce los siguientes efectos:

1º) Terminación del proceso por conformidad con las pretensiones del actor, con la salvedad de que se trate de un allanamiento parcial, produciéndose lo prevenido en el art. 21.2 LEC;

2º) Allanamiento, si es total, determina el contenido de la resolución que pone fin al proceso: sentencia condenatoria, de acuerdo con lo solicitado por el demandante (art. 21.1 LEC);

3°) La sentencia que se dicta en caso de allanamiento entra en el fondo, con sentencia no contradictoria, produciendo los normales efectos de cosa juzgada;

4°) Si el demandado se allana antes de la contestación, no procederá la imposición de costas, salvo que el tribunal, razonándolo debidamente, aprecie mala fe en el demandado; a estos efectos se entiende que existe mala fe si, antes de presentada la demanda, se hubiese formulado al demandado requerimiento fehaciente y justificado de pago, o si se hubiera iniciado procedimiento de mediación o dirigido contra la solicitud de conciliación (art. 395 LEC).

Si el allanamiento hubiere sido parcial, el tribunal podrá, a instancia del demandante, de acuerdo con el art. 21.2, dictar auto acogiendo las pretensiones que hayan sido objeto de allanamiento, siempre que, por su naturaleza, sea posible un pronunciamiento separado que no suponga prejuzgar las demás cuestiones que no han sido objeto de allanamiento, respecto de las cuales el proceso continuará. El auto dictado en este supuesto de allanamiento parcial será ejecutable conforme a la regulación de ejecución legalmente establecida (arts. 517 y ss.).

Los requisitos que se desprenden del régimen jurídico del allanamiento del demandado son:

➢ *Subjetivos*: El demandado debe tener plena capacidad procesal, integrándose su capacidad de postulación, necesitándose, según el art. 25.2, 1°, LEC, poder especial por el procurador para allanarse. La declaración de voluntad del allanamiento requiere en algunos supuestos la concurrencia de una serie de requisitos: el representante voluntario necesita de mandato expreso del representado (art. 1713, II CC); por su parte, la persona jurídica necesita manifestación de la voluntad del órgano que tiene competencia conforme a la ley o a sus propios estatutos; asimismo, en los supuestos de litisconsorcio activo se necesita el allanamiento de todos los litisconsortes, dado que, de otro modo, el proceso debe continuar.

➢ *Objetivos*: El allanamiento solo es admisible desde la disponibilidad de los derechos. Si el allanamiento se produce en fraude de ley o contra interés general o en perjuicio de tercero, se dictará auto rechazándolo, siguiendo adelante el proceso (art. 21.1), lo que supone una reiteración respecto de lo que prescribía el art. 6 CC. El art. 751 LEC (procesos sobre capacidad, filiación y matrimonio) determina que el allanamiento en ellos no surtirá efecto, por cuanto no concurre un derecho material disponible en ellos.

El art. 21 delimita los dos tipos de allanamiento, según sea total o parcial:

a) Total: Cuando el demandado se allana a todas las pretensiones del actor, termina el proceso con los efectos del allanamiento, salvo que concurriera fraude de ley o supusiera renuncia contra el interés general o perjuicio de tercero, en cuyo caso se dictaría auto rechazándose y siguiendo el proceso adelante.

b) Parcial: Cuando, ejercitadas una pluralidad de pretensiones, se allanare el demandado a alguna o algunas de ellas, o cuando el demandado se halle conforme con parte de la única pretensión aducida (art. 405.1), se produciría el allanamiento parcial, siempre que se trate de pretensiones que pueden disgregarse por su naturaleza, de modo que respecto de las allanadas termina el proceso, y respecto de lo no allanado, continuará el desarrollo normal del proceso.

➤ *De actividad*: Los requisitos atienden a:

1. Tiempo: El actor demandado puede allanarse en cualquier momento de la primera instancia o de los recursos o de la ejecución de la sentencia (art. 19.3 LEC).

Tradicionalmente se venía sosteniendo que el allanamiento era uno de los posibles contenidos de la contestación a la demanda, y así se mantiene en el art. 405 LEC, si bien ello no significa que se trate necesariamente del momento en que debe efectuarse el allanamiento, sino que es uno de los posibles, como una de las conductas que puede efectuar el demandado en el trámite de contestación a la demanda, sin que ello suponga que el allanamiento es necesariamente contestación. Es más, aun siendo éste un momento para efectuar el allanamiento, este acto de disposición puede efectuarse en cualquier momento del proceso.

También es posible el allanamiento tras la sentencia de primera instancia, partiendo de que fue desestimatoria de la pretensión y ha sido recurrida, entendiendo que en tal caso el allanamiento comportaría que el tribunal que conoce del recurso debería dejar sin efecto la sentencia impugnada por razones producidas con posterioridad a la misma, máxime si se tiene en cuenta que hasta la sentencia firme el proceso no ha finalizado. Diferente sería si el recurrente fuere el demandado, dado que en tal caso se trataría más bien de algo semejante a un desistimiento del recurso.

2. Forma: El allanamiento tiene que ser expreso. Puede efectuarse por escrito o verbalmente, en atención al principio que rige fundamentalmente el desarrollo del procedimiento.

C) Acuerdo de las partes: Mediación y Transacción

En el ejercicio del poder de disposición de las partes cabe también que sean ambas partes las que lleguen a un acuerdo sobre lo que sea objeto del conflicto y por extensión del proceso. Incluso cabe que las partes decidan disponer abandonar el proceso para ir a arbitraje. Obviamente esta situación no es posible cuando la ley lo prohíba o establezca limitaciones por razones de interés general o en beneficio de tercero (art. 19.1 LEC).

Puede distinguirse, a este respecto, dos tipos de acuerdos. Por un lado, aquellos que se alcanzan tras un procedimiento de mediación, al que se acude por derivación judicial, pero extraprocesalmente y, por tanto, si hay acuerdo se incorporará éste en el proceso, o, por otro, bien a través de una transacción procesal. En ambos casos, el acuerdo convierte la continuación del proceso en innecesario.

➢ En el caso de la mediación, es el mediador, tercero neutral no judicial, el que trabaja con las partes para aproximarlas, si bien igualmente podría darse una mediación dirigida por LAJ (Ley 15/2015, de Jurisdicción Voluntaria). El acuerdo puede tener valor contractual simplemente, si no se incorpora a un proceso pendiente —mediación sin vinculación procesal alguna—. Del mismo modo, puede convertirse en título ejecutivo a través de dos vías: la notarial (título ejecutivo extrajurisdiccional), o incorporándolo al proceso pendiente, convirtiéndose, en su caso, en título ejecutivo judicial (que puede ser incluso contenido de la sentencia), tal como se regula en la Ley 5/2012, de 6 de julio, sobre mediación en asuntos civiles y mercantiles y en el art. 517.2 LEC.

➢ En el caso de la transacción, ésta puede desarrollarse bien con presencia judicial —transacción judicial—, siendo el supuesto más típico el de la audiencia previa, arts. 414 y ss. LEC, o bien sin presencia judicial, pero siendo con posterioridad presentado al tribunal para su homologación. Los elementos que configuran la transacción procesal son: 1) Participación de las partes, mediante concesiones recíprocas, con o sin presencia judicial, con el fin de no continuar con el proceso; 2) Se plasma en un auto que pone fin al proceso, homologándose los términos del acuerdo (art. 19.2); 3) Se convierte en título ejecutivo (art. 517.3 LEC).

Requisitos del régimen jurídico de la transacción son:

➢ *Subjetivos*: Los exigidos respecto de la renuncia o el allanamiento se predican también respecto de la transacción, incluida la exigencia de otorgar poder especial al procurador para transigir.

➢ *Objetivos*: Los límites objetivos que impiden la terminación de un proceso por transacción son: no estar prohibida por la ley ni limitada por razones de interés general o en beneficio de tercero (arts. 19.1 LEC y 6 CC). Existen supuestos específicos legalmente determinados en los que se delimita la posibilidad o la prohibición de transacción procesal judicial: el art. 1813 CC establece que se puede transigir sobre la acción civil derivada del hecho delictivo; el art. 751 LEC establece la imposibilidad de transigir en los procesos no dispositivos sobre capacidad, filiación y matrimonio, si bien en ellos también pueden las partes disponer libremente de algunas de ellas, pudiendo ser objeto de transacción (así sucede con el art. 151 CC, al permitirse la misma sobre las pensiones alimenticias ya vencidas).

➢ *De actividad*: Los requisitos atienden a:

1. Tiempo: El art. 19.3 LEC permite la transacción en cualquier momento de la primera instancia, en fase de recursos, o en ejecución de sentencia; y

2. Forma: Puede ser escrita u oral, en atención al momento en que se lleva a cabo la transacción. Cabría pensar que cuando se realiza extrajudicialmente debe llevarse documentalmente por escrito ante la autoridad judicial, y ser ratificado. Si la transacción se realiza en presencia judicial, atendido el momento en que se lleva a cabo, puede ser oral o escrito; si es oral, se hará constar por acta o por cualquiera de los medios de reproducción los términos del acuerdo, con el fin de obtener su homologación (art. 19.2 LEC).

D) Satisfacción extraprocesal o carencia sobrevenida de objeto. Supuesto especial de enervación del desahucio

El art. 22 LEC establece la posible terminación del proceso por satisfacción extraprocesal o carencia sobrevenida del objeto. Supone la terminación del proceso por desaparición del interés legítimo en obtener la tutela judicial pretendida, por haberse satisfecho fuera del proceso las pretensiones del actor y, en su caso las del demandado-reconviniente.

Puede producirse por tres tipos de situaciones:

➢ Por transacción extrajudicial: se lleva al tribunal el convenio o pacto suscrito por las partes para solicitarle su homologación;

➢ Por carencia de objeto del proceso como consecuencia de una confusión de las partes, que haga innecesario el proceso, por ejemplo, en caso de una fusión bancaria entre dos entidades que eran las partes en conflicto, o cuando muere una parte siendo la contraria su único heredero, siendo que éste acepta la herencia. El proceso termina con auto de sobreseimiento, poniendo fin a la actividad procesal innecesaria; y

> ➢ Por último, por satisfacción de la parte fuera del proceso dejando de existir interés legítimo en obtener la tutela judicial pretendida (no es acuerdo transaccional, sino cumplimiento por el demandado de lo pedido por el actor en la demanda), en cuyo caso nos hallaríamos ante la regulación del art. 22. Ejemplos de este último supuesto se dan cuando el deudor paga al acreedor, o cuando se efectúa una compensación, o cuando el demandante reconoce haberse equivocado al interponer la demanda; en todos estos casos se está vaciando el proceso de objeto, resultando absurdo que continúe.

Los efectos que comporta esta modalidad son:

1. Terminación anormal del proceso al desaparecer el interés por la tutela judicial solicitada;

2. Satisfacción extraprocesal de las pretensiones objeto del proceso fuera del mismo;

3. Terminación mediante decreto del LAJ;

4. Este decreto implica la terminación del proceso por motivos materiales, esto es, con valor semejante a la resolución de fondo que pone fin al pleito, con efectos de cosa juzgada;

5. No procede condena en costas (art. 22.1).

En relación con el momento en que puede producirse la terminación del proceso, en principio, según el art. 19.3 LEC, podría alcanzarse esta satisfacción extraprocesal en cualquier momento de la primera instancia (después de la demanda o en su caso la formulación de la reconvención) o en fase de recursos, y ello por cuanto, producida la misma por causas sobrevenidas con posterioridad al proceso, provocan la innecesariedad del mismo.

Se exigen las dos voluntades —bilateralidad—. Si una parte sostuviera la subsistencia de interés legítimo en obtener la tutela judicial pretendida, negando la satisfacción extraprocesal de sus pretensiones, el LAJ convocará a las partes, en el plazo de 10 días, a una comparecencia ante el Tribunal que versará sobre ese único objeto (art. 22.2). Contra el auto que ordena la continuación del juicio no cabe recurso; contra el que acuerda la terminación del proceso, cabe apelación (art. 22.3).

Un supuesto especial de terminación del proceso por satisfacción extraprocesal es el que se regula en el art. 22.4, que permite la terminación del proceso de desahucio de finca urbana por falta de pago por medio de la enervación del mismo. No se configura tanto como un derecho, cuanto como una oportunidad del arrendatorio de evitar el desahucio por falta de pago (STS 1345/2021).

Los elementos que lo configuran son:

➤ Es una vía extraprocesal de finalización del proceso de desahucio de finca urbana por falta de pago de rentas o cantidades debidas por el arrendatario, consistente en el pago, dejando sin objeto el proceso. Se produce la satisfacción extraprocesal mediante el pago.

➤ El pago puede realizarse en cualquier momento de la primera instancia antes de la celebración de la vista del juicio verbal.

➤ Las formas de realizar el pago pueden ser: 1) Entrega directa de lo adeudado al actor; 2) Puesta a disposición de la cantidad en el tribunal; 3) Puesta a disposición de la cantidad efectuada por conducto notarial.

➤ La resolución que pone fin al proceso reviste la forma de decreto, dictada por el letrado de la administración de justicia, que tendrá los mismos efectos que una sentencia absolutoria firme (título judicial no ejecutable y cosa juzgada), sin que proceda condena en costas (art. 22.1).

Se excluye esta posibilidad si el arrendatario hubiera ya enervado el desahucio en una ocasión anterior, reincidiéndose posteriormente en no pagar, pretendiendo una segunda enervación del desahucio. Y, asimismo, queda excluida esta posible terminación cuando, requerido el arrendatario de pago fehacientemente, con la oportuna antelación a la presentación de la demanda, no se hubiere efectuado el pago al tiempo de dicha presentación (art. 22.4, II LEC).

Lección 16ª

LA SENTENCIA

IÑAKI ESPARZA LEIBAR

BIBLIOGRAFÍA BÁSICA

ALISTE SANTOS, T. J., *La motivación de las resoluciones judiciales,* Marcial Pons, Madrid, 2011.

BARONA VILAR, S., Ed., *Justicia algorítmica y neuroderecho. Una mirada multidisciplinar,* Tirant lo Blanch, Valencia, 2021.

COLOMER HERNÁNDEZ, I., *La motivación de las sentencias: Sus exigencias constitucionales y legales,* Tirant lo Blanch, Valencia, 2003.

MONTERO AROCA, J., *El proceso civil. Los procesos ordinarios de declaración y de ejecución,* 2ª ed., Tirant lo Blanch, Valencia, 2016.

I. LA SENTENCIA: CONCEPTO, NECESIDAD Y CLASES

Una vez que en el proceso —tramitado ante el juez competente y a través del cauce adecuado— se han desarrollado completamente las estrategias procesales de las partes enfrentadas, lo que supone la exposición de las alegaciones y la respectiva actividad probatoria —proposición, admisión y práctica— la iniciativa procesal pasa a estar en manos del juez que está conociendo del asunto, a quien corresponderá emitir su juicio sobre lo actuado ante él, es decir, le corresponde dictar sentencia.

Cuando hacemos referencia a la sentencia nos estamos refiriendo, por tanto, a una clase de resolución judicial cuyo fin es el de resolver el conflicto intersubjetivo planteado por las partes a través de la pretensión y la correlativa resistencia, que fijan los confines del objeto del proceso.

La sentencia es el acto procesal a través del cual se finaliza un litigio o pleito en cualquier instancia o recurso [art. 245.1.c) LOPJ], ya que expresa una decisión definitiva sobre el proceso una vez que haya concluido su tramitación ordinaria prevista en la ley, art. 206.1.3 LEC. A través de la misma se cierra la relación jurídico procesal que se abre con la demanda, siendo una forma de terminación normal del juicio ordinario (art. 434 LEC), o del juicio verbal (art. 447.1 LEC).

Concluirán asimismo con una sentencia los procesos en los que se haya producido una renuncia, por parte del actor, o un allanamiento, de la parte demandada. Pese a tratarse de formas anticipadas de terminación del proceso —que no se ha desarrollado en todo su potencial procedimental— la LEC prevé la sentencia como forma de terminación también en estos casos (arts. 20.1 y 21.1 respectivamente).

En cuanto a la competencia para dictar sentencia, ésta corresponde al personal jurisdiccional que integra el juzgado (órgano unipersonal) o tribunal (órgano colegiado), quien tiene exclusividad en el ejercicio de la potestad jurisdiccional para decidir sobre el fondo del asunto planteado.

La necesidad de la sentencia se impone, como vemos, tras la conclusión de la instancia. Las partes han alegado ya, y probado las cuestiones que convienen a su interés y estrategia procesales. Agotadas las posibilidades de actuación de las partes previstas en el procedimiento adecuado al caso, la iniciativa se traslada al juez que deberá analizar y valorar todo lo que al proceso ha sido incorporado para extraer las conclusiones que procedan. Para ello se servirá precisamente de la sentencia, que, de alguna manera, es el destilado de la actividad procesal.

La regulación de la sentencia se halla, de modo general, en la LOPJ (arts. 245 y ss.). El mencionado precepto se refiere a ellas como las resoluciones de carácter jurisdiccional que «decidan definitivamente el pleito o causa en cualquier instancia o recurso, o cuando, según las leyes procesales deban revestir esta forma». Específicamente en relación con el proceso civil, la LEC formaliza su regulación en los arts. 206 a 221 (la última reforma verificada en ellos proviene de la Ley 4/2023, de 28 de febrero, para la igualdad efectiva de las personas trans y para la garantía de los derechos de las personas LGTBI, que modifica el apartado 5 del art 217) entre otros preceptos.

Para poder comprender mejor qué es la sentencia, resulta interesante atender a las diferentes clasificaciones posibles que se derivan de la propia ley, atendiendo a los diferentes criterios que recogemos a continuación.

1. Atendiendo a la forma

Con carácter general, la sentencia podrá ser escrita u oral, siendo esta última posible solo en determinados supuestos recogidos en la ley, y reservados al orden jurisdiccional penal y social (art. 245.2 LOPJ).

En relación con el orden civil, el art. 210.3 LEC establece que en ningún caso se dictarán sentencias de forma oral en procesos civiles, por lo que en esta jurisdicción solo existirán sentencias escritas.

2. Atendiendo al tipo de tutela dispensada

Con base en este criterio, podemos diferenciar entre sentencias declarativas, constitutivas o de condena.

Las declarativas se limitan a reconocer y dejar constancia de la existencia de un determinado derecho subjetivo o relación jurídica. Por ejemplo, la sentencia que establece el deslinde de dos fincas.

Las constitutivas tienen por objeto crear, modificar o extinguir una determinada relación, situación o estado jurídico. Por ejemplo, las sentencias de divorcio o de adopción.

Las de condena, en caso de ser estimatorias de la pretensión homónima, condenan al demandado a cumplir una determinada prestación que puede ser de dar, de hacer o de no hacer. Están son las únicas sentencias que posibilitan la apertura del proceso de ejecución (art. 517.2.1º LEC).

3. Atendiendo a la admisión a trámite de las pretensiones

Atendiendo a la respuesta que la sentencia da a la pretensión de las partes, estas pueden ser las de inadmisión o las de fondo.

Las de inadmisión responden al incumplimiento de algún requisito o presupuesto procesal que condiciona precisamente su admisibilidad y ulterior examen en cuanto al fondo del asunto, de ello se deriva que este tipo de sentencia no produzca efecto material de cosa juzgada.

Las sentencias de fondo, por su parte, entran a analizar la relación jurídico material debatida y, consecuentemente, pueden llegar a producir efectos de cosa juzgada. Dentro de esta clasificación se pueden diferenciar las sentencias estimatorias, que satisfacen la pretensión, y las desestimatorias, que la rechazan, pudiendo ser ambas totales o parciales.

4. Atendiendo a su impugnabilidad

Desde esta perspectiva, las sentencias pueden clasificarse en definitivas o firmes (art. 207 LEC).

Las sentencias que ponen fin a la primera instancia y las que deciden sobre los recursos interpuestos contra las mismas son definitivas. Cierran la correspondiente instancia, pero existe todavía la posibilidad de impugnarlas.

Sin embargo, las sentencias firmes son aquellas contra las que no cabe recurso alguno, bien porque la ley no lo prevé, o bien porque ha transcurrido el plazo legal para presentarlo sin que ninguna parte lo haya hecho.

Son estas últimas sentencias, las firmes, las que tienen efecto de cosa juzgada. Ello supone que la cuestión debatida en dicha sentencia no pueda volver a ser planteada y, además, vincula a los jueces o tribunales en procesos ulteriores (v. lecc. 17ª).

II. ESTRUCTURA Y FORMACIÓN INTERNA DE LA SENTENCIA

La estructura de la sentencia es el resultado de un modelo o protocolo para la exteriorización del trabajo, que permite un orden y una lógica en la exposición, que facilitarán, primero e internamente su creación, y posteriormente su comprensión y eventual impugnación, por parte de otros operadores. La estructura de la sentencia es visible y verificable, y todas y cada una de estas resoluciones mostrarán en párrafos diferenciados los distintos contenidos y componentes, que acreditan su progresiva y correcta construcción, tal y como refiere el art. 209 LEC.

Bajo dicha estructura visible, subyace la formación interna de la sentencia que se refiere al razonamiento que cada jueza o juez debe realizar, en un desarrollo argumentativo lógico y progresivo, cuyo fruto final será el fallo, en el que plasmará en términos sintéticos y claros su decisión sobre el fondo del asunto. Se trata en definitiva de una metodología específica y característica propia de este momento procesal y de la resolución en que se materializa.

La estructura de silogismo jurídico comprende varios estadios que, a efectos de su exposición y comprensión, podemos disociar y mostrar estática y separadamente, aunque en la práctica no se desarrolle exactamente así, dependiendo de la experiencia, la intuición y otros factores predicables de cada juez, que se van desplegando y concretando a lo largo de toda la tramitación de la instancia, y que cristalizan precisamente en la sentencia.

A) En un primer estadio, y en virtud de lo que el principio *iura novit curia* significa y supone, el juez responderá a algunas preguntas: ¿Contempla el ordenamiento la consecuencia jurídica pretendida? ¿tiene cabida y soporte normativo lo que el actor afirma en su demanda? ¿Es acertada la norma alegada por el actor?

Si la respuesta a las dos primeras preguntas fuera negativa, procedería la desestimación de la pretensión sostenida por el actor. Sería por ejemplo el caso de la pretensión de declarar su titularidad sobre una parcela en la luna por parte del actor.

Otra cosa es que el ordenamiento contemple la tutela solicitada, pero que el actor haya errado en la alegación de la norma que lo posibilitaría. Ello no es, en absoluto, óbice para que finalmente la pretensión pueda ser estimada. De manera que el razonamiento, la formación de la sentencia, proseguirá.

B) En un segundo paso, si la respuesta a las dos primeras preguntas fuera positiva, se trataría de dilucidar si la consecuencia jurídica concreta pretendida por el actor sobre la base de los hechos afirmados en su demanda —en el supuesto de que se demuestren ciertos y de que su legitimación activa exista en los términos alegados— encuentra acomodo en el ordenamiento jurídico.

C) La atención se deberá centrar a continuación —aclarado que el ordenamiento sí contempla la consecuencia jurídica que el actor pretende— en determinar la real existencia de los hechos afirmados por el actor, precisamente en la forma y conformando el relato que él hace.

En este punto nos ubicamos en la actividad probatoria, su resultado, y la valoración, que el juez realizará de cada uno de los medios de prueba practicados. El valor concreto que el juez asignará a cada uno de ellos, testigos, peritos, documentos, etc., lo dispone la LEC. La libertad del juez, basada en su convencimiento subjetivo, juega un relevante papel en este punto.

No obstante, como se ha visto con detalle en la lección correspondiente, no todos los hechos alegados por las partes necesitan ser probados. Aquéllos que no resulten controvertidos para las partes, que al no discutirse su existencia en los respectivos relatos sean dados por ciertos, o los hechos que sean notorios, quedarán fijados como ciertos por el juez, para el caso concreto objeto de atención.

Son los hechos controvertidos precisamente los que son objeto de la actividad probatoria, así, será examinada la prueba admitida y practicada al respecto. Su valoración se realizará, siguiendo los criterios que la LEC fija, que determinan la preferencia por la valoración legal en algunos casos, y la libre convicción del juez, en otros.

D) Llegados a este punto, procede realizar la subsunción de los hechos probados en la norma jurídica aplicable, procede determinar si constituyen, o no, el supuesto al que la norma asigna un efecto jurídico determinado. Para ello deben ser tenidos en cuenta, obviamente, tanto los hechos probados que lo hayan sido de entre los alegados por la parte demandante, como los que se hallan en análoga situación y hayan sido alegados por la parte demandada. Esta subsunción puede conllevar, además —si la norma no es integral o contiene cierto grado de indeterminación— una labor integradora o, incluso, creadora por parte del juez.

E) El último estadio en la formación interna de la sentencia, lo que delimitará el exacto alcance de la tutela, será la determinación de la concreta consecuencia jurídica que merita el caso examinado. En ocasiones esta operación no plantea mayor problema, por ejemplo, si la sentencia condenatoria acoge la norma que impone al demandado la obligación de entregar o facilitar al demandante la posesión del bien (una joya, un terreno) objeto de la reclamación. En otros casos, el juez deberá concretar en su resolución condenatoria la cuantía exacta en la que queda fijada la obligación que se impone (*v.gr.*, por los daños causados, o por los alimentos debidos, art. 219.2 LEC).

III. LA MOTIVACIÓN COMO ELEMENTO NUCLEAR DE LA SENTENCIA

1. *Qué es la motivación*

En ocasiones, los medios de comunicación hacen referencia a sentencias aparentemente sorprendentes, que no cumplen con las expectativas creadas en torno a casos particularmente mediáticos. Ciertamente, es posible que de vez en cuando se produzcan sentencias realmente sorprendentes, pero para saber con seguridad si nos hallamos ante una de éstas últimas o ante una resolución tan solo aparentemente sorprendente, deberemos necesariamente leer la sentencia en su totalidad, transcendiendo la insuficiente —cuando no interesada— información mediática.

La lectura de la resolución nos mostrará con el detalle suficiente la línea argumentativa que el juez ha seguido para llegar a la conclusión final. Esta lectura nos proporcionará información de primera mano y por tanto segura y fiable, y así sabremos a qué atenernos con exactitud. Dada la metodología que se aplica para su formulación y los requisitos que la ley impone a estas resoluciones, no es en absoluto fácil que una sentencia sea realmente sorprendente, como veremos a continuación.

La propia CE en su art. 120.3 lo afirma de manera contundente «Las sentencias serán siempre motivadas», el art. 248.3 LOPJ, sin mencionarla, alude a las exigencias de la motivación y a la metodología que la propicia, y finalmente, el art. 218.2 LEC se refiere a la motivación como una característica esencial de las sentencias. Motivar significa expresar con la debida separación, tanto los razonamientos fácticos como los jurídicos, que conducen a la valoración de las pruebas presentadas y practicadas, además de a la aplicación e interpretación del derecho en el caso concreto. Es indispensable que toda esa motivación se ajuste siempre a las reglas de la lógica y la razón y, si bien es cierto que debe partirse del requisito de la congruencia de la sentencia, es posible que el órgano judicial aplique, sin apartase de la causa de pedir definida por las partes, fundamentos jurídicos distintos a los errónea o insuficientemente alegados por las partes.

El Tribunal Constitucional ha vinculado la motivación a aspectos muy diferentes, como puede ser parte del derecho a la tutela judicial efectiva del art. 24.1 CE, o a un antídoto frente a la arbitrariedad, al explicitar y dar a conocer las razones que han llevado a adoptar la decisión. Esta circunstancia no hace sino mostrar la enorme trascendencia de la motivación que desborda los estrictos límites de la sentencia.

El grupo normativo regulador de la materia, integrado por los arts. 120.3 CE y, en desarrollo del mismo en relación con el orden civil, los arts. 209 y 218 LEC establecen la relación, simbiótica, entre el deber de motivar y la forma, la estructura y el contenido que debe adoptar la sentencia. La motivación tiene una estrecha relación con la forma y el contenido de la resolución, ya que estas contribuyen a dotar de una mayor claridad a la exposición de la motivación, que será de más calidad y más fácilmente inteligible, cuanto mejor se atenga a la forma y al contenido requeridos para las sentencias.

Centrándonos en la motivación propiamente dicha, la misma exige al titular del órgano jurisdiccional expresar los razonamientos fácticos y jurídicos que le conducen a la valoración y ponderación de la prueba practicada y, finalmente, a la interpretación y aplicación del derecho en el caso concreto, es decir, es la base metodológica de la función jurisdiccional, mostrando el sometimiento, en el ejercicio de la misma, al sistema de fuentes establecido constitucionalmente, resultando adicionalmente el medio ideal para que el conjunto de la sociedad conozca cómo se ejerce por parte del personal jurisdiccional, el poder que se les ha conferido.

El art. 248.3 LOPJ establece cuál ha de ser la estructura de una sentencia: en primer lugar, un encabezamiento, al que seguirán en párrafos separados y numerados los antecedentes de hecho, los hechos probados y, en su caso, los fundamentos de derecho. En último lugar se emitirá el fallo. La sentencia deberá finalmente contener la firma del juez, magistrado o magistrados que la dicten.

Dicho artículo se desarrolla en los arts. 209 y ss. LEC. De esta forma, la primera regla que hay que respetar a la hora de redactar una sentencia es la relativa a que en el encabezamiento deberán expresarse los nombres de las partes y la legitimación y representación en virtud de la cual actúan (si fuese necesario), además de los nombres de los abogados, de los procuradores y el objeto del juicio.

En los antecedentes de hecho deben incluirse de forma clara, concisa y separada las pretensiones de las partes o interesados, los hechos en que se funden y tengan relación con las cuestiones a resolver, las pruebas propuestas y practicadas y, en su caso, los hechos que resulten probados.

En tercer lugar, en los fundamentos de derecho se deberán expresar de forma separada y numerada los puntos de hecho y derecho fijados por las partes y que generen controversia, razonando el fallo que haya que dictarse y citando las normas jurídicas aplicables al caso.

A continuación, el fallo contendrá numerados y de forma expresa todos los pronunciamientos correspondientes a las pretensiones de las partes, las costas fijadas y, en su caso, la cantidad objeto de condena.

Por último, tras el fallo aparecerán las firmas del juez, magistrado o magistrados que hayan dictado la sentencia y, además, esta tendrá que contener información sobre los recursos ordinarios que se podrán interponer contra la propia resolución.

Todo lo que estamos viendo que supone la motivación, además de en la calidad de la función jurisdiccional, incide, a decir del TC, en el derecho fundamental a la tutela judicial efectiva, sin que pueda producirse indefensión, del que los ciudadanos somos titulares y al que se refiere el art. 24.1 CE. Una resolución carente de motivación o insuficientemente o mal motivada vulneraría este derecho. La tutela judicial efectiva significa también que los ciudadanos tenemos, en el ejercicio de nuestros derechos e intereses legítimos, derecho a una sentencia motivada. Es indiscutible que, desde esta perspectiva, la motivación permite a la parte conocer y valorar las razones por las que su pretensión o resistencia ha sido estimada o desestimada y, al mismo tiempo, le posibilita el control por la vía de los recursos, atacando los puntos más débiles que hallará en la motivación.

2. Los límites de la motivación

Podemos extraer el exacto alcance de la motivación de la jurisprudencia del Tribunal Constitucional, que a lo largo del tiempo ha establecido sus límites.

A) La motivación puede ser escueta o sucinta. No se trata de una cuestión meramente cuantitativa relacionada con la extensión de la misma. Es algo cualitativo, lo que es necesario es que la motivación sea suficiente para cumplir con la finalidad que el ordenamiento le asigna. La ausencia de motivación no es aceptable como tampoco lo será una motivación insuficiente, que puede serlo por mucho que se desarrolle en términos, exclusivamente cuantitativos, de muchas páginas.

B) La motivación será suficiente cuando manifieste expresamente, cuando exteriorice la razón de la decisión adoptada, la concreta interpretación de la norma que se acoge —independientemente de la extensión del razonamiento— que descansará sobre los hechos que hayan resultado probados. Todo ello no deja lugar a la arbitrariedad del juzgador y, a la vez, proporciona una buena base para el eventual recurso que la parte que se considere perjudicada puede interponer, sometiendo así la motivación —su suficiencia y corrección— al tribunal superior al que corresponde conocer del recurso.

C) La motivación es, no cabe duda de ello, una operación intelectual que está sujeta a toda una serie de condicionamientos legales y a una metodología específica propia de la función jurisdiccional, que quedarán patentes y serán verificables y fiscalizables a la vista de la sentencia.

D) Específicamente en relación con los hechos probados, como hemos visto ya, el art. 209, 2ª LEC, indica que en las sentencias se consignarán «los hechos probados, en su caso», lo que significa que la declaración de hechos probados constituye un requisito de contenido de las sentencias, de todas ellas. Por tanto, una sentencia en la que no se haga la declaración de los hechos que hayan quedado probados, carecería de motivación fáctica, no estaría correctamente motivada.

IV. LAS CLAVES DE LA SENTENCIA, LOS REQUISITOS DE EXHAUSTIVIDAD Y CONGRUENCIA

Respetar la estructura y el protocolo de formación interna de la sentencia, y adicionalmente cumplir con las exigencias de la motivación, no garantiza totalmente la sentencia que el estado de derecho adeuda a sus ciudadanos. La resolución deberá cumplir además con algunos requisitos que la LEC menciona expresamente y, por tanto, veremos a continuación.

Establece el art. 218 LEC, que la sentencia, a nivel interno, deberá ser clara, precisa y exhaustiva con respecto a las demandas presentadas y con el resto de pretensiones de las partes, debiendo resolver todos los puntos litigiosos planteados de forma que sea fácil de entender e interpretar. Para el caso de que se produzcan errores u omisiones, la LEC prevé en sus arts. 214 y 215, la posibilidad, limitada, de aclaración y subsanación.

A) Cuando nos referimos a la claridad, debemos entender que la sentencia es aprehensible sin precisar ser objeto de exégesis o labor de interpretación adicional alguna. Sus pronunciamientos deberán, por tanto, ser comprensibles por sí mismos, para un profesional del derecho. Pero es que también los ciudadanos sin formación jurídica tienen derecho a una justicia clara y comprensible —así se recoge en la Carta de Derechos de los Ciudadanos ante la Justicia— y ello es objeto de precisas y detalladas recomendaciones por parte de la Comisión de modernización del lenguaje jurídico.

B) Si decimos que la sentencia debe ser precisa, queremos significar que su contenido debe ser inmediatamente perceptible de manera clara y nítida, sin inducir a error, lo que las hace aptas, en su caso, para su directa e inmediata ejecución sin ninguna tramitación adicional. Por ejemplo, una sentencia condenatoria de contenido dinerario, deberá precisar con exactitud la cantidad líquida o importe de la condena, o las bases para que pueda hacerse mediante una simple operación aritmética (art. 219 LEC).

C) Cuando la Ley menciona la exhaustividad, se refiere a la necesidad, por parte de la sentencia, de resolver todos y cada uno de los puntos litigiosos que hayan sido oportunamente deducidos en el pleito, y que por tanto hayan sido objeto de debate entre las partes (art. 218.1 LEC). De no ser así, de no ser exhaustiva, la resolución incurriría en la vulneración de un derecho fundamental y de un requisito legal de contenido de las sentencias. Para obtener una mayor precisión, vamos a fijarnos en las dos posiciones procesales:

a) Con respecto a la pretensión oportunamente formulada por la parte actora. La falta de pronunciamiento sobre una, o alguna de las peticiones de fondo realizadas por el demandante, constituiría un supuesto de vulneración del derecho fundamental a la tutela judicial efectiva derivado de una sentencia incompleta que propicia una tutela injustificablemente incompleta. Corolario de todo ello, la posibilidad de interponer un ulterior recurso de amparo ante el TC, como éste mismo ha indicado.

b) Desde la perspectiva de la resistencia ejercida por la parte demandada, la falta de pronunciamiento sobre una excepción de fondo o material opuesta por ella, podría justificar la interposición, y eventual estimación, de un recurso ordinario o extraordinario, basado en haberse incumplido un requisito de la sentencia, recogido en una norma ordinaria que, en nuestro caso, es la LEC.

En lo que a los sujetos concierne, si la sentencia no contuviera pronunciamiento alguno sobre alguna de las partes, estaríamos también ante un supuesto de falta de exhaustividad.

La LEC añade, a la de emplear los recursos pertinentes mencionados para cada caso, la posibilidad contemplada en el artículo 215, que consiste en subsanar las resoluciones en las que se hayan detectado omisiones. La materialización de dicha subsanación requerirá de un auto y, en cuanto a los plazos y el procedimiento, se estará a los de la aclaración y corrección de resoluciones, previstos en el art. 214 LEC.

Finalmente, parece razonable afirmar que la desestimación tácita de las pretensiones no tiene —con carácter general y salvo excepciones bien delimitadas en casos de acumulación de pretensiones— buen acomodo, dado que todas las pretensiones que integran el objeto del proceso son acreedoras de una respuesta expresa, estimatoria o desestimatoria, pero expresa y razonada. En caso contrario, como hemos visto, quedará expedita la vía de los recursos.

D) Para referirnos, ahora ya a la congruencia, nos fijamos en el art. 216 LEC, que recoge el principio de justicia rogada, que tiene como consecuencia que los tribunales civiles decidan los asuntos presentados en virtud de las alegaciones de hechos, aportaciones de pruebas y pretensiones de las partes, una suerte de correlación, excepto cuando la ley disponga otra cosa.

El fundamento de la congruencia lo hallamos en los principios, propios del proceso civil, dispositivo y de aportación de parte, que propician la fijación del objeto del proceso, del exacto objeto del debate que las partes someten a la decisión judicial.

Precisamente por ello, el juez o tribunal deberá ser congruente en su actuación, debiendo dar respuesta a lo planteado y deducido en el proceso, sin apartarse de la causa de pedir. Ello responde al derecho a la tutela judicial efectiva y al principio dispositivo, que, como hemos mencionado, permite que las partes —en los conflictos en los que se dirime un derecho de titularidad privada— tengan la facultad de delimitar el objeto del proceso y que el órgano juzgador deba resolver dentro de los límites fijados por ellas.

No se cumple con el requisito de la congruencia, cuando la sentencia no es exhaustiva, como hemos mencionado ya.

También se puede incurrir en incongruencia por lo contrario, por exceso, y ello ocurre cuando se sobrepasan los límites que vienen marcados por las peticiones y las alegaciones de las partes que determinan el debate procesal, y ello puede hacerse por:

➢ *Ultra petitum,* la incongruencia la motiva el hecho de que el fallo de la sentencia otorga más de lo pedido, cuando como sabemos no puede hacerlo, la sentencia puede otorgar como máximo todo lo pedido, pero no puede ir más allá.

➢ *Extra petitum,* la incongruencia la motiva en este caso, el hecho de que la sentencia otorga, o deniega, algo (*petitum*) que no ha sido pedido por las partes, algo distinto, o que lo haga por alguna causa distinta (*causa petendi*) a las alegadas por ellas.

La incongruencia por exceso supondría una infracción de las normas procesales reguladoras de la sentencia del art. 469.1, 2º LEC, lo que propiciaría su impugnación por medio del recurso extraordinario por infracción procesal.

Más concretamente, la sentencia no puede contener pronunciamiento alguno respecto de quien no haya sido parte en el proceso, ni para condenarlo ni para absolverlo, dado que no ha tenido la oportunidad de intervenir en él.

La actividad de las partes, por un lado, y la actividad del juez, acreditada en la sentencia, por otro, son los elementos que, mediante su comparación, permiten determinar la correlación

El actor en su demanda configura la pretensión procesal, *petitum* y *causa petendi*, además de los hechos constitutivos de dicha demanda, que eventualmente puede ser transformada, art. 412 LEC.

Por su parte, el demandado aportará, como parte de la resistencia, las excepciones materiales que desee oponer. La incongruencia se produciría si el juez apreciara una excepción no alegada.

Además, las dos partes podrán realizar los actos de disposición del objeto del proceso (renuncia, allanamiento y transacción) y del proceso (desistimiento del recurso y correlativa firmeza de la sentencia recurrida) contemplados.

En lo que al juez concierne y para establecer la correlación, debemos fijarnos en la sentencia, en la integridad de la misma que permite la trazabilidad de su parte dispositiva. Las razones de estimar o desestimar las peticiones de las partes deben consignarse en la sentencia.

La incongruencia no se refiere en ningún caso a los fundamentos de derecho alegados por las partes. La regla que rige en relación con esta cuestión, es la denominada *iura novit curia*, siempre que su aplicación no altere el objeto del proceso, como se determina en el art. 218.1, II LEC.

E) Para finalizar, queremos señalar que también es un requisito de las sentencias que se dicten en un plazo de tiempo determinado por la propia Ley, en función del procedimiento del que se trate (art. 211 LEC). Así, para el juicio ordinario se establece un plazo de veinte días tras la terminación del juicio para dictar sentencia (art. 434.1 LEC), mientras que para el juicio verbal se establece un plazo de diez días para emitir sentencia (art. 447.1 LEC).

V. EFECTOS DE LA SENTENCIA

La sentencia conlleva efectos materiales y procesales de la máxima relevancia. Con respecto a los primeros, los materiales, éstos consisten en la incidencia del fallo en la relación jurídico material derivada del proceso. La sentencia es la respuesta jurisdiccional al conflicto, que resuelve mediante la aplicación del derecho, pacificándolo, y devuelve al seno de las relaciones sociales. El derecho en el caso concreto ha quedado así determinado y a dicha conformación deberán atenerse en lo sucesivo las propias partes, y los operadores que actúan en el tráfico jurídico.

Con respecto a los segundos, los efectos procesales de la sentencia, se pueden diferenciar varios, entre los que resultan más relevantes la litispendencia, la invariabilidad de las resoluciones y la cosa juzgada.

A) La litispendencia hace referencia a que, mientras se tramita el proceso, de la propia tramitación, se despliega un efecto específico que impide que durante la misma se pueda iniciar otro proceso que tenga el mismo objeto. Lo contrario permitiría una, o adicionales, discusiones paralelas y autónomas, lo que sería contrario a la seguridad jurídica, dado que podrían recaer resoluciones judiciales contradictorias y simultánea y aparentemente válidas, creando un grave problema fácilmente evitable mediante la litispendencia.

Una vez que concluye el proceso, la sentencia dictada despliega otro tipo de efectos respecto a la potencial pretensión ejercitada en futuros procesos si concurriese identidad o conexión suficiente.

Para ello, la sentencia una vez extendida y firmada será publicada y depositada en la oficina judicial, donde el LAJ ordenará su notificación y archivo, dándosele publicidad en la forma permitida o señalada por la Constitución y las leyes, art. 212 LEC. De esta forma, cualquier interesado podrá acceder al texto de la sentencia, siempre con pleno respeto a los derechos de las personas implicadas.

B) En segundo lugar, el art. 214 LEC, establece el principio de invariabilidad de las resoluciones, dado que los tribunales no podrán variar las resoluciones pronunciadas (entre otras las sentencias) tras la firma de las mismas. Sin embargo, sí se permite la subsanación o la aclaración de conceptos oscuros —con el límite absoluto de la invariabilidad— y ello tanto de oficio como a petición de parte, dentro de un periodo temporal limitado, lo que parece muy razonable, de dos días. También está prevista la rectificación de errores materiales contenidos en dichas resoluciones en cualquier momento, sin límite temporal.

C) Por último, en relación con la cosa juzgada —aunque dedicaremos la siguiente lección completa a explicar este concepto— destacamos en este momento que se trata de una institución jurídica de primer nivel, cuya finalidad es la de proteger las situaciones resultantes del ejercicio de la función jurisdiccional, cada una de ellas, y ello dotando de cierta eficacia característica a las sentencias.

En esa línea, el art. 207 LEC, diferencia entre resoluciones definitivas y resoluciones firmes. Las primeras son aquellas que ponen fin a la primera instancia y las que deciden los recursos interpuestos frente a ellas.

Por otro lado, están las resoluciones firmes, que son aquellas contra las que no cabe recurso alguno por dos motivos: o bien porque, tras el agotamiento de los posibles, la ley no prevé más instrumentos impugnatorios, o bien porque ha transcurrido el plazo legalmente previsto para ello, sin que ninguna de las partes haya interpuesto los recursos disponibles.

Dentro de estas últimas resoluciones, las sentencias firmes son las que generan la autoridad de cosa juzgada. Ello significa que, al alcanzar dicha categoría de cosa juzgada, el tribunal que haya dictado la sentencia no puede dictar otras que vayan en contra de aquella y, además, se debe tener lo decidido como base o punto de partida cierto para resolver otras cuestiones.

Además, todos los tribunales y las propias partes quedan vinculados al contenido de la resolución judicial en virtud de la autoridad de cosa juzgada, dado que además de ser el punto de partida para resolver ulteriores procesos, se impide volver a pronunciarse sobre lo ya resuelto a través de la sentencia firme. Ello es consecuencia de la cosa juzgada material, que detalla el art. 222 LEC.

VI. INTELIGENCIA ARTIFICIAL Y SENTENCIA

También en este ámbito debemos evaluar la potencial contribución de la inteligencia artificial y su aplicación específica al servicio público justicia, y a la actividad procesal en particular.

Creemos que la inteligencia artificial puede incidir en la mejora del derecho fundamental a la tutela judicial efectiva —siempre que se haga correctamente— preservando todo el conjunto de derechos y garantías que disciplinan la actividad jurisdiccional en un estado de derecho, mejorándolo y reforzando su legitimidad. Mejorará el sistema, mejorará la calidad del servicio y, finalmente, mejorará la correlativa satisfacción ciudadana.

Nos inclinamos a proponer la incorporación de la inteligencia artificial, su metodología y posibilidades, a la actividad jurisdiccional, más allá de la gestión y tramitación, llegando a la proposición de resoluciones, incluidas las sentencias, preservando siempre la supervisión integral y soberana de jueces y magistrados que, con su firma, asumirían la responsabilidad de las mismas.

Se trata de un paso hacia nuevas y más eficientes formas y métodos de resolución que, obviamente, requieren de una previa y profunda reflexión de todos los operadores involucrados —ya que junto a elementos positivos también constatamos incertidumbres e incluso amenazas— tras la que, eventualmente, vendría la creación de una infraestructura normativa, integral y suficiente para la sistemática preservación de los derechos fundamentales de los ciudadanos, de la que ahora no disponemos.

Lección 17ª

LA COSA JUZGADA

IÑAKI ESPARZA LEIBAR

BIBLIOGRAFÍA BÁSICA

CALAZA LÓPEZ, S., *La Cosa Juzgada*, La Ley, Madrid, 2009.

DE LA OLIVA SANTOS, A., *Objeto del proceso y cosa juzgada en el proceso civil*, Civitas, Madrid, 2005.

DÍAZ CABIALE, J., *La eficacia material y procesal de la sentencia más allá de la cosa juzgada*, Tirant lo Blanch, Valencia, 2018.

EZURMENDIA ÁLVAREZ, J., *Reflexión contemporánea sobre la cosa juzgada. Comparación entre modelos de civil law y common law*, Librería Bosch, Barcelona, 2021.

MONTERO AROCA, J., *El proceso civil. Los procesos ordinarios de declaración y de ejecución*, 2ª ed., Tirant lo Blanch, Valencia, 2016.

NIEVA FENOLL, J., *La cosa juzgada*, Atelier, Barcelona, 2006.

TAPIA FERNÁNDEZ, I., *La Cosa Juzgada (Estudio de jurisprudencia civil)*, Dykinson, Madrid, 2010.

I. LA COSA JUZGADA: CONCEPTO, NECESIDAD Y NATURALEZA JURÍDICA

Cualquier sistema jurídico, desde los albores del derecho y hasta hoy, considera imprescindible la existencia de algunas reglas que tengan como objetivo clausurar el debate sobre un determinado asunto, de forma tal que se ponga fin de forma definitiva a la discusión de un conflicto ante los tribunales.

Ello va a ser necesario para todo tipo de asuntos y en todos los órdenes jurisdiccionales. De tal manera que todos los ordenamientos jurídicos han tenido y tienen la necesidad de disponer de reglas claras que, en un determinado momento, pongan fin a la litigación, impidiendo que ésta vuelva a abrirse nuevamente.

Esta noción de clausura definitiva aparece con nitidez en las dos tradiciones jurídicas más relevantes del mundo, el derecho civil (*civil law*) y el derecho anglosajón (*common law*) sin perjuicio de los matices que en cada una de ellas puedan presentarse. De la misma manera, e internamente, ambas familias jurídicas en relación con cada jurisdicción han regulado, con sus respectivas peculiaridades, cómo deben operar estas reglas de cierre de la litigación y de prohibición de repetición de una contienda judicial futura sobre el mismo objeto procesal. De todo ello se derivará la necesaria seguridad jurídica y el uso racional de los recursos públicos, que deberá conjugarse con la tutela judicial efectiva, derecho fundamental del que cada ciudadano es titular en un estado de derecho.

Dentro de la panoplia de principios, reglas y doctrinas que inspiran y componen estas cláusulas de cierre, es posible sentenciar que la *res judicata* ostenta una posición privilegiada. Y ello por dos razones: En primer término, con la constatación de que la cosa juzgada, en sentido estricto, es la institución más relevante, con mayor y mejor regulación y con mayor reconocimiento entre las que operan como reglas de clausura de los sistemas de justicia. En segundo lugar, por su fuerza atractiva, ya que cabe señalar que bajo la denominación de cosa juzgada se concentran o agrupan varias ideas diversas, que dan origen a distintas doctrinas e instituciones que comúnmente son entendidas como parte de la *res judicata*, aunque conceptual e históricamente correspondan a otro marco teórico o práctico. Por todo ello, se tiende a asociar en el lenguaje común de la cultura jurídica interna la «cosa juzgada» con cualquier institución o conjunto de principios que tenga por objeto limitar la litigación, impidiendo mantener las discusiones permanentemente abiertas, en detrimento de la seguridad jurídica y de la eficiencia del sistema.

Centrados ya en nuestro ordenamiento positivo, para saber cómo se formula y qué se entiende por la cosa juzgada, deberemos acudir al apartado IX de la exposición de motivos de la LEC, el cual se refiere a este asunto en los siguientes términos:

«En cuanto a la cosa juzgada, esta Ley, (…) entiende la cosa juzgada como un instituto de naturaleza esencialmente procesal, dirigido a impedir la repetición indebida de litigios y a procurar, mediante el efecto de vinculación positiva a lo juzgado anteriormente, la armonía de las sentencias que se pronuncien sobre el fondo en asuntos prejudicialmente conexos».

Para ello, en el procedimiento civil se pueden plantear excepciones procesales, a través de las cuales se trata de poner de manifiesto la realidad, y el efecto, de un hecho que ya ha sido juzgado de forma definitiva en otro proceso anterior, asegurando así que sea el contenido de dicho proceso anterior el que deba primar y al que haya que estar, impidiendo en consecuencia su reapertura.

Así, podemos entender que la cosa juzgada es una consecuencia lógica de la aplicación de los principios constituciones de seguridad jurídica y tutela judicial efectiva, arts. 9.3 y 24.1 CE, dado que la resolución judicial firme de un proceso habrá de respetarse en los posteriores y habrá que estar al contenido de lo resuelto (art. 207.3 LEC). De esta forma, una vez que una resolución judicial adquiera firmeza, no cabrá su modificación, ni siquiera de oficio, vetando la posibilidad de una ulterior oportunidad para volver a conocer lo ya planteado y resuelto, con las excepciones que la propia LEC prevé (v. lecc. 22ª).

Hemos hecho referencia a las resoluciones judiciales firmes, que son, tal y como señala el art. 207.2 LEC, aquéllas contra las que no cabe recurso alguno porque la ley no lo prevé o porque, aun siendo posible, ha transcurrido el plazo legalmente fijado sin que ninguna de las partes del proceso lo haya presentado.

Por su parte, las resoluciones definitivas son aquellas contra las que sí cabe recurso y no ha expirado el plazo previsto para ello. Es por esto que, no finalizando de forma total el proceso, estas resoluciones no tienen autoridad de cosa juzgada. Sin embargo, si transcurriesen los plazos previstos para recurrir una resolución definitiva y no se impugnase, esta pasaría a ser firme y tendría autoridad de cosa juzgada, vinculando de esta forma en procesos posteriores.

Para terminar de perfilar el concepto de cosa juzgada, es importante no confundirlo con la litispendencia. Esta última es la situación, o efecto, derivado de la presentación de una demanda, cuando esta ya ha sido admitida (art. 410 LEC) y significa que el proceso se ha iniciado y se encuentra pendiente de trámite y resolución.

Ambas son instituciones procesales que tienen el fin de evitar pronunciamientos contradictorios entre resoluciones judiciales, buscando la seguridad jurídica que integra la expectativa legítima de las partes de obtener una tutela judicial efectiva. La diferencia entre ambas figuras radica en que la litispendencia se produce cuando estamos ante dos procedimientos en curso, abiertos de forma simultánea, mientras que la cosa juzgada solo puede darse cuando existe una resolución judicial firme, en un proceso ya concluido, que despliega sus efectos respecto de otro, idéntico, que se pretende iniciar.

En lo que a la naturaleza jurídica concierne, la cosa juzgada material es un vínculo de naturaleza jurídico pública que obliga a los tribunales a no juzgar de nuevo lo ya decidido, cuando concurren determinadas identidades. La seguridad jurídica exige que los litigios tengan un final; cuando se han agotado los medios que el ordenamiento pone a disposición de las partes para que éstas hagan valer en juicio sus derechos, la decisión final debe ser irrevocable. La cosa juzgada tiene en consecuencia naturaleza pública, y más específicamente procesal.

La cosa juzgada es la forma en la que el ordenamiento resuelve la evidente tensión entre el valor de la seguridad jurídica (que aconseja pasar de una manera eficiente de una situación de incertidumbre a otra de certeza), con el valor de la justicia (que atesora una aspiración, mejorar la situación, lo que podría llevar a abrir un nuevo proceso). La posibilidad de mejorar la formulación del derecho, que conlleva incertidumbre, frente a la necesidad de finalizar la discusión alcanzando la certeza.

1. *Firmeza*

La firmeza es un efecto propio de todas las resoluciones judiciales, referido a las partes contendientes, por el que la resolución no puede ya, como hemos visto, ser recurrida por éstas. Es, por consiguiente, un efecto interno del proceso según el que, frente a la resolución dictada, no cabe recurso.

El art. 207.2 LEC afirma que son resoluciones firmes aquéllas contra las que no cabe recurso alguno, lo que puede llegar a producirse por la concurrencia una de las dos razones que el propio precepto contempla:

1ª) Cuando por la naturaleza de la resolución no quepa contra ella recurso, por no estar éste previsto en la ley.

2ª) Cuando la ley sí contempla la posibilidad de interponer un recurso, pero éste no llega a ser empleado en absoluto, o se desista del interpuesto, o, finalmente, sea incorrectamente utilizado. Como consecuencia, la resolución se convierte en firme. Bien porque las partes dejan transcurrir el plazo para preparar o interponer el recurso sin haberlo utilizado, bien porque se produce el desistimiento del recurso interpuesto por medio de la declaración de voluntad expresa del recurrente (art. 450 LEC) o, finalmente, porque el recurrente incumple algún requisito previsto en la ley, de manera que el recurso se declara inadmisible (arts. 452.2, 470.2, II LEC).

La firmeza sería así el paso previo y condición para que la sentencia sobre el fondo produzca el efecto de cosa juzgada material. De manera tal que, mientras la sentencia no haya alcanzado la firmeza, si se iniciara un proceso posterior entre las mismas partes y con el mismo objeto, en éste no podría alegarse la excepción de cosa juzgada, sino únicamente, y mientras la situación de ausencia de firmeza persista, la excepción de litispendencia.

2. *Invariabilidad*

La segura progresión del proceso requiere que las resoluciones que en él se adopten, todas ellas, tanto las interlocutorias como las sentencias, adquieran firmeza (art. 207 LEC) y con ella invariabilidad, que sería el efecto que, llegado el momento, alcanzan todas las resoluciones y que afecta, limitando sus posibilidades de actuación, al propio órgano jurisdiccional que las ha dictado. La invariabilidad significa que el órgano jurisdiccional que ha producido la resolución pierde, una vez que estampa su firma, la posibilidad de modificarla de oficio (arts. 267.1 LOPJ y 214.1 LEC).

Es compatible con la invariabilidad, y es conveniente su previsión para el caso de que las resoluciones adolezcan de defectos que puedan comprometer su plena eficacia, que las mismas puedan ser aclaradas, corregidas o subsanadas conforme a los arts. 214 y 215 LEC y, con carácter general al art. 267 LOPJ. El objetivo final de estas previsiones es únicamente el de garantizar la plena eficacia de las resoluciones afectadas.

3. Resoluciones susceptibles de generar el efecto de cosa juzgada material

La cosa juzgada material es un efecto exclusivo de las sentencias firmes que se pronuncian sobre el fondo del asunto, sean estas estimatorias o desestimatorias. De tal manera que el efecto de cosa juzgada material sólo puede referirse a aquellas resoluciones en las que el tribunal responde directamente a la tutela pedida en la pretensión y en la resistencia, a aquéllas en que se contiene la declaración de voluntad del estado, como consecuencia del ejercicio de la función jurisdiccional (art. 222 LEC).

Podríamos distinguir así, tres tipos de resoluciones, en función del efecto de cosa juzgada que producen:

1) Las resoluciones que se van dictando a lo largo del proceso, que producen el efecto de cosa juzgada formal. Dentro de ellas, merecen una mención específica las resoluciones cautelares (art. 735 LEC). Al ser el proceso cautelar instrumental en relación con el proceso principal, a cuyo éxito contribuye, las medidas —caracterizadas por ser, temporales, provisionales, condicionadas y modificables— que en él se adoptan se deberán acomodar a las circunstancias de cada momento, *rebus sic stantibus* (art. 726.2 LEC). Mientras dichas circunstancias se mantengan invariables, la resolución será inalterable, pudiendo oponerse la excepción de cosa juzgada.

2) La sentencia firme que se pronuncia sobre el fondo del asunto y que es la última resolución del proceso, la cual produce el efecto de cosa juzgada material.

3) Las resoluciones que ponen fin al proceso pero que no deciden sobre el fondo del mismo, los autos definitivos (*v.gr.*, 418.2, 421.1 o 423.3 LEC), que no producen ni cosa juzgada formal ni cosa juzgada material.

II. LOS EFECTOS DE LA COSA JUZGADA EN LA SENTENCIA

Para lograr el efecto deseado por el sistema, y necesario para su eficaz funcionamiento, de terminar el debate sobre un asunto, es necesario analizar dos tipos de efectos que la LEC, siguiendo un criterio aceptado de forma unánime, distingue. Por un lado, el efecto de cosa juzgada formal (art. 207 LEC) y, por otro, el de cosa juzgada material (art. 222 LEC).

1. La cosa juzgada formal

La cosa juzgada formal es un efecto interno del proceso en el que se ha dictado la sentencia, o cualquier otra resolución previa que se va dictando en el proceso a medida que este se desarrolla, y a dicho proceso se circunscribe. La cosa juzgada formal supone que dicha sentencia deviene invariable e inimpugnable, bien a consecuencia de su propia naturaleza (por ejemplo, la sentencia de un recurso de casación, contra la que no hay prevista posibilidad alguna de impugnación), o bien, debido al efecto de preclusión, con la consiguiente desaparición de la posibilidad de impugnación prevista.

Como consecuencia de lo ya dicho, la sentencia no será modificable una vez adquiera firmeza (art. 207.3 LEC) dado que la decisión contenida en la misma deviene irrevocable e inimpugnable. De esta manera la ley garantiza la progresión ordenada y segura del proceso.

2. La cosa juzgada material

Trascendiendo el proceso en el que la sentencia ha sido dictada, y una vez que se ha producido el efecto de cosa juzgada formal, de la misma derivan una serie de consecuencias que tienen efectos fuera, o más allá, de dicho proceso.

En primer lugar, nos referiremos al efecto negativo, en virtud del que se impide el inicio de un juicio posterior idéntico al proceso del que emanó la resolución firme (art. 222.1 LEC). Este efecto está relacionado en su origen con el principio de «non bis in idem», que consiste en la prohibición de que un mismo objeto procesal (hechos, sujetos y fundamento) sea nuevamente objeto de actuación de la función jurisdiccional, una vez que ya lo ha sido integralmente. Lo contrario, además de injusto, sería disfuncional e ineficiente y, por tanto, contrario al correcto funcionamiento de la justicia cuyo producto adolecería de falta de seguridad jurídica.

El efecto negativo opera con respecto al ulterior proceso a modo de excepción procesal, lo que supone que, inicial y generalmente, la parte demandada en él será la que debe valorar si lo que se plantea es un nuevo proceso sobre el mismo objeto ya juzgado, ante el mismo u otro órgano jurisdiccional y, de ser así, podrá invocar la excepción de cosa juzgada en el momento de contestar la demanda.

Es posible, adicionalmente, distinguir un efecto diferente, que denominaremos positivo, que supone que los jueces y tribunales quedarán vinculados, en cuanto a futuras resoluciones, a la resolución ya firme.

En síntesis, una vez que la resolución —esencialmente su parte dispositiva de la que se predica la cosa juzgada— alcanza el grado de resolución firme, el tribunal que la dicta no solo no puede modificarla, sino que ulteriores resoluciones no podrán conocer la misma cuestión y, además, todas las resoluciones posteriores habrán de tomar lo decidido como parte de la realidad jurídica indiscutible, en el momento de proceder a resolver otras cuestiones con las que esté vinculada.

Lo contrario a la existencia de la cosa juzgada desarrollada en los términos descritos, o análogos, afectaría seriamente, perjudicándola, a la imprescindible seguridad jurídica a la que las partes y la propia sociedad en sus relaciones, deben aspirar en un estado de derecho. Además, como se ha dicho ya, haría que el sistema judicial fuera disfuncional e ineficiente algo, en suma, impropio de un servicio público esencial, como es la justicia.

3. Ausencia de cosa juzgada

Como excepción al principio general que estamos analizando, los apartados 2, 3 y 4 del art. 447 LEC establecen casos especiales en los que encontramos sentencias que no generan el efecto de cosa juzgada. Ello se justifica por el carácter sumario de los procesos en los que se producen dichas resoluciones.

El primer caso se refiere a las sentencias que pongan fin a juicios verbales relativos a la tutela sumaria de la posesión, que decidan sobre la pretensión de desahucio o recuperación de la finca arrendada, sea rústica o urbana, por impago de renta o por expiración legal o contractual de plazo, y sobre otras pretensiones de tutela que la LEC califique como sumarias.

Como hemos mencionado ya, la ausencia de efecto de cosa juzgada de estas resoluciones se justifica en que se trata de procesos sumarios —con limitación en cuanto a las alegaciones de las partes, al objeto de la prueba y, correlativamente, también limitación de la cognición judicial— que buscan una tutela judicial rápida y, en cierto modo, provisional. Ello implicará ciertos riesgos que un proceso plenario conjuraría, se pretende así compensar la negación del efecto de cosa juzgada, posibilitando una actividad plenaria, sin limitaciones, tras el proceso sumario.

La segunda situación se refiere a las sentencias que se dicten en los juicios verbales en que se pretenda la efectividad de derechos reales inscritos frente a quienes se opongan a ellos o perturben su ejercicio sin disponer de título inscrito.

Por último, el precepto se refiere a las resoluciones judiciales a las que, en determinados supuestos, las leyes niegan esos efectos.

III. TRATAMIENTO PROCESAL DE LA COSA JUZGADA MATERIAL

Hablar de tratamiento procesal significa referirnos a la manera en la que la ley prevé que se suscite y resuelva una cuestión, en este caso, la de la cosa juzgada. La pregunta a la que responde la previsión del tratamiento procesal podría ser ¿Cómo se puede plantear y debatir en un proceso la existencia o no de cosa juzgada material formada en otro proceso distinto y anterior?

Tal y como se ha dicho ya, la cosa juzgada actúa en el proceso en que se alega como una excepción procesal, lo que supone que figura entre los argumentos de naturaleza procesal que el demandado puede alegar en su defensa en el preciso momento de la contestación, denunciando defectos en la demanda, sin referirse al fondo del asunto. Cuando hablamos del demandado nos referimos tanto al principal como al reconvencional (arts. 405 y 407 LEC).

El objetivo de la alegación es la desestimación de la demanda a través de una resolución, sin efecto de cosa juzgada, que no entrará al examen de la cuestión de fondo que el demandante pretende debatir, y ello precisamente por tratarse de una materia ya juzgada de manera irrevocable, si así se estimara (art. 421 LEC).

Pero, ¿Se agota así el tratamiento procesal de la cosa juzgada, o debe completarse con la posibilidad de ser también apreciada de oficio, al tratarse de un presupuesto procesal?

1. Función negativa o excluyente de la cosa juzgada

La evitación de un proceso posterior, función negativa de la cosa juzgada, se concibe y regula en la LEC, de entrada, como una excepción que debe ser opuesta por el demandado para que pueda ser tomada en cuenta por el tribunal (arts. 405.3, 416.1, 2ª y 421 LEC). Pero es que, además, de las mismas normas es posible deducir que la cosa juzgada, en su función negativa, puede también ser tenida en cuenta de oficio por el tribunal. Lo que concuerda y es plenamente coherente con su consideración como presupuesto procesal —elemento esencial para el correcto desenvolvimiento de la jurisdicción— cuyo control no puede dejarse en manos de las partes exclusivamente, ya que excede de su capacidad e interés, afectando al buen funcionamiento del servicio justicia.

En efecto, la audiencia previa al juicio ordinario sirve, entre otras cosas, para «examinar las cuestiones procesales que pudieran obstar a la prosecución de éste y a su terminación mediante sentencia sobre su objeto» (art. 414.1, III, LEC). Además, el auto de sobreseimiento debe dictarse «cuando el tribunal aprecie la existencia de resolución firme sobre objeto idéntico» (art. 421.1 LEC). No cabe duda, por tanto, de la posibilidad de apreciar de oficio la concurrencia de la cosa juzgada, que acoge la LEC.

2. *Función positiva o prejudicial de la cosa juzgada*

La función positiva de la cosa juzgada —que implica el deber de ajustarse a lo juzgado cuando haya de decidirse sobre una relación jurídica de la que la sentencia anterior es condicionante o prejudicial— no parece que pueda operar en el segundo proceso por la vía de excepción, y ello ya que puede ser alegada tanto por el actor (hecho constitutivo de su pretensión) como por el demandado (defensa material), y su finalidad no es la de excluir un pronunciamiento sobre el fondo del asunto, sino que sirve para determinar parte del contenido de ese pronunciamiento.

En consecuencia, y para tratar de fijar con precisión el alcance de la intervención del juez en lo que a esta función positiva concierne, podemos distinguir entre el propio hecho de la existencia de la sentencia de la que deriva el efecto de la cosa juzgada (que deberá ser afirmado por la parte, como ocurre con todos los hechos) y la consecuencia jurídica que se deriva de esa existencia (que puede ser establecida por el juez de oficio).

Para finalizar, cuando nos referimos a la cosa juzgada formal, es obvio que el tratamiento procesal debe ser diferente, el propio tribunal tendrá que tenerla en cuenta de oficio. De lo contrario, la resolución que eventualmente dicte desconociendo la existencia de la cosa juzgada formal, podrá ser recurrida por la parte interesada.

IV. LOS LÍMITES E IDENTIDADES DE LA COSA JUZGADA

Dado que la institución de la cosa juzgada material constituye una vinculación directa para los tribunales de procesos ulteriores, respecto de aquellos otros procesos en los que se produjo la cosa juzgada, es indispensable analizar y reconocer las identidades que han de concurrir entre los dos procesos, para que se pueda proyectar y oponer en el segundo proceso, desplegando su efecto característico.

De esta forma, según la doctrina dominante y el art. 222 LEC, existen una serie de límites, los relativos a los elementos —subjetivos y objetivos— identificadores de la pretensión y los límites temporales, que deben verificarse y respetarse para que sea procedente el efecto de la cosa juzgada.

1. Límites e identidades subjetivos

A) Extensión a las partes

En primer lugar, existe un límite subjetivo (art. 222.3 LEC modificado por la Ley 15/2022, de 12 de julio, integral para la igualdad de trato y la no discriminación, que también modifica el homólogo art. 11 bis LEC) «La cosa juzgada afectará a las partes del proceso en que se dicte y a sus herederos y causahabientes, así como a los sujetos, no litigantes, titulares de los derechos que fundamenten la legitimación de las partes conforme a lo previsto en los artículos 11 y 11 bis de esta ley» que establece que la eficacia de la cosa juzgada dependerá, como regla general, de que se trate de las mismas personas que hayan sido parte en el proceso en que se dictó la correspondiente resolución. Esta regla general no se refiere a identidad física de los litigantes, sino que requiere identidad jurídica o legítima, de forma que, v.gr., existe identidad si una persona actúa en un proceso representada por un sujeto y en un proceso ulterior representada por una persona diferente, o directamente actúa la propia parte.

En consecuencia, la cosa juzgada se limita a las partes del proceso, con lo que la misma no beneficiará ni perjudicará a quien no lo fue. Lo que sería la lógica consecuencia de la vigencia del derecho de defensa, y del principio de contradicción.

A continuación, analizaremos diferentes situaciones y reglas particulares.

B) Extensión a determinados terceros

Como el propio art. 222.3 LEC contempla, existen algunos terceros determinados que sí se ven afectados por la cosa juzgada, aunque no hayan sido formalmente parte en el primer proceso.

Será el caso de herederos y causahabientes de las partes. El sucesor a título universal o singular de alguna de las partes, queda afectado por la cosa juzgada formada respecto de su causante, siempre que el título de adquisición sea posterior a la constitución de la litispendencia.

También se comprenden en esta categoría los sujetos no litigantes, titulares de los derechos que fundamenten la legitimación de las partes conforme a lo previsto en los arts. 11 y 11bis de esta ley. Así, quedarán comprendidos en la cosa juzgada los titulares del derecho que no han litigado, tanto sea la sentencia estimatoria como desestimatoria de la pretensión, es decir, los consumidores y usuarios que no hubieran sido parte.

Igualmente, todos los socios en el caso de la impugnación de acuerdos societarios, ya que se dispone que la sentencia que se dicte afectará a todos los socios, hayan impugnado o no el acuerdo pues, por estricta lógica, el mismo acuerdo sólo puede ser o válido o nulo para todos los socios.

C) Extensión erga omnes

Finalmente, y según lo establecido en el párrafo II del art. 222.3 LEC, al que la Ley 15/2022, ha dado, como hemos visto, una nueva redacción, «En las sentencias sobre estado civil, matrimonio, filiación, paternidad, maternidad e incapacitación y reintegración de la capacidad, la cosa juzgada tendrá efectos frente a terceros a partir de su inscripción o anotación en el Registro Civil». Con ello se está disponiendo una extensión general de la cosa juzgada, la eficacia *erga omnes* de estas sentencias constitutivas.

2. *Límites e identidades objetivos*

En segundo lugar, existe un límite, o identidad, objetivo (art. 222.1 LEC), que establece que entre ambos procesos debe existir identidad de objeto. De esta forma, los elementos objetivos que delimitan la cosa juzgada son: lo que se pide al órgano jurisdiccional (el *petitum*) y la causa de pedir (la *causa petendi*), la cual consiste en la situación de hecho jurídicamente relevante y susceptible de recibir la tutela jurídica solicitada que se concreta en el *petitum*. Vamos a ver los elementos determinantes con algo más de detalle.

A) Pretensión

Dentro de la pretensión, lo relativo a la petición o *petitum* no suele suscitar problemas, por cuanto que el bien jurídico al que se refirió la tutela judicial en el primer proceso tuvo que haber quedado plenamente identificado cualitativa y cuantitativamente y no ofrecerá dificultad compararlo con la petición de la pretensión del segundo proceso. Otra cosa sucede con la causa de pedir.

La tesis común en la jurisprudencia y en la doctrina era que la cosa juzgada no se extiende a toda la sentencia, sino solamente a la parte dispositiva de la misma, es decir, al fallo, con lo que se estaba diciendo que la cosa juzgada no comprendía las fundamentaciones fáctica y jurídica de la sentencia. Pero, la causa de pedir, sea absolutoria o condenatoria la sentencia, debe quedar también incluida en la cosa juzgada, de tal forma que:

a) La cosa juzgada tiene que comprender, en lo que a la causa de pedir concierne, todos los hechos que pudieron alegarse como constitutivos de la pretensión hasta el último momento previsto para la preclusión de las alegaciones. Para la precisa fijación de este momento, deben tenerse en cuenta, en general, los arts. 400.1, II, y 286 LEC, respecto de las alegaciones complementarias o de hechos nuevos o de nueva noticia, incorporables mediante escrito de ampliación, y 426 LEC y, en especial, el art. 752.1 LEC.

b) Las declaraciones contenidas en la sentencia relativas a la existencia o inexistencia de relaciones jurídicas o de situaciones jurídicas, que son la base de la condena o de la absolución, tampoco pueden quedar fuera de la cosa juzgada.

c) Cuando la petición hubiera podido fundamentarse en diversos hechos y fundamentos o títulos jurídicos, aunque el demandante se hubiera referido únicamente a alguno o algunos de ellos, la cosa juzgada se extenderá a todos los hechos y fundamentos jurídicos que pudieron alegarse, aunque no se hubiera hecho así (art. 400 LEC).

d) Las afirmaciones de existencia o inexistencia de hechos, en sentido estricto, que se contengan en la sentencia, en cuanto no integren un conjunto fáctico y jurídico, no pueden quedar cubiertas por la cosa juzgada.

B) Resistencia

La resistencia sirve para terminar de fijar el objeto del debate y la cosa juzgada tiene que comprenderla también. Por ello las excepciones materiales alegadas por el demandado, y también las que pudo alegar y no alegó, quedan cubiertas por la cosa juzgada, art. 408 LEC.

3. Límites temporales

Con respecto a la existencia de límites temporales, éstos no están previstos en la ley. Sin embargo, la jurisprudencia y la doctrina preponderante entiende que el efecto de cosa juzgada se produce mientras se mantengan las circunstancias esenciales en cuya consideración se resolvió el proceso. Si estas variasen, se podría plantear un nuevo proceso sin que cupiese la posibilidad de invocar la cosa juzgada, ya que estaríamos ante un pleito independiente y susceptible de resolución autónoma.

La sentencia se dicta en consideración al estado de hechos existente precisamente en el momento en que precluyen las posibilidades de alegación, es el *dies a quo* de la cosa juzgada. Todos los hechos que ocurrieron hasta ese momento, fueran alegados o no por las partes, quedarán cubiertos por la cosa juzgada (art. 222.2, II, LEC).

Respecto del *dies ad quem,* puede afirmarse que la cosa juzgada se puede prolongar, manteniéndose indefinidamente en el tiempo. No obstante, con el transcurso del mismo y en la medida en que las relaciones son dinámicas y evolucionan, las identidades exigidas pueden desaparecer o diluirse, propiciando nuevos procesos que no podrán ser impedidos por la cosa juzgada.

CAPÍTULO VI
EL JUICIO VERBAL

Lección 18ª

EL JUICIO VERBAL

IÑAKI ESPARZA LEIBAR

BIBLIOGRAFÍA BÁSICA

ELOSEGUI SOTOS, A., «El juicio verbal», en AA.VV. *La Nueva Ley de Enjuiciamiento Civil, 1/2000*, Consejo General del Poder Judicial y Gobierno Vasco (servicio central de publicaciones), Vitoria-Gasteiz, 2001.

MONTERO AROCA, J. / FLORS MATÍES, J., *Tratado de juicio verbal*, 2ª ed., Thomson-Aranzadi, Pamplona, 2004.

VALLESPÍN PÉREZ, D., *Juicio verbal en la Ley de Enjuiciamiento Civil española*, Juruá, Lisboa, 2016.

I. LA LEC, EL JUICIO VERBAL Y EL PROPÓSITO DEL LEGISLADOR

Sabemos que el proceso es un instrumento de creación artificial, resultado de la evolución técnica que, a su vez, se alimenta —debe hacerlo— del método científico-jurídico, basado en la prueba y el error, y abierto también a las nuevas realidades y necesidades sociales. Únicamente de esta forma dispondremos de un proceso, y de unos procedimientos eficientes, que garantizarán la tutela judicial efectiva que el estado de derecho debe a cada ciudadano.

La LEC de 2000 es un buen ejemplo de lo que afirmamos, y nos muestra que por parte del legislador existió la necesaria reflexión, profunda, documentada y sosegada, previa al diseño de enjuiciamiento civil que la norma materializa.

Para conocer con exactitud el propósito que el legislador de 2000 albergaba con respecto al juicio verbal —cuyas raíces se hunden en la Edad Media, en la que ya se sentía la necesidad de un procedimiento más ágil que el ordinario tipo— nos será de gran utilidad la lectura del apartado X de la Exposición de Motivos de la LEC, en el que se nos ubica con precisión: «Volviendo a la atribución de tipos de asuntos en los distintos cauces procedimentales, la Ley, en síntesis, reserva para el juicio verbal, que se inicia mediante demanda sucinta con inmediata citación para la vista, aquellos litigios caracterizados, en primer lugar, por la singular simplicidad de lo controvertido y, en segundo término, por su pequeño interés económico. El resto de litigios han de seguir el cauce del juicio ordinario, que también se caracteriza por su concentración, inmediación y oralidad».

También el apartado XII contribuye a precisar cuándo el juicio verbal será el procedimiento adecuado para tramitar un litigio: «Enseña la experiencia, en todo el mundo, que si, tras las iniciales alegaciones de las partes, se acude de inmediato a un acto oral, en que, antes de dictar sentencia también de forma inmediata, se concentran todas las actividades de alegación complementaria y de prueba, se corre casi siempre uno de estos dos riesgos: el gravísimo, de que los asuntos se resuelvan sin observancia de todas las reglas que garantizan la plena contradicción y sin la deseable atención a todos los elementos que han de fundar el fallo, o el consistente en que el tiempo que en apariencia se ha ganado acudiendo inmediatamente al acto del juicio o vista se haya de perder con suspensiones e incidencias, que en modo alguno pueden considerarse siempre injustificadas y meramente dilatorias, sino con frecuencia necesarias en razón de la complejidad de los asuntos. Por otro lado, es una exigencia racional y constitucional de la efectividad de la tutela judicial que se resuelvan, cuanto antes, las eventuales cuestiones sobre presupuestos y óbices procesales, de modo que se eviten al máximo las sentencias que no entren sobre el fondo del asunto litigioso y cualquier otro tipo de resolución que ponga fin al proceso sin resolver sobre su objeto, tras costosos esfuerzos baldíos de las partes y del tribunal». La situación descrita supondría un fracaso, sin paliativos, del sistema. Algo que el estado de derecho no se puede en modo alguno permitir. «En consecuencia, como ya se apuntó, sólo es conveniente acudir a la máxima concentración de actos para asuntos litigiosos desprovistos de complejidad o que reclamen una tutela con singular rapidez». Éste es precisamente el ámbito del juicio verbal, que permite una tramitación rápida y eficiente, sin renunciar a las garantías exigibles, en un equilibrio que el propio legislador establece de forma pormenorizada.

II. CONCEPTO, PRINCIPIOS Y NATURALEZA. EL JUICIO VERBAL COMO PROCEDIMIENTO ADECUADO

El juicio verbal es uno de los dos procesos declarativos ordinarios recogidos en el art. 248 LEC. El diseño de la LEC de 2000, supone una buscada y, en nuestra opinión, acertada simplificación de los cauces procesales antes existentes. «La ley diseña los procesos declarativos de modo que la inmediación, la publicidad y la oralidad hayan de ser efectivas. En los juicios verbales, por la trascendencia de la vista». Tal y como la Exposición de Motivos recoge en su apartado XII.

La oralidad, que es la firme apuesta de la CE, en su art. 120, para todos los procedimientos jurisdiccionales, viene a sustituir a la escritura, principio procedimental que durante siglos disciplinó el enjuiciamiento civil. La enorme trascendencia del cambio es algo que conviene ser valorado en sus justos términos.

Con el juicio verbal en concreto, se busca una reducción del tiempo y de los costes, para lo que se diseña un cauce simple y sucinto, con la regulación mínima indispensable. Hasta tal punto es así que la doctrina ha señalado que los artículos 437 a 447 bis (éste último introducido por la LO 7/2022, de 27 de julio, de modificación de la LOPJ, en materia de Juzgados de lo Mercantil) que la LEC dedica a su regulación, son manifiestamente insuficientes para una regulación completa, que proporcione una respuesta integral a los problemas que de su aplicación se suscitan. El hecho de que la mayoría de dichos preceptos hayan sido significativamente modificados, incluso como hemos visto creados, en los últimos años, parece dar la razón a quienes así opinaron.

Situándonos en la perspectiva del presupuesto procesal del procedimiento adecuado, el art. 250 LEC establece el juicio verbal como cauce para las demandas que, o bien se refieran a las concretas materias que el propio precepto relaciona (se verán con detalle en la lección 31), o bien se ajusten a una cuantía que no exceda de determinado, y moderado, límite.

Desde la perspectiva de la materia objeto de litigio, criterio especial y por tanto preferente, que determina el uso del juicio verbal como procedimiento adecuado, el art. 250 LEC nos ofrece un listado que comprende 13 materias diferenciadas.

Con el propósito de ilustrar la naturaleza jurídica que la LEC atribuye al juicio verbal, deseamos aproximarnos y mencionar ahora algunas de las pretensiones, de muy diferente contenido e intensidad en cuanto a la intervención solicitada, cuyo objeto nos abocará al juicio verbal:

Nos hallaremos ante un juicio especial y plenario, cuando el juicio verbal sea el procedimiento adecuado, por razón de la materia.

Es el caso de lo establecido en el art. 250.1, apartados 2º, 8º, 9º, 12º y 13º, LEC, *v.gr.*, las demandas que pretendan la recuperación de la plena posesión de una finca rústica o urbana, cedida en precario, por alguna persona con derecho a poseer dicha finca; las demandas que soliciten alimentos debidos por disposición legal o por otro título, o las que supongan el ejercicio de la acción de cesación en defensa de los intereses colectivos y difusos de los consumidores y usuarios.

Nos hallaremos ante un juicio, además de especial, sumario, cuando el juicio verbal sea el procedimiento adecuado por razón de la materia, y cuando la ley añada además que la tutela solicitada, o que la sentencia que se dicte, tendrán carácter sumario, es decir con limitaciones en las alegaciones, prueba y cognición. Por contraposición al juicio plenario, que producirá efectos de cosa juzgada, los juicios sumarios no generan dicho efecto.

Es el caso de lo establecido en el art. 250.1, apartados 1º, 3º, 4º, 5º, 6º, 7º, 10º, y 11º LEC, *v.gr.*, las demandas que pretendan la tutela sumaria de la tenencia o posesión de una cosa o derecho por quien haya sido despojado de ellas o perturbado en su disfrute. Mención específica merece el art. 250.1-4º, II introducido por la Ley 5/2018, de 11 de junio, que se ocupa de la tutela sumaria frente a la ocupación ilegal de viviendas, para la inmediata recuperación de la plena posesión de una de ellas, o parte de la misma, de la que se ha visto privado el propietario o poseedor legítimo, persona física o entidad, sin su consentimiento. Igualmente, es el caso de las demandas que pretendan que el tribunal resuelva, de forma sumaria, la suspensión de una obra nueva, o la demolición o derribo de obra, edificio, árbol o cualquier otro elemento análogo en estado de ruina, que amenace con causar daños a quien demande.

Desde la óptica de la cuantía, el número 2 del art. 250 LEC, que nos ocupa, recoge que se decidirán también por los cauces del juicio verbal, todas las demandas cuya cuantía no exceda de seis mil euros, siempre que no se refieran a ninguna de las materias previstas en el apartado primero del propio precepto, que constituye criterio de atribución preferente. Cuando el procedimiento adecuado se fija en atención a la cuantía, nos hallamos ante un proceso declarativo, ordinario y plenario, arts. 248 y 250.2 LEC.

Además, existen una serie de procesos especiales, no dispositivos, que se tramitarán a través del cauce del juicio verbal. Se trata de los procesos sobre apoyo a personas con discapacidad, filiación, matrimonio y menores, siempre que no se disponga expresamente otra cosa, art. 753 LEC modificado por la Ley 8/2021, de 2 de junio, por la que se reforma la legislación civil y procesal para el apoyo a las personas con discapacidad en el ejercicio de su capacidad jurídica. También es el caso de la oposición a las resoluciones administrativas en materia de protección de menores, arts. 779 y 780 LEC, modificados por la Ley Orgánica 8/2021, de 4 de junio, de protección integral a la infancia y la adolescencia frente a la violencia.

Finalmente, la LO 7/2022, de 27 de julio, ha introducido un apartado 3 al art. 250 LEC, en los siguientes términos: "Se decidirán en juicio verbal, con las especialidades establecidas en el artículo 447 bis de esta ley, los recursos contra las resoluciones que agoten la vía administrativa dictadas en materia de propiedad industrial por la Oficina Española de Patentes y Marcas".

Por lo que al órgano jurisdiccional competente concierne, la LOPJ y la LEC disponen que los Juzgados de Paz serán competentes para conocer, a través del juicio verbal, de las demandas de cuantía no superior a 90 € (art. 47 LEC). Para todas las demás pretensiones, hasta 6.000 € por razón de la cuantía, y todas las contempladas en el art. 250 LEC, por razón de la materia, será competente el Juzgado de Primera Instancia, siendo el procedimiento adecuado el juicio verbal.

III. ESTRUCTURA Y DESARROLLO DEL JUICIO VERBAL

Como ocurre con todos los procesos que se tramitan a través de procedimientos orales, la vista es el momento culminante en el que converge y se desarrolla con plenitud y concentración la actividad jurisdiccional de todos los operadores.

En el caso del juicio verbal, su diseño busca una tramitación más ágil que la que corresponde al juicio ordinario, y con ello se refuerza el rol de la vista como momento decisivo y crucial en el juicio verbal, como pone de manifiesto el art. 443 LEC que desgrana su desarrollo.

El acto de la vista requiere, no obstante, de una actividad previa, que esencialmente corresponde a las partes, y que progresivamente perfila lo que será el objeto de la disputa que se materializará en su forma definitiva ante el titular del órgano jurisdiccional.

Analizaremos a continuación, paso a paso, el desarrollo del juicio verbal, desde su inicio con la presentación de una demanda, interpuesta por el actor, hasta su conclusión por medio de la sentencia, que dictará el titular del órgano jurisdiccional, pasando por la ya mencionada vista, en la que —para ello precisamente está diseñada— todos los sujetos interactúan de forma protocolizada.

1. El inicio del juicio, la demanda

Como todos los procesos civiles, con carácter general, el juicio verbal se rige por el principio dispositivo, lo que conlleva que comience por medio de la presentación de una demanda, acto de parte del que se ocupa el art. 437 LEC, suponiendo dicha interposición el acto principiador del proceso. Al regular el juicio verbal, la LEC menciona varios tipos o variantes de demanda:

A) La demanda ordinaria

Esta variante de demanda a la que se refiere la LEC se caracteriza por tener «el contenido y forma propios del juicio ordinario, siendo también de aplicación lo dispuesto para dicho juicio en materia de preclusión de alegaciones y litispendencia» (art. 437.1 LEC).

La demanda deberá, en este caso, atenerse al contenido y a la forma previstos para el acto homónimo del juicio ordinario, detalladamente recogidos en el art. 399 LEC. Por tanto, y a grandes rasgos, la demanda deberá, además de identificar al actor y al demandado, facilitando la información que permita que puedan ser citados, exponer de forma claramente diferenciada los hechos y los fundamentos de derecho, expresando la clase de juicio por el que ha de tramitarse el asunto, bien con referencia a la materia, bien en atención a la cuantía.

Por lo que a la documentación (dictámenes, informes, etc.) que deberá acompañar a la demanda se refiere, todo lo dicho en la lección octava sobre los documentos, procesales y relativos al fondo del asunto, que deben presentarse con la demanda del juicio ordinario será de aplicación a esta demanda, pues el Capítulo III del Título I del Libro II de la LEC, contiene disposiciones comunes que son aplicables a todos los procesos declarativos.

B) La demanda sucinta

Establece el art. 437.2 LEC que «en los juicios verbales en que no se actúe con abogado y procurador, el demandante podrá formular una demanda sucinta, donde se consignarán los datos y circunstancias de identificación del actor y del demandado y el domicilio o los domicilios en que pueden ser citados, y se fijará con claridad y precisión lo que se pida, concretando los hechos fundamentales en que se basa la petición». Es precisamente el caso —concebido como excepción a la regla general en materia de postulación— de los juicios verbales cuya determinación se haya realizado por razón de la cuantía, cuando la misma no exceda de dos mil euros (arts. 23.2, 1º y 31.2, 1º LEC). Al respecto, el art. 32.1 LEC dispone que, no siendo preceptiva la intervención de abogado y de procurador, si el actor pretendiera comparecer en juicio con asistencia y representación a cargo de ambos profesionales, lo hará constar en la demanda.

La demanda sucinta es una opción —únicamente disponible para los casos en los que el juicio verbal procede por el criterio de la cuantía— que el ordenamiento ofrece al actor, y que podrá o no utilizar según lo estime oportuno, pues nada impediría que presentara una demanda ordinaria, en los términos que ya hemos visto.

C) La demanda en impreso normalizado

En los casos en los que sea posible acudir a la demanda sucinta cabe, también como opción adicional, interponerla mediante la cumplimentación de unos impresos normalizados que se hallarán a disposición del futuro demandante en la propia sede del órgano judicial correspondiente (art. 437.2,2 LEC).

La demanda en impreso normalizado deberá también, como es razonable, consignar toda la información imprescindible que hemos mencionado al hablar de la demanda sucinta, es decir: los datos subjetivos y circunstancias de identificación del actor y del demandado, además del domicilio o los domicilios en que pueden ser citados. Igualmente deberá incorporar los hechos fundamentales en los que se basa la petición. Finalmente, la demanda fijará con claridad y precisión lo que se pida.

Es destacable el hecho de que ni la demanda sucinta ni la contenida en el impreso normalizado precisan incorporar los fundamentos de derecho, elemento que sí se contempla para la demanda ordinaria. Esta importante diferencia lleva a entender que estas dos demandas, suponiendo sin duda el efectivo ejercicio del derecho de acción, no llegan a interponer completamente la pretensión —a diferencia de lo que ocurre con la demanda ordinaria— ésta sólo se prepara o se interpone parcialmente, siendo completada en un momento posterior, en el inicio de la vista, en la que el actor añadirá la fundamentación jurídica de lo que pide.

D) La acumulación de pretensiones

Existe para el juicio verbal regulación específica y especial relativa a la acumulación de pretensiones, es decir, a la acumulación inicial, distinguiendo entre:

a) Acumulación exclusivamente objetiva: Este tipo de acumulación, que con carácter general es posible sin que exista conexión por los objetos, de modo que el actor puede acumular en su demanda todas las «acciones» que le competan contra un mismo demandado (art. 71.2 LEC) sufre una fuerte limitación en el juicio verbal, en el que sólo es posible cuando existan conexiones objetivas específicas.

Establece así al art. 437.4 LEC, que sólo cabe la acumulación entre: 1) Pretensiones basadas en unos mismos hechos, y siempre que proceda en todo caso el juicio verbal, 2) Pretensión de resarcimiento de daños y perjuicios y otra pretensión que sea prejudicial respecto de ella, y 3) Pretensiones en reclamación de rentas o cantidades análogas vencidas y no pagadas cuando se trate de juicios de desahucio de finca por falta de pago o expiración del plazo contractual o legal, con independencia de la cantidad que se reclame, También podrán acumularse las pretensiones contra el fiador o avalista solidario previo requerimiento de pago no satisfecho. Finalmente, cabrá la acumulación, 4) En los procedimientos de separación, divorcio o nulidad y en los que se pretenda obtener la eficacia civil de las resoluciones eclesiásticas, en los que cualquiera de los cónyuges podrá ejercer simultáneamente la acción de división de la cosa común.

b) Acumulación objetivo-subjetiva: Por el contrario, pueden acumularse las pretensiones que uno tenga contra varios o varios contra uno, siempre que entre ellas exista un nexo por razón del objeto y del título o causa de pedir, pero el tribunal ha de ser competente por razón de la materia y por razón de la cuantía para conocer de todas las pretensiones, art. 437.5 LEC. A una pretensión que se conoce en juicio verbal no puede acumularse otra que, por razón de la cuantía, deba conocerse en juicio ordinario; el que puede lo más puede lo menos, pero no al revés.

E) Las demandas especiales

En cuanto a algunos juicios verbales que se utilizan como cauce para procesos especiales, que son determinados por razón de la materia, la LEC establece reglas específicas para ciertas demandas. Se trata de reglas que pueden afectar tanto a su contenido como a los documentos que deben acompañarla, siendo su cumplimiento determinante para la admisión a trámite.

La LEC se refiere a los siguientes casos:

a) En las demandas de desahucio de finca urbana: 1º) Cuando se trata de desahucio de finca urbana por falta de pago de las rentas o cantidades debidas por el arrendatario, el arrendador indicará en la demanda «las circunstancias concurrentes que puedan permitir o no, en el caso concreto, la enervación del desahucio» (art. 439.3 LEC). La enervación del desahucio se regula en el art. 22.4 LEC, como un medio de terminación del proceso por satisfacción extraprocesal, sólo respecto de los arrendamientos de finca urbana, cuando se trate de la falta de pago de las rentas o cantidades debidas por el arrendatario, pero, dado que la enervación no siempre es posible, en la demanda deberán contenerse las circunstancias relativas a su posibilidad, y su falta determinará la inadmisión. 2º) En las demandas en las que se solicite «el desahucio de finca urbana por falta de pago de las rentas o cantidades debidas al arrendador, o por expiración legal o contractual del plazo, el demandante podrá anunciar en ella que asume el compromiso de condonar al arrendatario todo o parte de la deuda y de las costas, con expresión de la cantidad concreta, condicionándolo al desalojo voluntario de la finca dentro del plazo que se indique por el arrendador, que no podrá ser inferior al plazo de quince días desde que se notifique la demanda» (art. 437.3 LEC). Y 3º) En este mismo caso el arrendador, en la demanda, podrá pedir «que se tenga por solicitada la ejecución del lanzamiento en la fecha y hora que se fije por el juzgado a los efectos señalados en el apartado 3 del artículo 549» —modificado por la Ley 12/2023, de 24 de mayo, por el derecho a la vivienda— (art. 437.3 LEC). El Real Decreto-ley 5/2023, de 28 de junio, prevé - entre sus múltiples propósitos - un incidente para la suspensión extraordinaria del desahucio o lanzamiento, hasta el 31 de diciembre de 2023.

b) Las demandas en las que se pretenda retener o recobrar la posesión no serán admitidas, si se interponen transcurrido el plazo de un año desde el acto de la perturbación o el despojo, art. 439.1 LEC. Se trata de un plazo de caducidad, derivado del art. 460, 4º del CC, que debe ser controlado de oficio. Lo que la norma procesal está diciendo realmente es que el actor en la demanda debe indicar cuándo se produjo la perturbación o el despojo, y que el tribunal no la admitirá a trámite, si ese momento es anterior en más de un año al de la presentación de la demanda.

c) La demanda presentada por el titular de derecho inscrito en el Registro de la Propiedad pretendiendo la efectividad de ese derecho frente a quien se oponga o perturbe su ejercicio, sin disponer de título inscrito que legitime la oposición o la perturbación, tiene también requisitos especiales, tanto de contenido como atinentes a los documentos a presentar con ella (art. 439.2 LEC). Los requisitos son: 1º) Expresión de las medidas que se consideren necesarias para asegurar la efectividad de la sentencia que recayere, 2º) Indicación de la caución que ha de prestar el demandado, en caso de comparecer y contestar, para responder de los frutos que haya percibido indebidamente, de los daños y perjuicios que hubiere irrogado y de las costas del juicio, salvo que el actor renunciare expresamente en la demanda a esta caución, y 3º) El documento a presentar es la certificación literal del Registro de la Propiedad que acredite la vigencia, sin contradicción alguna, del asiento que legitima al demandante. Una vez más, el incumplimiento de los requisitos determinará la inadmisión de la demanda a trámite (art. 439.2 LEC).

d) En el caso de las demandas, que pretenden que el tribunal resuelva de modo sumario, sobre incumplimiento de contratos de venta a plazos de bienes muebles y de arrendamiento financiero que deban tramitarse por el juicio verbal, según el art. 250.1, 10º y 11º LEC, las mismas deben acompañarse de los documentos específicos relacionados en el propio precepto, sin los cuales no se admitirán (art. 439.4 LEC).

e) El art. 439.5 LEC establece una cláusula general para la inadmisión de las demandas en las que no se cumplan los requisitos de admisibilidad que, para casos especiales, prevean las leyes.

f) Por último, la disposición final 5.2 de la ley 12/2023, de 24 de mayo, por el derecho a la vivienda, añade al art. 439 dos nuevos apartados, 6 y 7, que contemplan requisitos adicionales que deberán cumplirse para que la demanda sea admitida. Se intenta verificar si se trata de la vivienda habitual, si nos hallamos ante situaciones de vulnerabilidad económica y si intervienen grandes tenedores. El art. 439.7 LEC contempla específicamente que, en tales casos, la parte actora se someta al procedimiento de conciliación o intermediación establecido por las Administraciones Públicas competentes, como requisito previo determinante de la admisión de la demanda.

2. Admisión de la demanda y contestación. La reconvención

A) Admisión de la demanda

La admisibilidad de la demanda la examina el LAJ, el cual puede admitirla por decreto o, en los supuestos del art. 404.2 LEC, dar cuenta de ella al juez para que sea éste quien decida lo que proceda (art. 438.1 LEC).

B) La contestación a la demanda

Admitida la demanda, el LAJ dará traslado de ella al demandado, para que la conteste por escrito en el plazo de diez días, conforme a lo dispuesto para el juicio ordinario. Si el demandado no compareciere en el plazo otorgado será declarado en rebeldía conforme al artículo 496 LEC.

«En los casos en que sea posible actuar sin abogado ni procurador, se indicará así en el decreto de admisión y se comunicará al demandado que están a su disposición en el juzgado unos impresos normalizados que puede emplear para la contestación a la demanda» (art. 438.1 LEC).

«El demandado podrá oponer en la contestación a la demanda un crédito compensable, siendo de aplicación lo dispuesto en el artículo 408. Si la cuantía de dicho crédito fuese superior a la que determine que se siga el juicio verbal, el tribunal tendrá por no hecha tal alegación en la vista, advirtiéndolo así al demandado, para que use de su derecho ante el tribunal y por los trámites que correspondan» (art. 438.3 LEC).

C) La reconvención

El art. 438.2 LEC regula este medio procesal, siendo su régimen el siguiente:

a) En los juicios verbales de naturaleza sumaria, los que deben finalizar con sentencia que no produzca cosa juzgada, no cabe reconvención.

b) En los demás juicios verbales, sólo se admitirá reconvención cuando la pretensión de la reconvención no determine la improcedencia del juicio verbal como procedimiento adecuado, y siempre que exista conexión entre la pretensión de la reconvención y la que sea objeto de la demanda principal.

Una vez que se admite la reconvención, se estará a las normas ordinarias, es decir, al art. 406 LEC, si bien el plazo para contestarla será de 10 días.

3. *Petición y citación para la vista*

En la contestación a la demanda, es necesario que el demandado se manifieste sobre la pertinencia de la celebración de la vista, debiendo pronunciarse también a continuación el demandante sobre ello, en el plazo de tres días desde que se le traslade el escrito de contestación. «Si ninguna de las partes la solicitase y el tribunal no considerase procedente su celebración, dictará sentencia sin más trámites» (art. 438.4 LEC).

En cualquier caso, bastará con que una de las partes lo solicite para que el LAJ señale día y hora para su celebración, dentro de los cinco días siguientes. También deberá hacerlo cuando, aun no habiéndolo solicitado ninguna de las partes, el juez lo considere procedente. La vista habrá de tener lugar dentro del plazo máximo de un mes (art. 440.1 LEC).

«No obstante, en cualquier momento posterior, previo a la celebración de la vista, cualquiera de las partes podrá apartarse de su solicitud por considerar que la discrepancia afecta a cuestión o cuestiones meramente jurídicas. En este caso se dará traslado a la otra parte por el plazo de tres días y, transcurridos los cuales, si no se hubieren formulado alegaciones o manifestado oposición, quedarán los autos conclusos para dictar sentencia si el tribunal así lo considera» (art. 438.4, II LEC).

«En la citación se fijará el día y hora en el que haya de celebrarse la vista, y se informará a las partes de la posibilidad de recurrir a una negociación para intentar solucionar el conflicto, incluido el recurso a una mediación, en cuyo caso éstas indicarán en la vista su decisión al respecto y las razones de la misma» (art. 440.1, I LEC).

También se informará a las partes de que han de concurrir con los medios de prueba de que intenten valerse, con la prevención de que si no asistieren y se propusiere y admitiere su declaración, podrán considerarse admitidos los hechos del interrogatorio conforme a lo dispuesto en el artículo 304 (art. 440.1, III LEC).

Igualmente, se les hará saber que, «en el plazo de los cinco días siguientes a la recepción de la citación, deberán indicar las personas que, por no poderlas presentar ellas mismas, han de ser citadas por el letrado de la administración de justicia a la vista para que declaren en calidad de parte, testigos o peritos. A tal fin, facilitarán todos los datos y circunstancias precisos para llevar a cabo la citación. En el mismo plazo de cinco días podrán las partes pedir respuestas escritas a cargo de personas jurídicas o entidades públicas, por los trámites establecidos en el artículo 381» (art. 440.1, IV LEC).

El demandante será específicamente informado de que, si «no asistiese a la vista, y el demandado no alegare interés legítimo en la continuación del proceso para que se dicte sentencia sobre el fondo, se tendrá en el acto por desistido a aquél de la demanda, se le impondrán las costas causadas y se le condenará a indemnizar al demandado comparecido, si éste lo solicitare y acreditare los daños y perjuicios sufridos» (art. 442.1 LEC).

Por su parte, se hace saber al demando que su incomparecencia a la vista no determinará su suspensión, continuándose las actuaciones en su ausencia, con la celebración del juicio (art. 442.2 LEC).

4. Actuaciones previas a la vista en casos especiales

Además de las actuaciones generales previas a la vista, a las que ya hemos hecho referencia, como son las atinentes a la preparación de prueba, art. 440.1, IV LEC y las relativas a la postulación, art. 32.4 LEC, mencionaremos siquiera, en este momento, los casos especiales que la propia LEC regula en su art. 441.

A) Adquisición de la posesión (art. 441.1 LEC). Cuando el actor pretende que se le ponga en posesión de los bienes adquiridos por herencia, no estando poseídos por nadie a título de dueño o usufructuario (art. 250.1, 3º LEC) la actividad judicial se divide en dos fases, una de jurisdicción voluntaria y otra propiamente jurisdiccional, que es la que se tramita como juicio verbal.

B) Suspensión de obra nueva (art. 441.2 LEC). Cuando se pretenda que el tribunal resuelva, con carácter sumario, la suspensión de una obra nueva, la actividad previa consiste en la suspensión provisional, dejando para la vista la decisión de la suspensión definitiva. Antes incluso de la citación para la vista el tribunal: 1) Dirigirá inmediata orden de suspensión al dueño o encargado de la obra, 2) Podrá permitir la realización de las obras indispensables para conservar lo ya edificado, 3) Podrá permitir que se continúe la obra si el dueño de la misma ofrece caución (que se prestará en la forma del art. 64.2 LEC), se entiende para asegurar la demolición y la indemnización de los daños y perjuicios si se decretare la suspensión definitiva, y 4) Podrá acordar que se lleve inmediatamente a cabo, bien reconocimiento judicial, bien reconocimiento pericial, bien reconocimientos conjuntos.

C) Derecho real inscrito (art. 441.3 LEC). Cuando el titular de un derecho real inscrito en el Registro de la Propiedad pretenda la efectividad de ese derecho frente a quien se oponga a él o perturbe su ejercicio, sin disponer de título inscrito que legitime su oposición o perturbación, la demanda tiene requisitos especiales (art. 439.2 LEC) de la misma manera que la citación para la vista (art. 440.2 LEC) y, además de todo ello, el tribunal adoptará las medidas solicitadas que, según las circunstancias, fuesen necesarias para asegurar en todo caso el cumplimiento de la sentencia que recayere.

D) Ejecución dirigida contra bien mueble adquirido a plazos (art. 441.4 LEC). Cuando se pretenda que el tribunal resuelva, con carácter sumario, sobre el incumplimiento por el comprador de las obligaciones derivadas de los contratos inscritos en el Registro de Venta a Plazos de Bienes Muebles y formalizados en el modelo oficial establecido al efecto, al objeto de obtener una sentencia condenatoria que permita dirigir la ejecución exclusivamente sobre el bien o bienes adquiridos o financiados a plazos, art. 250.1, 10º LEC, la propia demanda tiene requisitos especiales (art. 439.4 LEC) y, además, admitida la misma, el juez ordenará la exhibición de los bienes a su poseedor, bajo apercibimiento de incurrir en desobediencia a la autoridad judicial, y su inmediato embargo preventivo, que se asegurará mediante depósito, con arreglo a lo previsto en la LEC.

E) Entrega del bien mueble al arrendador financiero o al vendedor o financiador (art. 441.4 LEC). Cuando se pretenda que el tribunal resuelva, con carácter sumario, sobre el incumplimiento de un contrato de arrendamiento financiero o contrato de venta a plazos con reserva de dominio, siempre que en ambos casos estén inscritos en el Registro de Venta a Plazos de Bienes Muebles y formalizados en el modelo oficial establecido al efecto, mediante el ejercicio de una acción exclusivamente encaminada a obtener la inmediata entrega del bien al arrendador financiero o al vendedor o financiador en el lugar indicado en el contrato, previa declaración de resolución de éste, en su caso (art. 250.1, 11º LEC) también la demanda tiene requisitos especiales (art. 439.4 LEC) y, además, admitida la demanda, el tribunal ordenará el depósito del bien cuya entrega se reclame.

En los dos casos anteriores: 1) No se exigirá caución al demandante para la adopción de las medidas cautelares, 2) No se admitirá oposición del demandado a las mismas, y 3) Tampoco se admitirá al demandado solicitud de modificación o de sustitución de las medidas por caución. Todas estas disposiciones constituyen sendas excepciones a lo previsto en los arts. 728.3, 739 y ss., y 743 y ss. LEC.

F) La Ley 12/2023, de 24 de mayo, por el derecho a la vivienda, modifica los apartados 1 bis y 5 del art. 441 y además añade los apartados 6 y 7. En ellos se establece - cuando el inmueble objeto de la controversia constituya la vivienda habitual de la parte demandada - la intervención de las Administraciones autonómicas y locales competentes en materia de vivienda, asistencia social, evaluación e información de situaciones de necesidad social y atención inmediata a personas en situación o riesgo de exclusión social, para que puedan verificar si se producen situaciones de vulnerabilidad. El informe de las Administraciones Públicas, además de las alegaciones de las partes, pueden determinar la suspensión temporal del proceso. El Real Decreto-ley 5/2023, de 28 de junio, prevé un incidente para la suspensión extraordinaria del desahucio o lanzamiento, hasta el 31 de diciembre de 2023. Finalmente, la resolución del tribunal, en esta materia, requerirá de una valoración ponderada y proporcional del caso concreto, en relación con las situaciones de vulnerabilidad que pudieran concurrir.

IV. LA VISTA ORAL

Una vez finalizada la fase de alegaciones, que incluye la demanda, la contestación y la eventual reconvención, y verificadas, en su caso, las actuaciones previas a las que acabamos de referirnos, si alguna parte lo solicita o el tribunal lo estima procedente, se celebrará la vista oral, citando a las partes para materializar tal fin. Éstas deberán comparecer en el acto de la vista oral asistidas por abogado y representadas por procurador, cuando su intervención sea preceptiva conforme a los arts. 23 y 31 LEC. En los demás casos, las partes podrán asistir personalmente.

Cuando ambas partes comparezcan en el día y hora señalados, se estará a lo dispuesto en los arts. 443 y ss. LEC, que distinguen entre reglas generales y reglas especiales de algunos juicios verbales que son procesos especiales por razón de la materia. En el desarrollo de la vista deben tenerse en cuenta además las normas comunes de los arts. 182 a 193 LEC.

1. Inasistencia de las partes

De la asistencia o inasistencia de las partes, de alguna de ellas o de ambas, se derivarán diferentes consecuencias que la LEC prevé en su art. 442. Los efectos son lógicamente distintos según cual sea la parte que no asista:

A) Si no asiste el demandante, y el demandado no alegare interés legítimo en la continuación del proceso para que se dicte sentencia sobre el fondo, se le tendrá por desistido de la demanda —se trata claramente de un desistimiento tácito— «se le impondrán las costas causadas y se le condenará a indemnizar al demandado comparecido, si éste lo solicitare y acreditare los daños y perjuicios sufridos». No obstante, el proceso continuará con la celebración de la vista y hasta que se dicte sentencia, si el demandado lo pidiere, alegando, como indicábamos antes, su interés legítimo para ello.

B) «Si no compareciere el demandado, se procederá a la celebración del juicio» (art. 442.2 LEC). Sin que esta incomparecencia suponga ni allanamiento, ni admisión de hechos. En el caso especial del juicio verbal del art. 250.1, 7° LEC, la no comparecencia del demandado supondrá que se dicte sentencia acordando las actuaciones que, para la efectividad del derecho inscrito, hubiere solicitado el actor, como advierte el art. 440.2 LEC.

C) Si no asiste ni el actor ni el demandado, el proceso no puede seguir ya que en tales condiciones no será posible que la contradicción se materialice y se perfile el litigio, por no realizar las partes el aporte necesario para ello, debiendo tenerse por desistido al primero y ordenándose el archivo de las actuaciones.

2. *Desarrollo, terminación y sentencia*

«Comparecidas las partes, el tribunal declarará abierto el acto y comprobará si subsiste el litigio entre ellas» (art. 443. 1 LEC). Dados los principios que rigen en el proceso civil, es posible que, si las partes manifestasen haber llegado a un acuerdo o se mostrasen dispuestas a concluirlo de inmediato, puedan desistir del proceso o solicitar del tribunal que homologue lo acordado (art. 443.1, II LEC). «El acuerdo homologado judicialmente surtirá los efectos atribuidos por la ley a la transacción judicial y podrá llevarse a efecto por los trámites previstos para la ejecución de sentencias y convenios judicialmente aprobados. Dicho acuerdo podrá impugnarse por las causas y en la forma que se prevén para la transacción judicial» (art. 443.1, II LEC).

Una vez que el tribunal ha comprobado que el acuerdo no se ha producido, la vista continuará, estando previstas las siguientes actuaciones:

A) Cabe que las partes, de común acuerdo, soliciten la suspensión del proceso de conformidad con lo previsto en el art. 19.4 LEC, para someterse a mediación. «En este caso, el tribunal examinará previamente la concurrencia de los requisitos de capacidad jurídica y poder de disposición de las partes o de sus representantes debidamente acreditados, que asistan al acto» (art. 443.1, III LEC).

Verificada la mediación, y si finalizara sin acuerdo, «cualquiera de las partes podrá solicitar que se alce la suspensión y se señale fecha para la continuación de la vista. En el caso de haberse alcanzado en la mediación acuerdo entre las partes, éstas deberán comunicarlo al tribunal para que decrete el archivo del procedimiento, sin perjuicio de solicitar previamente su homologación judicial» (art. 443.1, IV LEC).

B) En el caso de que la vista continúe, el tribunal deberá resolver las cuestiones procesales que puedan impedir la válida prosecución y término del proceso mediante sentencia sobre el fondo, de acuerdo con los arts. 416 y ss. LEC. Al respecto, son posibles dos resoluciones:

a) Desestimar las excepciones procesales y ordenar seguir las actuaciones, caso en el que no cabe recurso alguno, sin perjuicio de hacer constar en el acta la protesta oportuna para la eventual admisión del recurso de apelación.

b) Estimar alguna excepción procesal que impida la continuación de la vista, lo que se realizará por medio de auto definitivo de sobreseimiento, contra el que cabe apelación.

C) Si la decisión fuera la de seguir con la vista, bien porque no se hubieran suscitado cuestiones procesales, bien porque fueren desestimadas las planteadas, ordenándose la continuación de la misma, el paso lógico siguiente consistirá en entrar en las cuestiones de fondo. A tal efecto, se dará la palabra a las partes para realizar aclaraciones y fijar los hechos sobre los que exista contradicción. Se trata ahora de delimitar los términos del debate, a cuyo efecto las partes deberán determinar los hechos no controvertidos (que quedarán excluidos de la necesidad de ser probados) y los hechos controvertidos (que sí serán objeto de prueba, art. 443.3 LEC).

D) Existiendo hechos controvertidos, procederá la utilización de los medios de prueba admitidos, para lo que se tendrá en cuenta que ya se requirió a las partes para que concurrieran a la vista con los medios de prueba de que intentaran valerse. Será asimismo de aplicación lo dispuesto en el art. 429.1 LEC, sobre la manifestación del tribunal en relación con la insuficiencia de las pruebas propuestas.

«Contra las resoluciones del tribunal sobre admisión o inadmisión de pruebas sólo cabrá recurso de reposición, que se sustanciará y resolverá en el acto, y si se desestimare, la parte podrá formular protesta al efecto de hacer valer sus derechos, en su caso, en la segunda instancia» (art. 446 LEC). Seguidamente se procederá a la práctica de los medios de prueba que hayan resultado admitidos, para lo que debe estarse a las normas generales (arts. 281 y ss. LEC).

E) «Practicadas las pruebas, el tribunal podrá conceder a las partes un turno de palabra para formular oralmente conclusiones. A continuación, se dará por terminada la vista» (art. 447.1 LEC).

F) Concluida la vista, el tribunal dictará sentencia, con carácter general, dentro de los diez días siguientes (art. 447.1 LEC). Hay que recordar que "no producirán efectos de cosa juzgada las sentencias que pongan fin a los juicios verbales sobre tutela sumaria de la posesión ni las que decidan sobre la pretensión de desahucio o recuperación de finca, rústica o urbana, dada en arrendamiento, por impago de la renta o alquiler o por expiración legal o contractual del plazo, y sobre otras pretensiones de tutela" que la LEC califique como sumarias, art. 447.2 LEC, ni otras que la propia ley señale (art. 447.3 y 4 LEC).

CAPÍTULO VII
MEDIOS DE IMPUGNACIÓN

Lección 19ª

MEDIOS DE IMPUGNACIÓN: CONCEPTOS GENERALES

JOSÉ FRANCISCO ETXEBERRÍA GURIDI

SUMARIO: I. LOS MEDIOS DE IMPUGNACIÓN: CONCEPTO Y FUNDAMENTO. II. EL DERECHO AL RECURSO. III. CLASES DE RECURSOS. 1. Recursos devolutivos y no devolutivos. 2. Recursos ordinarios y extraordinarios. 3. Recursos procesales y materiales. IV. PRESUPUESTOS Y REQUISITOS DE LOS RECURSOS. 1. Competencia del tribunal. 2. Legitimación para recurrir. 3. Recurribilidad de la resolución. 4. El gravamen. 5. Plazo de interposición. 6. Depósito para recurrir. 7. Forma del recurso. 8. Requisitos especiales. V. EFECTOS DE LOS RECURSOS. VI. DESISTIMIENTO DE LOS RECURSOS. VII. RECURSO DE REPOSICIÓN. 1. Concepto y caracteres. 2. Resoluciones recurribles. 3. Procedimiento y resolución. VIII. RECURSO DE REVISIÓN. IX. RECURSO DE QUEJA.

BIBLIOGRAFÍA BÁSICA

BONET NAVARRO, A., *Los recursos en el proceso civil*, La Ley, Madrid, 2000.

MONTERO AROCA, J./ FLORS MATÍES, J., *Tratado de recursos en el proceso civil*, Tirant lo Blanch, Valencia, 2014.

ORTELLS RAMOS, M./ BELLIDO PENADÉS, R. (Dirs.), *Los recursos en el proceso civil: continuidad y reforma*, Dykinson, Madrid, 2016.

I. LOS MEDIOS DE IMPUGNACIÓN: CONCEPTO Y FUNDAMENTO

El proceso civil, al igual que el resto de procesos, se compone de una sucesión ordenada de actos procesales que constituyen el procedimiento y que se orienta a la obtención de un pronunciamiento sobre el fondo. Resulta aventurado afirmar que en la operación lógica de producción de los actos procesales no se pueda ocasionar algún tipo de error. Cuando éste es achacable a alguna de las partes, serán éstas las que hayan de soportar las consecuencias perjudiciales o cargas de su incorrecta actuación. Cuando el error resulte de una resolución procesal, podrán las partes procurar su enmienda a través de los medios de impugnación.

Se pueden definir, pues, los medios de impugnación como aquellos instrumentos que el ordenamiento jurídico procesal pone a disposición de las partes para que éstas puedan instar la modificación o anulación de lo resuelto. Las resoluciones impugnables son las denominadas por la LEC «procesales». Esto es, las procedentes del órgano judicial y que comprenden las resoluciones judiciales en sentido estricto, por un lado, y las resoluciones de los LAJ, por otro lado.

Los errores o vicios en que pueden incurrir las resoluciones procesales pueden ser de muy variada naturaleza. La doctrina distingue:

> ➢ Los vicios de actividad o infracciones de carácter procedimental que se cometen durante la sustanciación del procedimiento;

> ➢ Los vicios de actividad o infracciones acaecidas en el proceso lógico de elaboración de la resolución (determinación de la base fáctica, incongruencia, contradicciones…); y

> ➢ Los vicios de juicio (*in iure*) propiamente dichos y que afectarían a la determinación, interpretación y aplicación de la norma material en el supuesto de hecho.

La expresión medios de impugnación hace referencia a una categoría amplia que admite, a su vez, una serie de subclasificaciones. Podemos distinguir, por un lado, los medios de impugnación de resoluciones firmes que ponen fin a un proceso con efectos de cosa juzgada (revisión) y que pretenden su rescisión en base a hechos diferentes que pueden acreditar la injusticia que resulta de aquéllas. Por otro lado, podemos distinguir los medios de impugnación en sentido estricto o también denominados recursos que tienen en común, frente a los anteriores, el hecho de que proceden contra resoluciones que no causan el efecto de cosa juzgada formal al no haber adquirido firmeza. También se ha utilizado el término «remedio» para hacer referencia al medio de impugnación no devolutivo, esto es, aquel que ha de ser resuelto por el mismo órgano judicial o LAJ que ha dictado la resolución impugnada. Conforme a esta categorización, los verdaderos recursos serían los de carácter devolutivo, los que han de ser resueltos por un órgano judicial superior y, por lo general, colegiado. Sin embargo, la LEC no ha consagrado esta última clasificación y opta por un tratamiento conjunto de los recursos y los remedios en un mismo título y bajo una misma denominación (Título IV. De los recursos).

El fundamento de los medios de impugnación ha de hallarse en la posibilidad de error o falibilidad de la resolución impugnable y en el propósito de enmendar el mismo o de mejorar la calidad de la resolución. Este fundamento se traduce en el texto de la ley con la exigencia de la causación de un gravamen, es decir, al permitir el recurso cuando la resolución resulte desfavorable (art. 448.1 LEC).

En cualquier caso, la pretensión de acierto y perfeccionamiento de la resolución cuestionada a través de los medios de impugnación no puede traducirse en una sucesión interminable de oportunidades para la refutación. Hay que tener presente que al impugnar las resoluciones que se vayan adoptando a lo largo del proceso se produce una inevitable demora en la decisión definitiva del pleito con el perjuicio que acarrea a los litigantes a quienes corresponde el derecho a un proceso sin dilaciones indebidas (art. 24.2 CE). Además, el hecho de mantener indefinidamente en litigio una relación o situación jurídica afectaría negativamente a la seguridad jurídica que garantiza igualmente nuestra Constitución (art. 9.3).

II. EL DERECHO AL RECURSO

Dejando para más adelante la impugnación de las sentencias firmes y centrándonos ahora en los recursos en sentido estricto, hemos de precisar que la CE no reconoce expresamente y en términos generales un derecho a recurrir en el proceso civil. Ni cabe deducir el mismo del derecho a la tutela judicial efectiva (art. 24.1 CE). Diversa es la situación en el proceso penal, pues como consecuencia de los compromisos internacionales asumidos por España (art. 14.5 PIDCP; art. 2.1 Protocolo Nº 7 al CEDH), el derecho a impugnar la sentencia condenatoria integra el derecho a la tutela judicial efectiva (art. 24.2 CE) tal como se ha expuesto en el Tomo I (v. lecc. 11ª).

Corresponde en esencia al legislador la determinación de los supuestos en que procede la recurribilidad de una resolución procesal, así como los presupuestos procesales y los requisitos de admisibilidad para ello. Se construye así el derecho al recurso como un derecho de configuración legal, correspondiendo a la jurisdicción ordinaria la apreciación de si concurren los presupuestos necesarios para poder interponer tales recursos.

Una vez que el legislador, en el ejercicio de su libertad, ha incorporado al ordenamiento procesal la posibilidad de recurrir determinadas resoluciones procesales, a partir de ese momento el derecho a impugnar pasaría a integrar parte del contenido del derecho fundamental a la tutela judicial efectiva garantizado por el art. 24.1 CE. Así lo ha entendido el Tribunal Constitucional al afirmar que «el sistema de recursos se incorpora a la tutela judicial en la configuración que le dé cada una de esas leyes de enjuiciamiento reguladoras de los diferentes órdenes jurisdiccionales, sin que ni siquiera exista un derecho constitucional a disponer de tales medios de impugnación, siendo imaginable, posible y real la eventualidad de que no existan, salvo en lo penal» (STC 37/1995, de 7 de febrero).

Por consiguiente, no existe en abstracto un derecho al recurso, sino un derecho al recurso legalmente previsto. Esta doctrina constitucional queda ahora expresamente reflejada en la LEC al disponer que contra las resoluciones procesales «que les afecten desfavorablemente, las partes podrán interponer los recursos previstos en la ley» (art. 448.1 LEC). Téngase en cuenta, no obstante, que el criterio general imperante ha sido el de recurribilidad de, al menos, las decisiones definitivas que ponen fin al proceso en primera instancia. La única salvedad al respecto sería la exclusión de la apelación contra las sentencias dictadas en los juicios verbales por razón de la cuantía cuando ésta no supere los 3.000 euros (art. 455.1 reformado en tal sentido por la Ley 37/2011, de agilización procesal).

Ahora bien, una vez ha resuelto el legislador procesal incorporar al ordenamiento la posibilidad de recurrir frente a una resolución, su configuración legal puede resultar lesiva del derecho a la tutela judicial efectiva cuando las formalidades exigidas impidan u obstaculicen el acceso al recurso. Lo mismo cabe predicar de la interpretación que hagan los órganos judiciales de las normas sobre los presupuestos y requisitos de admisibilidad de los recursos legalmente previstos. En relación a las causas de inadmisión de los recursos, entiende nuestro máxime intérprete constitucional que las limitaciones que impone el art. 24.1 CE son las derivadas del «canon del error patente, la arbitrariedad o la manifiesta irrazonabilidad» (STC 7/2015, de 22 de enero).

Lo dicho hasta ahora acerca de la naturaleza del derecho a recurrir merece ser matizado cuando se trata de resoluciones procedentes de los LAJ. En estos supuestos, el derecho al recurso frente a dichas resoluciones sí integraría el derecho a la tutela judicial efectiva (art. 24.2 CE). El TC en Pleno se ha pronunciado en este sentido de forma coincidente y respecto de todos los órdenes jurisdiccionales. En relación a la LEC, algunos preceptos excluían la posibilidad de recurso frente a determinados decretos del LAJ (arts. 34.2, 35.2 o 454 bis.1 LEC), si bien, en estos casos, cabía plantear posteriormente la cuestión ante los órganos jurisdiccionales competentes. Ello no ha impedido que el TC considerara que la exclusión de recurso frente a los decretos del LAJ en estos supuestos lesionaba el derecho a la tutela judicial efectiva (art. 24.1 CE) y el principio de exclusividad jurisdiccional (art. 117.3 CE) y declarara su inconstitucionalidad y nulidad (SSTC 34/2019, de 14 de marzo; 15/2020, de 28 de enero).

III. CLASES DE RECURSOS

Los medios de impugnación en sentido estricto o recursos pueden clasificarse conforme a criterios diversos.

1. Recursos devolutivos y no devolutivos

Esta clasificación atiende esencialmente al órgano que resulta competente para resolver el recurso en relación con la resolución recurrida. Se consideran no devolutivos los recursos que han de ser resueltos por el mismo órgano judicial o LAJ que dictó la resolución recurrida. Serían devolutivos, por el contrario, los recursos que se deciden por un órgano judicial distinto y superior al que dictó la resolución impugnada. En tales casos se denomina tribunal *a quo* (*iudex a quo*) al órgano que emitió la resolución recurrida y tribunal *ad quem* (*iudex ad quem*) al órgano superior que lo decidirá. Lo determinante no es ante quién se interpone el recurso, sino quién lo resuelve o decide sobre él. En efecto, salvo la queja, los recursos comienzan su tramitación ante el mismo órgano cuya resolución se pretende impugnar.

Actualmente, pertenece a la categoría de recursos no devolutivos el de reposición, tanto frente a resoluciones del LAJ, como del órgano judicial. Serían devolutivos los restantes recursos, esto es, los de apelación, de casación y de queja. El recurso de revisión frente a resoluciones del LAJ no lo resuelve el propio LAJ que dictó la resolución impugnada, pero parece dudoso que pueda referirse a él como un recurso propiamente devolutivo, pues el mismo se resuelve por el órgano judicial competente en la fase del proceso en el que ha recaído y a cuya unidad procesal de apoyo directo (oficina judicial) pertenecerá el LAJ que la adoptó.

2. *Recursos ordinarios y extraordinarios*

Esta diferenciación descansa en la relación de motivos en que se puede fundamentar un recurso y en la posición cognitiva en que queda el órgano llamado a resolverlo.

En los ordinarios la ley procesal no prevé una relación tasada de motivos que condicionen la admisibilidad del recurso. De esa manera, tampoco se limitan, en principio, las facultades de conocimiento del órgano que ha de resolver el recurso, a quien se puede solicitar un nuevo pronunciamiento sobre todas las cuestiones decididas en la resolución impugnada. Las limitaciones a las facultades cognitivas del órgano que ha de resolver el recurso pueden venir determinadas, sin embargo, por los motivos alegados en el caso concreto por la parte recurrente o por los pronunciamientos concretos de la resolución que se impugnan. El de apelación se pone como ejemplo modelo de recurso ordinario, pero pertenecen también a esta categoría los de reposición, queja y de revisión frente a decretos del LAJ.

Los recursos extraordinarios son aquellos cuya admisibilidad se supedita a que se aleguen uno o varios motivos de impugnación que vienen determinados de forma tasada en la ley. De este modo, la amplitud de conocimiento y decisión que corresponde al órgano *ad quem* como consecuencia del recurso queda condicionada, por un lado, por los motivos previstos por la ley y, por otro lado, por los motivos alegados por la parte recurrente en el caso concreto, sin que pueda dicho órgano pronunciarse sobre cuestiones diversas. Pertenece a esta especie, por las razones indicadas, el recurso de casación, una vez derogado el recurso extraordinario por infracción procesal (RD-ley 5/2023).

3. *Recursos procesales y materiales*

Entendemos, con MONTERO AROCA, que tomando en consideración el carácter o la naturaleza de la resolución impugnada, los recursos pueden clasificarse igualmente entre procesales y materiales. Serían recursos procesales los que proceden frente a resoluciones interlocutorias, esto es, contra las resoluciones que no se pronuncian sobre el objeto del proceso, como ocurre en el caso de las providencias y los autos no definitivos del órgano judicial o en el de las diligencias de ordenación y decretos del LAJ. Estas resoluciones tienen carácter procesal y mediante los recursos de idéntica naturaleza se pretende corregir la infracción de una norma también procesal. Serían procesales los recursos de reposición, de revisión o de queja. La apelación, cuando se alega la infracción de normas o garantías procesales, ha de incluirse también en esta categoría.

Los recursos materiales, por su parte, proceden contra resoluciones que contienen pronunciamientos sobre el fondo del asunto al aplicar las normas de naturaleza material, esto es, pronunciamientos sobre la pretensión interpuesta. El recurso de casación sería encuadrable en esta categoría de recursos y también el de apelación si no se fundamenta en la infracción de normas o garantías procesales.

IV. PRESUPUESTOS Y REQUISITOS DE LOS RECURSOS

Una vez que el legislador procesal ha contemplado la posibilidad de que una determinada resolución sea susceptible de recurso, no significa ello que éste tenga que ser sustanciado y decidido indefectiblemente. Más bien al contrario, la ley procesal contempla una serie de presupuestos y requisitos cuya observación resulta necesaria para que la tramitación del recurso sea admitida y pueda adoptarse una decisión sobre la cuestión o cuestiones que se plantean en el mencionado recurso. Sobre este punto, hay que tener presente que toda resolución procesal que se adopte ha de incluir, además de la fecha y el lugar, una mención a si la misma es firme o si cabe algún recurso contra ella, con expresión, en este caso, del que proceda, del órgano ante el que debe interponerse y del plazo para recurrir (art. 208.4 LEC). Hay que advertir, no obstante, que esta información contenida en la resolución del órgano que la adopta puede no ser correcta o no coincidir con el parecer del órgano judicial competente para conocer del recurso.

1. Competencia del tribunal

La admisión y decisión sobre el recurso está condicionada a que el tribunal que se pronuncie sobre él tenga competencia para ello. La determinación del tribunal que resulte competente para conocer del recurso depende de múltiples factores, por ejemplo, de la clase de resolución que se impugna, del tribunal que la haya dictado o del procedimiento en que se adoptó o también de los motivos en que se pretende fundamentar la impugnación.

Estos criterios se concretan en las normas determinantes de la competencia funcional, cuya observancia es apreciable de oficio por el tribunal (art. 62.1 LEC); tanto por el que se pronuncia sobre la admisión a trámite —normalmente el tribunal *a quo* ante quien se interpone—, como por el que tiene competencia o no para resolverlo —tribunal *ad quem*—. Esta deficiencia, esto es, la falta de competencia funcional, es subsanable por las partes procediendo a la correcta interposición (art. 62.2 LEC). Si la subsanación del error relativo al tribunal competente es tardía y ha transcurrido el plazo para la correcta interposición ante el que sí lo es, ello no ha de conducir necesariamente a la inadmisión del recurso en virtud de la mayor eficacia del derecho a la tutela judicial efectiva y por observancia del principio de proporcionalidad [STS 544/2020, de 20 de octubre (*Tol 8165371*)].

2. *Legitimación para recurrir*

Están legitimados para recurrir quienes sean parte en el proceso (art. 448.1 LEC), ya como demandantes, ya como demandados. Ello incluye a los intervinientes que son admitidos en el proceso una vez iniciado el mismo ya que pueden utilizar también los recursos que procedan contra las resoluciones que estimen perjudiciales a su interés (art. 13.3.III LEC), posibilidad que estimamos extensible a otros supuestos de intervención que concluyen con la personación (arts. 14.1, 15, 15 ter y 15 quater LEC). También pueden recurrir los demandados declarados en rebeldía y que han permanecido hasta ese momento en dicha situación, siempre que la interposición de los recursos se haga en plazo (art. 500 LEC).

3. *Recurribilidad de la resolución*

Como hemos afirmado anteriormente no existe un derecho general al recurso, sino al recurso previsto por la ley. Corresponde, pues, al legislador determinar cuándo una resolución es recurrible y a través de qué recursos se puede impugnar. La recurribilidad de la resolución y el recurso procedente, en su caso, dependen de varias circunstancias, pero en gran medida de la forma que adopta aquélla (diligencia de ordenación, decreto, providencia, auto, sentencia) o de si son o no definitivas. Ahora bien, si el órgano judicial o LAJ respectivo se equivoca en la forma de la resolución procesal, ello no ha de impedir que la parte legitimada interponga el recurso correspondiente a la resolución que hubiera debido adoptarse. Por la misma razón, tampoco ha de impedir necesariamente el recurso el juicio que acerca de la irrecurribilidad de una resolución realiza el órgano que la adopta conforme al art. 208.4 LEC.

El régimen de recursos previsto en nuestro proceso civil permite con amplitud que las resoluciones adoptadas a lo largo del mismo puedan impugnarse, sobre todo las definitivas que se pronuncian sobre el fondo del asunto. Aunque en ocasiones la ley procesal excluye expresamente dicha posibilidad. Así, no son apelables las sentencias pronunciadas en los juicios verbales por razón de la cuantía cuando ésta no supere los 3.000 euros (art. 455.1 LEC), como tampoco son recurribles en casación las sentencias de las AP cuando no actúan como órgano colegiado (art. 477.1 LEC).

4. *El gravamen*

La exigencia del gravamen para que el recurso sea admisible significa que la resolución que se pretende impugnar ha de resultar perjudicial para el recurrente. Sin perjuicio propio no existe legitimación para recurrir. La LEC utiliza diferentes expresiones para referirse al requisito del gravamen, así, en ocasiones se condiciona el derecho al recurso a que la resolución afecte «desfavorablemente» a las partes (art. 448.1 LEC) y en otras ocasiones a que las resoluciones se estimen «perjudiciales» para los intereses de aquéllas (art. 13.3 LEC). Existirá gravamen cuando resulta una diferencia desventajosa entre lo pretendido por el actor o lo admitido por el demandado, por un lado, y lo decidido en la resolución, por otro.

Para determinar si existe o no gravamen ha de atenderse a la parte dispositiva de la resolución. Es decir, si las divergencias lo fueran entre los argumentos utilizados por las partes y la motivación sobre la que se sustenta la resolución procesal no cabe hablar de la existencia de gravamen aunque excepcionalmente se haya admitido que el gravamen puede resultar de los pronunciamientos contenidos en los razonamientos jurídicos aunque el fallo resulte favorable (STC 157/2003, de 15 de septiembre). Sí se producirá el gravamen cuando el actor o el demandado formulan respectivamente sus pretensiones o excepciones materiales de forma subsidiaria y son estimadas pero no en el orden de prioridad con que han sido alegadas (el demandado excepciona el pago y subsidiariamente la compensación, siendo estimada la segunda, pero no la primera). Sí existe gravamen cuando las discrepancias se producen sobre peticiones accesorias como las relativas a las costas procesales.

La estimación del gravamen puede resultar más compleja en el caso de las resoluciones procesales, como advierte MONTERO AROCA, pues puede darse el caso, por ejemplo, de que una resolución favorable para una de las partes adolezca de un vicio de nulidad que le interese corregir al objeto de evitar que en un futuro pueda ser apreciado, incluso de oficio, con la consiguiente retroacción de las actuaciones.

5. Plazo de interposición

El recurso que resulte procedente en cada caso frente a la resolución que se pretende impugnar se ha de interponer en el plazo legalmente establecido para ello. Si transcurre el plazo indicado sin que ninguna de las partes lo haya interpuesto, la resolución deviene firme por disposición legal, sin necesidad de un pronunciamiento expreso al respecto y produce efectos de cosa juzgada (art. 207.2.3 y 4 LEC). La interposición de recurso dentro del plazo legalmente previsto para ello constituye un requisito necesario para su admisión a trámite, hasta el punto de que al regular cada uno de los recursos en particular, dispone expresamente el legislador que se inadmitan a trámite los recursos interpuestos fuera de plazo, ya sea mediante providencia, ya mediante auto (arts. 452.2, 454 bis. 2, 458.3, 479.2, 495.2 LEC) lo que significa que se trata de un extremo que ha de examinar de oficio el tribunal o el LAJ.

De la trascendencia del plazo para recurrir como requisito de admisibilidad da cuenta el hecho de que el primero de los preceptos con que comienza la regulación de los recursos en la LEC se dedica a aclarar cuál es el *dies a quo* o fecha a partir de la cual comienza el cómputo de dicho plazo. Así, se dispone que los plazos para recurrir se contarán desde el día siguiente al de la notificación de la resolución que se recurra, o, en su caso, a la notificación de su aclaración o de la denegación de ésta (art. 448.2 LEC). Lo anterior es de aplicación también cuando el pronunciamiento de la resolución se hace oralmente, pues el plazo para recurrir comenzará a contar cuando se notifique la resolución debidamente redactada (art. 210.2 LEC).

Los plazos para recurrir son improrrogables, al igual que el resto de los previstos en la LEC, salvo que concurra fuerza mayor (art. 134). Además, el Tribunal Constitucional ha sido riguroso al respecto al considerar que la interposición de recurso fuera de plazo constituye «un obstáculo insalvable para su admisión».

La LEC uniformizó originariamente los plazos para interponer o preparar el recurso reduciéndolos a cinco días. En la actualidad, suprimida la fase de preparación, es posible diferenciar, por un lado, el plazo para recurrir resoluciones interlocutorias que sigue siendo de cinco días (recursos de reposición y revisión) y, por otro lado, el plazo para recurrir resoluciones definitivas que es ahora de veinte días (recursos de apelación y casación). El recurso de queja tiene previsto un plazo de diez días.

6. Depósito para recurrir

La admisión a trámite del recurso está condicionada en la actualidad a que se constituya el correspondiente depósito. La LEC 2000 suprimió originariamente este requisito aduciendo, entre otros argumentos, que podía suponer un obstáculo para el ejercicio del derecho a la tutela judicial efectiva. Sin embargo, la LO 1/2009 ha venido a añadir una nueva Disposición Adicional 15ª a la LOPJ mediante la que se vuelve a exigir, ahora de forma generalizada, la necesaria constitución de un depósito para poder recurrir. El legislador justificó esta reforma alegando una finalidad principalmente disuasoria frente a quienes pretendiesen recurrir sin fundamento alguno.

Esta finalidad disuasoria es más que cuestionable atendiendo a la escasa cuantía fijada para el depósito, que oscila entre los 25 y 50 euros dependiendo de la clase de recurso que se interpone y de la clase de resolución impugnada —definitiva o no—. Más parece tener el depósito una finalidad recaudatoria, pues siendo escasa su cuantía, lo cierto es que se ha de constituir para la admisión a trámite de cualquier recurso, con la única excepción de los recursos que se tramitan oralmente. En la notificación de la resolución se ha de indicar la necesidad de constituir depósito y la forma de efectuarlo —en la Cuenta de Depósitos y Consignaciones del Tribunal—. Siendo el depósito un requisito de admisibilidad del recurso, contempla la LOPJ que el defecto, omisión o error en la constitución del mismo, es subsanable en un plazo de dos días.

El importe de la totalidad del depósito se devuelve a quien lo constituyó si se estima total o parcialmente el recurso. Por el contrario, lo pierde el recurrente si el órgano jurisdiccional inadmite el recurso o confirma la resolución recurrida.

El requisito de constitución de depósito está igualmente generalizado desde la perspectiva subjetiva, estando exentos de tal obligación sólo el Ministerio Fiscal, el Estado, las Comunidades Autónomas, las entidades locales y los organismos autónomos. Están exentos igualmente de la constitución de depósito aquellos a quienes se les haya reconocido el derecho a la asistencia jurídica gratuita (art. 6.5 LAJG).

De naturaleza diferente al depósito son las tasas judiciales que, conforme a la Ley 10/2012, devengaban la interposición de los recursos de apelación, extraordinario por infracción procesal —hoy en día derogado— y casación (art. 7.1), por cuenta de las personas jurídicas, pues las físicas estaban exentas. Sin embargo, dichas tasas han sido declaradas inconstitucionales por la STC 140/2016, de 21 de julio.

7. Forma del recurso

En cuanto a la forma y contenido de los recursos ha de estarse a lo que expresamente se disponga para cada uno de ellos en la norma procesal. En todo caso, hay algunas notas que se reiteran por lo general al respecto. Por ejemplo, el carácter escrito del acto de interposición del recurso. Sólo excepcionalmente se prevé que la interposición del recurso de reposición se haga, se sustancie y se resuelva oralmente cuando se trata de la impugnación de resoluciones judiciales que adoptan la misma forma oral en el curso de una audiencia, juicio o vista (el recurso de reposición contra las resoluciones de admisión o inadmisión de pruebas —art. 285.2 LEC— y contra las resoluciones que se pronuncian sobre la ilicitud de la prueba —art. 287.2 LEC—).

Si la intervención de abogado y de procurador es preceptiva en el procedimiento correspondiente, el escrito de interposición del recurso deberá ir firmado por ambos. Sobre este punto hay que tener presente la obligación que incumbe a los profesionales de la justicia de presentar sus escritos utilizando los sistemas telemáticos o electrónicos existentes en la Administración de Justicia (arts. 135 y 273 LEC, entre otros).

Aunque sin idéntica intensidad generalizadora, también resulta bastante común que en el recurso correspondiente se haga referencia a la infracción en que ha incurrido la resolución impugnada, que se identifique cuál es dicha resolución, que se especifiquen los pronunciamientos recurridos, etc. Pero la concreción del contenido del recurso en cada caso ha de remitirse al análisis específico de cada uno de ellos.

8. *Requisitos especiales*

Los presupuestos y requisitos hasta ahora indicados tienen una vocación de generalidad sin excluir posibles excepciones. Existen, sin embargo, requisitos adicionales que condicionan la admisibilidad del recurso en supuestos muy especiales (art. 449 LEC).

➢ En los procesos que llevan aparejado el desahucio o lanzamiento, el condenado que quisiera interponer recurso de apelación o de casación contra la sentencia, deberá acreditar al interponerlos tener satisfechas las rentas vencidas y las que con arreglo al contrato deba pagar adelantadas. Además, deberá ir pagando los plazos que vayan venciendo o los que deba adelantar durante la sustanciación de aquellos recursos, pues se declararán desiertos en caso contrario (art. 449.1 y 2 LEC).

➢ El condenado a indemnizar los daños y perjuicios derivados de la circulación de vehículos de motor que quisiera interponer contra la sentencia los recursos indicados en el apartado anterior, deberá acreditar, para que hayan de ser admitidos, haber constituido depósito del importe de la condena más los intereses y recargos exigibles (art. 449.3 LEC).

➢ En los procesos de condena al pago de cantidades debidas por un propietario a la comunidad de vecinos, el condenado que pretenda interponer alguno de los recursos anteriormente mencionados deberá acreditar, para que sean admitidos, haber satisfecho o consignado la cantidad por la que ha sido condenado (art. 449.4 LEC).

El depósito o consignación referidos en los apartados anteriores puede hacerse igualmente mediante aval o por cualquier otro medio que garantice la inmediata disponibilidad de la cantidad. Además, las posibles deficiencias en la acreditación documental del cumplimiento de los requisitos exigidos son susceptibles de subsanación con carácter previo a que sea rechazado o declarado desierto el recurso correspondiente (art. 449.5 y 6 LEC con remisión al art. 231 LEC).

V. EFECTOS DE LOS RECURSOS

La interposición del recurso correspondiente produce una serie de efectos que pueden diferenciarse entre los que, por un lado, son comunes a todos los recursos y los que, por otro lado, son específicos o propios de algunos de ellos, pero no de todos.

➢ Con carácter general, la interposición de cualquier recurso impide la firmeza de la resolución impugnada, esto es, que produzca efectos de cosa juzgada formal. En consecuencia, cabe la posibilidad de que la resolución impugnada pueda variar. En efecto, conforme se desprende de la LEC, «transcurridos los plazos previstos para recurrir una resolución sin haberla impugnado, quedará firme y pasada en autoridad de cosa juzgada» (art. 207.4 LEC). Si la resolución impugnada contiene un pronunciado sobre el objeto del litigio —resolución material—, el recurso impide también los efectos de la cosa juzgada material, como indica MONTERO AROCA.

➢ De otra parte, quien recurre pretende que se revoque o anule la resolución impugnada en un sentido que le pueda resultar favorable, pues hemos indicado que constituye un requisito del recurso que se haya producido un gravamen o perjuicio como consecuencia de aquella resolución. De ello se deriva la prohibición de la *reformatio in peius* como consecuencia del recurso. Es decir, la posición del recurrente no puede verse agravada como resultado del recurso. Esta prohibición sería una manifestación del principio dispositivo que caracteriza al proceso civil. Conforme al mismo, el tribunal que ha de resolver el recurso ha de ser congruente con los términos y los límites en los que fijó el recurrente su voluntad impugnatoria. Si la resolución impugnada lo es desde ambas posiciones procesales de tal manera que la estimación del recurso de una ellas suponga la desestimación del de la contraria, es factible que se produzca una reforma a peor para esta última. Pero ello no implica una vulneración del principio dispositivo, pues el tribunal habrá resuelto siendo congruente con, al menos, lo pretendido por una de las partes (art. 465.5 LEC para el recurso de apelación).

➤ Junto a los anteriores, la mayoría de los recursos producen efecto devolutivo, esto es, su resolución corresponde a un órgano judicial distinto y superior (*ad quem*) al que dictó la resolución recurrida (*a quo*). Salvo el de reposición, todos los recursos producen este efecto, sin olvidar la matización relativa al recurso de revisión formulada al analizar las clases de recursos.

➤ Algunos recursos, no todos, ni en todo caso, producen efectos suspensivos, esto es, lo resuelto en la decisión impugnada no se lleva a efecto hasta que haya un pronunciamiento sobre el recurso interpuesto. Por regla general, los recursos que proceden contra resoluciones interlocutorias —no definitivas— no producen efectos suspensivos, de manera que su sustanciación no impide que continúe la tramitación del procedimiento y se cumpla lo dispuesto en dichas resoluciones. El recurso de reposición no tiene efectos suspensivos (art. 451.3 LEC). La revisión frente a decretos del LAJ que ponen fin al procedimiento o impidan su continuación tampoco tiene efectos suspensivos (art. 454 bis.1 LEC), aunque en este caso el procedimiento concluye o se paraliza. En el caso de la apelación, el efecto suspensivo o no dependerá del sentido estimatorio o no de la resolución recurrida. No hay que perder de vista que las sentencias condenatorias, recurridas en apelación o en casación, pueden ser ejecutadas provisionalmente si lo insta la parte interesada (art. 424 LEC).

VI. DESISTIMIENTO DE LOS RECURSOS

Dispone la LEC que la parte que ha interpuesto el recurso puede desistir del mismo antes de que se resuelva (art. 450 LEC). El desistimiento de los recursos tiene elementos en común con el desistimiento del proceso como modo de terminación anormal del mismo (v. lec. 15ª), pero también notables diferencias.

➤ Como en aquel caso, el desistimiento representa un acto unilateral por el que se expresa la voluntad de abandonar el recurso interpuesto. Esta decisión corresponde evidentemente al recurrente, que puede ser, tanto el demandante, como el demandado. Esta voluntad de poner fin al recurso puede expresarse hasta la resolución del mismo, esto es, en cualquier momento durante su sustanciación.

➤ Desde el punto de vista formal, el desistimiento tendrá que formularse expresamente y por escrito, pues es también el modo ordinario de interposición del recurso. En todo caso, si la tramitación del recurso contempla la celebración de vista, ha de ser posible igualmente que pueda trasladarse la voluntad de desistir en ese momento y oralmente. En un supuesto o en otro, se trata de un acto de disposición que requiere desde el punto de vista de la capacidad de postulación que el procurador cuente con un poder especial para desistir (art. 25.2. 1º LEC). Cabe un desistimiento parcial en el caso de que mediante el recurso se ataquen diversos pronunciamientos de la resolución impugnada y se pretenda mediante aquél abandonar sólo parcialmente la impugnación.

➢ La principal diferencia con el desistimiento del proceso radica en los efectos, pues en éste se pone fin al mismo sin un pronunciamiento sobre el fondo de la pretensión, quedando imprejuzgada, mientras que al desistir del recurso la resolución impugnada deviene firme. Esta es la razón por la que no se contemple en el caso del desistimiento de los recursos un trámite específico para que la parte recurrida pueda oponerse a dicho desistimiento.

➢ La firmeza de la resolución por el desistimiento del recurso no se producirá si fueran varios los recurrentes y sólo alguno o algunos de ellos desistieran, sin perjuicio de que se tengan por abandonadas las pretensiones de impugnación exclusivas de quienes hayan desistido (art. 450.2 LEC).

VII. RECURSO DE REPOSICIÓN

1. Concepto y caracteres

Se trata de un recurso ordinario y no devolutivo, es decir, es resuelto por el mismo órgano que dictó la resolución impugnada. Además, dice expresamente la LEC que no produce efectos suspensivos de la resolución recurrida. Cabe recurrir en reposición tanto resoluciones del órgano judicial, como del LAJ tras la atribución a éstos de facultades decisorias más allá de las de impulso formal del procedimiento.

2. Resoluciones recurribles

Tal y como se ha mencionado más arriba, son recurribles mediante la reposición determinadas resoluciones del órgano judicial y del LAJ (art. 451 LEC).

➢ Las resoluciones judiciales recurribles en reposición son las providencias y autos no definitivos, esto es, las resoluciones interlocutorias, de carácter procesal, que no ponen fin al procedimiento. Pese a la literalidad de la ley, no todas las resoluciones indicadas son recurribles en reposición pues son numerosos los supuestos en los que expresamente se excluye cualquier recurso, por ejemplo, el auto por el que se acuerden diligencias preliminares. En otros casos se excluye la reposición al poder interponerse directamente la apelación, así, el auto denegatorio de las anteriores diligencias preliminares (art. 258.2 LEC para ambos supuestos).

➢ Son también recurribles en reposición las resoluciones del LAJ que sean diligencias de ordenación y decretos no definitivos, salvo que la ley prevea recurso directo de revisión. Este último sería el caso del decreto del LAJ aprobando la tasación de costas, que es directamente revisable (art. 244.2 LEC). Las exclusiones de recurso frente a determinadas resoluciones del LAJ han sido declaradas inconstitucionales tal como hemos indicado en el epígrafe relativo al derecho al recurso.

➢ Las resoluciones recurribles mencionadas pueden ser tanto escritas como orales. En este último supuesto se encuentran las resoluciones pronunciadas oralmente en el transcurso de vistas, audiencias o comparecencias celebradas ante el tribunal o el LAJ.

3. *Procedimiento y resolución*

La tramitación del recurso es sencilla (arts. 451 a 454 LEC).

➢ Se ha de interponer mediante escrito firmado por abogado y procurador, si su intervención es preceptiva en el proceso, en un plazo de cinco días desde que se notifica la resolución, expresando la infracción en la que hubiera incurrido la misma a juicio del recurrente. Se ha de acreditar igualmente la constitución del depósito de 25 euros. Aunque la ley no condiciona su admisión a que se motive, se deberán expresar los fundamentos de su petición para que las restantes partes puedan contradecirlas y pueda ser congruente quien ha de decidirlo.

➢ El recurso se interpone ante el LAJ o ante el tribunal que dictó la resolución recurrida (diligencia de ordenación o decreto y providencia o auto, respectivamente). Si no se cumplen los requisitos indicados anteriormente, se inadmitirá a trámite el recurso, ya sea mediante decreto del LAJ, en el primer caso, ya sea mediante providencia, en el segundo. Admitido a trámite el recurso, se da traslado a las demás partes para que puedan impugnarlo mediante escrito, si lo estiman conveniente. El plazo, común para todas, es también de cinco días.

➢ Transcurrido el plazo indicado, se resolverá «sin más trámites» por el tribunal mediante auto o por el LAJ mediante decreto, según se haya impugnado la resolución de uno o de otro. El plazo para resolverlo es también de cinco días, independientemente de que se hayan presentado o no escritos. El auto del tribunal resolviendo la reposición no es recurrible. El art. 454 bis.1, I LEC afirmaba que tampoco era recurrible el decreto del LAJ en estos casos. Sin embargo, como hemos indicado, este párrafo ha sido declarado inconstitucional y ha considerado el TC que, en tanto en cuanto no se pronuncie el legislador sobre este punto, procede contra dicho decreto el recurso de revisión (STC 15/2020, de 28 de enero).

➢ En determinados supuestos, la tramitación indicada se desarrolla íntegramente de forma oral y en el mismo acto, incluyendo la resolución del recurso de reposición (audiencia o vista respectiva). Así ocurre cuando se impugna la resolución sobre la admisibilidad de las pruebas propuestas (art. 285 LEC).

➢ La resolución del recurso no impide que se pueda volver a plantear más adelante la posible infracción cometida, pues es posible reproducir la cuestión objeto de la reposición al recurrir la resolución definitiva, siempre que ello resulte procedente.

VIII. RECURSO DE REVISIÓN

Las similitudes con el de reposición son amplias como veremos. Se trata de un recurso ordinario y que carece de efectos suspensivos. Procede contra determinadas resoluciones del LAJ, pero no lo resuelve el propio LAJ, sino que la competencia funcional corresponde al tribunal que está conociendo del proceso en el momento. No ha de confundirse con la revisión de sentencias firmes, pues nada tienen en común, salvo su denominación.

➢ Son recurribles directamente mediante la revisión los decretos del LAJ de carácter definitivo (art. 454 bis.1.II LEC), esto es, los que pongan fin al procedimiento o impidan su continuación en aquellos trámites de competencia del LAJ, por ejemplo, el decreto de aprobación de las costas procesales (art. 244.3 LEC). Junto a los anteriores, también son recurribles los decretos del LAJ en los casos en los que expresamente así se prevea, por ejemplo, el decreto por el que se acuerda el embargo de garantía (art. 700.II LEC). A la vista de los pronunciamientos del TC que venimos reiterando, ha de entenderse que los decretos del LAJ que resuelven recursos de reposición también son recurribles en revisión al objeto de garantizar la tutela judicial efectiva y el principio de exclusividad jurisdiccional. Además, se contempla excepcionalmente la recurribilidad en revisión directa de la diligencia de ordenación acordando dar al asunto la tramitación adecuada (art. 254.1 LEC).

➢ La tramitación del recurso de revisión es prácticamente idéntica a la del recurso de reposición: requisitos de forma, de postulación, plazo de interposición, contenido del recurso, etc. (art. 454 bis LEC). Las diferencias serían: el recurso se interpone ante el LAJ que dictó la resolución recurrida y éste mediante diligencia de ordenación lo admite a trámite si se cumplen los requisitos para ello. Pero de no ser así, corresponde al órgano judicial que ha de resolver inadmitirlo mediante providencia. Estas resoluciones sobre la admisión o inadmisión de la revisión son irrecurribles. El recurso se resuelve mediante auto del tribunal y contra el mismo sólo cabe recurso de apelación cuando ponga fin al procedimiento o impida su continuación.

IX. RECURSO DE QUEJA

Se trata de un recurso de carácter accesorio o instrumental respecto de otro medio de impugnación devolutivo y adquiere significado exclusivamente como mecanismo que permite superar los obstáculos de admisión que impiden acceder a aquél. La naturaleza devolutiva de determinados recursos implica que las cuestiones que mediante estos se plantean respecto de la resolución impugnada han de ser decididas por un órgano judicial distinto y superior al que dictó esa resolución. Además, de ordinario ese órgano superior suele ser colegiado. Sin embargo, en estos casos la sustanciación del recurso comienza ante el mismo órgano judicial que dictó la resolución recurrida. Ante él se interpone el recurso y a él le corresponde pronunciarse sobre si se dan los requisitos de admisibilidad a trámite. Un juicio negativo acerca del cumplimiento de los requisitos de admisibilidad del recurso devolutivo impediría, a no ser por la queja, que el órgano competente para resolver sobre el mismo pueda pronunciarse.

Este recurso de queja permite someter el juicio negativo del control de admisibilidad directamente ante el órgano competente para resolver el recurso principal. Se trata, pues, de un recurso también devolutivo.

> Las resoluciones recurribles en queja son los autos en que el órgano judicial que haya dictado la resolución denegare la tramitación de un recurso de apelación o de casación (art. 494 LEC). Esto es, el auto de inadmisión de la apelación (art. 458.3.II LEC) y el de inadmisión del recurso de casación (art. 479.2.II LEC). El mismo precepto excluye expresamente la posibilidad de la queja en los procesos de desahucios de finca urbana y rústica, cuando la sentencia que procediera dictar no produce efectos de cosa juzgada.

> En cuanto al procedimiento a seguir, comienza el mismo con la interposición del recurso directamente ante el órgano judicial competente para resolver el recurso principal, esto es, el no tramitado, y que es igualmente competente para resolver la queja. El acto de interposición ha de hacerse mediante escrito y con los requisitos de forma, postulación y constitución de depósito que venimos señalando. Aunque el plazo para ello es de 10

días y además se ha de acompañar al mismo copia de la resolución recurrida (art. 495 LEC).

➤ La LEC no ha contemplado que el recurso de queja produzca efectos suspensivos, lo que viene a significar que se llevará a efecto lo previsto en el auto de inadmisión recurrido. Sin embargo, el carácter preferente que la ley reconoce a la tramitación y resolución de la queja atenúa las consecuencias desfavorables que pudieran derivarse para el recurrente.

➤ Presentado en plazo el recurso, el órgano competente para resolverlo (el mismo que ha de resolver el recurso no tramitado) dispone de cinco días para ello. Las razones de prontitud indicadas motivan que la resolución de la queja se haga sin audiencia de las restantes partes procesales. En todo caso, si el recurso de queja se estima, tendrán las partes recurridas la oportunidad de oponerse al recurso principal cuando corresponda.

➤ El recurso de queja se resuelve mediante auto. Si el mismo es estimatorio, y se considera mal denegada la tramitación del recurso principal, ordenará a dicho tribunal que continúe con la tramitación. Si, por el contrario, el auto es desestimatorio de la queja por entender que es correcta la denegación de la tramitación, ordenará ponerlo en conocimiento del órgano judicial correspondiente para que conste en los autos. Contra el auto que resuelve la queja no procede ningún recurso (art. 495 LEC).

Lección 20ª
LA APELACIÓN

JOSÉ FRANCISCO ETXEBERRÍA GURIDI

SUMARIO: I. CONCEPTO Y CARACTERES. II. TRIBUNAL COMPETENTE. III. LEGITIMACIÓN. ADHESIÓN A LA APELACIÓN. IV. RESOLUCIONES APELABLES. V. EFECTOS DE LA APELACIÓN. 1. Efecto devolutivo. 2. Efecto suspensivo. VI. PROCEDIMIENTO. 1. Interposición. 2. Admisión del recurso (queja, en su caso) y traslado. 3. Oposición al recurso o impugnación de la resolución apelada (adhesión). 4. Objeto de la apelación y alegaciones. 5. Prueba en apelación. A) Supuestos en que procede. B) Admisión y práctica de la prueba. Vista. 6. Resolución de la apelación.

BIBLIOGRAFÍA BÁSICA

GARBERÍ LLOBREGAT, J., *El recurso de apelación en la Ley de Enjuiciamiento Civil*, Bosch, Barcelona, 2014.

GARCÍA-ROSTÁN CALVÍN, G., *El recurso de apelación en el proceso civil*, Colex, Madrid, 2001.

IGLESIAS MACHADO, S., *El recurso de apelación civil por cuestiones de fondo*, Dykinson, Madrid, 2012.

MONTERO AROCA, J./ FLORS MATÍES, J., *Tratado de recursos en el proceso civil*, Tirant lo Blanch, Valencia, 2014.

RIVES SEVA, J. M., *El recurso de apelación y la segunda instancia*, La Ley, Madrid, 2012.

RODRÍGUEZ CAMACHO, N., *La adhesión al recurso de apelación civil*, Bosch, Barcelona, 2013.

I. CONCEPTO Y CARACTERES

El recurso de apelación es un medio de impugnación devolutivo y ordinario que procede frente a autos y sentencias de carácter definitivo y frente a otras resoluciones distintas cuando así lo disponga expresamente la ley.

Se trata de un recurso devolutivo, al igual que la mayoría, salvo la reposición, y por lo tanto será resuelto por un órgano jurisdiccional distinto y superior (*ad quem*) al que dictó la resolución recurrida (*a quo*). El órgano competente para resolverlo suele ser, por lo general, de carácter colegiado.

También se ha afirmado, al referirnos a las clases de recursos, que el de apelación representa el prototipo de recurso ordinario, esto es, su admisión no está sujeta a la concurrencia de motivos concretos y tasados en la ley. Se puede interponer la apelación por infracción de normas de carácter procesal o de normas de carácter sustantivo o material. Y se puede pretender un nuevo pronunciamiento sobre el fondo del asunto, tanto en lo concerniente al ámbito de los hechos, como al del Derecho aplicable a los mismos.

De otra parte, suele equipararse tradicionalmente la apelación con la segunda instancia en el marco de un sistema de doble grado o doble instancia. De hecho, son numerosas las ocasiones en las que la LEC utiliza la expresión «segunda instancia» como aquella que se sustancia como consecuencia del recurso de apelación. Eso sería tanto como admitir que el recurso de apelación del proceso civil español se corresponde con un modelo de apelación plena (o amplia), cuando en realidad sus caracteres lo aproximan más a un modelo de apelación limitada (o restringida). De ahí la necesidad de formular las precisas matizaciones al objeto de entender su verdadera naturaleza:

> En un sistema de auténtica segunda instancia o apelación plena el tribunal que ha de resolver esta última se encuentra investido de idénticas facultades de conocimiento sobre el objeto del proceso y del debate que las que contaba el tribunal de la primera instancia. Pero para este segundo pronunciamiento, el tribunal de la segunda instancia puede tomar en consideración, tanto las alegaciones de hecho y medios de prueba aportados por las partes en la primera instancia, como las alegaciones fácticas y pruebas aportadas por aquéllas para la segunda instancia. Siempre con la limitación de que no se pueden incorporar nuevas pretensiones, ni alterar la que motivó el inicio del pleito. En este caso se estima que se trata de un nuevo proceso (*novum iudicium*).

> En el modelo español de apelación limitada, en cambio, el tribunal *ad quem* realiza un nuevo examen de las actuaciones llevadas a cabo ante el tribunal de primera instancia «con arreglo a los fundamentos de hecho y de derecho de las pretensiones formuladas» ante dicho tribunal *a quo*. Sólo excepcionalmente, «en los casos previstos en esta Ley», se podrán proponer pruebas en la apelación (art. 456.1 LEC). Nos hallaríamos así ante lo que la propia Exposición de Motivos de la LEC define como «revisión jurisdiccional de la resolución apelada», esto es, un control de legalidad de la sentencia de la primera instancia a partir de los mismos materiales de que dispuso el tribunal *a quo* (*revisio prioris instantiae*).

> Sin embargo, aun admitiendo que la apelación no conlleva un nuevo juicio o proceso, tampoco supone una mera revisión de lo resuelto por el tribunal inferior o *a quo*, limitándose a revocar, en su caso, la resolución que no se ajusta a Derecho. En este caso, lejos de ceñirse a devolver las actuaciones al tribunal de primera instancia, emitirá un nuevo pronunciamiento sobre la cuestión. Esto es, podrá pretenderse «que se revoque un auto o sentencia y que, en su lugar, se dicte otro u otra favorable al recurrente» (art. 456.1 LEC).

> Además, la segunda instancia se identifica con un nuevo examen y decisión sobre el fondo del proceso, esto es, sobre lo resuelto en la sentencia defini-

tiva. Sin embargo, la apelación permite impugnar igualmente autos, como tendremos ocasión de comprobar.

Una vez aclarado el significado de la expresión «segunda instancia» referida a la apelación, ha de precisarse también que mediante aquélla, no sólo se puede pretender del tribunal superior o *ad quem* que revoque la primera sentencia y emita otra en su lugar pronunciándose nuevamente sobre el fondo, sino también podrá pretenderse un pronunciamiento sobre la infracción de normas o garantías procesales con las consecuencias que veremos más adelante. Ello es así porque ya desde el siglo XIX se concentran en la apelación que conocemos dos instituciones anteriormente distintas y separadas, la verdadera apelación, por un lado, y el recurso de nulidad (procesal), por otro.

II. TRIBUNAL COMPETENTE

Hemos caracterizado la apelación como un recurso devolutivo. Por consiguiente, la competencia funcional para resolverlo corresponderá al órgano judicial inmediatamente superior al que dictó la resolución recurrida. Salvo la excepción que comentaremos, este tribunal es de ordinario colegiado. Si nos atenemos a lo dispuesto expresamente en la LEC al respecto (art. 455.2), resolverán los recursos de apelación:

➢ Los Juzgados de Primera Instancia, cuando las resoluciones apelables hayan sido dictadas por los Juzgados de Paz de su partido.

➢ Las Audiencias Provinciales, cuando las resoluciones apelables hayan sido dictadas por los Juzgados de Primera Instancia de su circunscripción.

Algunos autores excluyen la primera opción por inviable, argumentando que los Juzgados de Paz tienen una limitadísima competencia objetiva —asuntos civiles de cuantía no superior a 90 euros, al tener excluido el conocimiento de asuntos por razón de la materia (art. 47 LEC)— y que son inapelables las sentencias dictadas en los juicios verbales por razón de la cuantía si ésta no supera los 3.000 euros (art. 455.1 LEC). Sin embargo, la exclusión de la apelación contra las sentencias en esos casos es explicable en la medida en que se ha producido un pronunciamiento sobre el fondo, pero no cuando se trate de autos definitivos o no (por ejemplo, el de inadmisión de la demanda) que no están excluidos expresamente por la ley. Se puede dar, por lo tanto, la competencia funcional del Juzgado de Primera Instancia.

En el segundo caso, las Audiencias Provinciales son también funcionalmente competentes frente a las resoluciones apelables de los Juzgados de lo Mercantil de la provincia —salvo las que se dicten en materia laboral en incidentes concursales— y de los Juzgados de Violencia sobre la Mujer, también de la provincia, dictados en materia civil. En un caso y en otro se contempla la existencia de secciones especializadas en la Audiencia Provincial para conocer de los recursos. Además, la sección especializada de la Audiencia Provincial de Alicante conoce como Tribunal de Marca de la UE de los recursos frente a resoluciones apelables de los Juzgados de Marca de la UE —Juzgados de lo Mercantil con sede en Alicante pero jurisdicción en todo el territorio nacional— (art. 82.2 y 3 LOPJ).

En el supuesto de que la Audiencia Provincial conozca de las apelaciones frente a resoluciones del Juzgado de Primera Instancia —no en los restantes supuestos— cuando se sigan los trámites del juicio verbal por razón de la cuantía, aquélla se constituirá con un solo Magistrado (art. 82.2. 1º LOPJ).

III. LEGITIMACIÓN. ADHESIÓN A LA APELACIÓN

Están legitimadas para recurrir en apelación cualquiera de las partes procesales, tanto demandante como demandada. Para ello ha de satisfacerse el requisito general del gravamen, esto es, la resolución impugnada ha de resultar desfavorable para el recurrente o causarle perjuicio (art. 448.1 LEC). Está también legitimado el demandado en situación de rebeldía, que podrá recurrir cualquier resolución apelable una vez que comparezca en el proceso, pero si permanece rebelde durante la primera instancia sólo podrá apelar la sentencia que se dicte, siempre que se interponga el recurso dentro del plazo legal (art. 500.I LEC).

Quienes sin ser inicialmente demandantes o demandados se incorporan al proceso mediante la intervención voluntaria o provocada están igualmente legitimados, tal y como se ha visto con carácter general en la lección anterior, pues en el primer supuesto el interviniente puede utilizar los recursos que procedan contra las resoluciones que estime perjudiciales (art. 13.3.III LEC) y en el segundo supuesto, admitida por el tribunal la entrada en el proceso del tercero, éste dispone de las mismas facultades de actuación que la ley concede a las partes (art. 14.1 LEC), lo que resulta extensible a otras modalidades de intervención (arts. 15, 15 ter y 15 quater LEC).

La adhesión a la apelación consiste en que la parte apelada que no quiso recurrir en el plazo previsto para ello o no lo hizo, cambia de parecer y decide también impugnar la resolución apelada una vez se le da traslado del escrito de interposición del recurso del apelante. En este trámite, puede la parte inicialmente apelada limitarse a oponerse, si lo desea, al recurso del apelante, pero puede también convertirse ella misma en apelante si opta por impugnar la resolución ya apelada. Para ello es preciso que la parte que se adhiere al recurso haya resultado afectada desfavorablemente por la resolución (art. 461.1 LEC), es decir, que los pronunciamientos contenidos en ésta son desfavorables en mayor o menor medida para ambas partes.

En el caso de la adhesión a la apelación ambas partes se convierten simultáneamente en apelante y apelada, pues existen dos apelaciones distintas, con sustantividad propia, que se tramitarán y resolverán conjuntamente. El legislador ha evitado en estos casos el empleo de la expresión «apelación adhesiva», pues cada uno de los recursos goza de autonomía y si alguna parte desiste de su apelación, continuará la sustanciación del recurso interpuesto por la otra.

IV. RESOLUCIONES APELABLES

Son apelables las sentencias dictadas en toda clase de juicio y también los autos definitivos y aquéllos otros que sin serlo son igualmente apelables por disposición expresa de la ley (art. 455.1 LEC).

➢ Las sentencias serían las definitivas que ponen fin al proceso en primera instancia. Aunque se admite en estos casos la apelación con carácter de generalidad, el precepto indicado excluye del recurso de apelación a las sentencias dictadas en los juicios verbales por razón de la cuantía cuando no supere los 3.000 euros. La Ley 37/2011 justificaba la exclusión por el supuesto uso abusivo e innecesario que se hace con frecuencia de las instancias judiciales.

➢ Son también apelables, y en todo caso, los autos definitivos, esto es, los que pongan fin a la primera instancia antes de que concluya su tramitación ordinaria (arts. 206.1.2ª y 207.1 LEC). Por ejemplo, el auto que acuerde la terminación del proceso por satisfacción extraprocesal o carencia sobrevenida de objeto (art. 22.3 LEC), el auto por el que el tribunal se abstiene por falta de jurisdicción o competencia (art. 66.1 LEC) o, entre otros muchos más, el auto de inadmisión de la demanda (arts. 403 ó 439 LEC).

➢ Por último, son apelables los autos en los casos en que, sin ser definitivos, así lo disponga expresamente la ley. La LEC ha pretendido que las apelaciones contra resoluciones interlocutorias sean excepcionales y que frente a las mismas la regla general sea el recurso de reposición (art. 451.2 LEC). Con esta excepcionalidad, se contempla la apelación, entre otros, frente a los autos que acuerdan la suspensión de las actuaciones por prejudicialidad penal o civil (arts. 41.2 y 43.II LEC) o los autos por los que se acuerda o deniega la adopción de medidas cautelares (735.2.II y 736.1 LEC).

V. EFECTOS DE LA APELACIÓN

Al igual que cualquier otro recurso, el de apelación impide la firmeza de la resolución recurrida, esto es, evita que ésta produzca efectos de cosa juzgada. Pero además, ha de hacerse referencia a los siguientes:

1. Efecto devolutivo

Al comienzo de la lección hemos caracterizado la apelación como un recurso devolutivo, esto es, la competencia funcional para su decisión corresponde a un órgano judicial distinto y superior al que dictó la resolución recurrida. Con la salvedad indicada del Juzgado de Primera Instancia que decide las apelaciones frentes a resoluciones que lo sean del Juzgado de Paz, esta competencia funcional corresponde a las Audiencias Provinciales. Aunque la competencia para la decisión corresponda al superior, la tramitación con la interposición del recurso comienza ante quien dictó la resolución que se recurre.

2. Efecto suspensivo

Cuando un recurso tiene reconocidos efectos suspensivos, su interposición impide que la resolución recurrida despliegue las consecuencias jurídicas que le son propias en función de su contenido hasta que se resuelva aquél. Respecto de la apelación se prevé lo siguiente:

➢ El recurso de apelación carece de efectos suspensivos cuando se interpone contra sentencia desestimatoria de la demanda o contra auto que ponga fin al proceso. En este supuesto dispone la ley que en ningún caso procede actuar en sentido contrario a lo que se hubiese resuelto (art. 456.2 LEC).

➢ Si la sentencia es estimatoria de la demanda y se interpone contra la misma recurso de apelación, la cuestión no se resuelve desde la perspectiva de los supuestos efectos suspensivos o no del recurso, sino que se reconduce a lo dispuesto para la ejecución provisional de las resoluciones judiciales según la naturaleza y contenido de sus pronunciamientos (art. 456.3 LEC). Esto viene a significar que la apelación no impide que el pronunciamiento de la sentencia estimatoria se lleve a efecto, pero con las condiciones y requisitos previstos para la ejecución provisional. Conforme a ello, si la sentencia estimatoria es de condena se podrá ejecutar provisionalmente pese a la apelación, pero si es alguna de las sentencias previstas en el art. 525 LEC la apelación impedirá que se lleve a efecto lo en ellas previsto al no ser provisionalmente ejecutables.

➢ Al ser la apelación un recurso devolutivo, la competencia del tribunal de la primera instancia que hubiera dictado la resolución recurrida se limitará, mientras se sustancia dicho recurso, a las actuaciones relativas a la ejecución provisional de la resolución apelada (art. 462 LEC).

➢ A veces se plantean dudas en la aplicación de lo anterior. Por ejemplo, cuando siendo la sentencia desestimatoria de la demanda existe, sin embargo, un pronunciamiento condenatorio en costas al actor y la misma es recurrida en apelación. La jurisprudencia menor ha entendido que en estos casos no procede la ejecución provisional de la condena en costas (para proceder por la vía de apremio se exige la firmeza de la condena en costas —art. 242.1 LEC—), pero no es una cuestión pacífica en la doctrina.

VI. PROCEDIMIENTO

La LEC ha simplificado la tramitación del recurso de apelación unificándolo, frente a los distintos regímenes existentes con la anterior LEC de 1881 que dependían del procedimiento en el que se interponía aquél. Suprimida la fase de preparación del recurso de apelación (por la Ley 37/2011, de agilización procesal), podemos distinguir en dicha tramitación dos estadios distintos. El primero, que se lleva a cabo ante el tribunal que emitió la resolución recurrida (*a quo*), comprendería la interposición del recurso y su admisión y posterior traslado a la parte apelada para que conteste; el segundo estadio, ya ante el tribunal *ad quem*, comprendería la práctica de la prueba con celebración de vista, en su caso, y la decisión del recurso.

1. *Interposición*

El recurso de apelación se ha de interponer, como se ha dicho, ante el órgano judicial que haya dictado la resolución que se impugna y dentro del plazo de veinte días desde el día siguiente a su notificación o a la de su aclaración o denegación de ésta (arts. 448.2 y 458.1 LEC). Se habrá de consignar el depósito correspondiente para ello (50 euros) y cumplir los requisitos de forma de carácter general que se han indicado en la lección anterior.

En el escrito de impugnación habrá de concretar el apelante cuál es su petición impugnatoria precisa o cuáles son, de ser varias. Junto a la anterior petición, habrá de exponer las alegaciones en que se fundamentan tales impugnaciones. Además, se ha de citar la resolución impugnada y los concretos pronunciamientos que se impugnan (art. 458.2 LEC). De este modo, el recurrente delimita cuál es el ámbito de conocimiento del tribunal superior al resolver el recurso y determina los términos del deber de congruencia de dicho tribunal.

Cuando se alegare que se han infringido en la primera instancia normas o garantías procesales (apelación como recurso de nulidad) se citarán igualmente en el escrito las normas que se consideren infringidas y alegará, en su caso, la indefensión sufrida. En estos casos, el apelante debe acreditar, asimismo, que denunció oportunamente la infracción cuando tuvo oportunidad procesal para ello (art. 459 LEC).

El escrito de interposición de la apelación constituye también el momento procesal oportuno para acompañar documentos distintos a los aportados en la primera instancia en los supuestos excepcionales que veremos más adelante, así como para solicitar la práctica de prueba en la segunda instancia en los casos también excepcionales que indicaremos.

2. Admisión del recurso (queja, en su caso) y traslado

Interpuesto el escrito de apelación procede examinar si se dan o no los requisitos para su admisión, examen que se realiza por el LAJ y por el tribunal *a quo*. Si la interposición del recurso se ha hecho en plazo y si la resolución impugnada es apelable, el LAJ tendrá por interpuesto el recurso en el plazo de tres días. Si entendiere el LAJ que no se dan los anteriores requisitos lo pondrá en conocimiento del tribunal *a quo* para que se pronuncie sobre la admisión.

Pese a las dudas del LAJ, si el tribunal que dictó la resolución impugnada entiende que se satisfacen los requisitos de admisión, dictará providencia teniendo por interpuesto el recurso. Contra la resolución del LAJ o del tribunal *a quo* admitiendo la interposición de la apelación no cabe interponer ningún recurso. Esto no significa que la parte recurrida (apelada) pierda la oportunidad de combatir la conveniencia del recurso que se tiene por interpuesto, pues tendrá ocasión de alegar la inadmisibilidad del mismo en el trámite de oposición al recurso que veremos a continuación, una vez se le dé traslado del escrito de interposición (art. 458.3 LEC).

Si por el contrario, coincidiera el tribunal *a quo* con el LAJ en el sentido de que no se cumplen los requisitos de admisión, dictará auto declarándolo. Este auto de inadmisión, consecuencia de las facultades de control de los requisitos de admisibilidad que corresponden al tribunal que dictó la resolución impugnada, impediría que el recurso de apelación siguiera su curso hasta el tribunal funcionalmente competente para resolverlo. Por este motivo, el sistema español de recursos contempla un mecanismo de impugnación y de control sobre el examen de admisibilidad realizado por quien dictó la resolución impugnada y que se opone a la tramitación del recurso frente a dicha resolución. Este mecanismo es el recurso de queja, que se interpone directamente ante el tribunal competente para conocer, en este caso, de la apelación y que se pronunciará sobre la corrección o no de la inadmisión a trámite (v. lecc. 19ª).

Una vez admitido a trámite el escrito de interposición del recurso, procederá el LAJ a dar traslado del mismo a las demás partes, a las que emplazará para que presenten ante el tribunal que dictó la resolución apelada (*a quo*) y si lo estiman oportuno, o bien escrito de oposición al recurso, o, en su caso, de impugnación de la resolución apelada (art. 461.1 LEC).

3. *Oposición al recurso o impugnación de la resolución apelada (adhesión)*

Este trámite continúa sustanciándose todavía ante el órgano judicial que dictó la resolución apelada. Ante él, mediante escrito, puede la parte recurrida (apelada) limitarse a la oposición al recurso interpuesto por la parte recurrente (apelante). Como hemos visto anteriormente, éste sería el momento procesal idóneo para alegar lo que estime oportuno acerca de los requisitos de admisibilidad del recurso (interposición fuera de plazo, resolución no apelable) o para alegar lo que considere oportuno al objeto de que no se estime el recurso por el tribunal superior.

Pero puede ocurrir que la resolución impugnada resulte también desfavorable o perjudicial para la parte recurrida o apelada y que ésta, pese a que inicialmente se hubiera aquietado con la resolución, aproveche que se haya activado la posibilidad de la apelación por otra parte procesal para impugnar ella misma idéntica resolución. Esto es, decide convertirse también en apelante aunque inicialmente no hubiera recurrido en el plazo previsto para ello. De este modo se tramitarían simultáneamente dos o más apelaciones aunque cada una de ellas con sustantividad propia, como se ha dicho al referirnos a la legitimación. Aunque la LEC evite denominar a esta figura como adhesión a la apelación, es la designación que se utiliza por la doctrina, aunque también apelación posterior frente a la apelación inicial o principal.

Dice la ley que los escritos de oposición al recurso y de impugnación por adhesión se han de formular con arreglo a lo establecido para el escrito de interposición (art. 461.2 LEC). Esto es particularmente válido para el segundo caso, pues nos hallamos ante un verdadero y diferente recurso de apelación.

Tanto si se opone al recurso del apelante, como si decide impugnar también la resolución apelada, el apelado inicial podrá acompañar a su escrito los documentos y solicitar las pruebas que estime oportunas para la segunda instancia. También podrá formular en él las alegaciones que estime pertinentes acerca de la admisibilidad de los documentos aportados y de las pruebas propuestas por el apelante principal. Este último ha de tener idéntica oportunidad de manifestar lo que tenga por conveniente sobre la admisibilidad de la impugnación y sobre los documentos aportados y pruebas propuestas por el apelado, en su caso (art. 461.3 y 4 LEC)

4. Objeto de la apelación y alegaciones

Una vez interpuestos los recursos de apelación y presentados, en su caso, los escritos de oposición o impugnación de la resolución apelada, se remiten los autos al tribunal competente funcionalmente para resolverlos (*ad quem*). Pero antes de analizar la sustanciación de esta nueva fase en la tramitación del recurso, conviene detenerse brevemente en el contenido de los escritos. En particular en lo que se puede solicitar a través de la apelación (objeto) y las alegaciones con que se pretenden fundamentar dichas peticiones. Dispone la ley que mediante la apelación se puede pretender la revocación de un auto o sentencia y que, en su lugar, se dicte otro u otra favorable al recurrente (art. 456.1 LEC). Conforme a lo anterior podemos distinguir:

➤ Aquellas peticiones de revocación de la sentencia de primera instancia que se pronuncia sobre el fondo del asunto, esto es, sobre el objeto del proceso y de emisión de una nueva sentencia en su lugar que le resulte favorable al recurrente. Con esta petición se posibilita una segunda instancia, aunque de naturaleza limitada, como hemos visto. Mediante ella se solicita un nuevo examen de las pruebas y alegaciones de la primera instancia, así como de las pruebas que se admitan en la apelación, y se emita un nuevo pronunciamiento sobre la pretensión.

Las alegaciones en que se fundamenta esta petición pueden consistir en la errónea fijación de los hechos jurídicamente relevantes o en la incorrecta calificación jurídica de los mismos o en la equivocada interpretación y aplicación de las normas realizada en la primera instancia.

➤ Aquellas peticiones de revocación de la sentencia de primera instancia pero no por cuestiones de fondo, como en el caso anterior, sino alegando la infracción de normas de carácter procesal. Las infracciones procesales denunciadas pueden darse en situaciones o momentos diversos y ello puede condicionar la petición que se formula mediante la apelación, así: a) puede traer causa de una infracción procesal atribuible a una resolución interlocutoria que ha sido impugnada mediante reposición desestimada en su momento y que se quiere volver a denunciar (arts. 285.2 ó 454 LEC, por ejemplo); o b) puede tratarse de una infracción procesal cometida en la propia sentencia (falta de exhaustividad o congruencia, ausencia de motivación, etc.).

Dependiendo de la naturaleza de la infracción procesal y de si ésta ha causado o no indefensión, se puede pedir mediante apelación que se revoque la sentencia, se subsane el vicio procesal y se resuelva sobre el fondo del proceso; pero si la infracción procesal es de las que origina nulidad de las actuaciones o de parte de ellas, y fuera insubsanable, se podrá solicitar que se declare tal nulidad y que se retrotraigan las actuaciones al momento en que se produjo dicha infracción.

➢ Aquellas peticiones de revocación del auto definitivo o no, cuando se prevea la apelación, y de sustitución por otro que resulte favorable. Las alegaciones en que se fundamenta esta petición no pueden ser otras que la infracción de normas procesales. Se trata de resoluciones que ponen fin al procedimiento antes de que éste concluya siguiendo su tramitación ordinaria y a través de sentencia. En estos casos, por consiguiente, la apelación no da comienzo a una segunda instancia, pues la primera no se ha desarrollado o está suspendida, por ejemplo, cuando se recurre el auto que acuerda la suspensión de actuaciones por prejudicialidad penal o civil (arts. 41.2 ó 43 LEC).

5. *Prueba en apelación*

A) **Supuestos en que procede**

Si lo que se pretende mediante la apelación es un nuevo pronunciamiento sobre el fondo del asunto —objeto del proceso y del debate— por parte del tribunal *ad quem,* revocando la sentencia, se daría comienzo a la segunda instancia. Pero ésta ha de ser entendida, como se ha dicho, en el sentido propio de una apelación limitada o restringida. El órgano jurisdiccional superior al resolver la apelación lo hace mediante un nuevo examen de las actuaciones llevadas a cabo ante el tribunal de la primera instancia, esto es, con arreglo a los mismos fundamentos de hecho y de derecho de las pretensiones formuladas ante el tribunal *a quo* y con arreglo igualmente a las pruebas practicadas ante el mismo. Sin embargo, de forma excepcional y en los casos expresamente previstos en la ley, es posible alegar hechos nuevos en la apelación y aportar nuevos documentos sobre los mismos y proponer para su práctica pruebas que no se practicaron en la primera instancia.

➢ La actividad probatoria en la apelación puede justificarse: a) por tratarse de documentos que no pudieron aportarse en la primera instancia; b) por referirse a hechos nuevos (*nova producta*) o hechos anteriores pero no conocidos (*nova reperta*); c) por tratarse de medios de prueba intentados sin éxito en la primera instancia; o d) por la particular posición del rebelde.

➢ Los documentos que pueden aportarse con los escritos de interposición, de oposición o de impugnación de la sentencia son los inexistentes al producirse la preclusión definitiva para su aportación, esto es, los de fecha posterior a dicho momento; también los existentes pero desconocidos para quien pretenda utilizarlos y los documentos de los que no pudo disponer con anterioridad por causas no imputables a la parte (arts. 460.1 y 270 LEC por remisión). El momento preclusivo para su aportación en primera instancia es el de conclusión de la vista o juicio (art. 271 LEC).

➢ Con similar justificación pueden proponerse otros medios de prueba diferentes a la documental, esto es, por referirse a hechos ocurridos después del plazo para dictar sentencia en la primera instancia o antes de dicho término siempre que, en este último caso, la parte justifique que ha tenido conocimiento de ellos con posterioridad.

➢ Los hechos nuevos o de nuevo conocimiento no han de implicar modificaciones en el objeto del proceso o del debate y además han de resultar relevantes para la decisión del pleito (art. 460.2.3° LEC).

➢ También pueden proponerse pruebas que se hubieron intentado sin éxito en la primera instancia, bien porque fueron indebidamente denegadas, siempre que se hubiera impugnado la denegación y formulada la oportuna protesta, bien porque propuestas y admitidas en la primera instancia, no pudieron practicarse por cualquier causa no imputable al que las hubiera solicitado (art. 460.2.1° y 2° LEC).

➢ El último supuesto en que se admite excepcionalmente la prueba en segunda instancia es el que se reconoce al demandado rebelde. Éste puede intervenir en el proceso una vez comparezca en el mismo, sin embargo, la ley limita dicha intervención a partir del momento de la personación, sin que el proceso pueda retroceder en ningún caso. Si el rebelde se persona en los autos en un momento posterior al establecido para proponer prueba en la primera instancia, podrá pedir en apelación que se practique toda la que convenga a su derecho. De este modo se garantiza el derecho a la defensa del rebelde, pero siempre condicionado a que la tardía personación no fuera por una causa imputable al rebelde (art. 460.3 LEC), quedando excluida tal posibilidad si su condición de rebelde fuera voluntaria.

➢ Cuando se solicita del tribunal de apelación que realice una nueva valoración de las pruebas practicadas en la primera instancia, junto a las pruebas practicadas excepcionalmente en la segunda instancia, en su caso, con el objeto de alterar el relato fáctico de la sentencia impugnada, surge el inconveniente derivado de la falta de inmediación. Si la prueba es documental o se trata de un dictamen pericial en el que los peritos no han actuado en el juicio o vista, las exigencias de inmediación decaen y el tribunal de apelación podrá realizar una nueva valoración de dichas pruebas. Pero tratándose de una prueba de carácter personal (interrogatorio de partes, testigos) la inmediación se ha garantizado sólo ante el tribunal de primera instancia, por lo que no parece oportuno que el tribunal de apelación pueda sustituir la valoración de la prueba realizada por aquél. Salvo en los casos en que se aprecie en la motivación de la sentencia que existen conclusiones arbitrarias, absurdas o manifiestamente erróneas.

B) Admisión y práctica de la prueba. Vista

La aportación de los documentos se hace junto con los escritos de interposición, oposición o impugnación de la sentencia. En estos escritos se hace igualmente la proposición de la prueba. Estos escritos se interponen y presentan ante el tribunal *a quo* por la parte que corresponda y de los mismos se da traslado a las restantes para que manifiesten lo que estimen oportuno acerca de la admisibilidad de los documentos aportados y de las pruebas propuestas.

Estos escritos, junto a los documentos aportados y la proposición de prueba formulada en ellos, en su caso, se remiten junto al resto de los autos al tribunal *ad quem* que es quien ha de resolver la apelación y que es, además, quien ha de pronunciarse previamente sobre la admisión de los documentos y de las pruebas propuestas, concretamente en el plazo de diez días desde la recepción de los autos (art. 464.1 LEC). El tribunal *ad quem* resolverá sobre la prueba propuesta mediante auto y para ello atenderá a los requisitos generales de admisión —pertinencia, utilidad, licitud (art. 283 LEC)— y los requisitos particulares de admisión de la prueba en apelación (art. 460 LEC).

Si se acordare el recibimiento a prueba, procederá el LAJ a señalar día para celebrar una vista, dentro del mes siguiente, que se sustanciará conforme a lo previsto para el juicio verbal. Si la prueba aportada fuera exclusivamente la documental no sería necesaria la celebración de vista. Si no hubiera proposición de prueba o si fuera inadmitida toda la propuesta, puede también celebrarse la vista si lo solicita alguna de las partes o el tribunal lo considera necesario (art. 464.2 LEC).

6. *Resolución de la apelación*

El tribunal funcionalmente competente ha de resolver el recurso de apelación adoptando para ello su resolución la forma de auto si el recurso se ha interpuesto contra un auto y la forma de sentencia si lo apelado es una resolución de la misma naturaleza. El plazo para ello dependerá de si se ha celebrado vista o no, siendo de diez días desde su celebración, en el primer supuesto, y de un mes desde la recepción de los autos por el tribunal *ad quem*, en el segundo (art. 465.1 y 2 LEC).

La apelación es un recurso ordinario, pues no condiciona la ley la posibilidad de impugnación a la concurrencia de motivos tasados en la misma. Esto no implica, sin embargo, que el tribunal de apelación pueda examinar y pronunciarse sobre la totalidad de las cuestiones planteadas en la primera instancia. Ello dependerá de los términos concretos en los que la parte o partes apelantes han planteado el recurso. Corresponde a la parte recurrente concretar los pronunciamientos que impugna de la resolución apelada, también determinar la petición concreta impugnatoria que dirige al tribunal de apelación y exponer las alegaciones en que se fundamenta la impugnación.

Delimitados de ese modo el ámbito de conocimiento y de decisión del tribunal de apelación, éste ha de ser congruente con las peticiones que se le plantean, en virtud de los principios dispositivo y de justicia rogada que informan el proceso civil, también en la segunda instancia. Este deber de congruencia se encuentra en la actualidad expresamente recogido por la ley, sin necesidad de hacerlo derivar de aquellos principios, pues se dispone que el auto o sentencia que se dicte en apelación «deberá pronunciarse exclusivamente sobre los puntos y cuestiones planteados en el recurso y, en su caso, en los escritos de oposición o impugnación» (art. 465.5 LEC).

El tribunal de apelación (*ad quem*) ha de ser, al resolver el recurso, respetuoso con la prohibición de la *reformatio in peius* o reforma peyorativa (v. lecc. 19ª). Esto es, la situación del apelante en la resolución impugnada no puede verse agravada como consecuencia exclusiva de la interposición del recurso de apelación. Conviene recordar que la admisión de cualquier recurso, también de la apelación, se hace depender de la existencia de un gravamen para el recurrente y que esa situación desfavorable no puede verse empeorada tras el recurso. No habrá *reformatio in peius* cuando el agravamiento provenga de estimar la impugnación de la resolución de que se trate, formulada por el inicialmente apelado (art. 465.5 LEC). Hemos afirmado que en estos supuestos nos encontramos ante dos apelaciones autónomas, la una interpuesta por el apelante inicial y la otra por el apelante posterior o por adhesión. Por lo tanto, esta situación no ha de ser abordada desde la perspectiva de la prohibición de la *reformatio in peius*, sino desde la de la congruencia del tribunal *ad quem* con la petición del apelante posterior.

Acerca del contenido concreto del auto o sentencia de apelación, dependerá de la petición que se ha formulado en el recurso, esto es, del objeto de la apelación a que nos hemos referido con anterioridad y que puede sintetizarse del siguiente modo:

➢ Si se solicita que se revoque un auto por no ajustarse a lo previsto en las disposiciones procesales adecuadas y se estima el recurso, se revocará y se dictará otro conforme a Derecho en su lugar.

➢ Si se solicita que se revoque la sentencia de instancia por infracción procesal cometida en la misma y se estima el recurso, cabría la posibilidad de que se declarase la nulidad de la sentencia y se reenviasen las actuaciones al tribunal de primera instancia para que éste dictase una nueva sentencia. Sin embargo, la ley quiere a toda costa evitar el reenvío de las actuaciones nuevamente a la primera instancia y prevé que el tribunal de apelación, una vez subsanado el vicio procesal, se pronuncie sobre el objeto del proceso (art. 465.3 LEC).

➢ Si se solicita que se revoque la sentencia de instancia por una infracción procesal acaecida durante la tramitación de la primera instancia y que es de las que originan la nulidad de todas o de parte de las actuaciones, caben dos posibles pronunciamientos: a) si el vicio es insubsanable, declarará mediante auto dicha nulidad y se repondrán las actuaciones al estado en que se hallaren al haberse cometido la infracción (la resolución ha de adoptar la forma auto —art. 206.1.2ª LEC— aunque el precepto se refiera a una providencia —art. 465.4.I LEC—); b) si el defecto procesal es subsanable en la segunda instancia se concederá un plazo no superior a diez días para ello y una vez producida la subsanación el tribunal de apelación se pronunciará sobre el objeto del proceso (art. 465.4 LEC).

➢ Si se solicita que se revoque la sentencia de instancia por una cuestión de fondo o material (fijación de hechos revisando la valoración de la prueba en la primera instancia, calificación jurídica de los mismos, interpretación y aplicación de la norma sustantiva) y se estima el recurso, el tribunal de apelación la revocará y dictará una nueva en su lugar, previa práctica de prueba, en su caso, con los pronunciamientos correspondientes sobre el fondo.

Lección 21ª

EL RECURSO EXTRAORDINARIO DE CASACIÓN

JOSÉ FRANCISCO ETXEBERRÍA GURIDI

BIBLIOGRAFÍA BÁSICA

BELLIDO PENADÉS, R. (Dir.), *El recurso de casación civil*, La Ley, Madrid, 2014.

HUALDE LÓPEZ, I. (Dir.), *Estudios sobre el recurso de casación civil: fase de admisión*, Aranzadi, Cizur Menor (Navarra), 2020.

MONTERO AROCA, J./ FLORS MATÍES, J., *El recurso de casación civil. Casación e infracción procesal*, Tirant lo Blanch, Valencia, 2018.

NIEVA FENOLL, J., *El recurso de casación civil*, Ariel, Barcelona, 2003.

SIGÜENZA LÓPEZ, J. (Dir.), *Estudios sobre la casación. Homenaje a Fernando Jiménez Conde*, Aranzadi, Cizur Menor (Navarra), 2021.

I. CONCEPTO Y CARACTERES

Al clasificar los recursos hemos considerado como extraordinarios aquellos en los que está ausente el rasgo de la generalidad que caracteriza, en contraposición, a los recursos ordinarios.

Si formulamos lo anterior comparándolo con el recurso de apelación, el ordinario por excelencia, podemos constatar que son apelables determinados autos, pero, sobre todo, todas las sentencias dictadas en primera instancia —salvo la excepcionalidad contemplada para las sentencias dictadas en juicios verbales por razón de la cuantía siendo ésta no superior a 3.000 euros—. Las resoluciones que pueden impugnarse a través de los recursos extraordinarios, en cambio, son mucho más limitadas.

Junto a lo anterior, se ha visto igualmente que en los recursos ordinarios el legislador no condiciona la admisión de los mismos a la alegación de motivos concretos. En el supuesto de los recursos extraordinarios, por el contrario, los motivos en los que cabe fundamentar la impugnación de la resolución afectada se encuentran previstos de forma tasada en la propia ley y suelen ser, por lo general, interpretados restrictivamente por los tribunales competentes para ello.

Estos caracteres de los recursos extraordinarios pueden explicarse desde la necesidad de establecer limitaciones a las sucesivas instancias procesales. Mediante la apelación está garantizada la posibilidad de que la pretensión del actor y la resistencia del demandado sean objeto de examen y de pronunciamiento por dos tribunales distintos y de forma sucesiva. Hemos visto en la lección anterior que la apelación permite un nuevo examen por el tribunal superior de lo resuelto por el inferior, hallándose aquél con idénticas facultades de cognición que el de la primera instancia. Además, si bien se ha dicho que no se trata de un nuevo juicio o de una apelación plena, es decir, que el tribunal de la segunda instancia ha de resolver conforme a los fundamentos de hecho y de derecho de la primera, también es cierto que, pese a la excepcionalidad, cabe la aportación de documentos y proposición de nuevas pruebas relativas a hechos nuevos o de nuevo conocimiento, además de las que se intentaron sin éxito en la primera instancia.

Dicho lo anterior, la necesidad de limitar las ocasiones en que el fondo del asunto puede ser sometido sucesivamente a distintos tribunales, implica que los recursos extraordinarios no supongan una nueva instancia. La finalidad de los mismos es distinta, y gira en torno a la necesaria protección del ordenamiento jurídico, tanto en su dimensión sustantiva o material, como en la dimensión procesal. Conforme a lo anterior, se solicitará del tribunal competente para ello que case o anule la resolución que contravenga la norma en cuestión. Se trata de un control sobre la corrección en la aplicación de la ley sustantiva o procesal practicada por los tribunales de instancia y de apelación, sin que pueda extenderse aquél al pronunciamiento del relato fáctico fijado en las resoluciones impugnadas, ni a la valoración de las pruebas realizada.

Tomando en consideración la anterior finalidad, se afirma que los recursos extraordinarios desempeñan, y han desempeñado sobre todo en su origen, una función nomofiláctica o de protección de la ley frente a las resoluciones judiciales que la ignoran (*ius constitutionis*). Más adelante, en la medida en que la decisión anterior puede repercutir en los derechos e intereses de las partes en el proceso, se añadirá la función de tutelar los mismos (*ius litigatoris*). Con el paso del tiempo, la finalidad de tutela de la legalidad se afianzará asegurando que los órganos jurisdiccionales apliquen e interpreten las disposiciones legales de manera uniforme, creando para ello jurisprudencia. Todo lo anterior no sería posible, sino mediante la atribución del conocimiento de los recursos extraordinarios al órgano jurisdiccional superior en todos los órdenes, esto es, al Tribunal Supremo (art. 123 CE), sin perjuicio de las limitadas competencias de los TSJ en determinados supuestos.

II. RÉGIMEN DE LOS RECURSOS EXTRAORDINARIOS EN LA LEC: UN VIAJE DE IDA Y VUELTA

Las normas, sobre todo las que tienen un carácter más técnico, como es el caso por regla general de las procesales, se aprueban con una vocación de permanencia temporal y contamos, de hecho, con experiencia en normas procesales centenarias que tras reformas de mayor o menor intensidad se mantienen vigentes —la LECRIM de 1882—. La LEC no es una excepción, pero en relación con los recursos extraordinarios contemplados en la misma se aprecian en el legislador serias oscilaciones inconciliables con la relevancia conceptual que exige la materia. Fluctuaciones que han venido condicionadas, además, por un factor resultante de dicha concepción: la situación de auténtico colapso en que se encuentra el órgano competente para conocer de los recursos extraordinarios, esto es, el TS.

La acumulación de asuntos vinculados al recurso de casación —extraordinario por esencia, como se ha visto— que desbordaba la capacidad de respuesta de la Sala Primera, de lo Civil, del Tribunal Supremo, condujo al legislador procesal de la LEC en el año 2000 a un diseño novedoso y particular en la materia. Hasta esa fecha, y desde que comienza en España el fenómeno de la codificación de la legislación procesal con la LEC de 1855, las reclamaciones ante el TS por infracciones procesales o de carácter sustantivo se formulaban mediante un único recurso, el de casación, si bien con efectos diferentes dependiendo de si los motivos alegados y estimados pertenecían al primer grupo de quebrantamientos o al segundo. Sin embargo, con la aspiración de poner fin a esa situación de bloqueo del Alto Tribunal, el legislador de la LEC 2000 resolvió dividir ese único recurso de casación en dos diferentes: el recurso extraordinario por infracción procesal y el recurso de casación. Como cabe deducir de esta denominación, mediante el primero se denunciarían las infracciones normativas de carácter procesal (*in procedendo*) y mediante el segundo las que afectan a la norma sustantiva o material (*in iudicando*).

Se incorporaron junto a la anterior otras importantes novedades en la LEC 2000. Ya no es sólo que se dividía la casación en dos recursos distintos dependiendo de la naturaleza de la infracción normativa que se denuncia, sino que, además, se atribuyó el conocimiento de cada uno de ellos a órganos jurisdiccionales distintos. El recurso extraordinario por infracción procesal a las Salas de lo Civil y Penal de los TSJ de cada una de las Comunidades Autónomas en que radican las Audiencias Provinciales (tribunales de apelación) y el recurso de casación a la Sala de lo Civil del Tribunal Supremo.

Al ser previsible que las distintas Salas de los distintos TSJ (diecisiete) no fueran a mantener criterios uniformes en la interpretación de las normas procesales que, sin embargo, tienen vigencia en todo el territorio nacional, se ideó por la

LEC 2000 un nuevo mecanismo al objeto de neutralizar las indeseadas consecuencias que pudieran derivarse de posturas jurisprudenciales discrepantes por los TSJ. Nos referimos al recurso en interés de ley que perseguía asegurar la unidad de doctrina jurisprudencial cuando los TSJ sostuvieran criterios divergentes sobre la interpretación de normas procesales al resolver recursos extraordinarios por infracción procesal. Esta unidad de doctrina jurisprudencial se haría efectiva, como no podía ser de otra manera, concentrando el conocimiento de este recurso en la Sala de lo Civil del Tribunal Supremo (arts. 490 a 493 LEC).

Otra de las características destacables de este nuevo diseño de los recursos extraordinarios en la LEC 2000 era el de la incompatibilidad de los mismos, debiendo la parte recurrente optar por interponer el extraordinario por infracción procesal o el de casación. Pero ambos recursos eran incompatibles, de modo que no era posible su acumulación simultánea ni su interposición sucesiva. A ello se ha de añadir que el recurso extraordinario por infracción procesal se podía interponer con generosa amplitud contra todas las sentencias y autos dictados por las Audiencias Provinciales poniendo fin a la segunda instancia (art. 468 LEC), mientras que la interposición del recurso de casación se condicionaba a la concurrencia de requisitos mucho más restrictivos, exigiendo, por ejemplo, que la cuantía del proceso excediera de una elevada suma —600.000 euros— o la concurrencia de interés casacional (art. 477.2 LEC).

Resulta, sin embargo, que la implantación de este nuevo diseño de los recursos extraordinarios requería la reforma de la LOPJ en lo tocante a la ampliación de las competencias de los TSJ para conocer del recurso extraordinario por infracción procesal. Esto es, se precisaba una mayoría absoluta en el Congreso que el Gobierno proponente de la nueva LEC 2000 no acertó a aglutinar, por lo que se aprobó ésta salvo los apartados que requerían el rango de ley orgánica.

Ante esta tesitura, se incorporó durante la tramitación de dicha ley en el Senado la Disposición Final (DF) 16ª que estableció un «régimen transitorio» en materia de recursos extraordinarios. Conforme al mismo, el conocimiento de ambos recursos extraordinarios se concentró ante el Tribunal Supremo, de modo que los TSJ intervenían sólo si procedía fundar el recurso de casación en la infracción de normas de Derecho civil, foral o especial, propio de la Comunidad Autónoma respectiva. Además, el recurso extraordinario por infracción procesal se configuró supeditado en gran medida al de casación, pues lejos de su concepción inicial en términos muy amplios, las resoluciones recurribles son las previstas para el recurso de casación. Por último, desaparecida «transitoriamente» la incompatibilidad, los recursos extraordinarios mencionados eran ejercitables de forma conjunta, en cuyo caso se tramitaban ambos en un único procedimiento, resolviéndose, en caso de admisión, en primer lugar el extraordinario por infracción procesal y, cuando éste fuera desestimado, el de casación.

Sorprendentemente este régimen interino se ha mantenido hasta fechas recientes, cuando mediante el RD-ley 5/2023, de 28 de junio, se ha puesto fin a esta dualidad de recursos en función de la naturaleza de la norma infringida, procesal o sustantiva, y ha sido sustituido por un modelo en el que existe un único recurso extraordinario, el de casación, si bien los motivos que pueden fundar el mismo son la infracción de norma procesal o de norma sustantiva (art. 477.2 LEC). Corresponde el conocimiento de este único recurso de casación a la Sala de lo Civil del TS, dejando atrás definitivamente el inicial diseño de la LEC 2000, que por otra parte nunca entró en vigor, en el que la competencia para conocer del recurso extraordinario por infracción procesal se encomendaba a los TSJ. Esta exclusión, sin embargo, no es absoluta en la medida en que, como hasta ahora, corresponderá a las Salas de lo Civil y Penal de los TSJ conocer del recurso de casación cuando el mismo se funde, exclusivamente o junto con otros motivos, en la infracción de las normas de Derecho civil, foral o especial propio de la Comunidad Autónoma (art. 478.1 LEC), como tendremos oportunidad de comprobar.

Otra consecuencia lógica de la reforma indicada es que se deja sin contenido definitivamente la regulación del denominado recurso en interés de la ley antes mencionado —arts. 490 a 493 LEC— en virtud del art. 225 del RD-ley 5/2023 por el que se modifica la LEC (apartado diecisiete). Como se ha dicho, este recurso tampoco estuvo nunca en vigor.

Si lo dicho hasta ahora en relación al régimen jurídico contemplado originariamente en la LEC 2000 y al régimen transitorio en vigor hasta julio de 2023 no fuera lo suficientemente complejo, no puede entenderse la verdadera trascendencia de la reforma del recurso de casación por el RD-ley 5/2023 sin una referencia al Proyecto de Ley de medidas de eficiencia procesal del servicio público de Justicia, remitido al Congreso en abril de 2022. Este Proyecto de Ley tiene un contenido mucho más ambicioso y amplio que el resultante del RD-ley 5/2023 y en el mismo ha de ubicarse la reforma del recurso de casación en todos los órdenes jurisdiccionales, pero sobre todo en el civil. Pero esta reforma proyectada, que ya se encontraba en trámite de enmiendas en las Cortes, se vio abruptamente interrumpida tras la disolución de las mismas y la convocatoria de elecciones.

En cualquier caso, tal es la situación confesa de «urgencia y necesidad» (Preámbulo del RD-ley) en la que se encuentra la Sala de lo Civil del TS, que el Gobierno ha decidido rescatar de aquel amplio Proyecto de Ley algunas cuestiones que entiende particularmente preocupantes y que no admiten mayor demora —la casación entre ellas—, y lo ha hecho utilizando el RD-ley (art. 86 CE) como mecanismo legal que se ajusta a aquella situación. Pero la precipitación con la que se ha hecho el trasvase de ciertas instituciones hubiera exigido una más depurada técnica legislativa que la empleada, que genera, en relación al recurso de casación civil, ciertas disfunciones que serán expuestas. Tampoco contribuye a la claridad normativa la opción de hacer uso de una disposición derogatoria única, no expresa, sino tácita de las disposiciones que se opongan a lo previsto en el RD-ley. No existe, por ejemplo, una derogación expresa de la regulación del recurso extraordinario por infracción procesal, aunque sí, paradójicamente, se suprima de forma explícita el capítulo relativo al recurso en interés de la Ley, ni tampoco de la DF 16ª LEC que ha servido de sustento a todo el entramado transitorio descrito.

III. EL RECURSO DE CASACIÓN

1. *Concepto, caracteres y funciones del recurso de casación*

Derogado el recurso extraordinario por infracción procesal en virtud del RD-ley 5/2023, el de casación es en la actualidad el único que merece la consideración de recurso extraordinario en el nuevo modelo de la LEC. Ello no significa, como tendremos oportunidad de comprobar, que las partes procesales que podían denunciar a través de aquel recurso las infracciones procesales queden ahora huérfanas de toda posible tutela. Estas infracciones podrán seguir siendo invocadas ante la Sala de lo Civil del TS, pero ahora a través del recurso de casación; si bien el legislador ha optado por una formulación radicalmente distinta de los motivos en que puede fundarse: frente al anterior catálogo de posibles infracciones procesales, opta ahora el legislador por un enunciado genérico, como tendremos ocasión de comprobar.

Se trata, por lo tanto, de un recurso extraordinario distinguido como se ha visto —v. lecc. 19ª— por el carácter legalmente tasado de los motivos que pueden fundar la interposición, admisión y estimación del mismo. Ahora, además, se ha generalizado con alguna excepción la exigencia de que concurra «siempre» interés casacional. Igualmente, porque se especifican de forma limitada las resoluciones que son susceptibles de ser recurridas y porque, de este modo, se limita también la facultad cognitiva del tribunal llamado a resolverlo, esto es, del TS o de los TSJ. Dichos tribunales de casación, por lo tanto, no pueden pronunciarse al resolver más allá de los límites fijados estrictamente por el legislador y de las alegaciones formuladas por las partes.

A todo lo anterior hay que sumar un incesante incremento en el rigor formal exigido en la interposición y, sobre todo, en el trámite de admisión del recurso de casación. Como es muy bien sabido, la Sala de lo Civil del TS dedica un esfuerzo más que considerable en pronunciarse, no sobre el fondo de la cuestión planteada con el recurso estimándolo o no, sino en decidir sobre si previamente procede la admisión a trámite. El RD-ley 5/2023 pone cifras sobre este punto, indicando que sólo el 18 ó 19 % de los recursos interpuestos son admitidos, con el consiguiente derroche de dedicación sobre todo personal en relación con los restantes recursos inadmitidos. El RD-ley 5/2023 intenta corregir mediante algunas reformas esta situación, pero ha sido particularmente relevante la labor de la Sala de lo Civil del TS al respecto mediante la adopción de trascendentales Acuerdos no Jurisdiccionales sobre los criterios de admisión de los recursos de casación y extraordinario por infracción procesal, este último derogado como se ha dicho. El mencionado RD-ley traslada algunos de estos criterios a la LEC, pero sin duda habrán de ser todavía considerados para aclarar algunas situaciones irresueltas. Particularmente ilustrativa de cuanto indicamos es la novedosa previsión conforme a la cual la Sala de Gobierno del TS podrá determinar mediante acuerdo que se ha de publicar en el BOE, aspectos tales como la extensión máxima o formato en el que han de presentarse los escritos de interposición y oposición del recurso de casación (art. 481.8 LEC).

Se trata, además, de un recurso devolutivo cuyo conocimiento se encuentra reservado, no ya solo a un tribunal superior al que dictó la resolución recurrida, sino al órgano jurisdiccional superior en la organización judicial española, esto es, a la Sala de lo Civil del TS. En ocasiones al TSJ de la respectiva Comunidad Autónoma si la misma contare con normas de Derecho civil, foral o especial, propio.

Tal y como se ha apuntado al comienzo de la lección, la casación surge en sus orígenes con una clara función de tutela del ordenamiento jurídico —*ius constitutionis*—. Aunque en la actualidad la casación española presenta caracteres propios, hemos de remontarnos a la Francia revolucionaria para encontrar su génesis. Curiosamente, cuando se constituye el *Tribunal de Cassation* en 1790 no lo hace como órgano jurisdiccional, sino como ente próximo al poder legislativo (Asamblea Nacional) y diferenciado del poder judicial. Tiene ello que ver, no sólo con la consideración debida a la separación de poderes, aportación esencial de las ideas revolucionarias francesas, sino también con la desconfianza mostrada hacia los integrantes del poder judicial, ante el temor de que éstos ignoraran la ley como expresión soberana al resolver los litigios de que conocían.

Por esa razón, el *Tribunal de Cassation* se limitaba a anular —casar— la sentencia si entendía que la misma contravenía el texto de la ley, pero sin dictar otra en su lugar, pues devolvía la causa al tribunal de procedencia para que se pronunciara nuevamente ajustándose a la norma legal. Esta función nomofiláctica no se complementaba con la función uniformadora en la interpretación y aplicación del Derecho, pues en sus orígenes el *Tribunal de Cassation* no motivaba sus decisiones y, por lo tanto, no creaba doctrina jurisprudencial. Esto no ocurrirá hasta 1804 cuando a este órgano se le reconoce una verdadera naturaleza jurisdiccional (*Cour de Cassation*).

Al igual que en el país vecino, en España el recurso de casación actual es el resultado de una dilatada evolución que comienza con el «recurso de nulidad» atribuido por la Constitución de Cádiz de 1812 al Supremo Tribunal de Justicia —por infracción de leyes procesales—; continúa con el RD de 4 de noviembre de 1838 donde el denominado todavía «recurso de nulidad» se puede interponer ante infracciones *in procedendo*, pero también *in iudicando*; y hace una parada importante en el primer código procesal civil, esto es, la LEC 1855 donde se mantienen los motivos de impugnación referidos, pero donde se incorporan dos notas esenciales al recurso: por un lado, su propia denominación, asumiendo la de «recurso de casación»; y, por otro lado, porque la estimación del motivo basado en el error *in iudicando* no se traducirá en un reenvío del asunto al tribunal que dictó la resolución impugnada, sino que será el propio TS el que casando la primera sentencia, dicte una nueva en su lugar.

A partir de ese momento, se añade a la función nomofiláctica y uniformizadora en la interpretación y aplicación del derecho, característica del recurso de casación, la función de tutela de los derechos e intereses de los litigantes recurrentes que se ven afectados por la revocación de la sentencia impugnada (*ius litigatoris*).

Estas características se mantienen a grandes rasgos hasta la LEC 2000, en la que los distintos motivos de impugnación dan lugar a dos recursos extraordinarios diferenciados, el de infracción procesal y el de casación. Esta duplicidad de recursos en función de la norma infringida desaparece en el RD-ley 5/2023, pero se fortalece con dicha reforma el presupuesto de «interés casacional» que ya se introdujo con carácter novedoso en la LEC 2000 originaria. Sin perjuicio de ahondar más adelante en este trascendental concepto, corresponde ahora adelantar que con dicho presupuesto se refuerza la función de creación jurisprudencial y reafirmación de la existente que caracteriza a un recurso extraordinario como es el de casación.

2. *Tribunal competente*

La competencia funcional para resolver el recurso de casación corresponde a la Sala de lo Civil del Tribunal Supremo (arts. 56.1° LOPJ y 478.1.I LEC). Esto es predicable en el caso de que se aplique el denominado Derecho civil común. Sin embargo, pueden resultar igualmente competentes las Salas de lo Civil y Penal de los TSJ cuando el recurso de casación se interpone contra resoluciones de los tribunales civiles radicados en la Comunidad Autónoma, siempre que el recurso se funde, exclusivamente o junto a otros motivos, en infracción de las normas de Derecho civil, foral o especial, propio de dicha Comunidad, y siempre que el respectivo Estatuto de Autonomía haya previsto esta atribución (arts. 73.1 LOPJ y 478.1.II LEC).

Esta distribución competencial, *a priori* sencilla, no queda al margen de incertidumbres. Por ejemplo, la sujeción al Derecho civil común o al especial o foral lo determina la vecindad civil (art. 14.1 CC) y no si el tribunal competente tiene su sede en una Comunidad Autónoma que cuenta con Derecho civil propio. Con lo cual, si una AP está conociendo conforme a la vecindad civil de un asunto sujeto a Derecho especial o foral que no es el propio de la Comunidad Autónoma en que radica, el TSJ de la misma no podrá conocer de la casación fundada en ese Derecho y tendrá que resolverlo la Sala de lo Civil del TS. También plantea dudas acerca de la función uniformadora de la casación el hecho de que si este recurso se fundamenta a la vez en la infracción del Derecho civil común y en la del Derecho civil propio, será la Sala de lo Civil y Penal del TSJ respectivo el que resuelva ambos (art. 478.1.II LEC). En cualquier caso, si se suscitara alguna duda acerca de la competencia para conocer de la casación entre el TS y el TSJ, será el primero el que resuelva la cuestión, pues no puede el segundo declinar su competencia para conocer del recurso de casación que le haya sido remitido por el TS (art. 484.3 LEC). Sin olvidar que, si resulta procedente el recurso de casación, y éste se fundamenta en infracción constitucional —junto a otros motivos entre los que cabe incluir la infracción del Derecho civil especial o foral— el conocimiento del mismo corresponderá al TS (art. 5.4 LOPJ).

3. *Resoluciones recurribles*

Son recurribles en casación (art. 477.1 LEC) las sentencias que pongan fin a la segunda instancia dictadas por las Audiencias Provinciales. Ello excluye obviamente las sentencias de primera que no son apelables, esto es, las dictadas en los juicios verbales por razón de la cuantía cuando ésta no supere los 3000 euros (art. 455.1 LEC). Tras la reforma de 2023 aquellas sentencias dictadas en segunda instancia son recurribles sólo si las AP deben actuar como órgano colegiado. Hay que recordar que para el conocimiento de los recursos contra resoluciones de los Juzgados de Primera Instancia que se sigan por los trámites del juicio verbal por razón de la cuantía —cuando no excedan de 6000 euros—, la AP se constituirá con un solo magistrado (art. 82.2.1º LOPJ). Esta última limitación ya estaba contemplada en el Acuerdo no jurisdiccional de la Sala de lo Civil del TS, de 27 de enero de 2017, sobre criterios de admisión del recurso de casación, por lo que se incorpora ahora con carácter normativo en la LEC.

Este mismo Acuerdo, sin embargo, incluía también entre las irrecurribles las resoluciones de las AP que de forma equivocada habían adoptado la forma de sentencia en lugar de la de auto. También las sentencias de las AP adoptadas equivocadamente en forma colegiada. Esta segunda exclusión ha de entenderse comprendida en la nueva redacción de la LEC pues exige que se trate de sentencias en las que las AP «deban» actuar como órgano colegiado. Aunque no se haya trasladado al texto de la LEC, a buen seguro también se hará valer la irrecurribilidad de las sentencias que deberían adoptar la forma de auto.

Aunque no se pronuncie expresamente sobre ello la nueva redacción de la LEC, el Acuerdo de 2017 también excluía de la casación las sentencias dictadas por las AP que carezcan de la condición de sentencia dictada en segunda instancia por limitarse a acordar la nulidad y retroacción de las actuaciones o la absolución en la instancia, o por resolver una cuestión incidental. En estos supuestos la AP no procedería en la segunda instancia a resolver sobre el fondo.

Con las modificaciones sobre el recurso de casación incorporadas con el RD-ley 5/2023 han dejado de estar incluidas entre las sentencias recurribles las dictadas por las AP en los recursos contra las resoluciones que agotan la vía administrativa en materia de propiedad industrial por la Oficina Española de Patentes y Marcas. Se trata éste de un supuesto especial antes ubicado en el orden jurisdiccional contencioso-administrativo y que ahora, en virtud de la LO 7/2002, ha pasado al orden jurisdiccional civil y, en concreto, bajo la competencia de la AP (art. 82.2.3° LOPJ). Entendemos nosotros que se trata de un error de técnica legislativa —otro más— fruto de la precipitación con la que se procede a la reforma del recurso de casación. Este error se explica porque la urgente reforma de 2023 rescata el nuevo contenido del art. 477 LEC del texto del Proyecto de Ley remitido al Congreso en abril de 2022, mientras que la posibilidad de recurrir en casación las sentencias en materia de patentes y marcas dictadas en primera instancia se incorpora al art. 477 LEC con posterioridad fruto de la LO 7/2022 mencionada, que es de 27 de julio. Consideramos, pues, que solventado el error habrán de incluirse estas nuevas sentencias de la AP entre las recurribles en casación.

Los autos, en principio, no son recurribles en casación. Salvo que se trate de autos —también sentencias— dictados en apelación por las AP en procesos sobre reconocimiento y ejecución de sentencias extranjeras en materia civil y mercantil al amparo de tratados y convenios internacionales, así como de Reglamentos de la UE u otras normas internacionales, cuando la facultad de recurrir se reconozca en el correspondiente instrumento (art. 477.1 LEC). Quedan por lo tanto al margen del control en casación una relación amplia de autos recurribles con anterioridad a la LEC 2000, e incluso en el diseño originario de esta última eran susceptibles del recurso extraordinario por infracción procesal (art. 468 LEC). Sin embargo, este régimen nunca estuvo vigente y se condicionó el recurso extraordinario por infracción procesal a la recurribilidad en casación de la sentencia (DF 16ª).

En aquéllas CC.AA. que cuenten con Derecho civil, foral o especial propio y éste contemple un recurso de casación civil, habrá de estarse a lo que se disponga al respecto. La Ley 4/2022 que regula el recurso de casación civil vasco, por ejemplo, incluye entre las resoluciones recurribles determinados autos definitivos de las AP (art. 3.3). La homónima Ley 4/2012 catalana, por su parte, se refiere a la recurribilidad en casación de las «resoluciones en materia civil» de las AP (art. 2.1). Con análoga amplitud contemplaba la Ley gallega 11/1993 un catálogo de resoluciones recurribles más allá de las sentencias definitivas de las AP, pero la misma fue declarada inconstitucional sobre este punto (STC 47/2004), dejando a salvo la inexigencia de cuantía litigiosa mínima para recurrir en casación.

4. Motivo (único) del recurso de casación

Como se viene indicando hasta ahora, la reforma de la casación civil mediante el RD-ley 5/2023 ha supuesto el abandono de la división instaurada por la LEC 2000 entre dos recursos extraordinarios distintos —extraordinario por infracción procesal y casación— en función de la naturaleza procesal o sustantiva de la norma cuya infracción se pretendía denunciar. Aquellos dos recursos extraordinarios se unifican ahora en un único recurso, el de casación.

Con anterioridad, tanto en la redacción de la LEC 2000 antes de la mencionada reforma, como en previos antecedentes legislativos (LEC de 1855, LEC de 1881 y esta última modificada en 1984), se enunciaban y se enumeraban una pluralidad de causas o motivos en que podía fundamentarse el recurso de casación y que por regla general se agrupaban en dos categorías: las causas o motivos que comprendían una infracción de ley —sustantiva—, por un lado, y las causa o motivos indicativos de un quebrantamiento de forma o procesal.

Sin embargo, la arriba indicada unificación de los anteriores recursos extraordinarios en uno no ha conllevado la enumeración ordenada de una pluralidad de causas o motivos de casación en la se recogieran con carácter más o menos detallado posibles manifestaciones de unas u otras infracciones. Paradójicamente, el encabezado del precepto relativo a las causas en que puede fundarse la casación se refiere al «motivo del recurso de casación», así, en singular (art. 477.2 LEC). En todo caso, el mismo precepto añade que el recurso de casación habrá de fundarse en infracción de norma procesal o sustantiva. Podemos concluir, pues, que el motivo es único: la infracción de norma, pero ésta puede ser procesal o sustantiva.

La razón de ser de esta aparente simplificación parece radicar en las dificultades que entraña en ocasiones el deslinde de la naturaleza procesal o sustantiva de la norma infringida. Son recurrentes, por ejemplo, las dudas que suscita al respecto la institución de la legitimación. Es más, el Preámbulo del RD-ley 5/2023 (también la Exposición de Motivos del Proyecto de Ley de eficiencia procesal del que aquél trae causa) se refiere expresamente a las dificultades de deslinde nítido entre normas sustantivas y sus implicaciones procesales con las que se enfrentan las partes y también los tribunales en materias que afectan a amplios sectores de la sociedad y en las que tiene un peso cada vez más importante el Derecho de la UE y la jurisprudencia del TJUE. Buen ejemplo de lo dicho lo constituye la posibilidad de impugnar en casación determinados pronunciamientos en materia de costas procesales, pero no como infracción procesal, sino por infracción de la normativa de la UE (sobre todo derivada de la Directiva 93/13/CEE, sobre cláusulas abusivas en materia de consumo).

En todo caso, aunque se hayan unificado en un solo recurso, el de casación, los dos recursos extraordinarios existentes hasta ahora y el motivo en que pueda fundarse sea único, la infracción de norma, diferenciaremos a efectos didácticos esta doble modalidad. Como tendremos ocasión de comprobar, los requisitos a satisfacer se diferencian en algunos aspectos según se trate de infracción de norma procesal o sustantiva, y los efectos de la resolución estimatoria también son diversos en un caso y en otro. También resulta posible denunciar cumulativamente en un mismo escrito la infracción de ambos tipos de normas, pero cada infracción se ha de articular como un motivo distinto y separado de los restantes (art. 481.2 LEC).

A) Infracción de norma procesal

El recurso de casación se puede fundar en infracción de norma procesal (art. 477.2 LEC). Como se ha venido insistiendo, el diseño original de la LEC 2000 nunca estuvo vigente y se sustituyó transitoriamente —nada menos que durante 23 años— por otro en el que la denuncia de la infracción de normas procesales a través del extraordinario por infracción procesal quedaba supeditado al recurso de casación. Esto es, no podía interponerse de forma autónoma, sino en supuestos muy limitados (cuantías de más de 600.000 euros o tutela judicial civil de derechos fundamentales, excepto los reconocidos en el art. 24 CE). Esto ha conducido —como ha destacado la doctrina y el mismo Proyecto de Ley de eficiencia procesal, de abril de 2022, del que la reforma actual trae causa— a que se haya limitado injustificadamente la función nomofiláctica del TS en la interpretación del ordenamiento procesal. Esto ha de cambiar radicalmente con el nuevo recurso de casación, máxime cuando a partir de ahora ha de concurrir también interés casacional al denunciar a través de dicho recurso la infracción de normas procesales, con la única excepción que veremos más adelante.

La primera cuestión a dilucidar es la concreción de las causas que pueden ser alegadas para fundar esta modalidad de casación. El cambio que ha supuesto el RD-ley 5/2023 es sustancial al respecto. El derogado recurso extraordinario por infracción procesal establecía un catálogo cerrado de motivos (art. 469.1 LEC), interpretados restrictivamente. La regulación en vigor sustituye ese catálogo por una cláusula general: infracción de norma procesal. Ha de entenderse que aquel precepto, y todo el relativo a aquel recurso, ha quedado derogado tácitamente en virtud de la disposición derogatoria única del RD-ley 5/2023. El Proyecto de Ley de 2022 al que tantas veces nos hemos referido como fuente de la última reforma sí dejaba expresamente sin contenido todo el Capítulo IV relativo a dicho recurso extraordinario.

Lo anterior no significa que las causas o motivos a que se refiere el art. 469.1 LEC, tácitamente derogado, no se puedan alegar como fundamento de la casación. Muy al contrario, en la medida en que supongan infracción de norma procesal pueden ser aducidos. Pero ahora, conforme al régimen en vigor, no con carácter exclusivo ni excluyente. Con esta previa advertencia, y a título de muestra, no está de más exponer cuáles eran aquellos motivos:

➢ *Infracción de normas sobre jurisdicción y competencia.* Aquí tienen cabida la infracción de normas relativas a la extensión y límites de la jurisdicción de los tribunales civiles españoles; las relativas a la atribución de asuntos entre la jurisdicción civil, por un lado, y la Administración, o la jurisdicción militar o el Tribunal de Cuentas, por otro; o las relativas a la distribución de competencia objetiva, funcional o territorial.

➢ *Infracción de normas procesales reguladoras de la sentencia.* En esta causa se puede incluir la infracción de las normas reguladoras de los requisitos externos e internos que han de reunir las sentencias, así los requisitos formales y de contenido (art. 209 LEC); diversas sentencias del TS y el Acuerdo no jurisdiccional del TS de 2017 incluyen igualmente la infracción de lo dispuesto en los arts. 214 a 222 LEC, aunque en relación con las normas sobre la carga de la prueba (art. 217 LEC) se deben haber aplicado atribuyendo incorrectamente las consecuencias de la ausencia de prueba a la parte a la que no correspondía la carga de la misma.

➢ *Infracción de normas reguladoras de actos y garantías procesales causantes de nulidad o indefensión.* En este punto pueden ser alegadas las infracciones en las que expresamente se disponga por ley la nulidad de actuaciones (arts. 238 y ss. LOPJ; 68.4 LEC; 137.4 LEC). En el supuesto de posible indefensión, no es suficiente cualquier error de procedimiento, sino que dicha indefensión ha de ser efectiva y concreta, y ha de justificarse debidamente en el escrito de interposición (Acuerdo no jurisdiccional del TS de 2017).

➢ *Vulneración de derechos fundamentales reconocidos en el art. 24 CE.* Este motivo, incluido en el hoy derogado art. 469.1.4º LEC, representa una auténtica cláusula general en la que tienen cabida muchas de las infracciones arriba indicadas y que se encuentra en consonancia con la fórmula extensa empleada en el vigente art. 477.2 LEC.

Mención especial merece un supuesto específico contemplado expresamente en la LEC y vinculado con una cuestión controvertida, cual es el alcance del recurso de casación relacionado con la fijación del material fáctico. Dispone ahora al respecto la LEC que la valoración de la prueba y la fijación de hechos no podrán ser objeto de recurso de casación, «salvo error de hecho, patente e inmediatamente verificable a partir de las propias actuaciones» (art. 477.5 LEC). Esta exclusión de principio se corresponde con el carácter extraordinario de la casación. Como ha reiterado la jurisprudencia del TS al respecto, el recurso de casación no es una tercera instancia que permita una revisión del material fáctico. La valoración de la prueba corresponde, pues, a los tribunales de instancia. Pero esta exclusión presenta en la LEC la salvedad del error de hecho. Sobre este punto, conviene precisar:

➤ La doctrina del TS y el Acuerdo no jurisdiccional del mismo tribunal de 2017 han considerado que la naturaleza de la norma infringida en este supuesto es procesal. En concreto el derecho a la tutela judicial efectiva (art. 24.1 CE) y como tal ha tenido cabida hasta ahora en el supuesto arriba contemplado de vulneración de derechos fundamentales reconocidos en el art. 24 CE (art. 469.1.4º LEC, hoy derogado).

➤ Con anterioridad a su incorporación expresa al texto de la LEC, ya venía señalando el Acuerdo no jurisdiccional del TS de 2017 que dicho error había de reunir los siguientes requisitos: por un lado, tratarse de un error fáctico —material o de hecho—; y, por otro lado, ser patente, evidente e inmediatamente verificable de forma incontrovertible a partir de las actuaciones judiciales.

➤ Aunque no se mencione expresamente en la LEC, también ha de ser posible denunciar en casación la arbitrariedad en que la sentencia haya podido incurrir al valorar la prueba. Ya recogió dicha posibilidad excepcional un Acuerdo no jurisdiccional previo del TS, de 30 de diciembre de 2011, al afirmar que cabía plantear el recurso cuando «se demuestre que la valoración probatoria efectuada en la sentencia recurrida es arbitraria, ilógica o absurda». Aunque el posterior Acuerdo no jurisdiccional de 2017 se refiriera exclusivamente al error patente utilizando la fórmula que ahora se incorpora al art. 477.5 LEC, lo cierto es que la doctrina del TS ha seguido posteriormente la senda del Acuerdo de 2011 admitiendo que existe arbitrariedad cuando la resolución resulte de un proceso deductivo irracional o absurdo, o sea simple expresión de la voluntad sin fundamento en razón material o formal alguna [STS 141/2021, de 15 de marzo (*Tol 8356571*)].

En todo caso, cuando el fundamento del recurso consista en la infracción de normas procesales será imprescindible acreditar que previamente al recurso de casación se ha denunciado, de haber sido posible, la infracción en la instancia y que, de haberse producido en la primera, la denuncia se ha reproducido en la segunda instancia. Si la falta o el defecto fuera subsanable, deberá haberse pedido la subsanación en la instancia o instancias oportunas (art. 477.6 LEC). El incumplimiento de este presupuesto dará lugar a la inadmisión a trámite del recurso, bien por el tribunal *a quo* (art. 479.2 LEC), bien por el tribunal *ad quem* a quien corresponde conocer de la casación, que puede ser la Sala de lo Civil del TS o la Sala de lo Civil y Penal del TSJ correspondiente (art. 483 LEC).

B) Infracción de norma sustantiva

Tal y como se ha reiterado, el recurso de casación puede fundarse en infracción de norma procesal, visto más arriba, o de norma sustantiva (art. 477.2 LEC). En este supuesto, la norma quebrantada ha de ser material o sustantiva, no procesal, y la infracción ha de haberse producido en el denominado enjuiciamiento jurídico —*in iudicando*—, esto es, al determinar, interpretar y aplicar aquella norma para resolver el pleito. Se trata, por lo tanto, de la posible revisión del juicio jurídico sobre los hechos probados consistente en la calificación jurídica de los mismos y la subsunción en el supuesto de hecho previsto en la norma a partir de tales hechos. Debe tratarse, pues, de normas relevantes en el fallo o pronunciamiento. En este sentido, dispone la LEC que solo podrán denunciarse las infracciones que sean relevantes para el fallo (art. 481.3 LEC).

Las normas del ordenamiento jurídico de carácter sustantivo que se estimen infringidas a efectos de fundar el recurso de casación según esta modalidad pueden ser de diversa naturaleza. Así, puede tratarse de un precepto constitucional, pues la infracción de los mismos es motivo suficiente para fundamentar la casación (art. 5.4 LOPJ); también, por supuesto, de leyes formales o normas con rango de ley que pueden ser tanto procedentes del Estado como de las propias Comunidades Autónomas; igualmente de normas contenidas en tratados internacionales, pues una vez publicados oficialmente forman parte del ordenamiento jurídico (art. 96 CE), sin olvidar la cada vez mayor trascendencia que ocupan en las relaciones jurídicas las normas del Derecho de la Unión Europea; en principio, no cabe denunciar en casación la infracción de una norma reglamentaria, aunque la jurisprudencia lo admite cuando sirve de desarrollo de una ley sustantiva que le sirve de cobertura; también puede alegarse la infracción de una norma extranjera una vez se acredite que es la aplicable en el litigio; por último, se puede denunciar por este motivo la infracción de normas consuetudinarias y de principios generales del derecho, aunque en este último supuesto ha entendido el TS que dichos principios han de estar reconocidos como tal en la ley o en la jurisprudencia, que habrá que citar expresamente.

En todo caso, estas normas han de ser de naturaleza sustantiva o material y pertenecer al ámbito del derecho privado —civil y mercantil—, sin que pueda invocarse la infracción de normas administrativas, penales o laborales salvo que éstas hayan de ser observadas en la aplicación, interpretación o integración de una norma civil.

5. El interés casacional y su actual protagonismo

La naturaleza extraordinaria del recurso de casación se desprende igualmente de la exigencia de que concurra interés casacional para que el recurso interpuesto sea admitido y, en su caso, estimado. No es suficiente, por lo tanto, que la resolución sea recurrible y se alegue el motivo de infracción de norma procesal o sustantiva arriba indicado. El presupuesto de concurrencia de interés casacional se incorporó al ordenamiento procesal con la LEC 2000. En palabras del legislador, se trata del interés que presenta la resolución de un recurso de casación, trascendiendo más allá del interés de las partes en el proceso. Con ello se pretende crear autorizada doctrina jurisprudencial, bien por el TS, bien por los TSJ de las Comunidades Autónomas, en su caso. De este modo, garantizando la interpretación y aplicación uniforme de la norma, se afianza la igualdad de trato y la seguridad jurídica de los justiciables (Exposición de Motivos).

El requisito de concurrencia de interés casacional se ha venido reforzando mediante sucesivas reformas de la LEC y adquiere auténtico protagonismo con su generalización por las modificaciones incorporadas por el RD-ley 5/2023. Hasta esta última reforma existían tres vías de acceso a la casación: que se tratara de sentencias dictadas para la tutela civil de derechos fundamentales; que se tratara de un proceso de cuantía elevada —más de 600.000 euros—; y cuando la resolución del recurso presentara interés casacional. Además, la concurrencia de interés casacional era exclusiva del recurso de casación. Es decir, que el recurso extraordinario por infracción procesal no estaba condicionado a una exigencia similar, aunque el régimen transitorio al que nos hemos referido supeditara este recurso al de casación.

En la actualidad, también ha de concurrir interés casacional cuando se pretenda fundar la casación en la infracción de normas procesales, no sólo de las sustantivas. Por otra parte, en estos momentos también se requiere la concurrencia de interés casacional en los asuntos de elevada cuantía —hasta ahora la *summa gravaminis* era de 600.000 euros—. El único supuesto actualmente exento de justificar la concurrencia de interés casacional es el mencionado anteriormente de tratarse de sentencia dictada para la tutela civil de derechos fundamentales, al que nos referiremos. En conclusión, con la reforma de 2023 la LEC (art. 477.2) ha optado por generalizar la exigencia de que concurra interés casacional, reconociendo un papel protagónico a la finalidad casacional de fijar doctrina jurisprudencial y unificar los criterios de interpretación de las normas. No deja el legislador en manos del TS la concreción de lo que ha de entenderse por interés casacional, sino que dispone unos criterios objetivos concretos aplicables, tanto en el caso de la casación ante la Sala de lo Civil del TS, como en el de la casación ante las Salas de lo Civil y Penal de los TSJ en aquellas Comunidades Autónomas que cuenten con ella, que serían los siguientes (art. 477.3 LEC):

➤ *Oposición a la doctrina jurisprudencial del TS o de un TSJ.* Este supuesto presupone la existencia de jurisprudencia de los tribunales indicados en los términos del art. 1.6 CC, esto es, requiere doctrina reiterada de aquellos al interpretar y aplicar la ley, la costumbre y los principios generales del derecho. La reiteración de la doctrina exige, de otra parte, la concurrencia de varios pronunciamientos coincidentes (dos o más sentencias) contenidos en la parte dispositiva o fallo.

En consonancia con lo anterior, el Acuerdo no jurisdiccional del TS de 2017 requiere citar dos o más sentencias representativas de la jurisprudencia ignorada, salvo que se trate de sentencias del Pleno o de sentencias dictadas fijando doctrina por razón de interés casacional, en cuyo caso será suficiente la cita de una sola sentencia, siempre que no exista otra posterior que haya modificado su criterio. En la medida en que los tribunales españoles han de aplicar el Derecho de la UE de conformidad con la jurisprudencia del TJUE (art. 4 bis LOPJ), entiende el TS que en estos supuestos es suficiente con la cita de una sola sentencia de dicho tribunal.

Llevado a su extremo, este supuesto de interés casacional puede conducir a la petrificación de la jurisprudencia y a que ésta no se adapte a la cambiante realidad social o a la evolución en la manera de interpretar determinada materia. Por esa razón, ha entendido el Acuerdo no jurisdiccional del TS de 2017 que no será imprescindible la cita de sentencias cuando, a criterio de la Sala Primera del TS, la parte recurrente justifique debidamente la necesidad de establecer jurisprudencia o modificar la ya establecida en relación al problema jurídico porque haya evolucionado la realidad social o la común opinión de la comunidad jurídica sobre una determina materia. En todo caso, es compartida entre la doctrina la opinión de que la reforma de la LEC de 2023 introduce cauces más adecuados que éste para la modificación de jurisprudencia.

➤ *Existencia de jurisprudencia contradictoria de las AP.* En este supuesto deben existir soluciones diferentes para el mismo problema por parte de distintas Audiencias y, además, no debe existir jurisprudencia del TS sobre dicho problema. El mencionado Acuerdo no jurisdiccional del TS de 2017 entiende que esos criterios dispares entre secciones de las AP han de poder calificarse como jurisprudencia operativa en el grado jurisdiccional correspondiente a dichos tribunales al mantenerse con la suficiente extensión e igual nivel de trascendencia.

Al igual que en el supuesto anterior, también aquí se debe de acreditar la contradicción mediante la cita en el escrito de interposición del recurso de al menos dos sentencias coincidentes de la misma sección de una Audiencia adoptadas colegiadamente y otras dos sentencias de otra Audiencia que, con idénticos requisitos, resuelvan en un sentido contrario. Salvo que resulte notoria la existencia de tal contradicción a criterio del TS (Acuerdo no jurisdiccional del TS de 2017).

Aunque no se precise, se entiende que en las Comunidades Autónomas con Derecho civil propio la jurisprudencia contradictoria entre Audiencias se limitará a las que tengan su sede en la demarcación territorial del TSJ respectivo y resuelvan conforme a aquel Derecho civil propio en cualquier caso.

➤ *Inexistencia de jurisprudencia sobre la norma aplicada.* La reforma del RD-ley 5/2023 ha venido a simplificar una modalidad de interés casacional ya existente antes de la misma. En concreto se refería a la inexistencia de doctrina jurisprudencial en relación a una norma con una vigencia de no más de cinco años. Con buen criterio se suprime el límite temporal de vigencia de la norma; lo determinante pasa a ser la inexistencia de jurisprudencia en relación a la misma, pues puede ocurrir, como contemplaba el precepto que analizamos antes de la reforma, que pese a la novedad normativa existiera doctrina jurisprudencial del TS en relación a normas anteriores de igual o similar contenido.

➤ *Concurrencia de interés casacional notorio.* El RD-ley 5/2023 ha incorporado una nueva modalidad de interés casacional que denomina notorio y que se vincula a un concepto jurídico indeterminado, esto es, a «que la cuestión litigiosa sea de interés general para la interpretación uniforme de la ley estatal o autonómica» (art. 477.4 LEC). A diferencia de las tres variantes de interés casacional hasta ahora analizadas, en las que es el legislador el que concreta el significado de cada una de ellas, en este nuevo supuesto la discrecionalidad del TS o de los TSJ resulta evidente al resolver sobre la admisión o inadmisión del recurso, pues conforme al precepto mencionado serán dichos tribunales los que «podrán apreciar» la existencia del interés casacional notorio y la concurrencia del interés general en la interpretación uniforme de la ley.

Tomando como fundamento la versión que de tal precepto recogía el Proyecto de Ley de eficiencia procesal, interpretó cierto sector de la doctrina que el nuevo interés casacional notorio constituía la vía adecuada para la modificación de una jurisprudencia asentada pero poco ajustada a un contexto que evoluciona. Sin embargo, durante la tramitación parlamentaria y a través de enmienda se añade al art. 477.4 LEC un inciso final conforme al cual existe interés general cuando la cuestión afecte potencial o efectivamente a un gran número de situaciones, bien en sí misma o por trascender del caso objeto del proceso. Este añadido se ajusta sobremanera a situaciones como las que afectan a un gran número de consumidores y usuarios en materias como las cláusulas abusivas que tanta litigiosidad han generado con fundamento en la normativa de la UE al respecto. Posible interpretación que ya apuntaba un sector de la doctrina con anterioridad a la concreción de lo que ha de entenderse por interés general conforme a la redacción definitiva del precepto. Si esa definición legal del interés general se interpreta con rigurosidad nos hallaremos ante una modalidad reglada más de interés casacional y no ante una oportunidad de actuación discrecional y dotada de flexibilidad reconocida al TS y a los TSJ.

Como se ha indicado más arriba, la concurrencia del interés casacional en la resolución del recurso puede producirse igualmente en relación con las normas de Derecho civil propio de una Comunidad Autónoma si es el TSJ respectivo el que ha de conocer del recurso de casación. Sobre este punto, la situación jurídica en las Comunidades que cuentan con regulación propia en materia de casación es variada. La ley gallega, por ejemplo, no hace ninguna mención a la concurrencia del interés casacional; la ley aragonesa contiene una definición del interés casacional coincidente con la general de la LEC, salvedad de la desaparecida limitación a la vigencia temporal de cinco años de las normas (art. 3). Sin embargo, sí que presentan llamativas diferencias las leyes vasca y catalana. Según la primera, existe también interés casacional en los casos en que la resolución recurrida se oponga a la doctrina histórica reiterada establecida con anterioridad a la creación del TSJ o cuando el recurrente justifique la necesidad de modificar la jurisprudencia previamente establecida (art. 4). Conforme a la ley catalana, el acceso a la casación no se condiciona a una determinada vigencia temporal de la norma, y la contradicción entre la jurisprudencia de varias Audiencias no se menciona como modalidad de interés casacional (art. 3).

El único supuesto en el que no se exige en la actualidad la concurrencia de interés casacional para acceder a la casación se limita a la impugnación de las sentencias dictadas para la tutela judicial civil de derechos fundamentales susceptibles de amparo (art. 477.2 LEC). La tutela judicial del derecho fundamental ha de haber constituido la pretensión del proceso civil, así lo ha entendido el Acuerdo no jurisdiccional del TS de 2017 haciendo una remisión expresa al contenido del art. 249.1.2º LEC. Este último precepto se refiere a la tutela judicial civil del derecho al honor, a la intimidad y a la propia imagen, y a cualquier otro derecho fundamental, salvo el de rectificación. La exclusión de la concurrencia de interés casacional en este supuesto carece de justificación. El acceso incondicionado a la casación no se explica cuando la decisión del TS sobre esta materia puede ser revisada por el TC, máximo intérprete constitucional, e incluso por el TEDH.

IV. PROCEDIMIENTO DEL RECURSO DE CASACIÓN

Una vez derogado el recurso extraordinario por infracción procesal se ha simplificado extraordinariamente la tramitación del de casación. Se ha repetido que ambos recursos extraordinarios se tramitaban y resolvían separadamente ante los TSJ el primero y ante el TS el segundo. Pero este diseño de la LEC 2000 nunca entró en vigor y se atribuyó el conocimiento de ambos a la Sala de lo Civil del TS a través de un complejo esquema que con una transitoriedad de veintitrés años fijó la DF 16ª de la LEC. Antes de exponer las distintas fases o trámites que componen el procedimiento del recurso de casación conviene advertir que la LEC otorga preferencia a la tramitación de los recursos de casación en los casos relativos a los procedimientos testigo (art. 479.3 LEC). Se trata de una consecuencia de la precipitación con la que el RD-ley 5/2023 extrae lo relacionado con la casación del Proyecto de Ley de eficiencia procesal que sí incluía la regulación de aquellos procedimientos testigo, pero que no se han incorporado definitivamente a la LEC.

1. Interposición del recurso

Al igual que en la mayoría de los recursos devolutivos, salvo el de queja, este trámite se lleva a cabo ante la AP que dictó la resolución que se recurre (*a quo*) con la presentación en plazo del escrito de interposición que es de veinte días desde el siguiente a la notificación de aquélla (art. 479.1 LEC).

El contenido del escrito de interposición es aparentemente sencillo, pero una lectura de los Acuerdos no jurisdiccionales del TS al respecto (sobre todo el de enero de 2017) evidencia que existe un elevado riesgo de inadmisión del mismo si no se observan los requisitos de forma, estructura o incluso de extensión que en dichos Acuerdos se perfilan. Hasta tal punto han sido trascendentes los criterios interpretativos fijados en tales Acuerdos, que el legislador de 2023 ha optado por incorporarlos parcialmente al texto de la LEC. En todo caso, este mayor rigor en la fijación de los requisitos formales para la interposición y, en su caso, admisión de un recurso extraordinario como el de casación ha sido avalado por el TC al no tratarse de un primer acceso a la tutela judicial. Sin embargo, conviene no olvidar la jurisprudencia del TEDH en el sentido de que un excesivo formalismo jurídico puede ir en contra de la exigencia de garantizar el derecho a la tutela judicial efectiva (art. 6.1 CEDH).

En este escrito se ha de identificar el cauce de acceso a la casación. Actualmente, con la salvedad arriba indicada, solo puede ser la concurrencia de interés casacional, pero en este caso habrá de identificarse la modalidad que se invoca (oposición a la jurisprudencia del TS, jurisprudencia contradictoria de las Audiencias, etc.) y justificar su concurrencia con la necesaria claridad (art. 481.1 LEC).

En cuanto a la estructura del escrito de interposición, dispone la ley que el recurso se articulará en motivos. Un motivo diferenciado por cada una de las infracciones de norma sustantiva o procesal que se estime cometida, sin que puedan acumularse. Cada uno de estos motivos se iniciará con un encabezamiento que contendrá la cita precisa de la norma infringida y el resumen de la infracción cometida, y en su desarrollo se expondrán con claridad los fundamentos de cada uno de ellos. El recurso de casación no permite suscitar cuestiones nuevas que no hayan sido invocadas oportunamente en la instancia respectiva y ha de tratarse de infracciones relevantes para el fallo que afecten a la *ratio decidendi* de la sentencia (art. 481 LEC). Por supuesto habrá de acreditarse la concurrencia de interés casacional, si es esa la vía de acceso a la casación, con la cita de las sentencias que en número suficiente justifiquen la oposición a la jurisprudencia del TS, la jurisprudencia contradictoria entre Audiencias o, de ser el caso, la inexistencia de doctrina jurisprudencial relativa a la norma que se considere infringida, y acompañando copia de las sentencias, código de verificación o certificado de las mismas (art. 481.6 LEC).

Si fuera de naturaleza procesal la norma que se considera infringida y que fundamenta el recurso de casación se habrá de acreditar igualmente que se denunció la infracción procesal cometida en la instancia correspondiente, y que de ser la falta o defecto subsanable se solicitó en el momento procesal oportuno (arts. 477.6 y 479.2 LEC).

El escrito de interposición concluye con la petición de los pronunciamientos que interesen sobre el objeto del pleito o la doctrina procesal que se interese de la Sala, en su caso. También se podrá pedir la celebración de vista (art. 481.1 LEC). La petición de doctrina jurisprudencial que interese puede interpretarse en el sentido de que no existe la misma y es necesaria o en el sentido de que existe pero conviene modificarla para adaptarla a un contexto diferente.

El Acuerdo no jurisdiccional del TS de 2017 contempla con detalle incluso la extensión máxima del escrito, el interlineado y fuente conveniente, y el tamaño de la misma. Estas cuestiones, con la reforma de la LEC de 2023, se determinarán ahora mediante acuerdo de la Sala de Gobierno del TS que se publicará en el BOE (art. 481.8 LEC).

2. *Control de admisión ante el tribunal* a quo *(queja en su caso)*

Una vez presentado el escrito de interposición ante el mismo tribunal que dictó la resolución que se impugna, corresponde a éste realizar un primer examen acerca de la admisibilidad del recurso. Corresponde en concreto al LAJ de la AP verificar que la resolución es recurrible, que se ha interpuesto en plazo y que, si el recurso se funda en infracción de norma procesal, se acredite la denuncia de la misma y el intento de subsanación en su caso. Si el LAJ del tribunal *a quo* entiende que se cumplen dichos requisitos tendrá por interpuesto el recurso y en caso contrario lo pondrá en conocimiento del tribunal para que se pronuncie sobre la admisión. Si éste entiende que se cumplen los requisitos de admisión lo declarará así mediante providencia y en caso contrario lo inadmitirá mediante auto. En este último supuesto, en la medida en que se obstaculiza la continuidad de la tramitación del recurso, procederá el recurso de queja ya analizado —v. lecc. 19ª— (art. 479.2 LEC).

Tal como ha concretado el TS en su Acuerdo no jurisdiccional de 2017, existen otros requisitos de admisibilidad de carácter general o específico que han de ser objeto de examen también por el tribunal *a quo*, así, la falta de postulación, falta de constitución de depósito, falta de cumplimiento de los presupuestos para recurrir en los casos especiales del art. 449 LEC, inexistencia de gravamen para recurrir, etc.

3. *Remisión de los autos y control de admisión ante el tribunal* ad quem

Presentado el escrito de interposición, el LAJ del tribunal *a quo* remitirá en el plazo de cinco días los autos originales a la Sala de lo Civil del TS o, en su caso, a la Sala de lo Civil y Penal del TSJ correspondiente emplazando a las partes por término de treinta días. Si el recurrente no compareciere en plazo, el LAJ declarará desierto el recurso y firme la resolución recurrida (art. 482.1 LEC).

Recibidos los autos en el tribunal competente para resolver el recurso (*ad quem*) se procederá en éste a realizar el segundo examen o control sobre la admisibilidad del mismo, que también es doble. En primer lugar, el LAJ del órgano *ad quem* (TS o TSJ) comprobará que el recurso de casación se ha interpuesto en tiempo y forma, incluyendo, en el caso de infracciones procesales, la denuncia previa en la instancia, así como la constitución de los depósitos para recurrir y de los requisitos particulares del art. 449 LEC, en su caso. A diferencia del LAJ del órgano *a quo*, el LAJ del órgano *ad quem* sí puede inadmitir a trámite el recurso mediante decreto (art. 483.1 LEC). En cuanto que impide la continuación del procedimiento este decreto ha de ser susceptible de revisión directa ante el TS o TSJ, en su caso, aunque no lo diga expresamente el precepto.

Si concurren los requisitos anteriores el LAJ elevará las actuaciones a la Sección de Admisión de la Sala de lo Civil del TS o a la Sala de lo Civil y Penal del TSJ, en su caso, para que se pronuncie sobre la admisión del recurso. Esta es la decisión más relevante en la práctica, pues este filtro previo permite excluir del examen sobre el fondo la inmensa mayoría de los recursos de casación que se interponen. Paradójicamente, la nueva redacción de la LEC al respecto (art. 483.3) nada tiene que ver con el mayor detalle de la regulación precedente y mucho menos con la exhaustividad con que los Acuerdos no jurisdiccionales del TS sobre la cuestión (sobre todo los de 2017) abordaban las causas justificativas de la inadmisión. Máxime cuando con la reforma de 2023 la concurrencia del interés casacional parece haber asumido la centralidad de la nueva configuración de la casación. Nada se dice ahora acerca de la inadmisión del recurso fundada en la inexistencia de interés casacional o en la carencia manifiesta de fundamento o en la resolución en el fondo recursos sustancialmente iguales.

Sin embargo, esta parquedad regulatoria se explica perfectamente con el radical cambio de orientación que se pretende dar con la reforma de 2023 a esta trascendental fase de admisión. Aproximadamente más del 80 % de los recursos interpuestos (datos del RD-ley 5/2023) no superan este trámite. Lo que implica que la mayor parte del esfuerzo del órgano *ad quem* (TS o TSJ) se destina a inadmitir el recurso de casación y, sobre todo, a justificar motivadamente en el auto respectivo las razones de dicha inadmisión. En el nuevo escenario la transformación es evidente. El mensaje que se pretende transmitir es que la inadmisión será la regla general y que esta decisión no merece excesiva dedicación de la Sala respectiva, pues será suficiente para acordarla una providencia sucintamente motivada que declarará la firmeza de la resolución recurrida. Providencia que, además, no es susceptible de recurso alguno (art. 483.4 LEC). Por el contrario, la Sala que admita a trámite el recurso lo hará por medio de auto, motivado por lo tanto, en el que justifique las razones por las que dicha Sala debe pronunciarse sobre la cuestión o cuestiones planteadas en el recurso (art. 483.3 LEC). Este auto tampoco es susceptible de recurso (art. 483.4 LEC).

En este trámite de admisión, la Sala correspondiente del tribunal *ad quem* ha de examinar su propia competencia para conocer del recurso de casación, antes de pronunciarse sobre la admisibilidad del mismo. Si no se considera competente, acordará, previa audiencia de las partes y del MF, la remisión de las actuaciones y el emplazamiento de las partes para que comparezcan ante la Sala que se estime competente (art. 484.1 LEC).

De otra parte, desaparece con la reforma de 2023 el trámite concedido a las partes personadas por el que podían formular alegaciones una vez la Sala les anticipaba la posible causa de inadmisión antes de resolver. Este trámite tenía escasa virtualidad, pues el TS ha aclarado que el mismo no permite subsanar, fuera de plazo, los defectos de que adoleciera el escrito de interposición, por lo que presentaba más inconvenientes (más trabajo, dilación, mayores costes, etc.) que ventajas.

4. Oposición y eventual vista

Admitido el recurso de casación se da traslado del escrito de interposición a la parte o partes recurridas y personadas para que formalicen por escrito su oposición al recurso en el plazo de veinte días y puedan manifestar si consideran necesaria la celebración de vista (art. 485 LEC). La parte recurrida puede oponerse a la admisión del recurso al comparecer ante el tribunal de casación (art. 479.2.III LEC), antes, pues, de que el tribunal *ad quem* decida sobre la admisión, y no en el escrito de oposición como ocurría antes de la reforma de 2023.

Háyanse presentado o no los escritos de oposición, transcurrido el plazo fijado para ello, el LAJ señalará día y hora para la celebración de vista siempre que el tribunal de casación lo considere conveniente para la mejor impartición de justicia. En caso contrario, la Sala correspondiente señalará día y hora para la deliberación, votación y fallo del recurso de casación (art. 486.1 LEC). La celebración o no de la vista antes de resolver el recurso queda al criterio del tribunal de casación sobre su conveniencia. Desaparece de este modo la preceptiva celebración de vista contemplada antes de la reforma de 2023 en caso de solicitarlo todas las partes. Conforme al Acuerdo no jurisdiccional del TS de 18 de diciembre de 2019, el día señalado para la deliberación, votación y fallo ha de considerarse como límite temporal a los actos de disposición de las partes procesales sobre el objeto. Esta restricción temporal se entiende atendiendo a la situación de colapso del TS y a la necesidad de evitar esfuerzos infructuosos de sus integrantes. Además, estaba contemplada en el Proyecto de Ley de eficiencia procesal (art. 19.1.II) de la que trae causa el RD-ley 5/2023.

En caso de celebrarse la vista, comenzará con el informe de la parte recurrente, para después proceder al de la parte recurrida. Si fueran varias las partes recurrentes o las partes recurridas, se estará al orden de interposición de los recursos y al orden de las comparecencias respectivamente. La comentada reforma de 2023 incorpora la facultad reconocida a la Sala para indicar a los abogados de las partes y, en su caso al MF, el tiempo del que disponen para sus informes y las cuestiones que considera de especial interés (art. 486 LEC).

5. Decisión sobre el recurso y sus efectos

La decisión del recurso se hace por regla general mediante sentencia que se dictará dentro de los veinte días siguientes al de finalización de la deliberación. Como salvedad, podrá decidirse también en idéntico término mediante auto cuando se estima que existe ya doctrina jurisprudencial sobre la cuestión o cuestiones planteadas y que la resolución impugnada se opone a dicha doctrina. La novedad que incorpora la reforma de 2023 no es tanto lo relativo a la forma que adopta la resolución estimatoria, sino sus consecuencias, esto es, el mencionado

auto se limitará a casar la resolución recurrida, pero utilizando la técnica del reenvío, devolverá el asunto al tribunal de su procedencia para que dicte una nueva resolución de acuerdo con aquella doctrina jurisprudencial (art. 487.1 LEC).

Esta técnica del reenvío supone una descarga de trabajo importante para el
tribunal de casación, pues lo procedente en los casos de infracción de norma
sustantiva o de norma procesal reguladora de la sentencia es que una vez casada
la resolución impugnada proceda a dictar nueva sentencia corrigiendo dichas
infracciones. Esta novedad ha originado cierta polémica en la medida en que,
según un sector doctrinal, se está reconociendo valor normativo vinculante a
la doctrina jurisprudencial, esto es, valor de fuente de derecho y no de complemento del ordenamiento jurídico como predica el art. 1.6 CC. Pero puede
entenderse, de otro modo, que nos encontramos ante un supuesto de corrección
realizada por los tribunales superiores respecto de la aplicación o interpretación
del ordenamiento jurídico realizada por los inferiores en el orden jerárquico ad-
ministrando justicia en virtud de los recursos —casación— legalmente previstos
(art. 12.2 LOPJ).

Por lo demás, resulta llamativa la parquedad con la que la LEC aborda tras
la reforma de 2023 los efectos o consecuencias de la estimación del recurso de
casación. Sobre todo si lo comparamos con el mayor detalle con que lo hacía
con anterioridad a dicha reforma. Lo único resaltable es que, con toda lógica,
se dispone actualmente que si se denuncian distintas infracciones procesales y
sustantivas, la Sala resolverá en primer lugar el motivo o motivos cuya eventual
estimación determine una reposición de las actuaciones (art. 487.3 LEC).

La reposición de actuaciones en el caso de estimación suele constituir la regla
en la infracción de normas procesales. No así en la de las normas sustantivas,
pues en este supuesto el tribunal de casación casa la resolución recurrida y resuelve a continuación sobre el caso. Pero no siempre es clara esta división, pues
la estimación de determinadas infracciones procesales reguladoras de la sentencia se traduce en una anulación de la sentencia, seguida de una corrección del
vicio y posterior resolución sobre el objeto por parte del tribunal de casación. Es
probable que esta indeterminación en cuanto a los efectos de la sentencia estimatoria sea deliberada y se haya querido reservar al tribunal de casación cierto
margen de libertad en la decisión de devolver las actuaciones a la Audiencia respectiva o pronunciarse definitivamente sobre el fondo del asunto.

En todo caso, contra la sentencia o el auto que resuelva el recurso de casación
no cabrá recurso alguno y los pronunciamientos de la sentencia que se dicte en
casación no afectarán a las situaciones jurídicas fijadas por las sentencias, distintas de la impugnada, que se hubieran invocado (art. 487.4 y 5 LEC).

Lección 22ª

IMPUGNACIÓN DE LA COSA JUZGADA

SILVIA BARONA VILAR

BIBLIOGRAFÍA BÁSICA

ALVÁREZ SÁNCHEZ DE MOVELLÁN, P., *El incidente de nulidad de actuaciones. Solución o problema frente a la resolución firme*, Marcial Pons, Madrid, 2015.

MONTERO AROCA, J./ FLORS MATÍES, J., *Tratado de recursos en el proceso civil*, Tirant lo Blanch, Valencia, 2 ed., 2014.

SIGÜENZA LÓPEZ, J., *La revisión de sentencias firmes en el proceso civil*, Thomson-Aranzadi, Pamplona, 2007.

I. SUPUESTOS DE IMPUGNACIÓN DE LA COSA JUZGADA

La seguridad jurídica impide que el proceso pueda continuar de forma ilimitada mediante sucesivos medios de ataque o impugnación de las resoluciones que se dicten, y es por ello que otorga firmeza e invariabilidad a las resoluciones, no pudiendo ser recurridas por los medios de impugnación (art. 207.2 LEC), ordinarios o extraordinarios. La eficacia de cosa juzgada convierte las resoluciones en irrevocables e inimpugnables y a lo resuelto en el proceso anterior, en invariable.

Ello no es óbice a que, en casos específicos, fundados en razones de justicia o para dar debido cumplimiento a la defensa de derechos y garantías, pueda ser posible la impugnación de la cosa juzgada. No se trata de recursos, porque no lo son, sino de cauces o medios que permiten cuestionar no la resolución en sí, sino el «status procesal», al aparecer circunstancias que permiten, de forma excepcional, ese cuestionamiento, alterando la eficacia de cosa juzgada. Ahora bien:

> ➤ La impugnación de la cosa juzgada es excepcional, restringida a los medios y las causas establecidas en la ley.

> ➤ Es posible plantear esta impugnación de la cosa juzgada a través de la petición de rescisión de sentencias firmes dictadas en rebeldía del demandado con nueva audiencia al rebelde, el proceso de revisión de sentencias firmes, y a través de la nulidad de actuaciones.

II. RESCISIÓN DE SENTENCIAS FIRMES Y AUDIENCIA AL REBELDE

Cuando el demandado no comparece en forma en la fecha o en el plazo señalado en la citación o emplazamiento, se produce la declaración de rebeldía del demandado (art. 496.1), bien por el LAJ o por el Tribunal en los supuestos en que por ley así corresponda (V. Lecc. 9ª). Se procede a notificar esta declaración de rebeldía al demandado en los términos establecidos en el art. 497 LEC, continuando el proceso en ausencia del demandado y sin efectuar más notificación que la de la resolución que pone fin al proceso.

Contra esta resolución firme que pone fin al proceso con el demandado en rebeldía es posible plantear esta rescisión de la sentencia firme a instancia del rebelde, en los términos de los arts. 501 a 508 LEC, con nueva audiencia al rebelde.

1. Fundamento y naturaleza

La LEC le atribuye una doble función sucesiva:

> ➤ Por un lado, es un medio para la rescisión de la sentencia firme dictada en rebeldía, que no es recurso, sino una pretensión constitutiva de rescisión de la sentencia firme; y,

> ➤ Por otro, tras la rescisión, la audiencia al rebelde, como cauce para dar debido cumplimiento al derecho de contradicción.

Puede considerarse, en consecuencia, que su fundamento se encuentra en el derecho fundamental de defensa o derecho a ser oído —contradicción— en el proceso, como manifestación del derecho a la tutela judicial efectiva del art. 24 CE. Se pretende, por ello, paliar la situación procesal de condena del demandado ausente en el proceso, que no pudo ser oído en el mismo por causas a él no imputables.

2. Competencia y legitimación

> ➤ *Competencia*: El planteamiento de esta rescisión de la sentencia firme y la audiencia al rebelde implica en su desarrollo procedimental la concurrencia de dos fases:

- En la primera, se solicita la rescisión de la sentencia y debe plantearse ante el tribunal que hubiere dictado la sentencia cuya rescisión se solicita (art. 501, I);

- En la segunda fase, en la que se desarrolla la audiencia —fase rescisoria— el órgano competente es aquel que conoció de la primera instancia del juicio.

➢ *Legitimación:* solo está legitimado el demandado que haya permanecido constantemente en rebeldía en el proceso (art. 501.I), bien porque no tuvo conocimiento de su existencia o bien porque, aun teniéndolo, concurrió fuerza mayor ininterrumpida que le impidió comparecer.

3. *Requisitos*

➢ *Conditio sine qua non* es la existencia de una sentencia firme con efectos de cosa juzgada (art. 503). Esto implica que es posible plantear esta petición rescisoria y la resarcitoria (audiencia del rebelde) en todo tipo de procedimiento en los que se finaliza con sentencia con cosa juzgada.

➢ Solicitada tan solo por el demandado (ni por tercero ni por el actor) que ha permanecido constantemente en rebeldía, esto es, ni se hubiere personado al inicio del proceso cuando se le citó o emplazó, ni en momento posterior durante la pendencia del proceso, ni tampoco interpuso recurso contra la sentencia en los términos del art. 500.

➢ La rebeldía de demandando no debió ser fruto de la voluntad del mismo, de manera que no compareció por alguna de las causas que se establecen en el art. 501, a saber:

a) Por fuerza mayor ininterrumpida, que impidió al rebelde comparecer en todo momento, aunque haya tenido conocimiento del pleito, por haber sido citado o emplazado en forma.

b) Por desconocimiento de la demanda y del pleito, que pudo deberse a que la citación o emplazamiento se hubiera practicado por cédula (art. 161) pero no hubiere llegado a poder del demandado rebelde por causa no imputable; o bien porque hubiere sido citado o emplazado por edictos y haya estado ausente del lugar en que se haya seguido el proceso y de cualquier otro lugar del Estado o de la Comunidad Autónoma, en cuyos Boletines se hubiere publicado.

4. Plazo

El art. 502 LEC establece los plazos de caducidad (deben ser tenidos en cuenta de oficio) dentro de los cuales habrá que formular la petición de rescisión y de audiencia al rebelde:

a) Si la notificación se realizó personalmente, cuenta con veinte días, a partir de la notificación de la sentencia firme.

b) Si la notificación no fue personal sino por edictos, contará con cuatro meses a partir de la publicación del edicto.

c) En todo caso, se establece un plazo máximo: dieciséis meses, teniendo en cuenta la posibilidad de posibles prórrogas de los plazos anteriores cuando subsiste la fuerza mayor que hubiera impedido al rebelde la comparecencia.

5. Procedimiento de la pretensión de rescisión

➤ La pretensión del demandado rebelde para la rescisión de una sentencia firme se sustancia a través de los trámites establecidos para el juicio ordinario (art. 504.2).

➤ La pretensión rescisoria se formula a través de una demanda. No es la pretensión del proceso principal, sino una nueva, que deberá reunir los requisitos propios de una demanda.

➤ La presentación y, en su caso, admisión, de la demanda de rescisión de la sentencia firme dictada en rebeldía del demandado no suspenderá la ejecución, salvo que el ejecutado en el proceso pendiente de ejecución pida la suspensión de la misma (arts. 504.1 en relación con el art. 566.1 LEC), siendo acordada si las circunstancias del caso lo aconsejan.

6. Resolución y efectos

➤ Celebrado el juicio, en el que se practicarán las pruebas pertinentes sobre las causas y los requisitos que justifican la rescisión, resolverá sobre ella el tribunal mediante sentencia, contra la que no es posible plantear recurso alguno (art. 505.1).

➤ Contenido: podrá estimar la pretensión de rescisión o desestimarla (art. 506).

a) Cuando se desestima, se declara no haber lugar a la rescisión solicitada por el litigante condenado en rebeldía, imponiéndole las costas de este procedimiento. Esto supone, por un lado, la firmeza de la sentencia que propició la rescisión, y, por otro, en casos de suspensión de la ejecución en los términos expuestos, habrá que alzarla (art. 566.2).

b) Si se dicta sentencia estimando la rescisión, no se impondrán costas, salvo que el juez aprecie temeridad en alguno de los litigantes. Se entiende rescindida la sentencia, no el proceso anterior desde la demanda, prueba, etc. Se procederá al desarrollo del trámite siguiente.

7. Sustanciación de la finalidad rescisoria: audiencia del rebelde

Estimada la pretensión del demandado rebelde de rescisión de la sentencia dictada en ausencia del demandado, se remite certificación de la sentencia estimatoria al tribunal que conoció del asunto en primera instancia —remisión innecesaria si es éste el mismo tribunal que estimó la rescisión—, procediéndose ante él conforme a las reglas del art. 507.

Pueden darse dos situaciones tras la entrega de los autos por 10 días al demandado para que pueda exponer y pedir lo que a su derecho convenga (en forma de contestación a la demanda):

➢ Que el demandado exponga y pida. Se le da traslado a la otra parte para que en 10 días pueda pronunciarse, entregándole copias de escritos y documentos. Se sigue a partir de aquí los trámites del juicio declarativo que corresponda a los efectos de ejercitar su derecho de defensa el demandado, entendiendo que los medios de prueba que fueron practicados por el actor no quedan viciados de nulidad, aunque la LEC no lo establezca.

➢ Que el demandado ni exponga ni pida en los 10 días dispuestos. En ese caso se entiende que renuncia a ser oído (art. 508).

Los efectos que se producen según estemos ante el primero o el segundo supuesto son diversos, así:

En el primero de los casos: Se dictará, tras los trámites desarrollados con ambas partes, la sentencia que proceda, contra la que podrán interponerse los recursos previstos en la LEC (art. 507).

En el segundo supuesto: La inactividad del demandado dará lugar a que se dicte una nueva sentencia en los mismos términos que la sentencia rescindida. Contra esta sentencia no cabe plantear recurso alguno (art. 508).

III. PROCESO DE REVISIÓN

El Título VI del Libro II de la LEC regula, arts. 509 a 516, la revisión de sentencia firmes.

1. *Fundamento y naturaleza*

El fundamento de la revisión se halla en el equilibrio entre seguridad jurídica (art. 9 CE) y justicia (art. 1 CE). Si bien la seguridad jurídica garantiza la finalización del proceso en un momento en el tiempo, con efecto de cosa juzgada, impidiendo una sucesiva continuidad del mismo a través de cualquiera medio de ataque, existen excepcionalmente circunstancias que pueden concurrir y que permiten, con condiciones, por razones de justicia, volver al proceso con eficacia de cosa juzgada, pese a las sentencias firmes.

La LEC incorpora el Título VI del Libro II «De la revisión de sentencias firmes». No la califica *a priori* ni como medio de impugnación ni como proceso, si bien, por un lado, la ubicación de su regulación ya nos está adelantando que no es un recurso (Título IV), sino algo diverso, en cuanto no se incluye en la regulación de los recursos; por otro lado, se refiere a «demanda de revisión» (arts. 513 y 514 LEC), y, asimismo, le atribuye un tratamiento propio en cuanto a su sustanciación (art. 514).

Por todo ello debemos entender que:

➤ La revisión no es un recurso, una nueva instancia del proceso que permita un nuevo examen o enjuiciamiento de las cuestiones debatidas y resueltas, dado que los recursos se interponen antes de la firmeza de la resolución (pretenden evitar su firmeza), y la revisión se interpone contra sentencia firme, cuando ya no es posible plantear ni recursos ordinarios ni extraordinarios contra la misma. Es más, si fuera un recurso, procedería tan solo contra las sentencias del TS, manteniendo el orden jerárquico y no permitiendo la revisión «per saltum», que es totalmente posible.

➤ La revisión supone ejercitar una pretensión nueva, constitutiva, diversa en la fundamentación y en la petición de la que se ejercitó en el proceso fenecido, que tiene como objeto la pretensión impugnativa de la sentencia firme sobre una base fáctica nueva y diferente de la que fue tratada en el proceso anterior. Estamos ante un proceso nuevo, un juicio de revisión de sentencia firme. Solo procede la revisión contra sentencias firmes que resuelvan el fondo del asunto (art. 509).

➤ Tiene naturaleza «especial» o, si se quiere «extraordinaria», que viene constatada por su excepcionalidad y su especificidad. Es excepcional en cuanto implica una permisibilidad de apertura de lo ya fenecido (seguridad jurídica), afectando la cosa juzgada, y es específica, por cuanto no es posible plantearlo sino por la posible concurrencia de alguno de los motivos tasados legalmente (art. 510), que vienen siendo interpretados de forma restrictiva por la jurisprudencia.

2. Motivos de revisión

Los motivos de revisión o causa de pedir de la pretensión de revisión autónoma que se plantea se hallan regulados en el art. 510 LEC, y son un listado *numerus clausus*. La naturaleza de la revisión y el momento procesal en que se posibilita el proceso de revisión, así como su fundamento o justificación, permiten afirmar que estos motivos deben centrarse en hechos que no fueron alegados ni discutidos en el proceso anterior y en hechos que se han producido fuera del mismo. Estos motivos son:

1º) *Primer motivo*: Si, después de pronunciada la sentencia, se recobran u obtienen documentos decisivos, de los que no se hubiere podido disponer por fuerza mayor o por obra de la parte en cuyo favor se hubiere dictado.

   La estimación de este motivo viene condicionada:

   ➢ Los documentos deben preexistir, recobrándose u obteniéndose después de la preclusión procesal en la aportación de los mismos al proceso;

   ➢ No se exige que los documentos no se conocieran por la parte, ni tampoco se excluyen tipos de documentos, de manera que son posibles tanto documentos privados como públicos;

   ➢ No podrán fundar supuestos en los que la situación se produjo por culpa o negligencia de la propia parte;

   ➢ Deben ser documentos decisivos, esto es, tratarse de documentos que, de haberse incorporado, habrían cambiado el significado de la sentencia.

2º) *Segundo motivo*: Si hubiere recaído sentencia en virtud de documentos que, al tiempo de dictarse, ignoraba una de las partes haber sido declarados falsos en un proceso penal, o cuya falsedad declarare después penalmente.

   Queda condicionada la estimación por este motivo a la condena al autor de la falsificación mediante sentencia penal, así como el desconocimiento de la existencia de esta condena durante la tramitación del proceso, si se produce dicha condena antes de que finalice éste.

3º) *Tercer motivo*: Si hubiere recaído en virtud de prueba testifical o pericial, y los testigos o los peritos hubieren sido condenados por falso testimonio dado en las declaraciones que sirvieron de fundamento a la sentencia.

   Queda condicionada la estimación por este motivo a la presentación de sentencia penal firme condenatoria de testigos o peritos que sirvieron de fundamento a la sentencia cuya revisión se pretende.

4°) *Cuarto motivo*: Si se hubiere ganado injustamente en virtud de cohecho, violencia o maquinación fraudulenta.

El numeral 4° del art. 510 se refiere a tres tipos de conductas ilícitas:

➢ Por un lado, el cohecho, que exige sentencia de condena en un proceso penal del juez que dictó la sentencia o, en caso de que fuere un órgano colegiado, uno de los magistrados integrantes en el mismo;

➢ Por otro, violencia sufrida por el juez o por las partes, sus letrados o sus procuradores; y,

➢ Por último, maquinación fraudulenta que permite considerar aquí la que se realiza por la parte procesal por sí o a través de la ayuda de tercero, generando, a través de su comportamiento doloso, mediante argucias, artificios, una situación de indefensión de la parte.

5°) *Quinto motivo*: Asimismo, se podrá interponer revisión contra una resolución judicial firme cuando el TEDH haya declarado que dicha resolución ha sido dictada en violación de alguno de los derechos reconocidos en el Convenio Europeo para la Protección de los Derechos Humanos y Libertades Fundamentales y sus Protocolos, siempre que la violación, por su naturaleza y gravedad, entrañe efectos que persistan y no puedan cesar de ningún otro modo que no sea mediante revisión, sin que la misma pueda perjudicar los derechos adquiridos de buena fe por terceras personas.

3. Competencia y legitimación

➢ *Competencia:* En atención a lo que dispone el art. 509 LEC, en relación con los arts. 56.1 y 73.1 b) LOPJ, para conocer de la pretensión impugnatoria de revisión de sentencias firmes habrá que tener en cuenta:

a) *Regla general*: la revisión de las sentencias firmes se solicitará a la Sala de lo Civil del Tribunal Supremo.

b) *Regla especial:* Asimismo, corresponde su conocimiento a las Salas de lo Civil y Penal de los Tribunales Superiores de Justicia, cuando concurran las siguientes circunstancias:

• Se trate de sentencias dictadas por órganos judiciales radicados en la Comunidad Autónoma.

• El Estatuto de Autonomía haya previsto esta competencia.

• La demanda de revisión se interponga contra sentencias que hayan aplicado derecho civil, especial o foral, propio de la citada comunidad.

➤ *Legitimación:* En este proceso de revisión hemos de considerar la legitimación activa y la pasiva. Así:

a) El art. 511 LEC establece que están legitimados para solicitar la revisión:

- Quienes hubieren sido parte perjudicada por la sentencia firme impugnada (o sus causahabientes), esto es, quien sufrió gravamen por la sentencia firme dictada en el proceso (art. 511. I).

- En principio, se trata de quienes comparecieron en el proceso como partes, ya como demandantes o como demandados. Sin embargo, en la jurisprudencia se ha venido extendiendo la legitimación activa en ciertos casos, a saber, atribuyendo legitimación a quienes, aun no habiendo sido partes en el proceso, pudieron haberlo hecho y han quedado perjudicados por el resultado de la sentencia. Un ejemplo de ello podría ser aquellos que por estar interesados directamente en la relación objeto del litigio debieron ser llamados al proceso, pero no lo fueron, y posteriormente se vieron afectados perjudicialmente por la sentencia dictada en el mismo.

- La ausencia de medios que permitan, como en el derecho italiano o el francés, una posible oposición del tercero a la cosa juzgada, y más allá de la posible acción revocatoria o pauliana por un fraude procesal, ha justificado la extensión jurisprudencial de la legitimación activa de «perjudicado» a quien no ha sido parte, pero sí puede justificar ese gravamen derivado de la sentencia dictada en el proceso fenecido con efectos de cosa juzgada.

- En el supuesto en que se funde la revisión en una violación de derechos declarada por el TEDH, la revisión solo puede solicitarse por el demandante ante el Tribunal Europeo (art. 511.II).

b) Legitimación pasiva la tiene en este juicio de revisión las demás partes del proceso anterior (que hubieren intervenido en el proceso anterior y no sean demandantes en el proceso de revisión) o sus causahabientes (por sucesión de los titulares de la relación jurídica ya sea por título *inter vivos o mortis causa* (art. 514.1).

El Ministerio Fiscal no es parte en este proceso de revisión. El art. 514.3 se refiere a su posible intervención como «informante» o «dictaminador», antes de que se dicte la sentencia, acerca de la procedencia de la demanda, esto es, en relación con el significado de los hechos que integran los motivos de revisión y que obedecen a la naturaleza de su función, promoviendo la justicia y la defensa de los derechos de los ciudadanos, procurando la tutela del interés público y evitando que puedan consolidarse situaciones que pudieran llegar a ser injustas.

4. Resoluciones que pueden ser objeto de revisión

En atención a lo que se establece en la regulación del juicio de revisión y especialmente en los art. 509, 510 y 512 LEC, solo es posible solicitar revisión de sentencias firmes, que han producido efecto de cosa juzgada (art. 447), lo que significa que quedan excluidas aquellas sentencias que se dictan en procesos sumarios.

No afecta al fundamento de justicia la negativa de revisión de las sentencias en los juicios sumarios porque en estos casos es posible plantear una demanda posterior en un proceso declarativo plenario.

5. Plazos

La LEC establece en relación con el juicio de revisión tres tipos de plazos:

1°) En primer lugar, un plazo máximo de cinco años, de caducidad, controlable de oficio (art. 512.1, I LEC). No podrá solicitarse la revisión después de transcurridos cinco años desde la fecha de la publicación de la sentencia (*dies a quo*) que se pretende impugnar, por lo que se cuenta con un dato objetivo para su determinación. Este plazo puede verse afectado cuando se suscitare cuestión prejudicial (art. 40 LEC), al quedar inoperativo mientras se efectúa esta tramitación (art. 514.4 LEC).

2°) En segundo lugar, otro plazo máximo es el que se regula en el art. 512.1.II LEC, referido al plazo de un año que se aplica en los casos en que la revisión se motiva en una Sentencia del TEDH, dado que la solicitud de revisión deberá formularse dentro del plazo de un año desde que adquirió firmeza la sentencia dictada por el referido Tribunal.

3°) En tercer lugar, un plazo de tres meses (en este caso también, como en el de cinco años, plazo de caducidad, no prorrogable ni susceptible de interrupción): se podrá solicitar la revisión siempre que no hayan transcurrido tres meses desde el día en que se descubrieron los documentos decisivos, el cohecho, la violencia, o el fraude, o en que se hubiere reconocido o declarado la falsedad (art. 512.2 LEC). Será el demandante el que tendrá la carga de acreditar ese *dies a quo*. En este supuesto pueden concurrir valoraciones subjetivas, de ahí que se oirá también al Ministerio Fiscal a los efectos de la consideración del cómputo.

6. Procedimiento

> *Depósito:* Para poder interponer la demanda de revisión será indispensable que a ella se acompañe documento justificativo de haberse depositado en

el establecimiento destinado al efecto (Cuenta de Depósitos y Consignaciones del Ministerio de Justicia), la cantidad de 300 euros, que será devuelta si el tribunal estimare la demanda de revisión (art. 513.1 LEC). La falta de este depósito o su insuficiencia puede subsanarse (en un plazo no superior a cinco días, art. 513.2, determinado en su caso por el LAJ); de lo contrario, provoca la inadmisión de plano de la demanda.

➢ *Presentación de la demanda de revisión*: El proceso de revisión principia por demanda, que deberá respetar los requisitos del art. 399 LEC, dirigiéndose a todos cuantos fueron parte del proceso cuya rescisión se solicita. A la demanda se deberán acompañar: el poder o la certificación del turno de oficio que acredite la representación del procurador, así como el resguardo de haber efectuado el depósito de 300 euros (art. 513), además de las copias de la demanda y de los documentos que se presenten con ella, especialmente aquellos en que se funden el motivo o motivos alegados como fundamento de la revisión, esto es, los documentos decisivos recobrados u obtenidos, el testimonio de la sentencia firme dictada por el tribunal penal en la que se declare la existencia de la falsedad documental, el testimonio de la sentencia penal firme condenatoria por falso testimonio, o por cohecho, o por aquel otro delito que sirva de base a la demanda, y, en su caso, la certificación de estar en curso el proceso penal correspondiente, o el documento o documentos de los que resulte la maquinación fraudulenta.

➢ *Admisión y emplazamiento para contestar*: Admitida la demanda de revisión —que no suspenderá la ejecución de sentencia firme, art. 515, salvo que se den las condiciones del art. 566 LEC—, el LAJ solicitará que se remitan al tribunal todas las actuaciones del pleito cuya sentencia se impugne, y emplazará a cuantos en él hubieren litigado, o a sus causahabientes, para que en el plazo de veinte días contesten a la demanda, sosteniendo lo que convenga a su derecho (art. 514.1 LEC).

➢ *Comparecencia de los demandados, contestación y vista*: Comparecidas las personas emplazadas, procederán a contestar a la demanda de revisión, o, en su caso, pueden dejar transcurrir el plazo sin hacerlo. El LAJ convocará a las partes a una vista que se sustanciará de acuerdo con los arts. 440.1, 442, 443, 445, 446 y 447.1 LEC, referidos al juicio verbal (art. 514.2), oyendo al Ministerio Fiscal (informador o dictaminador) antes de dictar sentencia estimatoria o desestimatoria de la pretensión (art. 514.3).

➢ *Decisión*: Practicadas las pruebas propuestas por las partes y concluida la vista del juicio con audiencia al Ministerio Fiscal, el tribunal procederá a dictar sentencia en el plazo de diez días (art. 447.1 LEC). El contenido de la sentencia que se dicte puede ser estimatorio y desestimatorio y sus efectos son expuestos a continuación.

➤ *Efectos de la sentencia de revisión:* Serán diversos según se estime o no la pretensión de revisión:

- Estimatoria de la pretensión: lo declara así y rescindirá la sentencia impugnada cuando considere que concurre y ha sido probado alguno de los motivos del art. 510, sin imposición de costas y con devolución del depósito realizado (art. 513.1 *in fine*). A continuación, mandará expedir certificación del fallo y devolverá los autos al tribunal del que procedan para que las partes usen de su derecho, según les convenga, en el juicio correspondiente. En este nuevo proceso posterior no podrán discutirse las declaraciones hechas en la sentencia de revisión (art. 516.1).

- Desestimatoria de la pretensión: Se declarará improcedente la rescisión de la sentencia, lo que implica que la sentencia permanece invariable y se mantienen los efectos de cosa juzgada, imponiendo las costas al demandante, quien perderá además el depósito que hubiere realizado (art. 516.2).

IV. NULIDAD DE ACTUACIONES

Los defectos e irregularidades de los actos procesales pueden encontrar un tratamiento específico mientras se tramita el proceso civil. Si bien ya se estudiaron los requisitos de los actos procesales y los supuestos en que éstos pueden provocar la nulidad, incluso la posibilidad de convalidar o subsanar defectos e irregularidades, tanto la LOPJ con carácter general (art. 240 y 241) como la LEC para el proceso civil (arts. 227 y 228) regulan las facultades del tribunal y los medios para la denuncia y declaración formal de la nulidad de los actos procesales. Se pretende que sea en el mismo proceso, mientras se tramita, en el que se alegue y resuelva la posible nulidad, evitándose, en la medida de lo posible, declaraciones de nulidad cuando el proceso hubiera finalizado.

Los arts. 227 y 228 LEC se refieren a la posible declaración de nulidad y al incidente excepcional de nulidad de actuaciones. La primera vía se considera el régimen ordinario y supone la declaración de nulidad pendiente el proceso (arts. 227 LEC y 240 LOPJ), permitiendo la declaración de nulidad de oficio o a instancia de parte. La segunda vía es la declaración de nulidad finalizado el proceso, considerándose como un régimen excepcional (art. 228 LEC). A esta segunda vía es a la que nos circunscribimos en esta lección, en cuanto supone un cauce de nulidad tras la firmeza de la sentencia o resolución que puso fin al proceso.

1. Fundamento y naturaleza

La posible declaración de nulidad tras la finalización del proceso es un medio de ataque contra la cosa juzgada y por ello debe encontrar justificación legalmente establecida y siempre bajo la condición de excepcionalidad, dado que el ordenamiento jurídico ha establecido diversas vías para poder cuestionar las falencias de las actuaciones procesales mientras pende el proceso.

La razón de ser de este medio se ha venido defendiendo desde la necesidad de garantizar derechos fundamentales de las personas. El art. 228.1 LEC viene a establecer esa fundamentación cuando señala que podrá excepcionalmente pedirse por escrito que se declare la nulidad de actuaciones cuando se funde en cualquier vulneración de derecho fundamental de los referidos en el art. 53.2 CE.

Así, para truncar la «seguridad jurídica» que se garantiza a través de la terminación del proceso y la evitación de un proceso inacabable se requiere de una causa que lo fundamente, debiendo ser de la misma entidad que la seguridad jurídica. El legislador establece el equilibrio entre seguridad y derechos y permite de forma excepcional que, por mor de la defensa de derechos fundamentales (especialmente evitar indefensión, art. 24.1 CE, aunque no solo), puedan alterarse los límites temporales que en el proceso vienen conferidos por razones de seguridad jurídica.

El art. 228 se refiere al «incidente excepcional de nulidad de actuaciones», si bien no es un verdadero incidente, sino un proceso de impugnación de la cosa juzgada, y ello por dos razones: por un lado, porque el incidente lo es de un proceso que está en marcha, y en el caso que nos ocupa no sucede; por otro, porque lo que se pretende con la nulidad de actuaciones del art. 228 es la rescisión de la resolución que ha puesto fin al proceso y la nulidad de lo actuado, retrotrayendo el procedimiento al trámite en que se produjo la indefensión. Es una manera de impugnar, por tanto, la cosa juzgada del proceso ya fenecido.

2. Motivos de nulidad de actuaciones

El art. 228.1 establece el motivo (genérico) por el que es posible solicitar la nulidad de actuaciones cuando pueda alegarse la vulneración de un derecho fundamental de los referidos en el artículo 53.2 CE.

Por tanto, para plantear esta nulidad de actuaciones se exige:

➢ Que ya se haya dictado resolución que ponga fin al proceso.

➢ Que dicha resolución se haya convertido en firme y, por tanto, no susceptible de recurso ordinario o extraordinario contra ella.

➤ Que se sustente la petición de nulidad de actuaciones en la vulneración de derechos fundamentales (arts. 14 a 30 CE). Cabe pensar no solo en vulneración de derechos procesales (art. 24.1, especialmente, en cuanto se refiere a la indefensión), sino que se trate también de posible vulneración de derechos de naturaleza material como el derecho al honor o a la intimidad o a la propia imagen, de modo que lo que se pretende es acudir a esta vía si se dan las condiciones, y no al amparo constitucional, que es lo que se empleaba en la práctica en numerosas ocasiones antes de esta regulación.

➤ Que dicha vulneración de derechos no se haya podido realizar antes de que se ponga fin al proceso mediante resolución judicial.

El Tribunal inadmitirá a trámite, mediante providencia sucintamente motivada, cualquier solicitud de nulidad en la que se pretenda suscitar otras cuestiones diversas de las que sustentan este motivo del art. 228.1 (art. 228.1, III). Contra la resolución por la que se inadmita a trámite el incidente no cabrá recurso alguno.

3. Competencia y legitimación

➤ *Competencia:* Será competente para conocer de este incidente el mismo Tribunal que dictó la resolución que hubiera adquirido firmeza (art. 228.1, II y 241.1, II LOPJ).

➤ *Legitimación*: debemos distinguir la legitimación activa de la pasiva.

- La legitimación activa para solicitar la nulidad de actuaciones la tienen los que hayan sido parte legítima en el proceso o hubieran debido serlo (art. 228.1.I y art. 241.1, I LOPJ). En consecuencia, son quienes comparecieron como partes procesales, ya como demandantes o ya como demandados, así como aquellos que, aun no habiendo sido partes, debieran haberlo sido y quedan afectados por la vulneración de derechos fundamentales. De este modo, encontramos una posibilidad abierta a que un tercero pueda, siempre que concurra la condición de «no parte» pero que hubiera debido serlo, plantear esta nulidad de actuaciones a través del art. 228 LEC.

- La legitimación pasiva la tendrán aquellos que intervinieron en el proceso y no plantean esta nulidad de actuaciones.

4. Plazos

El art. 228.1, II y el art. 241.1, II LOPJ se refieren a dos plazos:

➤ Por un lado, se establece que el plazo para pedir la nulidad será de veinte días, desde la notificación de la resolución.

➤ Por otro, se establece la posibilidad de que el plazo de veinte días se compute desde que se tuvo conocimiento del defecto causante de la indefensión o de otro derecho fundamental, pero fijando un límite temporal máximo: un plazo de cinco años, de manera que no podrá solicitarse la nulidad de actuaciones después de transcurridos cinco años desde la notificación de la resolución.

5. Procedimiento

➤ *Solicitud escrita*: se trata de una demanda en la que se pretende la nulidad de actuaciones, aun cuando el legislador no hace expresa referencia a ella, sino que se refiere tan solo a la presentación de un «escrito». A esta solicitud se acompañarán los documentos procedentes por la parte instante de la nulidad, especialmente los referidos a acreditar el vicio o defecto en que la petición se funde (art. 228.2 LEC, así como art. 241.2 LOPJ).

➤ *Admisión-inadmisión de la misma:* Podrá inadmitirse a trámite por el Tribunal esta demanda de nulidad, mediante providencia sucintamente motivada, cuando se pretenda suscitar cuestiones diversas de las que pueden ser cuestionadas a través de este precepto (art. 228.1, III y art. 241.2 LOPJ). Si se admite a trámite la demanda de nulidad no quedará en suspenso la ejecución y eficacia de la sentencia o resolución, salvo que se acuerde de forma expresa la suspensión para evitar que el incidente pudiera perder su finalidad (art. 228.2).

➤ *Traslado a las demás partes:* el LAJ dará traslado del escrito, copias y documentos, a las demás partes (quienes no actúan como actores en este procedimiento de nulidad), para que en el plazo común —por tanto, para todas ellas simultáneamente si son varias— de cinco días puedan formular por escrito sus propias alegaciones, a las que acompañarán, igualmente, los documentos que estimen pertinentes. El legislador parece sustentar la prueba de ambas partes en la documental, no estableciendo regla alguna para el caso de que no se considerare suficientemente ilustrado el tribunal para determinar la posible nulidad o no de actuaciones.

➤ *Decisión y efectos:* La decisión que se tome por el tribunal podrá ser estimatoria o desestimatoria de la pretensión de nulidad de actuaciones.

• Si es estimatoria de la pretensión de nulidad, se está afirmando que efectivamente se está vulnerando un derecho fundamental, procediéndose a reponer las actuaciones al estado inmediatamente anterior al defecto que la haya originado y se seguirá el procedimiento legalmente establecido (art. 228.2, II y art. 241.2, II LOPJ). Pudiera pensarse que la vulneración se produjo en la sentencia, en cuyo caso la estimación implicará retrotraer hasta ese momento, para que se vuelva a dictar otra sentencia.

- Si se desestima la solicitud de nulidad, se condenará, por medio de auto, al solicitante en todas las costas del incidente y, en caso de que el Tribunal apreciare temeridad, le impondrá la multa de 90 a 600 euros, además de las costas (art. 228.2, II y art. 241.2, II LOPJ).

- Contra la resolución que resuelve el incidente no cabe recurso alguno (art. 241. 2, III LOPJ).

CAPÍTULO VIII
EL PROCESO DE EJECUCIÓN

Lección 23ª

EJECUCIÓN FORZOSA. CONCEPTOS GENERALES Y TÍTULO EJECUTIVO

ANDREA PLANCHADELL GARGALLO

SUMARIO: I. FUNDAMENTO Y CONCEPTO DE EJECUCIÓN. 1. Fundamento constitucional de la ejecución. 2. La sucesión declaración-ejecución. A) Proceso declarativo sin ejecución posterior. B) Proceso declarativo + ejecución. C) Ejecución sin declaración previa. 3. Naturaleza de la ejecución. II. PRINCIPIOS DE LA EJECUCIÓN. 1. Principios esenciales del proceso de ejecución. 2. Principios del procedimiento. III. SUJETOS DE LA EJECUCIÓN. 1. Órgano jurisdiccional competente. A) Supuestos en que se aplica el criterio funcional. B) Supuestos en que se aplica el criterio objetivo y territorial (*ex novo*). C) Tratamiento procesal de la competencia. 2. El papel del Letrado de la Administración de Justicia. 3. Las partes de la ejecución. A) Legitimación activa. B) Legitimación pasiva. C) La sucesión procesal. D) La postulación. E) Pluralidad de partes en la ejecución. 4. El tercero en la ejecución. IV. EL OBJETO DE LA EJECUCIÓN. V. EL TÍTULO EJECUTIVO. 1. Concepto y trascendencia del título ejecutivo. 2. Clases de títulos ejecutivos. A) Títulos ejecutivos judiciales o asimilados. B) Títulos ejecutivos extrajudiciales. C) Diferencia entre títulos judiciales o asimilados y títulos extrajudiciales. D) Títulos ejecutivos extranjeros. VI. LAS COSTAS EN EJECUCIÓN.

BIBLIOGRAFÍA BÁSICA

CACHÓN CADENAS, M./ PICÓ I JUNOY, J., (Coords.), *La ejecución civil: Problemas actuales*, Atelier, Barcelona, 2008.

FERNÁNDEZ BALLESTEROS, M. A., *La ejecución forzosa y las medidas cautelares en la nueva Ley de Enjuiciamiento Civil*, Iurgium, Madrid, 2001.

MONTERO AROCA, J./ FLORS MATÍES. J., *Tratado de ejecución civil. Tomo I*, (2ª ed.), Tirant lo Blanch, Valencia, 2013.

SENÉS MOTILLA, C., *Disposiciones generales sobre la ejecución forzosa*, La Ley, Madrid, 2000.

I. FUNDAMENTO Y CONCEPTO DE EJECUCIÓN

1. Fundamento constitucional de la ejecución

Como se indicó en el tomo I, dedicado a la parte general del derecho jurisdiccional, el derecho fundamental a la tutela judicial efectiva, proclamado en el art. 24 CE, presenta una estructura compleja que abarca desde el propio acceso al proceso (como *actus prius*) hasta el derecho al recurso. Un elemento fundamental dentro del contenido esencial de este derecho es, indudablemente, el derecho a que el fallo incluido en la sentencia se cumpla y, además, lo haga en sus propios términos (art. 18. 2 LOPJ), como recalcaremos en la última lección de este capítulo.

Nuestro Tribunal Constitucional ha reconocido ya, desde sus primeras sentencias (por ejemplo, la número 32/1982, de 7 de julio), que la tutela judicial efectiva realmente es tal cuando se cumple aquello que expresamente se ha establecido en la sentencia condenatoria y en la forma en ella prevista; es decir, si en el fallo se condena a un demandado a pagar una cantidad de dinero y sus intereses, la tutela por los tribunales será realmente efectiva cuando el demandante reciba dicha cantidad; al igual que si el fallo condena a realizar una determinada actividad —bajo unas condiciones— a favor del demandante, será eso exactamente lo que éste espera para ver realmente satisfechos sus derechos e intereses, pues para ello instó la tutela de los órganos jurisdiccionales.

La S TC 240/1998, de 15 de febrero, puede citarse como representativa al afirmar en su Fundamento Jurídico Segundo (extracto): «Por lo que se refiere al derecho a la ejecución de las Sentencias en sus propios términos, como integrante del derecho a la tutela judicial efectiva (art. 24.1 CE), conviene comenzar recordando la doctrina que este Tribunal tiene establecida sobre el particular. Existe una jurisprudencia reiterada (…). Esta jurisprudencia, en la medida relevante para el caso, cabe resumirla del modo siguiente:

a) El derecho a la ejecución en los propios términos de las Sentencias y resoluciones judiciales firmes forma parte del derecho fundamental a la tutela judicial efectiva (art. 24.1 CE), «ya que, en caso contrario, las decisiones judiciales y los derechos que en las mismas se reconozcan o declaren no serían otra cosa que meras declaraciones de intenciones sin alcance práctico ni efectividad alguna» (SSTC 32/1982 y 167/1987, entre otras).

b) Ello significa que ese derecho fundamental (a la ejecución de la Sentencia «en sus propios términos») lo es al cumplimiento de los mandatos que la Sentencia contiene, a la realización de los derechos reconocidos en la misma, o, de otra forma, a la imposición forzosa a la parte recurrida del cumplimiento de las obligaciones a que fue condenada (STC 205/1987)…».

2. *La sucesión declaración-ejecución*

La ejecución supone que el órgano jurisdiccional, a través del proceso de ejecución y en ejercicio de la función jurisdiccional, procede a adecuar la realidad a lo declarado en una sentencia, laudo arbitral o análogos, cuando el obligado a ello no lo hace voluntariamente, es decir, tras un proceso declarativo previo.

Ahora bien, esta sucesión declaración-ejecución no siempre se produce. Como seguidamente veremos, existen supuestos en que sí hay un proceso declarativo previo pero que no requiere de ejecución alguna, y casos en que se puede proceder directamente a ejecución sin declaración previa alguna.

A) Proceso declarativo sin ejecución posterior

En primer lugar, es importante indicar que la propia naturaleza de la pretensión planteada ante los tribunales determina que la declaración de derechos contenida en la sentencia que se dicte no requiera de actividad alguna posterior:

➢ Cuando se dicta sentencia absolutoria de la pretensión del demandado, porque en tal caso la realidad ya está acomodada a lo declarado en la sentencia.

➢ Cuando se dicta una sentencia declarativa pura, en tanto que estas sentencias no requieren actividad posterior de adecuación alguna a lo establecido en ellas, ya que queda satisfecha con la declaración contenida en la sentencia.

➢ Cuando se dicta una sentencia constitutiva, pues estas sentencias producen por sí el cambio jurídico que se espera, sin necesidad de actuación ulterior de adecuación.

En los dos últimos supuestos, sin perjuicio de lo indicado, puede ser necesaria alguna actividad posterior, si bien no ejecutiva, como por ejemplo proceder a la inscripción o cancelación en un registro público. La doctrina se refiere en este caso a una «ejecución impropia», expresión que MONTERO AROCA califica de «perturbadora» por no responder a la esencia de la ejecución. A esta idea responde la declaración del art. 521 LEC en el que se afirma que no se despachará ejecución de las sentencias meramente declarativas ni de las constitutivas, con las matizaciones del art. 522 LEC respecto a las constitutivas.

B) Proceso declarativo con ejecución posterior

Por tanto, parece evidente que la actividad ejecutiva sucede a la declarativa en los casos en que la sentencia dictada en el proceso declarativo tiene contenido condenatorio, siendo la obligación en ella declarada la que debe ser objeto de cumplimiento para, como hemos dicho, ajustar lo declarado por el tribunal y la realidad. Este acomodo puede realizarse voluntaria o forzosamente:

➢ El cumplimiento voluntario por el condenado de la obligación o prestación que se establece en la sentencia hace innecesaria la actuación del tribunal.

➢ Cuando el condenado no quiere cumplir voluntariamente o no puede hacerlo entra en juego la actividad del órgano jurisdiccional, a través del proceso de ejecución, realizando éste todas las actuaciones que debería haber hecho el condenado para cumplir con la condena. Por ello, se afirma que la actividad ejecutiva tiene *carácter sustitutivo* de aquello que debía haber hecho el condenado.

C) Ejecución sin declaración previa

Asimismo, se puede reconocer otro supuesto donde sí hay actividad ejecutiva, pero sin un proceso declarativo de derechos previo. Esta situación aparece como consecuencia de atribuir fuerza ejecutiva a ciertos documentos provenientes del tráfico jurídico y revestidos de ciertas garantías o creados dentro de un procedimiento en que no se ejerce función jurisdiccional.

Es precisamente la existencia de uno de los títulos ejecutivos no jurisdiccionales reconocidos por el legislador la que, en caso de no procederse al cumplimiento voluntario, permite instar la tutela ejecutiva de los tribunales directamente, sin necesidad de plantear un proceso declarativo previo. El carácter privilegiado de esta última posibilidad parece evidente, pues no deriva de los intereses en juego, la obligación en sí o de las partes afectadas, sino del documento que la fundamenta y las garantías que le rodean (S TC 128/1994, de 5 de mayo).

3. *Naturaleza de la ejecución*

Sentado el fundamento constitucional de la ejecución, es necesario añadir que la actividad ejecutiva o que se desarrolla dentro del proceso de ejecución tiene una innegable naturaleza jurisdiccional; naturaleza que, como posteriormente veremos, no se ve empañada por la participación que en ella pueda atribuirse al Letrado de la Administración de Justicia. El art. 117.3 CE define la función jurisdiccional como «juzgar y hacer ejecutar lo juzgado», lo que pone de manifiesto que lo declarado en la sentencia debe, cuando así proceda, cumplirse forzosamente. Es, precisamente ese cumplimiento forzoso al que responde el proceso de ejecución.

La adecuación de la realidad exterior a lo declarado en el proceso previo o en el documento al que la ley atribuye fuerza ejecutiva, exige del órgano jurisdiccional —ante el incumplimiento del obligado— la realización de una serie de actuaciones de carácter coactivo, incluso acudiendo al uso de la fuerza, que sólo pueden realizarse por el Estado, titular exclusivo de la potestad jurisdiccional, a través de los órganos jurisdiccionales. Se trata de una actividad que entra en juego ante lo que FERNÁNDEZ BALLESTEROS calificó como «crisis del derecho» y que obliga a «restablecer de modo efectivo el equilibrio patrimonial roto por incumplimiento del deudor».

Junto con la naturaleza jurisdiccional, debemos predicar de la ejecución su carácter sustitutivo, al que ya hemos hecho referencia, en tanto que el órgano jurisdiccional podrá realizar todos aquellos actos que el obligado estaría facultado a hacer, pero que no ha podido o querido llevar a cabo. Esta nota definitoria tiene dos consecuencias:

➢ Determina las facultades concretas que se atribuyen legalmente al órgano jurisdiccional; e

➢ Implica que los tribunales cesarán en su actuación cuando el obligado decida proceder al cumplimiento, poniendo fin a la actividad ejecutiva.

II. PRINCIPIOS DE LA EJECUCIÓN

Sin perjuicio de lo dicho en el tomo I (Introducción al Derecho procesal), consideramos conveniente hacer una breve referencia a los principios que son de aplicación en el proceso de ejecución, bien entendido que estamos ante un proceso civil y, por tanto, serán los principios propios de éste los que deben regir también en la ejecución.

1. Principios esenciales del proceso de ejecución

Al igual que en el proceso declarativo, en el proceso de ejecución son de aplicación los principios esenciales de todo proceso, es decir, dualidad de posiciones, contradicción e igualdad; así como los principios propios del proceso civil, en particular los principios de oportunidad y dispositivo.

El proceso de ejecución requiere dos posiciones enfrentadas, ejecutante y ejecutado, que deben disponer de los mismos derechos y obligaciones. Pese a las posibles dudas que en algún momento se hayan podido suscitar, también es de aplicación el principio de contradicción, es decir, la posibilidad de conocer los elementos de hecho y derecho que pueden influir en la decisión del tribunal y de ser oído, interviniendo en el proceso para defender sus derechos e intereses. No obstante, como veremos en las siguientes lecciones, no puede desconocerse que en los supuestos en que el proceso de ejecución viene precedido de un proceso declarativo (o equivalente), afirmándose la existencia del derecho a favor del demandante, sus posibilidades de defensa pueden sufrir alguna limitación respecto a lo que ya se discutió en el declarativo previo, pues no es función del proceso de ejecución reiterar la discusión sobre el fondo del asunto ya decidido. Ahora bien, esta posible limitación, consecuencia de la propia función y estructura del proceso, no puede suponer una negación del principio de contradicción en el proceso de ejecución, sino que éste se manifiesta a través de la oposición a la ejecución.

En cuanto al principio de oportunidad, el art. 549 LEC, regulador de la demanda ejecutiva, indica la necesidad de que la ejecución sea instada por una de las partes del conflicto, el ejecutante; sin demanda ejecutiva no hay ejecución. Ni siquiera en los supuestos en que ya contamos con una sentencia o laudo de condena (o asimilable), puede procederse, ni automáticamente ni de oficio, a la ejecución de su contenido. Junto con esta facultad de incoación, en el desarrollo del proceso de ejecución no son pocas las actuaciones ejecutivas que requieren de petición de la parte ejecutante dando impulso a las mismas, por ejemplo, la investigación del patrimonio del ejecutado o la mejora del embargo; impulso de parte que se combina con el impulso de oficio en otras actuaciones, como la convocatoria de la subasta. Incoado el proceso de ejecución, éste puede finalizar por expresa voluntad de las partes, como vimos en la lección 15ª, ya que también al proceso de ejecución son aplicables las formas anormales de terminación del proceso. Además, desde la perspectiva del ejecutado, éste puede poner fin al proceso de ejecución en cualquier momento cumpliendo con la obligación contenida en el título.

2. *Principios del procedimiento*

El proceso de ejecución, por su propio contenido, no puede basarse en el principio de oralidad, ni en los que de éste traen causa (publicidad, inmediación, concentración); estamos ante un procedimiento que se desarrolla por escrito, con la consecuente dispersión de las actuaciones procesales que lo integran que, por su propia naturaleza, deben realizarse en momentos procesales distintos y consecutivos en el tiempo conforme a un orden legalmente establecido.

III. SUJETOS DE LA EJECUCIÓN

1. *Órgano jurisdiccional competente*

Dada la naturaleza jurisdiccional de la ejecución, es necesario analizar la competencia del órgano jurisdiccional, sin perjuicio de la referencia obligada al Letrado de la Administración de Justicia.

La regulación de la competencia de los tribunales para la ejecución viene condicionada por la naturaleza o modalidad del título ejecutivo; distinguiendo, también, en función del mismo si los criterios de aplicación son exclusivamente el funcional o si entran en juego los criterios objetivo y territorial.

A) Supuestos en que se aplica el criterio funcional

Cuando el título ejecutivo proviene de un proceso declarativo previo (resoluciones judiciales o de los letrados de la administración de justicia a las que la ley reconozca carácter ejecutivo), transacciones o acuerdos homologados o aprobados judicialmente, la competencia para la ejecución corresponde al mismo tribunal que conoció del asunto en primera instancia o que homologó o aprobó el acuerdo o transacción (art. 545.1 LEC). No obstante, en el caso del auto de cuantía máxima prevé la aplicación del fuero de competencia territorial a favor del Juez de Primera Instancia del lugar en que se han causado los daños.

B) Supuestos en que se aplica el criterio objetivo y territorial (ex novo)

Al contrario que en el caso anterior, se aplicará el criterio objetivo cuando previamente no ha habido intervención de un órgano jurisdiccional o LAJ para declarar el derecho, lo que ocurre en los siguientes títulos:

➢ Laudo arbitral o un acuerdo de mediación (no homologado judicialmente): la competencia corresponde al Juzgado de Primera Instancia del lugar en que se haya dictado el laudo o se hubiera firmado el acuerdo de mediación.

➢ Títulos extrajudiciales o contractuales: será competente el Juzgado de Primera Instancia que corresponda en función de lo dispuesto en los artículos 50 y 51 LEC, que atiende al fuero general de las personas físicas y jurídicas.

Ahora bien, la ley permite que la ejecución pueda instarse también ante el Juzgado de Primera Instancia del lugar de cumplimiento de la obligación o ante el de cualquier lugar en que se encuentren bienes del ejecutado susceptibles de embargo; no siendo de aplicación las reglas de sumisión, expresa o tácita.

Cuando la ejecución recaiga sobre bienes especialmente hipotecados o pignorados, la competencia se fijará en atención a lo dispuesto en el art. 684 LEC, regla específica para esta ejecución, en que se distingue según el tipo de bien (inmueble, buque, etc.).

C) Tratamiento procesal de la competencia

El art. 546 LEC regula únicamente el control de oficio de la competencia territorial, estableciendo que se examinará por el tribunal antes de despachar ejecución, de forma que, de considerar que no tiene competencia, dictará auto absteniéndose de despachar ejecución e indicando al ejecutante el tribunal competente ante el que presentar su demanda. Dicho auto es recurrible en apelación (potestativamente previa reposición, art. 552.2 LEC). Despachada la ejecución, el tribunal no podrá de oficio revisar su propia competencia.

En cuanto al control de parte, el art. 547 LEC regula la posibilidad para el ejecutado de interponer la declinatoria para impugnar la competencia del tribunal, lo que deberá hacer dentro de los cinco días siguientes en que reciba la primera notificación del proceso de ejecución; declinatoria que se sustancia y tramita conforme lo previsto en el art. 65 LEC.

Obviamente, en los casos en que entre en juego el criterio de competencia objetiva y funcional, conforme a lo indicado en las letras anteriores, el tribunal debe también vigilar de oficio su propia competencia inadmitiendo la demanda ejecutiva; siendo posible también para el ejecutado la interposición de la declinatoria al efecto.

2. *El papel del Letrado de la Administración de Justicia*

La Ley 13/2009, de 3 de noviembre, de reforma de la legislación procesal para implantar la Oficina Judicial aumenta el protagonismo en ejecución del LAJ otorgándole una serie de funciones de gran trascendencia en la misma, previamente reservadas al órgano jurisdiccional. Si bien no vamos a entrar a analizar la conveniencia o no de dicha atribución, creemos oportuno llamar la atención sobre el hecho de que este desapoderamiento de funciones al órgano jurisdiccional podría generar dudas respecto a la afirmada naturaleza jurisdiccional de la ejecución que, con todo, debemos mantener.

Pues bien, el art. 545.4 LEC atribuye al LAJ las siguientes funciones:

➢ Concreción de los bienes del ejecutado a los que deba extenderse la ejecución.

➢ Adopción de las medidas necesarias para la efectividad del despacho de la ejecución, ordenando los medios de averiguación patrimonial que fueran necesarios de conformidad a los establecido en los arts. 589 y 590 LEC y la adopción de las medidas ejecutivas concretas que procedan. Estas resoluciones adoptarán la forma de decreto; mientras que el resto de resoluciones adoptarán la de diligencias de ordenación.

Ahora bien, su actuación en el proceso de ejecución va más allá de esta concreción, en tanto que le corresponde la realización de toda una serie de actos que se integran en el proceso de ejecución, salvo en los supuestos en que expresamente se prevea una reserva jurisdiccional. Esto supone que finalmente se produce un reparto de funciones entre el órgano jurisdiccional y el LAJ, correspondiendo al primero, por ejemplo, dictar el auto que contiene la orden general de ejecución y el despacho de la ejecución (arts. 551.1 y 5-2º LEC); el que resuelve la oposición a la ejecución (art. 551.5-3° LEC) o la tercería de dominio (art. 545.5-3° LEC). La determinación de las funciones que corresponden a cada uno de ellos, permite afirmar que es el LAJ el que lleva el peso de la ejecución.

3. Las partes de la ejecución

En el proceso de ejecución no existe un concepto propio o exclusivo de partes, sino que éstas —también en ejecución— son quien o quienes interponen una pretensión ante un órgano jurisdiccional y frente a quien o quienes se interpone, denominados ahora ejecutante y ejecutado. Así se declara en el art. 538 LEC al afirmar que son parte en el proceso (de ejecución) «la persona o las personas que piden y obtienen el despacho de la ejecución y la persona o personas frente a las que ésta se despacha»; siendo clave en su concreción el contenido subjetivo del auto que despacha ejecución.

En cuanto a los presupuestos procesales aplicables a las partes del proceso, la capacidad para ser parte y la capacidad procesal de estos sujetos se rige por las reglas generales establecidas en los arts. 6 y 7 LEC; la legitimación, en cambio, requiere de alguna matización, consecuencia del papel que el título ejecutivo juega en el proceso de ejecución. Es, precisamente, el título ejecutivo el que determina la posición habilitante para instar la ejecución y frente a quién puede instarse; no se trata en este momento de afirmar la titularidad de un derecho y de una obligación, sino de figurar en el título ejecutivo como acreedor y deudor u obligado. Siendo esta la regla general, encontramos supuestos en que la ejecución puede instarse por o frente a quien no aparece en el título.

A) Legitimación activa

Conforme a lo establecido en el art. 538.2 LEC, la legitimación activa corresponde a «quien aparezca como acreedor en el título ejecutivo», titular de la relación jurídica que en el título se documenta. Será así ejecutante la parte que ha vencido en un proceso declarativo previo, en el procedimiento arbitral o de mediación o a la que beneficie cualquiera de las resoluciones judiciales que legalmente llevan aparejada ejecución, pero también el titular del derecho incorporado a un título no judicial cuya ejecución contemple la ley.

La indicada regla general del art. 538 exige matizaciones, pues la realidad nos muestra que existen procesos de ejecución que son incoados por persona distinta a quien aparece en el título ejecutivo como titular de la relación jurídica que el mismo documenta:

> ➢ *Legitimación extraordinaria:* Estamos ante aquellos supuestos en que la legitimación para instar la ejecución no corresponde a quien aparece como

titular de la relación jurídica documentada en el título, sino que viene atribuida legalmente, como ocurre en el proceso declarativo. Nuevamente, el ejemplo clásico, es el ejercicio de la acción subrogatoria del art. 1111 CC, en tanto que la subrogación también puede darse en ejecución.

➢ El supuesto especial de *consumidores y usuarios*: El art. 519 legitima a los consumidores que se consideren individualmente beneficiados por la sentencia dictada en procesos promovidos por una asociación de consumidores y usuarios, cuando ésta no ha determinado de manera precisa e individualizada dichos beneficiados. Ante dicha indeterminación, la ley permite que los consumidores y usuarios que consideren que en ellos concurren los datos y características descritos en la sentencia condenatoria obtengan del tribunal su reconocimiento como beneficiarios y, con testimonio de este auto, puedan instar la ejecución de la sentencia a su favor. Se requiere, por tanto, la sentencia condenatoria, que no contiene una declaración individualizada de titular de derechos, y la resolución judicial (que adopta la forma de auto) en que se reconoce como tal, siendo ésta realmente la que le otorga legitimación activa.

B) Legitimación pasiva

Mayores particularidades presenta la legitimación pasiva, pues junto con la posibilidad de que la ejecución se inste contra quien aparezca como obligado en el título ejecutivo («quien aparezca como deudor en el mismo título»), o quien le suceda en sus obligaciones, el art. 538.2 y 3 LEC, establece la posibilidad de que la ejecución se inste contra quien no figura como deudor en el título ejecutivo, concretamente:

➢ Frente a quien responda personalmente de la deuda por disposición legal. Estamos ante la existencia de un vínculo personal entre el deudor originario y el sujeto contra el que finalmente se dirige la ejecución, por ejemplo, en caso de responsabilidad solidaria de los socios.

➢ Frente a quien responda personalmente de la deuda en virtud de afianzamiento acreditado mediante documento público; supuesto sólo aplicable a los títulos extrajudiciales. En este caso, la obligación del sujeto entra en juego cuando el deudor no puede hacerse cargo de la obligación (arts. 1822 y 1830 CC).

➢ Frente a quien resulte ser propietario de los bienes especialmente afectos al pago de la deuda en cuya virtud se procede, siempre que tal afección derive de la ley o se acredite mediante documento fehaciente. La ejecución se concretará, respecto de estas personas, a los bienes especialmente afectos. Se trata de supuestos donde lo que está afecto al cumplimiento de la obligación son los bienes, con independencia de quien sea su poseedor (arts. 681 y ss. LEC, referido a los créditos hipotecarios o pignoraticios). No estamos ante una parte ejecutada propiamente dicha, sino que la ejecución se refiere a bienes de esa persona, a la que el ordenamiento jurídico ha querido otorgarle los mismos derechos y posibilidades de defensa que al ejecutado, asimilándolas al mismo para evitar que puedan sufrir indefensión.

A estos supuestos, debe añadirse los casos especiales previstos en los arts. 540 a 544 LEC, referidos respectivamente a la sucesión del ejecutado, la ejecución de bienes gananciales, la ejecución frente al deudor solidario, a entidades o asociaciones temporales y a entidades sin personalidad jurídica). Nos centramos brevemente en esos casos, con excepción de la sucesión a la que hemos hecho referencia al tratar la legitimación activa.

➢ *Ejecución de bienes gananciales*: El art. 541 comienza con la afirmación de que no se despachará ejecución frente a la sociedad de gananciales. La sociedad de gananciales carece de personalidad jurídica, por lo que la legitimación para actuar en el proceso corresponde los cónyuges, quienes ostentan la titularidad de los bienes, derechos y obligaciones de la misma. Por tanto, la ejecución debe despacharse contra estos sujetos.

Cuando la deuda haya sido contraída por los dos cónyuges o por uno de ellos con el consentimiento del otro, la ejecución se dirigirá contra los dos, pues ambos figurarán condenados en el título ejecutivo; no estamos, por tanto, ante especialidad alguna. Lo mismo ocurre si ambos cónyuges aparecen como obligados en el título extrajudicial. Las especialidades se refieren a:

- Los supuestos en que la obligación corresponda a uno sólo de los cónyuges, pero deba responder de ella la sociedad de gananciales, la demanda ejecutiva se dirigirá únicamente contra el cónyuge deudor (art. 541.2 LEC), pero la afección se producirá respecto de los bienes que conforman la sociedad de gananciales. Precisamente por ello, la ley prevé que se notifique al otro cónyuge esta circunstancia, dándole traslado de la demanda ejecutiva y del auto que despache ejecución, para que pueda defenderse frente a la misma a través de la oposición. En esta oposición, no debe darse diferencia alguna en cuanto a sus posibilidades de defensa respecto a las que tendrá el deudor ejecutado.

- Cuando la afección a la sociedad de gananciales se produce de forma subsidiaria, es decir ante la ausencia o insuficiencia de los bienes privativos del cónyuge deudor, es necesario también notificar esta circunstancia al otro cónyuge para que pueda defenderse pidiendo que se sustituyan los bienes comunes por lo que ostenta el cónyuge deudor instando la disolución de la sociedad de gananciales u oponiéndose con iguales posibilidades que el deudor.

En ambos casos, añade el art. 541.4 LEC, que el cónyuge al que se notifica el embargo podrá interponer los recursos y usar los medios de impugnación de que dispone el ejecutado para la defensa de los intereses de la comunidad de gananciales.

➤ *Ejecución frente al deudor solidario*: El art. 542.3 LEC establece la regla general para estos supuestos, en virtud de la cual, si en el título ejecutivo aparecen varios deudores solidarios, se podrá instar la ejecución contra cualquier de ellos o frente a todos ellos. Esta regla presenta sus matices en atención a títulos judiciales o asimilados y extrajudiciales:

- Cuando las sentencias, laudos y otros títulos ejecutivos judiciales se hayan obtenido frente a uno o varios deudores solidarios, no podrá dirigirse la ejecución frente a los deudores solidarios que no hayan sido parte en el proceso, en tanto que lo contrario supondría dirigir la ejecución frente a un sujeto que no ha sido condenado previamente.

- Tratándose de títulos ejecutivos extrajudiciales, sólo podrá despacharse ejecución frente al deudor solidario que figure en ellos u otro documento que acredite la titularidad de la deuda y lleve aparejada ejecución.

➤ *Ejecución contra asociaciones o entidades temporales*: El art. 543.1 limita la posibilidad de despachar la ejecución cuando en el título ejecutivo aparezcan como deudores uniones o agrupaciones de empresas o entidades frente a los socios, miembros o integrantes de las misma si, por acuerdo entre ellos o por disposición legal, responden solidariamente de los actos de la unión. Se podrá, en tal caso, instar la ejecución frente a cualquiera de los deudores solidarios.

Ahora bien, si la ley establece expresamente el carácter subsidiario de la responsabilidad de estos miembros, para despachar ejecución frente a ellos será necesario acreditar la insolvencia de la asociación o entidad temporal (art. 541.2 LEC); estamos ante una responsabilidad solidaria, frente a la responsabilidad directa del caso anterior.

➤ *Ejecución frente a entidades sin personalidad jurídica*: Cuando el título ejecutivo establezca como obligada a una entidad sin personalidad jurídica que actúa en el tráfico jurídico como sujeto diferenciado de sus integrantes, la ejecución se podrá despachar contra los socios, miembros o gestores que actuaron en el tráfico jurídico en nombre de la entidad, obligándose por ella, siempre que se acredite suficientemente, a juicio del tribunal, la condición de socio, miembro o gestor y que ha actuado en nombre de la misma. Esta previsión no será de aplicación a las comunidades de propietarios de inmuebles en régimen de propiedad horizontal, que tienen su propia regulación en la Ley de Propiedad Horizontal.

C) La sucesión procesal

El art. 540 regula la sucesión en ejecución, en virtud de la cual la ejecución podrá despacharse o continuarse a favor de quien acredite ser sucesor del que figure como ejecutante en el título ejecutivo (y desde la perspectiva de la legitimación pasiva, frente al que se acredite que es el sucesor de quien en dicho título aparezca como ejecutado).

Será necesario, para acreditar la sucesión, presentar los documentos en que la misma conste fehacientemente. Valorados dichos documentos como suficientes por el tribunal, éste procederá a despachar ejecución a favor de (o frente a) quien resulte ser sucesor en virtud de dichos documentos. Si en el momento en que se produce la sucesión, la ejecución ya se ha incoado, admitida la misma se notificará al ejecutante o al ejecutado, continuando la ejecución a favor o frente a quien resulte ser sucesor.

Si la sucesión no constara documentalmente o los documentos presentados no se consideran suficientes, el LAJ dará traslado de la petición a quien conste como ejecutado o ejecutante en el título y a quien se pretenda que es su sucesor, dándoles audiencia por el plazo de 15 días. Presentadas las alegaciones o transcurrido el plazo sin que las hayan efectuado, el tribunal decidirá lo que proceda sobre la sucesión a los solos efectos del despacho o de la prosecución de la ejecución.

D) La postulación

Las partes, en el proceso de ejecución, también deben actuar con la asistencia de abogado y la representación por procurador, dejando a salvo los supuestos legalmente exceptuados (art. 539):

➤ Cuando la ejecución haya sido precedida por un proceso declarativo en que no fuera perceptiva su intervención.

➤ Cuando se despache ejecución por cantidad inferior a 2.000 euros, no será necesaria la intervención de abogado y procurados en los siguientes procesos:

- En el caso de procesos monitorios en que no haya habido oposición;
- En la ejecución derivada de un acuerdo de mediación o laudo arbitral; y
- En la ejecución de los autos de cuantía máxima.

E) Pluralidad de partes en la ejecución

Al igual que hemos visto en el proceso de declaración, en el proceso de ejecución es posible también que la posición de ejecutante o ejecutado se ostente por una pluralidad de sujetos, y ello con independencia de que vengamos de una declaración previa de derecho o no.

La pluralidad, tanto activa como pasiva, puede ser causa de la titularidad plural del derecho u obligación (litisconsorcio necesario o cuasi-necesario) o de la acumulación de ejecuciones a que se refiere el art. 555 LEC.

4. *El tercero en la ejecución*

Pese a esta detallada, y no siempre sencilla, regulación de las partes del proceso de ejecución lo cierto es que la actividad ejecutiva puede acabar afectando a terceras personas, ajenas al proceso, que ni han sido parte del mismo ni están obligadas —en el sentido visto supra— a tolerar la ejecución o alguna de sus actuaciones. En estos casos es fundamental que el ordenamiento jurídico les conceda la oportunidad de intervenir en la ejecución, de una u otra forma, para defender sus derechos e intereses puestos en peligro por la actividad ejecutiva. Los supuestos que requieren nuestra atención, sin perjuicio de lo que se verá en los temas siguientes, se refieren a:

➢ La posibilidad de que se embargue un bien que sea propiedad del tercero por entenderse, erróneamente, que está afecto a la ejecución al corresponder al ejecutado. En estos casos, el tercero que así se ve afectado tiene a su disposición la tercería de dominio (arts. 595 y ss. LEC).

➢ Afección similar se puede producir, pero ilícitamente. Es decir, se trata de situaciones en las que el bien del tercero se ve afectado sin que sea posible bajo ninguna circunstancia legal que dicha afección se produzca, ni siquiera por error. El tercero, afectado ilícitamente, podrá hacer uso de las más amplias posibilidades de defensa, en tanto que se le equipara, en este sentido, al ejecutado (art. 538.3 LEC).

➢ El tercero que sea titular de un crédito preferente al que ostenta el ejecutado puede verse perjudicado, no viendo satisfecho su crédito, si no interviene en el proceso de ejecución, lo que hará interponiendo la tercería de mejor derecho (arts. 614 y ss. LEC). Si este tercero no posee un crédito preferente, podría aún pretender el cobro de su crédito solicitando el embargo del sobrante.

➢ A los terceros, ocupantes de un inmueble que vaya a ser enajenado en la ejecución, se les concede la oportunidad de ser oídos para que el tribunal pueda decidir acerca de su derecho a permanecer en el mismo (arts. 661 y 675 LEC).

IV. EL OBJETO DE LA EJECUCIÓN

El objeto del proceso de ejecución, replicando lo visto para el proceso declarativo, viene constituido por la *petición*, entendida como la petición fundada dirigida al órgano jurisdiccional, sobre un bien de la vida, frente a otra persona y su *fundamento o causa de pedir*.

➢ *La petición:* La petición del ejecutante se refiere a una determinada actuación jurisdiccional, concretamente a que se despache la ejecución realizando las actuaciones necesarias para adecuar la realidad a lo establecido en el título ejecutivo (petición inmediata). Junto con dicha petición de actuación jurisdiccional, se insta también que se cumpla la consecuencia jurídica concreta prevista en el título, por ejemplo, que se le entregue un bien concreto y determinado o una cantidad de dinero específica (petición inmediata); es, por tanto, el propio título ejecutivo el que marca el contenido concreto de esta petición, pues no podrá pedirse una cosa distinta a la establecida en el título.

➢ *El fundamento o causa de pedir:* El fundamento de la petición es el título ejecutivo. Como veremos inmediatamente, la existencia de un título ejecutivo es suficiente para despachar la ejecución.

V. EL TÍTULO EJECUTIVO

1. Concepto y trascendencia del título ejecutivo

El elemento fundamental en la ejecución es el denominado título ejecutivo. La trascendencia del título estriba en que es precisamente su existencia lo que permite que se despache ejecución, es decir, sin título no hay ejecución (*nulla executio sine titulo*), de forma que el título ejecutivo es presupuesto y fundamento de la ejecución, marcando también, como veremos, los límites o la medida de la misma, en tanto que los actos de ejecución concretos que se lleven a cabo serán «conformes con la naturaleza y contenido del título» (art. 551.1 LEC).

Y no sólo es así, sino que, además, la tenencia del título ejecutivo es suficiente para que el tribunal despache la ejecución, de forma que la mera posesión de un documento, formalmente considerado título ejecutivo, permite instar la ejecución, sin perjuicio del control por el LAJ para admitir la demanda ejecutiva y despachar ejecución y de la oposición que, en su caso, considere pertinente plantear el ejecutado.

El título ejecutivo se presenta como un documento que incorpora un acto jurídico concreto cuya sola existencia y regularidad formal permite a su titular, con las matizaciones vistas al analizar los sujetos de la ejecución, instar la ejecución forzosa dando cumplimiento a su contenido. Este documento se califica por la doctrina de típico, en tanto que sólo son títulos ejecutivos los que el legislador ha querido configurar como tales.

En la doctrina que ha analizado el título ejecutivo, y siguiendo a MONTERO AROCA y FLORS MATÍES, se ha distinguido tradicionalmente, para entender esta simbiosis entre título y ejecución, entre la acción ejecutiva, el título ejecutivo y el derecho incorporado en el título:

➤ La acción ejecutiva se refiere al derecho del acreedor a instar y obtener la tutela ejecutiva de los tribunales;

➤ El título ejecutivo es el instrumento que permite ejercer tal derecho, en tanto que le da fundamento al mismo;

➤ El derecho incorporado al título puede o no existir o subsistir en el momento de instar la ejecución, pero mientras se encuentre incorporado a un título formalmente correcto, es posible instar la ejecución sin perjuicio de la oposición del ejecutado en este sentido.

2. Clases de títulos ejecutivos

El art. 517.1 LEC tras afirmar que «la acción ejecutiva deberá fundarse en un título que tenga aparejada ejecución», establece los títulos que cumplen esta condición. Estamos, no obstante, ante un listado no cerrado de títulos, pues el número 9º del art. 517.2 contiene una cláusula abierta referida a «las demás resoluciones procesales y documentos que, por disposición de esta u otra ley, lleven aparejada ejecución». Así, por ejemplo, la Ley 14/2013, de apoyo a los emprendedores y su internacionalización, configura como título ejecutivo las «cédulas de internacionalización»; igualmente, podría incluirse el decreto que establece la cantidad a pagar como provisión de fondos al procurador (art. 29.2 LEC), el decreto de tasación de costas (art. 244.3 LEC) o el que cuantifica la indemnización a testigos (art. 375 LEC), entre otros.

A) Títulos ejecutivos judiciales o asimilados

En esta clasificación tienen cabida las sentencias firmes de condena y otras resoluciones del órgano jurisdiccional o del LAJ dictadas en un proceso y, asimilándose a ellos, los dictados en el proceso arbitral y procedimiento de mediación, concretamente el art. 517.1-1° a 3° y 8° se refiere a:

> ➢ La sentencia de condena firme, que además debe ser líquida o fácilmente liquidable. Lo ejecutable es el fallo de la sentencia.

> ➢ Los laudos o resoluciones arbitrales condenatorios. En estas resoluciones, el art. 45.1 de la Ley de Arbitraje permite su ejecución aun cuando contra ellas no se haya ejercitado aún la acción de anulación. También del laudo se ejecuta el fallo.

> ➢ Los acuerdos de mediación elevados a escritura pública de acuerdo con la Ley de mediación en asuntos civiles y mercantiles. Es decir, no todo acuerdo de mediación es título ejecutivo.

> ➢ Las resoluciones judiciales que aprueben u homologuen transacciones judiciales o acuerdos alcanzados en el proceso, acompañadas de los correspondientes testimonios de las actuaciones si fuere necesario para dejar constancia de su contenido. Los acuerdos de mediación son firmes desde que se emiten, de modo que contra ellos cabe interponer la acción de nulidad por las causas previstas para los contratos, pero no recurso alguno.

> ➢ El auto de cuantía máxima establecido en concepto de indemnización en los procesos penales incoados por hechos cubiertos por el Seguro Obligatorio de Responsabilidad Civil, derivada del uso y circulación de vehículos de motor (art. 13 del Texto refundido de la Ley sobre responsabilidad civil y seguro en la circulación de vehículos de motor). Si bien este título en cuanto a su origen es judicial, lo cierto es que su tratamiento se asemeja más al de los títulos extrajudiciales.

B) Títulos ejecutivos extrajudiciales

Junto con los títulos ejecutivos judiciales, se incluyen otros títulos de carácter contractual, en los que la obligación a que se refieren se encuentra documentada con ciertas formalidades y garantías. El art. 517.2-4° a 7° LEC establece los siguientes títulos extrajudiciales:

> ➢ Las escrituras públicas siempre que:

> > • Sea la primera copia;

> > • De ser la segunda copia, que esté dada en virtud de mandamiento judicial y con citación de la persona a quien deba perjudicar, o de su causante, o que se expida con la conformidad de todas las partes.

> > • Debe también entenderse incluido el documento público electrónico, entendido como el firmado electrónicamente por funcionarios que ten-

gan atribuida la fe pública, judicial o administrativa (art. 3.6 de la Ley 59/2003, de Firma electrónica).

➢ Las pólizas de contratos mercantiles firmadas por las partes y por Corredor de Comercio colegiado (hoy desaparecidos, debiendo entender que se refiere a los Notarios) que las intervengan, siempre que se acompañe certificación en que dicho Corredor acredite la conformidad de la póliza con los asientos de su libro registro y la fecha de éstos.

➢ Los títulos al portador o nominativos, legítimamente emitidos, que representen obligaciones vencidas y los cupones, también vencidos de dichos títulos, siempre que los cupones confronten con los títulos y éstos con los libros talonarios.

➢ Los certificados no caducados expedidos por las entidades encargadas de los registros contables respecto de los valores representados mediante anotaciones en cuenta o por las entidades responsables de la administración de la inscripción y registro respecto de los valores representados mediante sistemas basados en tecnología de registros distribuidos a los que se refiere la Ley del Mercado de Valores, siempre que se acompañe de la primera copia de la escritura pública de representación de los valores o, en su caso, de la emisión, cuando tal escritura sea necesaria, conforme a la legislación vigente.

C) Diferencia entre títulos judiciales o asimilados y títulos extrajudiciales

Si bien el legislador ha querido dar un tratamiento unitario a los títulos ejecutivos, lo cierto es que el distinto origen de los mismos lleva a diferencias en su regulación según estemos ante títulos judiciales o asimilados y títulos extrajudiciales. Estas diferencias se centran, esquemáticamente y sin perjuicio de las que veremos al estudiar el proceso de ejecución propiamente dicho, en:

➢ Las obligaciones que documentan:

- Los títulos judiciales o asimilados pueden documentar cualquier tipo de obligación, dineraria o no dineraria.

- Los títulos extrajudiciales (art. 520 LEC), únicamente pueden documentar obligaciones dinerarias o computables en dinero de cantidad determinada superior a 300 Euros (cuantía que puede alcanzarse sumando varios de estos títulos ejecutivos) en dinero efectivo, en moneda extranjera o convertible, siempre que la obligación de pago en la misma esté autorizada o resulte permitida legalmente; y en cosa o especie computable en dinero.

➢ La existencia de plazos de caducidad o prescripción:

- Los títulos judiciales o asimilados están sometidos a un plazo de caducidad de cinco años siguientes a la firmeza de la sentencia o resolución (art. 518 LEC).

- Los títulos extrajudiciales están sometidos al plazo de caducidad o prescripción que corresponda a la obligación concreta que documenta o el plazo general.

➢ El art. 548 LEC establece que no se despachará ejecución de resoluciones procesales, arbitrales o acuerdos de mediación, dentro de los veinte días posteriores al de notificación de la resolución de que se trate o firmeza de la resolución. Para los títulos extrajudiciales no se establece esta limitación.

Este plazo de espera no es aplicable a la ejecución de resoluciones de condena de desahucio por falta de pago de rentas o cantidades debidas, o por expiración legal o contractual del plazo, que se regirá por lo previsto en tales casos. No obstante, tratándose de la vivienda habitual, previamente a ejecutar el lanzamiento debe procederse en los términos de los apartados 5, 6 y 7 del art. 441 LEC.

➢ En cuanto a la determinación de la competencia, ya hemos hecho mención a que para los títulos judiciales es aplicable el criterio de competencia funcional, mientras que en los extrajudiciales los criterio a tomar en consideración son el objetivo y territorial.

➢ En el caso de los títulos extrajudiciales debe requerirse de pago al ejecutado, requerimiento que no es necesario cuando se trata de títulos judiciales o asimilados (arts. 580 y 581).

➢ En lo que respecta a la oposición en la ejecución, el hecho de que en la ejecución de los títulos extrajudiciales no haya habido un proceso declarativo previo, procedimiento arbitral o de mediación, lleva a que las posibilidades de oposición sobre el fondo del asunto no se encuentren limitadas en estos títulos, mientras sí lo están en los títulos judiciales o asimilados en que sí ha habido un previo proceso o procedimiento contradictorio.

Además, la oposición de fondo que se plantea respecto a títulos judiciales no suspende la ejecución, mientras sí lo hace cuando lo es respecto a títulos extrajudiciales.

➢ En el caso de títulos extrajudiciales puede ser necesario realizar alguna actividad previa para fijar la cuantía por la que debe despacharse ejecución.

D) Títulos ejecutivos extranjeros

El art. 523 LEC reconoce fuerza ejecutiva a las sentencias firmes y demás títulos ejecutivos extranjeros en atención a los que se establezca en los Tratados internacionales y a las disposiciones legales sobre cooperación jurídica internacional; ejecución que se llevará a cabo conforme a lo previsto en dichos documentos y la propia legislación española.

Esta posibilidad de ejecutar resoluciones extranjeras obliga a tomar en consideración un marco normativo importante, que abarca no sólo los posibles convenios o tratados internacionales ratificados por España, sino también normas europeas de gran trascendencia (Ley 29/2015, de 30 de julio, de cooperación jurídica internacional en material civil). Estas disposiciones legales tienen como finalidad hacer posible el reconocimiento y ejecución de una resolución dictada por juzgados y tribunales no españoles, siendo clave la mayor o menos facilidad con que pueda realizarse. Evidentemente, en este sentido, es clara la diferencia entre aquellos supuestos en que se pretende la ejecución en España de una resolución dictada en otro país de la Unión Europea de los casos en que la resolución proviene de otros países.

Pues bien, tradicionalmente la posibilidad de dicho reconocimiento ha dependido del examen por los tribunales españoles de la concurrencia en la resolución a reconocer de unos requisitos básicos; control que se conoce como exequátur (art. 42 de la Ley 29/2015, de 30 de julio, de cooperación jurídica internacional en materia civil). El paso importante al respecto se produce cuando se toma la decisión de eliminar o suprimir dicho control previo en atención al origen de la resolución, como ha ocurrido en el ámbito europeo.

Si bien el reconocimiento tiene una extensión más amplia, nosotros nos centramos en estas páginas en la ejecución propiamente dicha.

➢ *Ejecución se sentencias extranjeras en el ámbito de la Unión Europea y título ejecutivo europeo*: En virtud del principio de reconocimiento mutuo, la confianza que se supone existe entre los ordenamientos de los distintos países que integran la Unión Europea lleva a suprimir la necesidad del control previo que implica el exequatur, con la finalidad de facilitar la ejecución de las resoluciones dictadas en el ámbito de la Unión. Ahora bien, dicha supreción no es el único paso que se ha dado en la Unión como consecuencia del referido principio, sino que el legislador europeo ha creado un auténtico título ejecutivo europeo, equiparable en su reconocimiento a los títulos ejecutivos nacionales, y ha previsto verdaderos procesos civiles cuyas sentencias firmes son ejecutables directamente en cualquier país de la Unión.

a) *La ejecución de sentencias extranjeras*: En el ámbito de la Unión Europea debe estarse al Reglamento (UE) núm. 1215/2012, del Parlamento Europeo y del Consejo, de 12 de diciembre de 2012, relativo a la competencia judicial, el reconocimiento y la ejecución de resoluciones judiciales en materia civil y mercantil (completada para España por la Disposición final vigesimoquinta de la LEC). En virtud de dicha norma, las resoluciones dictadas en un Estado miembro se reconocerán en los demás Estados sin necesidad de procedimiento de reconocimiento alguno (art. 36); y cuando dichas resoluciones tengan en un Estado fuerza ejecutiva, lo tendrán en los demás Estados sin que sea preciso que se declare la misma expresamente (art. 39).

Efectuado el reconocimiento, la ejecución únicamente podrá negarse —previa petición de la persona contra la que se haya instado la ejecución— por alguno de los motivos previstos en el art. 45 del Reglamento (por ejemplo, por ser contraria al orden público o inconciliable con otra resolución dictada entre las mismas partes en el Estado requerido); no pudiendo ser revisada en cuanto al fondo en el Estado miembro requerido (art. 50).

Estas previsiones son aplicables también a los documentos públicos con fuerza ejecutiva (art. 58) y a las transacciones judiciales homologadas.

b) *El título ejecutivo europeo*: El título ejecutivo europeo se regula en el Reglamento 805/2004, del Parlamento Europeo y del Consejo, de 21 de abril de 2004, que, como ya hemos indicado, supone un paso más en la materia pues en él se prevé, no reconocer fuerza ejecutiva a una resolución, sino la propia creación de un título ejecutable automáticamente en cualquiera de los Estados miembros. Este Reglamento se aplica a las resoluciones, transacciones judiciales o documentos públicos con fuerza ejecutiva que tengan por objeto créditos dinerarios, líquidos y exigibles y no impugnados (estableciendo el Reglamento una serie de circunstancias que permiten entenderlo como tal), provenientes de obligaciones civiles o mercantiles, con las exclusiones previstas en el art. 1.2.

La competencia territorial corresponde al Juzgado de Primera Instancia del domicilio del demandado o del lugar de ejecución.

La ejecución requiere también la presentación de una demanda ejecutiva que debe acompañarse los documentos acreditativos del contenido de la resolución y de su condición de título ejecutivo, entre otros.

Los motivos por los que puede denegarse la ejecución se detallan en el art. 21 del Reglamento.

En definitiva, el Reglamento contempla un procedimiento relativamente sencillo, basado en el uso de formularios, con el que obtener un título ejecutivo que pueda ser ejecutivo en todos los Estados miembros, a excepción de Dinamarca; ejecución que se realizará conforme a lo previsto en cada una de las legislaciones nacionales.

➢ *La sentencia o resolución extranjera (fuera del ámbito de la Unión Europea)*: La ejecución en España de una resolución dictada en el extranjero exige su homologación, mediante auto, por los tribunales españoles, conformando el título ejecutivo la propia resolución más el auto que la homologa. La Ley 29/2015, de 30 de julio, de cooperación jurídica internacional en materia civil, remite en primer lugar, junto con las normas de la Unión Europea, a los tratados internacionales ratificados por España. No son pocos los Tratados internacionales, tanto bilaterales como multilaterales, de los que España forma parte, por ejemplo, con Suiza, Colombia, México, Israel, Marruecos, Unión Soviética, China, etc. A estos tratados debe añadirse normas internas, pero con trascendencia internacional y carácter sectorial, como por ejemplo, la Ley 54/2007, de 28 de diciembre, de adopción internacional.

Al margen de lo previsto en las referencias normas, la regulación general se encuentra en la citada Ley 29/2015, aplicable para el procedimiento de exequatur, pues una vez reconocida la resolución, su ejecución sigue las normas de la LEC. De esta regulación destacamos, resumidamente:

- La competencia objetiva para conocer de la solicitud de exequatur corresponde al Juzgado de Primera Instancia o al Juzgado de lo Mercantil. La competencia territorial se establece a favor del tribunal del domicilio de la parte frente a quien se solicita el reconocimiento o ejecución o respecto de la que se producirán sus efectos. Subsidiariamente, entra en juego el criterio del lugar de ejecución o donde la resolución deba producir sus efectos. Por último, será competente el Juzgado ante el que se interponga la demanda.

- La solicitud de exequatur se presentará por quien acredite tener interés legítimo y frente a la persona frente a la que se haga valer la resolución; siendo necesaria, en todo caso, la postulación. Además, será siempre parte el Ministerio Fiscal, pues el control para reconocimiento y homologación es una cuestión de legalidad.

- Esta solicitud tendrá la forma de demanda, siguiendo los requisitos del art. 399 LEC, debiendo acompañarse de determinados documentos, desde la copia de la resolución hasta cualquier documento acreditativo de su firmeza.

- La admisión de la solicitud corresponde al LAJ mediante decreto. La inadmisión, en virtud de lo previsto en el art. 54. 6 de la Ley 29/2015, corresponde al Juez, mediante auto.

- Admitida la solicitud, el LAJ dará traslado de la demanda a la parte demandada para que pueda oponerse por escrito, acompañado de los documentos que le permitan impugnar la autenticidad de la resolución extranjera, la corrección de su emplazamiento, la firmeza y la fuerza ejecutiva de la resolución extranjera.

- Las causas de oposición y de denegación del reconocimiento se establecen de forma taxativa por la ley, por ejemplo, ser contrarias al orden público o haberse dictado con manifiesta infracción de los derechos de defensa de las partes.

- El órgano jurisdiccional resolverá sobre el reconocimiento mediante auto, recurrible en apelación.

El reconocimiento de la resolución a través de este procedimiento lo convierte en título ejecutivo.

➤ *El laudo extranjero*

La posibilidad de ejecutar un laudo arbitral dictado en el extranjero viene reconocida en el art. 46 de la Ley 60/2003, de 23 de diciembre, de Arbitraje. Este artículo establece una distinción entre el exequátur de laudos extranjeros, al que se aplica el Convenio sobre reconocimiento y ejecución de sentencias arbitrales extranjeras, hecho en Nueva York, el 10 de junio de 1958; y el procedimiento para dicho reconocimiento, respecto al que es de aplicación la Ley 29/2015, en sus arts. 41y ss.

La competencia corresponde a la Sala de lo Civil y de lo Penal del TSJ de la Comunidad Autónoma del domicilio o lugar de residencia de la parte frente a la que se solicita el reconocimiento o del domicilio o del lugar de residencia de la persona a quien se refieren sus efectos; subsidiariamente, corresponde al lugar de ejecución o donde la resolución deba producir efectos. Para la ejecución del laudo será competente el Juzgado de Primera Instancia, aplicándose territorialmente los mismos criterios.

➤ *Otras decisiones*

Si bien hemos hecho alguna referencia expresa, además de las resoluciones indicadas en los puntos anteriores, puede ser necesario reconocer otras resoluciones, no contenciosas, y actos jurídicos extranjeros para su cumplimiento en España. Así, podemos hacer mención a las resoluciones dictadas en procedimientos de jurisdicción voluntaria, cuyo reconocimiento y ejecución seguirán lo previsto para las resoluciones judiciales (art. 41 de la Ley 29/2015); lo mismo ocurre con los documentos púbicos extranjeros, siempre que se trate de documentos que en su país de origen tengan fuerza ejecutiva.

VI. LAS COSTAS EN EJECUCIÓN

En el proceso de ejecución, y respecto de las actuaciones para las que se prevea expresamente un pronunciamiento sobre las costas, es de aplicación lo previsto en el art. 241 LEC, sin perjuicio de los reembolsos que procedan tras la decisión del Tribunal o del LAJ. Las costas no comprendidas en el supuesto anterior, serán a cargo del ejecutado sin necesidad de imposición expresa, si bien hasta su liquidación se exige que el ejecutante satisfaga los gastos y costas que se vayan generando, salvo los correspondientes a actividades realizadas a instancia del ejecutado u otros sujetos, que se pagarán por quien solicitara la actuación de que se trata.

Lección 24ª

LA EJECUCIÓN PROVISIONAL

ANDREA PLANCHADELL GARGALLO

SUMARIO: I. FUNDAMENTO DE LA EJECUCIÓN PROVISIONAL. II. CARACTERÍSTICAS DE LA EJECUCIÓN PROVISIONAL. III. RESOLUCIONES PROVISIONALMENTE EJECUTABLES. 1. Sentencias ejecutables provisionalmente. 2. Sentencias no ejecutables provisionalmente. IV. PRESUPUESTOS PROCESALES DE LA EJECUCIÓN PROVISIONAL. V. PROCEDIMIENTO. 1. Momento para solicitar la ejecución provisional. 2. Solicitud de ejecución provisional: La demanda ejecutiva. A) Contenido del escrito de ejecución o demanda ejecutiva. B) Documentos que deben acompañar al escrito o demanda. 3. El despacho de la ejecución provisional. VI. LA OPOSICIÓN A LA EJECUCIÓN PROVISIONAL. 1. Oposición al conjunto de la ejecución. A) La limitación de la oposición en el caso de la ejecución provisional de condenas dinerarias. B) Motivos de oposición específicos a la ejecución provisional de condenas no dinerarias. 2. Oposición a actos ejecutivos concretos. 3. Sustanciación y decisión sobre la oposición. A) Sustanciación. B) La caución sustitutoria. C) Decisión sobre la oposición. D) Suspensión de la ejecución. VII. LA REVOCACIÓN DE LA SENTENCIA. 1. La revocación de condenas al pago de cantidad de dinero. 2. La revocación de condenas no dinerarias. VIII. LAS COSTAS EN LA EJECUCIÓN PROVISIONAL.

BIBLIOGRAFÍA BÁSICA

ARMENTA DEU, T., *La ejecución provisional*, La Ley, Madrid, 2000.

CACHÓN CADENAS M./ PICÓ I JUNOY, J., (Coords.), *La ejecución civil: Problemas actuales*, Atelier, Barcelona, 2008.

FERNÁNDEZ BALLESTEROS, M. A., *La ejecución forzosa y las medidas cautelares en la nueva Ley de Enjuiciamiento Civil*, Iurgium, Madrid, 2001.

MONTERO AROCA, J./ FLORS MATÍES. J., *Tratado de ejecución civil. Tomo I*, (2ª ed.), Tirant lo Blanch, Valencia, 2013.

I. FUNDAMENTO DE LA EJECUCIÓN PROVISIONAL

Como hemos dicho en la lección anterior, el título ejecutivo por excelencia es la sentencia firme de condena, pues tiene sentido entender que la injerencia que supone la ejecución forzosa deba «padecerse» cuando no hay incertidumbre. No obstante, ello no implica equiparar firmeza con ejecutabilidad. Nuestro ordenamiento jurídico permite la ejecución de sentencias que no han adquirido firmeza, reconociendo como título ejecutivo sentencias frente a las que se ha interpuesto alguno de los recursos legalmente previstos.

Esta posibilidad debe entenderse como una opción de política legislativa en la que el legislador ha valorado la conveniencia o no de esperar a la sentencia firme para proceder a la ejecución, entendiendo que no hay obstáculo constitucional para ello (SS TC 80/1996, de 20 de mayo y 266/2000, de 13 de noviembre y ello, pese a que como indican MONTERO AROCA y FLORS MATÍES, esta posibilidad «se contempló inicialmente en nuestro ordenamiento con notable recelo, configurándose como algo excepcional»). Asimismo, se añade, por un lado, el hecho de que la práctica forense ha puesto de manifiesto cómo no son pocas las ocasiones en las que la interposición de los recursos tiene una finalidad meramente dilatoria, precisamente del cumplimiento efectivo de la sentencia. Por otro lado, la innegable duración de nuestros procesos civiles (7,7 meses en el año 2022 en órganos unipersonales y 9,6 meses en juicios declarativos ante Audiencias Provinciales, según estadísticas oficiales del Consejo General del Poder Judicial) puede justificar esta decisión de proceder a la ejecución de una sentencia, en que el demandante ya ha obtenido el reconocimiento de su derecho, para evitar así que tenga que esperar un considerable período de tiempo para verse satisfecho (la duración media de los procesos de ejecución en el año 2022 fue de 40,7 meses). Como indica MORENO CATENA, supone «un reforzamiento de la posición del litigante que ganó la sentencia, a quien se le va a otorgar una tutela más inmediata».

Sin duda alguna, estos últimos argumentos a favor de una ejecución provisional son los mismos que se pueden esgrimir para instar la adopción de una medida cautelar; por lo que el demandante tendrá que analizar bien las circunstancias de su caso para ver si le conviene, una vez obtenida la sentencia en primera instancia, sustituir la medida cautelar que en su caso hubiera instado por la ejecución provisional o, por el contrario, mantenerla hasta que la sentencia adquiera firmeza.

Por último, esta opción a favor de la ejecución provisional y la forma en que la misma se regula pone de manifiesto, como se indica en la propia Exposición de Motivos de la LEC (apartado XVI), una «opción por la confianza en la Administración de Justicia y por la importancia de su impartición en primera instancia…»; se reconoce así la ejecución provisional de las sentencias definitivas con carácter general y sin necesidad de prestar caución.

Como veremos en las páginas siguientes, en la ejecución provisional así concebida, elemento clave será garantizar la restitución a la situación previa e indemnización por los daños causados en caso de revocación de la sentencia ejecutada.

II. CARACTERÍSTICAS DE LA EJECUCIÓN PROVISIONAL

De la ejecución provisional, regulada en el Título II del Libro III dedicado a la ejecución forzosa y las medidas cautelares, se pueden predicar las siguientes notas características:

> ➢ La ejecución provisional se regula como regla general para las sentencias definitivas, salvo los supuestos en que expresamente se excluya (art. 525 LEC).

> ➢ No es necesaria la prestación de caución por quien insta la ejecución provisional (art. 526 LEC). Esta no necesidad de caución por el ejecutante no impide considerar que la ejecución provisional se despacha bajo su responsabilidad, pues en caso de revocación de la sentencia recurrida deberá restituir la situación e indemnizar al ejecutado por los daños y perjuicios que la ejecución le hubiera podido causar. La opción por la no prestación de caución se explica, principalmente, por la situación legal inmediatamente anterior, ya que precisamente su exigencia era uno de los motivos de la escasa aplicación de la ejecución provisional. Esta nota se presenta como una de las más significativas de la nueva regulación.

> ➢ La ejecución se despachará y llevará a cabo en la forma prevista para la ejecución definitiva (art. 524.2 LEC), teniendo las partes los mismos derechos y obligaciones que en ella (art. 524.3 LEC).

> ➢ Para despachar ejecución debe atenderse a la «ejecutabilidad» de la sentencia (art. 527.3 LEC).

> ➢ La posible irreparabilidad de las consecuencias de despachar la ejecución, que es lo que puede poner fin a la misma, se plantea a través de la oposición del ejecutado, que permite controlar tanto la procedencia o no de la ejecución como dicha irreparabilidad.

III. RESOLUCIONES PROVISIONALMENTE EJECUTABLES

Como hemos indicado ya, la LEC concibe la ejecución provisional de las sentencias definitivas como regla general, salvo que expresamente se excluya dicha posibilidad.

1. Sentencias ejecutables provisionalmente

Conforme a los arts. 525 y 526 LEC son ejecutables provisionalmente:

> ➢ Las sentencias de condena, dineraria o no dineraria;

> ➢ Contra las que se haya interpuesto recurso de apelación o recurso de casación; es decir, sentencias definitivas dictada en primera o segunda instancia;

Cuando la sentencia sea de las que tutelen derechos fundamentales, además, su ejecución tendrá carácter preferente.

Pese a la referencia exclusiva a las sentencias, debemos cuestionarnos si es posible la ejecución provisional de aquellos autos, referidos al fondo del asunto, y que imponen una obligación al demandado que sería ejecutable de forma definitiva; por ejemplo, el auto que homologa una acuerdo o transacción judicial y cuyo contenido es equiparable al de una sentencia condenatoria.

2. Sentencias no ejecutables provisionalmente

Dado que la ejecución provisional de la sentencia definitiva es la regla general, sí debe regularse detallada y cuidadosamente las excepciones a la misma, es decir, los casos en que quien ha obtenido una sentencia a su favor no podrá solicitar la ejecución provisional de la misma. Esto ocurre en los siguientes supuestos (art. 525.1 LEC):

➤ Sentencias dictadas en los procesos sobre paternidad, maternidad, filiación, nulidad de matrimonio, separación y divorcio, capacidad y estado civil, oposición a las resoluciones administrativas en materia de protección de menores, así como sobre las medidas relativas a la restitución o retorno de menores en los supuestos de sustracción internacional y derechos honoríficos, que normalmente tienen carácter constitutivo o declarativo. En definitiva, la no ejecutabilidad alcanza a las sentencias dictadas en los procesos no dispositivos y sobre derechos honoríficos, que generalmente tienen carácter declarativo o constitutivo; ello no obstante, sí serán ejecutables provisionalmente los pronunciamientos de dichas sentencias que regulen las obligaciones y relaciones patrimoniales relacionadas con el objeto principal del pleito. Por ejemplo, se podrá ejecutar provisionalmente la pensión compensatoria.

En la práctica, las mayores dudas se han planteado respecto de las sentencias dictadas en proceso matrimoniales y ello debido a que el art. 774. 5 LEC establece que el recurso que se interponga no suspenderá la adopción de las medidas que en la sentencia se hubieren previsto. Así, la duda es si el régimen de visitas podría ejecutarse provisionalmente (A AP de Barcelona núm. 9/2012, de 16 enero y SS TS núm. 1088/2013, de 26 de marzo de 2014 y núm. 785/2012, de 19 de noviembre de 2014).

➤ Las sentencias que condenen a emitir una declaración de voluntad. Estamos ante un contenido que, por su propia esencia, hace conveniente que se ejecute cuando la sentencia sea firme, por las consecuencias que en estos casos tendría la revocación de la sentencia.

➤ Las sentencias que declaren la nulidad o caducidad de títulos de propiedad industrial. Nuevamente estamos antes sentencias declarativas o constitutivas, cuyo contenido indemnizatorio —de tenerlo— sí será ejecutable provisionalmente. Se permite, por tanto, ejecutar ciertos pronunciamientos de sentencias que no son ejecutables.

➢ Las sentencias extranjeras no firmes, salvo que la posibilidad de ejecución provisional se prevea expresamente en los Tratados internacionales vigentes en España. Recordemos que el reconocimiento de la resolución extranjera exige su firmeza. Una excepción se contempla, para el ámbito europeo, en el Reglamento núm. 1215/2012, relativo a la competencia civil y mercantil, que sí admite la ejecución provisional de resoluciones dictadas en dicho ámbito territorial cuando tengan fuerza ejecutiva en el Estado de origen. Igualmente, también son ejecutables provisionalmente las relativas a alimentos en el ámbito del Convenio de La Haya de 2 de octubre de 1973 y custodia de menores del Convenio de Luxemburgo de 20 de mayo de 1980.

➢ Las sentencias que dispongan o permitan la inscripción o la cancelación de asientos en Registros públicos (art. 524.4 LEC), pues no suponen un contenido condenatorio. Recurridas estas sentencias, se procederá a la anotación preventiva de las mismas hasta que adquiera firmeza; anotación preventiva que, realmente, no puede considerarse ejecución.

➢ En las sentencias que declaren la vulneración de los derechos al honor, a la intimidad personal y familiar y a la propia imagen, no se podrán ejecutar provisionalmente sus pronunciamientos indemnizatorios (posibilidad introducida por la Ley 19/2003, de 23 de diciembre, debido a presión ejercida por no pocos medios de comunicación que no quieren enfrentarse a la ejecución provisional de su condena a pagar cantidades nada desdeñables de dinero).

➢ Obviamente, en atención a lo indicado en la lección anterior, no serán ejecutables provisionalmente las sentencias meramente declarativas y constitutivas, pues tampoco lo son definitivamente.

IV. PRESUPUESTOS PROCESALES DE LA EJECUCIÓN PROVISIONAL

El despacho de la ejecución provisional requiere, también, el cumplimiento de los requisitos generales exigibles a cualquier acto de parte o del órgano jurisdiccional, a los que debería añadirse los específicos de esta modalidad de ejecución.

➢ La *competencia* corresponde al tribunal competente para conocer de la primera instancia, tanto si la sentencia cuya ejecución se insta es la de primera instancia como la dictada en apelación (arts. 524.2, 527 y 535. 2 LEC).

➢ La *legitimación* activa se atribuye a quien ha obtenido un pronunciamiento a su favor en sentencia de condena dictada en primera instancia (art. 526 LEC) o en apelación (art. 535.1 LEC), sin atender a la posición concreta que ocupe en el recurso. La legitimación pasiva recae sobre la persona que en la sentencia figura como obligada al cumplimiento de la prestación. En el caso de sentencias estimatorias de la pretensión de condena parcialmente, las dos partes estarían legitimadas para instar la ejecución provisional y, consecuentemente, oponerse a ella.

➢ A las partes se les exige *postulación* en las mismas condiciones y términos que en la ejecución definitiva.

V. PROCEDIMIENTO

1. *Momento para solicitar la ejecución provisional*

Dado que la posibilidad de ejecución provisional depende de la interposición de un recurso que, como es sabido, impide la firmeza de la resolución recurrida, la solicitud de ejecución provisional podrá presentarse desde que se tenga por interpuesto el recurso de que se trate (o la adhesión al mismo, en su caso), si bien debe matizarse lo siguiente:

➢ Cuando se inste la ejecución provisional de la *sentencia dictada en primera instancia,* el art. 527.1 LEC dispone que se podrá interponer «en cualquier momento» desde la notificación de la resolución en que se tenga por interpuesto el recurso de apelación o desde el traslado de la parte apelante del escrito del apelado adhiriéndose al recurso. En definitiva, el recurso se podrá interponer mientras esté pendiente de resolución el recurso de apelación, debiendo tenerse en cuenta que:

• Si la petición se interpone antes de la remisión de los autos al Tribunal competente para resolver la apelación, el LAJ expedirá testimonio de todo lo que sea necesario para la ejecución, antes de hacer la remisión (art. 527.2, II LEC), debiendo acompañar a la demanda ejecutiva dicha documentación.

• Si se presenta una vez remitidos los autos, el solicitante deberá obtener previamente testimonio de lo que sea necesario para la ejecución, acompañando dicho escrito a la propia solicitud (art. 527.2, I LEC).

➢ De instarse la ejecución provisional de la *sentencia dictada en segunda instancia,* la ejecución provisional podrá solicitarse «en cualquier momento» desde la notificación de la resolución que tenga por interpuesto el recurso de casación y siempre antes de que haya recaído sentencia en estos recursos (art. 535. 2, I LEC). También aquí, junto con la demanda ejecutiva, deberá presentarse certificación de la sentencia cuya ejecución provisional se pretende, así como testimonio de cuantos particulares se considere necesarios para proceder a ejecución (art. 535.2, II LEC).

En el caso de las resoluciones judiciales o asimilables, no es necesario esperar al agotamiento del plazo previsto en el art. 548 LEC, únicamente aplicable a la ejecución definitiva. Esto tiene sentido si pensamos que la finalidad del plazo de 20 días a que se refiere este artículo es dar al condenado la oportunidad de cumplir voluntariamente con la obligación establecida en la sentencia, evitando la ejecución forzosa. En el caso de la ejecución provisional, el ejecutado no va a plantearse el cumplimiento de una sentencia que no ha adquirido firmeza.

Obviamente, el momento final (*dies ad quem*) será antes de que se dicte sentencia en el recurso que corresponda, sea apelación o casación. Es importante matizar, en este sentido, que cuando se ha dictado sentencia de apelación y ésta es recurrida, no se instará la ejecución de la sentencia que se dictó en primera instancia, sino la de segunda instancia.

2. Solicitud de ejecución provisional: La demanda ejecutiva

La ejecución provisional no puede decretarse de oficio, sino que la vigencia del principio dispositivo obliga a que sea el sujeto que ha obtenido a su favor la sentencia de condena quien expresamente la solicite, mediante una simple solicitud o una demanda ejecutiva, conforme lo previsto para la ejecución definitiva (art. 524.1 LEC con remisión al art. 549).

A) Contenido del escrito de ejecución o demanda ejecutiva

En virtud del art. 549.2 LEC, cuando el título ejecutivo sea una sentencia, la demanda ejecutiva «podrá limitarse a la solicitud de que se despache ejecución, identificando la sentencia… cuya ejecución se pretenda». Aún en este caso, y sin llegar a tener la forma de demanda, la solicitud de ejecución provisional deberá contener, junto con la referencia al tribunal competente y los datos de identificación de las partes, los elementos que permitan identificar la pretensión ejecutiva, es decir:

➢ La tutela ejecutiva concreta que se pretende;

➢ Los bienes concretos del ejecutado susceptibles de embargo de los que tenga constancia, así como si se consideran o no suficientes; y

➢ Las medidas de localización de bienes y de investigación del patrimonio del ejecutado.

En el caso de optarse por presentar la demanda ejecutiva, su contenido se referirá a lo establecido en el art. 549.1 LEC.

B) Documentos que deben acompañar al escrito o demanda

La demanda ejecutiva o solicitud escrita de ejecución deberá igualmente acompañarse de una serie de documentos para su admisión por el tribunal, concretamente:

➢ Junto con la demanda o escrito debe acompañarse testimonio de ciertas actuaciones, de la primera o segunda instancia, cuya finalidad principal es hacer posible la ejecución de la forma más adecuada posible. Así, será necesario presentar testimonio de la sentencia a ejecutar, si las actuaciones ya han sido remitidas al tribunal competente para resolver del recurso interpuesto; y testimonio de los particulares que se considere necesario para la llevar a cabo la ejecución. Será el ejecutante quien debe solicitar estos testimonios.

➢ Si la persona que solicita la ejecución provisional es distinta a la que obtuvo el pronunciamiento judicial, por ejemplo, en caso de sucesión, y es la primera vez que comparece en el proceso, deberá acompañarse del documento que acredite la representación procesal.

➢ En cuanto al poder, dado que estamos ante la ejecución de un título ejecutivo obtenido en un proceso previo, no será necesaria su presentación en tanto que constará ya en las actuaciones. Ello no obstante, dado que dichas actuaciones pueden obrar ya en poder de un tribunal distinto al que corresponde la ejecución provisional, es necesario matizar, siguiendo lo indicado en el epígrafe previo, que:

  • Si tratándose de la ejecución provisional de la sentencia dictada en primera instancia, las actuaciones aún no se han remitido al tribunal que ha de conocer de la apelación, no será necesario presentar el poder.

  • Respuesta contraria debemos dar en el supuesto en que las actuaciones ya se hayan remitido al tribunal competente para la apelación, debiendo presentarse copia de la escritura del poder otorgado al procurador o copia del documento acreditativo de la designación de oficio o testimonio del apoderamiento *apud acta*.

  • Esta necesidad también concurre en el caso de solicitud de ejecución de la sentencia de segunda instancia.

➢ Igualmente, podrán acompañarse cuantos documentos se consideren útiles o convenientes por el ejecutante para el mejor desarrollo de la ejecución y contengan datos de interés para despacharla, por ejemplo, respecto al valor de los bienes o si se integran en la sociedad de gananciales.

3. El despacho de la ejecución provisional

Solicitada la ejecución provisional, el tribunal la despachará, salvo que la sentencia no sea ejecutable provisionalmente o no concurran los presupuestos para ello. Así, el tribunal procederá a controlar los presupuestos relativos a su competencia, a la legitimación y postulación de las partes, así como los requisitos que debe contener la demanda o escrito de solicitud, con especial atención al título ejecutivo (sentencia de condena no firme no excluida legalmente de ejecución provisional), su presentación en el momento procesal oportuno, así como la adecuación de los actos ejecutivos solicitados a la sentencia de condena concreta (por ejemplo, que se trate de una condena dineraria o no).

Contra el auto que deniegue la ejecución provisional cabe recurso de apelación, sin reposición previa, y con tramitación preferente (art. 527.4 LEC); no cabiendo recurso alguno contra el auto despachando ejecución. La oposición del ejecutado, una vez despachada ejecución y notificada la misma, será el medio de defensa con que éste cuenta para hacer valer su disconformidad con la ejecución o con alguna actividad ejecutiva concreta. Obviamente, si el tribunal considera que falta algún requisito o presupuesto de carácter subsanable, se dará el correspondiente plazo para ello.

El auto que despacha la ejecución fijará el contenido y límites de la misma, conteniendo, conforme con el art. 551.2 LEC (por remisión):

➢ La determinación de la persona o personas a cuyo favor se despacha la ejecución y la persona o personas contra quien se despacha.

➢ Si la ejecución se despacha de forma mancomunada o solidaria.

➢ La cantidad, en su caso, por la que se procede a ejecución, incluyendo todos los conceptos.

➢ Las medidas ejecutivas concretas que resulten procedentes, incluido si fuera posible el embargo de bienes.

➢ Las medidas de localización y averiguación de los bienes del ejecutado que proceda, conforme a los arts. 589 y 590 LEC.

➢ Las precisiones que resulte necesario realizar respecto de las partes o del contenido de la ejecución atendiendo al título ejecutivo concreto y de los responsables personales de la deuda o propietarios de bienes especialmente afectos a su pago a los que, según el art. 538 LEC, haya de extenderse la ejecución.

Despachada la ejecución, el auto se notificará a la persona frente a la que despache, para que pueda, si lo estima oportuno, plantear oposición.

VI. LA OPOSICIÓN A LA EJECUCIÓN PROVISIONAL

La decisión de despachar la ejecución provisional se adopta *inaudita parte*, partiendo de lo alegado y fundamentado por el ejecutante en su demanda o escrito de ejecución. Ahora bien, esto no significa que el proceso de ejecución provisional no responda al principio de contradicción, sino que éste se ejercita de manera diferida, defendiéndose el ejecutado frente a una decisión ya tomada (art. 528.1 LEC).

El art. 529.1 LEC establece que la oposición se planteará por escrito, ante el tribunal competente para la ejecución, dentro de los cinco días siguientes a su notificación o la de actuaciones ejecutivas concretas que deban practicarse.

En la oposición a la ejecución provisional, como medio de defensa del ejecutado, debemos distinguir entre aquellas causas de oposición que pueden considerarse generales, y las que dependen del tipo de sentencia a ejecutar, concretamente su carácter dinerario o no (art. 528 LEC). A su vez, la oposición podrá plantearse respecto de la ejecución en sí, con la finalidad de poner fin a la misma; o a actuaciones ejecutivas concretas, bien para que no se lleven a cabo, bien para que se realicen de otra forma o se anulen por no haberse realizado correctamente.

1. Oposición al conjunto de la ejecución

Con carácter general, el ejecutado podrá fundar su oposición a la ejecución provisional en los siguientes motivos:

➢ *Motivos procesales*:

- No ser la sentencia ejecutable provisionalmente.
- No contener la sentencia un pronunciamiento de condena.
- La falta de presupuestos y requisitos procesales para proceder a ejecución (por ejemplo, de legitimación), no siendo subsanables.

➢ *Motivos de fondo*: La oposición al conjunto de la ejecución podrá también fundarse en la existencia de hechos extintivos o excluyentes que dejan sin objeto a la ejecución (art. 528.4 LEC):

- El pago o cumplimiento de la obligación a que se refiera, circunstancias que habrán de justificarse documentalmente.

- La existencia de pactos o transacciones que se hubieran alcanzado y documentando en el proceso precisamente con la finalidad de evitar la ejecución provisional.

A través de esta oposición, el ejecutado pretende poner fin definitivamente a la misma, de forma que no se proceda a la ejecución provisional de la sentencia. Como luego veremos, la estimación de esta oposición —salvo en el caso del pago o cumplimiento— no conlleva necesariamente la imposibilidad de instar la ejecución definitiva cuando la sentencia haya adquirido firmeza.

A) La limitación de la oposición en el caso de la ejecución provisional de condenas dinerarias

Cuando la sentencia de condena lo es al pago de una determinada cantidad de dinero, el ejecutado únicamente podrá evitar la ejecución por los motivos generales que acabamos de indicar, al contrario de lo que ocurre cuando se trata de condenas de contenido específico no dinerario. Es decir, el art. 528.3 LEC limita las posibilidades de oposición al conjunto de la ejecución provisional en las condenas dinerarias, en las que el ejecutado realmente a lo que puede oponerse es a actos ejecutivos concretos.

B) Motivos de oposición específicos a la ejecución provisional de condenas no dinerarias

En el caso de la ejecución provisional de condenas no dinerarias, y siguiendo el art. 528.2-2º LEC, además de las causas comunes o generales indicadas, la oposición podrá fundarse en la imposibilidad o dificultad para restaurar la situación al estado anterior a la ejecución provisional o compensar económicamente al ejecutado mediante resarcimiento de los daños y perjuicios causados, de ser revocada la sentencia.

Respecto a esta oposición, lógica atendiendo a la propia condición de no dineraria de la sentencia, debemos precisar que:

➤ La imposibilidad o dificultad para restaurar al estado anterior debe valorarse atendiendo a la naturaleza de las actividades ejecutivas concretas que deban practicarse; sin entrar en consideraciones sobre la capacidad económica del ejecutante.

➤ Esta imposibilidad debe atender a causas objetivas.

➤ De no ser posible la restauración a la situación anterior, deben analizarse la viabilidad de compensar económicamente al ejecutado precisamente por dicha imposibilidad y por los daños y perjuicios causados.

En definitiva, se trata alegar que, de procederse a la ejecución efectiva y revocarse la sentencia, no podría compensarse económicamente de forma alguna o sería extremadamente difícil hacerlo. Será el Tribunal quien deberá apreciar dicha imposibilidad estimando o no la oposición.

2. *Oposición a actos ejecutivos concretos*

La segunda posibilidad de oposición en la ejecución provisional no pretende poner fin a la ejecución en su conjunto, sino a actos ejecutivos concretos que integran la misma. Esta posibilidad únicamente está prevista legalmente en el caso de las obligaciones dinerarias.

A través de esta oposición, el ejecutante pondrá de manifiesto que la actuación o actuaciones concretas «impugnadas» causarán una situación absolutamente imposible de restaurar o de compensar económicamente mediante el resarcimiento de daños y perjuicios (art. 528.3 LEC); entendida esta imposibilidad en la forma recién indicada para las sentencias no dinerarias.

Cuando se alegue esta circunstancia, sobre el ejecutado recae la obligación de indicar otras medidas o actuaciones ejecutivas que, siendo posibles, no provocarán estos negativos efectos o similares; debiendo ofrecer caución suficiente por la demora que ello pueda causar en la ejecución si las medidas alternativas no fuesen aceptadas por el tribunal y el pronunciamiento de condena dineraria resultare posteriormente confirmado. Llamamos la atención sobre el hecho de que la caución que debe prestarse en la ejecución provisional, en su caso, corresponde al ejecutado frente al que se despacha ejecución, si este quiere sustituir una actividad concreta por otra alternativa que le resulte menos gravosa.

El cumplimiento de esta doble obligación es requisito necesario para poder atender a la oposición del ejecutado; de forma que, ante su ausencia, el LAJ procederá a su inadmisión, mediante decreto recurrible en revisión.

Sin perjuicio de lo dicho, e independientemente de que se trate de obligaciones dinerarias o no dinerarias, el ejecutante siempre podrá alegar la ilegalidad de una actuación ejecutiva concreta a través de los recursos correspondientes (art. 562 LEC).

3. *Sustanciación y decisión sobre la oposición*

A) **Sustanciación**

La oposición, mediante escrito, se presentará ante el tribunal que ha despachado la ejecución dentro de los cinco días siguientes al de la notificación de la resolución que acuerde el despacho de la ejecución o actuaciones concretas a que se oponga (art. 529.1 LEC). El planteamiento de la oposición supone la promoción de un incidente propio.

El escrito de oposición, atendiendo a su objeto, seguirá el orden de la demanda y contestación a la demanda (art. 399 LEC), con sus correspondientes apartados (encabezamiento, hechos, fundamentos de derecho y suplico). Específicamente, además, y a riesgo de ser reiterativos en la oposición a actividades ejecutivas concretas en la ejecución de la sentencia de condena dineraria (art. 528.3 LEC) deberá mencionar expresamente otras medidas, alternativas a las acordadas, que no provocan tan negativos efectos; así como la prestación de caución suficiente para compensar al ejecutante por la demora en la ejecución, si finalmente se confirma la sentencia.

El escrito se debe acompañar, en su caso, del correspondiente poder, en atención a si las actuaciones se han trasladado al tribunal competente para la ejecución o no.

Del escrito y documentos que le acompañan se dará traslado al ejecutante y a quienes estuvieren personados en la ejecución provisional, para que, en el plazo de diez días, manifiesten lo que consideren conveniente respecto a las alegaciones del ejecutante.

B) La caución sustitutoria

Como ya hemos indicado, en la ejecución provisional sí entra en juego la caución, pero la obligación de prestarla no recae en el ejecutante, sino en el ejecutado que decide plantear oposición a la ejecución provisional, defenderse frente a la misma. Esta opción del legislador es coherente con el fundamento de la ejecución provisional a que hemos hecho referencia al inicio de esta lección. Con ella se pone de manifiesto también la confianza del legislador en la primera instancia española, pues al obligar al ejecutado a su prestación se deja claro que es éste el que deberá indemnizar o compensar al ejecutante que ve cómo se retrasa la ejecución por él instada.

Junto a esta posibilidad, el art. 529.3 LEC prevé la llamada caución sustitutoria, en virtud de la cual y en la ejecución de sentencia de condena no dineraria, cuando el ejecutado en oposición alegara la imposibilidad o dificultad de restaurar o de indemnizar a que se refiere el art. 528. 2-2º LEC, el ejecutante podrá prestar caución suficiente precisamente para garantizar que sí podrá restaurarse la situación anterior o indemnizar al ejecutado si finalmente la sentencia es revocada. Esta caución, de ser aceptada por el tribunal, supone que la ejecución continua en la forma solicitada, «dejando sin efecto real a la oposición planteada».

La caución se puede constituir en dinero efectivo, mediante aval solidario de duración indefinida emitido por entidad de crédito o sociedad de garantía recíproca o por cualquier otro medio que, a juicio del tribunal, garantice la inmediata disponibilidad de la cantidad (art. 529. 3 LEC).

C) Decisión sobre la oposición

El incidente de oposición se resolverá por medio de auto, que podrá tener uno de los siguientes contenidos:

> ➢ Desestimatorio de la oposición, cualquiera que fueran los motivos alegados: Se acordará seguir adelante con la ejecución provisional.

> ➢ Estimatorio de la oposición, con un distinto contenido en atención al motivo de oposición que se estime:

- Si se estima la oposición por falta de requisitos o presupuestos procesales no subsanables o que no se subsanaran en plazo y forma, se declarará no haber lugar a que prosiga dicha ejecución, alzándose los embargos, trabas y garantías que se hubieren adoptado (art. 530.1 LEC). Se pone fin, por tanto, a la ejecución provisional.

- Si la oposición estimada lo es por la imposibilidad de restitución o reparación en el caso de la condena no dineraria, el auto dictado dejará en suspenso la ejecución, pero mantendrá los embargos, trabas y garantías que se hubieren adoptado (art. 530.2 LEC).

- Si la oposición se formula respecto a actividades ejecutivas concretas en caso de condena dineraria, y el Tribunal considera que las actuaciones alternativas propuestas por el ejecutado son adecuadas para el cumplimiento de lo establecido en la sentencia y de eficacia similar, la estimación de la oposición no pone fin a la misma, sino que procede a sustituir una actuación por otra. En este caso, debe igualmente estimarse suficiente la caución ofrecida por el ejecutado para hacer frente a la posible indemnización por la demora en la ejecución.

Contra el auto que resuelve la oposición no cabe recurso alguno. Si la sentencia que se confirma es la dictada en segunda instancia, se aplica lo visto en este epígrafe (art. 536).

D) Suspensión de la ejecución

La ejecución provisional, al igual que la ejecución forzosa, sólo se suspenderá cuando así se prevea expresamente por la ley o se acuerde por las partes personadas (art. 565.1 LEC). En este sentido, el art. 531 LEC contiene las causas específicas de suspensión de la ejecución provisional, concretamente, que, en el caso de las sentencias de condena al pago de cantidades de dinero líquidas, el ejecutado ponga a disposición del Juzgado, para su entrega al ejecutante, la cantidad por la que hubiera sido condenado, más los intereses correspondientes y las costas.

VII. LA REVOCACIÓN DE LA SENTENCIA

La ejecución provisional, como se ha reflejado a lo largo de estas páginas, supone una clara opción del legislador a favor de la corrección de la sentencia dictada en primera instancia o, en su caso, en apelación y, por ello, al ejecutado no se le ponen excesivas trabas, por no decir ninguna, para poder solicitarla; ni siquiera una caución para responder por los daños y perjuicios. La efectividad de la ejecución provisional se supedita a la confirmación de la sentencia, previendo el art. 532 LEC que, en tal caso, si la ejecución no hubiere terminado, continuará como definitiva salvo desistimiento del ejecutado. Precisamente por ello, un elemento fundamental en la regulación de la ejecución provisional es la previsión de cómo debe actuarse precisamente si la sentencia recurrida y ejecutada provisionalmente fuera revocada. A esta necesidad responden los artículos 533 y 534 LEC, distinguiendo entre las condenas al pago de cantidad de dinero y las no dinerarias, respectivamente.

1. La revocación de condenas al pago de cantidad de dinero

En caso de revocación de la condena, debemos distinguir en atención a si la misma es total o parcial:

➤ Si la sentencia que condena al pago de una cantidad de dinero es revocada *totalmente*, el LAJ sobreseerá la ejecución provisional y el ejecutante deberá devolver la cantidad que hubiera percibido, así como reintegrar al ejecutado las costas que hubiere satisfecho, así como resarcirle de los daños y perjuicios que se le hubieses ocasionado.

➤ Si la revocación es *parcial*, se procederá a devolver la diferencia entre la cantidad percibida por el ejecutante y la resultante de la confirmación parcial, incrementada por la correspondientes a los intereses. En este caso, no hay revocación de las costas.

Por último, si la sentencia revocatoria no fuera firme, por haberse interpuesto recurso de casación, la percepción de las cantidades e incrementos previstos podrán pretenderse por vía de apremio ante el tribunal que hubiere sustanciado la ejecución provisional. El ejecutante podrá oponer actuaciones concretas de apremio en los términos del art. 528. 3. De esta suerte se crea una especie de ejecución provisional y oposición a ella, dentro de una ejecución provisional de una sentencia de primera instancia revocada que no ha adquirido firmeza.

La liquidación de los daños y perjuicios se hará según lo dispuesto en los arts. 712 y ss. LEC.

2. La revocación de condenas no dinerarias

Si la resolución revocada se refiere a una condena no dineraria, debemos distinguir en atención a la condena concreta a que se refiera:

> ➢ Cuando la condena lo fuera a *entregar un bien determinado,* se restituirá éste al ejecutado, en el concepto que lo hubiera tenido, más las rentas, frutos o productos o el valor pecuniario de la utilización del bien.
>
> De ser imposible la restitución, de hecho o de derecho, y ese es el riesgo de la ejecución provisional, el ejecutado puede pedir que se le indemnice por los daños y perjuicios que corresponda conforme a la liquidación prevista en los arts. 712 y ss. LEC.
>
> ➢ Si se revoca una resolución referida a una *obligación de hacer* y ésta se hubiera realizado, se puede pedir que se deshaga lo mal hecho, lo que puede ser muy complicado, y que se indemnice los daños y perjuicios causado.

Para lograr la restitución de la cosa, la destrucción de lo mal hecho o la indemnización procederá también, como en el caso anterior, la ejecución ante el tribunal competente para la provisional cuando la sentencia revocada no sea firme. Ejecución a la que el obligado a restituir, deshacer o indemnizar podrá oponerse por los motivos del art. 528 LEC.

Si la sentencia dictada en segunda instancia es revocada se procede en la forma que acabamos de ver (art. 537 LEC).

VIII. LAS COSTAS EN LA EJECUCIÓN PROVISIONAL

No encontramos normas específicas en materia de costas para la ejecución provisional, por lo que serán de aplicación las normas generales del artículo 241 LEC; así como las específicas de la ejecución definitiva, por remisión, establecidas en el art. 539.2 LEC.

Lección 25ª
PROCEDIMIENTO DE EJECUCIÓN. INICIO, DEMANDA Y OPOSICIÓN

ANDREA PLANCHADELL GARGALLO

BIBLIOGRAFÍA BÁSICA

ACHÓN BRUÑEN, M. J., *Ejecución civil dineraria y no dineraria. 654 preguntas y respuestas*, Sepin, Madrid, 2018.

FERNÁNDEZ BALLESTEROS, M. A., *La ejecución forzosa y las medidas cautelares en la nueva Ley de Enjuiciamiento Civil*, Iurgium, Madrid, 2001.

MARTÍNEZ DE SANTOS, A., *La ejecución civil*, La Ley, Madrid, 2021.

MONTERO AROCA, J./ FLORS MATÍES. J., *Tratado de ejecución civil*, (2ª ed.), Tirant lo Blanch, Valencia, 2013.

I. LA UNIDAD DE LA EJECUCIÓN

La Ley de Enjuiciamiento Civil, a diferencia de las Leyes de 1855 y 1881, plantea una regulación unitaria de la ejecución forzosa («unitaria, clara y completa» en palabras de la Exposición de Motivos, XVII), de forma que se regula un único proceso de ejecución, sin perjuicio de la naturaleza judicial o extrajudicial del título ejecutivo, o de que se trate de una ejecución forzosa común o una ejecución hipotecaria. Ahora bien, esta afirmación debe ser matizada, pues el legislador no puede obviar las particularidades que ciertos títulos ejecutivos exigen y que repercuten en la ejecución de los mismos, como ocurre, por ejemplo, con la ejecución hipotecaria.

Por tanto, si bien es cierto que ha desaparecido en la LEC la distinción entre el procedimiento de ejecución forzosa «ordinario» y el juicio ejecutivo, el proceso de ejecución único previsto por la ley sigue presentando especialidades derivadas del título ejecutivo.

II. EL INICIO DEL PROCESO DE EJECUCIÓN

Como hemos tenido ocasión de indicar, el proceso de ejecución requiere para su inicio de petición expresa de parte legitimada, pues en él tienen plena aplicación los principios de oportunidad y dispositivo no pudiendo, por tanto, despacharse de oficio.

Esta imposibilidad de ejecución de oficio tiene su pseudo-excepción más importante en el caso de la sentencia de desahucio, en el que, si la demanda ya contenía la petición de ejecución de la futura sentencia, el ejecutante no deberá reiterar dicha petición. Realmente, no estamos ante una ejecución de oficio, pues es el demandado el que, anticipándose, insta, para el caso de que se dicte sentencia estimatoria de su pretensión, que se proceda a la ejecución automática de la misma cuando el condenado no cumple con lo contenido en la sentencia ni se opone a la misma.

La vigencia de estos principios, supone también la posibilidad de desistir o renunciar al mismo, en la forma prevista en los artículos 19 y 20 LEC, o renunciar a la acción ejecutiva y al derecho documentado en el título.

1. *Plazo para instar la ejecución*

A) **Plazo de espera en la ejecución de resoluciones procesales, arbitrales o acuerdos de mediación**

En el caso de las resoluciones judiciales o asimiladas, la LEC obliga al futuro ejecutante a esperar un periodo de tiempo para instar la ejecución (art. 548 LEC), concretamente veinte días. La finalidad de este plazo es dar al sujeto condenado la oportunidad de cumplir voluntariamente con la obligación establecida en la resolución de que se trate.

Así, una vez declarado el derecho en el proceso y dictada sentencia firme, el laudo arbitral o la resolución en que el tribunal o el LAJ homologa el acuerdo o transacción alcanzada en el proceso o el acuerdo de mediación, quien ha visto reconocido su derecho debe esperar un plazo de veinte días (se califica también de «plazo de cortesía»), desde la firmeza de la resolución, para que el obligado pueda cumplir voluntariamente con su obligación antes de instar la ejecución. Transcurridos esos veinte días, podrá instar la ejecución en cualquier momento, siempre que no transcurran el plazo de caducidad de cinco años a que se refiere el art. 518 LEC.

Si la ejecución se pretende respecto de títulos extrajudiciales, como seguidamente veremos, no existe dicho plazo de espera, sino que cumplidas las condiciones que permiten exigir el cumplimiento de la obligación documentada en el título, el beneficiado por ella podrá instar la ejecución de forma inmediata.

Por otro lado, el art. 594.4 LEC exime también de este plazo de espera en el caso de la ejecución de resoluciones de condena de desahucio por falta de pago de rentas o cantidades debidas, o por expiración legal o contractual del plazo. Otras excepciones concretas, en que se procede a una ejecución inmediata ante la falta de cumplimiento u oposición, se prevén para las costas (art. 242.1 LEC), la cuenta del procurador (art. 34), el auto de cuantía máxima y el proceso monitorio (art. 816.1 LEC). Todos estos supuestos se justifican por el carácter privilegiado del derecho o crédito.

B) Plazo de caducidad de la acción ejecutiva fundada en sentencia judicial, resolución arbitral o acuerdo de mediación

El art. 518 LEC establece un «plazo final» para iniciar la ejecución en el caso de resolución judicial, laudo arbitral o acuerdo de mediación, de forma que la posibilidad de instar la ejecución caducará, fundamentada en la seguridad jurídica que también requiere el ejecutado, si transcurren cinco años desde la firmeza de la sentencia o resolución.

De esta forma, la posibilidad de instar la ejecución está doblemente limitada: En su inicio, al tener que cumplir con ese plazo de cortesía de veinte días; en cuanto a su momento final, en tanto que condicionada a que no transcurran esos cinco años.

2. *La demanda ejecutiva*

El proceso de ejecución, como hemos dicho, sólo se despachará previa petición de parte (art. 549.1 LEC), petición que presentará —como en el proceso declarativo— la forma de demanda. Esta exigencia de demanda formal, se flexibiliza en los siguientes supuestos:

> ➢ Cuando el título ejecutivo sea una resolución del LAJ o una sentencia o resolución dictada por Tribunal competente para conocer de la ejecución, la demanda podrá limitarse a solicitar que se despache la ejecución con la

única exigencia de indicar la resolución a ejecutar (art. 549.2 LEC). No obstante, aun siendo bastante en este caso la solicitud del demandante, dicho escrito deberá contener los requisitos mínimos que permitan identificar la pretensión ejecutiva, así como los bienes del ejecutado sobre los que podrá recaer o, de no conocerse o no ser suficientes, las medidas de localización de bienes y de investigación del patrimonio del ejecutado.

➢ En el caso de sentencia condenatoria de todos los tipos de desahucio, o en los decretos que pongan fin al referido desahucio si no hubiera oposición al requerimiento por falta de pago de las rentas o cantidades debidas, o por expiración legal o contractual del plazo, no será necesario volver a pedir la ejecución si se solicitó en la demanda del previo proceso declarativo; no requiere, por tanto, trámite alguno para proceder al lanzamiento en el día y hora señalados en la sentencia o en la fecha que a tal fin se hubiere fijado en el requerimiento al demandado.

Obviamente, la demanda será necesaria en el caso de los títulos extrajudiciales.

A) Contenido de la demanda

Con las salvedades indicadas en el punto anterior, el art. 549 LEC establece el contenido obligatorio de la demanda ejecutiva, concretamente:

➢ El título en que se funda el ejecutante, que debe ser alguno de los del art. 517 LEC. Recordemos que el título ejecutivo es el fundamento y límite de la ejecución que, en su caso, se incoará.

➢ La tutela ejecutiva concreta que se pretende, en relación con el título ejecutivo. De tratarse de una ejecución dineraria, deberá indicarse la cantidad que se reclame; si se trata de una obligación de hacer, el hacer concreto que se pretende, y así en cada una de las posibilidades de ejecución específica en que deberá determinar la actividad concreta.

➢ Los bienes del ejecutado susceptibles de embargo de los que tuviere conocimiento y, en su caso, la indicación sobre si se consideran o no suficientes para el fin de la ejecución.

➢ De proceder, las medidas de localización e investigación que interese al amparo del art. 590, pudiendo dirigirse a tal fin al Punto Neutro Judicial.

➢ La persona o personas, con los datos que permitan identificarlas, frente a las que se pretende despachar ejecución, bien por aparecer como deudores en el título o por poder despacharse frente a ellos en virtud de los arts. 538 a 544 LEC.

Ahora bien, junto con este contenido, que podemos calificar de propio de la ejecución, en tanto que estamos formalmente ante una demanda, debemos tomar en consideración —en lo que sea aplicable— lo previsto en el art. 399 LEC para el proceso declarativo. En consecuencia, la demanda ejecutiva contendrá también, además del encabezamiento y suplico con la mención clara y precisa de lo que se pide, la determinación del tribunal al que se dirige y su competencia y la referencia a los presupuestos procesales referidos a las partes (capacidad, legitimación y postulación). Incluirá también las firmas de abogado y procurador, cuando se exija la postulación. Igualmente, en caso de títulos judiciales o asimilados, deberá indicarse que se presenta pasados los veinte días de espera y que no han transcurrido cinco años desde la firmeza de la resolución a ejecutar, con las indicadas excepciones.

Caso de acumulación, deberá indicarse las acciones que se acumulan en virtud de lo previsto en el art. 542.2 y 3 LEC.

B) Documentos que han de acompañar a la demanda ejecutiva

El art. 550. 1 LEC especifica los documentos concretos que deberán acompañar a la demanda, así se exigirá la presentación de:

➢ El título ejecutivo salvo que se trate de ejecuciones fundadas en sentencia, decreto, acuerdo o transacción que conste en los autos, caso en que no será necesario presentarlo.

  Si el título ejecutivo es un laudo arbitral, junto al laudo mismo deberá adjuntarse el convenio arbitral y los documentos acreditativos de su notificación a las partes. Si es un acuerdo de mediación, copia de las actas de la sesión constitutiva y final.

➢ El poder otorgado al procurador, siempre que la representación no se confiera «apud acta» o no conste ya en las actuaciones, lo que ocurrirá en la ejecución de sentencias, transacciones o acuerdos homologados judicialmente.

➢ Los documentos que acrediten los hechos o cotizaciones aplicados para el cómputo en dinero de deudas no dinerarias, cuando no se trate de datos oficiales o de público conocimiento.

➢ Los demás documentos que la ley exija para el despacho de la ejecución.

➢ En el caso de los títulos extrajudiciales, se acompañará el documento acreditativo del pago de la tasa judicial cuando se trate de personas jurídicas.

➢ Por último, el número 2 del art. 550 LEC permite presentar aquellos documentos que el ejecutante considere útiles o convenientes para el mejor desarrollo de la ejecución y contengan datos de interés para despacharla.

Si bien la Ley no hace mención alguna en este artículo, de la demanda ejecutiva y documentos que la acompañan deberán presentarse tantas copias como personas frente a las que se solicite el despacho de la ejecución.

III. EL DESPACHO DE LA EJECUCIÓN

Presentada la demanda ejecutiva, el Tribunal, una vez realizadas las comprobaciones a que seguidamente nos referimos, procederá a dictar un auto que contiene la orden general de ejecución y de despacho de la misma (art. 551. 1 LEC). El despacho de la ejecución supone su inicio efectivo, pues es a partir de este momento cuando se procederá a realizar las actuaciones ejecutivas que, en atención a la obligación contenida en el título, sean necesarias para su efectivo cumplimiento. Una vez dictado este auto, el LAJ emitirá decreto de concreción, que contendrá precisamente todas esas medidas ejecutivas.

1. *El examen de admisibilidad por el Tribunal*

El Tribunal, al recibir la demanda ejecutiva, deberá examinar la concurrencia de los siguientes presupuestos o requisitos (art. 551.1 LEC):

➢ Los *presupuestos procesales* relativos al órgano jurisdiccional (su jurisdicción y competencia) y a las partes (capacidad, representación, legitimación y postulación).

➢ Los *requisitos de la demanda,* es decir, los referidos a su contenido mínimo, en especial la identificación de la pretensión ejecutiva y la aportación de los documentos necesarios para despacharla.

➢ La *regularidad formal del título ejecutivo,* esto es, su legalidad y validez, su contenido y requisitos formales, así como, cuando proceda, los documentos complementarios al mismo. Por ejemplo, que la sentencia contenga un pronunciamiento de condena.

➢ La *conformidad de los actos ejecutivos* solicitados con la naturaleza y contenido del título.

➢ En el caso de las resoluciones judiciales y arbitrales, además, deberá comprobar el *cumplimiento de plazo de espera y de caducidad* para el ejercicio de la acción ejecutiva en el caso de las resoluciones judiciales y arbitrales.

➢ Si la ejecución se refiere a alguno de los títulos extrajudiciales de los números 4°, 5° y 6° del art. 517.2 LEC:

• Los *requisitos de la acción ejecutiva* del art. 520 LEC.

- El carácter abusivo de alguna de las cláusulas contractuales del título (art. 552.1,II LEC). Este control deberá realizarse también en el caso de los laudos arbitrales. La existencia de una cláusula abusiva puede tener, a efectos de ejecución dos consecuencias: Denegar la ejecución; o despachar ejecución, pero sin aplicar la cláusula declarada abusiva.

Estos extremos deben ser controlados de oficio por el juez, sin esperar a que sean alegados por el ejecutado en su oposición, pues de su cumplimiento o no depende el despacho de la ejecución; y en ningún caso podrá referirse a cuestiones de fondo relacionadas con la existencia o no del derecho documentado en el título).

2. Denegación del despacho de la ejecución

Si el Tribunal entiende que no concurren los presupuestos y requisitos indicados, dictará auto denegando el despacho de la ejecución (art. 552.1 LEC). No contiene el artículo 552 LEC referencia alguna a la posibilidad de subsanación de los defectos que pueda presentar la demanda. Partiendo de lo establecido en el art. 559.2 LEC, que distingue entre defectos subsanables o no al regular la oposición por defectos procesales, cabe admitir que la falta de acreditación de las condiciones de las que se hace depender el despacho de la ejecución sí serán subsanables aportando el documento que corresponda; siendo la falta de requisitos insubsanable.

El auto que deniega el despacho de la ejecución es apelable directamente; apelación que se sustancia sólo con el acreedor, quien podrá plantear previamente el recurso de reposición. Firme el auto que deniega el despacho, el acreedor no podrá intentar nuevamente la ejecución basada en el mismo título, sino que sólo podrá hacer valer sus derechos en el proceso ordinario correspondiente, siempre y cuando no se haya producido el efecto de cosa juzgada de la sentencia o resolución en que fundara la ejecución. Este impedimento no será de aplicación en el caso en que el despacho de la ejecución se deba a la falta de competencia del tribunal, pues en este supuesto sí podrá el acreedor dirigirse al tribunal competente.

3. El auto de despacho de la ejecución

Si se considera que concurren todos los presupuestos y requisitos procesales, así como que el título ejecutivo es formalmente válido, se dictará auto despachando ejecución; a partir de este momento el deudor adquiere la condición de ejecutado y su patrimonio quedará afecto a la ejecución. La Ley no prevé un plazo para dictar el auto de despacho de la ejecución, pero la adecuada tutela del ejecutado lleva a exigir que se dicte sin dilación.

El contenido concreto del auto viene establecido legalmente (art. 551.2 LEC):

➢ La persona o personas a cuyo favor se despacha la ejecución.

➢ La persona o personas contra quien se despacha ejecución, así como la modalidad en que se despacha respecto a ellas (mancomunada o solidaria).

➢ La cantidad, en su caso, por la que se despacha ejecución, por todos los conceptos. En el supuesto de las ejecuciones no dineraria, pese a la falta de referencia de este artículo, la actividad ejecutiva concreta de que se trate, es decir, lo que se tenga hacer, entregar, etc.

➢ Las precisiones que resulten necesarias realizar sobre las partes o contenido de la ejecución en atención a lo dispuesto en el título ejecutivo, así como respecto de los responsables personales de la deuda o propietarios de los bienes especialmente afectos a su pago o a los que deba extenderse la ejecución en función de lo establecido en el art. 538 LEC.

➢ Además, aunque no aparece en este artículo:

• Deberá identificarse el título que se ejecuta, en tanto que marca el ámbito y los límites de la ejecución.

• La justificación del cumplimiento de los requisitos y procesales que permiten despacharla.

• Los bienes afectos a la satisfacción de la deuda.

Contra el auto despachando la ejecución no cabe recurso alguno, pues será el ejecutado el que tendrá que plantear, en su caso, oposición (art. 551. 4 LEC). Recordemos que el despacho de la ejecución se dicta *inaudita parte*, siendo una vez emitido cuando se da traslado del mismo al ejecutado para que alegue lo que considere oportuno para su defensa, dando así cumplimiento al principio de contradicción, si bien de forma diferida.

Esta no recurribilidad del auto que despacha ejecución exige alguna matización, pues creemos, con FLORS MATÍES y FERNÁNDEZ-BALLESTEROS, que debe distinguirse la orden de despacho de ejecución, como pronunciamiento principal, de contenidos concretos de la misma. Así, puede darse el caso de que se proceda al despacho de la ejecución, pero se deniegue, por ejemplo, alguna de las medidas concretas solicitadas por el ejecutante o se despache de forma mancomunada cuando debía serlo solidaria. En estos supuestos, parece lógico admitir que el ejecutante pueda recurrir, partiendo de los arts. 562 y 563 LEC.

4. El decreto de concreción

Una vez dictado el auto de despacho de ejecución por el Tribunal, adquiere protagonismo en la ejecución el LAJ, quien dictará el decreto de concreción de la ejecución, cuyo contenido se centra en (art. 551.3 LEC):

➢ Las medidas ejecutivas concretas que resulten procedentes, incluido el posible embargo de bienes. Como veremos en los temas siguientes, estas medidas variarán según se trate de actuaciones relativas a la ejecución de obligaciones dinerarias, en las que el embargo y la realización forzosa de los bienes se presenta como la más importante, o de obligaciones de hacer, no hacer o dar, en que debe intentarse que se cumpla en sus propios términos.

➢ Las medidas de localización y averiguación de los bienes del ejecutado que procedan, conforme a los arts. 589 y 590 LEC, es decir, cuando el ejecutante no tuviera conocimiento de los mismos y no designara bienes concretos en la demanda o, cuando habiéndolos identificado, considera que no son suficientes para hacer frente a la obligación. Para dicha localización y averiguación, a instancia del ejecutante, podrá acudirse al Punto Neutro Judicial.

➢ El contenido del requerimiento de pago al deudor, en los casos en que proceda, que se efectuará por funcionarios del Cuerpo de Auxilio Judicial o por el procurador de la parte ejecutante, si lo hubiera solicitado.

La Ley prevé que se practique el requerimiento de pago cuando la obligación de pago derive de un título ejecutivo extrajudicial, salvo que a la demanda se acompañe acta notarial que acredite que el deudor ya fue requerido de pago con al menos diez días de antelación.

El decreto se dictará en el mismo día o al día siguiente hábil a dictarse el auto de despacho, siendo recurrible en revisión, sin efecto suspensivo, ante el Tribunal que emitiera la orden general de ejecución (art. 551.5 LEC).

5. Medidas inmediatas tras el auto de despacho de la ejecución

Dictado el auto por el que se despacha la ejecución, y previamente a su notificación al ejecutado, puede ser necesario realizar una serie de actuaciones con carácter inmediato con la finalidad de asegurar la efectividad de la ejecución que se inicia. Concretamente, el art. 554 LEC se refiere a dos situaciones:

➢ En los casos en que no se lleva a cabo el requerimiento de pago, podrá procederse al embargo inmediato de los bienes del deudor señalados por el acreedor en la demanda, sin previa audiencia a aquél.

> En igual supuesto, y no habiéndose designado bienes en la demanda, podrán adoptarse las medidas de localización e investigación de los bienes de forma inmediata cuando se considere que no hacerlo podría poner en peligro el fin de la ejecución.

> Siendo necesario el requerimiento de pago, se procederá de igual forma cuando, solicitándolo de forma justificada el ejecutante, el LAJ considere que cualquier demora en la localización e investigación de los bienes podría frustrar la ejecución.

6. La notificación del despacho de la ejecución

El auto que despacha la ejecución y el decreto de concreción, junto con una copia de la demanda ejecutiva, se notificarán simultáneamente al ejecutado o procurador que le represente, sin citación ni emplazamiento, para que pueda personarse en cualquier momento, dando así cumplimiento al principio de contradicción y derecho de defensa. La notificación se realizará también a aquellas personas a las que deba alcanzar la ejecución, aunque no se hubiera despachado ejecución contra ellas.

Como indica el art. 553 LEC, el deudor —notificado— podrá comparecer en cualquier momento entendiéndose con él las sucesivas actuaciones. Lo normal es que no se haya personado previamente, salvo en el caso de que se celebre la audiencia para resolver sobre el carácter abusivo de una cláusula contractual.

Recordemos que el ejecutado no tiene que contestar a la demanda, de ahí que pueda comparecer en cualquier momento una vez notificado el auto de despacho de la ejecución. No obstante, si el ejecutado tiene intención de oponerse a la ejecución, sí tiene un plazo para hacerlo, concretamente dentro de los diez días siguientes a la notificación del auto.

La personación se hará por escrito y mediante procurador, sin ser necesaria para la misma la asistencia letrada. Al escrito de personación se acompañará el documento que acredite la representación del procurador, salvo que ya constara en el proceso declarativo previo o se otorgara *apud acta*. Con todo, lo normal es personarse para plantear su oposición y defenderse frente a la ejecución despachada en su contra o frente a alguna actuación ejecutiva.

IV. LA OPOSICIÓN A LA EJECUCIÓN

Como hemos indicado en varias ocasiones a lo largo de estas páginas, la decisión sobre el despacho de la ejecución se adopta por el Juez sin dar traslado de la demanda ejecutiva o solicitud de ejecución al demandado-ejecutado. Estamos ante uno de los supuestos en que nuestro ordenamiento jurídico permite la toma de una decisión judicial *inaudita parte,* junto con los casos de la adopción urgente de medidas cautelares o la tutela privilegiada del crédito. Ahora bien, el hecho de que la decisión se tome sin oír previamente al ejecutado, no quiere decir que éste no vaya a ser escuchado, sino que podrá alegar lo que crea conveniente posteriormente a la decisión de despachar ejecución y que el LAJ dicte el decreto de concreción; es decir, sí existe contradicción, pero ésta entra en juego de forma diferida y lo hace a través de la posibilidad de oposición, acto fundamental para la defensa del ejecutado, pues recordemos que el art. 551.2 LEC declara la irre-curribilidad del auto que despacha la ejecución.

En la regulación de la oposición debemos partir de dos matices importantes:

➤ La oposición puede fundarse en razones de fondo o en razones procesales; motivos que responden a distintas realidades y se tramitan de forma distinta.

➤ La LEC distingue, también, entre la oposición al conjunto de la ejecución y la oposición a actos ejecutivos concretos, respondiendo la misma a finalidad distintas y con consecuencias diferentes en el desarrollo del proceso de ejecución.

➤ Tal y como se afirmaba en el punto primero de esta lección, atendiendo a la naturaleza del título ejecutivo, la ley también distingue entre la oposición en el caso de títulos judiciales o asimilados y en el supuesto de títulos extrajudiciales, poniendo de manifiesto que no siempre es posible una regulación unitaria de la ejecución.

➤ Respecto al efecto suspensivo de la oposición a la ejecución encontramos una tercera diferencia, en tanto que:

• Tratándose de resoluciones judiciales o asimiladas la oposición no tendrá efectos suspensivos, sino que ésta seguirá adelante, sin perjuicio de que deba procederse a la suspensión de alguna actuación concreta cuya realización puede provocar perjuicios irreparables. Este efecto no suspensivo tiene una excepción para el caso de la oposición a la ejecución del auto de cuantía máxima (art. 556.3 LEC).

• Sí produce, en cambio, dicho efecto suspensivo cuando se plantea oposición a títulos extrajudiciales. No obstante, son destacables dos especialidades en el caso de que se alegue como causa de oposición la pluspetición o exceso de computación a metálico de las deudas en especie (art. 558.1 LEC).

• Si el ejecutado pone a disposición del tribunal la cantidad que considere debida para su inmediata entrega al ejecutado, sí se suspende la ejecución.

- Fuera de este caso, la ejecución continúa, si bien el producto de la venta de los bienes embargados, en lo que exceda de la cantidad que el ejecutado haya reconocido como debida, no se entregará al ejecutante hasta que no se resuelva la oposición.

➢ En el caso de la oposición a títulos judiciales, cuando se trate de una persona jurídica, se requiere acreditar el pago de la tasa judicial; exigencia de pago que no existe para los títulos extrajudiciales.

1. *Oposición al conjunto de la ejecución*

El ejecutado, dentro de los diez siguientes a la notificación del auto que despacha la ejecución, podrá oponerse a ella por escrito con la finalidad de poner fin a la ejecución despachada. Esta oposición puede basarse en motivos procesales y en motivos de fondo.

A) Oposición por defectos procesales

En primer lugar, el ejecutado podrá poner de manifiesto la falta de presupuestos o requisitos de carácter procesal, que determinan la válida constitución de la relación jurídica que es el proceso, en este caso de ejecución. Concretamente, el art. 559 LEC se refiere a:

➢ Carecer el ejecutado del carácter o representación con que se le demanda; es decir, la falta de legitimación pasiva. La referencia a la falta de representación no acaba de entenderse bien, pues la ejecución nunca se dirige contra el representante, sino contra el representado (persona jurídica, menor de edad, incapacitado, etc.).

➢ La falta de capacidad o representación del ejecutante o no acreditar el carácter o representación con que demanda. Se entiende, por MONTERO AROCA y FLORS MATIES, que debe incluirse también en este motivo, la falta de legitimación activa y la falta de postulación, cuando ésta sea preceptiva; la misma crítica respecto a la representación sería aquí trasladable.

➢ La nulidad radical del despacho de la ejecución, por no contener la sentencia o el laudo arbitral pronunciamiento de condena, o por no cumplir el documento presentado, el laudo o el acuerdo de mediación los requisitos legales exigidos para llevar aparejada ejecución, o por infracción, al despacharse, de los dispuesto en el art. 520 LEC.

➢ No ser el documento presentado con la demanda un título ejecutivo; no puede despacharse ejecución basándose en un documento al que la ley no reconoce como título ejecutivo.

➢ En el caso de laudos arbitrales no protocolizados notarialmente, la falta de autenticidad del laudo.

Esta posibilidad de oposición es posible, y en iguales condiciones, con independencia del título en que se base, sea éste judicial o extrajudicial.

La falta de competencia se denunciará, a través de la declinatoria, como ocurre con el proceso declarativo, al margen de estos motivos de oposición y con carácter previo en la forma establecida en el art. 547 LEC.

B) Oposición por motivos de fondo

El legislador ha establecido, para este grupo de motivos, una diferencia importante en esta modalidad de oposición en atención al título ejecutivo, ya que las posibilidades de alegar y defenderse frente a la ejecución se limitan en el caso de la ejecución de resoluciones judiciales o asimiladas, mientras que son más amplias en el caso de títulos extrajudiciales.

Este diferente tratamiento en la extensión de los motivos de oposición se justifica en la previa existencia o no de un proceso declarativo (o similar) en que se haya podido discutir (alegar y probar por ambas partes) sobre la existencia o no del derecho u obligación documentada en el título.

a) Oposición a la ejecución fundada en resoluciones judiciales (o asimiladas)

Cuando el título ejecutivo es una resolución judicial o arbitral de condena o un acuerdo de mediación, el ejecutado sólo puede alegar para poner fin a la ejecución (art. 556.1 LEC):

➢ El pago o el cumplimiento de lo ordenado en la sentencia, laudo o acuerdo, con anterioridad a la presentación de la demanda ejecutiva; circunstancia que deberá acreditarse documentalmente por el ejecutado. Este es el clásico motivo de extinción de la acción ejecutiva.

➢ La caducidad de la acción ejecutiva, que recordemos es de cinco años.

➢ La existencia de pactos y transacciones entre las partes convenidas con la finalidad de evitar la ejecución, siembre que los mismos consten en documentos públicos.

➢ En el caso del auto de cuantía máxima, el art. 556.3 LEC añade a estos motivos:

• La culpa exclusiva de la víctima.

• La concurrencia de fuerza mayor extraña a la conducción o al funcionamiento del vehículo.

- La concurrencia de culpas.

- Los motivos que se pueden alegar para la oposición a la ejecución fundada en títulos no judiciales y arbitrales del art. 557 LEC, a los que nos referimos en el siguiente punto.

Estamos ante una oposición, por tanto, que no es plena o ilimitada, sino que el ejecutado sólo puede alegar los motivos indicados en el art. 556.1 LEC y utilizando únicamente los medios probatorios a que se refiere el mismo artículo. Esta limitación responde a que con esta oposición no se cuestiona, como hemos indicado, el derecho del ejecutante en que fundamenta su petición de ejecución, sino si la ejecución es o no procedente por subsistir, o no, la acción ejecutiva.

b) *Oposición a la ejecución fundada en títulos no judiciales ni arbitrales*

Cuando se trata de ejecutar un título no judicial ni arbitral (o resoluciones asimilables) la diferencia fundamental al afrontar la defensa del ejecutado es que éste no ha tenido oportunidad previa alguna de presentar alegación sobre la existencia o no de la obligación que figura documentada en el título y a cuyo cumplimiento está obligado. Precisamente por ello, las posibilidades de oposición que le otorga el ordenamiento jurídico deben ser más amplias que en el caso anterior, sin perjuicio de alguna coincidencia. Concretamente, el art. 557 LEC, se refiere a las siguientes:

> - El pago o cumplimiento, que deberá acreditarse documentalmente.
> - Compensación de crédito líquido que resulte de documento con fuerza ejecutiva.
> - Pluspetición o exceso en la imputación a metálico de las deudas en especie.
> - La prescripción del derecho.
> - La caducidad de la acción ejecutiva.
> - Quita, espera o pacto o promesa de no pedir, que conste documentalmente.
> - Existencia de una transacción respecto al cumplimiento de la obligación, que conste documentalmente.
> - Que el título contenga cláusulas abusivas, en el caso de que no se haya apreciado de oficio su concurrencia por el tribunal.

C) Procedimiento de la oposición

La oposición al conjunto de la ejecución supone la incoación de un incidente, dentro del proceso de ejecución, que responde a distintas particularidades en atención a los motivos de oposición que acabamos de indicar. De despachar ejecución contra una persona que no aparezca en el título ni deba responder de la deuda conforme al art. 538.2 LEC, este sujeto adquiere la condición de parte y podrá, como tal, hacer uso de todos los medios de defensa que en tal condición le corresponden, entre ellos la oposición.

La competencia para conocer de este incidente se atribuye al juzgado que haya despachado ejecución, estando legitimada para su interposición la persona frente a la que la misma se despachó.

El plazo único de oposición a la ejecución, en todo caso, es de diez días desde la notificación del auto en que se despache la ejecución o se notifique la realización de la actuación concretar a impugnar.

La oposición se planteará por escrito (arts. 556.1 y 557.1 LEC), donde, pese a la vaguedad de la LEC, deberá indicarse el órgano jurisdiccional a que se dirige, los datos de identificación del ejecutado y la indicación de la postulación. Igualmente, se fijará con claridad y precisión lo que se pida y los hechos en que se fundamenta la oposición planteada; en su caso, además, lo que proceda sobre alzamiento de embargos y costas, la celebración de la vista o la designación de perito para que emita dictamen sobre el importe de la deuda. A este escrito se acompañarán, particularmente, los documentos en que el ejecutado funde su derecho, por ejemplo, los relativos al pago.

El hecho de que la ley regule separadamente la tramitación de la oposición por motivos procesales y de fondo, no impide que ambos motivos puedan plantearse conjuntamente en el escrito de oposición, acumulándose. En este caso, el juez atenderá primero a los motivos procesales.

a) Oposición por motivos procesales

Cuando la oposición se fundare exclusivamente en motivos procesales, el ejecutante podrá formular alegaciones a éstos en el plazo de cinco días. Si el tribunal entendiere que el defecto es subsanable, otorgará un plazo de diez días para hacerlo.

De tratarse de un defecto o falta no subsanable o que, siéndolo, no se hubiera subsanado, el tribunal, estimando la oposición, dictará auto dejando sin efecto la ejecución, imponiendo las costas al ejecutante. La desestimación de la oposición, también por auto, supone la continuación de la ejecución y la imposición de las costas al ejecutado.

b) Oposición por motivos de fondo

Resuelta la oposición por motivos procesales, o cuando no se hubiere planteado, el ejecutante podrá impugnar la oposición por motivos de fondo en el plazo de cinco días, contados desde que se le notifique la resolución de la oposición por motivos procesales o desde el traslado del escrito de oposición.

En la tramitación de esta oposición, el art. 560 LEC prevé la posibilidad de que celebre una vista, a petición de las partes, cuando el tribunal considere que la oposición planteada no puede resolverse con los documentos aportados; vista que deberá celebrarse dentro de los diez siguientes y sigue los trámites del juicio verbal. Si no se solicita la vista o el tribunal no la considera conveniente, éste resuelve sin más trámites la oposición.

Si acordada la vista, el ejecutado no comparece, el tribunal lo tendrá por desistido en su oposición y adoptará las resoluciones previstas en el art. 442 LEC. Si quien no comparece es el ejecutante, el tribunal resolverá sobre la oposición sin oírle.

Estamos ante un incidente que tiene carácter sumario, en tanto que las alegaciones del ejecutado están claramente limitadas, como restringida está también la prueba que podrá presentar, que se reduce prácticamente a la documental.

Una vez oídas las partes, el tribunal puede decidir en el siguiente sentido (art. 561 LEC):

- ➢ Desestimar totalmente la oposición, declarando que la ejecución siga adelante por la cantidad que se hubiese despachado. De estimarse parcialmente la oposición por pluspetición, se continuará por la cantidad que corresponda.

- ➢ Estimar la oposición planteada por los motivos de los arts. 556 y 557 LEC o por entender completamente fundada la alegación de pluspetición, se declarará no procedente la ejecución, poniendo fin a la misma.

- ➢ En el caso de que se estime el carácter abusivo de una cláusula contractual, el tribunal, como indicamos en su momento, tiene dos opciones: Declarar improcedente la ejecución u ordenar que continúe la ejecución, pero sin aplicación de la cláusula considerada abusiva.

Esta decisión, debido al referido carácter sumario del incidente de oposición, lo será «a los solos efectos de la ejecución»; sin perjuicio de la posibilidad a que se refiere el art. 564, LEC que más adelante mencionaremos.

En cuanto a los efectos de la estimación de la oposición a la ejecución, ésta quedará sin efecto debiendo procederse a alzar los embargos y medidas de garantías de la afección que se hubieran adoptado, reintegrando al ejecutado a la situación anterior al despacho de la ejecución y condenando al ejecutado al pago de las costas de la oposición.

D) Recursos

Contra el auto que resuelve la oposición se podrá interponer recurso de apelación, que no suspenderá el curso de la ejecución si la resolución recurrida es desestimatoria de la oposición. Se evita así el uso del recurso con finalidad meramente dilatoria (art. 561.2, I LEC).

Si se ha estimado la oposición, el ejecutante, mientras se tramita el recurso, podrá solicitar que se mantengan los embargos y garantías de la afección y que se adopten las que procedan conforme al art. 697 LEC, siempre que el ejecutante preste caución suficiente para asegurar la indemnización que pueda corresponder al ejecutado en caso de que se confirmara la estimación de la oposición (art. 561. 2, II LEC).

2. *Oposición a actuaciones ejecutivas concretas*

Junto con la posibilidad de oponerse al conjunto de la ejecución, el ejecutado puede oponerse, no con la finalidad de poner fin a la misma, sino de evitar que se realice un acto o actividad ejecutiva concreta por ser contraria a la ley o al título ejecutivo, o que se realice, pero de forma correcta. La clave en esta oposición es que el título ejecutivo marca el contenido y límite de la ejecución, por lo que cualquier actividad que sea contraria a lo establecido en el título ejecutivo, debe poder ser «impugnada» para su anulación o su adecuación al mismo.

A) Infracción de norma procesal o procedimental

Se trata de la infracción de las normas que regulan actos concretos del proceso de ejecución, tanto de carácter procedimental (no anunciar la subasta judicial en los plazos previstos) como procesal (embargar un bien inembargable).

En cuanto a la denuncia de la infracción:

➢ Si se produce en una resolución del tribunal, la parte perjudicada podrá interponer recurso de reposición y, de desestimarse, recurso de apelación.

➢ Si es el LAJ quien dictó la resolución, el recurso procedente será reposición, cabiendo contra el mismo recurso de revisión ante el Tribunal de ejecución y, de ser desestimado, recurso de apelación.

➢ Si la infracción se produce no en una resolución, sino en una actuación concreta, la parte perjudicada puede presentar un escrito dirigido al juez indicando con claridad la actuación que se pretende corregir y cómo (art. 562.1-3º LEC).

➢ Excepcionalmente, cabe interponer la nulidad de actuaciones.

B) Infracción del título ejecutivo

Siendo el título ejecutivo la medida de la ejecución, cualquier actuación contraria o desviada de lo establecido en él debe poder ser denunciada (art. 563 LEC), sin perjuicio del margen que tiene el juzgador para interpretar el mismo:

➢ Si la infracción se produce por o en una resolución del Tribunal, la parte perjudicada podrá interponer recurso de reposición y, de desestimarse, recurso de apelación.

➢ Si es el LAJ quien ha proveído la actuación, el recurso procedente será reposición, cabiendo contra el mismo recurso de revisión ante el Tribunal de ejecución y, de ser desestimado, recurso de apelación. Es decir, estamos ante una oposición que se tramita a través de los recursos legalmente admitidos.

Se trata pues de utilizar los recursos ordinarios. En estos supuestos podrá pedirse la suspensión de la actividad concreta impugnada, concediéndose por el Tribunal si la parte recurrente presta caución suficiente para responder de los daños y perjuicios que el retraso pueda causarle.

3. *Impugnación de infracciones legales en el curso de la ejecución*

Con independencia de la oposición a la ejecución que pueda presentar el ejecutado, el art. 562 LEC autoriza a todas las personas a que se refiere el art. 538 LEC, en que se regulan las partes en la ejecución, a denunciar la infracción de las normas que regulen actos concretos de ejecución, también, a través de los recursos legalmente previstos en el proceso de ejecución, es decir:

➢ El recurso de reposición para infracciones cometidas en resoluciones del Tribunal o del Letrado de la Administración de Justicia;

➢ El recurso de apelación en los casos legalmente previstos; y

➢ Mediante escrito dirigido al Tribunal, cuando no exista resolución expresa frente a la que recurrir, indicando con claridad la resolución o actuación afectada.

Si la infracción alegada comportara la nulidad de las actuaciones o el Tribunal así lo entendiese, se atenderá a los arts. 225 y ss LEC; si la nulidad se alega antes el LAJ o éste cree procedente su declaración, dará cuenta al Tribunal para que resuelva.

4. *Defensa jurídica del ejecutado fundada en hechos y actos no comprendidos en las causas de oposición a la ejecución*

El art. 564 LEC otorga una última posibilidad de corregir defectos en la ejecución para los supuestos en que, una vez precluidas las posibilidades de alegación en juicio o con posterioridad a la producción de un título ejecutivo extrajudicial, se conoce la existencia de un hecho o acto distinto de los admitidos como causas de oposición, pero jurídicamente relevante respecto de los derechos de las partes. Establece así el art. 564 LEC la posibilidad de hacer valer estos hechos o actos en el proceso que corresponda. En este sentido, debe matizare que la limitación de los motivos de fondo, referida en el punto anterior, tiene como consecuencia que esta posibilidad del art. 564 LEC se resuelva a través de una tutela sumaria en tanto que no se entra en el fondo del asunto. Esta posibilidad se ha interpretado por nuestros tribunales en el sentido de entender que todo lo que pudo alegarse en oposición no tendría cabida en este proceso declarativo; deberá referirse a hechos o actos que no estén cubiertos por la cosa juzgada del proceso declarativo anterior, con independencia de que se alegaran o no en él.

V. LA SUSPENSIÓN Y EL TÉRMINO DE LA EJECUCIÓN

El art. 565 LEC establece la regla general en materia de suspensión de la ejecución, es decir, que la interposición de oposición o de alguna de las posibilidades indicadas en el punto anterior, no conlleva la suspensión de la misma; declarándose únicamente cuando así se prevea expresamente por la ley o lo acuerden todas las partes personadas en ejecución.

La suspensión de la ejecución no impide el mantenimiento de las medidas de garantía de los embargos acordados ni la práctica de los embargos ya acordados.

Establecida la regla general, la ley regula las posibilidades de suspensión atendiendo a diversas situaciones concretas:

> ➢ Suspensión en caso de interposición de recursos ordinarios (art. 567 LEC): La interposición de los recursos ordinarios sólo suspenderá la ejecución cuando, a instancia de parte, el tribunal entienda que, de continuar la misma, se puede producir un daño de difícil reparación; suspensión condicionada a que el recurrente preste caución suficiente para responder de los perjuicios que el retraso pudiera producir.

➢ Suspensión en caso de rescisión y revisión de la sentencia firme (art. 566 LEC): También en este caso es posible que se ordene a instancia de parte y si las circunstancias lo aconsejan, y previa audiencia del Ministerio Fiscal, la suspensión de las actuaciones, mediante prestación de caución por el valor de lo litigado y por los daños y perjuicios que pudieran irrogarse por la no ejecución.

Tan pronto le conste al LAJ la desestimación de la revisión o de la demanda de rescisión de sentencia se alzará la suspensión y se ordenará continuar la ejecución. Por el contrario, de estimarse cualquiera de los recursos extraordinarios y dictada sentencia absolutoria del demandado, se sobreseerá la ejecución. Si, rescindida la sentencia, se dicta sentencia con el mismo contenido que la rescindida o, siendo distinto, contiene pronunciamiento de condena, se continúa la ejecución, considerando válidos los actos anteriores.

➢ Suspensión en caso de situaciones concursales o preconcursales (art. 567 LEC): Como ya hemos indicado, no se despachará ejecución cuando le conste al Tribunal que el ejecutado se halla en situación de concurso o se haya efectuado la comunicación a que se refiere el artículo 585 del Texto refundido de la Ley Concursal y respecto a los bienes determinados en dicho artículo. Ahora bien, de haberse iniciado ya la ejecución cuando se tenga constancia cualquiera de las dos circunstancias indicadas, se procederá a la suspensión de la ejecución, quedando sometida la ejecución a lo previsto en la legislación concursal. Esta suspensión, en su caso, sólo afectará al ejecutado en concurso, continuando la ejecución para el resto de ejecutados.

➢ Suspensión por prejudicialidad penal (art. 568 LEC): La existencia de una cuestión prejudicial pendiente de resolución afectante a hechos que pudieran determinar la falsedad o nulidad del título o la ilicitud del despacho de la ejecución, provocará la suspensión de la ejecución, oídas las partes y el Ministerio Fiscal. Si como resultado del proceso penal, resultaren no ser ciertos los hechos, no ser delictivos o no existir, se reanudará la ejecución pudiendo, además, el ejecutante pedir indemnización de daños y perjuicios en los términos del art. 40.7 LEC.

Ahora bien, pese a la pendencia de la cuestión prejudicial penal, la ejecución podrá continuar si el ejecutante presta, en cualquier de las formas previstas en el art. 529.3 LEC, caución suficiente, a juicio del tribunal, para responder de lo que perciba como resultado de la ejecución y de los daños y perjuicios que se le hubieren causado.

La ejecución sólo se entiende efectivamente finalizada cuando el derecho del acreedor ejecutante se ve satisfecho completamente. Comprobada esta circunstancia el LAJ dictará decreto, contra el que podrá interponerse recurso directo de revisión.

Creemos que el verdadero problema de la ejecución es que, pese a realizarse todas las actuaciones que estamos estudiando, en no pocas ocasiones el ejecutante no ve completamente satisfecho su derecho, debiendo conformarse con una satisfacción menor o incompleta, y ello pese a que legalmente se establezcan todas las condiciones para que no ocurra. Lamentablemente, si el ejecutado es insolvente y no tiene bienes ni patrimonio alguno con que satisfacer su obligación, por mucho que sigamos paso por paso el procedimiento legalmente establecido y apliquemos todas las garantías previstas para asegurar el cumplimiento, la satisfacción del ejecutante no llega a producirse o no enteramente.

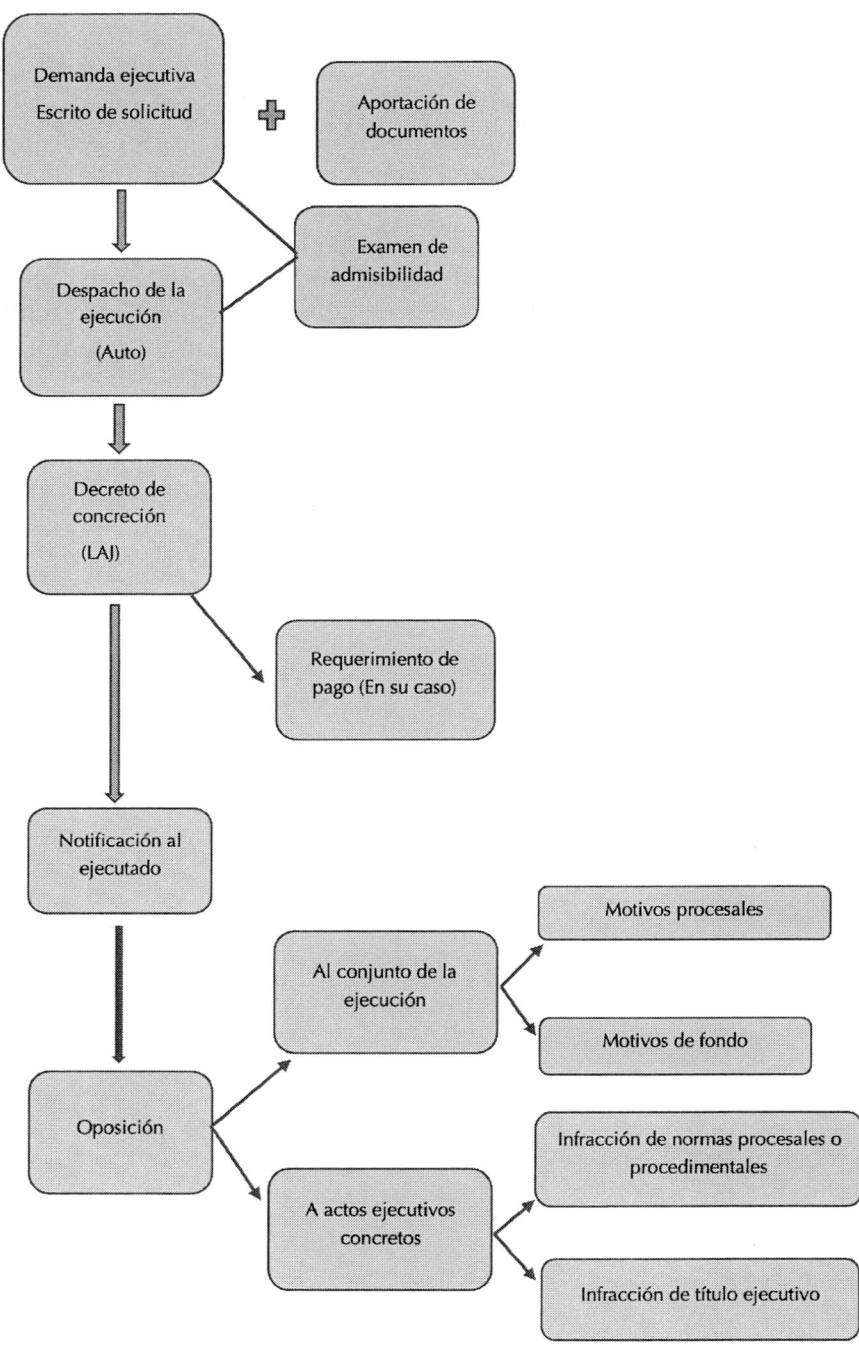

Lección 26ª
PROCEDIMIENTO DE APREMIO

ANDREA PLANCHADELL GARGALLO

BIBLIOGRAFÍA BÁSICA

CACHÓN CADENAS, M./ PICÓ I JUNOY, J. (Coords.), *La ejecución civil: Problemas actuales*, Atelier, Barcelona, 2008.

FERNÁNDEZ BALLESTEROS, M. A., *La ejecución forzosa y las medidas cautelares en la nueva Ley de Enjuiciamiento Civil*, Iurgium, Madrid, 2001.

MONTERO AROCA, J./ FLORS MATÍES. J., *Tratado de ejecución civil*, (2ª ed.), Tirant lo Blanch, Valencia, 2013.

PLANCHADELL GARGALLO, A., *La tercería de dominio*, Tirant lo Blanch, Valencia, 2001.

I. INTRODUCCIÓN

Dedicaremos esta lección al estudio de la ejecución dineraria, forma más frecuente de ejecución en tanto que procede no sólo cuando el título contiene la obligación de pago de una cantidad de dinero; sino también por ser factible su utilización como consecuencia de la imposibilidad de dar cumplimiento a la ejecución en forma específica, como veremos en la lección siguiente (así, el art. 517 LEC se refiere a ella para la ejecución de los títulos de los que «directa o indirectamente, resulte el deber de entregar una cantidad de dinero líquida»).

El apremio se refiere al conjunto de actividades, y no son pocas ni sencillas, a través de las que se pone a disposición del acreedor ejecutante la cantidad suficiente para saldar la obligación a su favor, junto con los intereses y costas que se hubieren devengado.

II. LIQUIDEZ DEL TÍTULO EJECUTIVO

La ejecución dineraria exige que la cantidad por la que deba despacharse ejecución esté determinada, es decir, que se indique con exactitud cuál es la cantidad que se debe pagar y los conceptos que la integran. A esta necesidad responde el requisito de liquidez del título. Ahora bien, en esta determinación nos podemos encontrar con dos situaciones:

➢ Que en el título aparezca fijada la cantidad exacta por la que se despachará ejecución o se pueda determinar con sencillas operaciones matemáticas;

➢ Que, aun tratándose de una obligación de pago de cantidad de dinero, ésta no aparezca fijada en el título, lo que obliga a su determinación.

También en esta exigencia debemos resaltar una diferencia en función del título ejecutivo:

➢ Ante títulos judiciales, la cantidad a pagar debe venir siempre expresada en la sentencia, conforme a lo establecido en el art. 219 LEC. Esta obligación lleva a que el acreedor, en la demanda ejecutiva, deba fijar la cantidad por la que se pide el despacho de la ejecución o las sencillas operaciones que permitan fijarla. Lo mismo se puede decir del laudo arbitral o del acuerdo de mediación o el homologado judicialmente.

➢ En el supuesto de los títulos extrajudiciales, el título expresamente debe fijar dicha cantidad, de forma que, de no hacerlo, no podría despacharse ejecución hasta que dicho defecto se subsanara.

➢ Asimismo, deben añadirse dos supuestos especiales:

• El referido a la ejecución en casos de bienes especialmente hipotecados o pignorados, regulado en el art. 579 LEC, remitiéndose a lo establecido en esta especial modalidad de ejecución; y

• El de adjudicación de la vivienda habitual hipotecada (art. 579.2 LEC).

1. Título con cantidad líquida

El art. 572.1 LEC establece que se considerará líquida «toda cantidad de dinero determinada, que se exprese en el título con letras, cifras o guarismos comprensibles», prevaleciendo la que conste con letras en caso de discrepancia entre las distintas expresiones de cantidad. De esta obligación de liquidez o determinación se excepciona:

> La referida a intereses que se devenguen durante la ejecución, cuyo conocimiento no es obviamente posible. Es decir, los intereses ya devengados sí que podrán indicarse de modo líquido, pero los que se devengan durante el desarrollo del proceso siempre responderán a un cálculo aproximado. El art. 574 LEC se refiere al frecuente supuesto en que los intereses son variables.

> Las costas originadas en el proceso de ejecución, pues por igual motivo sólo se conocerán a su conclusión (art. 576 LEC).

> El saldo de operaciones derivadas de contratos formalizados en escritura pública o en póliza intervenida por corredor de comercio colegiado (hoy notarios colegiados), que no suponen la entrega de la cantidad en un único momento. Siempre que en el título se haya pactado que la cantidad exigible, en caso de ejecución, será la resultante de la liquidación efectuada por el acreedor en la forma pactada se atenderá a ésta; debiendo el acreedor haber notificado al ejecutado o al fiador dicha cantidad. Es importante llamar la atención sobre lo que MONTERO AROCA califica de «privilegio unilateral», pues el tribunal no podrá negar la ejecución por entender que la cantidad a pagar no es esa. En este supuesto la demanda deberá acompañarse de los documentos indicados en el art. 573 LEC.

> Por último, se considera líquida la obligación de pago en moneda extranjera, siempre que esté admitida a cotización oficial.

2. Título sin cantidad líquida: La necesaria liquidación del título

Sin perjuicio de lo indicado en el punto anterior, no en todas las obligaciones dinerarias se indica o conoce desde el principio su importe líquido, debiéndose llevar a cabo las operaciones que correspondan para su determinación; es decir, debe procederse a la liquidación del título. A esta situación responden los arts. 712 y siguientes LEC, en los que se regula el procedimiento para la liquidación de daños y perjuicios, frutos y rentas, y la rendición de cuentas:

> *Daños y perjuicios*: El art. 713 LEC establece que será el ejecutante, a través de un escrito instando la liquidación, quien presente la relación detallada de los daños y perjuicios que considera se le han causado, así como su valoración, acompañando los dictámenes o documentos que considere oportunos para acreditar dichos extremos. De dicho escrito se da traslado al ejecutado para que, en su caso, pueda mostrar su conformidad (art. 714 LEC) o disconformidad con las partidas incluidas o la valoración (art. 715 LEC). Celebrada la vista, y dentro de los cinco días siguientes el tribunal

dictará auto fijando la cantidad que considere procedente; auto que será apelable, sin efecto suspensivo.

> *Frutos y rentas*: Al contrario que en el supuesto anterior, en el caso de los frutos y rentas, el ejecutante se limita en este momento a solicitar la liquidación, siendo el deudor, a requerimiento del LAJ, quien debe presentarla atendiendo a las bases establecidas en el título (art. 718 LEC): Si el deudor no presenta la liquidación, se requiere al ejecutante para que lo haga, dando traslado de la misma al ejecutado y procediéndose como en el caso de los daños y perjuicios.

> *Rendición de cuentas de administración*: A esta rendición de cuentas se aplica lo indicado para los daños y perjuicios (art. 720 LEC).

> *Transformación de ejecución específica en dineraria*: Como veremos en la próxima lección, la ejecución no dineraria, cuyo cumplimiento específico no es posible o excesivamente difícil, puede transformarse en dineraria, por lo que también será necesario proceder a la liquidación de la prestación correspondiente.

III. REQUERIMIENTO DE PAGO

Conocida y determinada la cantidad por la que debe despacharse ejecución, correspondería proceder al embargo de bienes del deudor suficientes para hacer frente a la obligación de pago. Ahora bien, no siempre se puede pasar al embargo directo, sino que nuevamente nos encontramos con dos posibilidades, dependiendo del título ejecutivo, que se resuelven en la necesidad o no de requerir de pago al deudor:

> *No será necesario requerir de pago al deudor* cuando el título ejecutivo sea una resolución del LAJ, una resolución judicial o arbitral o que apruebe transacciones o convenios alcanzados dentro del proceso y acuerdos de mediación. Evidentemente, en todos estos casos, y como hemos indicado, la cantidad a pagar viene fijada ya en la resolución, por lo que el deudor la conoce desde que se emitió y adquirió firmeza, no teniendo sentido el requerimiento (art. 580 LEC).

> *Sí será necesario requerir de pago al deudor*, una vez despachada ejecución, en el caso de obligaciones documentadas en títulos distintos a los anteriores (art. 581.1 LEC). Este requerimiento de pago tiene como finalidad dar la oportunidad al deudor de pagar antes de que se proceda al embargo de sus bienes; por ello, el número segundo de este artículo exime del requerimiento cuando a la demanda ejecutiva se acompaña acta notarial que

acredite haberse requerido de pago al deudor con al menos diez días de antelación.

En su caso, el requerimiento de pago se efectuará en el domicilio del deudor que figure en el título ejecutivo; si bien, a petición del ejecutante podrá hacerse, además, en cualquier lugar en que el ejecutado pueda ser hallado, aún en forma accidental. Si no se encontrare al ejecutado en su domicilio, podrá procederse, siempre que lo solicite el ejecutante, a un nuevo requerimiento (art. 582 LEC).

Si el ejecutado paga al ser requerido o antes del despacho de la ejecución, el LAJ pondrá la suma pagada a disposición del ejecutante, entregando al ejecutado justificante del pago efectuado. El ejecutado, no obstante, deberá hacerse cargo de las costas salvo que pudiera justificar que efectuó el pago antes de que el acreedor instara la ejecución. Una vez satisfechos los intereses y costas, el LAJ dictará decreto poniendo fin a la ejecución (art. 583 LEC).

IV. EL EMBARGO EJECUTIVO

Cuando un sujeto debe pagar una cantidad de dinero, lo normal sería que lo haga con el dinero de que disponga en efectivo o, de no tenerlo o no ser suficiente, decida vender algún activo o bien de su patrimonio para proceder al pago de la deuda. Esto es, dado el carácter sustitutivo de la ejecución, lo que va a hacer el tribunal a través del procedimiento de apremio y a esta intención responde el embargo de bienes del deudor que seguidamente analizamos; obviamente en el caso de que el particular no pague voluntariamente.

Para entender el concepto de embargo, podemos remitirnos a la definición propuesta por CARRERAS, quien lo entiende como «aquella actividad procesal compleja llevada a cabo en el proceso de ejecución, enderezada a elegir los bienes del ejecutado que deben sujetarse a la ejecución y a afectarlos concretamente a ella, engendrando en el acreedor ejecutante una facultad meramente procesal a percibir el producto de la realización de los bienes afectados, y sin que se limite jurídicamente ni se expropie la facultad de disposición del ejecutado sobre dichos bienes». Esta ilustrativa definición, aún válida veinte años después, recoge los aspectos esenciales del embargo que merecen nuestra atención.

El embargo se resuelve en la afección de determinados bienes al proceso de ejecución; es decir, su vinculación al mismo para proceder a su venta y pagar al acreedor, existiendo desde el momento en que el LAJ designa un bien o lo describe en la diligencia de embargo (art. 587.1 LEC).

Precisamente, por la individualización de bienes que supone, el embargo debe ser determinado, siendo nulo el embargo sobre bienes y derechos «cuya efectiva existencia no conste», es decir, indeterminado; con la salvedad hecha, en los términos del art. 588.2 LEC para los depósitos bancarios y saldos favorables de cuentas de créditos.

El ejecutado tiene la posibilidad de evitar el embargo de sus bienes consignando la cantidad por la que se hubiere despachado, suspendiéndose el embargo (art. 585, I LEC). La consignación es igualmente posible en cualquier momento posterior al embargo y antes de que se resuelva la oposición planteada por el deudor, procediéndose al alzamiento del embargo (art. 585, II LEC). La cantidad consignada se depositará en el establecimiento designado en el supuesto de oposición, hasta que la misma se resuelva; entregándose al acreedor, cuando no se ha planteado oposición.

1. *Objeto del embargo*

El art. 1911 CC afirma que el deudor responde del cumplimiento de sus obligaciones con todos sus bienes presentes y futuros, por tanto, el embargo puede alcanzar a todos los bienes del ejecutado. Este artículo, al igual que la LEC, hace referencia a los bienes del deudor, pues a efectos de ejecución, el patrimonio del deudor no se considera como un todo inescindible, sino todo lo contrario. Esta tajante afirmación («todos sus bienes») requiere, no obstante, de matizaciones pues nos vamos a encontrar con distintas limitaciones:

➢ *Bienes absolutamente inembargables*: El art. 605 LEC establece un conjunto de bienes que no se verán, en ningún caso, alcanzados por la ejecución, atendiendo a su propia naturaleza o la finalidad a la que están destinados (por ejemplo, los bienes inalienables o los que carezcan de contenido patrimonial).

➢ *Bienes inembargables del ejecutado*: Se trata de una serie de bienes que son relativamente inembargables (art. 606 LEC), entre ellos, el mobiliario y menaje de la casa que no pueda considerarse superfluo, los libros e instrumentos necesarios para que el deudor pueda desarrollar su profesión, arte u oficio o los bienes sacros dedicados al culto de las religiones legalmente registradas.

➢ *Sueldos y pensiones*: Los sueldos y pensiones del deudor no pueden ser íntegramente embargados, de ahí que el art. 607 LEC establezca que «es inembargable el salario, sueldo, pensión, retribución o su equivalente, que no exceda de la cuantía señalada para el salario mínimo interprofesional»; por tanto, la parte superior a dicho límite sí podrá ser embargada conforme a la escala que en dicho artículo se establece. En su número 3 regula los supuestos en que se es beneficiario de más de una percepción.

Las previsiones del art. 607 LEC no serán de aplicación cuando se trate de la ejecución de la condena a prestación de alimentos, fijándose por el tribunal la cantidad a embargar.

El embargo trabado sobre bienes inembargables es nulo de pleno derecho; nulidad que puede denunciarse por el ejecutado en la forma establecida en el art. 609 LEC.

2. Localización de bienes del ejecutado

Para proceder al embargo, además de determinar la cantidad por la que se debe despachar ejecución, es necesario saber qué bienes embargables integran el patrimonio del deudor. Esta actividad se puede realizar por el propio ejecutado, si bien la ley también prevé que se pueda llevar a cabo una investigación judicial del patrimonio del deudor.

A) Manifestación de bienes por el ejecutado

Como tuvimos ocasión de indicar, uno de los contenidos de la demanda ejecutiva se refería a la designación por el demandante de los bienes del deudor cuyo embargo considere suficiente para cumplir con la obligación. De no poderse hacer dicha designación, será el ejecutado, a requerimiento del LAJ, quien manifieste «relacionadamente bienes y derechos suficientes para cubrir la cuantía de la ejecución, con expresión, en su caso, de las cargas y gravámenes, así como, en el caso de inmuebles, si están ocupados, por qué personas y con qué título» (art. 589 LEC).

El LAJ debe advertir al ejecutado de las posibles sanciones que se le pueden imponer por desobediencia grave al no presentar dicha relación, por incluir en ella bienes que no son suyos, excluir bienes propios que serían susceptibles de embargo u ocultar las cargas y gravámenes que existan sobre ellos. Igualmente, se le pueden imponer multas coercitivas periódicas (art. 589 LEC).

B) Investigación judicial del patrimonio del deudor

A instancia del ejecutante que no puede designar bienes suficientes del ejecutado, el LAJ puede acordar, por diligencia de ordenación, que se practiquen determinadas actuaciones cuya finalidad es averiguar los bienes que integran el patrimonio del deudor. A tal fin, el art. 590 LEC le permite dirigirse a las entidades financieras, organismos y registros públicos y personas físicas y jurídicas que el ejecutante justificadamente indique, para que faciliten la relación de bienes o derechos del ejecutado de los que tengan constancia; siempre y cuando el ejecutante no pueda obtener estos datos por sí mismo o a través de su procurador. En este sentido, el Punto Neutro Judicial, como ya hemos puesto de manifiesto, juega un papel fundamental.

Las entidades, organismos o personas a quien puede requerirse tienen la obligación de colaborar con la Administración de Justicia o con el procurador del ejecutante, con la única limitación del respeto a los derechos fundamentales o legalmente determinados (art. 591 LEC). La importancia de este deber de colaboración es obvia, pues lo contrario podría dejar sin efectividad real la previsión del art. 590 LEC. Será el juez el competente para la imposición de las sanciones por incumplimiento en este caso, previa audiencia de las partes.

3. Integración del patrimonio del deudor

Ahora bien, aun realizando las actuaciones descritas en el punto anterior, podemos encontrar supuestos en que sigan sin encontrarse bienes a embargar o no sean suficientes para cubrir la cantidad por la que se haya despachado la ejecución. En este caso, se procede a la integración del patrimonio del deudor, es decir, a «devolver» bienes que hubieran salido del mismo, precisamente para evitar su embargo:

> ➢ Ejerciendo las acciones que le correspondería al ejecutado a través de la acción subrogatoria del art. 1111, I CC, que permite a los acreedores, al estar en ejecución al tribunal, ejercitar todos los derechos y acciones que le corresponderían a él.

> ➢ Impugnando las transmisiones fraudulentas realizadas por el deudor con posterioridad a la obligación por la que se despacha ejecución. Estamos ante la llamada acción revocatoria o pauliana del art. 1111, II CC.

4. La determinación de los bienes a embargar

Una vez localizados los bienes del deudor, ya puede procederse al embargo efectivo de los mismos, para lo que deberá tomarse en consideración la siguiente prelación:

> ➢ En primer lugar, se estará a lo pactado por las partes en cuanto a la determinación de los bienes concretos a embargar y el orden en qué hacerlo (art. 592.1 LEC).

> ➢ En defecto de pacto en las partes, el criterio para fijar los bienes a embargar debe ser el de la mayor facilidad de enajenación y la menor onerosidad de dicha venta para el ejecutado (art. 592.1 LEC).

> Si no fuera posible acudir a ninguna de estas dos posibilidades, el art. 592.2 LEC, establece el orden en que debe procederse al embargo de los bienes; orden que en realidad responde al criterio de facilidad y que comenzando con el dinero y las cuentas corrientes de cualquier clase finaliza con la referencia a los créditos, derechos y valores realizables a medio y largo plazo. Añade el número 3 de dicho artículo, que también podrá procederse al embargo de empresas cuando, atendidas las circunstancias, resulte preferible al embargo de sus distintos elementos patrimoniales.

Este orden puede, no obstante, modificarse por distintos motivos, por ejemplo, la estimación de una tercería de dominio, alzando el embargo sobre un bien y practicando el embargo sobre el que le «sustituye» (art. 612 LEC).

Como hemos ya indicado, el patrimonio del ejecutado, a efectos de la ejecución, no se considera como un todo, sino que el embargo lo es individualmente respecto a los bienes o derechos concretos que lo integran y en cantidad suficiente para cubrir la deuda. Así, no se podrán embargar, salvo que sea inevitable, bienes cuyo valor supera con creces la cantidad a pagar (art. 584 LEC). Precisamente por la necesidad de que los bienes sean suficientes para hacer frente a la obligación se pueden producir dos situaciones que afectan a lo que se conoce como el ámbito cuantitativo del embargo:

> *La mejora del embargo*, es decir, su extensión a bienes que no habían sido originalmente embargados por entenderse que los bienes embargados no serán suficientes para satisfacer el pago, como, por ejemplo, consecuencia de una tercería de dominio o el incremento en los intereses a pagar (art. 612 LEC).

> *La reducción del embargo*, levantando el embargo sobre alguno de los bienes trabados por entender que la traba ha sido excesiva (art. 612 LEC).

5. *La afección de bienes*

La tantas veces referida afección de los bienes supone la vinculación de un determinado bien al proceso de ejecución. Dicha afección se realiza por el LAJ, partiendo siempre del auto por el que el juez despacha ejecución, pudiendo ser explícita, a través de decreto, o implícita, mediante la descripción y señalamiento del bien (art. 587.1 LEC). La afección es, pues, un elemento esencial en el proceso de ejecución imprescindible para hacer efectivo el embargo.

El presupuesto de esta afección es que el bien pertenezca al ejecutado, pero el control o cumplimiento de este requisito presenta una peculiaridad. Ante las posibles dudas que puedan surgir respecto a si el bien pertenece o no al deudor, no puede ser suficiente la mera afirmación al respecto del acreedor; pero tampoco se puede, en el curso del proceso de ejecución, proceder a incoar un proceso declarativo a través del cual declarar si el bien le pertenece o no. Por ello, para la afección se parte de una presunción basada en la existencia de indicios de los que razonablemente se pueda deducir que el bien pertenece al deudor; presunción que se resuelve en entender que el requisito de pertenencia se cumple cuando el bien se encuentra en lo que se conoce como «el señorío físico del deudor».

Esta regla puede matizarse en la práctica:

➢ Bienes que no se encuentran en el señorío físico del deudor, pero son de su propiedad, pudiendo ser afectados (art. 626.2 LEC).

➢ Bienes que se encuentran en el señorío físico del deudor, pero no son de su propiedad. En estos casos, el art. 593.2 y 3 LEC permite que el LAJ se dirija al tercero, presunto titular del bien o derecho, para que realice las manifestaciones que considere oportunas al respecto. Demostrada la titularidad, el bien no se verá afectado; ahora bien, si el bien es afectado el tercero aún tendrá la posibilidad de interponer la tercería de dominio. La Ley contempla reglas especiales para el caso de bienes susceptibles de inscripción registral (art. 38, III LH, tercería registral) o si se trata de la vivienda familiar del tercero.

Una vez se produce la afección del bien, pese a todas las cautelas indicadas, el embargo deviene eficaz, pese a que el bien pertenezca a un tercero que aún tendrá a su disposición las tercerías de dominio.

A) La tercería de dominio

La tercería de dominio es el mecanismo a disposición de un tercero afectado por una ejecución en que no es parte en el sentido de los arts. 538 y 540 a 544 LEC. La finalidad de la tercería es «extraer» del proceso de ejecución un bien o derecho de su propiedad que ha sido afecto al embargo, antes de que se proceda a la enajenación forzosa del mismo. El tercero deberá afirmar en su demanda —presentando un principio de prueba por escrito— que es titular de un bien o derecho que puede oponerse al embargo o a la ejecución forzosa (art. 595.1 y 2 LEC) e instar del tribunal el alzamiento del embargo respecto al mismo.

La resolución de la tercería de dominio corresponde al tribunal competente para la ejecución, sustanciándose por los trámites del juicio verbal, con las especialidades previstas en los arts. 602 y 603 LEC. Siendo el demandante el tercero erróneamente afectado por la ejecución, la legitimación pasiva corresponde al ejecutante, en todo caso; pero también al ejecutado, en litisconsorcio pasivo necesario, cuando haya sido éste quien haya indicado el bien como susceptible de embargo. En cualquier caso, demandándose sólo al ejecutante, el ejecutado siempre puede intervenir por tener un interés legítimo (art. 13 LEC), concretamente que se mantenga el embargo sobre el bien discutido. La tercería podrá imponerse desde que se embargue el bien y antes de que se proceda a transmitirlo al que lo adquiriera en pública subasta (art. 596 LEC), no siendo posible interponer segundas o ulteriores tercerías (art. 597 LEC).

La tercería se resuelve mediante un auto en que el tribunal se pronunciará sobre la pertenencia del bien y la procedencia del embargo, pero a los solos efectos de la ejecución; es decir, sin que ello conlleve una declaración de titularidad del bien a favor de un tercero, para lo que debe acudirse al proceso ordinario que corresponda. No se produce, pues, efecto de cosa juzgada en relación con la titularidad del bien. Esta tercería se completa con la llamada tercería registral del art. 38, III LH.

B) La tercería de mejor derecho

La tercería de mejor derecho, como instrumento de defensa u oposición del tercero, se ubica procedimentalmente en un momento posterior al de la tercería de dominio por su propia finalidad: Obtener judicialmente una declaración de titularidad de un crédito preferente al del acreedor ejecutante que le legitime para ver satisfecho su crédito, con el resultado de la enajenación forzosa, antes que éste. Importante es matizar que, si el crédito deriva de un título judicial, la tercería tendrá como objeto dicha declaración de preferencia; en cambio, si se trata de un título extrajudicial deberá además declararse la existencia del crédito mismo, si bien a los solos efectos de la ejecución (art. 616 LEC). En este último caso, la demanda de tercería deberá dirigirse no sólo contra el ejecutante, sino también contra el ejecutado (art. 619 LEC).

Esta tercería se tramita también por el cauce del juicio verbal con las especialidades de los artículos 619 y ss. LEC. Interpuesta la tercería, no se suspende la realización forzosa, no se impide la venta, pero el dinero obtenido se depositará en la Cuenta de Depósitos y Consignaciones del Juzgado, para después del pago de las costas, pagar a los acreedores en el orden que la sentencia establezca. La tercería resuelve sobre la preferencia y el orden en que se pagará a los acreedores, pero no prejuzga otras acciones que pudiera corresponder (art. 620 LEC).

Una vez procedida a la venta del bien, agotadas las tercerías, la única posibilidad de oposición del tercero, para sacar el bien de ejecución o cobrar su crédito, serán las acciones de resarcimiento o la de enriquecimiento injusto (art. 594 LEC).

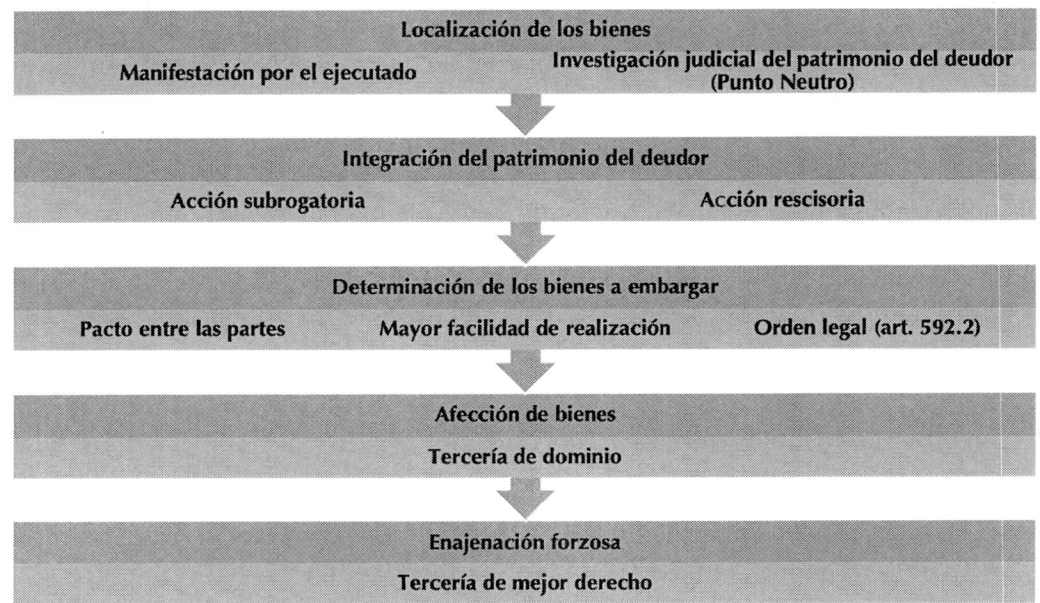

V. EL REEMBARGO Y EL EMBARGO DEL SOBRANTE

Corresponde ahora hacer referencia a dos actividades que pueden tener lugar como consecuencia de la posibilidad de que unos mismos bienes o derechos se vean afectos a distintas ejecuciones:

> *El reembargo* (art. 610 LEC): Es decir, la afección, a una segunda o sucesivas ejecuciones, de un bien o derecho que ya está embargado en un proceso de ejecución anterior. En estos casos, el hecho de que exista un embargo previo no afecta, por tanto, a la validez de las siguientes afecciones, pero sí puede tener repercusión en las garantías de la afección, en tanto que podrán adoptarse aquellas garantías que no entorpezcan la ejecución anterior y no sean incompatibles con las ya adoptadas (art. 610.3 LEC, por ejemplo, no podrá nombrarse un segundo administrador judicial o depositario, pero sí podrá comunicársele el segundo embargo).

El reembargo otorga al reembargante el derecho a percibir el producto de lo que se obtenga de la realización de los bienes reembargados, una vez satisfechos los derechos de los ejecutantes de los procesos de ejecución anteriores; respetando así el orden en que se hubieran practicado los embargos. Si el primer embargo se viera alzado, su lugar lo ocuparía el primer reembargante y así sucesivamente, pudiendo solicitar la realización forzosa de los bienes reembargados (art. 610.2 LEC).

Sin necesidad de esperar a la satisfacción del primer ejecutante, el reembargante podrá solicitar la ejecución forzosa, sin esperar al alzamiento del anterior, cuando los derechos de los embargantes anteriores no se vean afectados por la realización.

➢ *El embargo del sobrante* (art. 611 LEC), permite instar el embargo de lo que haya sobrado de la realización forzosa de los bienes en una previa ejecución; es decir, un embargo «a futuro». El derecho aquí recae sobre la cantidad sobrante, por lo que —a diferencia del caso anterior— si se alza el primer embargo, aquél desaparece. La cantidad sobrante se ingresa en la Cuenta de Consignaciones y Depósitos para su disposición en el proceso en que se ordenó el embargo del sobrante.

Si el embargo se refiere a bienes inmuebles, se ingresa la cantidad que sobrare después de pagar al ejecutante, así como a los acreedores con derecho inscrito o anotados con posterioridad al del ejecutante y que tengan preferencia sobre el acreedor a cuyo favor se acordó el embargo del sobrante.

VI. GARANTÍAS DE LA AFECCIÓN

Una vez afecto el bien o bienes y antes de proceder a su realización forzosa, es necesario garantizar la traba de los mismos:

➢ Frente al ejecutado para evitar que realice cualquier acto de disposición u ocultación (física o jurídica) que impida continuar con la ejecución.

➢ Frente a terceros, para que tengan conocimiento de la existencia de la traba a los efectos que corresponda.

Las garantías concretas a adoptar, que van a depender del bien específico afecto a la ejecución, son:

➢ *Anotación preventiva en registro público* (art. 629 LEC): Cuando el embargo recae sobre bienes o derechos susceptibles de inscripción en registro público, el LAJ, a instancia del ejecutante, procederá a la anotación preventiva del embargo o anotación de equivalente eficacia. En el mandamiento, el LAJ deberá incluir la resolución que decreta el embargo, la cantidad por la que se despacha ejecución, la identificación de ejecutante y ejecutado y la descripción del bien o derecho.

• Tratándose de bienes inmuebles o derechos susceptibles de inscribirse en el Registro de la Propiedad se atenderá a la legislación hipotecaria. Los efectos de la anotación se refieren al *ius persequendi* (de forma que el embargo persigue al bien, aunque éste se transmita a un tercero, que deberá soportar la ejecución, art. 38, IV y V LH) y al *ius prioritatis* (otorgando preferencia para el cobro del crédito con el resultado de la venta forzosa del bien, con preferencia a los créditos posteriores, dejando a salvo las preferencias legales, art. 44 LH y 1923 CC).

- Para los bienes muebles es la *Ley Hipotecaria Mobiliaria y Prenda sin desplazamiento de la Posesión* la que permite inscribir el gravamen sobre dichos bienes. Los efectos indicados para los bienes inmuebles se producen también cuando el embargo se refiere a bienes susceptibles de hipoteca mobililiaria (arts. 10 y 16); para los bienes susceptibles de prenda sólo se produce el *ius proritatis* (art. 10).

➤ *Depósito judicial* (arts. 626 a 628 LEC): Esta garantía, prevista para bienes que por sus características requieren de aprehensión física para que conste su afección frente a terceros, supone la tenencia de los bienes por una persona o institución designada al efecto para que los guarde y los mantenga a disposición del tribunal hasta que éste los reclame, siendo obligación básica del depositario conservar el bien con la debida diligencia, exhibirlo en las condiciones que el LAJ le indique y entregarlo a la persona que se designe (art. 627 LEC). El depósito no exige necesariamente la traslación física del bien.

Así, el depósito judicial será la garantía adecuada cuando los bienes afectos a ejecución son dinero o divisas, títulos valores, objetos especialmente valiosos o necesitados de especial conservación, bienes muebles o semovientes.

El depósito presenta dos modalidades en función del depositario: Institucional, establecimiento público o privado (por ejemplo, si se trata de dinero se deposita en la Cuenta de Consignaciones y Depósitos del Juzgado, arts. 621.1 y 626.1 LEC); y personal, pudiendo ser el propio tercero que ya está en posesión del bien (art. 626.2 LEC), el mismo ejecutado (art. 626.3 LEC), el ejecutante o un tercero designado al efecto (art. 626.4). El art. 627.1, II LEC regula la remoción del depositario ante el incumplimiento de sus obligaciones.

➤ *Retención sin desapoderamiento*: Modalidad de garantía adecuada para los bienes que no son susceptibles de aprehensión física por ser incorporales y que supone las dos medidas siguientes:

- La comunicación al deudor del ejecutado o persona o entidad que custodia el bien o tiene el derecho del ejecutado la existencia de la afección, ordenándole que conserve el bien a disposición del tribunal (estamos ante el conocido como *arrestatorium*).

    Así se procede en el caso de las cuentas corrientes, los sueldos y pensiones (art. 621 LEC), los intereses, rentas y frutos (art. 622 LEC) y los valores e instrumentos financieros (art. 623 LEC).

- La notificación del embargo.

➢ *Administración judicial* (art. 630 LEC): Garantía legalmente prevista en los casos en que el embargo recaiga sobre una empresa o grupo de empresas o cuando se embarguen acciones o participaciones que representen la mayoría del capital social, del patrimonio común o de los bienes o derechos pertenecientes a las empresas, o adscritos a su explotación. Igualmente, podrá procederse a la administración judicial ante el embargo de frutos y rentas, en los supuestos indicados en los números 2 y 3 del art. 622 LEC, cuando las circunstancias lo aconsejen atendiendo a su importancia o cuando se comprobare que la entidad pagadora o perceptora o el ejecutado no están cumplimiento con la orden de retención. Se trata de dar cobertura a situaciones en que el depósito judicial no es suficiente.

El art. 631 LEC regula la constitución de la administración y el nombramiento de administradores e interventores, con preferencia por el acuerdo entre los implicados respecto a la designación judicial. En el caso del embargo de empresas, el LAJ deberá nombrar un interventor judicial designado por el titular o titulares de las empresas; y dos interventores cuando se embargue la mayoría del capital social o la mayoría de los bienes o derechos pertenecientes a la empresa (uno designado por los afectados mayoritarios y otros por los minoritarios). El nombramiento se inscribirá, cuando proceda, en el Registro Mercantil. Las obligaciones inherentes al cargo se fijan en el art. 632 LEC; siendo el art. 663 LEC, el que establece los aspectos básicos de su actuación.

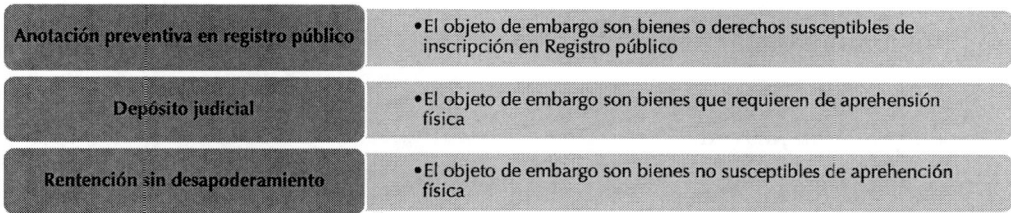

Anotación preventiva en registro público	• El objeto de embargo son bienes o derechos susceptibles de inscripción en Registro público
Depósito judicial	• El objeto de embargo son bienes que requieren de aprehensión física
Rentención sin desapoderamiento	• El objeto de embargo son bienes no susceptibles de aprehención física

VII. LA REALIZACIÓN FORZOSA

Practicado el embargo y adoptadas, en su caso, las garantías que corresponda, la siguiente actuación consiste en la realización o enajenación de los bienes embargados para, con el dinero así obtenido, poder pagar al acreedor ejecutante, satisfaciendo la obligación contraída por el deudor ejecutado. La realización forzosa tiene como resultado, por tanto, la «transformación» de un bien en una cantidad de dinero; de ahí que deba distinguirse entre los supuestos en que no es necesaria la realización forzosa, pues el bien a embargar ya es dinero o equivalente, de los casos en que sí debe procederse a la misma. En este último caso, la LEC regula tres formas de realización forzosa: La enajenación, la adjudicación y la administración forzosas.

1. Supuestos en que no es necesario proceder a la realización forzosa

Atendiendo al bien objeto del embargo, no será necesario proceder a la realización forzosa de los bienes, cuando estos consisten en (art. 634 LEC):

➢ Dinero en efectivo, saldos de cuentas corrientes o de inmediata disposición, divisas convertibles (si bien su conversión en dinero sí es necesaria), y cualquier otro bien nominal cuyo valor coincida con su valor de mercado, o que, aunque inferior, el acreedor acepte la entrega del bien por su valor nominal. En estos casos los bienes o el dinero se entregan directamente al ejecutante por el LAJ.

➢ Saldos favorables en cuenta, con vencimiento diferido. En este supuesto, el art. 634.2 LEC establece que el LAJ adoptará las medidas oportunas para lograr su cobro, pudiendo designar un administrador cuando se considere conveniente o necesario para su realización.

➢ Por último, tratándose de la ejecución de sentencias en que se condena al pago de las cantidades debidas por incumplimiento de contratos de venta a plazos de bienes muebles, el LAJ, a solicitud del ejecutante, le hará entrega inmediata del bien o bienes muebles vendidos o financiados a plazo por el valor resultante de las tablas o índices referenciales de depreciación establecidos en el contrato (art. 634.3 LEC).

2. La enajenación forzosa

La enajenación forzosa es la forma más común de realización forzosa y preferente por LEC, presentando a su vez varias posibilidades: Enajenación por fedatario público, el convenio de realización, realización por persona o entidad especializada y la subasta judicial, a la que por su importancia dedicaremos un apartado específico.

La enajenación forzosa, supone la transmisión de un bien embargado a un tercero para obtener así la cantidad de dinero suficiente para satisfacer al ejecutante; es decir, la «venta de los bienes» en virtud de las potestades que el tribunal tiene en el proceso de ejecución.

➢ *La enajenación por fedatario público* (art. 635 LEC): Cuando los bienes embargados son acciones, obligaciones u otros valores admitidos a negociación en mercado secundario o un bien que cotiza en cualquier mercado reglado o que pueda acceder a un mercado con precio oficial, la enajenación se hará siguiendo las reglas que disciplinan estos mercados (Bolsa de Valores, Mercado de deuda pública, Mercado de renta fija, etc).

Si se trata de acciones o participaciones societarias que no cotizan en bolsa, la realización se efectuará por notario atendiendo a las disposiciones estatutarias y legales sobre enajenación de las acciones o participaciones y, en especial, a los derechos de adquisición preferente (art. 635 LEC).

Tratándose de bienes distintos a los indicados en el punto anterior (los referidos en los arts. 634 y 635 LEC), su realización se llevará a cabo, previa aprobación por el LAJ, conforme a lo convenido entre las partes e interesados.

➢ *Convenio de realización* (art. 640 LEC): Esta forma de realización aparece como una de las alternativas a la subasta judicial, siendo el ejecutante, el ejecutado y quien acredite tener interés directo en la ejecución quienes pidan al LAJ que les convoque a una comparecencia con la finalidad de convenir la forma más eficaz de realización de los bienes hipotecados, pignorados o embargados, frente a los que se dirige la ejecución. El LAJ deberá convocar siempre que lo solicite el ejecutante, mientras que si quien lo pide es el ejecutado o el tercero interesado, se requiere la conformidad del ejecutante. En cuanto a la forma de realización, no sólo es necesario el acuerdo entre ejecutante y ejecutado, sino que también se requiere que:

- Exista persona que, consignando o afianzando, se ofrezca a adquirir los bienes por un precio previsiblemente superior al que pudiera lograrse mediante la subasta, por eso es una forma alternativa a ésta.

- El LAJ debe aprobar el acuerdo, mediante decreto y dejando en suspenso la ejecución respecto del bien o bienes objeto del mismo, cuando no pueda causar perjuicio alguno a terceros cuyos derechos se protejan por la propia LEC y cuando exista conformidad de los sujetos, distintos del ejecutante y del ejecutado, a quienes afectare.

- En el caso de bienes susceptibles de inscripción registral, será necesaria la conformidad de los acreedores o terceros poseedores que hubieran inscrito o anotado su derecho en el Registro correspondiente con posterioridad al gravamen que se ejecuta.

Cumplido el acuerdo, el LAJ sobreseerá la ejecución respecto del bien o bienes a que se refiere; el no cumplimiento o el cumplimiento no satisfactorio conlleva la reanudación de la ejecución, procediéndose a la subasta. Si no se alcanza acuerdo, la comparecencia puede repetirse cuando las circunstancias lo aconsejen.

> *Enajenación por persona o entidad especializada* (art. 641 LEC): La segunda alternativa a la subasta supone que de la enajenación se hará cargo una persona o una entidad especializada con experiencia en el mismo sentido. La idea es clara, la venta por experto o especialista y en el mercado propio del bien puede suponer una mejor forma de realización que acudir a la subasta judicial; implica, por tanto, atender a las características concretas del bien embargado, por ejemplo, una obra de arte.

También en este caso, esta modalidad de enajenación requiere petición del ejecutante o del ejecutado, pero, en este caso, con consentimiento del ejecutante. Así, el LAJ acordará, a través de la correspondiente diligencia de ordenación, que la enajenación se produzca por:

- Persona especializada y conocedora del mercado en que se compran y se venden los bienes como el afectado por ejecución, debiendo concurrir en ella los requisitos legalmente exigidos para operar en el mercado de que se trate.

- Entidad especializada, pública o privada, conforme a las reglas y usos de la casa o entidad que subasta o enajena, siempre que no sean incompatibles con el fin de la ejecución y con la adecuada protección de los intereses del ejecutante y ejecutado.

A la persona o entidad se le exige prestar caución, salvo cuando se trate de entidad pública o el propio Colegio de Procuradores, al que el art. 641.1, III y 3 LEC reconoce como entidad especializada para la subasta. Además, el número 3 de este artículo, exige el acuerdo de las partes para admitir un precio de venta inferior al 50 por ciento; límite que se eleva al 70 por ciento de su valor cuando se trata de bienes inmuebles.

Si se produce la venta, debe ingresarse la cantidad en la Cuenta de Depósitos y Consignaciones del Juzgado, una vez retraídos los gastos y los honorarios, en el plazo de seis meses y devolverse la caución. Si en el plazo de seis meses no se produce la venta, se revoca el encargo encomendado salvo que se justifique que no ha sido posible en dicho plazo, pudiendo concederse un nuevo plazo de seis meses, transcurridos los cuales, si no se produce la venta, se revoca el encargo y no se devuelve la caución.

3. La necesidad de proceder al avalúo de los bienes

Salvo en los casos en que los bienes a enajenar sean los referidos en los artículos 634 y 635 LEC, en todos los demás supuestos que estamos viendo, incluido el de adjudicación forzosa, debe procederse al avalúo previo de los bienes; es decir, es necesario realizar las averiguaciones u operaciones que correspondan para fijar el valor de dichos bienes (art. 637 LEC):

➢ Atendiendo al acuerdo entre ejecutante y ejecutado, antes o durante su ejecución (art. 637 LEC).

➢ De no haber acuerdo, se realizará por un perito tasador, nombrado por el LAJ, de entre los que prestan servicios en la Administración de Justicia (art. 638.1 LEC).

➢ En defecto de los anteriores, por los organismos o servicios técnicos dependientes de las Administraciones Públicas que dispongan de personal cualificado y hayan asumido el compromiso de colaborar, a estos efectos, con la Administración de Justicia (art. 638.1 LEC).

➢ Por último, de no poderse acudir a éstos, se nombrará a un perito tasador de entre las personas físicas o jurídicas que figuren en una relación, formada con las listas que suministren las entidades públicas competentes para conferir habilitaciones para la valoración de bienes, así como los Colegios profesionales cuyos miembros estén legamente capacitados para dicha valoración (art. 638.1, in fine LEC).

La actuación y obligaciones del perito se establecen en el art. 639 LEC, siendo la más importante establecer el valor del bien atendiendo al valor de mercado del mismo. Del informe del perito se da traslado a las partes y acreedores interesados para que puedan presentar las alegaciones que consideren oportunas, siendo el LAJ quien, finalmente, fija la valoración definitiva, mediante decreto contra el que cabe revisión.

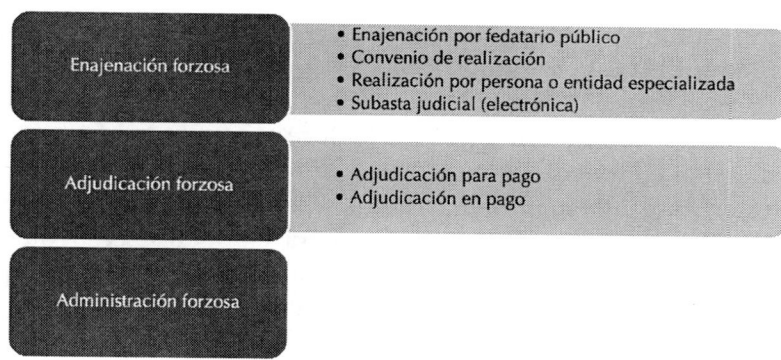

Enajenación forzosa
- Enajenación por fedatario público
- Convenio de realización
- Realización por persona o entidad especializada
- Subasta judicial (electrónica)

Adjudicación forzosa
- Adjudicación para pago
- Adjudicación en pago

Administración forzosa

VIII. ESPECIAL REFERENCIA A LA SUBASTA JUDICIAL

La subasta judicial es la modalidad de ejecución forzosa que la LEC considera preferente y ordinaria, dedicándole una mayor atención. En dicha regulación, se establece una distinción entre la subasta de bienes muebles y derechos (arts. 643 a 654 LEC) y la de bienes inmuebles (arts. 655 a 675 LEC, que también es aplicable a los bienes muebles sujetos a régimen de publicidad registral, con particularidades cuando el inmueble es la vivienda habitual y el deudor se encuentra en situación de vulnerabilidad económica).

Si tenemos en cuenta que la subasta va a servir para enajenar los bienes, es necesario matizar que, atendiendo al valor del bien en el mercado, puede decidirse no convocar la subasta por considerarse inútil, es decir, por entender que el bien mueble o lote de bienes no podrá venderse por precio suficiente para cubrir siquiera los gastos de la subasta (art. 643 LEC) o, tratándose de bienes inmuebles, el valor de sus cargas o gravámenes es igual o superior al precio de mercado (art. 666.2 LEC), dejando el LAJ en suspenso la ejecución del bien.

La subasta, con sus diferencias entre la referida a bienes muebles o derechos e inmuebles, supone la realización de una serie de actuaciones ordenadas, a las que nos referimos a continuación.

1. Paso previo en la subasta de bienes inmuebles: La determinación de su situación jurídica

En el supuesto de los bienes inmuebles, previamente a realizar al anuncio de la subasta, debe conocerse cuál es su situación jurídica, es decir, si sobre ellos pesa alguna carga o gravamen que pueda influir en su valor (art. 666 LEC) y en el interés en ser adquirido; debiendo esta información ser conocida por los posibles interesados.

El LAJ librará mandamiento al registrador a cuyo cargo se encuentre el Registro correspondiente para que remita al Juzgado certificado, en formato electrónico, en que conste (art. 656 LEC): La titularidad del dominio y demás derechos reales del bien o derecho gravado, procediéndose conforme a lo establecido en el art. 658 LEC si el bien aparece inscrito a nombre de persona distinta del ejecutado; y los derechos, de cualquier naturaleza, que existan sobre el bien, con relación completa de las cargas inscritas que lo graven o, en su caso, que se halla libre de cargas. Respecto a las cargas debe tomarse en consideración que sean anteriores o preferentes al derecho del ejecutante o posteriores.

Esta medida se completa con las previstas en los arts. 657 y 659 LEC, referidas a la notificación a titulares de los créditos anteriores que sean preferentes y al ejecutado para que informen sobre la subsistencia del crédito garantizado y su cuantía; y a los titulares de derechos que figuren en la certificación de cargas y que aparezcan en asientos posteriores al del derecho del ejecutante. A los titulares de derechos inscritos con posterioridad a la expedición de la certificación de dominio y cargas no se les realiza notificación alguna, pero podrán intervenir en el avalúo y actuaciones que les afecten, previa acreditación de la inscripción de su derecho al LAJ.

Otras actuaciones se refieren a la posibilidad de requerir al ejecutado que presente los títulos de propiedad de que disponga (art. 663 LEC); la comunicación a los arrendatarios y ocupantes de hecho de la existencia de la ejecución, para que puedan presentar los títulos que justifiquen su situación (art. 661 LEC).

2. Fijación del tipo de la subasta

Antes de convocar oficialmente la subasta es necesario saber cuál es el precio o valor atribuido al bien para que se pueda pujar por él. Si se trata de un bien mueble, como hemos dicho, el precio es el pactado o el fijado por el perito; pero este requisito es más complejo cuando se trata de un bien inmueble, pues para su cálculo debe tomarse en consideración las cargas o gravámenes que pesan sobre él (art. 666 LEC), deduciéndose el importe de las cargas y derechos anteriores al gravamen por el que se hubiera despachado ejecución cuya preferencia resulte de la certificación registral de dominio y cargas. Se entiende, por tanto, que las cargas anteriores y preferentes subsisten después de celebrarse la subasta y el adquirente del bien se subroga en ellas; las posteriores y no preferentes se cancelan, si bien puede destinarse a su pago el remanente de la subasta, de haberlo.

3. Convocatoria, anuncio y publicidad de la subasta

Una vez fijada la situación jurídica, cuando se trata de un bien inmueble, y conocido ya el precio por el que va a salir el bien a subasta, se procederá a su convocatoria (art. 644.1 LEC, para bienes muebles y 667.1 LEC para bienes inmuebles), que se llevará a cabo de forma electrónica en el Portal de Subastas, bajo responsabilidad del LAJ, y se publica en el BOE y en el Portal de Subastas (si bien también es posible por otros medios). La comunicación se lleva a cabo por el LAJ, debiendo contener los extremos legalmente establecidos (art. 646 LEC, para bienes muebles y art. 668 LEC para los inmuebles). Es importante dentro de este contenido, por ejemplo, la referencia a las cargas y gravámenes, en las que en su caso se subrogaría el adquirente o la aceptación de los licitadores de las condiciones de la subasta.

4. Requisitos para pujar

Los interesados en adquirir el bien en la subasta, deben cumplir unos requisitos previos para poder participar en la misma y «ofrecer su precio», es decir, pujar. Estos requisitos se refieren a identificarse suficientemente, evitando pujas anónimas o encubiertas; declarar que conocen las condiciones generales y particulares de la subasta y acreditar que han consignado, electrónicamente, el 5 por ciento del valor de los bienes (art. 647.1-3° LEC, bienes muebles y art. 669.1 LEC, inmuebles). El ejecutante, que podrá formar parte de la subasta cuando haya licitadores, no tiene que consignar cantidad alguna.

5. La celebración de la subasta: Subasta electrónica

Las Leyes 19/2015, de 13 de julio, de medidas de reforma administrativa en el ámbito de la Administración de Justicia y del Registro Civil y 42/2015, de 5 de octubre, de reforma de la Ley 1/2000, de 7 de enero, de Enjuiciamiento Civil introducen la subasta electrónica dando nueva redacción a los arts. 648 y 649 LEC y que responde, resumidamente, a las siguientes reglas:

> Se realizará en el Portal de subastas, a cuyo sistema tienen acceso todas las Oficinas judiciales, pues los intercambios de información se realizan electrónicamente. A cada subasta se le asigna un número de identificación único.

> La subasta se abre una vez transcurridas veinticuatro horas desde la publicación del anuncio en el BOE, una vez remitida toda la información necesaria para su comienzo al Portal de Subastas.

> Abierta la subasta, sólo pueden hacerse pujas electrónicas, informando el Portal durante la celebración de la misma de la existencia de pujas y su cuantía. Las personas que quieran pujar, junto con los requisitos indicados en el apartado anterior, deben darse de alta en el sistema, accediendo mediante mecanismos seguros de identificación y firma electrónica (Ley 59/2003, de 19 de diciembre, de firma electrónica).

> El ejecutante, el ejecutado o el tercero poseedor, de haberlo, así como el LAJ a iniciativa propia podrán, bajo su responsabilidad y a través de la Oficina judicial ante la que se sigue el procedimiento, enviar al Portal de Subasta toda la información de que dispongan sobre el bien objeto de licitación y que consideren de interés para los posibles licitadores.

> Las pujas se envían telemáticamente, devolviendo un acuse «técnico» con la información de la misma (fecha y hora como especialmente importante). El deudor debe también indicar si consiente o no la reserva a que se refiere el art. 652.1 LEC y si puja en nombre propio o de un tercero.

> Se admitirán posturas por importe superior a la más alta realizada. Las posturas iguales o inferiores se admiten igualmente si bien entendiéndose que consienten la reserva de consignación, pudiendo ser tenidas en cuenta si el licitador que realizó puja igual o más alta no consigna el importe. El Portal publicará la puja más alta entre la realizadas hasta ese momento.

➤ La subasta admitirá posturas durante un plazo de veinte días naturales desde su apertura, no cerrándose hasta transcurrida una hora desde la realización de la última postura, siempre que fuera superior a la más alta realizada hasta ese momento, aunque ello conlleve la ampliación del plazo inicial de veinte días a que ser refiere el artículo por un máximo de 24 horas.

6. Suspensión de la subasta

La subasta puede suspenderse cuando el LAJ tenga conocimiento de la declaración de concurso del deudor. En este caso, el LAJ dictará el decreto de suspensión dejando sin efecto la subasta, aunque ya se hubiera iniciado, y lo comunicará inmediatamente al Portal de Subastas (art. 649.1 LEC).

La suspensión de la subasta, por este u otro motivo (por ejemplo, el previsto en el art. 650.6 LEC), durante un periodo de tiempo superior a quince días conlleva la devolución de las consignaciones y la retroacción de la situación al momento inmediatamente anterior a la publicación del anuncio (art. 649.2 LEC). No obstante, es posible reanudar la subasta cuando la circunstancia que provocó la suspensión desaparezca, procediéndose a una nueva publicación del anuncio, como si se tratase de una nueva subasta (art. 649.2 LEC). En el caso de la subasta de bienes inmuebles, la reanudación supone una nueva petición de información registral, pues se entiende que es una nueva subasta (art. 669.4 LEC).

7. Terminación de la subasta

En la fecha de cierre de la subasta y a continuación del mismo, el Portal de Subastas remitirá al LAJ información certificada de la postura telemática más elevada, indicando los datos de identificación de licitador (art. 649.3 LEC).

Si el licitador vencedor no completara el precio ofrecido, previa solicitud del LAJ, el Portal de Subastas le remitirá la información certificada de la siguiente puja, siempre que el postor hubiera ejercido la reserva correspondiente. En caso de que tampoco completara el precio, se irá pasando al siguiente.

Concluida la subasta y recibida la información, el LAJ dejará constancia de la misma, expresando el nombre del postor y la postura que formuló.

8. Subasta sin postor

Con todo, se puede dar el caso de que no concurra ningún postor a la subasta, de modo que se cerraría sin haber podido vender el bien. En estos supuestos, la ley permite al acreedor, en el plazo de veinte días desde que se terminó la subasta, pedir la adjudicación del bien, es decir, quedárselo él previo pago de una cantidad de dinero:

> ➤ Si se trata de la vivienda habitual del deudor, la adjudicación se puede llevar a cabo por un importe igual al 70 por ciento del valor por el que el bien hubiese salido a subasta o si la cantidad que se le deba por todos los conceptos es inferior a ese porcentaje, por el 60 por ciento.

> ➤ Si no se trata de la vivienda habitual, se podrá pedir la adjudicación por el 50 por ciento del valor por el que el bien hubiera salido a subasta o por la cantidad que se le deba.

Si el ejecutante no hace uso de esta posibilidad, en el plazo de veinte días, el LAJ procederá al alzamiento del embargo a instancia del ejecutado; alzamiento que implica que la ejecución ha fracasado.

9. Aprobación del remate

Es nuevamente el LAJ, a través de decreto, quien aprobará la mejor postura ofrecida; aprobación que permitirá transmitir el bien a quien la haya ofrecido. La aprobación del remate está, no obstante, condicionada al cumplimiento de unas condiciones concretas:

> ➤ Si la mejor postura es igual o superior al 50 por ciento del valor por el que el bien salió a subasta (tratándose de bienes muebles) o del 70 por ciento siendo inmuebles, el mismo día de la subasta o el día siguiente a su cierre, se aprueba el remate a favor del mejor postor (art. 650.1 y 670.1 LEC).

> ➤ Presentándose posturas por las cantidades indicadas supra, pero ofreciendo pagar a plazos con garantías suficientes, se comunicará al ejecutante para que, si lo considera conveniente, pueda pedir la adjudicación del bien por el 50 por ciento (si es mueble) o 70 por ciento (inmueble) del valor de salida del bien. Si no hace uso de esta facultad, se aprobará el remate a favor de la mejor postura con las condiciones ofrecidas (art. 650.3 y 670.3 LEC).

> ➤ Cuando la mejor postura ofrecida sea inferior al 50 por ciento para bienes muebles o al 70 por cierto para inmuebles, el ejecutado podrá, en el plazo de diez días, presentar tercero que mejore la postura ofreciendo una cantidad superior a la indicada o inferior, pero suficiente para satisfacer el derecho del ejecutante (art. 650.4 y 670.4 LEC).

Transcurrido dicho plazo sin que el ejecutado presente tercero, el ejecutante puede pedir la adjudicación de los bienes por la mitad de su valor de tasación en el caso de los bienes muebles y el 70 por ciento, para inmuebles, o por la cantidad que se deba por todos los conceptos, como ya hemos indicado, siempre que esa cantidad sea superior a la mejor postura.

Si el ejecutante no hace uso de esta facultad, se aprobará el remate a favor del mejor postor, siempre que la cantidad ofrecida supere el 30 por ciento (muebles) o el 50 por ciento (inmuebles), o, siendo inferior, cubra la cantidad por la que se despachó ejecución incluyendo costas e intereses.

➢ Si la mejor postura no cumple con estos requisitos, el LAJ, oídas las partes, resolverá sobre la aprobación del remate a la vista de las circunstancias del caso y teniendo en cuenta la conducta del deudor respecto al cumplimiento de la obligación, las posibilidades de lograr la satisfacción de acreedor mediante la realización de otros bienes, el sacrificio patrimonial que supondría la aprobación de remate en esas condiciones y el beneficio que obtendría el acreedor. Contra el decreto que aprueba el remate, en estas condiciones, cabe recurso de revisión directo ante el Tribunal.

Si el LAJ entiende que no procede aprobar el remate se aplica lo previsto para la subasta sin postor.

➢ En cualquier momento anterior a la aprobación del remate o de la adjudicación al ejecutante, el ejecutado podrá liberar sus bienes pagando íntegramente la deuda (principal, intereses y costas). El LAJ deberá, mediante decreto, suspender la subasta y dejar sin efecto la misma, comunicándolo al Portal de Subastas.

10. Pago y adjudicación del bien

Aprobado el remate, el LAJ, en el mismo decreto, ordenará al rematante vencedor que consigne el importe de la postura ofrecida, menos el depósito, en la Cuenta de Depósitos y Consignaciones en el plazo de diez días (muebles) o de cuarenta (inmuebles). Si el ejecutante hubiera hecho uso de su facultad de adjudicación, se procederá por el LAJ a liquidar, en su caso, la cantidad que debe pagar el ejecutante, detrayendo el principal, intereses y costas.

En ambos supuestos, consignada la cantidad, se procederá a la adjudicación del bien a quien lo hubiera adquirido, es decir, se le pondrá en posesión del mismo, debiendo tener en cuenta que:

➢ En el caso de bienes muebles, consignada la cantidad, en el plazo de diez días desde que se le notificó el decreto de aprobación del remate, se le pondrá en posesión de los bienes.

➢ Si se trata de un bien inmuebles, consignada la cantidad, en el plazo de cuarenta días desde que se notificó la aprobación del remate, el LAJ dictará decreto de adjudicación en el que se exprese, en su caso, que se ha consignado el precio, así como las circunstancias necesarias para la inscripción con arreglo a la legislación hipotecaria (art. 670.8 LEC). Es decir, en este caso hay un trámite más a cumplir consistente en la inscripción de la adquisición (art. 673.1 LEC).

Si el bien no se hallare ocupado, al adquirente se le pondrá en posesión del mismo (art. 675.1 LEC); de hallarse ocupado debe actuarse conforme a lo indicado en el art. 675.2 a 4 LEC.

Si el rematante, con todas las posibilidades vistas, no consigna la cantidad ofrecida en el plazo concedido o si por culpa de ello dejare de tener efecto la venta, se declara la subasta en quiebra (art. 653.1 LEC), perdiendo el depósito efectuado y procediéndose a convocar una nueva subasta. En este sentido, debe recordarse que los postores que no hayan vencido pueden pedir que se reserve la cantidad depositada para poder optar a la adquisición en el caso de que el rematante vencedor no consignara.

11. *Distribución del dinero y cancelación de cargas*

Cerrada la subasta con éxito, es decir, habiendo obtenido la cantidad de dinero suficiente para satisfacer el derecho del ejecutante, y aprobado el remate, se procederá a entregar al ejecutante la cantidad por la que se hubiere despachado ejecución y las costas (art. 654.1 LEC). Si tras ello, existieren remanentes, éstos se entregarán al ejecutado (art. 654.1 LEC).

Si la ejecución resultare insuficiente para saldar dicha cantidad, el dinero resultante se imputará siguiendo el orden legalmente establecido (art. 654.3 LEC), esto es: Intereses remuneratorios, principal, intereses moratorios y costas. En tal caso, el tribunal expedirá certificación acreditativa del precio de remate, y de la deuda pendiente por todos los conceptos, distinguiendo entre los indicados conceptos.

Debe además tenerse en cuenta que, tratándose de bienes muebles, se atenderá también a la existencia de reembargos y embargos del sobrante, antes de entregarse el remanente al ejecutado. Siendo bienes inmuebles, el remanente se destinará al pago de los derechos inscritos o anotados con posterioridad al del ejecutante, recibiendo el ejecutado, en su caso, la cantidad que sobrara (art. 672 LEC).

Es entonces cuando el adquirente podrá solicitar la cancelación de la anotación o inscripción del gravamen que haya originado el remate o la adjudicación (art. 674, I LEC). El LAJ mandará la cancelación de todas las inscripciones y anotaciones posteriores (art. 674, II LEC).

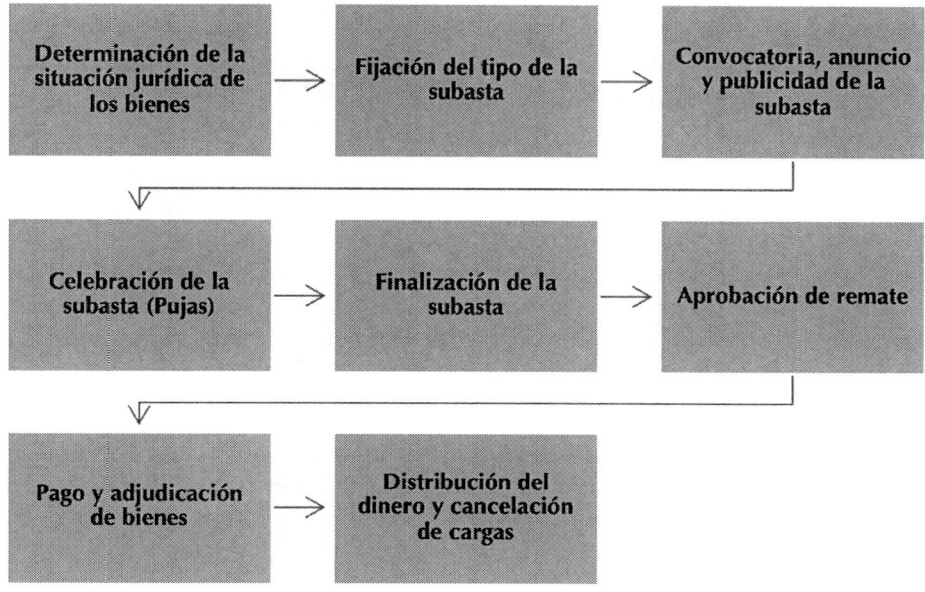

IX. LA ADJUDICACIÓN FORZOSA

La adjudicación forzosa presenta dos modalidades, que responden a situaciones distintas, a las que realmente se ha hecho ya referencia:

➤ *La adjudicación para pago*: Cuando se embargan sueldos, pensiones, prestaciones periódicas y créditos realizables en el acto se pone a disposición de los mismos al ejecutante, se le entregan las cantidades que se vayan devengando. Por ejemplo, una vez ha cobrado su sueldo el ejecutante y detraídas las cantidades inembargables, la cantidad restante se entrega al ejecutado para que vaya «viendo saldada» su deuda.

➤ *La adjudicación en pago*, consecuencia del fracaso de la enajenación forzosa. Recordar, como ya hemos visto, que se corresponde con aquellas situaciones en que el ejecutante puede solicitar que se le adjudiquen los bienes pagando un porcentaje del tipo de la subasta, concretamente el 50 por ciento o el 70 por ciento, según se trate de bienes muebles o inmuebles respectivamente.

Igualmente, podrá solicitar la adjudicación en pago por la cantidad que se le deba por todos los conceptos siempre que dicha cantidad sea superior a la mejor postura de la subasta. Por último, podrá solicitarse por el 30 por ciento (muebles) o 50 por ciento (inmuebles) del tipo o por la cantidad que se deban cuando a la subasta no concurra postor alguno.

X. LA ADMINISTRACIÓN FORZOSA

Estamos ante una posibilidad, nuevamente a favor del ejecutante, de la que puede hacer uso en cualquier momento, consistente en solicitar al LAJ que le entregue en administración todos o parte de los bienes embargados para aplicar sus rendimientos al pago del principal, intereses y costas de la ejecución (art. 676.1 LEC); es decir, saldará su deuda con el producto resultante de la correcta explotación y administración de los bienes de que se trate, lo que obviamente supone que procederá cuando los bienes sean productivos. El ejecutante puede pedir que la administración se realice por terceras personas, a costa del ejecutado. El LAJ, para su aprobación, debe prestar audiencia previa a los terceros titulares de derechos sobre el bien embargado inscritos o anotados con posterioridad al ejecutante.

La forma de administración, la rendición de cuentas y la resolución de las posibles controversias que pudieran surgir se regulan en los arts. 677 a 679 LEC.

Una vez se ha hecho pago del crédito, los bienes vuelven a poder del ejecutado (art. 680.1 LEC); de igual forma se procederá si el ejecutado paga la deuda restante. Si finalmente no puede cubrirse el total de la deuda, el ejecutante puede pedir al LAJ que ponga fin a la administración y que, previa rendición de cuentas, proceda a la realización forzosa por otros medios.

Lección 27ª

EJECUCIONES NO DINERARIAS

ANDREA PLANCHADELL GARGALLO

BIBLIOGRAFÍA BÁSICA

ACHÓN BRUÑEN, M. J., *Ejecución civil dineraria y no dineraria. 654 preguntas y respuestas*, Sepin, Madrid, 2018. En tema de procedimiento y restantes.

FERNÁNDEZ BALLESTEROS, M. A., *La ejecución forzosa y las medidas cautelares en la nueva Ley de Enjuiciamiento Civil*, Iurgium, Madrid, 2001.

MONTERO AROCA, J./ FLORS MATÍES, J., *Tratado de ejecución civil. Tomo I*, (2ª ed.), Tirant lo Blanch, Valencia, 2013.

PARDO IRANZO, V., *Ejecución de sentencias por obligaciones de hacer y de no hacer*, Tirant lo Blanch, Valencia 2001.

I. EJECUCIÓN ESPECÍFICA Y TUTELA JUDICIAL EFECTIVA

En la primera de las lecciones dedicadas a la ejecución pusimos de manifiesto la trascendencia de que, desde la perspectiva del derecho a la tutela judicial efectiva del ejecutante (art. 24 CE), supone que la actividad ejecutiva desarrollada permita la satisfacción de éste de forma completa pero también precisa y en los términos recogidos en el título ejecutivo; es decir, la verdadera satisfacción del ejecutante se produce cuando éste, finalizada la ejecución, recibe la cantidad de dinero que se le condenó a pagar al deudor o se le entrega el bien al que se refiere la sentencia y en perfecto estado. La tutela judicial efectiva, por tanto, exige que las sentencias se ejecuten, como dice el art. art. 18.2 LOPJ «en sus propios términos».

Partiendo de esta premisa, vamos a hacer referencia a las llamadas ejecuciones específicas, es decir, aquéllas cuya finalidad no es obtener una cantidad de dinero para pagar al acreedor, o no es al menos su objetivo principal, sino la realización de una determinada conducta, de ahí que la LEC se refiera a ellas como ejecución no dineraria. La ley contempla las siguientes modalidades:

➢ Condenas a una obligación de hacer o no hacer.

➢ Condenas a entregar una cosa distinta a una cantidad de dinero.

➢ Condenas a emitir una declaración de voluntad.

Estas obligaciones únicamente podrán contenerse en títulos ejecutivos judiciales.

Si bien la regulación actual supone una clara apuesta por esta ejecución específica, lo cierto es que, ante el fracaso de la misma siempre es posible su transformación en una cantidad de dinero, de forma que la ejecución originalmente específica se transforma en dineraria; ello sin perjuicio de los casos en que pueda acudirse a la coacción personal como paso previo a esta transformación.

A esta ejecución dedica la LEC unas disposiciones generales, para luego regular cada una de las formas de ejecución, pues presentan sus propias particularidades.

II. DISPOSICIONES GENERALES

El título V del Libro III LEC comienza la regulación de la ejecución no dineraria con unas disposiciones generales en que se da respuesta, siempre en comparación con la ejecución dineraria, a las particularidades que esta forma de ejecución presenta. Así, sin perjuicio de lo que seguidamente diremos, se establecen previsiones concretas respecto al despacho de la ejecución o las garantías y se hace hincapié en la importancia de las multas coercitivas y apremios.

1. El despacho de la ejecución

Al igual que ocurría con los títulos extrajudiciales y el requerimiento de pago, cuando el título ejecutivo contiene una obligación o una condena distinta a la entrega de una cantidad de dinero, debe requerirse al ejecutado para que, dentro del plazo que el tribunal estime adecuado, cumpla «en sus propios términos» con lo establecido en el título. Es decir, se le requerirá para en entregue la cosa, se abstenga de hacer, etc.

Este requerimiento, que se realizará en el mismo auto despachando la ejecución, contendrá además el apercibimiento de que se le pueden imponer apremios personales o multas coercitivas (art. 699 LEC).

2. Medidas de aseguramiento

También en este supuesto, el hecho de que el requerimiento no pueda cumplirse inmediatamente podría frustrar la correcta ejecución del título, por ello, el LAJ, a instancia del ejecutante, puede acordar las medidas de garantía que resulten adecuadas para asegurar la efectividad de la condena y que la ejecución se desarrolle adecuadamente hasta alcanzar la satisfacción efectiva del ejecutante.

El art. 700, II LEC permite además, el embargo de bienes del ejecutado en cantidad suficiente para asegurar el pago de las posibles indemnizaciones sustitutorias y las costas; es decir, dado que siempre será posible transformar esta ejecución específica en dineraria, nada impide, para asegurar que dicha transformación sea posible, solicitar el embargo preventivo de bienes para garantizar que, de no poder cumplirse la obligación concreta a que se refiere el título, sí podrá, al menos, compensarse al ejecutante económicamente por los daños y perjuicios sufridos al no poder cumplirse en sus propios términos. El decreto será recurrible en revisión.

El embargo se alzará si el ejecutado presta caución suficiente, fijada por el LAJ, para hacer frente a dicha indemnización (art. 700, III LEC).

3. Apremios económicos y multas coercitivas

Para procurar que el ejecutado cumpla con su obligación para con el ejecutante, la LEC permite, como hemos indicado, que se le impongan apremios y multas por el retraso en el cumplimiento o por el incumplimiento en sí (art. 699.1 LEC).

La cuantía de dichas multas se regula en el art. 711 LEC, partiendo del precio del bien a entregar o de la contraprestación a realizar o, si no constara, atendiendo a su valor en el mercado. En número 2 de este artículo contiene una previsión específica en el caso de la acción de cesación de cesación en defensa de los intereses colectivos y difusos.

III. EJECUCIÓN DE LAS OBLIGACIONES DE DAR

Estamos ante aquellas situaciones en las que el título ejecutivo, que en este caso será judicial o asimilado, condena a una persona a entregar una cosa o un bien, por lo que la ejecución debe ir dirigida precisamente a que esa entrega se produzca. Como hemos indicado, al ejecutado se le requerirá para que proceda personalmente a cumplir con la obligación, apercibiéndole de la multa que deberá pagar por el retraso en que incurra; ahora bien, si el ejecutado no cumple una vez requerido, la actividad ejecutiva se referirá a aquellas actuaciones que sea necesario realizar para cumplir forzosamente con lo establecido en el título y que la cosa o bien pase se entregue al ejecutado.

Dichas actividades serán distintas en atención a la naturaleza de la cosa o bien a entregar, pudiendo distinguir entre:

> ➤ Cosa mueble determinada (art. 701 LEC).

> ➤ Cosa genérica o indeterminada (art. 702 LEC).

> ➤ Bien inmueble (art. 703 LEC).

1. Ejecución de obligaciones de entrega de una cosa mueble determinada

Cuando el título ejecutivo contiene una obligación de entregar una cosa mueble concreta, cierta y determinada, la actividad ejecutiva consiste en la puesta en posesión de la misma al ejecutado, utilizando para ello los apremios que el LAJ considere precisos. Si se trata de bienes muebles sujetos a régimen de publicidad registral similar al inmobiliario, se dispondrá también lo necesario para adecuar el Registro correspondiente al título ejecutivo (art. 701.1 LEC).

Los apremios a que se refiere este artículo pueden consistir en la entrada en lugares cerrados donde se considere que está la cosa, incluso acudiendo al uso de la fuerza, para lo que se requerirá la autorización del tribunal que ordenó la ejecución, en tanto que afecta a un derecho fundamental (art. 701.1 LEC). De no encontrarse en el lugar que le correspondiera o se ignorara su paradero, el LAJ puede proceder al interrogatorio al ejecutado o terceros, con apercibimiento de incurrir en desobediencia si no colaboran.

Pese a que el art. 701.3 LEC se refiere al supuesto de que la cosa no sea hallada, lo cierto es que la imposibilidad de cumplir específicamente con la entrega no sólo puede deberse a estas circunstancias, sino que podemos encontrar otros obstáculos al cumplimiento efectivo, que siguiendo a MONTERO AROCA, podemos clasificar en:

> ➤ *Naturales*: Por la propia desaparición natural o destrucción de la cosa, accidental o voluntaria, lo que tendrá distintas consecuencias para el ejecutado.

> ➤ *Jurídicos*: Que la cosa esté en posesión de un tercero, ajeno al proceso declarativo y al que no afecta el título ejecutivo, contra el que no pueda dirigirse legítimamente la ejecución.

Fundamental es la previsión del número 3 de dicho artículo, pues es el que permite la transformación de esta ejecución específica en dineraria ante el fracaso de las actuaciones. Así, cuando la cosa no fuere habida, el tribunal, mediante providencia y a instancia del ejecutante, ordenará que la entrega se sustituya por «una justa compensación pecuniaria» (arts. 712 y ss LEC), teniéndose en cuenta el valor del bien que debía haberse entregado, así como los daños y perjuicios que la no entrega le pueda ocasionar. En este tipo de transformación, debe considerarse que el bien a entregar puede tener un alto valor económico e incluso sentimental (joyas, obras de arte), por lo que la cantidad a pagar en sustitución puede ser muy elevada.

2. Ejecución de obligaciones de entrega de una cosa genérica o indeterminada

La situación es algo distinta cuando la obligación de entrega recae sobre una cosa genérica o indeterminada que, en esencia, tiene carácter sustituible (se trata de aquéllas que se pesan o se miden). En este caso, la actividad ejecutiva se refiere a (art. 702.1 LEC):

➢ La puesta en posesión al ejecutante de las cosas debidas; o

➢ Que se faculte al ejecutante, dado su carácter fungible, a adquirirlas a costa del ejecutado, procediéndose al embargo de bienes suficientes del ejecutado para pagar dicha adquisición.

Si el ejecutante considera que la adquisición tardía de las cosas genéricas o indeterminadas no satisface ya su interés legítimo, se procederá a la sustitución por su equivalente pecuniario, más la indemnización por los daños y perjuicios que el incumplimiento le hubiera causado, siempre con remisión a los arts. 712 LEC.

Evidentemente, en estos casos, el ejecutante siempre puede preferir desde el inicio su transformación en dinero para adquirirlas en el mercado que corresponda.

3. Ejecución de obligaciones de entrega de un bien inmueble

La ejecución de esta obligación, por las características del bien a entregar, puede ser algo más complicada que las dos anteriores. En principio, el LAJ ordenará «que se proceda» según el contenido de la condena y dispondrá lo necesario para adecuar a esta nueva realidad el Registro. Ahora bien, en este «proceder», debe tenerse en cuenta que:

➢ En el inmueble pueden encontrarse bienes que no son objeto del título, por lo que el LAJ requerirá al ejecutado para que las retire dentro de un plazo determinado; considerándose bienes abandonados si no lo hace.

➢ Que en el inmueble se encuentren cosas «no separables» y necesarias para la utilización de inmueble, debiendo resolverse en la ejecución sobre el abono de su valor, de instalo los interesados en el plazo de cinco días a partir del desalojo.

➤ Si en el inmueble constaren desperfectos originados por el ejecutado o los ocupantes, se podrá acordar la retención y constitución de depósito de bienes suficientes del posible responsable para responder de los daños y perjuicios causados, que se liquidarán de conformidad a lo previsto en los arts. 712 y ss. LEC.

➤ En el caso de que el título consista en una sentencia dictada en un juicio de desahucio de finca urbana, y con anterioridad a la fecha fijada para el lanzamiento se entregare la posesión efectiva al demandante y así se acredite ante el LAJ por el arrendador, se dictará decreto declarando ejecutada la sentencias y cancelando la diligencia, a no ser que el demandante interesare su mantenimiento para que se levante acta del estado en que se encuentre la finca.

➤ Si el inmueble no está ocupado, debe ponerse en posesión del mismo al ejecutado.

➤ Si el inmueble está ocupado, deberá procederse al lanzamiento, si bien debe distinguirse según quien lo ocupe (art. 704 LEC):

• Si el inmueble es la vivienda habitual del ejecutado o de quienes de él dependan, el LAJ le dará un plazo de un mes para que desaloje, pudiendo prorrogarse por igual periodo si así se estimare. Transcurrido el plazo, se procederá al lanzamiento.

• Si los ocupantes fueran terceras personas distintas al ejecutado, el LAJ, tan pronto conozca esta circunstancia, les notificará el despacho de la ejecución o su pendencia, dándoles un plazo de diez días para que presenten los títulos que justifiquen su situación.

El ejecutante podrá instar el lanzamiento de quienes considere ocupantes de mero hecho o sin título suficiente, dando traslado a los afectados y prosiguiendo las actuaciones conforme a lo previsto en el art. 675.3 y 4 LEC.

Si bien en este caso no hay referencia expresa a la transformación de esta ejecución en su equivalente pecuniario, creemos que si así lo solicita el ejecutado debe ser posible en los términos indicados en los demás supuestos.

IV. EJECUCIÓN DE LAS OBLIGACIONES DE HACER

Si el título ejecutivo obliga al ejecutado a hacer alguna cosa, el tribunal le requerirá para que lo haga dentro del plazo que se fije en función de la naturaleza de la conducta que deba desarrollarse y las circunstancias que concurran (art. 705 LEC). Ahora bien, ese hacer, esa conducta puede ser personalísima o no, lo que afectará a la actividad ejecutiva concreta a desarrollar. Además, debe incluirse en estos supuestos no sólo el no hacer, sino también el realizar parcialmente la actividad a la que se está obligado o realizarlo defectuosamente o en contra de lo establecido en el título, en cuyo caso no sólo se tiene que procurar el cumplimiento correcto, sino que también se deberá proceder a deshacer lo mal hecho.

1. Ejecución de obligaciones de hacer no personalísimo

Si se trata de un hacer no personalísimo, el ejecutante puede pedir que se faculte a encargarlo a un tercero, a costa del ejecutado, o reclamar el resarcimiento de los daños y perjuicios por la no realización de la actividad (art. 706.1 LEC).

➢ Si se opta por *encargar a un tercero* que lleve a cabo la actividad, el servicio etc., que proceda, previamente debe valorarse el coste del mismo por un perito tasador, designado por el LAJ; cantidad que debe ser depositada o afianzada por el ejecutado. Si el ejecutado no se hiciera cargo, se procederá al embargo inmediato de sus bienes en cantidad suficiente para cubrir dicho coste y su realización forzosa (art. 706.2, I LEC).

➢ Si, en cambio, se opta por el *resarcimiento de daños y perjuicios*, se procederá conforme a lo previsto en los arts. 712 y ss (art. 706.2, II LEC).

De contener el título una disposición expresa en caso de incumplimiento del deudor, debe estarse a lo dispuesto en el mismo, sin poder el ejecutante optar entre la realización por un tercero o el resarcimiento (art. 705.1, II LEC).

El art. 707 LEC contempla un supuesto especial referido a la condena a la publicación o difusión, total o parcial, del contenido de la sentencia en medios de comunicación a costa de la parte vencida en el proceso. En este caso, el LAJ requerirá al ejecutado para que contrate los anuncios que corresponda; pudiendo el ejecutante contratar la publicidad, previa obtención de los fondos suficientes para ello con cargo al patrimonio del ejecutado, instando el embargo inmediato de bienes y su realización forzosa.

2. Ejecución de obligaciones de hacer personalísimo

Cuando la conducta obligada consiste en un hacer personalísimo o infungible, es decir, que sólo puede entenderse correctamente realizada y a satisfacción del ejecutante si quien la lleva a cabo es el obligado en sentencia, la solución debe ser distinta pues no es aquí válida su sustitución por otra persona.

En estos casos, lo primero que debe hacerse es dar la oportunidad al ejecutado para que, en el plazo que se le ha concedido en el requerimiento, exponga los motivos por los que se niega a cumplir con lo establecido en el título, alegando lo que considere conveniente sobre el carácter personalísimo o no de la prestación (art. 709.1 LEC).

Transcurrido el plazo sin realizarse la prestación el ejecutante podrá optar por la transformación en el equivalente pecuniario o que se apremie al ejecutando con una multa por cada mes que transcurra sin cumplir:

➢ Si decide que continúe la ejecución para obtener el equivalente económico se procederá conforme a lo establecido en el art. 717 LEC y, además, en la misma resolución en que se acuerde se le impone una multa con arreglo a lo dispuesto en el art. 711 LEC (50 por ciento de su valor).

➢ Si por el contrario considera más adecuado que se cumpla la obligación en sus propios términos, o al menos intentarlo, se apremiará al ejecutado con multas mensuales, que se reiterarán trimestralmente, hasta que se cumpla un año del primer requerimiento.

Transcurrido ese año, el ejecutado continuare sin cumplir lo ordenado, se procederá a la sustitución por el equivalente económico o a adoptar otras medidas que resulten idóneas para la satisfacción del ejecutante y, a petición de éste y oído el ejecutante.

No obstante, debe tenerse en cuenta que si ante las alegaciones del ejecutado a que se refiere el art. 709.1 LEC, se considera que no estamos realmente ante un hacer personalísimo se procederá conforme a lo indicado en el art. 706 LEC.

V. EJECUCIÓN DE LAS OBLIGACIONES DE NO HACER

El art. 710 LEC regula el supuesto la obligación del ejecutado consiste en no hacer alguna cosa, abstenerse de hacer algo, por lo que si lo realiza estaría quebrantando lo establecido en la sentencia. En estos casos, la ejecución no procede hasta que precisamente se produce dicho quebrantamiento, es decir, se realiza algo que no debía realizarse, de ahí que la actividad ejecutiva se dirija realmente a deshacer lo «mal hecho», lo que no debía hacerse realizado. Concretamente, el LAJ, a instancia del ejecutante, requerirá al ejecutado para que:

➢ Deshaga lo mal hecho, siempre que sea posible, intimándosele con la imposición de multas por cada mes que transcurra sin hacerlo.

➢ Se indemnice por los daños y perjuicios causados.

➢ Apercibiéndole de incurrir en el delito de desobediencia a la autoridad judicial.

Este requerimiento se reiterará cuantas veces incumpla la condena.

Si, atendida la naturaleza de la condena de no hacer, su incumplimiento no fuera susceptible de reiteración y tampoco fuera posible deshacer lo mal hecho, la ejecución procede para resarcir al ejecutante por los daños y perjuicios causados (art. 710.2 LEC).

VI. EJECUCIÓN DE LAS OBLIGACIONES A EMITIR UNA DECLARACIÓN DE VOLUNTAD

Cuando en una resolución judicial o arbitral se condene a un sujeto a emitir una declaración de voluntad, el art. 548 LEC establece un plazo de veinte días para el obligado cumpla con dicha obligación. Transcurrido dicho plazo, sin que se haya emitido la declaración, la solución es distinta según estén o no determinados los elementos esenciales del negocio jurídico de que se trate (art. 708 LEC):

➤ Si los elementos esenciales del negocio están fijados, el Tribunal, mediante auto, resolverá tener por emitida la declaración de voluntad. Es entonces cuando el ejecutante puede pedir al LAJ, con testimonio de dicho auto, que libre testimonio de anotación o inscripción al Registro o Registros correspondientes, atendiendo al contenido y objeto de dicha declaración de voluntad.

➤ Si no están establecidos algunos de los elementos esenciales del negocio, el Tribunal —oídas las partes— los determinará en la propia resolución en que tenga por emitida la declaración de voluntad, conforme a lo que sea habitual en el tráfico jurídico o en el mercado para ese tipo de negocios.

➤ Si la indeterminación lo es de todos los elementos esenciales, no pudiendo el Tribunal tener por emitida la declaración, ante la negativa del ejecutado, se procederá a la ejecución por los daños y perjuicios causados.

VII. BREVE REFERENCIA A LA LIQUIDACIÓN DE LOS DAÑOS Y PERJUICIOS

Por razones obvias, no podemos terminar esta lección sin hacer una breve referencia al procedimiento establecido en los arts. 712 y ss. LEC, que entra en juego ante la imposibilidad de dar cumplimiento efectivo a las obligaciones específicas estudiadas, estableciendo cómo determinar el equivalente pecuniario de la prestación no dineraria o fijar la cantidad debidas en concepto de daños y perjuicios.

1. La indemnización por daños y perjuicios

El ejecutante deberá presentar ante el Tribunal una relación detallada de los daños y perjuicios que considera se le han ocasionado y su valoración, pudiendo acompañarla de los dictámenes y documentos que considere oportunos para acreditar estos extremos, especialmente el referido a su valor.

Del escrito se da traslado al deudor para que manifieste lo que considere oportuno respecto a dicha liquidación:

➤ Si se conforma con la relación de los daños y su importe, el LAJ lo aprobará mediante decreto y se procederá a hacer efectiva la cantidad en la forma establecida en los arts. 571 y ss. para la ejecución dineraria (art. 714.1 LEC).

La conformidad se entiende prestada si deja pasar el plazo de diez días sin evacuar el traslado o se limita a negar genéricamente la existencia de daños y perjuicios, ni indica las razones por las que discrepa.

➤ Si el deudor se opone motivadamente a la petición, tanto en cuanto a las partidas incluidas como a su valor, se debe sustanciar la liquidación acudiendo a los trámites del juicio verbal (art. 715 LEC), si bien el tribunal puede nombrar un perito para que realice la valoración. En este caso, la vista se celebrará una vez las partes hayan tenido conocimiento del contenido del dictamen. El tribunal fijará, por medio de auto, la cantidad estimada que debe abonarse al acreedor (art. 716 LEC).

2. El equivalente pecuniario de la prestación no dineraria

El art. 717 LEC establece que cuando se solicite el equivalente pecuniario de una prestación no dineraria, el ejecutante deberá expresar las estimaciones económicas de dicha prestación y las razones que las fundamenten, acompañándose de los documentos que el solicitante considere oportunos para fundar dicha petición, que principalmente se referirán al no cumplimiento de la obligación establecida en el título y los acreditativos del valor o cuantía de la misma. De dicha solicitud se dará traslado al ejecutado para que alegue lo que considere conveniente, procediéndose conforme a lo indicado supra (arts. 714 a 716 LEC), es decir, resolviendo la cuestión a través de un juicio verbal si el obligado no se conforma.

CAPÍTULO IX
EL PROCESO CAUTELAR

Lección 28ª

LA TUTELA CAUTELAR. ELEMENTOS PERSONALES Y MEDIDAS CAUTELARES

SILVIA BARONA VILAR

SUMARIO: I. CONCEPTO Y PRINCIPIOS. II. ELEMENTOS PERSONALES DEL PROCESO CAUTELAR. 1. Tribunal. 2. Partes. III. LAS MEDIDAS CAUTELARES. 1. Características. 2. Naturaleza jurídica. 3. Presupuestos. A) Situación jurídica cautelable y apariencia de buen derecho (*fumus boni iuris*). B) Peligro por la mora procesal (*periculum in mora*). C) Caución. IV. MEDIDAS CAUTELARES ESPECÍFICAS. V. CAUCIÓN SUSTITUTORIA.

BIBLIOGRAFÍA BÁSICA

BARONA VILAR, S., *Medidas cautelares en el arbitraje*, Thomson Civitas, Madrid, 2006.

ORTELLS RAMOS, M., *Las medidas cautelares*, La Ley, Madrid, 2000.

PÉREZ DAUDÍ, V., *Las medidas cautelares en el proceso civil*, Atelier, Barcelona, 2013.

RAMOS ROMEU, F., *Las medidas cautelares civiles*, Atelier, Barcelona, 2006.

I. CONCEPTO Y PRINCIPIOS

La Constitución configura la función jurisdiccional como aquella que consiste en juzgar y en hacer ejecutar lo juzgado (art. 117.3 CE). Ambas subfunciones se cumplen por medio de dos tipos procesales: el proceso de declaración y el proceso de ejecución. En ocasiones la necesaria duración de los mismos se convierte en una rémora para su eficacia, e incluso puede ser aprovechada por el sujeto pasivo para hacer inútil la resolución que, en su día, se dicte.

Aparece así la subfunción cautelar, que sirve para garantizar el cumplimiento de las otras, la declarativa y la de ejecución. El art. 5 LEC configura la cautelar como una de las clases de tutela jurisdiccional, juntamente con la declarativa y la ejecutiva, pese al intento del legislador de eludir, como lo hace en los arts. 721 a 747 de la LEC, la expresión «proceso cautelar» en todo momento. Con ello se zanja la polémica doctrinal entre quienes defendían que se trataba solo de «medidas cautelares», nunca proceso cautelar, con un común nexo de unión, la instrumentalidad en relación con el proceso principal, siendo incidente del proceso de declaración o medio de aseguramiento del de ejecución, y otro sector doctrinal, que postulaba que la actividad jurisdiccional cautelar es un verdadero proceso cautelar, autónomo, pese a su carácter instrumental respecto de los procesos de declaración y de ejecución. Esta segunda queda consagrada en la LEC.

Su fundamento se halla en que la pretensión procesal, objeto del proceso cautelar, es distinta de la del proceso principal. El objeto de este proceso cautelar es facilitar otro proceso principal asegurando la efectividad de su resultado (o, en expresión del art. 721.1 LEC, «*asegurar la efectividad de la tutela judicial que pudiera otorgarse*»), permitiendo, como afirmaba Calamandrei, que, frente a hacer las cosas pronto, pero mal, y hacerlas bien, pero tarde, se adopten medidas cautelares que permitan conjugar las ventajas de la rapidez con la ponderación y la reflexión en la solución de los litigios.

Esa diferencia entre proceso cautelar-proceso principal justifica un tratamiento jurídico diverso. Así, la LEC establece reglas especiales de competencia, la necesidad de audiencia previa como regla general, la vista, el régimen de recursos, etc. Supone la implícita asunción del concepto «proceso cautelar», una modalidad de tutela jurisdiccional (art. 5), con un tratamiento procesal específico de los elementos objetivos, subjetivos y de la actividad.

Este proceso se asienta sobre tres grupos de principios:

> *Relativos a las partes*: Dualidad, con demandante cautelar (actor principal o reconvencional, art. 721) y demandado (art. 733); Contradicción (arts. 733 y 734 LEC); e igualdad, con los mismos derechos, cargas y obligaciones.

> *Relativos al proceso:* Se rige por los principios de oportunidad y dispositivo. Se exige instancia de parte para su incoación (art. 721.1), destacando también el principio de aportación de parte (arts. 732 y 734).

> *Relativos al procedimiento:* Predominio de la oralidad, excepto el inicio escrito, con un trámite característico —vista (art. 734)—, en el que podrá exponerse verbalmente lo que a las partes convenga según su derecho, practicar pruebas, efectuar alegaciones sobre el tipo y cuantía de la caución.

II. ELEMENTOS PERSONALES DEL PROCESO CAUTELAR

La delimitación subjetiva de la tutela cautelar se efectúa atendiendo al tribunal y a los sujetos demandante y demandado de las mismas.

1. *Tribunal*

Asumido que la función cautelar es función jurisdiccional, deben delimitarse las normas que configuran la atribución competencial a los tribunales.

> *Extensión y límites de la jurisdicción.* La presencia de un elemento de extranjería condiciona el ejercicio de la potestad jurisdiccional española en materia cautelar.

1º En defecto de norma convencional o reglamentaria, debe estarse a los arts. 22 sexies LOPJ y 722, II, LEC. El primero, con carácter general, permite a los órganos del orden jurisdiccional civil español la adopción de medidas provisionales o de aseguramiento respecto de personas o bienes que se hallen en territorio español y deban cumplirse en España. El art. 722, II, LEC, por su parte, faculta a los órganos españoles a adoptar tales medidas en relación con un proceso judicial «principal» desarrollado fuera de España, sobre una materia respecto de la que no sean exclusivamente competentes los tribunales españoles, o de un procedimiento arbitral celebrado dentro o fuera de nuestro país.

Supuesto especial es la regulación sobre embargo de buques, en los arts. 43 y 470 y siguientes de la Ley 14/2014, de 24 de julio, de Navegación Marítima, en relación con el Convenio Internacional sobre Embargo Preventivo de Buques (Ginebra, 12 de marzo de 1999).

2º Si puede aplicarse normativa convencional o por Reglamentos de la UE, lo dispuesto en éstos prevalecerá sobre las disposiciones antes mencionadas.

- Convenios bilaterales concluidos por España: aislado y paradigmático, el art. 8 del Tratado entre el Reino de España y la República de El Salvador sobre competencia judicial, reconocimiento y ejecución de sentencias en materia civil y mercantil, de 7 de noviembre de 2000.

- Convenios multilaterales: el Convenio de Roma, de 1933, sobre embargo preventivo de aeronaves; el Convenio de Bruselas, de 1952, sobre ciertas reglas relativas al embargo preventivo de buques (también Convenio de Lugano de 2007). Hay que estar a su artículo 31: «Podrán solicitarse medidas provisionales o cautelares previstas por la ley de un Estado vinculado por el presente Convenio a las autoridades judiciales de dicho Estado, incluso si, en virtud del presente Convenio, un tribunal de otro Estado vinculado por el presente Convenio fuere competente para conocer sobre el fondo». Se exige que exista un nexo entre el tribunal y el objeto de las medidas solicitadas.

- Reglamento (CE) nº 1215/2012 del Consejo, de 12 de diciembre de 2012, relativo a la competencia judicial, el reconocimiento y la ejecución de resoluciones judiciales en materia civil y mercantil. El art. 5 se ha mostrado como complejo en su interpretación y aplicación, existiendo un buen número de Sentencias del STJUE sobre el mismo, especialmente referidas al significado de la noción de «medidas provisionales o cautelares» o incluso la referencia a «previstas por la ley del Estado contratante», y si ello implicaba una suerte de remisión (o renacionalización) a los ordenamientos nacionales. No parece aceptarlo el Tribunal de Luxemburgo, que admite (por ejemplo, en STJUE de 26 de marzo de 1992, en el asunto 261/90 *Reichert* c. *Dresdner Bank*) hasta cuatro tipos diferentes de protección: las medidas de aseguramiento de la ejecución, las de aseguramiento de pruebas, medidas anticipatorias y, por último, medidas cuyo fundamento mediato o inmediato es la urgencia en su adopción. Medidas que podrán ser adoptadas por el juez siempre que estén previstas en su ordenamiento. Igualmente, el STJUE ha reiterado: las medidas cautelares podrán ser adoptadas únicamente, respecto de cuestiones cubiertas por el ámbito material de aplicación del propio Reglamento 1215/2012. Asimismo, se vino sosteniendo, desde la interpretación del antiguo art. 24 del Convenio de Bruselas, que podrán solicitarse medidas cautelares o provisionales ante los tribunales de un Estado, aun si no tiene competencia para conocer de la acción principal, siempre que, según las reglas de competencia del derecho de ese concreto Estado, sus tribunales fueran competentes para adoptar dichas medidas.

- Desde enero de 2017: Reglamento (UE) núm. 655/2014 del Parlamento Europeo y del Consejo, de 15 de mayo de 2014, por el que se establece el procedimiento relativo a la orden europea de retención de cuentas, a fin de simplificar el cobro transfronterizo de deudas en materia civil y mercantil (DO L. 189, de 27 de junio de 2014).

3º En defecto de norma de la UE o convencional: art. 22 sexies LOPJ: «Los Tribunales españoles serán competentes cuando se trate de adoptar medidas provisionales o de aseguramiento respecto de personas o bienes que se hallen en territorio español y deban cumplirse en España. Serán también competentes para adoptar estas medidas si lo son para conocer del asunto principal». No será necesario que los tribunales españoles tengan competencia sobre el fondo del asunto para tener competencias en este ámbito.

Junto a la extensión y límites, en relación con la eficacia en España de las medidas cautelares adoptadas en el extranjero, debe considerarse que serán reconocidas en España, a pesar de carecer de firmeza, al amparo de los textos convencionales o institucionales que vinculan a nuestro país: básicamente, los Convenios de Lugano y con El Salvador y el Reglamento 1215/2012, con eficacia automática. Fuera del ámbito convencional o reglamentario, el reconocimiento se subordina al régimen de exequátur.

➤ *Competencia genérica (art. 22 sexies LOPJ)*: es el orden jurisdiccional civil al que se atribuye la competencia para adoptar medidas cautelares en el proceso civil. Se exceptúan las medidas cautelares civiles adoptadas en el proceso penal para garantizar la efectividad de una resolución que verse sobre una pretensión de responsabilidad civil derivada de un hecho delictivo, siendo competente en el proceso civil acumulado al penal, el órgano jurisdiccional penal.

➢ *Criterios de atribución de competencia:* Para su fijación debe estarse al momento procesal de adopción de las medidas cautelares:

1º Si la medida se solicita antes de la iniciación del proceso principal, será competente el JPI o, en su caso, el JM en aquellas materias que le sean propias (arts. 85.1 y 86 ter. 1 y 2 LOPJ, competencia objetiva) que deba conocer del futuro proceso principal (art. 723.1 LEC, competencia territorial). El tribunal controlará de oficio su jurisdicción, su competencia objetiva y la territorial. Si carece de jurisdicción o de competencia objetiva, se abstendrá, remitiendo a las partes a que usen de su derecho ante quien corresponda. Si se considerare incompetente territorialmente, podrá acordar lo anterior cuando no se funde en fuero legal; si se funda en fuero legal pero dispositivo, no declinará su competencia si existe sumisión expresa a su jurisdicción para el asunto principal (art. 725.1 LEC). Aun siendo incompetente territorialmente, puede ordenar a prevención medidas cautelares urgentes, con remisión de los autos al tribunal competente (art. 725. 2 LEC).

2º Si se solicita con la demanda o con posterioridad, pero antes de la finalización del proceso, será competente el mismo órgano que conoce del asunto en la primera instancia (art. 723.1, competencia funcional). El tratamiento procesal de la competencia seguirá las normas generales del proceso principal (arts. 37, 38, 39, 48, 49,58, 59, y 62, LEC).

3º Si se solicita en segunda instancia o pendiente recurso extraordinario por infracción procesal o de casación, será competente el tribunal que conozca de la segunda instancia o de dichos recursos (art. 723.2, competencia funcional).

4º Cabe medida cautelar tras la sentencia firme (art. 700), siendo competente para adoptar estas medidas el mismo órgano que conoció de la instancia (art. 60).

2. *Partes*

Sólo es posible la tutela cautelar a instancia de parte, no de oficio.

➢ No existe especialidad respecto de la capacidad de las partes para solicitar las medidas respecto del proceso declarativo; es la misma.

➢ Tampoco existe especialidad en materia de legitimación. Son legitimados activos el demandante, o futuro demandante del proceso declarativo o al demandante reconvencional (art. 721.1), y pasivo, quien lo es o lo será en el proceso de declaración que garantiza.

➤ La necesidad de integrar la postulación dependerá del momento en que se solicitan las medidas cautelares.

1º Si la medida se solicita antes de la demanda, se exime de la obligatoriedad de la representación procesal por Procurador (art. 23.2, 3º, LEC) y de defensa técnica por Abogado (art. 31.2, 2º, LEC). Esta exención no impide acudir con abogado y procurador, si bien se excluirán estos conceptos en la imposición de costas. Deberá, en todo caso, ponerse en conocimiento anticipado del tribunal, quien lo notifica a las demás partes con antelación suficiente para proceder, en su caso, con asistencia y representación (art. 32).

2º Si la medida se solicita con la demanda o con posterioridad: se estará a las reglas generales del proceso principal (arts. 23 y 31). Esta obligatoriedad se predica tanto mientras se tramita el proceso principal, como en fase de recursos y de ejecución.

III. LAS MEDIDAS CAUTELARES

La pretensión cautelar comporta la petición de adopción de medidas cautelares. Son instrumentos procesales que inciden, directa o indirectamente, en la esfera de derechos y bienes del demandado (art. 726.1 LEC).

1. *Características*

Desarrolladas en el art. 726 LEC, se confunden en ocasiones con elementos delimitadores de su naturaleza. Centrándonos en las características, éstas son:

➤ *Instrumentalidad*: Las medidas cautelares son exclusivamente conducentes a hacer posible «*la efectividad de la tutela judicial que pudiere otorgarse en una eventual sentencia estimatoria*» (art. 726.1, 1ª LEC), siendo instrumentales del proceso de declaración y del de ejecución. Son *instrumentos del instrumento* (Calamandrei).

➤ *Provisionalidad*: No pretenden convertirse en definitivas, por lo que deben alzarse cuando en el proceso principal se llegue a una situación que haga inútil el aseguramiento, bien por cumplimiento de la sentencia, bien por actuaciones en el proceso de ejecución que despojan de motivación el mantenimiento de las medidas.

Esta provisionalidad es característica de otras instituciones, como la ejecución provisional de la sentencia (arts. 524 a 537 LEC) o la justicia provisional o sumaria. Pero no son medidas cautelares.

➤ *Temporalidad:* Tienen una duración limitada, sin que sea la misma determinable *a priori,* si bien por su propia naturaleza nacen para extinguirse. Se adoptan por tiempo limitado, que depende de la duración del proceso principal.

➤ *Variabilidad* («*susceptibles de modificación y alzamiento*»): Tienen carácter variable, pudiendo ser modificadas e incluso suprimidas, según el principio *rebus sic stantibus,* cuando se modifica la situación de hecho que dio lugar a su adopción. La variabilidad puede ser positiva (para adoptarlas o modificarlas) o negativa (para alzarlas).

➤ *Proporcionalidad*: La medida debe ser proporcionalmente adecuada a los fines pretendidos; se adoptará cuando no sea susceptible de «sustitución por otra medida igualmente eficaz y menos gravosa o perjudicial para el demandado» (art. 726.1, 2°, LEC). La proporcionalidad se delimitará mediante un juicio de razonabilidad acerca de la finalidad perseguida y las circunstancias concurrentes, potenciándose con ello una menor onerosidad para el demandado.

2. *Naturaleza jurídica*

Su delimitación exige distinguirlas de otras instituciones afines. Así:

➤ La función exclusiva de posibilitar la efectividad de la tutela judicial que pudiera alcanzarse en una eventual sentencia estimatoria (art. 726.1, 1° LEC), impide configurar como tales a medidas de aseguramiento de personas, especialmente las referidas a menores o incapaces, que pueden no guardar relación alguna con el proceso principal.

➤ No son tampoco cautelares las que aseguran el proceso mismo o alguna de sus fases, como la prueba anticipada, que proporciona a las partes una posición necesaria o jurídicamente conveniente para el proceso futuro o ya incoado.

➤ No son justicia provisional o sumaria, en las que queda abierta la vía de un proceso plenario posterior, no siendo ni provisionales ni instrumentales.

➤ En el pasado se defendió doctrinalmente que las medidas cautelares aseguraban solo la ejecución de la sentencia. Esta función de aseguramiento servía para diferenciarlas de las restantes medidas instrumentales existentes en el proceso. Hoy esta posición ha sido superada regulándose incluso medidas anticipatorias de la resolución.

3. Presupuestos

Para la adopción de las medidas cautelares se hace necesario que concurran una serie de elementos fundamentales que la doctrina denomina «presupuestos». En la LEC se delimitan estos fundamentos:

1. Presupuestos para la adopción de medidas: 1) Apariencia de buen derecho (*fumus boni iuris*) y el peligro por la mora procesal (*periculum in mora*); y

2. Presupuesto de ejecución de la medida: Caución.

A) Situación jurídica cautelable y apariencia de buen derecho (*fumus boni iuris*)

La situación jurídica cautelable, delimitada en ciertos casos de manera específica, en el art. 727, al enumerar las medidas cautelares, se proyecta sobre el tipo de pretensión que se ejercita en el proceso principal, pudiendo extenderse, por ello, a los tres tipos de tutela: la merodeclarativa, la constitutiva y la de condena.

En conexión con la situación jurídica cautelable se halla el presupuesto de la «apariencia de buen derecho» o *fumus boni iuris*. La adopción de estas medidas no puede depender de que el actor «pruebe» la existencia del derecho subjetivo alegado en el proceso principal, ya que esa existencia se debate y prueba en el mismo; pero tampoco puede adoptarse la medida sólo porque lo pida el actor. Se precisa que se acrediten unos indicios de probabilidad, de verosimilitud, de «apariencia de buen derecho». Es fundamento de adopción de las medidas cautelares conducentes a hacer posible la ejecución o la efectividad de la eventual (por ende, futura) sentencia estimatoria, si bien es posible —no es lo común—, que la medida garantice la ejecución —art. 700—, no existiendo *fumus boni iuris* como su fundamento de éstas, al existir título ejecutivo, y, por tanto, certeza del derecho alegado por el ejecutante-demandante cautelar. En general, de este presupuesto debe tenerse en cuenta:

➢ El *fumus boni iuris* es un presupuesto legalmente configurado en el art. 728.2 LEC, y al que el legislador denomina como «apariencia de buen derecho».

➢ Comporta la existencia de un juicio de verosimilitud o de probabilidad, provisional e indiciario, a favor del demandante de la medida cautelar sobre el derecho que viene afirmando en el proceso principal.

➢ Debe ser alegado y justificado mediante los medios oportunos y permitidos en derecho. El art. 728.2 LEC se refiere a datos, argumentos y justificaciones documentales, sin excluirse otros medios no documentales, en lógica coherencia con aquellos supuestos en los que la presentación del principio de prueba por escrito (pensemos en los supuestos de responsabilidades extracontractuales) impediría el acceso a la tutela cautelar.

B) Peligro por la mora procesal (*periculum in mora*)

Implica la necesidad de conjugar los riesgos que amenazan la duración del proceso principal, por peligro de inejecución o de inefectividad de la sentencia estimatoria. Esta inefectividad puede derivarse de la concurrencia de dos tipos de peligro: el retraso y el daño que se puede producir por la demora.

Para su configuración legal dos son los sistemas que pueden acogerse: *in abstracto*, o bien mediante la determinación *in concreto* de los riesgos.

La LEC ha optado con carácter general por la configuración *in abstracto* de este presupuesto, atendido el peligro de la duración, que podría aprovecharse por quienes participan en el proceso, haciendo inefectiva la tutela judicial que pudiere otorgarse en la sentencia.

No obstante, pueden confluir otros peligros: el de insolvencia o de no disposición de medios económicos suficientes (pretensiones pecuniarias), riesgos derivados de la inutilidad práctica que se pretenden contrarrestar a través de una anotación preventiva, riesgo de difusión de una determinada actividad o publicidad (en los supuestos de ejercicio de remoción de los efectos), riesgos de continuidad de la actividad (en caso de ejercicio de pretensión de cesación), entre otros.

Por su parte, el art. 728.1, II permite restringir la aplicación de la excesiva duración del proceso de modo que, aun concurriendo, es posible no acordar medidas cautelares «cuando con ellas se pretenda alterar situaciones de hecho consentidas por el solicitante durante largo tiempo, salvo que éste justifique cumplidamente las razones por las cuales dichas medidas no se han solicitado hasta entonces», fijándose con ello los efectos directos de la inactividad del actor, por consentimiento, y la excepción a la misma por la justificación de la no solicitud de la tutela cautelar con anterioridad.

C) Caución

La caución sirve para responder, en su caso, de posibles daños y perjuicios que puedan ocasionarse al demandado si, con posterioridad, se pone de manifiesto que la medida carecía de fundamento y es, por ello, revocada. No es elemento que fundamente la adopción de la medida, si bien su prestación deberá ser siempre previa a cualquier acto de cumplimiento de la medida cautelar acordada (art. 737.1). Sin embargo, el ofrecimiento de la prestación de la caución sí que debe considerarse como presupuesto de la adopción. Las notas que la caracterizan son:

➤ Con carácter general (art. 728): exigencia de caución, si bien puede excepcionarse cuando el legislador lo considere oportuno, atendiendo a la situación jurídica que pretenda garantizarse o a la medida cautelar en concreto que se haya solicitado.

➤ A través de ella se obtiene cantidad suficiente para responder de los posibles daños y perjuicios que puedan ocasionarse al demandado, si fuere revocada la misma.

➤ La LEC hace referencia al término «caución suficiente», si bien debe configurarse ésta cuantitativa y cualitativamente. Así:

1º Desde el punto de vista cuantitativo, su determinación es decisión del tribunal, si bien se establecen unas bases para su cuantificación: «*naturaleza y contenido de la pretensión*» y «*valoración que realice sobre el fundamento de la pretensión*» (art. 728.3). En ocasiones, sin embargo, los perjuicios pueden ser bienes de difícil cuantificación o incluso que carezcan de valor patrimonial, y, pese a todo, ser conveniente la misma.

2º Cualitativamente: dinero efectivo, aval solidario o por cualquier otro medio que, a juicio del tribunal, garantice la inmediata disponibilidad de la cantidad de que se trate.

➤ El derecho a la justicia gratuita no exime de la prestación de la caución, dado que la exención supondría una importante lesión en el interés privado del sujeto pasivo de la medida, como ha venido consagrando el TC.

➤ En los casos de acción de cesación en defensa de los intereses colectivos y de los intereses difusos de los consumidores y usuarios, es posible su dispensa (art. 728.3.IV), atendidas las circunstancias del caso, la entidad económica y la repercusión social de los distintos intereses afectados.

➤ Especial regulación es la del art. 25 de la Ley 1/2019, de 20 de febrero, de Secretos Industriales. Los arts. 20 a 25 incorporan reglas sobre tutela cautelar, si bien la mayoría son innecesarias al estar integradas en el régimen común de la LEC. El art. 25 incorpora algunas especificidades: en cuanto a los componentes de valoración judicial para su determinación (potenciales perjuicios que las cautelares puedan ocasionar a los terceros que resulten afectados por ellas), como la imposibilidad de cancelación de la caución si no ha transcurrido un año desde el alzamiento de las medidas. También los terceros afectados —no solo el demandado— podrán reclamar daños y perjuicios cuando las medidas se alzaron debido a un acto u omisión del demandante o por haberse constatado posteriormente que la obtención, utilización o revelación del secreto empresarial no fueron ilícitas o no existía riesgo de tal ilicitud.

IV. MEDIDAS CAUTELARES ESPECÍFICAS

La delimitación de las medidas en el art. 727 tiene carácter de *numerus apertus* («entre otras»). En este listado se comprenden tres tipos de medidas, condicionadas por la pretensión ejercitada en el proceso principal y, en su caso, la sentencia estimatoria que se dicte, que determinará los efectos como consecuencia de su adopción:

➢ *Medidas de aseguramiento*: constituyen la situación adecuada para que, una vez dictada la sentencia en el proceso principal, pueda procederse a su ejecución (el ejemplo más significativo es el embargo preventivo);

➢ *Medidas de carácter conservativo*, que tienden a evitar que el demandado, durante la pendencia del proceso, pueda aprovecharse de los resultados de los actos que se consideran ilícitos por el actor (la prohibición temporal de interrumpir o de cesar en la realización de una prestación que viniera llevándose a cabo);

➢ *Medidas innovativas o anticipatorias* del resultado de la estimación de la pretensión, como mecanismo más idóneo para que las partes participen en el proceso en igualdad de condiciones, produciéndose una innovación sobre la situación jurídica preexistente al proceso principal (la pensión provisional).

En algunas de las medidas (art. 727) se establecen concreciones a los presupuestos de adopción. Donde nada se diga, hay que estar a la aplicación del tratamiento común.

1°) *El embargo preventivo de bienes*

El art. 727.1ª concreta los presupuestos de adopción de la medida cautelar de aseguramiento por excelencia, el embargo preventivo, en el que la situación jurídica cautelable atiende a pretensiones de condena a la entrega de cantidades de dinero o de frutos, rentas y cosas fungibles computables en metálico por aplicación de precios ciertos.

Se excluye el embargo preventivo para asegurar la sentencia meramente declarativa o constitutiva. Surge duda acerca de si en las de condena solo permite garantizar obligaciones pecuniarias o si podría también asegurar obligaciones de hacer, no hacer o dar cosa específica en casos de conversión subsidiaria de éstas en condena pecuniaria. Puede sostenerse esta segunda interpretación ex art. 727, 1ª, II, cuando es medida menos gravosa para el sujeto que la debe padecer y sirve a los fines pretendidos.

Tratándose de asegurar la futura ejecución de sentencias que condenen a entregar dinero, el peligro que trata de evitarse es el de que el demandado se convierta en insolvente (riesgo de insolvencia) durante la pendencia del proceso principal, y por eso este embargo afecta uno o más bienes de aquél, a la posible futura ejecución.

2°) *La intervención y la administración judicial*

Cuando se pretende la entrega de bienes cuyo valor principal reside en la productividad (establecimientos industriales o comerciales o fincas rústicas), la medida tiende a garantizar el mantenimiento de esa productividad y, para ello, puede pedirse bien la intervención judicial (controlándose los actos de administración que realice el demandado), bien la administración judicial (se nombra un administrador que sustituye al demandado en la administración del bien).

Es posible también pedir esta medida cuando no se solicita en el proceso la entrega del bien, pero su productividad garantiza la efectividad de la sentencia (por ejemplo, si se ha decretado el embargo preventivo de los frutos y rentas que produce el bien).

3°) *El depósito de cosa mueble*

Si se demanda en juicio la entrega de una cosa mueble, en posesión del demandado, la medida de depósito evita que la sentencia futura de condena a entregarla sea imposible, bien porque el demandado transmite la cosa de modo irreivindicable, bien porque la haga desaparecer (recuérdese la diligencia preliminar de los arts. 256.1, 2ª y 261.3ª).

4°) *La formación de inventarios de bienes*

La generalidad de la norma deja a la apreciación judicial la determinación de la situación jurídica cautelable, aunque ésta tiene que referirse a supuestos en los que el conocimiento de los bienes que integran un patrimonio sea determinante para la efectividad de la sentencia que llegue a dictarse (por ejemplo, extinción de comunidades de bienes).

5°) *La anotación preventiva de demanda*

El art. 727. 5ª y 6ª realiza una distinción: anotación preventiva de la interposición de una demanda y las demás anotaciones. La regla 5ª se refiere a la «anotación preventiva de demanda, cuando ésta se refiera a bienes o derechos susceptibles de inscripción de Registros públicos» (equivalente al art. 42, 1° LH). Se parte de una concreta situación, motivada por la presencia de un bien o derecho registrado o registrable, quedando fuera hechos o situaciones jurídicas (supuestos de demanda de impugnación de acuerdos sociales o demandas de incapacitación) que podrían requerir de la debida cobertura registral cautelarmente, y que ninguno de ambos apartados la permiten. Quedaría la posibilidad de acudir a la regla 11ª, como cláusula de cierre, siempre que no se trate de materia expresamente derogada.

El *periculum in mora* se halla en el riesgo de transmisiones de esos bienes o derechos sobre los que versa el proceso, efectuadas por el demandado, y que impidieren la efectividad de la sentencia.

6°) *Otras anotaciones registrales*

La opción legislativa de deslindar como categoría cautelar independiente la anotación preventiva de demanda de otras anotaciones registrales, sólo tiene sentido si se da cabida aquí a situaciones jurídicas que carecen de trascendencia registral inmediata, de modo que, frente a la situación de derechos registrados o registrables a cuya tutela se dirigía la anotación preventiva de demanda, aquí la anotación no es de la demanda, sino de otro tipo de actos, siendo la publicidad de utilidad para llevar a cabo la ejecución. Así, asumida la regulación anterior existente en la Ley Hipotecaria, podría distinguirse entre: 1) anotación preventiva de demanda (art. 42, 1° LH), y 2) los otros supuestos del art. 42, quedarían cubiertos por este apartado 6° del art. 727 LEC.

Resulta criticable que el precepto se refiriera a la adopción de estas medidas en los casos en que la publicidad registral sea útil para el buen fin de la ejecución tan sólo. Sería más adecuado referir la utilidad de la publicidad registral a la efectividad de la sentencia, no restringiendo tan sólo a la ejecución.

7°) *Cesación provisional, o abstención temporal, o prohibición temporal de actividades, conductas o realización de prestaciones*

La introducción en el capítulo abierto de medidas cautelares de este apartado 7° en el art. 727 responde a una necesidad sentida de uniformar el tratamiento de las medidas mediante la ley común, además de comportar la asunción legal de la existencia de medidas que en ocasiones conservan, e incluso anticipan, la situación jurídica sobre la que se proyecta la tutela cautelar.

Se incluyen algunas medidas que durante mucho tiempo no se regulaban en la LEC, sino en leyes materiales sectoriales (patentes, marcas, competencia desleal, publicidad, entre otras), que ofrecían un tratamiento procesal privilegiado, si bien incompleto, lo que provocaba algunas contradicciones. La aprobación de la LEC supuso la integración de todos estos regímenes en un régimen común. Más allá de la LEC, la Ley 1/2019, de Secretos Industriales (art. 21) hace referencia expresa a específicas medidas cautelares: el cese o prohibición de utilizar o revelar el secreto empresarial, el cese o prohibición de producir, ofrecer, comercializar o utilizar mercancías infractoras o importar, exportar o almacenar mercancías infractoras con tales fines, que pueden complementarse con la retención y depósito de mercancías infractoras y el embargo de bienes.

Se asegura a través de estas medidas la tutela de condena a obligaciones de hacer y de no hacer, si bien la variedad de medidas va a fundamentarse en diversas situaciones jurídicas. Así, la cesación provisional de una determinada actividad es garantía de una situación jurídica que consiste en la tutela de una condena a un *facere,* una abstención de una actividad real y presente (por ejemplo, en el supuesto de una cesación de la publicidad ilícita se garantiza una acción de omisión de una actividad publicitaria considerada por el demandante como ilícita). La abstención temporal supone la tutela de un *non facere,* no llevar a cabo una conducta que previsiblemente es inminente (abstenerse de lanzar a la audiencia una campaña publicitaria sobre determinado producto).

Con ambas medidas —la cesación provisional o la abstención temporal— se anticipan, en cierta manera, los efectos de la sentencia eventual estimatoria, máxime si se tiene en cuenta que ambas son instrumento para garantizar la efectividad de la sentencia dictada en un proceso en el que se estima las pretensiones de cesación de una actividad o de abstención (prohibición de realización de la misma de forma inminente).

Se incluye además la medida cautelar de prohibición temporal de interrumpir o de cesar en la realización de una prestación que viniera llevándose a cabo. Se cautela con esta medida una obligación de hacer, consistente en continuar realizando lo que se estaba haciendo (por ejemplo, un contrato de suministro, en el que la interrupción de la cadena de suministro implicaría la imposibilidad de realización de un determinado producto; la medida cautelar consistiría en prohibir temporalmente la interrupción o la cesación del contrato de suministro). Con esta medida se evita el posible daño irreparable para el actor si durante la pendencia procesal se paralizare la actividad. A diferencia de las medidas anteriores, en las que la conducta es ilícita, en esta medida la actividad es lícita; lo ilícito sería interrumpir o cesar el procedimiento de producción, el de suministro, la actividad empresarial, entre otras.

Esta medida tiene un carácter conservativo, en cuanto pretende mantener el *statu quo ante bellum* durante la litispendencia. Algún sector doctrinal le ha denominado medida no innovativa, en cuanto se pretende que no cambie la situación jurídica existente.

8º) *Intervención y depósito de ingresos obtenidos mediante actividad ilícita, o consignación o depósito de las cantidades reclamadas en concepto de remuneración de la propiedad intelectual*

La intervención y el depósito de ingreso son dos medidas autónomas. Pueden decretarse conjunta o separadamente, dado que el tenor literal del precepto utiliza la conjunción «y».

La intervención de los ingresos es una medida cautelar eficaz para determinar el lucro que obtiene quien realiza una actividad ilícita de propiedad intelectual; complemento de la cual es el depósito de los mismos, que garantiza un menor riesgo de incumplimiento económico por insolvencia. Por ejemplo, si se representa una obra teatral sin la debida autorización, al titular de los derechos de autor puede interesarle que la obra continúe representándose, solicitando la intervención de los ingresos que se obtienen en taquilla. La intervención puede tener como garantía del cobro, el depósito de dichas cantidades en la Cuenta de Depósitos y Consignaciones en la entidad bancaria correspondiente.

Junto a las dos medidas anteriores, es posible decretar la consignación o depósito de las cantidades reclamadas en concepto de remuneración de propiedad intelectual. En este caso, la conjunción «o» refleja que nos hallamos ante la misma medida cautelar. Se pretende también garantizar la efectividad y ejecución de una eventual sentencia estimatoria de una pretensión económica —la obligación de remuneración en los casos en que un contrato o la misma ley establezcan una obligación de este carácter—. Así, como la remuneración viene legal o contractualmente determinada, no hace falta la intervención, sino que basta con la consignación o depósito de las cantidades que se adeudan (que son el determinante cuantitativo de la pretensión económica en el proceso principal) en concepto de remuneración.

Con estas medidas se cumplen los mismos fines que con el embargo preventivo —riesgo de insolvencia— variando el ámbito objetivo sobre el que recaen: los ingresos que provienen de la actividad ilícita o las cantidades reducibles a dinero. Quizás por la participación de entidades públicas en el desempeño del ejercicio de derechos tutelados por la LPI, es por lo que se prefiere el depósito y no el embargo preventivo.

9°) *Depósito de ejemplares de obras, objetos y material*

Si bien en algunas leyes se regulaba la medida del «secuestro» en lugar de «depósito», se está garantizando la tutela judicial que puede otorgarse con una sentencia estimatoria de una pretensión de cesación o de prohibición, o de remoción de efectos, o incluso de una pretensión indemnizatoria. Los objetos sobre los que recae esta medida cautelar son:

➢ Obras: ejemplares producidos o utilizados en materia de propiedad intelectual. Al solicitante le interesa que dejen de producir estos ejemplares o que se sigan produciendo para sufragar una condena posterior a prestación patrimonial. Para la primera finalidad el depósito de los ejemplares es perfectamente útil; para la segunda, podría serlo también, con el fin de venderlos para beneficiarse de la venta.

➢ Objetos creados a través de la explotación de patente o marca: existiendo un interés de no continuidad de su explotación y, por tanto, de expansión en el mercado de los productos u objetos que se consideran producidos con quebranto de las normas de La Ley de Marcas y Ley de Patentes;

➤ Material: entendiéndolo en sentido amplio, esto es, tintes, papeles, tampones, grabados, planchas, ordenadores, diskettes, cintas, videos, entre otros.

Fundamental en la valoración de la proporcionalidad con el daño que pueda causársele al sujeto, cuando afecta a su profesión. Y la posible vinculación entre diligencias preliminares y medidas cautelares, dado que, para adoptar esta medida, sería previamente idónea la diligencia de exhibición de maquinaria, utensilios, entre otros, con la que se produce la actuación ilícita, así como su producto: objetos, ejemplares, fotocopias, cintas, partituras, videos, etc.

10°) *Suspensión de acuerdos sociales*

Si se ejercita la pretensión de impugnación de un acuerdo societario, la medida cautelar más efectiva será la de suspender su ejecución durante la pendencia del proceso. Sin embargo, no toda pretensión de nulidad en el proceso principal podrá presuponer, como situación jurídica objeto de esta cautela, la suspensión, sino que el legislador, para evitar posibles abusos en el orden común o general societario, ha fijado un supuesto de legitimación cualificada, exigiéndose que el demandante o demandantes «representen, al menos, el uno o el cinco por ciento del capital social, según que la sociedad demandada hubiere o no emitido valores que, en el momento de la impugnación, estuvieren admitidos a negociación en mercado secundario oficial».

11°) *Otras previstas legalmente*

Frente a la caótica sistematización legal anterior, la LEC supuso una ordenación de las medidas en el art. 727, si bien no cierra las necesidades que *ex novo* requieran de diferente cobertura cautelar. Así, en el apartado 11ª del art. 727 se establece la posibilidad abierta de adoptar otras medidas, dentro del régimen común de la LEC, siempre que se trate de medidas que «para la protección de ciertos derechos, prevean expresamente las leyes, o que se estimen necesarias para asegurar la efectividad de la tutela judicial que pudiere otorgarse en la sentencia estimatoria que recayere en el juicio».

Pueden citarse, a título de ejemplo: la suspensión provisional de obra nueva, el cese inmediato de la intromisión ilegítima en la esfera de los derechos fundamentales, el secuestro de bienes del ajuar, la retención o inmovilización de cuentas bancarias, o aquellas medidas que no son la mayoría cautelares, sino preventivas, de aseguramiento o protección de la víctimas de violencia de género, referidas a la protección de datos y las limitaciones a la publicidad, a la salida del domicilio, alejamiento o suspensión de las comunicaciones, a la suspensión de la patria potestad o la custodia de menores, a la suspensión del régimen de visitas y a la suspensión del derecho a la tenencia, porte y uso de armas (art. 61 LOVG), etc.

V. CAUCIÓN SUSTITUTORIA

Tras la solicitud de la medida cautelar, bien en la tramitación procedimental de concesión, bien tras su adopción, el demandado puede solicitar, por ser menos gravosa, la sustitución de la medida cautelar por una caución. Esta posibilidad, que existía para algunos supuestos específicos de tutela cautelar, se introduce en la LEC con carácter general (arts. 746 y 747), si bien sometida a la concurrencia de unos presupuestos y condiciones:

➤ Se exige petición de parte, no siendo posible de oficio la sustitución. El tribunal podría, al amparo del art. 726.1, 2ª, considerar que la caución es medida eficaz y conducente a hacer posible la efectividad de la tutela judicial que pudiera otorgarse en una eventual sentencia estimatoria, siendo menos gravosa o perjudicial para el demandado. Se trataría de una decisión del tribunal, si bien deberían concurrir los presupuestos para su adopción, en especial que el demandado estuviere conforme con asumir tal gravamen económico.

➤ Para la decisión de conversión de la medida deben concurrir:

1° Mantenerse el fundamento de las medidas cautelares, en cuanto se asegure la efectividad de la tutela judicial que pudiere otorgarse en una eventual sentencia estimatoria; y

2° Debe tratarse de una pretensión de condena, empero no solo en caso de una condena genérica, sino que cabe caución sustitutoria en supuestos de pretensiones de condena de carácter específico. Esto obliga caso por caso a un análisis de cada pretensión para determinar si se justifica o no la caución sustitutoria, por cuanto allá donde coexistan derechos de contenido no económico o no reconvertibles a dinero, se estaría desnaturalizando la medida adoptada, porque garantizaría el cumplimiento de la sentencia de condena a prestación económica, empero no a la obligación u obligaciones específicas objeto de la condena. En ningún caso se admitirá que el demandado sustituya por caución las medidas cautelares dirigidas a evitar la revelación de secretos empresariales (art. 23.II Ley 1/2019, Secretos empresariales).

3° La apariencia jurídica favorable que pueda presentar la posición del demandando. Se concreta en el hecho de que debe la caución asegurar un derecho de contenido económico.

4° Proporcionalidad de la medida, analizándose: 1) El valor de aseguramiento que la medida comporta para el solicitante, sin que en ningún caso implique la desaparición o desvanecimiento de la fuerza garantizadora de la medida originaria; y 2) La restricción que la misma supone a la actividad patrimonial o económica del demandado, de manera que ésta debe significar una injerencia lo menos grave y desproporcionada posible.

➢ La sustitución por caución puede solicitarse antes de la adopción de la medida o tras su adopción (en la vista, art. 747.1, o en el trámite de oposición o mediante escrito motivado, art. 734 LEC, si ya se hubiere adoptado).

La petición se acompaña de los documentos convenientes sobre su solvencia, las consecuencias de su adopción, mediante la conjugación de la proporcionalidad de su mantenimiento con la función de aseguramiento que comporta su sustitución por la caución, y la valoración del peligro de mora procesal, contrarrestado por la solvencia del demandado. Tras la solicitud, se traslada al demandante, desarrollándose una vista (según el art. 734 LEC), resolviéndose mediante auto, en el plazo de 5 días, que es irrecurrible (art. 747.2).

➢ Aceptada la sustitución de la medida por caución, deben determinarse las formas de otorgarla: dinero efectivo, aval solidario de duración indefinida y pagadero a primer requerimiento emitido por entidad de crédito o sociedad de garantía recíproca o por cualquier otro medio que, a juicio del tribunal, garantice la inmediata disponibilidad de la cantidad de que se trate, lo que no cierra otras posibles vías de prestación.

Lección 29ª
PROCESO Y PROCEDIMIENTO CAUTELAR

SILVIA BARONA VILAR

SUMARIO: I. LA DEMANDA CAUTELAR. 1. Antes de la demanda (*ante causam*). 2. Con la demanda. 3. Con posterioridad a la presentación de la demanda. II. TRAMITACIÓN. 1. Con contradicción previa. 2. Con contradicción diferida. III. RESOLUCIÓN CAUTELAR. 1. Plazo. 2. Contenido. 3. Cosa juzgada. 4. Ejecución. IV. IMPUGNACIÓN DE LA RESOLUCIÓN CAUTE-LAR. 1. Por medio de recurso. 2. Oposición en los supuestos de resolución sin contradicción previa. 3. La estimación de la oposición: responsabilidad por daños y perjuicios. V. VARIABILI-DAD DE LA MEDIDA CAUTELAR. VI. RELACIÓN DE DEPENDENCIA ENTRE TUTELA CAUTE-LAR Y PROCESO PRINCIPAL. 1. Tutela cautelar *ante causam*: Necesidad del proceso principal. 2. Suspensión del proceso principal. 3. Terminación del proceso principal. A) Finalización del proceso sin contradicción. B) Finalización del proceso con contradicción. Situación en la se-gunda instancia. 4. Alzamiento de las medidas cautelares tras la sentencia firme.

BIBLIOGRAFÍA BÁSICA

BARONA VILAR, S., *Medidas cautelares en el arbitraje*, Thomson Civitas, Madrid, 2006.

ORTELLS RAMOS, M., *Las medidas cautelares*, La Ley, Madrid, 2000.

PÉREZ DAUDÍ, V., *Las medidas cautelares en el proceso civil*, Atelier, Barcelona, 2013.

RAMOS ROMEU, F., *Las medidas cautelares civiles*, Atelier, Barcelona, 2006.

I. LA DEMANDA CAUTELAR

La LEC, frente a la dispersión anterior, que regulaba diversas tramitaciones procedimentales según las medidas, o que obligaba a acudir a leyes especiales para su determinación, supuso la unificación del procedimiento, y con ella, la desaparición de la dispersión normativa.

Para la adopción de una medida se requiere instancia de parte (art. 721 LEC), no siendo posible en ningún caso la adopción de oficio de la tutela cautelar. Los momentos en que esta solicitud puede formularse son antes, con y después de la demanda del proceso principal.

1. Antes de la demanda (ante causam)

La solicitud de medidas cautelares antes de la demanda del proceso principal debe formularse mediante escrito en el que habrá que:

➢ Determinar el tribunal al que se dirige el escrito;

➤ Identificar a los sujetos activo y pasivo;

➤ Fundamentar la medida. Aquí la fundamentación debe ser doble: por un lado, general, referida a los presupuestos; y, por otro, especial, en cuanto deberá razonarse la urgencia o necesidad de la adopción *ante causam*. A todo ello habrá que añadir la acreditación de los presupuestos (art. 732.2).

➤ Expresar la medida concreta que se pide.

En la formulación de esta solicitud *ante causam* de las medidas concurre un supuesto de exención de la obligatoriedad de integrar la postulación mediante procurador y abogado (arts. 23.2, 3º, y 31.2, 2º LEC).

La adopción de las medidas antes de la interposición de la demanda del proceso principal condiciona su incoación, de modo que la demanda principal deberá interponerse dentro de los 20 días siguientes a la adopción de las medidas, computándose desde el día siguiente de la notificación del auto de concesión. De este modo, si en el plazo de 20 días no se interpusiese la demanda, el LAJ, de oficio, acordará el alzamiento o la revocación de los actos de cumplimiento que hubieran sido realizados mediante decreto, condenando al solicitante cautelar al pago de las costas y declarándole responsable de los posibles daños y perjuicios que se hubieren podido ocasionar al sujeto respecto del cual se adoptaron las medidas (art. 730.2).

2. Con la demanda

La solicitud de la medida se efectuará de ordinario junto a la demanda del proceso principal, en el mismo escrito, con dos demandas: una, la del proceso principal, y la otra, la del cautelar. Los requisitos de las dos son comunes, distinguiéndose claramente entre una y otra demanda.

3. Con posterioridad a la presentación de la demanda

La LEC (art. 730.4) posibilita la petición de tutela cautelar con posterioridad a la presentación de la demanda, incluso pendiente un recurso, si bien con carácter restrictivo, esto es, sólo cuando la petición se base en hechos y circunstancias que justifiquen la solicitud en estos momentos.

Ahora bien, cualquiera que fuere el momento en que se ejercita la pretensión cautelar, la solicitud deberá atender a tres requisitos (art. 732.1 LEC): 1) Claridad; 2) Precisión; y 3) Justificación de los presupuestos para su adopción.

Los dos primeros requisitos —claridad y precisión— se refieren a la petición como elemento compositivo de la demanda, y suponen la necesidad de que en la solicitud se establezca la petición de manera tal, que quede delimitado el ámbito dentro del cual debe moverse el órgano competente para decidir, no pudiendo dar cosa distinta, ni más de lo pedido, por aplicación del principio dispositivo. El tercer requisito exige justificar la concurrencia de los presupuestos exigidos legalmente para la adopción de la medida, para lo cual se acompañarán los medios necesarios para su justificación, documentales o no, que puedan servir a los mismos fines.

En los supuestos en que la caución juega como presupuesto deberá, en el mismo escrito de petición de la medida o medidas cautelares, ofrecerse la prestación de caución, especificando de qué tipo se ofrece y con justificación del importe que se propone (art. 732.3).

En la LEC se establece un supuesto específico: Cuando las medidas se soliciten en relación con procesos incoados por demandas en que se pretenda la prohibición o cesación de actividades ilícitas, podrá proponerse al tribunal que, con carácter urgente y sin dar traslado del escrito de solicitud, requiera los informes u ordene las investigaciones que el solicitante no pueda aportar o llevar a cabo y que resulten necesarias para resolver sobre la solicitud (art. 732. 2, II).

II. TRAMITACIÓN

Presentada la solicitud, con respeto al principio de contradicción, puede cubrirse bien mediante contradicción previa o bien a través de contradicción diferida. Obviamente el «factor sorpresa» se salva si la contradicción es diferida, impidiéndose que el sujeto básico de la medida pueda actuar haciendo ineficaz la misma.

Ambas fórmulas —la contradicción previa y la diferida— han sido acogidas por el legislador, pues, si bien proclama como regla general la exigencia de la contradicción previa, cierto es que también asume la posibilidad de excepcionarla, cuando concurran circunstancias que permitan, e incluso exijan, acordar la medida sin oír previamente al demandado, pero atribuyéndole la posibilidad diferida de ser oído, mediante la interposición de una oposición, regulada en los arts. 739 a 742 LEC.

1. Con contradicción previa

El art. 733.1 dispone que, como regla general, el tribunal proveerá la adopción de medidas cautelares, previa audiencia del demandado. Este principio de contradicción previa se formaliza a través del desarrollo de la vista, a que se refiere el art. 734, cuyas notas fundamentales son:

➢ En el plazo de 5 días, desde el traslado de la solicitud de tutela cautelar, el LAJ, mediante diligencia, convocará a las partes a la vista, que se celebrará dentro de los 10 días siguientes sin necesidad de seguir el orden de los asuntos pendientes cuando así lo exija la efectividad de la medida cautelar. Se posibilitan los adelantamientos de los señalamientos de las vistas en las que se oirá a las partes, permitiendo adopción de medidas con tramitación preferente.

➢ El contenido de la vista consistirá en:

1º Las alegaciones del demandante y demandado, exponiendo cada uno lo que les convenga a su derecho, sin exclusión.

2º La práctica de las pruebas admitidas, en relación con los presupuestos cautelares que deben acreditarse, haciéndose especial referencia a la práctica del reconocimiento judicial, que, de no poder practicarse en el acto de la vista, se deberá practicar en el plazo de cinco días.

3º Posible debate acerca de las cauciones. Por un lado, permite formular alegaciones relativas al tipo y a la cuantía de la caución para responder de los posibles daños y perjuicios que la adopción de la medida pudiera causar al patrimonio del demandado; y por otro, podrá solicitarse en este trámite la sustitución de la medida por la caución sustitutoria (art. 747 LEC).

2. *Con contradicción diferida*

La adopción de las medidas sin contradicción previa viene condicionada al cumplimiento de los requisitos establecidos en el art. 733.2 LEC, que son:

➢ Se solicite a instancia de parte por el demandante cautelar, sin ulteriores trámites.

➢ La solicitud debe acreditarse por razones de urgencia o porque la adopción de las medidas con audiencia previa pueda comprometer el buen fin de la medida cautelar. En ambos supuestos debe justificarse la necesidad de urgencia en la adopción de la medida cautelar, en cuanto la efectividad de la tutela cautelar podría peligrar de no adoptarse de forma sorpresiva, o bien podría ésta peligrar si, aun adoptándose la medida, no hubiera podido paliar el efecto pernicioso que conlleva el conocimiento por parte del demandado de la existencia de una demanda cautelar contra el mismo, de modo que le hubiere permitido colocarse en tal situación que hace inútil por ineficaz la adopción de la tutela cautelar.

➢ La resolución que adopta la medida sin audiencia previa deberá motivar, por un lado, la concurrencia de los requisitos para la adopción de la medida y, por otro, las razones que han aconsejado acordarla sin oír al demandado.

➢ Este auto deberá ser notificado a las partes sin dilación y, de no ser posible antes, inmediatamente después de la ejecución de las medidas (art. 733.2 in fine LEC).

III. RESOLUCIÓN CAUTELAR

La decisión cautelar del tribunal reviste la forma de auto motivado.

1. Plazo

El plazo varía según se trate del régimen general de la contradicción previa o, por el contrario, el excepcional sin contradicción. Así, finalizada la vista previa, el plazo es de 5 días, a contar desde el día siguiente a su finalización (art. 735.1 LEC); si se adopta sin audiencia previa, el plazo de 5 días cuenta desde el momento en que se presentó la solicitud de tutela cautelar, sin otro trámite (art. 733.2 LEC).

2. Contenido

El contenido de la resolución puede ser estimatorio (accediendo a la solicitud de la tutela cautelar) o desestimatorio (denegándola). En el supuesto de que se hubiere adoptado la medida sin contradicción previa habrá que motivar, además, el por qué se adoptaron las medidas sin oír a la parte contraria, es decir, bajo esta forma de tramitación.

La motivación de la resolución cautelar encuentra su fundamento constitucional en el art. 120 CE. Esta motivación está especialmente exigida cuando limita, restringe o afecta a quien la padece, de manera que habrá que concretar sí se han acreditado o no los presupuestos, la procedencia o no de todas o de algunas de las medidas cautelares, e incluso la exigencia o no de la fianza a prestar el demandante-solicitante de las medidas, que sirviera para garantizar, en su caso, los posibles daños y perjuicios que la medida cautelar pudiera producir.

Ilustrativo es el art. 22 de la Ley 1/2019, de Secretos Industriales, que incorpora, aun cuando se trate de esta materia, los elementos a ponderar por el juez en su resolución cautelar: las circunstancias específicas, su proporcionalidad teniendo en cuenta valor y otras características del secreto empresarial, las medidas para protegerlo, el comportamiento de la parte contraria en su obtención, utilización o revelación, las consecuencias de su utilización o revelación ilícitas, los intereses legítimos de las partes y las consecuencias para estas de la adopción o denegación de las medidas, los intereses legítimos de terceros, el interés público y la necesidad de salvaguardar derechos fundamentales. Con esto se introduce una «especialización», que no se encuentra ni en la LEC ni en la Ley de Patentes. Si bien, puede servir como un protocolo.

Y estos protocolos son los datos-inputs que se están incorporando en las herramientas algorítmicas que permiten a los jueces contar con un software que ofrece unos resultados acerca de la posible concurrencia o no de los presupuestos (siempre desde la probabilidad) a los efectos de motivar la decisión cautelar.

➢ *Auto estimatorio*: debe fijarse con toda precisión la medida o medidas cautelares que se acuerdan, y su régimen, sin que el tribunal pueda acordar medida más gravosa de la solicitada por el actor (art. 721.2 LEC). Determinará la forma, cuantía y tiempo de la prestación de la caución por el solicitante (art. 735.2 LEC). Es posible adoptar una medida menos gravosa o menos medidas de las pedidas (cambio cualitativo o cuantitativo), si no hay alteración sustancial del objeto procesal; en este caso, se desestima la pedida y se motiva la o las medidas que se acuerdan, sin que ello implique incongruencia. En todo caso debe ser tutela legalmente prevista y con adecuación a los presupuestos para su adopción, dado que la tutela judicial cautelar es tanto para el solicitante como para el demandado, de ahí la necesidad de la proporcionalidad en la tutela que se concede.

➢ *Auto desestimatorio*: el tribunal debe motivar las razones por las que deniega la medida solicitada. La denegación no comporta una imposibilidad de acceso a la tutela cautelar, dado que el actor puede reproducir su solicitud siempre y cuando hubieren cambiado las circunstancias existentes en el momento de la petición (art. 736.2).

3. Cosa juzgada

La variabilidad de las medidas ha llevado a cierto sector doctrinal a negar la cosa juzgada de las resoluciones cautelares. Sin embargo, sí producen efecto de cosa juzgada, dado que de lo contrario estaríamos ante una tutela inestable e insegura jurídicamente. Así:

1. Si se produce el mantenimiento de los presupuestos que dieron lugar a la adopción de la tutela cautelar, hay efecto de cosa juzgada, y ello por cuanto, conservándose la misma causa de pedir, el auto cautelar debe desplegar los efectos de cosa juzgada, excluyéndose un nuevo pronunciamiento sobre el mismo auto.

2. Cuestión distinta es cuando cambia el fundamento fáctico que sirvió de base para dictar la resolución cautelar, dado que en este caso nada impedi-

ría que la parte vuelva a solicitar la medida denegada, su alzamiento si fue concedida, o incluso su modificación.

4. Ejecución

Acordada la medida, deberá procederse a su ejecución, siendo competente el tribunal que dictó la resolución. Las reglas del régimen de ejecución son:

> La ejecución se practicará de oficio por el órgano jurisdiccional.

> Uno de los grandes problemas suscitados por la doctrina ha sido el de delimitar los medios empleados para el inmediato cumplimiento de la medida. Debe tenerse presente que, si no se consigue una inmediata eficacia, carecería de sentido la adopción de estas medidas, dado que con la mera declaración cautelar no se está cumpliendo la función de garantía de la efectividad de la resolución que en su día se dicte. Los medios para su ejecución, salvo las excepciones legales, no pueden ser otros que los que, con carácter general, se entiendan como necesarios para llevar a cabo la ejecución, incluso remitiéndose para ello a los instrumentos que prevé el legislador con carácter general para la ejecución de las sentencias.

> En caso de embargo preventivo se refiere específicamente a los instrumentos de ejecución que se utilizan para los embargos decretados en el proceso de ejecución, y, por ello, con remisión a los arts. 584 y siguientes, si bien con la excepción de que el deudor no quedará obligado a efectuar la manifestación de bienes (art. 589) para el embargo en ejecución.

> En la ejecución de una anotación preventiva de demanda, se ha fijado una regla especial para el cumplimiento de la resolución cautelar, que comporta la necesidad de procederse conforme a las normas del Registro correspondiente.

> En la adopción de una administración judicial cautelar se remite a los arts. 630 y siguientes.

> En caso de la intervención de depositarios, administradores judiciales o responsables de los bienes o derechos sobre los que ha recaído una medida cautelar, sólo podrán enajenarlos, previa autorización por medio de providencia del tribunal y bajo las circunstancias excepcionales que lleven a considerar más gravosa para el patrimonio del demandado la conservación que la enajenación (art. 738.3).

IV. IMPUGNACIÓN DE LA RESOLUCIÓN CAUTELAR

Dictado el auto cautelar, caben dos posibles vías para atacarlo: a) Interposición de medios de impugnación si se dicta la resolución cautelar con contradicción previa; b) Interposición de la demanda de oposición, si se hubiere dictado sin contradicción previa.

1. Por medio de recurso

El auto dictado con contradicción previa es recurrible en apelación (arts. 735.2, II y 736.1 LEC), siendo su tramitación preferente en el supuesto de que se tratare de recurso planteado contra un auto denegatorio de la medida.

No cabe casación, dado que el recurso de casación responde a una función de unificación material y todas las normas cautelares son procesales; no se trata de determinar si la parte tiene derecho subjetivo material, función de la sentencia que pone fin al proceso, sino sólo si concurren los presupuestos para la adopción de la tutela cautelar, y eso es siempre procesal.

Asimismo, contra las resoluciones del tribunal sobre el desarrollo de la comparecencia, su contenido y la prueba propuesta no cabe interponer recurso alguno, sin perjuicio de que, previa la oportuna protesta, puedan alegarse estas infracciones en el recurso contra el auto que resuelva sobre las medidas cautelares (art. 734.3 LEC).

Por su parte, las costas se impondrán con arreglo al criterio de vencimiento, dada la remisión que se efectúa en el art. 736.1 LEC a la regulación general del art. 394 LEC.

2. Oposición en los supuestos de resolución sin contradicción previa

Contra el auto cautelar que se dicta sin contradicción previa no cabe recurso. Ahora bien, para evitar la posible indefensión al demandado, se regula en la LEC (arts. 739 y ss.) un mecanismo de contradicción diferida, consistente en un procedimiento de oposición a las medidas cautelares adoptadas sin audiencia del demandado.

> *Plazo:* para formular la oposición es de veinte días, a contar desde la notificación del auto que acuerda las medidas cautelares.

> *Forma:* se formula la oposición el plazo mediante demanda, con alegaciones, ya sean fácticas o jurídicas, a través de las cuales se pretende la revocación (por oponerse a su procedencia, a los requisitos, a su alcance, por ejemplo, por excesiva, el tipo de medida o cualquier otra circunstancia que pueda plantear oposición en relación con la misma) o la modificación de

la medida cautelar adoptada por una caución sustitutoria. El art. 740 LEC se refiere a «cuantos hechos y razones se opongan a la procedencia, requisitos, alcance, tipo y demás circunstancias de la medida o medidas efectivamente acordadas, sin limitación alguna». Existe una condición: que se trate de hechos y circunstancias que pudieron tenerse en cuenta al tiempo de su concesión, esto es, no son nuevos. Si fueren nuevos no se acudirá a esta vía, sino a la petición de modificación de medidas cautelares (art. 743 LEC).

➢ *Traslado de la demanda al solicitante cautelar.* En el plazo de 5 días desde el traslado de aquélla, se convocará a las partes a una vista, que se celebrará dentro de los 10 días siguientes. El art. 741.1 LEC remite para el desarrollo de la vista al art. 734, sin especificar su contenido: qué puede alegarse, sí cabe práctica de algún medio de prueba, etc. El silencio del legislador debe entenderse en sentido amplio, de modo que no nos parece razonable limitar o restringir esta comparecencia en la vista, si el legislador no lo hace. Ahora bien, si no existe limitación de alegaciones de las partes, podrían efectuarse alegaciones nuevas que implicasen una posible modificación o revisión de la medida cautelar. Hemos de aceptar que la otra parte pudiera responder también con fundamentación nueva, dado que, de lo contrario, se estaría creando una situación de indefensión a esta parte.

➢ *Finalizada la vista,* en el plazo de 5 días, se dicta auto, estimando o desestimando, con pronunciamiento sobre las costas y posible pronunciamiento sobre la condena por responsabilidad de daños y perjuicios.

➢ *Auto desestimatorio de la oposición:* puede fundarse en la no concurrencia de los presupuestos que fundamentaron la adopción de una o unas medidas cautelares en concreto. Supone, por ello, el mantenimiento de las medidas. En el mismo auto el tribunal impondrá las costas al opositor, aplicándose con ello el principio del vencimiento (art. 741.2, II LEC). Si la petición del opositor se centra en el alzamiento de las medidas y la condena por responsabilidad de daños y perjuicios, la desestimación de la primera pretensión con el mantenimiento de las medidas trae consigo la desestimación de cualquier pronunciamiento de condena por daños y perjuicios.

➢ *Auto estimatorio de la pretensión de oposición:* alzará las medidas o las modificará o sustituirá por caución sustitutoria. Mientras en el primer caso se está resolviendo a favor de la innecesariedad de la tutela cautelar, en los demás, se está sosteniendo su conveniencia, si bien considerando las medidas como impertinentes, inadecuadas y quizás desproporcionadas a los fines pretendidos. Esta decisión puede repercutir en los pronunciamientos complementarios. Y, en todo caso, es posible la estimación-desestimación parcial, lo que puede llevar a considerar que en este caso cada una de las partes pagará las costas causadas a su instancia y las comunes por mitad. Si se alzan las medidas acordadas, el tribunal condenará al actor al pago de daños y perjuicios que éstas hayan producido (art. 741 LEC).

Ahora bien, deberá, en atención al principio dispositivo, solicitarse por la parte qué daños y perjuicios se han producido y la cantidad por la que se solicita su indemnización, de modo que se garantiza la economía procesal si es la parte perjudicada por la tutela cautelar la que aproveche la demanda de oposición para solicitar, como una de sus peticiones, la correspondiente responsabilidad. Esta situación afecta a la congruencia del auto, de modo que:

1) Si el opositor solicita la condena a indemnizar por daños y perjuicios, el tribunal habrá de pronunciarse sobre la misma. La falta de pronunciamiento daría lugar a una situación de incongruencia por defecto, que posibilitaría la interposición de recurso.

2) Si no solicita más que revocación de la medida, su alzamiento o su modificación, el tribunal puede, de forma genérica, pronunciarse sobre la posible responsabilidad, como pronunciamiento-consecuencia, si bien la ausencia de una declaración judicial sobre la condena a indemnizar no podría tildarse de incongruencia.

➤ La decisión que pone fin a este procedimiento reviste la forma de auto, que podrá ser impugnado mediante recurso de apelación con efecto solo devolutivo, al tener eficacia inmediata, sin que pueda suspenderse, a estos efectos, la eficacia de la resolución cautelar, como dispone expresamente el art. 741.3 LEC.

3. La estimación de la oposición: responsabilidad por daños y perjuicios

Dado que el auto que pone fin al procedimiento de oposición estimatorio de la pretensión se pronuncia sobre la condena a indemnizar los daños y perjuicios, habrá que esperar a alcanzar firmeza para proceder a su determinación. Del art. 742 LEC se desprende:

➤ La determinación concreta de los daños y perjuicios se llevará a cabo previa petición de parte, nunca de oficio.

➤ Se siguen los trámites de liquidación de daños y perjuicios de los arts. 712 y siguientes LEC.

➤ El escrito de solicitud de los daños y perjuicios deberá acreditar una relación detallada de los mismos, y de su valoración, acompañando, en su caso, dictámenes y documentos que puedan considerarse oportunos.

➤ Traslado a quien hubiere de abonarlos, para que, en el plazo de 10 días, conteste lo conveniente, pudiendo conformarse con la relación y con su importe; si es así, se aprueba por el tribunal por providencia sin ulterior recurso. Se produce conformidad cuando deja pasar el plazo de 10 días sin evacuar traslado o se limita a negar genéricamente la existencia de los daños y perjuicios, sin concretar los puntos, razones y alcance de la discrepancia.

➢ Puede también oponerse motivadamente a esta petición, pudiéndose nombrar un perito para que dictamine sobre la efectiva producción de los daños y su evaluación en dinero.

➢ El procedimiento finaliza mediante auto, dentro de los 5 días siguientes a aquél en que se celebre la vista, fijándose, en su caso, la cantidad que deba abonarse al acreedor en concepto de daños y perjuicios, siendo este auto apelable sin el efecto suspensivo.

➢ Elemento fundamental es que los daños y perjuicios se hayan causado como consecuencia de la medida revocada. Esto implica justificar el nexo causal entre la medida y los daños y perjuicios ocasionados por aquélla.

➢ Declarada la responsabilidad del solicitante, éste deberá pagar de manera inmediata. De lo contrario deberá procederse a la exacción forzosa de los mismos (art. 742 *in fine*).

➢ Se manifiesta la doctrina mayoritariamente sobre la naturaleza objetiva de la responsabilidad, aunque efectivamente el régimen general de responsabilidad establecido en el CC es el de la responsabilidad subjetiva o por culpa. Se defiende que el principio social vigente hoy lleva a que se deban reparar todos los perjuicios en los que no haya razón alguna para que la víctima los deba soportar por sí sola (responsabilidad objetiva).

V. VARIABILIDAD DE LA MEDIDA CAUTELAR

Dictada la resolución cautelar, es posible modificar la medida adoptada. Para ello la LEC regula los trámites que deben seguirse al respecto en el Capítulo IV (De la modificación y alzamiento de las medidas cautelares, arts. 743 a 745).

La solicitud de modificación de las medidas cautelares deberá fundarse en los requisitos exigidos en el art. 743, precepto en el que también se determina la vía de su sustanciación.

Cuando se hace referencia a la posible variabilidad o modificación de las medidas, son diversas las vías, atendidas las diversas situaciones, que pueden producirse. Así:

1) Puede plantearse, en los supuestos en que la medida cautelar se adoptó con audiencia y vista del sujeto pasivo de la misma, recurso de apelación (art. 735.2, *in fine*);

2) En los supuestos en que la medida se adoptó sin audiencia previa del demandado, cabe plantear el procedimiento de oposición (arts. 739 a 742 LEC);

3) Cabe, en tercer lugar, solicitar la modificación de la medida cautelar adoptada, como consecuencia de la alegación de hechos y circunstancias que no pudieron tenerse en cuenta al tiempo de su concesión o en la fase de oposición (art. 743 LEC); y

4) Cabe, finalmente, que se produzca el alzamiento de la medida cautelar tras la sentencia no firme o firme (arts. 744 y 745 LEC), en función de los resultados alcanzados al finalizar el proceso del que instrumentalmente pende.

Asumida la posible variabilidad de las medidas cautelares, la permanencia o modificación dependerá del mantenimiento de sus presupuestos. Este carácter de provisionalidad y de posible modificabilidad es la consecuencia de la instrumentalidad en relación con el proceso declarativo y el de ejecución.

El legislador ha querido ser restrictivo. La demanda de modificación debe fundarse en la alegación y prueba de hechos y circunstancias que no pudieron tenerse en cuenta al tiempo de su concesión (por desconocidos o por variación de las circunstancias que concurrían en el momento de su adopción, por ejemplo, por solvencia del demandado que pudiera desvirtuar la concurrencia de uno de los presupuestos necesarios para adoptar el embargo preventivo) o bien que no pudieron tenerse en cuenta dentro del plazo previsto por ley para oponerse a la concesión de las medidas (art. 743 LEC).

Ahora bien, no se trata de alzar las medidas solicitadas (arts. 744 y 745 LEC), sino de la sustitución de la medida cautelar adoptada por otra menos gravosa para el sujeto que la padece.

Se admite en la LEC esta posible modificación de las medidas cautelares, fijando unos límites y requisitos a la misma, que son:

➤ La modificación de la medida se fundamenta en la característica de la variabilidad o susceptibilidad de modificación (art. 726.2 LEC): Los hechos y circunstancias que motivaron su adopción pueden variar, y con ellas la modificación de las medidas adoptadas.

➤ Debe provenir de petición de parte, no siendo posible la modificación de oficio.

➤ La solicitud será sustanciada y resuelta conforme a la LEC (arts. 743.II LEC en relación con 734 y siguientes). Así, presentada la solicitud de modificación, en el plazo de 5 días desde su traslado, se convocará a las partes a una vista, que se celebrará dentro de los 10 días siguientes, en la que se expondrán lo que convenga a su derecho, sirviéndose de cuantas pruebas se consideren pertinentes. Terminada la vista, el tribunal, en el plazo de 5 días, decidirá mediante auto sobre la viabilidad de la modificación. Si se accede, se fijará con toda precisión el contenido de las medidas modificadas, así como su régimen; cabe recurso de apelación sin efectos suspensivos contra el auto. Si se deniega la modificación, sólo es posible interponer apelación.

➢ La modificación de las medidas no supone la negación de la cosa juzgada del auto, tal como expusimos *supra*. Así, si las circunstancias de hecho no se han alterado, a la petición de modificación de las medidas puede oponerse la excepción de cosa juzgada; si los hechos no son los mismos, por modificarse la causa de pedir, no puede alegarse la excepción de cosa juzgada.

VI. RELACIÓN DE DEPENDENCIA ENTRE TUTELA CAUTELAR Y PROCESO PRINCIPAL

Consecuencia del carácter instrumental, existe una dependencia del mantenimiento de las medidas respecto de la suerte del proceso principal, lo que supone que las medidas sólo pueden perdurar en tanto en cuanto exista proceso del que pendan. Así:

1. Tutela cautelar ante causam: Necesidad del proceso principal

Cuando las medidas se hubieran adoptado antes de la demanda, por razones de urgencia o necesidad, la dependencia respecto del proceso principal se halla en la necesidad de existencia de éste, de modo que las medidas quedarán sin efecto si la demanda no se presenta en el plazo previsto legalmente. Esa necesaria instrumentalidad implica, atendido el art. 730.2 LEC:

➢ La necesidad de presentar la demanda del proceso principal en el plazo de veinte días a contar desde el siguiente de su adopción.

➢ La demanda deberá presentarse ante el mismo tribunal que concedió la tutela cautelar, produciéndose una regla legal de reparto que se conoce como reparto por antecedentes.

➢ La no presentación de la demanda principal supone el alzamiento o la revocación de los actos de cumplimiento que hubieran sido realizados a los efectos de su ejecución, declarado mediante decreto del LAJ.

> El alzamiento o revocación comportará la condena en costas al solicitante, así como la declaración de responsabilidad por los daños y perjuicios producidos al sujeto pasivo que ha debido soportar la adopción de las medidas.

2. Suspensión del proceso principal

La instrumentalidad del proceso cautelar respecto del proceso principal también tiene consecuencias en los casos de suspensión del proceso principal. A este posible evento se refiere el art. 731.1, II LEC, cuando dispone que no podrá mantenerse «una medida cautelar si el proceso quedare en suspenso durante más de seis meses por causa imputable al solicitante de la medida», lo que supone:

> Que se suspenda más de 6 meses para que pueda producirse el alzamiento de las medidas cautelares. Excluye el alzamiento de medidas cuando se trate de suspensiones, incluso debidas al solicitante de las medidas cautelares, por tiempo inferior a 6 meses.

> Que la causa de la suspensión sea imputable al solicitante de la medida cautelar. Esta exigencia llevaría a excluir situaciones de suspensión del proceso principal provocadas por la interposición de una cuestión de inconstitucionalidad o de una cuestión prejudicial del art. 267 TFUE, supuestos excluidos de la actuación subjetiva del sujeto pasivo soportante de la medida.

3. Terminación del proceso principal

La conexión entre proceso principal y cautelar se manifiesta con la suerte que las medidas corren tras la finalización del proceso principal, de modo que dependerá del resultado final del proceso declarativo, el mantenimiento o, en su caso, el alzamiento de la medida. Es significativo el tenor literal del art. 731.1 LEC que señala que no se mantendrán las medidas cautelares cuando el proceso principal haya terminado, consecuencia de la instrumentalidad de la tutela cautelar respecto de aquél. Esta afirmación, sin embargo, queda matizada cuando el proceso finaliza por sentencia condenatoria o por auto equivalente, que permitirán en los supuestos que vamos a determinar el posible mantenimiento de la medida. Habrá, por tanto, que establecer las diversas formas de finalización del proceso.

A) Finalización del proceso sin contradicción

Cuando el proceso principal finaliza anormalmente, sin sentencia contradictoria, por desistimiento, sobreseimiento, renuncia, allanamiento, transacción o por satisfacción extraprocesal o carencia sobrevenida de objeto, la suerte de las medidas quedará condicionada al resultado que cada una de estas actuaciones pueda suponer en el proceso. Si ya no hay proceso, difícilmente puede mantenerse cautelarmente lo que ha quedado sin contenido, si bien las situaciones específicas de cada uno de estos actos comportan soluciones diversas.

➤ Si se produce el *desistimiento del demandante,* se abandona el proceso iniciado por éste, sin resolución de fondo, provocándose el alzamiento de las medidas cautelares adoptadas a instancia del actor. Cuestión distinta es la producida por un desistimiento en la segunda instancia o estando pendiente casación, dado que en este caso el destino y la suerte de las medidas cautelares dependerá del contenido de la resolución dictada, al generarse tal situación que deviene firme la resolución recurrida (arts. 744 y 745 LEC).

➤ Lo mismo sucede si se dicta el *sobreseimiento,* poniéndose fin al proceso y provocándose, con ello, la innecesariedad de la tutela cautelar.

➤ Alcanzada la *caducidad* en la instancia, habría inmediato alzamiento de las medidas, dado que, si desaparece el proceso principal, no tienen sentido las medidas. Cuestión diferente es la caducidad en fase de recursos, dado que produciría el efecto directo de la confirmación de la sentencia dictada en la instancia, condicionando la suerte de las medidas al contenido de la resolución del proceso principal, es decir, a que en la misma se hubiere producido la estimación o desestimación de la pretensión.

➤ Si hay *renuncia* del actor, con dejación de la pretensión interpuesta, la suerte de las medidas es la de su alzamiento, al perder sentido su mantenimiento, ante la dejación de la pretensión en el proceso principal.

➤ En caso de *allanamiento,* conformándose el demandado con la pretensión interpuesta por el actor, la solución producida es la misma que la que se alcanza cuando finaliza el proceso con contradicción, es decir, estimando la pretensión del actor.

➤ En caso de *transacción entre las partes o un acuerdo de mediación,* no existirían vencedores ni vencidos, pudiéndose distinguir dos situaciones: 1) Una transacción judicial: con alzamiento de las medidas si en la transacción no se asume la pretensión garantizada cautelarmente, si bien podría mantenerse la cautela cuando no mediare renuncia expresa a las medidas adoptadas; y 2) Si la transacción es extrajudicial o se incorpora el acuerdo de mediación al proceso, lo normal será el alzamiento de las medidas cautelares.

➤ Satisfacción extraprocesal de las pretensiones o la carencia sobrevenida del objeto del proceso: debería producirse el alzamiento de las medidas cautelares, al carecer de objeto el proceso-instrumento del proceso principal, tal como sucede, a título de ejemplo, con el alzamiento de las medidas previstas en supuestos de defensa de secretos industriales, al dejar de reunir requisitos para ser considerado secreto industrial (art. 24 Ley 1/2019, de 20 de febrero, de Secretos Empresariales).

Será el LAJ el que procederá en estos casos a ordenar el inmediato alzamiento de las medidas cautelares adoptadas (art. 744.1 LEC).

B) Finalización del proceso con contradicción. Situación en la segunda instancia

Manteniéndose la contradicción hasta el final, la suerte de las medidas cautelares dependerá de que se trate de una sentencia estimatoria o desestimatoria de la pretensión.

> Si la *sentencia es estimatoria* de la pretensión, puede serlo total o parcialmente.

   1. Si la estimación es parcial «el tribunal, con audiencia de la parte contraria, decidirá mediante auto sobre el mantenimiento, alzamiento o modificación de las medidas acordadas» (art. 744.2 LEC).

   2. Si la estimación es total, debe tenerse en cuenta el art. 731.1, II LEC, que da soporte al mantenimiento de las medidas cautelares hasta que devenga firme y transcurra el plazo de espera de la ejecución de dicha resolución (veinte días posteriores a la notificación, art. 548) y, si transcurrido dicho plazo, no se solicitare la ejecución, se alzarán las medidas cautelares que estuvieren adoptadas.

> Si la *sentencia es desestimatoria* de la pretensión, el art. 744.1 LEC establece que el LAJ ordenará el inmediato alzamiento de las medidas cautelares adoptadas, salvo que el recurrente solicite su mantenimiento o la adopción de alguna medida distinta. En este caso se dará cuenta al tribunal y éste, oída la parte contraria, atendidas las circunstancias del caso y previo aumento de importe de la caución, resolverá lo procedente «mediante auto». En consecuencia, la regla general es el alzamiento; la excepción, el mantenimiento o la adopción de medida distinta, siempre que medie petición del recurrente, se cumpla con el principio de contradicción o audiencia, y jueguen a este respecto determinadas circunstancias que puedan fundamentar la presencia de la tutela cautelar durante la segunda instancia, para lo cual se deberá proceder a prestar mayor caución que permita asumir la posible responsabilidad derivada por el mantenimiento de las medidas adoptadas (daños y perjuicios causados al sujeto pasivo de la medida), máxime cuando la sentencia en la primera instancia desestimaba la pretensión del actor que fundamentaba la cobertura cautelar concedida en la instancia. Si la sentencia es desestimatoria de la pretensión y se alzaren las medidas cautelares, se deberá imponer las costas al demandante.

Ante la ausencia de norma que regule la formulación de la contradicción, podría remitirse al art. 735 LEC, desde el que el tribunal puede esgrimir la decisión de acceder o no, tras el cumplimiento de los anteriores requisitos, al alzamiento inmediato o al mantenimiento de las medidas cautelares adoptadas.

4. *Alzamiento de las medidas cautelares tras la sentencia firme*

Cuando la sentencia hubiere sido absolutoria, sea en el fondo o en la instancia y se convierta en firme, se producirá el alzamiento de oficio por el LAJ de todas las medidas cautelares (art. 745.I LEC).

Se trata de una situación que afecta tanto a la terminación del proceso con sentencia contradictoria como sin la citada contradicción, a través de aquellas fórmulas que pueden convertir la decisión en firme, impidiéndose con ello el posterior conocimiento por parte del juez de la misma pretensión en un proceso posterior.

Pero no se limita a estas situaciones, sino que el legislador ha extendido también este efecto inmediato de alzamiento a supuestos en los que el proceso termina sin sentencia, como en el caso del desistimiento de la instancia, en los que el art. 745, II, LEC entiende que deberá seguirse las mismas consecuencias que aquí analizamos. Los requisitos para que pueda procederse a este alzamiento son:

➢ El contenido de la resolución que pone fin al proceso debe comportar la absolución del demandado, sobre el que pesan las medidas cautelares adoptadas, aunque esa absolución puede ser sólo en la instancia (sentencia meramente procesal). Si la resolución hubiere acogido la pretensión del actor, estas medidas se convertirían en medidas ejecutivas, dejando de ser también medidas cautelares.

➢ El alzamiento de las medidas cautelares se lleva a cabo de oficio.

➢ Efecto directo de este alzamiento por alcanzar firmeza la resolución dictada en el proceso principal es el de abrirse el cauce procesal que permite estimar por el tribunal la petición interpuesta por el demandado de la exigencia de la responsabilidad que deriva en la exacción de los daños y perjuicios que se le hubieren producido como consecuencia de haber sufrido la adopción y el mantenimiento de las correspondientes medidas cautelares (arts. 745.I en relación con los arts. 742 y 712 y siguientes de la LEC).

CAPÍTULO X
GASTOS Y COSTAS DEL PROCESO

Lección 30ª

COSTES, GASTOS Y COSTAS PROCESALES

JOSÉ FRANCISCO ETXEBERRÍA GURIDI

SUMARIO: I. PRECISIONES CONCEPTUALES. II. COSTAS PROCESALES. 1. Conceptos que las integran. A) Honorarios del abogado y derechos del procurador. B) Publicación de anuncios y edictos. C) Depósitos necesarios para recurrir. D) Honorarios de peritos y demás abonos a personas que hayan intervenido en el proceso. E) Copias, certificaciones, notas, testimonios, documentos análogos y derechos arancelarios. F) Tasas judiciales. III. EL PAGO DE LOS GASTOS Y COSTAS DEL PROCESO. IV. LA CONDENA EN COSTAS. CRITERIOS DE IMPOSICIÓN. 1. Criterio objetivo o de vencimiento. 2. Excepciones a la regla general del vencimiento. A) Existencia de serias dudas de hecho o de derecho. B) Apreciación de temeridad o mala fe. C) Especialidades en materia de recursos. V. TASACIÓN Y EXACCIÓN DE COSTAS. 1. Tasación de costas. 2. Impugnación de la tasación de costas. 3. Tramitación y decisión de la impugnación. 4. Exacción de las costas.

BIBLIOGRAFÍA BÁSICA

ÁLVAREZ SÁNCHEZ DE MOVELLÁN, P., *La imposición de costas en la primera instancia civil: legalidad y discrecionalidad judicial*, Reus, Madrid, 2009.

FREIRE DIÉGUEZ, M. L., *La tasación de costas en el orden jurisdiccional civil*, Tecnos, Madrid, 2003.

GARCIANDÍA GONZÁLEZ, P. M., *La tasación de costas en el proceso civil español: Ley 1/2000, de 7 de enero, de enjuiciamiento civil*, Aranzadi, Cizur Menor, 2001.

MARTÍN CONTRERAS, L., *Las costas procesales. Tasación de costas en todos los órdenes jurisdiccionales, provisión de fondos y jura de cuentas*, Bosch, Barcelona, 2015.

I. PRECISIONES CONCEPTUALES

El ejercicio de la potestad jurisdiccional por los jueces y tribunales integrantes del poder judicial, esto es, el funcionamiento de la Administración de Justicia, implica una cantidad considerable de recursos económicos a los que han de hacer frente los presupuestos públicos. Nos referimos, no sólo a los costes que implica la función jurisdiccional en sentido estricto, sino también a todos los que resultan necesarios para el sostenimiento de la «administración de la Administración de Justicia». Los desembolsos económicos necesarios para ello, ya sea en relación a los medios personales, ya sea en relación a los medios materiales, son elevados y han de ser soportados por las administraciones públicas respectivas, bien por el Gobierno del Estado, bien por los gobiernos de las respectivas Comunidades Autónomas con competencias para ello.

Los desembolsos anteriores son los denominados costes generales y se caracterizan por no estar vinculados a un proceso concreto e individualizado, sino por servir de soporte a la organización necesaria para ello. También porque esos costes generales serán afrontados a través de los presupuestos públicos, esto es, no repercuten directamente en las partes del proceso, sino en todos los ciudadanos.

Junto a los anteriores, en la medida en que los sujetos que pudieran ser parte en un proceso deciden ejercitar su derecho a la tutela judicial efectiva interponiendo una pretensión o intervienen en él como demandados, se generan también para estos últimos gastos económicos. A diferencia de los costes generales, estos gastos están vinculados a un proceso concreto y a unas partes determinadas, y son éstas las que han de hacer frente a tales dispendios. Excepción hecha de los supuestos en que corresponda el derecho a la asistencia jurídica gratuita de quien careciera de recursos suficientes para litigar (art. 119 CE y LAJG 1/1996) en los términos analizados en el tomo I (v. lecc. 12ª).

En este caso nos hallamos ante lo que la ley denomina gastos del proceso, es decir, aquellos desembolsos que tengan su origen directo e inmediato en la existencia de dicho proceso. Estos gastos han de ser abonados por cada parte a cuya instancia son causados y a medida que se vayan produciendo, e incluso podrán ser reclamados por los titulares de tales créditos sin esperar a que el proceso finalice (art. 241.1 y 2 LEC). Aunque, según lo anterior, los gastos han de tener una vinculación directa e inmediata con un proceso, lo cierto es que carece de relevancia jurídica para el legislador la amplitud o extensión con la que consideremos dichos gastos procesales. Lo verdaderamente trascendental es deslindar de entre todos los desembolsos integrantes de la categoría de gastos procesales aquellos que merecen para el legislador la consideración de costas procesales.

El concepto de costas procesales es más restringido que el de gastos del proceso, que sería un concepto general. De todos los gastos del proceso, sólo pueden considerarse costas procesales la parte de aquéllos que se refieren a una serie de conceptos que la ley enumera expresamente en una relación. Esta determinación legal de las costas procesales es trascendente, pues, si bien han de ser abonadas por la parte a cuya instancia se causan y a medida que se vayan produciendo, las mismas pueden ser reembolsadas si mediante resolución judicial se condenara a su pago a otra de las partes del proceso conforme a los criterios que veremos más adelante.

II. COSTAS PROCESALES

1. Conceptos que las integran

Hemos definido en el apartado anterior las costas procesales como aquella parte de los gastos del proceso enumerados expresamente por la ley y que resultan reembolsables por otra u otras partes del proceso cuando se impusiera judicialmente la condena en las mismas. La enumeración precisa de los conceptos que integran las costas procesales se recoge esencialmente en el art. 241.1 LEC. Algunos de tales conceptos están definidos utilizando fórmulas abiertas («demás abonos que tengan que realizarse a personas que hayan intervenido en el proceso») lo que permite cierta flexibilidad interpretativa.

A) Honorarios del abogado y derechos del procurador

Estos conceptos integran las costas siempre y cuando su intervención en el proceso sea preceptiva (art. 241.1. 1º LEC). Aquellos juicios o actos procesales en los que resulta obligatoria la comparecencia a través del procurador y la defensa mediante abogado están expresados en la ley (arts. 23 y 31 LEC, sobre todo) y su análisis se ha realizado en otra lección. Sin embargo, la exclusión de los honorarios del abogado y de los derechos del procurador de la condena en costas cuando su intervención no sea obligatoria, no es absoluta. Pese a no ser preceptiva dicha intervención, pueden incluirse esos conceptos en las costas procesales si el tribunal aprecia temeridad en la conducta del condenado a las mismas o cuando el domicilio de la parte representada y defendida esté en lugar distinto a aquel en que se ha tramitado el juicio (art. 32.5 LEC).

En relación con los derechos de los procuradores, se integran en el concepto de costas procesales los derechos sujetos a arancel, esto es, los devengados por los procuradores en toda clase de asuntos judiciales, pero no los que correspondan al procurador por otro tipo de trabajos o gestiones (art. 3 RD 1373/2003, sobre el arancel de los derechos de los procuradores). Tampoco se incluyen en tal concepto los derechos de los procuradores, aunque hayan sido devengados por la realización de actos procesales, cuando éstos últimos sean de comunicación, cooperación y auxilio a la Administración de Justicia, o cuando las actuaciones de carácter facultativo hubieran podido ser practicadas por las Oficinas judiciales (arts. 32.5 y 243.2.II LEC). Tras la modificación por el RD 307/2022, los aranceles fijados tienen el carácter de máximos, al prohibirse la fijación de límites mínimos por considerarse contraria al Derecho de la UE. Ahora, los procuradores están obligados a entregar un presupuesto previo a los clientes haciendo constar la disminución ofrecida respecto del arancel máximo (arts. 1 y 2).

B) Publicación de anuncios y edictos

Se incluyen en las costas procesales los gastos derivados de la publicación de anuncios y edictos en el curso del proceso, condicionado siempre a que aquélla sea obligatoria (art. 241.1. 2º LEC). Hay que tener en cuenta que en la actualidad los anuncios y comunicaciones edictales se han de realizar de forma electrónica en el Tablón Edictal Judicial Único. Si la parte interesada quiere adicionalmente su publicidad a través de los Boletines Oficiales del Estado, de la Comunidad Autónoma, de la Provincia o en un diario de difusión nacional o provincial, lo instará y será a su costa, pues ha de entenderse que no son obligatorios (arts. 164 LEC y 35 Ley 18/2011, reguladora del uso de las TIC's en la Administración de Justicia).

Tratándose de los anuncios de las subastas de bienes en el marco del procedimiento de apremio, dispone la ley que, junto al realizado en el BOE, el ejecutante o el ejecutado pueden solicitar la publicidad en medios públicos y privados que sean adecuados, pero cada parte estará obligada al pago de los gastos de publicidad que se hubieran solicitado. En este caso, sí se incluirán en la tasación de costas los gastos que se hubieran generado al ejecutante por la publicación en el BOE (arts. 645 y 667 LEC).

C) Depósitos necesarios para recurrir

Se integran igualmente en el concepto de costas procesales los depósitos de obligatoria constitución por quien pretende interponer recursos ordinarios y extraordinarios, la revisión y la rescisión de sentencia firme a instancia del rebelde (art. 449 LEC y DA 15ª LOPJ). Sin embargo, no podrá pretender el recurrente que se incluyan en la tasación de costas dichos importes si el recurso ha sido total o parcialmente estimado, pues en este caso se devuelve la totalidad del depósito.

D) Honorarios de peritos y demás abonos a personas que hayan intervenido en el proceso

Aunque la ley (art. 241.1. 4° LEC) se refiera a los derechos de peritos, en realidad se trata de sus honorarios al no estar sujeta su actividad profesional a tarifa o arancel. Los peritos pueden ser designados por las propias partes o por el tribunal a solicitud de aquéllas. Los honorarios de todos ellos integran el concepto de costas. Cada parte abonará los correspondientes al perito por él designado; si es designado judicialmente, pero a solicitud de ambos litigantes, el abono se realizará por éstos a partes iguales. Más dudosa parece la inclusión de los honorarios de los peritos designados de oficio por el tribunal en el concepto de costas, pues esa consideración la merecen sólo las causadas a instancia de parte.

Este mismo ordinal se refiere utilizando una fórmula abierta a los abonos correspondientes a otras personas que hayan intervenido en el proceso. Sin duda han de ser incluidas en tal concepto las indemnizaciones debidas a los testigos por los gastos y perjuicios que su comparecencia les haya originado, pues dispone la ley que pueden reclamarlos de la parte que los propuso, «sin perjuicio de lo que pudiere acordarse en materia de costas» (art. 375.1 LEC). Ha de tenerse en cuenta, sin embargo, lo previsto en la ley acerca de la limitación del número de testigos, pues las partes pueden proponer cuantos testigos estimen convenientes, pero los gastos de los que excedan de tres por cada hecho discutido serán en todo caso de cuenta de la parte que los haya presentado (art. 363 LEC). Con esta limitación ha de entenderse que los gastos correspondientes a tres testigos por cada hecho discutido se integrarían en el concepto de costas procesales, pero no los gastos de los que excedan de ese número.

También tienen cabida aquí los honorarios de los profesionales de la investigación privada legalmente habilitados referidos en el art. 265.1.5º LEC. Sería igualmente incluible aquí la indemnización de los gastos correspondientes al tercero depositario de los bienes embargados que puede obtener un adelanto de los mismos por parte del ejecutante, «sin perjuicio de su derecho al reintegro en concepto de costas» (art. 628 LEC).

E) Copias, certificaciones, notas, testimonios, documentos análogos y derechos arancelarios

Los ordinales 5º y 6º del art. 241.1 LEC adquieren sentido analizados conjuntamente. Conforme al primero de ellos se incluyen en el concepto de costas procesales las copias, certificaciones, notas, testimonios y documentos análogos que hayan de solicitarse según la ley, salvo que se reclamen por el tribunal a registros y protocolos públicos, que serán gratuitos. Conforme al segundo, los derechos arancelarios que deban abonarse como consecuencia de actuaciones procesales necesarias. Sin duda, los derechos arancelarios son los referidos a los notarios y registradores de la propiedad o mercantiles por la expedición de las copias, certificaciones y demás a que se refiere el quinto de los ordinales.

F) Tasas judiciales

Se incluyen también en el concepto de costas procesales las tasas judiciales que resulten preceptivas. La tasa judicial es un tributo que se ha de satisfacer por el ejercicio de la potestad jurisdiccional y cuyo hecho imponible es una determinada actuación procesal (interposición de la demanda, formulación de reconvención, presentación de la petición inicial del procedimiento monitorio o del proceso monitorio europeo, etc). Se encuentran actualmente reguladas en la Ley 10/2012 y han tenido una existencia azarosa. Ya existían con anterioridad hasta que fueron suprimidas por la Ley 25/1986. Volvieron a restablecerse con posterioridad gravando el ejercicio de la potestad jurisdiccional en los órdenes civil y contencioso-administrativo y sólo para las personas jurídicas como sujetos pasivos (Ley 53/2002). Esta situación dio un vuelco considerable con la ley en vigor en la medida en que se incrementó la cuantía de las tasas, se extendió al orden jurisdiccional social e igualmente a las personas físicas como sujetos pasivos, lo que originó una fuerte contestación.

Ulteriores reformas de la ley dulcificaron sin duda esta situación (RRDD Ley 3/2013 y 1/2015) destacando, entre otras medidas, la exención de la tasa desde el punto de vista subjetivo a las personas físicas o a las personas jurídicas que tengan reconocido el derecho a la asistencia jurídica gratuita. Por último, la STC 140/2016 declaró la inconstitucionalidad de determinados preceptos de la ley, y en lo correspondiente al orden civil, las disposiciones que exigían el pago de una cantidad fija como cuota tributaria por la interposición de los recursos de apelación y los extraordinarios por infracción procesal y de casación (art. 7.1) y el pago de una cantidad variable en función de un tipo de gravamen porcentual (art. 7.2, declarado inconstitucional en su totalidad). El ordinal 7° excluye, por otra parte, la inclusión en las costas del importe de las tasas abonadas en los procesos de ejecución de las hipotecas constituidas para la adquisición de vivienda habitual.

III. EL PAGO DE LOS GASTOS Y COSTAS DEL PROCESO

Corresponde a cada parte en el proceso la carga de realizar los desembolsos que integran los gastos del proceso causados a su instancia. En esa categoría incluimos los conceptos correspondientes a las costas procesales. De esta carga están exentos quienes tienen reconocido el derecho a litigar gratuitamente en los términos y con los límites contemplados en la Ley 1/1996, de asistencia jurídica gratuita (art. 241.1). En ocasiones, los gastos pueden ser compartidos si son causados a instancia de diversas partes, por ejemplo, cuando el testigo es propuesto por varias de ellas (art. 375.1 LEC).

Además, estos desembolsos han de realizarse progresivamente, a medida que se vayan produciendo, sin que los titulares de los créditos derivados de las actuaciones procesales tengan que esperar a la finalización del proceso para su satisfacción. De hecho, los titulares de esos créditos pueden reclamarlos a la parte obligada a ello, independientemente de cuál pueda ser el eventual pronunciamiento sobre las costas (art. 241.2 LEC). En algunos supuestos, incluso, dichos créditos pueden ser reclamados mediante procedimientos privilegiados de tutela judicial: el procedimiento de apremio por el testigo para reclamar su indemnización (art. 375.2 LEC) o la jura de cuentas con idéntica finalidad por el abogado y procurador (arts. 34 y 35 LEC).

Corresponde al procurador de cada parte abonar los gastos que se causen a su instancia, excepto los honorarios del abogado y de los peritos, las tasas judiciales y los depósitos necesarios para recurrir, salvo que la parte le haya entregado los fondos necesarios para ello. Esto quiere decir que el poderdante tiene la obligación de hacer una provisión de fondos al procurador para hacer frente a los desembolsos necesarios, pudiendo reclamárselos éste por la vía de apremio si no lo hiciere aquél una vez iniciado el proceso (arts. 26.2.7° y 29 LEC).

IV. LA CONDENA EN COSTAS. CRITERIOS DE IMPOSICIÓN

Si bien cada parte procesal ha de abonar los gastos del proceso causados a su instancia y a medida que vayan generándose, una parte de aquéllos, esto es, los que la ley califica costas procesales, pueden ser objeto de reembolso frente a otra u otras partes. De ahí el interés del legislador en determinar concretamente qué conceptos las integran. El reintegro que de las costas haya de efectuarse a la parte procesal que las ha satisfecho previamente y a cargo de otra u otras partes del proceso, dependerá de la existencia de un pronunciamiento del tribunal o del LAJ en el que se imponga dicho reembolso: la condena en costas.

Si no hubiera pronunciamiento expreso imponiendo las costas, cada parte se hará cargo de las suyas y las comunes por mitad. En ocasiones, no es necesario el pronunciamiento expreso sobre las costas para que sean a cargo de alguna de las partes. En el proceso de ejecución, por ejemplo, las costas finales son siempre a cargo del ejecutado «sin necesidad expresa de imposición» y sin perjuicio de que para determinadas actuaciones en el mismo deba realizarse un pronunciamiento expreso (art. 539.2 LEC).

La condena o imposición de costas a una de las partes se puede realizar conforme a distintos criterios que veremos inmediatamente, pero la pertinente resolución judicial o del LAJ ha de contener un pronunciamiento en tal sentido. Junto al correspondiente pronunciamiento sobre costas en la sentencia y en relación al asunto principal (art. 209.4ª LEC), la ley contempla infinidad de incidentes y de actuaciones en el marco de aquél que prevén pronunciamientos expresos sobre dicha imposición de costas (incidentes de acumulación de procesos, de recusación de jueces y peritos, de nulidad de actuaciones, de oposición a diligencias preliminares, etc.). Esta diversidad de situaciones puede traducirse en que haya un pronunciamiento de condena en costas en un sentido favorable respecto del asunto principal para una de las partes, pero pronunciamientos desfavorables para la misma parte en los diferentes incidentes y actuaciones que lo han integrado. Evidentemente el favorecido por la condena en costas en el asunto principal no puede pretender que se incluya en las mismas las correspondientes a dichos incidentes o actuaciones (art. 243.3 LEC).

El legislador utiliza varios criterios a la hora de resolver sobre la imposición o condena en costas; principalmente el objetivo o de vencimiento, con algunas modulaciones, pero también el subjetivo que atiende a la temeridad o mala fe. Independientemente del criterio que se utilice en la imposición de las costas, en ningún caso se impondrán al Ministerio Fiscal en los procesos en los que intervenga como parte (art. 394.4 LEC).

1. *Criterio objetivo o de vencimiento*

Este criterio es el prioritario en la ley y atiende esencialmente al resultado del proceso, esto es, a si la pretensión ha sido estimada o no. Es una cuestión de justicia que quien se haya visto obligado a acudir al proceso para hacer valer su derecho y se le reconoce el mismo, no tenga que soportar los perjuicios económicos que le han supuesto las actuaciones procesales para ello. En tal sentido, dispone la ley que las costas de la primera instancia se impondrán a la parte cuyas pretensiones hayan sido rechazadas en su totalidad por el tribunal (art. 394.1 LEC). La jurisprudencia ha matizado el concepto de estimación íntegra, equiparándolo con el de estimación «sustancial». Idéntico criterio aplicado a las costas causadas en los recursos de apelación, extraordinario por infracción procesal y de casación, significa igualmente que si son desestimadas todas las pretensiones se impondrán dichas costas a quien los interpuso (art. 398.1 LEC).

Si no tiene lugar el vencimiento de una de las partes del proceso sobre la otra, esto es, cuando la estimación o desestimación de las pretensiones es parcial, no procede imponer las costas a ninguna de las partes conforme a la regla anterior, es decir, no habrá condena en costas. En su lugar, cada parte abonará las causadas a su instancia y las comunes por mitad (art. 394.2 LEC). El criterio de la estimación parcial ha de ser matizado en los litigios sobre cláusulas abusivas como consecuencia de la jurisprudencia del TS y del TJUE en aplicación del principio de efectividad del Derecho de la UE en materia de protección de los consumidores (Directiva 93/13/CEE, de 5 de abril). A raíz de la trascendental STJUE de 16 de julio de 2020 (C-224/19 y C-259/19), aunque no se estimen todas las pretensiones del consumidor frente a la entidad bancaria, pero sí la de anulación de la cláusula abusiva, será condenada esta última al abono de las costas, como si de un vencimiento íntegro se tratara.

Este criterio del vencimiento se aplica igualmente con carácter general en los incidentes y actuaciones que se van sucediendo a lo largo del proceso y que exigen un pronunciamiento sobre las costas. De este modo, la parte que promovió incidentes o actuaciones que fueron desatendidas o desestimadas, será condenada a las costas que se generaron en los mismos (entre otros muchos ejemplos, se condenará en costas a quien promueve el incidente de acumulación de autos si se deniega —art. 85.2 LEC—).

La regla del vencimiento se aplica también en el supuesto de allanamiento del demandado en cualquier momento del proceso, pero siempre con posterioridad a la contestación a la demanda, imponiéndosele a aquél las costas procesales. Si el allanamiento se produce con anterioridad a la contestación de la demanda no se aplica este principio, salvo que concurra el criterio subjetivo de mala fe, como veremos (art. 395 LEC). El RDL 1/2017, de protección de consumidores en materia de cláusulas suelo, establece disposiciones específicas para las costas (art. 4), de manera que si el consumidor hubiera reclamado extrajudicialmente a la entidad bancaria sin éxito con anterioridad a la interposición de la demanda, bien por el cauce del art. 3, bien por cualquier otro modo, será condenada en costas la demandada, independientemente del momento en que se produzca el allanamiento (interpretación resultante de la STC 156/2021, de 16 de diciembre, que declara la inconstitucionalidad de determinados apartados del precepto indicado).

En el caso de renuncia por el actor a la acción ejercitada o al derecho en que se funde la pretensión, el proceso concluirá por decisión unilateral del demandante y la sentencia que le ponga fin, pese a que no sea contradictoria, será de absolución al demandado, por lo que ha de entenderse que será condenado en costas el primero. Si el proceso termina por desistimiento del demandante, será éste condenado en costas si el desistimiento es totalmente unilateral y no ha de ser consentido por el demandado (antes de que éste sea emplazado para contestar a la demanda o citado para juicio; en cualquier momento si el demandado se encontrara en rebeldía). Si el desistimiento que pone fin al proceso es consentido por el demandado, no se impondrán las costas a ninguno de los litigantes (art. 396 LEC).

2. Excepciones a la regla general del vencimiento

La imposición de las costas a la parte cuyas pretensiones han sido totalmente rechazadas o la ausencia de condena en costas si la estimación o desestimación es parcial presenta una serie de excepciones.

A) Existencia de serias dudas de hecho o de derecho

En esta particular situación se encuentra la parte que, pese a ver totalmente estimada su pretensión, no puede obtener el reintegro de las costas procesales por parte de la contraria, al apreciar el tribunal razonadamente que el caso presentaba serias dudas de hecho o de derecho. Esta vía de escape otorga cierto margen de apreciación discrecional al tribunal, de ahí que el mismo legislador haya previsto que en la estimación de si el caso es jurídicamente dudoso, se tendrá en cuenta la jurisprudencia recaída en casos similares (art. 394.1 LEC). Ello puede ser debido a que el asunto presente complejidades o existan orientaciones jurisprudenciales diversas. En virtud del mismo principio de efectividad del Derecho de la UE en materia de protección de los consumidores antes mencionado, ha entendido la jurisprudencia que no cabe aplicar esta excepción a la teoría del vencimiento, aunque hayan existido serias dudas de derecho, si se estimara la pretensión del consumidor referente a la cláusula abusiva [STS 419/2017, de 4 de julio (*Tol 6201972*)].

Esta particular solución, consistente en no imponer las costas al totalmente vencido, no es absolutamente extraña en nuestro ordenamiento procesal. Se contemplan otros supuestos similares con ocasión, por ejemplo, del incidente de recusación de jueces o peritos, en los que desestimando totalmente la recusación cabe no condenar en costas al recusante —que es la regla general— si concurren circunstancias excepcionales que justifiquen otro pronunciamiento (arts. 228.1 LOPJ y 128 LEC).

B) Apreciación de temeridad o mala fe

La apreciación por el tribunal de temeridad o mala fe en las actuaciones u omisiones por parte de alguno de los litigantes puede hacer cambiar el sentido de las reglas generales sobre imposición de costas vistas hasta ahora.

De este modo, el tribunal puede imponer las costas a la parte procesal que haya litigado con temeridad pese a que la estimación o desestimación de las pretensiones fuera parcial y procediera, en principio, la no imposición a ninguna de ellas, esto es, cada parte sus propias costas y las comunes por mitad (art. 394.2 LEC). El comportamiento temerario de las partes en el proceso puede ser de muy diversa índole, habiendo entendido la jurisprudencia que concurre, por ejemplo, en quien demanda o se opone teniendo plena conciencia de que la pretensión o resistencia son improsperables por carecer de fundamento. Aunque no lo diga expresamente la ley, el tribunal habrá de razonar debidamente esta circunstancia.

Junto a la temeridad, también la mala fe apreciada en alguna de las partes puede alterar las reglas sobre imposición de costas. Por regla general no procede, por ejemplo, la imposición de costas al demandado que se allanare a la demanda antes de contestarla, pero sí cuando el tribunal apreciare mala fe en su actuación. También en este caso deberá razonar suficientemente el tribunal la apreciación de tal circunstancia, si bien la propia ley entiende que existirá mala fe si antes de presentada la demanda se hubiera formulado al demandado requerimiento fehaciente y justificado de pago, o si se hubiera iniciado procedimiento de mediación o dirigido contra él solicitud de conciliación (art. 395.1 LEC). La apreciación de la mala fe por el tribunal puede servir también para alterar el sentido general sobre imposición de las costas en la tercería de dominio (art. 603 LEC).

Ha entendido el TJUE, en la sentencia de 22 de septiembre de 2022 (C-215/21), que la existencia de requerimiento previo y eventual apreciación de mala fe a efectos de condena en costas, ha de poder considerarse también en el supuesto de terminación del proceso por satisfacción extraprocesal pese a que la LEC (art. 22.1) disponga que no procede la condena costas, siempre y cuando concurran cláusulas abusivas para el consumidor demandante conforme a la Directiva 93/13/CEE.

En ocasiones, la apreciación de la mala fe actúa, no como criterio determinante de la imposición de las costas en uno u otro sentido, sino como argumento que incidirá en la cuantía que se ha de satisfacer. Así, la limitación de que el litigante vencido condenado en costas no debe abonar por las correspondientes a los abogados y profesionales no sujetos a arancel o tarifa una cantidad superior a la tercera parte de la cuantía del proceso por cada uno de los litigantes que hubieran obtenido tal pronunciamiento, no se aplicará si el tribunal aprecia mala fe (art. 394.3 LEC).

C) Especialidades en materia de recursos

Hemos visto que, como criterio general, la desestimación total de las pretensiones del recurrente en los supuestos del recurso de apelación, del extraordinario por infracción procesal y de la casación, implica la aplicación de la regla general del vencimiento, de modo que se impondrá al recurrente la condena en costas. Sin embargo, la estimación total de los recursos anteriormente mencionados no implica automáticamente que la parte recurrida haya de hacer frente a las costas procesales aplicando idéntica regla. En estos casos, o cuando la estimación del recurso sea parcial, no se condenará en las costas de dicho recurso a ninguno de los litigantes (art. 398.2 LEC).

Esta aparente excepción a la regla general está justificada en la medida en que el recurrido ya ha obtenido un pronunciamiento favorable en la resolución que ha sido objeto de impugnación.

V. TASACIÓN Y EXACCIÓN DE COSTAS

Una vez recaído un pronunciamiento sobre la imposición de costas a alguna de las partes, si el condenado a ellas procede a hacerlas efectivas voluntariamente, no sería precisa ninguna otra actuación. En caso de que no sea así, la parte beneficiada por la condena en costas podrá solicitar, una vez sea firme dicha resolución de condena, que se haga efectiva procediéndose a la tasación de las mismas y, en su caso, a la exacción o satisfacción por la vía de apremio.

1. Tasación de costas

Consiste la tasación de costas en un conjunto de operaciones que tienen por finalidad determinar específicamente la cantidad exacta que ha de satisfacer el condenado a las mismas en el caso concreto. La competencia para realizar la tasación corresponde al LAJ del tribunal que conoció del proceso o recurso, respectivamente (art. 243.1 LEC). Para ello debe mediar instancia de parte solicitando la tasación de las costas una vez que la resolución en que hubiera sido impuesta la condena sea firme y con fundamento en que la parte condenada a las mismas no las hubiera satisfecho antes de dicha solicitud.

La parte que solicite la tasación de costas habrá de acompañar al escrito de solicitud los justificantes de haber satisfecho las cantidades cuyo reembolso reclama, pues como hemos visto más arriba, cada parte habrá abonado sus costas a medida que se han ido causando. Pero si hubiera abogados, procuradores, peritos u otras personas que tuvieran todavía algún crédito no satisfecho contra las partes por su intervención en el juicio, presentarán minuta de sus derechos u honorarios y cuenta detallada de los gastos ante la Oficina judicial (art. 242 LEC). En la tasación de costas se incluirá el Impuesto sobre el Valor Añadido (IVA) correspondiente a los honorarios de abogado y derechos del procurador (art. 243 LEC).

Presentados los anteriores justificantes, el LAJ excluirá de la tasación los derechos correspondientes a escritos y actuaciones inútiles, superfluas o no autorizadas por la ley. También las partidas de las minutas que no se expresen detalladamente o se refieran a honorarios que no se hayan devengado en el pleito. En la categoría de superfluos han de encuadrarse los derechos de los procuradores devengados por actos de comunicación, cooperación y auxilio a la Administración de Justicia, o las de carácter facultativo que pudieron ser practicados por las Oficinas judiciales.

Ya hemos mencionado también que, del importe correspondiente a los honorarios de los abogados y demás profesionales no sujetos a arancel, se reducirá lo que exceda de la tercera parte de la cuantía del proceso por cada litigante a cuyo favor se pronunció la condena, valorándose en 18.000 euros las pretensiones inestimables. Sin embargo, y en relación a dichos límites aplicables a los honorarios de los abogados, ha entendido el TJUE que en virtud, nuevamente, del principio de efectividad del Derecho de la UE en materia de protección de los consumidores, éstos ha de poder obtener el "reembolso de un importe razonable y proporcionado" respecto de los gastos soportados con el fin de no disuadir al consumidor de solicitar la protección conferida por la Directiva 93/13/CEE (STJUE de 7 de abril de 2022, C-385/20).

Una vez concluida la tasación de costas por el LAJ, se dará traslado de la misma a las partes por el plazo de diez días al objeto de que muestren su aceptación o, en su caso, impugnen la tasación. A partir de ese momento no se admitirá la inclusión de partida alguna. Pero ello no afectará al derecho del interesado para que pueda reclamarlo de quien y como corresponda. Si la tasación de costas realizada por el LAJ no es impugnada en el plazo establecido, el LAJ la aprobará mediante decreto que es recurrible directamente en revisión ante el tribunal competente. Contra el auto del tribunal resolviendo el recurso de revisión no cabe recurso alguno (art. 244 LEC).

2. Impugnación de la tasación de costas

En el plazo de diez días desde que se ha dado traslado de la tasación de costas a las partes, éstas podrán impugnarla. Los motivos de la impugnación variarán en función de que la parte impugnante haya sido condenada en costas o haya resultado favorecida por ella.

En el primer caso, la impugnación puede basarse en que se han incluido indebidamente en la tasación determinadas partidas, derechos o gastos. Junto a la indebida inclusión en las costas de determinadas partidas, también puede impugnarse la tasación por considerar que el importe correspondiente a las partidas de los honorarios de los abogados, peritos o profesionales no sujetos a arancel resulta excesivo.

Desde la perspectiva contraria, la de la parte favorecida por la condena en costas, se podrá impugnar la tasación porque no se han incluido en ella gastos debidamente justificados y reclamados. La reclamación de esta parte puede fundarse igualmente en no haberse incluido la totalidad de la minuta de honorarios de su abogado, o de perito, profesional o funcionario no sujeto a arancel que hubiera actuado en el proceso a su instancia; o en no haber sido incluidos los derechos de su procurador correctamente.

Para que la impugnación de la tasación de costas sea admitida a trámite es preciso que en el escrito de impugnación se especifiquen las cuentas o minutas y las partidas concretas a que se refiere la discrepancia y las razones de ésta (excesivas, insuficientes, indebidamente excluidas o incluidas). De no ser así, el LAJ inadmitirá a trámite la impugnación mediante decreto contra el que podrá interponerse exclusivamente el recurso de reposición (art. 245 LEC).

3. Tramitación y decisión de la impugnación

> Cuando se haya impugnado la tasación por considerar que los honorarios de los abogados, peritos o profesionales resultan excesivos, se oirá al abogado, perito o profesional de que se trate por si aceptasen la reducción de honorarios reclamada. En caso de que no ocurra así, se reclamará un

informe o dictamen al respecto al Colegio de Abogados o al Colegio, Asociación o Corporación profesional al que pertenezcan (art. 246.1 y 2 LEC).

Recibidos los dictámenes e informes referidos, y en vista de lo actuado, el LAJ resolverá mediante decreto manteniendo la tasación inicialmente realizada o, en su caso, incorporando las modificaciones que estime oportunas. La impugnación de la tasación supone un incidente que exige un pronunciamiento sobre las costas causadas en él, de modo que si aquélla es totalmente desestimada, se impondrán las costas al impugnante y si la impugnación fuera total o parcialmente estimada se impondrán las costas al abogado o perito cuyos honorarios se hubieran considerado excesivos. Este decreto es recurrible en revisión ante el tribunal competente y contra el auto que lo resuelva no procede recurso alguno (art. 246.3 LEC).

➢ Cuando se impugne la tasación por haberse incluido en ella partidas indebidas, o por no haberse incluido gastos debidamente justificados y reclamados, el LAJ dará traslado a la otra parte para que se pronuncie sobre la inclusión o exclusión de las partidas reclamadas en el plazo de tres días, transcurridos los cuales, resolverá el LAJ mediante decreto recurrible en los mismos términos que en el supuesto anterior (art. 246.4 LEC).

➢ La impugnación de la tasación en lo que respecta a los honorarios de abogados o peritos puede apoyarse tanto en un motivo, como en otro, esto es, por considerar que han sido indebidamente incluidos y, con carácter subsidiario, por considerar que resultan excesivos. En este supuesto se tramitarán ambas impugnaciones simultáneamente conforme a lo previsto para cada caso, decidiéndose en primer lugar si la partida impugnada es o no debida y si se concluye que lo es, se decidirá si los honorarios resultan excesivos (art. 246.5 LEC). Varias sentencias coincidentes de la Sala de lo Contencioso-administrativo del TS [por todas, la STS 1684/2022, de 19 de diciembre *(Tol 9356688)*] han resuelto recientemente que los "criterios orientativos" que a los exclusivos efectos de la tasación de costas y de la jura de cuentas de los abogados pueden elaborar los Colegios (DA 4ª Ley 2/1974, sobre Colegios Profesionales) han de consistir en pautas o directrices con algún grado de generalidad lo que excluye el señalamiento de cifras determinadas o de reglas pormenorizadas que conduzcan a una cuantificación de los honorarios. Lo contrario vulneraría la Ley 15/2007, de Defensa de la Competencia.

4. Exacción de las costas

Una vez hecha la tasación de las costas por el LAJ, con impugnación o sin ella, la resolución firme que contiene el pronunciamiento sobre la condena en costas —no la que decida la tasación— constituye un título que lleva aparejada ejecución y procederá su exacción por el procedimiento de apremio si el condenado no las satisface voluntariamente (arts. 242.1 y 517.2. 9ª LEC).

CAPÍTULO XI
LOS PROCESOS ESPECIALES

Lección 31ª

PROCESOS CIVILES PRIVILEGIADOS

JUAN-LUIS GÓMEZ COLOMER

BIBLIOGRAFÍA BÁSICA

CACHÓN CADENAS, M. / PÉREZ DAUDÍ, V. (Dirs.), *Proceso y consumo*, Atelier, Barcelona, 2022.

CERRATO GURI, E., *La tutela sumaria de la posesión en la LEC*, Tirant lo Blanch, Valencia, 2011.

GASCÓN INCHAUSTI, F., *Tutela judicial de los consumidores y transacciones colectivas*, Civitas, Madrid, 2010.

PLANCHADELL GARGALLO, A., *Las «acciones colectivas» en el ordenamiento Jurídico español. Un estudio comparado*, Tirant lo Blanch, Valencia, 2013.

MOLLAR PIQUER, P., *La prueba en el proceso de consumidores y usuarios*, Tirant lo Blanch, Valencia, 2019.

I. LA TUTELA JUDICIAL PRIVILEGIADA

La historia del proceso civil español en el siglo XX se ha caracterizado por ciertas huidas significativas. Se ha tratado, primero, de la huida del juicio de mayor cuantía y, luego, de la huida de la propia LEC/1881, con lo que se acabó dando lugar a un número muy elevado de procesos civiles especiales, es decir, de tutelas judiciales privilegiadas.

Frente a la proliferación de estas tutelas privilegiadas, la LEC vigente supone un claro intento de simplificación y de reconducción a lo ordinario. Se parte así de la existencia de dos únicos procesos declarativos, el llamado ordinario y el verbal, después de la intención de suprimir el mayor número posible de procesos especiales y, por fin, de reducir las especialidades procedimentales, y con todo ello el resultado es que:

a) Tienen que seguir existiendo, porque no puede ser de otro modo, procesos civiles no dispositivos, que son aquellos por medio de los que se trata de aplicar normas sustantivas civiles más o menos influidas por una concepción publicista, que lleva a que el objeto del proceso no sea disponible para las partes. Estos procesos son los regulados en el Título I del Libro IV y se refieren básicamente a la capacidad, filiación, matrimonio y menores (lecc. 32ª). Adviértase que en estos casos lo verdaderamente distinto son los principios que informan el proceso, pero que respecto del procedimiento existe una remisión al juicio verbal y que se regulan muy pocas especialidades, bien procesales, bien procedimentales.

b) Dentro ya de los procesos civiles dispositivos, que son todos los demás, caracterizados porque en ellos las partes tienen la disposición del objeto del proceso, se debe distinguir entre:

> Normas procesales derivadas del derecho material a aplicar: El derecho civil o mercantil que debe aplicarse en el caso concreto puede imponer la existencia de normas procesales específicas, que son aquellas que atienden al objeto del proceso, a la competencia, a las partes, a los efectos, en algún caso a la ejecución y a menudo a las medidas cautelares. Esto no supone la existencia de normas procedimentales propias, esto es, no existe regulación específica de los actos procesales y tampoco del procedimiento. La medida cautelar de suspensión del acuerdo en un proceso por impugnación de acuerdos sociales, sería el ejemplo a poner.

> Normas procedimentales que atienden a la forma o requisitos de los actos procesales y a la manera de conjuntar el procedimiento: Frente a la proliferación anterior se ha realizado un gran esfuerzo de unificación y puede así decirse que existen muy pocas especialidades procedimentales. Se empieza por reconducir todos los procedimientos a un juicio ordinario, el llamado así o el verbal, y luego se establecen escasas normas procedimentales. Este es el caso, por ejemplo, de las normas relativas a los requisitos de la demanda (causas de inadmisión del art. 439 LEC), o de las reglas especiales sobre el contenido de la vista (art. 444).

c) Por último debe tenerse en cuenta que ha de seguir subsistiendo la distinción en procesos plenarios y procesos sumarios, si bien esto no tiene repercusión en la existencia de procesos especiales. La LEC ha optado, con acierto, por mantener la existencia de tutelas judiciales sumarias, pero ello no ha supuesto el mantenimiento de normas procedimentales propias. Lo importante es destacar la ausencia de cosa juzgada (art. 447). El ejemplo a citar ahora sería el de los interdictos, a tratar más adelante.

De todo lo anterior resulta que las tutelas judiciales privilegiadas declarativas han sufrido un gran recorte en la LEC, sobre todo en lo que se refiere a las normas procedimentales en sentido estricto. Las especialidades se centran ahora en lo que se refiere a los principios (procesos no dispositivos) o en lo atinente a normas procesales propias (que no es necesario que estén en la LEC), pero ya no en normas procedimentales específicas.

II. LA DETERMINACIÓN DEL PROCESO ADECUADO POR LA MATERIA

Hemos dicho que la simplificación más importante ha consistido en que sólo existen dos procesos declarativos a los que hay que considerar comunes: El juicio ordinario y el juicio verbal. La determinación del proceso adecuado se hace, en general, atendiendo a la cuantía, y de ahí que los arts. 249.2 y 250.2 LEC fijen el límite de uno y otro proceso en 6.000 euros. La aplicación de esta norma no implica especialidad alguna, no puede llevar a tutela judicial privilegiada. Algunos juicios verbales por la cuantía se tramitan como «juicio rápido civil» (v. DA 5ª LEC).

Cuando la determinación del proceso adecuado se hace en atención a la materia, se está realmente disponiendo una regla especial, que se aplica de modo preferente a la de la cuantía, y en virtud de la cual se trata realmente de establecer una cierta tutela privilegiada, aunque hay que admitir que la misma es de grado menor. El legislador estima que en ciertas materias no debe aplicarse la regla de la cuantía para determinar el proceso adecuado, sino que siempre las pretensiones relativas a esas materias deben conocerse por uno u otro de los procesos declarativos comunes. Esto es lo que hacen los arts. 249.1 y 250.1 LEC.

III. LA APLICACIÓN DEL JUICIO ORDINARIO

El art. 249.1 enumera ocho materias que se reconducen al juicio ordinario, sin atender a la cuantía. Para algunas de esas materias la única norma procesal propia es la relativa a la aplicación del juicio ordinario, pero para otras materias, bien en la LEC, bien fuera de ella, existen normas procesales específicas.

1. Derechos honoríficos

Las únicas normas relativas a los mismos son el art. 249.1, 1º, y el art. 525.1, 1ª. Aquélla determina la procedencia del juicio ordinario en todo caso, y ésta que no cabe la ejecución provisional de las sentencias no firmes.

2. *Derecho al honor, a la intimidad y a la propia imagen*

La LEC no ha podido derogar, y no lo ha hecho, la LO 1/1982, de 5 de mayo, de protección civil del derecho al honor, a la intimidad personal y familiar y a la propia imagen, por lo que siguen en vigor sus normas procesales. Nos importan las siguientes, teniendo en cuenta que han sido reformadas parcialmente por la LO 5/2010, de 22 de junio, para mejorar la posición de la víctima de un delito en el proceso civil cuando su honor, intimidad o propia imagen haya sido dañada:

1ª El art. 9.1 dispone que la tutela judicial frente a las intromisiones ilegítimas en estos derechos podrá recabarse por las vías procesales ordinarias o por el procedimiento previsto en el art. 53.2 de la CE. Esta norma ha quedado prácticamente vacía de contenido, pues la única vía procesal existente en la actualidad es la del juicio ordinario de la LEC (art. 249.1-2º LEC), al haberse derogado las normas procesales civiles de la Ley 62/1978, de 26 de diciembre, de protección jurisdiccional de los derechos fundamentales de la persona (Disp. Derogatoria 2-3º LEC). No debe olvidarse que las «acciones» de protección frente a las intromisiones ilegítimas caducan a los cuatro años, desde que el legitimado pudo ejercitarlas (art. 9.5).

2ª Los art. 4, 5 y 6 contienen toda una serie de normas relativas a la legitimación para el ejercicio de las «acciones» cuando se trata del honor, intimidad o imagen de una persona fallecida. A ello hay que añadir que según el art. 249.1, 2º LEC: 1) En estos procesos será siempre parte el Ministerio Fiscal; y 2) Que su tramitación será siempre preferente.

3. *Impugnación de acuerdos societarios*

El art. 249.1-3º LEC ha previsto el juicio ordinario para el conocimiento de las demandas sobre impugnación de acuerdos sociales adoptados por Juntas o Asambleas Generales o especiales de socios o de obligacionistas o de órganos colegiados de administración en entidades mercantiles.

a) La LEC consideró conveniente regular además para estos procesos la competencia territorial como norma imperativa (arts. 52.1, 10º, y 54.1), la acumulación necesaria y reparto (art. 73.2), la cosa juzgada (art. 222.3, III), el juicio ordinario como procedimiento adecuado (art. 249.1, 3º) y la medida cautelar de suspensión del acuerdo impugnado (art. 727-10ª).

b) La regulación de las sociedades mercantiles ha sufrido constantes transformaciones desde la aprobación de la LEC vigente. Todas ellas han mantenido el mismo criterio en lo procesal. La última novedad legislativa, que se anuncia igualmente como provisional mientras no se apruebe el código de sociedades mercantiles, es la regulación conjunta de la sociedad anónima, la sociedad de responsabilidad limitada y la sociedad comanditaria por acciones como sociedades de capital por el Real Decreto Legislativo 1/2010, de 2 de julio.

Conforme a esta última legislación, la impugnación de acuerdos nulos y anulables de las sociedades de capital se realiza por los trámites del juicio ordinario (art. 207), teniendo en cuenta que la pretensión caduca en los plazos breves fijados por el art. 205 (reformado por la Ley 31/2014, de 3 de diciembre), estando legitimados para impugnar los socios administradores y terceros descritos en el art. 206. La sentencia debe pronunciarse sobre los efectos previstos en el art. 208. Finalmente, el régimen de responsabilidad de los socios se establece en los arts. 73 a 76.

c) No hay en la LEC alusión directa a la Ley 27/1999, de 16 de julio, de Cooperativas, por lo que se mantienen en vigor sus arts. 31 (impugnación de acuerdos de la Asamblea General) y 37 (impugnación de acuerdos del Consejo Rector), que contienen también una remisión a lo dispuesto en la LSA (hoy a la LSCap), aparte de normas propias.

d) La impugnación de acuerdos y actuaciones de las asociaciones contempladas en la LO 1/2002, de 22 de marzo, reguladora del Derecho de Asociación, según su art. 40, deficientemente redactado, debe realizarse conforme a lo analizado en este subapartado (pero si estuviéramos ante pretensiones que traigan causa del tráfico jurídico de dichas asociaciones, el juicio a seguir debería ser el ordinario que corresponda por la cuantía).

4. Competencia desleal

Se tramitarán por el juicio ordinario las demandas en esta materia siempre que no versen exclusivamente sobre reclamaciones de cantidad, en cuyo caso será adecuado el procedimiento que corresponda a la cuantía (art. 249.1-4º LEC). Lo mismo dispone también el art. 22 de la Ley 3/1991, de 10 de enero, de Competencia Desleal, de acuerdo con la DF 4ª LEC, según la cual los procesos en materia de competencia desleal se tramitarán con arreglo a lo dispuesto en la LEC para el juicio ordinario.

Las normas que nos afectan de la Ley 3/1991 atienden a las acciones derivadas de la competencia desleal (art. 32, modificado por la Ley 15/2022, de 12 de julio), la legitimación (arts. 33 y 34), la prescripción (art. 35) y las diligencias preliminares (art. 36).

También en la LEC existe alguna norma propia, como son los arts. 52.1-12º y 54.1 (competencia territorial imperativa) y 217.4 (carga de la prueba), sin perjuicio de que algunas medidas cautelares parecen preordenadas para esta materia (por ejemplo, v. art. 727-7ª).

5. Defensa de la competencia

La Ley 15/2007, de 3 de julio, de Defensa de la Competencia, además de suprimir el órgano administrativo denominado «Tribunal de Defensa de la Competencia», establece especialidades procesales nuevas para el conocimiento de las pretensiones basadas en conductas colusorias (art. 1) y en abuso de posición dominante (art. 2), en punto a la defensa de la competencia, que tengan como fundamento los antiguos arts. 81 y 82 del Tratado de la Comunidad Europea, hoy arts. 101 y 102 del Tratado de Funcionamiento de la Unión Europea de 2012 (versión consolidada), pues las que no se apoyen en estas normas se consideran materias administrativas. Las pretensiones civiles son competencia del JMerc (arts. 86 ter 2-6ª LOPJ y DA 1ª LDComp).

Se tramitan por el juicio ordinario, siempre que no versen exclusivamente sobre reclamaciones de cantidad, en cuyo caso se estará al proceso correspondiente según la cuantía (art. 249.1-4º LEC). La LEC prevé en su art. 15 bis la intervención de ciertos órganos públicos europeos y nacionales para presentar informes u observaciones.

La LDComp reforma la LEC estableciendo normas procesales propias en esta materia: Prejudicialidad penal (art. 46 LDComp), asistencia procesal como *amicus curiae* de determinadas instituciones en el proceso civil, que no como parte (art. 15 bis LEC), notificación de resoluciones (arts. 212.3, 404, II y 461 LEC), suspensión del plazo para dictar sentencia (art. 465.5 LEC). Téngase en cuenta además la importante reforma operada por el RD-Ley 9/2017, de 26 de mayo, que establece disposiciones probatorias específicas en materia de Derecho de la Competencia [nuevos arts. 283 bis a) a 283 bis k) LEC].

6. Propiedad industrial

También se tramitarán por el juicio ordinario las demandas relativas a la propiedad industrial, siempre que no versen exclusivamente sobre reclamaciones de cantidad, en cuyo caso se estará al proceso correspondiente a la cuantía (art. 249.1-4º LEC).

La regulación de estas materias se establece en tres leyes que atienden a los siguientes títulos de propiedad industrial: 1) Patentes (Ley 24/2015, de 24 de julio, y su Reglamento aprobado por RD 316/2017, de 31 de marzo), 2) Marcas (Ley 17/2001, de 7 de diciembre y su Reglamento, RD 687/2002, de 12 de julio), y 3) Diseño (Ley 20/2003, de 7 de julio y su Reglamento, RD 1937/2004, de 27 de septiembre).

a) Las normas de la LEC sobre patentes y marcas son escasas; aparte del citado art. 249.1-4º, sólo cabe aludir a los arts. 52.1-13º, y 54.1 (sobre competencia territorial que no es más que una norma de remisión), al art. 525.1-3ª (sobre no ejecución provisional de las sentencias que declaren la nulidad o caducidad de títulos de propiedad industrial), y a la DA 1ª (sobre jurisdicción y normas procesales).

b) Por el contrario, las normas procesales en la LPat son muy numerosas y afectan a aspectos importantes: Es competente el JMerc (arts. 116 y 118); los tipos de pretensiones declarativas se regulan en los arts. 70 a 78 y 121, y la pretensión de nulidad en los arts. 103 y 120. Se establecen normas específicas además respecto a la legitimación (art. 117); los plazos (art. 119); las diligencias de comprobación de hechos (arts. 123 a 126) la carga de la prueba (art. 19), y, extensamente, sobre medidas cautelares (arts. 127 a 132). Incluso existe regulación de una conciliación propia (arts. 133 a 135), siendo admisible el arbitraje y la mediación como solución extrajudicial de la controversia (art. 136). Ahora, la impugnación de las resoluciones que agoten la vía administrativa dictadas en materia de propiedad industrial por la Oficina Española de Patentes y Marcas se sustanciará por los trámites del juicio verbal (y no por el juicio ordinario), con las especialidades del nuevo art. 447 bis LEC, introducido por la LO 7/2022.

c) Las normas procesales de la LMarc de 2001 afectan principalmente a tipos de pretensiones (arts. 40 a 42), cálculo de la indemnización (arts. 43 y 44), prescripción (art. 45), y nulidad de la marca (arts. 51, 53 y 61), aplicándose las disposiciones de la Ley de Patentes sobre jurisdicción y normas procesales en lo que sea compatible (DA 1ª, modificada en 2022).

También deben tenerse en cuenta toda una serie de normas procesales en la LDInd de 2003: Arts. 16, reivindicación de la titularidad; 17, efectos de la presentación de la demanda; 18, efectos de la sentencia; 52 a 57, acciones por violación; 65 y ss. nulidad, legitimación, sentencia.

7. *Propiedad intelectual*

Se tramitarán por el juicio ordinario las demandas relativas a la propiedad intelectual, siempre que no versen exclusivamente sobre reclamaciones de cantidad, en cuyo caso se estará al proceso correspondiente a la cuantía (art. 249.1, 4º LEC).

La norma básica en esta materia es el Real Decreto Legislativo 1/1996, de 12 de abril, que aprueba el texto refundido de la Ley de Propiedad Intelectual.

Sin perjuicio de alguna norma en la LEC, aparte de la dicha en el art. 249.1-4º, como la de los arts. 52.1, 14º y 54.1 (sobre competencia territorial), los arts. 256, 257, 259, 261, 263 (sobre diligencias preliminares), 297 y 298 (sobre aseguramiento de prueba), 328 (sobre prueba documental), y 727 y 733 (sobre medidas cautelares), las normas procesales de trascendencia se encuentran en la Ley de Propiedad Intelectual (arts. 138 a 141, sobre acciones y medidas cautelares). Deben destacarse, sin embargo, el art. 103, que contiene una remisión genérica a la LEC, y el art. 150, que confiere legitimación a las entidades de gestión para hacer valer en juicio los derechos confiados a su gestión, dando lugar a una legitimación muy especial (el art. 150, II, LPInt ha sido declarado inconstitucional por la STC 166/2007, de 4 de julio). Ténganse en cuenta también los arts. 10 y 12 de la Ley 3/2008, de 23 de diciembre, relativa al derecho de participación en beneficio del autor de una obra de arte original.

8. Publicidad

Se tramitarán por el juicio ordinario las demandas relativas a publicidad, siempre que no versen exclusivamente sobre reclamaciones de cantidad, en cuyo caso se estará al proceso correspondiente a la cuantía (art. 249.1-4º LEC).

La norma a tener en cuenta es la Ley 34/1988, de 11 de noviembre, General de Publicidad. Resta únicamente en la LEC una norma sobre carga de la prueba (art. 217.4), y en la LGPub algunas normas sobre pretensiones (arts. 3 a 6, modificados en parte por la LO 1/2023, de 28 de febrero).

Téngase en cuenta que los derechos de personas físicas o jurídicas a exigir el cese o rectificación de campañas de publicidad institucionales prohibidas, reguladas por la Ley 29/2005, de 29 de diciembre, de Publicidad y Comunicación Institucional, dan lugar a un procedimiento administrativo especial, pero ello no obsta a la protección civil en su caso tratada en este subapartado (arts. 4 y 7).

9. Condiciones generales de la contratación

Las demandas en que se ejerciten «acciones» relativas a estas condiciones, en los casos previstos en la legislación específica, se decidirán en juicio ordinario, dice el art. 249.1-5º LEC, y con ello está efectuando una remisión a la Ley 7/1998, de 13 de abril, sobre Condiciones Generales de la Contratación, modificada en numerosísimas ocasiones desde entonces. Respecto de ella, la LEC deroga los arts. 9.3, 14, 15, 18 y 20, y modifica la redacción de los arts. 12.2, 12.3, 12.4, 16.6 y Disp. Adicional 4ª.

En la LEC se contiene normas especiales relativas a la competencia territorial imperativa (arts. 52.1, 14º, y 54.1), y a la ejecución (arts. 521.4 y 693.2). Por el contrario, la Ley 7/1998 contiene normas procesales muy importantes que atienden a las clases de acciones (art. 12), a la conciliación previa (art. 13), a la legitimación activa (art. 16) y pasiva (art. 17), a la prescripción de las acciones (art. 19) y a la publicidad e inscripción de las sentencias (arts. 21 y 22).

También aquí el extremo de mayor trascendencia es el atinente a las acciones colectivas y a la legitimación que se reconoce, no a particulares, sino a una serie de entidades, entre las que destacan las asociaciones de consumidores y usuarios legalmente constituidas.

10. Arrendamientos

Las demandas relativas a cualesquiera asuntos de arrendamientos urbanos o rústicos de bienes inmuebles se decidirán por el juicio ordinario, salvo que se trate de reclamaciones de rentas o cantidades debidas por el arrendatario, o del desahucio por falta de pago o por extinción del plazo de la relación arrendaticia, a no ser que sea posible hacer una valoración de la cuantía del objeto del procedimiento, conforme al art. 249.1-6º LEC.

1º) Urbanos: Salvo lo que diremos después sobre las reclamaciones de rentas o cantidades o del desahucio, bien por la vía del juicio verbal, bien por la vía rápida, puede decirse que ha desaparecido el proceso especial en materia de arrendamientos urbanos, pues los arts. 38 a 40 de la Ley 29/1994, de 24 de noviembre, de Arrendamientos Urbanos, fueron derogados por la LEC. Restan únicamente las escasas alusiones contenidas en la LEC, relativas a: 1) Competencia territorial imperativa (arts. 52.1-7º, y 54.1); 2) Determinación de la cuantía de la demanda (art. 251-9ª); y 3) Necesidad de estar al corriente en el pago de la renta para que sean admisibles los recursos de apelación, infracción procesal y casación (art. 449).

2º) Rústicos: La LEC derogó también los arts. 123 a 137 de la LAR de 1980, es decir, prácticamente todas las normas procesales en ésta contenidas. Ahora esta LAR ha sido sustituida por la Ley 49/2003, de 26 de noviembre, de Arrendamientos Rústicos, que conserva como normas procesales los arts. 25, a), 33 y 34, de poca trascendencia procesal. En cuanto a la LEC, son aplicables los arts. 52.1, 7º, 54.1, 251, 9º y 449 a estos arrendamientos.

11. Retracto

Por el juicio ordinario se conocerán las demandas relativas al retracto de cualquier tipo (art. 249.1, 7º), es decir, tanto del legal como del convencional. El derecho de adquisición preferente denominado retracto (convencional o legal) se regula en los arts. 1506 a 1525 CC. La única especialidad procesal radica en que, según el art. 266, 3º, a la demanda hay que acompañar: 1) Los documentos que constituyan un principio de prueba del título en que se funden la misma; y 2) Cuando la consignación del precio se exija por la ley o por contrato, el documento que acredite haber consignado, si fuere conocido, el precio de la cosa objeto de retracto o haberse constituido caución que garantice la consignación en cuanto el precio se conociere. La determinación de la cuantía se rige por el art. 251, I-3ª, 4º LEC.

12. *Propiedad horizontal*

Por el juicio ordinario se decidirán las demandas en las que se ejerciten las acciones que la Ley de Propiedad Horizontal de 1960 otorga a los propietarios y a la Junta de Propietarios, salvo que versen exclusivamente sobre reclamaciones de cantidad, en cuyo caso se tramitarán por el procedimiento que corresponda (art. 249.1-8º).

Dada la trascendencia práctica conviene aludir a las posibles pretensiones: 1) De cesación de actividades prohibidas (art. 7); 2) De impugnación acuerdos contrarios a la ley o a los estatutos, gravemente lesivo o perjudicial (art. 18); 3) Adopción en equidad de acuerdos y designación de presidente de la comunidad (arts. 13.2 y 17); 4) De pago las cuotas, para el que está previsto el cauce del proceso monitorio (según el art. 21; v. lección 33ª).

IV. LA APLICACIÓN DEL JUICIO VERBAL

El art. 250.1 enumera trece materias que se reconducen al juicio verbal, sin atender a la cuantía. Para algunas de ellas la única norma procesal propia es la relativa a su reconducción a este juicio, pero en otras, bien en la LEC, bien fuera de ella, existen normas procesales específicas; en los dos casos no puede hablarse propiamente de normas procedimentales propias, salvo en ocasiones muy contadas.

El examen de esas materias tiene que hacerse, como sabemos, distinguiendo entre tutela plenaria (que da simplemente lugar a un proceso especial, que sigue siendo plenario) y tutela sumaria (en la que se trata de un proceso especial que, además, es sumario o con limitaciones).

1. *De modo plenario*

La remisión al juicio verbal se hace de modo sólo específico, tratándose de un proceso plenario en estas materias:

A) Precario

La única norma propia es la que dice que se decidirán en juicio verbal las demandas que pretendan la recuperación de la plena posesión de una finca rústica o urbana cedida en precario, por el dueño, usufructuario o cualquier otra persona con derecho a poseer dicha finca (art. 250.1-2º).

B) Alimentos

Las demandas que soliciten alimentos, debidos por disposición legal o por otro título, se decidirán en juicio verbal (art. 250.1-8º).

La tutela en este caso es también plenaria. Los alimentos pueden ser una medida anticipatoria a acordar en procesos matrimoniales cuando hay hijos menores (e incluso mayores de edad), pero el juicio verbal se refiere al caso de que la pretensión es exclusiva de alimentos, debiendo entenderse incluido el caso del art. 748-4º, aunque se cuenta con la norma especial del art. 753.

C) Rectificación de hechos

Deben decidirse en juicio verbal las demandas que supongan el ejercicio de la acción de rectificación de hechos inexactos y perjudiciales (art. 250.1-9º).

La LEC no hace alusión a la LO 2/1984, de 26 de marzo, reguladora del Derecho de Rectificación. En ésta se dice que el proceso adecuado es el juicio verbal, pero introduciendo en él una serie de modificaciones que han de entenderse subsistentes.

Aparte de un intento de rectificación con el director del medio de comunicación social (arts. 1 a 3), se trata básicamente de la competencia territorial (art. 4), de la no necesidad de abogado ni de procurador (art. 5), de la inadmisión de oficio de la demanda cuando el juez estime que la rectificación es manifiestamente improcedente (único caso en el Derecho español de inadmisión por estimar infundada una demanda) y algunas normas específicas sobre el juicio propiamente dicho (art. 7) y sobre los recursos (art. 8).

D) Calificaciones registrales

Las resoluciones, expresas o presuntas, que dicte la Dirección General de los Registros y del Notariado en materia del recurso previsto por la Ley Hipotecaria contra la calificación documental de los Registradores, pueden ser recurribles, aunque no estamos ante un recurso sino ante un verdadero proceso civil nuevo, ante el JPI, conforme al art. 328 LH. En ese precepto se regulan la legitimación, plazo para demandar y medidas cautelares posibles en este proceso, que se tramitará en lo demás por los trámites del juicio verbal.

E) Tráfico

Entre las materias que el art. 250 LEC atribuye al ámbito del juicio verbal, no se mencionan las demandas en que se pretendan indemnizaciones por daños y perjuicios derivados de la circulación de vehículos de motor. Esto llevó a que inicialmente se debatiera la procedencia o no del juicio verbal, pero el caso es que la jurisprudencia menor se ha inclinado decididamente porque los procesos con tal objeto habrán de sustanciarse por el correspondiente a su cuantía.

Las únicas singularidades que cabe destacar en estos procesos sobre hechos de tráfico son: 1) Que la competencia territorial corresponde al Juzgado del lugar en que se causaron los daños (art. 52.1-9º), que deberá controlarse de oficio (art. 54.1); y 2) Que al condenado a pagar la indemnización señalada en la sentencia, no se le admitirán los recursos de apelación, extraordinario por infracción procesal o de casación si, al prepararlos, no acredita haber constituido depósito del importe de la condena más los intereses y recargo exigibles, cuyo depósito no impedirá, en su caso, la ejecución provisional de la sentencia (art. 449.3).

F) Intereses colectivos y difusos de consumidores y usuarios

1º) Ámbito de aplicación: El Real Decreto Legislativo 1/2007, de 16 de noviembre, por el que se aprueba el Texto Refundido de la Ley General para la Defensa de los Consumidores y Usuarios, regula en sus arts. 53 a 56 la acción de cesación, que fue introducida por la Ley 39/2002, de 28 de octubre, de transposición al ordenamiento jurídico español de diversas directivas comunitarias en materia de protección de los intereses de los consumidores y usuarios (v. la Directiva UE 2020/1828, del Parlamento Europeo y del Consejo, de 23 de noviembre de 2020, relativa a las acciones e representación de los intereses colectivos de los consumidores, arts. 7, 15 y 18 en particular).

Se articula un sistema arbitral para la resolución de los conflictos que surjan en estas materias (arts. 57 y 58), y se mantienen los artículos 249.1-4º y 5º y 250.1-12º LEC, estableciendo que se decidirán en juicio verbal las demandas en las que se ejercite la acción de cesación en defensa de los intereses colectivos y difusos de los consumidores y usuarios.

También se considera conducta contraria a esta norma en materia de cláusulas abusivas la recomendación de utilización de las mismas (art. 53, reformado en 2021). La pretensión de cesación es procedente frente a cláusulas abusivas, contratos celebrados fuera de establecimiento mercantil, venta a distancia, garantías en la venta de productos y viajes combinados.

Las condiciones generales de contratación, reguladas por la Ley 7/1998, de 13 de abril, juegan en la protección de los intereses difusos y colectivos un papel relevante, mucho más allá del nivel interno (el TJUE ha sentenciado que «los principios procesales nacionales no pueden ser un obstáculo para los derechos que el Derecho de la Unión confiere a los justiciables» (SS TJUE de 17 de mayo de 2022, Asunto C-869/19, Unicaja Banco y Asunto C-600/19, Ibercaja Banco).

2°) Objeto: La pretensión de cesación se dirige a obtener una sentencia que condene al demandado a cesar en la actividad que sea contraria a la Ley que, en cada caso, la regula y a prohibir su reiteración futura. Pero también puede tener por objeto prohibir la realización de una conducta de tal clase que ya hubiera finalizado al tiempo del ejercicio de la acción, si existen indicios suficientes que hagan temer su reiteración de modo inmediato.

3°) Competencia: En los procesos en que se ejercite la acción de cesación en defensa de los intereses tanto colectivos como difusos de los consumidores y usuarios, será competente el tribunal del lugar donde el demandado tenga su establecimiento, y, a falta de éste, el de su domicilio; si careciere de domicilio en territorio español, el del lugar del domicilio del actor (art. 52.1-16° LEC).

4°) Legitimación: Para el ejercicio de dichas acciones se legitima activamente a diversos entes públicos y asociaciones (art. 54.1), con base en el art. 11 LEC (vide, con detalle, lecc. 4ª).

➢ En general: El Instituto Nacional de Consumo y los órganos o entidades correspondientes de las Comunidades Autónomas y de las Corporaciones locales competentes en materia de defensa de los consumidores; las asociaciones de consumidores y usuarios que reúnan los requisitos establecidos en la Ley estatal o autonómica; el Ministerio Fiscal; las entidades de otros Estados miembros de la Comunidad Europea constituidas para la protección de los intereses colectivos y de los intereses difusos de los consumidores que estén habilitadas mediante su inclusión en la lista publicada a tal fin en el Diario Oficial de las Comunidades Europeas. Las personas legitimadas indicadas en el art. 55 pueden interponer igualmente las pretensiones de cesación en otro Estado miembro de la Unión Europea.

➢ En materia de Condiciones Generales de la Contratación, además de los anteriores, también están legitimados activamente: Las asociaciones o corporaciones de empresarios, profesionales y agricultores que estatutariamente tengan encomendada la defensa de los intereses de sus miembros, las Cámaras de Comercio, Industria y Navegación y los Colegios Profesionales legalmente constituidos.

➢ En materia de ejercicio de actividades de radiodifusión televisiva y en materia de publicidad ilícita, la legitimación activa se reconoce, además, a los titulares de un derecho o un interés legítimo.

5°) Reclamación previa: En materias de publicidad (ya sea de medicamentos o en general) y de actividades de radiodifusión televisiva, sus normas reguladoras contemplan la posibilidad de que, con carácter previo al ejercicio de la acción de cesación, las personas y entidades legitimadas puedan solicitar el cese de la actividad que se considere contraria a la ley. Pero esa reclamación previa no es en ningún caso necesaria cuando aquellas conductas lesionen intereses colectivos o difusos de los consumidores y usuarios.

6°) Hay normas específicas sobre prueba si se han alegado motivos de discriminación (art. 46 Real Decreto Legislativo 1/2007, añadido por la Ley 15/2022, de 12 de julio).

7°) Publicidad de la sentencia: En las sentencias estimatorias de una acción de cesación en defensa de los intereses colectivos y de los intereses difusos de los consumidores y usuarios, el Tribunal, si lo estima procedente, y con cargo al demandado, podrá acordar la publicación total o parcial de la sentencia o, cuando los efectos de la infracción puedan mantenerse a lo largo del tiempo, una declaración rectificadora (art. 221. 2 LEC). Si se trata de sanciones en materia de igualdad de trato y no discriminación, hay norma particular sobre publicidad (v. art. 52 Real Decreto Legislativo 1/2007, modificado por la Ley 15/2022, de 12 de julio).

8°) Imprescriptibilidad: El art. 56 dispone que la pretensión de cesación es imprescriptible, sin perjuicio de lo dispuesto en el art. 19.2 de la ley 7/1998.

9°) Solución alternativa de conflictos: La Ley 7/2017, de 2 de noviembre, que incorpora diversas directivas europeas, ha articulado una forma particular de resolver los litigios en esta materia extrajudicialmente, a través de las llamadas «entidades de resolución alternativa», que pueden ser públicas o privadas, y que actúan únicamente si el litigio es entre consumidor y empresario, mediante un sencillo procedimiento gratuito.

G) Reclamaciones de rentas arrendaticias

El juicio verbal es el adecuado para tramitar las pretensiones de reclamación de rentas derivadas de la relación arrendaticia, cualquiera que sea su cuantía (art. 250.1-1º LEC), siempre que no se acumulen al desahucio tramitado sumaria o rápidamente (art. 437.3 LEC, v. *infra*), o no se haya utilizado la vía del proceso monitorio (art. 818.3 LEC, v. lecc. 33ª).

2. *De modo sumario*

La LEC no regula ni en apartado concreto ni con carácter particularizado la tutela procesal civil sumaria, pero existe y se desprende de sus disposiciones. De hecho, la EM XII, pár. 14, se refiere expresamente a los procesos sumarios, calificados así por pretenderse una rápida tutela de la posesión o tenencia, y que ven ampliada su naturaleza a más objetos que los previstos por la legislación derogada, aunque no siempre sea una calificación acertada, atendido el desarrollo del articulado.

Las características más importantes de las pretensiones sumarias son las siguientes:

1º) La fundamental es que no se produce la cosa juzgada material en sentido técnico de la sentencia que se dicte en estos procesos (art. 447.2).

2º) El procedimiento adecuado es siempre el juicio verbal (art. 250.1-1º, 3º, 4º, 5º, 6º, 7º, 10º y 11º).

3º) En ningún caso se admite reconvención en las pretensiones sumarias, pues se tramitan por los cauces del juicio verbal (art. 438.1).

A) Desahucio

Las pretensiones de desahucio de un bien inmueble urbano o rústico, exigiendo el pago de cantidades debidas fundadas en la falta de pago de la renta (alquiler) o rentas ya vencidas o por vencer en determinados casos, o en el cumplimiento del tiempo establecido en el contrato o fijado legalmente, han sufrido desde la LEC demasiados cambios y además muy bruscos.

La causa fundamental es sin duda la crisis económica aguda que estamos viviendo desde hace unos años, pues ha hecho más patente la necesidad de proteger al arrendador frente al inquilino moroso por un lado, facilitando que su propiedad inmueble entre de nuevo en el mercado inmobiliario del alquiler al haber sido recuperada por su propietario, evitando su paralización y por tanto haciéndola otra vez rentable, pero de otro favoreciendo igualmente a los ciudadanos que por las razones que fuesen no pueden acceder todavía a la propiedad y necesitan acudir a la figura jurídica del alquiler, haciendo más fácil y más barato el alquiler al haber más opciones. En los últimos tiempos, la situación de vulnerabilidad del inquilino ha propiciado reformas legales importantes.

Pero la realidad española muestra que estas sanas intenciones no se han cumplido y que el desahucio del inquilino que no cumple sigue siendo un problema legal (y social) importante. Si no es cierto ello, no se explica la cantidad de reformas legales habidas.

Procesalmente, la situación legal, que por confusa debe aclararse cuanto antes, es la siguiente: Existe una única tutela sumaria del desahucio, que cuando lo es por falta de pago de la renta o de cantidades debidas, acumulando o no la pretensión de condena al pago de las mismas, o por cumplimiento del tiempo establecido en el contrato o fijado legalmente, se tramita mediante unas normas generales y unas particulares, que se pretenden muy ágiles por configurar una estructura similar a la del proceso monitorio (v. lecc. 33ª). Si hay situación de vulnerabilidad del inquilino, hay especialidades importantes.

Dicha estructura consiste en que entre la demanda de desahucio, su admisión por el letrado de la administración de justicia, y la vista se introduce un trámite de requerimiento al deudor con consecuencias muy importantes para el futuro desarrollo del proceso, pues puede evitar su lanzamiento.

a) Normas generales

El juicio de desahucio se configura en la LEC como un proceso sumario que tiene por objeto la recuperación de una finca rústica o urbana dada en arrendamiento con fundamento en el impago de la renta o cantidades asimiladas o en la expiración del plazo fijado legal o contractualmente (art. 250.1-1º). A la pretensión de desahucio por esas razones se puede acumular la pretensión de reclamación de rentas derivadas del arrendamiento (art. 438.3-3º). Por lo demás:

1º) La competencia se atribuye a los Juzgados de Primera Instancia (art. 45) del lugar en que esté sita la finca (art. 52.1-7º), debiendo controlarse de oficio (art. 54.1).

2º) La cuantía de la demanda se fija conforme a las reglas de los arts. 251-9ª y 252-2ª LEC, una anualidad.

3º) Cuando la demanda se funde en la falta de pago de la renta o cantidad asimilada, sólo se permitirá al demandado como motivo de oposición alegar y probar el pago (art. 444.1 LEC).

4º) No se admitirán al demandado los recursos devolutivos si, al interponerlos, no acredita tener satisfechas las rentas vencidas (art. 449.1).

b) Normas del desahucio con estructura monitoria

Tras esas modificaciones legales indicadas, las normas que regulan el desahucio con carácter particular, las que configuran su estructura monitoria, son las siguientes conforme a las reformas de 2011 y 2019 y lo que ha quedado en vigor de las reformas anteriores:

1ª) Admisibilidad de la demanda: No se admitirá la demanda si el arrendador no indica en ella las circunstancias concurrentes que puedan permitir o no en el caso concreto, la enervación del desahucio (art. 439.3)

2ª) Acumulación de prensiones: Además de la indicada, hay que estar al art. 438.3, en el que expresamente se permiten determinadas acumulaciones de pretensiones en el juicio verbal.

3ª) Condonación de rentas: También podrá el demandante, si así le conviniere, anunciar en la demanda que asume el compromiso de condonar al arrendatario toda o parte de la deuda (por las rentas o cantidades análogas vencidas y no pagadas) y de las costas, con expresión de la cantidad concreta, condicionándolo al desalojo voluntario de la finca dentro del plazo que se indique, que no podrá ser inferior a 15 días desde que se notifique la demanda (art. 437.3).

4ª) Citación del demandado: A efectos de actos de comunicación, podrá designarse como domicilio del demandado la vivienda o local arrendado, siempre que no conste otro distinto en el contrato (art. 155.3). La ley prevé circunstancias especiales en los arts. 161.3, I, 164, IV, y 497.2, III.

En el requerimiento al demandado conforme al art. 440.3, I, el letrado indicará, en su caso, la posibilidad de enervar el desahucio conforme a lo establecido en el apartado 4 del art. 22, así como, si el demandante ha expresado en su demanda su compromiso de condonar la deuda, que la aceptación de este compromiso equivaldrá a un allanamiento con los efectos del art. 21, a cuyo fin otorgará un plazo de diez días al demandado para que pague o se oponga (art. 440.3, II).

5ª) Fase de requerimiento: En estas pretensiones, de acuerdo con el art. 440.3 y 4, el LAJ, tras la admisión y previamente a la vista que se señale, requerirá, en la forma prevista en el art. 161, al demandado para que, en el plazo de diez días, desaloje el inmueble, pague al actor o, en caso de pretender la enervación, pague la totalidad de lo que deba o ponga a disposición de aquel en el tribunal o notarialmente el importe de las cantidades reclamadas en la demanda y el de las que adeude en el momento de dicho pago enervador del desahucio; o en otro caso comparezca ante éste y alegue sucintamente, formulando oposición, las razones por las que, a su entender, no debe, en todo o en parte, la cantidad reclamada o las circunstancias relativas a la procedencia de la enervación. El requerimiento expresará también el día y la hora que se hubieran señalado para que tengan lugar la eventual vista, para la que servirá de citación, y la práctica del lanzamiento.

Se apercibirá también al demandado en el requerimiento que se le realice que, de no comparecer a la vista, se declarará el desahucio sin más trámites y que queda citado para recibir la notificación de la sentencia que se dicte el sexto día siguiente al señalado para la vista.

Pueden pasar entonces dos cosas:

➢ Si el demandado no atendiere el requerimiento de pago o no compareciere para oponerse o allanarse, el LAJ dictará decreto dando por terminado el juicio de desahucio y dará traslado al demandante para que inste el despacho de ejecución, bastando para ello con la mera solicitud.

➢ Si el demandado atendiere el requerimiento en cuanto al desalojo del inmueble sin formular oposición ni pagar la cantidad que se reclamase, el LAJ lo hará constar, y dictará decreto dando por terminado el procedimiento respecto del desahucio, dando traslado al demandante para que inste el despacho de ejecución, bastando para ello con la mera solicitud.

6ª) Lanzamiento: En el requerimiento efectuado por el LAJ para fijar el día y hora de la vista, se fijará también el día y hora exactas para la práctica del lanzamiento (art. 440.3, III). El lanzamiento deberá verificarse antes de un mes desde la fecha señalada para la vista, advirtiendo al demandado que, si la sentencia fuese condenatoria y no se recurriera, se procederá al lanzamiento en la fecha fijada, sin necesidad de notificación posterior (art. 440.4). Durante el estado de alarma provocado por la pandemia COVID-19 y hasta el 31 de diciembre de 2023, se suspendieron los desahucios y lanzamientos que afectaban a personas vulnerables sin alternativa habitacional (v. RD-ley 2/2022, de 22 de febrero, RD-ley 11/2022, de 25 de junio y art. 168 RD-ley 5/2023, de 28 de junio). Desde esa fecha se ha levantado la suspensión, pero si el propietario es un gran tenedor (tiene más de 10 inmuebles urbanos de uso residencial), se exige el requisito de previa conciliación o intermediación para que el desahucio siga adelante (DT-3ª Ley 12/2023, de 24 de mayo, por el derecho a la vivienda).

7ª) Enervación: El desahucio podrá ser enervado por el arrendatario si atendiendo el requerimiento efectuado por el letrado paga al actor o pone a su disposición en el Juzgado o notarialmente el importe de las cantidades reclamadas en la demanda y el de las que en dicho instante adeude (art. 440.3, I). Esta enervación no tendrá lugar, sin embargo, en los dos casos siguientes: 1) Cuando se hubiere producido otra anteriormente, excepto si el cobro no hubiese tenido lugar por causas imputables al arrendador, y 2) Cuando el arrendador hubiese requerido de pago al arrendatario, por cualquier medio fehaciente, con, al menos, un mes de antelación a la presentación de la demanda y éste no hubiese pagado las cantidades adeudadas al tiempo de dicha presentación. Enervada la acción se dictará decreto por el letrado de terminación del proceso, que tendrá los mismos efectos que una sentencia absolutoria, con condena en costas (art. 22.4 y 5). Es posible una oposición a la enervación, que da lugar a una vista (art. 22.4 LEC).

8ª) Sentencia: La sentencia se dictará en los cinco días siguientes a la terminación de la vista, convocándose en dicho acto a las partes a la sede del tribunal para recibir la notificación, que tendrá lugar el día más próximo posible dentro de los cinco siguientes al de la sentencia (art. 447.1). Una previsión específica sobre condenas de futuro se contiene en el art. 220.2. Ante el incumplimiento voluntario del desalojo ordenado en la sentencia hay que estar al art. 447.1, II, que lo facilita de manera expeditiva.

9ª) Otros modos de terminación: Cabe el allanamiento en los términos del art. 21.3 LEC, con efectos inmediatos de lanzamiento en caso de incumplimiento de lo acordado.

10ª) Recursos: No es admisible en ningún caso el recurso de queja (art. 494, II).

11ª) Ejecución: La solicitud de ejecución de la sentencia condenatoria al desahucio es título legal suficiente para proceder al lanzamiento del inquilino condenado (art. 549.3 y 4), evitable mediante la entrega voluntaria de la posesión del inmueble al ejecutante (art. 703.4).

12ª) Justicia gratuita: Si alguna de las partes, especialmente el demandado, pues debe hacerlo en plazo perentorio (v. art. 440.3, III), solicitara el reconocimiento del derecho a la asistencia jurídica gratuita, el tribunal, tan pronto como tenga noticia de este hecho, dictará resolución motivada requiriendo de los colegios profesionales el nombramiento provisional de abogado y de procurador, sin perjuicio del resarcimiento posterior de los honorarios correspondientes por el solicitante si se le deniega después el derecho a la asistencia jurídica gratuita (art. 33.3 y 4 LEC).

La Ley 4/2013 crea un Registro de Sentencias Firmes de Impagos de Rentas de Alquiler (art. 3). Su finalidad es advertir a los propietarios de los riesgos que puede suponer alquilar inmuebles a personas que han sido condenadas por no pagar la renta.

c) Normas del desahucio con inquilinos en situación de vulnerabilidad

La DF-5ª de la Ley 12/2023, de 24 de mayo, por el derecho a la vivienda, ha introducido o modificado diversas normas sobre el desahucio de inquilinos que se encuentren en situaciones de vulnerabilidad (que afectan a la demanda, a sus requisitos, a medidas cautelares civiles, a la sentencia y a su ejecución, en concreto al lanzamiento, arts. 150.4, 439.6 y 7, 440.5, 441 bis 1 y 5, 539, 3 y 4, 655 bis, 675, 685.2, 704.1 y DA-7ª). Destacamos en particular que se elimina la necesidad de consentimiento del interesado en el traslado a las Administraciones públicas competentes para comprobar su situación de vulnerabilidad en procedimientos de desahucio, se amplía el ámbito de protección cuando se identifiquen situaciones de vulnerabilidad y se mejora técnicamente la redacción. No se establece ahora un sistema de suspensión automática del desahucio por el Letrado de la Administración de Justicia si se acredita vulnerabilidad, sino que se opta por que el tribunal decida, previa valoración ponderada y proporcional del caso concreto. Finalmente, se introduce un procedimiento de conciliación o intermediación en los supuestos en los que la parte actora quiera recuperar su casa, vivienda o morada y tenga la condición de gran tenedor de vivienda, el inmueble objeto de demanda constituya vivienda habitual de la persona ocupante y la misma se encuentre en situación de vulnerabilidad económica, controlado por la administración, pues ésta actúa como mediadora, no se sabe muy bien por qué (v. art. 439.7 LEC).

La doctrina ha criticado inmediatamente que esta ley no hay resuelto el importante problema social de la okupación de viviendas, parece más bien que tienda a proteger a los okupas (los «sinhogarismo», en novedosa palabra de la propia ley), en contra de los propietarios.

B) Tutela posesoria y análoga

La tutela de la posesión que se centraba en los interdictos no ha desaparecido en la LEC aunque en ella no se utiliza la palabra «interdicto». Las posibilidades siguen siendo:

1º) Tutela sumaria para que el heredero pueda obtener la posesión de los bienes que haya adquirido por herencia, si no estuviesen poseídos por nadie a título de dueño o usufructuario (art. 250.1-3º).

Aparte de que debe acompañarse a la demanda el documento en que conste fehacientemente la sucesión «mortis causa» en favor del demandante, así como la relación de los testigos que puedan declarar sobre la ausencia de poseedor a título de dueño o usufructuario, cuando se pretenda que el tribunal ponga al demandante en posesión de unos bienes que se afirme haber adquirido en virtud de aquella sucesión (art. 266-4º), se regula, como es lógico, la concesión o denegación de la posesión y luego se insta a los interesados a comparecer (art. 441.1).

2º) Tutela sumaria de la tenencia o posesión de una cosa o derecho frente a actos de despojo o de perturbación en su disfrute (art. 250.1-4º).

La demanda pretendiendo recobrar o retener la posesión no es admisible si se interpone transcurrido un año desde que se produjo el despojo o la perturbación (art. 439.1).

3º) Tutela sumaria frente a ocupación ilegal de viviendas (nuevo art. 250.1-4º, II introducido por la Ley 5/2018, de 1 de junio, v. sobre ella la STC 32/2019, de 28 de febrero).

Esta grave y actual problemática social ha sido abordada por dicha reforma para permitir, en lo civil, que los legítimos propietarios puedan lograr hacer frente eficaz y rápidamente a una ocupación ilegal premeditada con finalidad lucrativa de sus viviendas. En caso de que el ocupante identificado sea vulnerable socialmente (a determinar conforme al nuevo art. 441.5), se le pide su consentimiento para que los servicios sociales resuelvan su situación (arts. 150.4 y 441.1bis LEC). Se amplía la legitimación pasiva genéricamente a cualquier ocupante desconocido (art. 437.3 bis), además de a quien se encuentra habitando ilícitamente el inmueble (art. 441.1bis).

El procedimiento, regulado en los arts. 441.1bis y 444.1bis, no acoge un incidente como afirma la ley, sino un auténtico juicio verbal sumario con estructura monitoria. Si no hay oposición, se resuelve mediante auto irrecurrible; si hay oposición, en donde únicamente se permiten la de poseer título suficiente el demandado o no haber acreditado su legitimación el actor, se resuelve mediante sentencia. La pretensión es recuperar la plena posesión de una vivienda por quien haya sido privada de ella sin su consentimiento, siempre que se tenga título habilitante. El demandante puede ser una persona física o jurídica, pública o privada. Se prevén el auxilio de la autoridad policial para realizar los actos de comunicación, y una ejecución inmediata de lanzamiento si no se aporta en un brevísimo plazo título que legitime la posesión, o no se contesta a la demanda en plazo.

4º) Tutela sumaria para obtener la suspensión de una obra nueva (art. 250.1, 5º).

Si la demanda pretendiere que se resuelva judicialmente, con carácter sumario, la suspensión de una obra nueva, el tribunal, antes incluso de la citación para la vista, dirigirá inmediata orden de suspensión al dueño o encargado de la obra, que podrá ofrecer caución para continuarla, así como la realización de las obras indispensables para conservar lo ya edificado. El tribunal podrá disponer que se lleve a cabo reconocimiento judicial, pericial o conjunto, antes de la vista. La caución podrá prestarse en la forma prevista en el párrafo segundo del apartado 2 del art. 64 de la LEC (art. 441.2).

5º) Tutela sumaria para obtener la demolición o derribo de obra, edificio, árbol, columna o cualquier otro objeto análogo en estado de ruina y que amenace causar daños a quien demande (art. 250.1-6º).

C) Derechos reales inscritos

Las demandas instadas por los titulares de derechos reales inscritos en el Registro de la Propiedad, que insten la efectividad de esos derechos frente a quienes se oponga a ellos o perturben su ejercicio, sin disponer de título inscrito que legitime la oposición o la perturbación, da lugar a un juicio verbal de carácter sumario (art. 250.1, 7º), modificándose la redacción del art. 41 de la LH. Se cambia con ello, y radicalmente, la naturaleza de este proceso.

Entendiendo que los arts. 138 y 139 del RH han quedado derogados, las especialidades procesales se refieren a:

1º) En la demanda deben indicarse las medidas que se consideren necesarias para asegurar la eficacia de la sentencia que recayere (art. 439.2-1º), que son adoptadas por el juez en el momento de admitir la demanda (art. 441.3 LEC).

2º) En la demanda se ha de indicar la caución que ha de prestar el demandado para responder de los frutos indebidamente percibidos, de los daños y perjuicios irrogados y de las costas del juicio, en su caso, salvo renuncia del demandante (art. 439.2-2º).

3º) A la demanda debe acompañarse certificación del registrador en la que se acredite la vigencia, sin contradicción alguna, del asiento correspondiente (art. 439.2-3º LEC y art. 41 LH).

4º) El demandado sólo puede oponerse a la demanda si ha prestado caución, y únicamente fundada en alguna de las causas recogidas en el art. 444.2, II. LEC.

D) Venta a plazos de bienes muebles

La LEC considera sumarias las pretensiones cuyo objeto sea tutelar determinados conflictos surgidos con ocasión de las ventas de bienes muebles a plazos. Estas ventas se regulan por la Ley 28/1998, de 13 de julio. La LEC considera sumarias sólo dos pretensiones (siendo posibles además los juicios ordinarios, monitorio y de ejecución):

1ª) La que se funda en el incumplimiento de las obligaciones derivadas de los contratos de ventas a plazo de bienes muebles corporales no consumibles e identificables, cuyo fin es obtener una sentencia condenatoria que permita dirigir la ejecución exclusivamente sobre el bien o bienes adquiridos a plazos (art. 250.1-10°).

2ª) La que se basa en el incumplimiento de contratos de préstamos destinados a la financiación de las ventas a plazo con reserva de dominio, con la finalidad de obtener la inmediata entrega del bien al vendedor o financiador en el lugar indicado en el contrato, previa declaración de la resolución de éste, en su caso (art. 250.1-11°).

Para que las reservas de dominio o las prohibiciones de disponer contenidas en estos dos contratos sean oponibles frente a terceros, deben estar formalizadas en el modelo oficial e inscritas en el Registro de Venta a Plazos de Bienes Muebles (art. 15 LVPBMueb). Su tutela sumaria depende, pues, de estos dos requisitos formales (art. 250.1-10° LEC).

Aparte de la inevitable norma de competencia territorial imperativa (arts. 52.2 y 54.1), los arts. 439.4, 441.4 y 444.3 LEC contienen normas propias relativas a la demanda, a actuaciones previas a la vista y a las posibilidades de oposición del demandado.

E) Arrendamiento financiero

El contrato de arrendamiento financiero o *leasing* se regula en la DA 7ª Ley 26/1988, de 29 de julio, sobre Disciplina e Intervención de las Entidades de Crédito, en su texto no derogado. Los bienes muebles o inmuebles objeto de este contrato, cuyo uso se cede a cambio de una contraprestación periódica o cuotas de pago, quedan afectados a actividades determinadas, *v.gr.*, profesionales, incluyendo el contrato necesariamente una opción de compra a su término a favor del usuario.

Este contrato está excluido expresamente de la regulación de la LVPBMueb (art. 5.5 y DA 1ª, 4, 5 y 6 LEC), pero cuando se arrienda un bien mueble, es un contrato muy similar al préstamo financiero para facilitar la adquisición de un bien comprado a plazos con reserva de dominio, adquiriéndose la propiedad con el pago de la última cuota. Tiene grandes ventajas fiscales aunque los intereses sean más elevados. De ahí que a pesar de que procesalmente existió un tratamiento diferenciado entre ambos contratos, ahora ya han sido asimilados ambos.

En este sentido, la tutela sumaria se dispensa frente a incumplimientos de un contrato de arrendamiento financiero, de un contrato de arrendamiento de bienes muebles, o de un contrato de venta a plazos con reserva de dominio, con la finalidad de obtener la inmediata entrega del bien al arrendador financiero en el lugar indicado en el contrato, previa declaración de la resolución de éste, en su caso (art. 250.1, 11º LEC, en relación con el art. 4 LVPBMueb). En los demás conflictos se aplican las disposiciones del juicio ordinario, del juicio verbal, del proceso monitorio, o incluso de la ejecución (DA 1ª, 2 LVPBMueb).

Según ese mismo precepto, para que las reservas de dominio o las prohibiciones de disponer contenidas en estos dos contratos sean oponibles sumariamente frente a terceros, deben estar formalizadas en el modelo oficial e inscritas en el Registro de Venta a Plazos de Bienes Muebles (art. 15 LVPBMueb).

Aparte de la norma de competencia territorial imperativa (arts. 52.2 y 54.1 LEC) debe atenderse a los arts. 439.4, 441.4 y 444.3 LEC.

Lección 32ª

PROCESOS CIVILES NO DISPOSITIVOS

JUAN-LUIS GÓMEZ COLOMER

BIBLIOGRAFÍA BÁSICA

MONTERO AROCA, J. /BARONA VILAR, S./ ESPLUGUES MOTA, C./ CALDERÓN CUADRA-DO, M. P./ FLORS MATÍES, J., *Separación, divorcio y nulidad matrimonial,* 4 tomos, Tirant lo Blanch, Valencia 2003.

MONTERO AROCA, J./ FLORS MATÍES, J., *Amparo constitucional y proceso civil,* Tirant lo Blanch, Valencia 2005.

MONTERO AROCA, J./ FLORS MATÍES, J./ ARENAS GARCÍA, R., *Separación y divorcio tras la Ley 15/2005,* Tirant lo Blanch, Valencia 2006.

SALAZAR VARELLA, C., *El proceso de incapacitación,* Tirant lo Blanch. Valencia 2021.

I. LOS PROCESOS NO DISPOSITIVOS: CARACTERÍSTICAS PRINCIPALES

El principio esencial del proceso civil es el de oportunidad y sus consecuencias, principalmente el principio dispositivo. Los dos son manifestación de la autonomía de la voluntad que está en la base del Derecho privado y de la existencia en éste de verdaderos derechos subjetivos. Éstos se ejercitan o no por sus titulares, quienes deciden también el cómo y el cuándo de su práctica, de modo que el proceso parte de la disponibilidad del derecho por su titular y tiene que acomodarse a ello. Por ello, el principio no puede ser aplicable cuando se trata de la actuación de normas imperativas aunque sean de Derecho privado.

Si estamos ante normas sustantivas que configuran situaciones jurídicas en las que lo decisivo no es la autonomía de la voluntad de los particulares, sino la aplicación en sus exactos términos de esas normas, el principio dispositivo no puede ser ya el determinante del proceso civil. Como no puede decirse que se aplique plenamente el principio de necesidad, se habla comúnmente de procesos no dispositivos. Estos son regulados por la LEC en el Título I del Libro IV (arts. 748 a 781 bis), fijándose su ámbito de aplicación en el art. 748.

Se trata de la adopción de medidas judiciales de apoyo para personas discapaces; filiación, paternidad y maternidad; nulidad, separación y divorcio (incluyendo los de modificación de medidas adoptadas en ellos); guarda y custodia de hijos menores o sobre alimentos reclamados por un progenitor contra el otro en nombre de los hijos menores; reconocimiento de eficacia civil de resoluciones o decisiones eclesiásticas en materia matrimonial; medidas relativas a la restitución de menores en los supuestos de sustracción internacional; oposición a las resoluciones administrativas en materia de protección de menores; y necesidad de asentimiento en la adopción.

En esta lección veremos otros procesos civiles no dispositivos, pero las razones son diferentes y no permiten una agrupación legal como la acabada de citar del art. 748 LEC.

Sobre los procesos recogidos en esa norma habrá que atender a sus especialidades propias, pero es necesario antes dejar establecidas sus características generales, las que les diferencian de los procesos dispositivos:

1. *Objeto indisponible*

La voluntad de las partes no puede condicionar la decisión judicial sobre el objeto planteado, lo que lleva a la exclusión de los actos en que procesalmente se manifiesta la disposición.

La disposición del objeto del proceso se realiza en actos diversos y a todos ellos afecta la indisponibilidad:

1°   Como regla general se dispone que no surtirán efecto la renuncia, el allanamiento y la transacción (art. 751.1), aunque tiene luego que admitirse la posibilidad de los mismos cuando se trata de pretensiones relativas a materias sí disponibles (art. 751.3). Esta aparente contradicción se resuelve teniendo en cuenta que en la indisponibilidad existen grados; en algunos casos la materia es absolutamente indisponible (capacidad de las personas) y en otros existe casi total disponibilidad (separación o divorcio).

2º) Igualmente cuando se trata del desistimiento, pero la ley distingue: 1) En general exige la conformidad del Ministerio fiscal; y 2) En especial la exceptúa: a) En los procesos que se refieran a filiación, paternidad y maternidad, siempre que no existan menores, personas con discapacidad con medidas judiciales de apoyo en las que se designe un apoyo *(sic)* con funciones representativas, o ausentes interesados en el procedimiento; b) En los procesos de nulidad matrimonial por minoría de edad, cuando el cónyuge que contrajo matrimonio siendo menor ejercite, después de llegar a la mayoría de edad, la acción de nulidad; c) En los procesos de nulidad matrimonial por error, coacción o miedo grave; y d) En los procesos de separación y divorcio.

3º) Los hechos que han de servir para conformar la decisión judicial, siempre que resulten debatidos y probados, pueden ser introducidos en el proceso en cualquier momento y de manera distinta a la habitual (art. 752.1), con lo que estamos ante excepciones tanto del principio de aportación de parte como del de preclusión.

2. Partes

El proceso, naturalmente, empieza a instancia de parte, nunca de oficio por el tribunal, con las siguientes particularidades:

1º) Suele concederse legitimación al Ministerio fiscal, algunas veces activa y otras sólo pasiva.

Según el art. 749.1, en los procesos sobre la adopción de medidas judiciales de apoyo a personas discapaces, en los de nulidad matrimonial, en los de sustracción internacional de menores y en los de determinación e impugnación de la filiación será siempre parte el Ministerio Fiscal, aunque no haya sido promotor de los mismos ni deba, conforme a la Ley, asumir la defensa de alguna de las partes.

El Ministerio Fiscal velará durante todo el proceso por la salvaguarda de la voluntad, deseos, preferencias y derechos de las personas con discapacidad que participen en dichos procesos, así como por el interés superior del menor (art. 749.1, II y arts. 4 y 14 LO 8/2021, de 4 de junio).

Se concede así al MF una legitimación propia. Se trata de la creación de una parte artificial que responde a la función a que se refiere el art. 3.6 del EOMF de 1981.

Cosa muy distinta es que siendo parte un menor, discapaz o ausente el Ministerio Fiscal asuma la representación y defensa del mismo, pues entonces el Fiscal no está legitimado para ser él parte, sino que, siendo la parte el menor, incapacitado o ausente, el Fiscal asume la representación y defensa de éste, defendiendo sus intereses (no la legalidad ni el interés público). Esto es lo que sucede cuando el art. 749.2 LEC dice que será preceptiva la intervención del Fiscal, pues entonces se está remitiendo al art. 3.7 del EOMF.

2º) Se produce la determinación por la ley de las personas legitimadas, bien de modo activo, bien de modo pasivo.

Como en estos procesos no suele tratarse de la existencia de verdaderas relaciones jurídicas originadoras de derechos subjetivos, sino de situaciones jurídicas, es la ley la que determina normalmente quienes están legitimados (el ejemplo más claro es el art. 757 para el caso del proceso sobre la capacidad), no abandonándose a la voluntad del actor la determinación de las personas que deben ser demandadas. Por eso el art. 753 dice que de la demanda se dará traslado a las personas que, conforme a la ley, deban ser parte en el procedimiento.

3º) Es siempre necesaria la postulación por medio de abogado y procurador (art. 750).

A pesar de que el procedimiento adecuado suele ser el verbal, el procurador y el abogado son necesarios, pero la verdadera especialidad radica en la posibilidad de que en los procesos de separación y divorcio de común acuerdo, los cónyuges pueden valerse de una sola defensa y representación. Con todo, cuando alguno de los pactos propuestos por los cónyuges no fuera aprobado por el tribunal, se requerirá a las partes a fin de que en el plazo de cinco días manifiesten si desean pleitear con la defensa y representación únicas o si, por el contrario, prefieren litigar cada una con su propia defensa y representación. Asimismo, cuando, a pesar del acuerdo suscrito por las partes y homologado por el tribunal, una de las partes pida la ejecución judicial de dicho acuerdo, se requerirá a la otra para que nombre Abogado y Procurador que la defienda y represente.

3. Prueba

El interés público presente en estos procesos lleva, por un lado, al aumento de las facultades del tribunal en materia probatoria y, por otro, a la imposibilidad de que la regulación normal de la prueba conduzca a la disposición por las partes del objeto del proceso, y por ello existen normas especiales sobre la admisión de hechos y sobre la valoración de la prueba (art. 752).

El aumento de los poderes del tribunal se manifiesta en que puede decretar de oficio la práctica de cuantos medios de prueba estime pertinentes (art. 752.1). También en que: 1) La conformidad de las partes sobre los hechos no vincula al tribunal (es decir, no convierte los hechos en no controvertidos); 2) No pueden darse por probados hechos con base en el silencio o las respuestas evasivas; y 3) No pueden aplicarse las reglas de valoración legal de algunos medios de prueba (interrogatorio de las partes y documental). Todas estas especialidades son aplicables en primera y en segunda instancia.

Debe tenerse en cuenta que estas especialidades no pueden ser aplicables en todos los procesos incluidos en el ámbito del art. 748. Cuando se trate de normas materiales disponibles (separación y divorcio, principalmente) esas especialidades no podrán aplicarse. Siendo posible obviamente la separación matrimonial por acuerdo entre los cónyuges, nada puede impedir que los mismos hagan admisiones de hechos en el proceso.

4. Procedimiento

Aparte lo anterior que afecta a los principios del proceso, se establecen en la LEC algunas disposiciones comunes que pueden calificarse de procedimentales. En concreto:

1º) Se dispone que estos procesos se sustanciarán por el juicio verbal (art. 753.1).

2º) Son de tramitación preferente siempre que alguno de los interesados en el procedimiento sea menor, persona con discapacidad con medidas judiciales de apoyo en las que se designe un apoyo con funciones representativas, o esté en situación de ausencia legal (art. 753.3 LEC).

3º) Se admite el trámite de conclusiones orales al finalizar la vista (art. 753.2), lo que era antes especialidad pero ahora ya no.

4º) Se permite excluir la publicidad de los actos procesales (art. 754).

5º) Las sentencias que se dicten se inscribirán de oficio en el Registro Civil y comunicadas a los demás registros públicos, en su caso (art. 755, modificado en 2021).

6º) En general, y salvo los pronunciamientos patrimoniales, las sentencias no son susceptibles de ejecución provisional (art. 525.1-1ª).

5. En caso de violencia de género

Cuando un Juez de Familia, o de Primera Instancia, esté conociendo de un proceso matrimonial, de relaciones paterno-filiales, adopción, etc., en los términos del art. 87 ter.2 LOPJ y se dé alguna de las circunstancias que otorgan la competencia a los Juzgados de Violencia sobre la Mujer (art. 87 ter.3 LOPJ), el juez civil perderá su competencia a favor de éste, por el carácter exclusivo y excluyente de su competencia objetiva y funcional, de acuerdo con el procedimiento fijado en el art. 49 bis LEC.

II. LOS PROCESOS EN MATERIA DE ADOPCIÓN DE MEDIDAS DE APOYO A PERSONAS CON DISCAPACIDAD

Los arts. 756 a 763 LEC previeron en su redacción originaria, sin perjuicio de modificaciones puntuales posteriores, un proceso, genéricamente denominado sobre la capacidad de las personas, pero que contemplaba varias pretensiones. Respondía a las situaciones previstas por el Derecho privado en las que la persona tenía limitada su capacidad de obrar al quedar impedida para gobernarse por sí misma, bien por razones de carácter físico, bien por razones de carácter psíquico (anterior art. 200 CC), en unos casos en su totalidad, en otros únicamente respecto a la administración de sus bienes, que por la trascendencia jurídica que tenían debían ser declaradas judicialmente (anterior art. 199 CC).

Pero la antigüedad de muchas de estas normas, su flagrante contradicción con disposiciones internacionales (Convenio internacional sobre los derechos de las personas con discapacidad, Nueva York 13 de diciembre de 2006), su ataque directo en muchas ocasiones al principio de igualdad, y los cambios conceptuales que se están produciendo desde hace décadas, han motivado un cambio radical en el concepto de incapacidad de la persona, que se ha logrado con la Ley 8/2021, de 2 de junio, por la que se reforma la legislación civil y procesal.

Ahora no es posible hablar ya de incapacidad, ni por tanto de incapacitación, ni para declararla ni para recuperarla, y únicamente es admisible regular medidas judiciales de apoyo a personas con discapacidad, y con esa regulación resolver los problemas procesales que pueden plantearse.

Ahora se quiere dar prioridad a la voluntad de las personas con discapacidad, respetando sus prioridades, apoyándola en todo lo que precise, tanto en los aspectos económicos como en los personales. Ello implica un desarrollo notable de la principal institución asistencial, la curatela, sin descuidar otras que pueden ser en su momento muy relevantes, como la guarda de hecho o la autocuratela, así como la desaparición de la tutela del discapaz y las limitaciones en torno a la patria potestad hasta ahora existentes. En definitiva, cambia el prisma de una tutela tuitiva y paternalista a una asistencia y representación basada en la voluntad de la persona con discapacidad y en el pleno respeto a su dignidad humana, y también más igualitario. Ya no va a haber ni declaración de incapacitación ni, por tanto, privación de derechos de cualquier clase del incapaz (v. S TS núm. 589/2021, de 8 septiembre, RJ 2021\4002).

Procesalmente ello se traduce en la reforma de los arts. 756 a 762 LEC que regulan unos procesos (en realidad sólo uno) para la adopción de medidas judiciales de apoyo a personas con discapacidad.

Pero la Ley 8/2021 da prioridad a los actos de jurisdicción voluntaria, introduciéndose un nuevo expediente de provisión de medidas judiciales de apoyo a personas con discapacidad (v. arts. 42 bis a), a 42 bis c), entre otras normas, LJV, y lecc. 36ª), que da paso a la vía judicial contenciosa sólo si hay oposición o no se ha podido resolver (art. 756.1 LEC).

Una vez desaparecida sustantiva y procesalmente la esterilización, así como la incapacitación y la reintegración de la incapacidad, desaparece también la prodigalidad. Pero se mantiene el internamiento no voluntario por razón de trastorno psíquico (art. 763) como estaba hasta ahora, razón por la que será estudiado en este apartado.

La LEC introduce ahora tres normas que se aplican con carácter general a todos los procesos en los que se soliciten por la persona con discapacidad medidas de apoyo. Afectan a la competencia, a la capacidad y al derecho a comunicarse de la persona con discapacidad.

➤ La norma de competencia común la proporciona el art. 52.1-5º LEC, reformado en 2021: En los juicios en que se ejerciten acciones relativas a las medidas judiciales de apoyo de personas con discapacidad será competente el tribunal del lugar en que resida la persona con discapacidad, conforme se establece en el art. 756.3. Esta norma es de carácter imperativo (art. 54.1 LEC).

➤ Las personas con medidas de apoyo para el ejercicio de su capacidad jurídica, comparecerán en juicio conforme a lo que se determine en cuanto al alcance y contenido de éstas (art. 7.2 LEC, reformado en 2021).

➤ Las personas con discapacidad tienen un derecho de comunicación específico regulado en el nuevo art. 7 bis LEC (introducido en 2021). La finalidad principal es que el juez actúe, de oficio o a instancia de parte, de manera que se respete el principio de igualdad con la parte no discapaz. Esa comunicación, que el precepto concreta, puede referirse a la propia comunicación, a la comprensión o a la interacción con el entorno, lo que es especialmente relevante tratándose de personas ciegas y sordomudas. El discapaz puede hacerse acompañar de una persona de su elección desde el principio.

1. *Adopción de medidas judiciales de apoyo a personas con discapacidad*

Este nuevo proceso civil no dispositivo contiene las siguientes especialidades:

A) Particularidades competenciales

Como complemento al art. 7, de acuerdo con el art. 756.2, juez competente será el que conoció del previo expediente de jurisdicción voluntaria, salvo que la persona a la que se refiera la solicitud cambie con posterioridad de residencia, en cuyo caso lo será el juez de primera instancia del lugar en que esta resida.

El art. 753.3 matiza que si antes de la celebración de la vista se produce un cambio de la residencia habitual de la persona a que se refiera el proceso, se remitirán las actuaciones al juzgado correspondiente en el estado en que se hallen.

B) Legitimación

De acuerdo con el art. 757.1 y 2, están legitimados para demandar:

a) La propia persona interesada.

b) Su cónyuge no separado de hecho o legalmente o quien se encuentre en una situación de hecho asimilable.

c) Su descendiente, ascendiente o hermano.

d) El Ministerio Fiscal, pero sólo si las personas mencionadas no existieran o no hubieran presentado la correspondiente demanda, salvo que concluyera que existen otras vías para que la persona interesada pueda obtener los apoyos que precisa.

En caso de que la demanda proponga a un curador determinado, éste será oído (art. 757.3).

Pueden intervenir en caso de que el proceso ya esté iniciado las personas legitimadas para instar el proceso de adopción de medidas judiciales de apoyo o que acrediten un interés legítimo, pero a su costa, con los efectos previstos en el artículo 13. Se trata de un caso de intervención litisconsorcial voluntaria (v. lecc. 5ª).

C) Certificación registral

Admitida la demanda, el LAJ debe solicitar certificación del Registro Civil y, en su caso, de otros Registros públicos que considere pertinentes sobre las medidas de apoyo inscritas (art. 758.1).

D) Personación del demandado en caso de ser la persona con discapacidad

No se admite la rebeldía en este proceso. Por ello, en caso de que la demanda finalmente no pueda ser notificada al demandado y se constatara su ausencia el día que venza el plazo de comparecencia, se le nombrará un defensor judicial, salvo que su defensa correspondiera al Ministerio Fiscal (art. 758.2).

Si comparece, se atribuye al LAJ una función especial para que la persona con discapacidad demandada comprenda el objeto, la finalidad y los trámites del procedimiento, de conformidad con lo previsto en el artículo 7 bis (art. 758.3).

E) Prueba

El art. 759, además de lo dispuesto en el art. 752, ordena al juzgado practicar de oficio las siguientes pruebas, que se practicarán tanto en la primera como en la segunda instancia si hubiera apelación, distinguiendo entre:

➢ Si la demanda no la presenta la persona con discapacidad:

1) Se entrevistará con la persona con discapacidad.

2) Dará audiencia al cónyuge no separado de hecho o legalmente o a quien se encuentre en situación de hecho asimilable, así como a los parientes más próximos de la persona con discapacidad.

3) Acordará los dictámenes periciales necesarios o pertinentes en relación con las pretensiones de la demanda, no pudiendo decidirse sobre las medidas que deben adoptarse sin previo dictamen pericial acordado por el Tribunal. Para dicho dictamen preceptivo se contará en todo caso con profesionales especializados de los ámbitos social y sanitario, y podrá contarse también con otros profesionales especializados que aconsejen las medidas de apoyo que resulten idóneas en cada caso.

➢ Si la demanda la presenta la persona con discapacidad: El tribunal podrá, previa solicitud de ésta y de forma excepcional, no practicar las audiencias preceptivas, si así resultara más conveniente para la preservación de su intimidad.

➢ Si el nombramiento de curador no estuviera propuesto, se oirá sobre el mismo a la persona con discapacidad, al cónyuge no separado de hecho o legalmente o a quien se encuentre en situación de hecho asimilable, a sus parientes más próximos y a las demás personas que el Tribunal considere oportuno, siendo también de aplicación lo dispuesto en el apartado anterior.

F) Sentencia

Ahora la ley procesal no fija las medidas, sino que se limita a decir en el art. 760 que esas medidas deberán ser conformes a lo dispuesto sobre esta cuestión en las normas de Derecho Civil que resulten aplicables. Con ello se opera una remisión en bloque a los arts. 249 a 299 y concordantes del Código Civil. Se clasifican en medidas de naturaleza voluntaria, la guarda de hecho, la curatela y el defensor judicial.

G) Revisión de medidas (variabilidad)

Las medidas de apoyo acordadas judicialmente son revisables de acuerdo con lo previsto en el Código Civil. Dos observaciones, de acuerdo con el art. 761:

1ª) La vía prioritaria es el expediente de jurisdicción voluntaria mencionado en este apartado.

2ª) En caso de resultar fallido, hay que acudir al proceso de solicitud de medidas de apoyo que estamos tratando.

H) Medidas cautelares

Se admiten, conforme al art. 762, bien de oficio, bien a instancia de parte, todas las que se estimen necesarias para la adecuada protección de la persona discapaz, o de su patrimonio y pondrá el hecho en conocimiento del Ministerio Fiscal para que inicie, si lo estima procedente, un expediente de jurisdicción voluntaria. El procedimiento exige audiencia de las partes con discapacidad, salvo que razones de urgencia lo impidan.

2. *Internamiento de personas con discapacidad por trastorno mental*

Un tema específico que plantean determinadas situaciones muy graves de personas con discapacidad por trastornos psíquicos, es que deben ser internadas para un mejor tratamiento médico, para su mejor cuidado personal o incluso por razones de seguridad, en centros especialmente destinados al efecto (y así se previó por el art. 211 CC, derogado por la LEC, v. SSTC 129/1999, de 1 de julio y 131/2010, de 2 de diciembre). Se trata de un internamiento no voluntario.

La LEC regula el procedimiento que hay que seguir para acordar el internamiento en el art. 763, pues tal medida, como es fácilmente imaginable por los graves problemas personales, familiares y económicos que implica, debe estar sujeta a un estricto control judicial.

El juez del lugar en donde resida la persona afectada, o aquél en el que esté ubicado el centro, es el territorialmente competente, según el internamiento se autorice con carácter ordinario o con carácter de urgencia (art. 763.1).

La rapidez se justifica porque en muchas ocasiones el internamiento debe ser inmediato, pues ha sido cualquier familiar el que ha llevado al centro a la persona con síntomas evidentes de trastorno. Por eso la Ley exige que sea el director del centro el que deba instar la autorización judicial en el plazo de un día. Cuando no se den estas circunstancias, la autorización judicial debería preceder siempre al internamiento (art. 763.1, I, II y III), manera de evitar muchos posibles desmanes familiares. En caso de menores, el establecimiento debe ser adecuado a su edad, previo informe de los servicios de asistencia al menor (art. 763.2)

Si la persona no está declarada incapaz, el juez debe instar ante el Fiscal que solicite su incapacitación, en los términos procesales antes vistos (art. 763.1, III, in fine).

Pero la STC 132/2010, de 2 de diciembre, ha declarado parcialmente la inconstitucionalidad de los incisos de los párrafos primero y segundo del artículo 763.1 LEC, que posibilitan la decisión de internamiento no voluntario por razón de trastorno psíquico, pues, en tanto que constitutiva de una privación de libertad, esta medida sólo puede regularse mediante ley orgánica. Ello exige una reforma legal, todavía pendiente.

El sometido a internamiento está representado y defendido por su procurador y abogado, en su defecto por el Ministerio Fiscal, salvo que inste el internamiento, o por un defensor judicial (art. 763.3, I, in fine, v. también SSTC 22/2016, de 15 de febrero, y 50/2016, de 14 de marzo).

El procedimiento para autorizar el internamiento tiene las siguientes particularidades:

a) Antes de tomar la decisión, o de ratificar el internamiento urgente producido, el juez debe realizar estos actos (art. 763.3):

> Debe oír a la persona afectada, si médicamente es factible se entiende, al Fiscal, y a cualquier otra persona cuya comparecencia sea conveniente o se le solicite.

Dado que la LEC no regula específicamente cómo proceder ante una oposición al internamiento, que es perfectamente posible, es dudoso que estemos ante un acto de jurisdicción voluntaria, pues la controversia o la reclamación son la base de esta petición, ya que el internamiento no es voluntario.

> Debe examinar por sí misma a la persona de cuyo internamiento se trate; y

> Debe oír el dictamen de un facultativo por él designado, sin perjuicio de poder practicar las pruebas que considere convenientes.

b) La decisión sobre el internamiento, que es susceptible de apelación (art. 763.3, II), si se acuerda, requiere un control periódico, a efectos de que no dure más allá de lo necesario, que realiza el juez con asistencia de los facultativos en los términos del art. 763.4.

III. LOS PROCESOS SOBRE FILIACIÓN, PATERNIDAD Y MATERNIDAD

Regulados en los arts. 764 a 768 LEC, responden a tres tipos diferentes de pretensiones, cuyo común denominador es la necesidad de que la filiación, paternidad o maternidad sean declaradas judicialmente, ante la imposibilidad de conseguir los efectos legalmente previstos utilizando los procedimientos registrales oportunos. Materialmente, la paternidad y filiación se regulan en los arts. 108 a 141 CC (reformados en parte por la Ley 4/2023, de 28 de febrero), pero la LEC ha derogado los arts. 127 a 130, 134, II y 135 (Disp. Derogatoria 2-1ª). El art. 133, I CC ha sido declarado en parte inconstitucional por la STC 273/2005, de 27 de octubre, y el art. 136, I CC igualmente no por una, sino por dos SS del TC, la 138/2005, de 26 de mayo, y la 156/2005, de 9 de junio.

De acuerdo con ello, la tutela se establece con relación a la filiación por naturaleza, quedando excluida por tanto la filiación por adopción (que tratamos en esta misma lección), de conformidad con alguna de estas dos pretensiones:

a) La determinación legal de la filiación (art. 764.1), es decir, la pretensión de reclamación de la filiación, matrimonial o no (una persona pide ser declarada hijo o hija de tal padre y de tal madre, o de tal hombre y de tal mujer, arts. 131 a 134 CC, reformados en parte en 2023); y

b) La de impugnación de la filiación legalmente determinada (art. 764.1), es decir, la pretensión de negación de la condición de hijo, matrimonial o no, por falta de paternidad del marido u hombre, o por falta de maternidad de la esposa o mujer por suposición de parto o hijo distinto (arts. 136 a 141 CC, reformados en parte en 2023).

En estos casos la demanda no se admitirá a trámite si la filiación se declaró ya por sentencia firme, o se pretende su determinación contradictoriamente con una también declarada por sentencia firme (art. 764.2).

> La legitimación activa corresponde al padre o progenitor no gestante, o a la madre o progenitor no gestante, y al hijo menor de edad o con discapacidad que precise apoyo, por quienes actuarán su representante legal o el

Ministerio Fiscal, indistintamente (art. 765.1 LEC). Debe complementarse con lo dispuesto en los arts. 132, 133 (que permiten al progenitor no matrimonial la reclamación de la filiación en los casos de inexistencia de posesión de estado, de acuerdo con la STC 273/2005, de 27 de octubre, siendo imprescriptible la acción), 136 (que debe ser interpretado en el sentido de que el plazo de un año para el ejercicio de la pretensión de impugnación de la paternidad matrimonial sólo empieza a correr cuando el marido se entere de que no es el padre biológico del hijo inscrito como suyo, de acuerdo con la SSTC 138/2005, de 26 de mayo, y 156/2005, de 9 de junio), 137, 139 y 140 CC, según los casos.

También corresponde a cualquier persona con interés legítimo, aunque no siempre (art. 131 CC), pudiendo suceder sus herederos al actor si muere (art. 765.2 LEC).

➢ La pasiva, en función de la demanda interpuesta, a las personas determinadas en el art. 766 LEC, incluso sus herederos.

Normas comunes a estos procesos se dedican a la prueba y a las medidas cautelares:

1ª) A la demanda debe acompañarse un principio de prueba de los hechos en que se funde (art. 767.1), siendo admisible la prueba de investigación de la paternidad y maternidad mediante toda clase de pruebas, incluidas las biológicas (art. 39.2 CE, y art. 767.2 LEC), lo que en la práctica es decisivo para la exclusión de la paternidad, teniendo obligación las autoridades de colaborar en su práctica (S TS núm. 776/1999, de 21 de septiembre, RA 6944), pudiendo causar efecto la *ficta confessio* (art. 767.4, con los motivos y requisitos de la SSTC 55/2001, de 26 de febrero y 3/2005, de 17 de enero), siendo posible finalmente que se reconozca la determinación o se estime la impugnación por alguno de los indicios recogidos en el art. 767.3; y

2ª) En estos procesos las medidas cautelares oportunas sobre la persona y bienes del sometido a la potestad del que aparece como progenitor, son adoptadas por el juez mientras dure el procedimiento (art. 768.1), previa audiencia de las personas que pudieran ser afectadas (art. 768.3, I), salvo que por motivos de urgencia no sea así (art. 768.3, II), decidiéndose en una comparecencia, sin que sea preciso otorgar caución (art. 768.3, III).

En caso de que la pretensión sea la de impugnación de la filiación, el juez puede conceder de oficio alimentos provisionales a cargo del demandado (art. 768.2).

Hay otros preceptos en vigor del CC que también tienen importancia procesal, *v.gr.*, las presunciones de los arts. 116 y 117, los deberes y facultades derivados de la patria potestad fijados en el art. 154, modificado en 2021, o las normas que establecen plazos de caducidad para la interposición de la pretensión (arts. 132, 133, II, 136, I, 137, I, etc.).

IV. LOS PROCESOS MATRIMONIALES

Fue en los procesos matrimoniales, dentro de las tutelas específicas, en los que, probablemente, la LEC supuso una reforma mayor respecto a las normas anteriores. La Ley de Jurisdicción Voluntaria de 2015 ha introducido reformas importantes en esta materia.

Los procesos matrimoniales se regulan en los arts. 769 a 778 LEC. En la LEC se mantuvo sin modificación alguna la regulación sustantiva de los arts. 42 a 107 CC, y las disposiciones correspondientes de la LOPJ en las que se hace referencia a la extensión y límites de la jurisdicción española en esta materia (art. 22). Pero fue la Ley 15/2005, de 8 de julio, la que reformó de manera muy trascendental los preceptos sustantivos que afectaban a la separación y al divorcio, básicamente al suprimir las causas de separación y de divorcio. Debe tenerse en cuenta también el llamado Bruselas II bis, el Reglamento (CE) 2201/2003, del Consejo, de 27 de noviembre de 2003, por el que se regula la competencia, el reconocimiento y la ejecución de resoluciones judiciales en materia matrimonial y de responsabilidad parental (y en su desarrollo la DF 22ª LEC).

En estos procesos contemplamos las siguientes pretensiones: Nulidad matrimonial, separación y divorcio legal, en estos dos últimos casos contencioso o consensuado, y el reconocimiento de resoluciones canónicas mediante exequatur, así como el procedimiento para la adopción de medidas provisionales previas a la demanda o derivadas de su admisión, y las medidas definitivas.

Los Jueces de Primera Instancia, y donde los haya los Jueces de Familia, son los competentes objetivamente para conocer de los procesos matrimoniales, según esas mismas normas. Conviene recordar que también son competentes los Juzgados de Violencia sobre la Mujer según el art. 87 ter LOPJ, para conocer en el orden civil de los asuntos de nulidad, separación y divorcio cuando: 1) Alguna de las partes de ese proceso civil sea víctima de violencia de género, 2) Alguna de las partes de ese proceso civil sea imputado en la realización de actos de violencia de género, o 3) Se haya iniciado ante este Juzgado de Violencia sobre la mujer actuación penal por delito de violencia sobre la mujer o se haya adoptado una orden de protección a una víctima de violencia de género. Finalmente, el LAJ puede ser competente para la separación o divorcio legal de mutuo acuerdo (art. 777.2 LEC).

La competencia territorial se establece con gran detalle en el art. 769, básicamente en torno al fuero del lugar del domicilio conyugal. En caso de residir los cónyuges en distintos partidos judiciales, será tribunal competente, a elección del demandante, el del último domicilio del matrimonio o el de residencia del demandado. Los que no tuvieren domicilio ni residencia fijos podrán ser demandados en el lugar en que se hallen o en el de su última residencia, a elección del demandante y, si tampoco pudiere determinarse así la competencia, corresponderá ésta al tribunal del domicilio del actor. En el procedimiento de separación o divorcio de mutuo acuerdo a que se refiere el artículo 777, será competente el Juzgado del último domicilio común o el del domicilio de cualquiera de los solicitantes.

La simplificación procedimental no se ha logrado totalmente en esta materia, pues aunque el procedimiento adecuado y los actos procedimentales se regulan básicamente en el art. 770 LEC, no es norma que rija para todos los procesos matrimoniales, pues la separación y el divorcio de mutuo acuerdo tiene un procedimiento específico a su vez (regulado en el art. 777 LEC). Durante el estado de alarma y hasta 3 meses después de su finalización por la pandemia del COVID-19, determinadas pretensiones matrimoniales (régimen de visitas, custodia compartida, revisión de medidas definitivas, pretensiones económicas y de alimentos), se han tramitado por un procedimiento especial y sumario creado por los arts. 3 a 5 del Real Decreto-ley 16/2020, de 28 de abril.

De acuerdo con la DA 5ª LEC, se crean Oficinas de Señalamiento Inmediato en los partidos judiciales importantes, dando así lugar a lo que se denomina común pero incorrectamente «juicio rápido civil», que puede ser aplicable a las medidas previas y provisionales y a los procesos matrimoniales de mutuo acuerdo.

Las disposiciones que siguen relativas a la separación y al divorcio, tanto consensuados como contenciosos, son aplicables al matrimonio entre personas del mismo sexo, conforme al art. 44, II CC (reformado por la Ley 4/2023, de 28 de febrero.

1. Nulidad, separación y divorcio contenciosos, y otras pretensiones amparadas en el Título IV del Libro I del Código Civil

El juicio verbal, con las particularidades fijadas en el art. 770 LEC, es el adecuado para tramitarse en él:

a) Todos los casos de nulidad matrimonial sin excepción.

b) Todos los supuestos en los que la separación o el divorcio se solicite sin mediar acuerdo entre los cónyuges al respecto (por tanto, de manera contenciosa). Las causas de nulidad se fijan en el art. 73 CC. Las causas de separación se fijaban en el art. 82 CC y las de divorcio en el art. 86 CC, pero ambos artículos fueron derogados en 2005, de manera que hoy no existe causa alguna para solicitar la separación y tampoco para solicitar el divorcio, bastando el dato temporal del transcurso de tres meses desde la celebración del matrimonio, y ni siquiera eso si se da una situación de riesgo de las reguladas en el art. 81, 2º CC para un cónyuge o los hijos. Tampoco es preciso ya estar separado antes de pedir el divorcio.

c) Todos los demás supuestos en los que el CC o la LEC no establezcan un cauce procedimental específico (lo que implica que estamos ante el procedimiento adecuado subsidiario). Por ejemplo: Pretensiones con relación a esponsales, cumplimiento de los derechos y deberes de los cónyuges de los arts. 66 a 69 CC, o resarcimiento de gastos y obligaciones contraídas a causa de promesa de matrimonio (art. 43, I CC).

La legitimación para demandar también se especifica en el CC: La pretensión de nulidad matrimonial la pueden interponer los cónyuges, el Ministerio Fiscal y cualquier persona que tenga interés directo y legítimo en la declaración de nulidad (art. 74 CC, con las excepciones de los arts. 75 y 76 CC); en la separación y el divorcio contenciosos, están legitimados sólo los cónyuges (arts. 81 y 86 CC).

Las especialidades procedimentales son las recogidas en el propio art. 770 LEC, lo que implica que en lo no previsto, primero se aplican las normas específicas de los arts. 748 a 755 LEC y, después, las generales de los juicios verbales:

1ª) A la demanda hay que acompañar los documentos procesales, sin perjuicio de los generalmente establecidos por la LEC, y de fondo (si existieren, y en la nulidad en función de la causa alegada) y además, en caso de solicitarse medidas patrimoniales, los documentos de tipo económico explicitados en la regla 1ª de ese precepto.

Complementariamente a las referencias del art. 753 LEC, se observa que no hay norma alguna sobre inadmisibilidad de la demanda, por lo que se tendrán que aplicar las reglas generales que afectan a los presupuestos procesales. Tampoco hay disposición expresa sobre acumulación, pero parece lógico pensar que se aplican las reglas generales, y, por tanto, el actor debe poder acumular en su demanda todas las causas de nulidad que considere fundadas, salvo las que naturalmente se excluyan entre sí. En separación y divorcio esta cuestión ya no juega ningún papel.

2ª) La reconvención, a formular en la contestación a la demanda, disponiendo el actor de diez días para a su vez contestarla, sólo es admisible cuando: 1) Se funde en alguna de las causas que pueden dar lugar a la nulidad del matrimonio; 2) El cónyuge demandado de separación o de nulidad pretenda el divorcio; 3) El cónyuge demandado de nulidad pretenda la separación; y 4) Cuando el cónyuge demandado pretenda la adopción de medidas definitivas no solicitadas en la demanda que no deban imponerse de oficio (regla 2ª).

La reconvención exige una conexión objetiva especial con la pretensión interpuesta, lo que implica inadmitirla cuando no se refiera a ninguno de los supuestos indicados, quedando abierta la vía de otro proceso especial matrimonial, o el juicio verbal en general. La eliminación de las causas de separación y divorcio hace que la reconvención pierda prácticamente toda su complejidad en estos procesos porque su campo práctico de aplicación disminuye enormemente.

3ª) Los cónyuges deben acudir personalmente a la vista, aparte de con sus abogados y procuradores, pues en caso de no hacerlo uno de ellos se podrán tener admitidos por *ficta confessio* los hechos alegados por el cónyuge compareciente, pero sólo en lo que a medidas definitivas patrimoniales se refiere (regla 3ª)

4ª) Hay pruebas que se pueden practicar fuera de la vista, en el plazo que señale (sin que pueda exceder de 30 días), y el juez puede ordenar la práctica de pruebas de oficio para una mejor comprobación de los hechos (regla 4ª), manifestación típica de los procesos no dispositivos.

Si el procedimiento fuere contencioso y se estimare necesario de oficio o a petición del fiscal, partes o miembros del equipo técnico judicial o de los propios hijos, podrán ser oídos cuando tengan menos de doce años, debiendo ser oídos en todo caso si hubieran alcanzado dicha edad. También habrán de ser oídos cuando precisen apoyo para el ejercicio de su capacidad jurídica y este sea prestado por los progenitores, así como los hijos con discapacidad, cuando se discuta el uso de la vivienda familiar y la estén usando.

En las audiencias con los hijos menores o con los mayores con discapacidad que precisen apoyo para el ejercicio de su capacidad jurídica se garantizará por la autoridad judicial que sean realizadas en condiciones idóneas para la salvaguarda de sus intereses, sin interferencias de otras personas, y recabando excepcionalmente el auxilio de especialistas cuando ello sea necesario.

La fase probatoria mantiene su importancia cuando se trata de la nulidad matrimonial (art. 752), pero ha perdido todo su sentido y utilidad si se trata de la separación y del divorcio. Cuando hay causas de nulidad hay que probar los hechos que son la base fáctica de la causa, pero si no hay causas de separación ni de divorcio tampoco deberá practicarse prueba alguna.

5ª) Es posible, si los cónyuges llegan a un acuerdo en materia de separación o divorcio, o uno de los cónyuges con consentimiento del otro (pero no en otro caso por la remisión legal concreta), transformar el procedimiento al previsto legalmente para estos casos en el art. 777, poniendo fin al contencioso, posibilidad que literalmente sería factible incluso en fase de recurso, pues el acuerdo cabe «en cualquier momento del proceso» (regla 5ª).

6ª) También es posible que las partes, de común acuerdo, pidan la suspensión del proceso, de conformidad con lo dispuesto en el art. 19.4 LEC, para someterse a mediación (regla 7ª).

7ª) En los procesos matrimoniales en que existieran hijos comunes mayores de 16 años que se hallasen en situación de necesitar medidas de apoyo por razón de su discapacidad, se seguirán, en su caso, los trámites establecidos en esta ley para los procesos para la adopción judicial de medidas de apoyo a una persona con discapacidad (regla 8ª, introducida en 2021).

8ª) Finalmente, debe indicarse que es posible jurídicamente la separación de parejas heterosexuales de hecho, a pesar del silencio legal (S TS núm. 584/2003, de 17 de junio, RA 4605).

El problema es que el cauce procedimental para la resolución de las pretensiones que se pueden plantear no está claramente definido por la jurisprudencia: Se suele sostener mayoritariamente que: 1°) Si las pretensiones son sólo de carácter económico (*v.gr.,* alimentos), el procedimiento adecuado será el que corresponda por la cuantía (ordinario o verbal); 2°) Si no son exclusivamente económicas (*v.gr.,* derecho de visita, art. 94 CC, reformado en 2021) y existen hijos menores de edad, los procedimientos adecuados serán los que corresponderían en el caso de que por estar legalmente casados los hijos fueran matrimoniales (el verbal principalmente); y 3°) Si no existen hijos menores de edad, aquí vienen las discrepancias mayores, pues unas Audiencias creen que se debe aplicar el juicio ordinario para alimentos definitivos entre mayores de edad, derecho de uso de vivienda familia (art. 96 CC, reformado en 2021), liquidación del patrimonio común, indemnizaciones por enriquecimiento injustificado, y el ejercicio de otros derechos reconocidos por leyes autonómicas; mientras que otras Audiencias entienden que se debe aplicar en todo caso el juicio verbal; y otras, finalmente, el declarativo que proceda, lo cual es absurdo porque la ley no dice qué procedimiento es el adecuado. Lo más razonable sería la aplicación del juicio verbal en este caso, porque es la base de todos los procesos en materia de familia.

2. *Separación o divorcio legal de mutuo acuerdo*

Cuando ambos cónyuges, o uno con el consentimiento del otro, estén de acuerdo en su separación o divorcio, el procedimiento matrimonial se fija en el art. 777 LEC, estableciéndose un cauce procedimental específico, pues ni rigen las normas del juicio ordinario, ni tampoco las del juicio verbal, aunque este debe ser supletorio a tenor del art. 753 LEC.

Estamos ante un acto de jurisdicción voluntaria, probablemente el mejor ejemplo que se pueda poner junto con la conciliación extrajudicial, pues la ausencia de controversia es total, y si aparece, como veremos, el procedimiento se transforma a contencioso. Es competencia, como se ha dicho, del LAJ, pero sólo si no ha habido hijos menores no emancipados o con la capacidad modificada judicialmente. Habiéndolos, la competencia es judicial.

Desde 2015 es posible la separación legal o el divorcio legal ante Notario (Instrucción de 3 de junio de 2021, de la Dirección General de Seguridad Jurídica y Fe Pública, sobre la tramitación del procedimiento de autorización de matrimonio ante notarios, BOE del 4), siempre que los cónyuges no tengan hijos menores no emancipados o con la capacidad modificada judicialmente. El convenio regulador y la separación o divorcio se acuerdan en escritura pública (art. 54 Ley Notariado).

El procedimiento se inicia por ambos cónyuges de común acuerdo o por uno de los cónyuges con el consentimiento del otro, presentando el escrito correspondiente, al que se acompañarán los documentos procesales y materiales fijados en el art. 777.2 LEC (incluyéndose, en su caso, el documento del acuerdo final de mediación familiar). Destaca como documento de fondo la propuesta de convenio regulador, escrito sin el cual no pueden aplicarse las disposiciones del procedimiento por mutuo acuerdo (pasados tres meses desde la celebración del matrimonio, de acuerdo con el nuevo art. 82 CC, introducido por la Ley 8/2021, de 2 de junio). Hay posibilidad de subsanación de la documentación si fuera insuficiente, o de presentar prueba para acreditar las circunstancias exigidas por el CC (art. 777.4 LEC).

El convenio regulador es el documento en el que se contiene el estatuto que va a regular todas las cuestiones relativas a quienes, de obtener la separación o el divorcio de mutuo acuerdo, eran hasta esa fecha cónyuges (parte contractual), y todos los temas que se refieran a los hijos (parte de acuerdos que requieren para su efectividad una sanción judicial), en los términos del art. 90 CC. Debe presentarse al completo, regulando todos los aspectos, y es de obligatorio acompañamiento a la solicitud. En caso de no aprobarse en su totalidad o alguna de sus cláusulas, v. *infra*.

Los cónyuges deben ratificarse por separado de su petición (art. 777.3 LEC), transformándose en contencioso el expediente si no se produce ésta, conforme a esa misma norma. La ratificación no debe referirse sólo a la petición principal de separación o divorcio, sino también a los términos y cláusulas de la propuesta del convenio regulador.

El Ministerio Fiscal interviene como representante defendiendo a los hijos menores y a los hijos mayores con discapacidad y medidas de apoyo atribuidas a sus progenitores, si los hubiere, con ocasión de los términos del convenio que les afecten. La parte verdadera son los hijos, en lo que les afecta, es decir, no en la separación ni en el divorcio propiamente dichos, debiendo ser oídos necesariamente por el juez si tienen el juicio suficiente, cuando se estime necesario de oficio o a petición del Fiscal, partes o miembros del Equipo Técnico Judicial o del propio menor (art. 777.5 LEC), debiendo ser potestativo en otro caso.

Una vez practicada la prueba propuesta en el escrito por el que se ha promovido el procedimiento, si ha habido lugar, el juez dicta sentencia concediendo o denegando la separación o el divorcio, y pronunciándose en su caso sobre el convenio regulador (art. 777.6 LEC).

Si no se ha aprobado el convenio en todo o en parte, se abre una variante procedimental, de manera que las partes se ven abocadas a proponer nuevo convenio o nuevas cláusulas, pues aunque no lo hagan el juez resolverá (art. 777.7 LEC). En el futuro, el convenio regulador o las medidas acordadas por el juez pueden ser modificadas, por el procedimiento previsto en este art. 777 (art. 777.9 LEC).

La recurribilidad de la sentencia es limitada: Si deniega la separación (algo inimaginable en principio), o el divorcio, o contra el auto que apruebe medida no acordada por los cónyuges, cabe recurso de apelación (si es del auto en un solo efecto), mientras que la sentencia y el auto que aprueben en su totalidad la propuesta de convenio sólo pueden ser recurridas por el MF defendiendo el interés de los hijos menores o en aras de la salvaguarda de la voluntad, preferencias y derechos de los hijos con discapacidad con medidas de apoyo atribuidas a sus progenitores (art. 777.8 LEC).

Si la competencia hubiera sido del letrado de la administración de justicia, dictará decreto pronunciándose sobre el convenio regulador después de la ratificación de los cónyuges y en la misma resolución declarará la separación o divorcio de los cónyuges. Negándolo, las partes sólo pueden acudir al juez (art. 777.10 LEC).

3. Medidas provisionales

En los procesos matrimoniales las medidas cautelares específicas tienen una gran importancia, porque durante el desarrollo del proceso hay que regular y asegurar muchas de las cuestiones personales y económicas de los cónyuges entre sí, y con sus hijos en su caso, que se van a decidir en la sentencia: Atribución de la guarda y custodia de los hijos (incluyendo la compartida, según el art. 92 CC), y régimen de visitas de los mismos en su caso, atribución de la vivienda familiar, disfrute del ajuar familiar, fijación de la contribución a las cargas económicas del matrimonio y medidas sobre el régimen económico matrimonial en cuanto a la distribución de bienes y su administración.

Se denominan medidas provisionales, y pueden solicitarse con carácter previo a la demanda (medidas provisionales previas), o simultáneamente en ella (medidas provisionales coetáneas), y se prevén en el art. 103 CC (reformado por la Ley 17/2021, de 15 de diciembre, sobre régimen jurídico de los animales).

Por otra parte, el art. 102 CC prevé una serie de efectos que se producen automáticamente una vez se admite a trámite la demanda de nulidad, separación o divorcio, que no son medidas cautelares, pero que al tener carácter provisional conviene tener en cuenta también aquí: Separación de vida en común y revocación de poderes y consentimientos.

Entrando en temas procedimentales, hay que decir que uno de los cónyuges, o ambos, con ocasión de la nulidad de su matrimonio, su separación o el divorcio, puede pedir también la adopción de las medidas provisionales a que se refieren los arts. 102 y 103 CC (art. 771.1, I LEC). La referencia a pedir los efectos del art. 102 CC es incorrecta, pues aunque no lo pidan las partes se producen *ope legis*.

No se necesita ni abogado ni procurador para esta petición, aunque sí para el desarrollo posterior del procedimiento (art. 771.1, II LEC).

La LEC establece tres procedimientos distintos, lo que es una complicación innecesaria, para la adopción de las medidas provisionales:

1º) Si se trata de medidas provisionales solicitadas previamente a la demanda de nulidad, separación o divorcio (medidas previas), se aplica el procedimiento del art. 771 LEC (reformado por la Ley 17/2021, cit.): Comparecencia con audiencia de las partes y del Ministerio Fiscal si hay hijos menores o hijos con discapacidad con medidas de apoyo atribuidas a sus progenitores, en la que se intentará el acuerdo entre las partes, posibilidad de adopción inmediata de la medida, práctica de la prueba si no hay acuerdo entre las partes, resolución mediante auto irrecurrible, con advertencia de que su vigencia sólo se prolongará durante 30 días, plazo por tanto que tienen las partes para iniciar el proceso matrimonial;

2º) Si se trata de confirmar o modificar las medidas provisionales adoptadas previamente a la demanda, al admitirse ésta, se aplica el procedimiento previsto en el art. 772 LEC: Sólo hay comparecencia si el juez decide que hay que completarlas o modificarlas; y

3º) Siempre que no se hayan solicitado antes, el cónyuge que solicite la nulidad, la separación o el divorcio puede pedir en su demanda, de manera unilateral, o mediando acuerdo con su cónyuge, y también el cónyuge demandado cuando el actor no haya realizado la correspondiente petición, la adopción de medidas provisionales (medidas coetáneas o simultáneas), por el procedimiento fijado en el art. 773 LEC, teniendo vigencia hasta su sustitución por las definitivas, o hasta que se ponga fin al procedimiento de otro modo (art. 106 CC y art. 773.5 LEC).

4. *Medidas definitivas*

Las medidas definitivas son aquéllas que regulan diversos aspectos fundamentales de la relación personal entre los cónyuges, y entre éstos y sus hijos, en su caso, a partir de la sentencia firme de nulidad, separación o divorcio, y de las obligaciones patrimoniales que surgen desde de entonces. Se prevén en el art. 90 CC (reformado por la Ley 17/2021, cit.).

En la vista del juicio los cónyuges pueden someter al juez los acuerdos a que han llegado para regular las consecuencias de su pretensión, proponiendo prueba para justificar su procedencia (art. 774.1), resolviendo el juez en la sentencia (art. 91 CC reformado en 2021 para el caso de que sea acuerden medidas de apoyo a personas con discapacidad, y por la Ley 17/2021, cit.), y art. 774.3 LEC); no existiendo acuerdo, las medidas definitivas, que pueden ser confirmación de las provisionalmente adoptadas al inicio del proceso u otras nuevas, las fijará el juez (v. arts. 92 a 98 CC, teniendo en cuenta la adición de un nuevo art. 94 bis por la Ley 17/2021, cit.), tras la práctica de la prueba al respecto, mediante auto, cuya recurribilidad no suspenderá su ejecución (art. 774.4 y 5 LEC, núm. 4 reformado por la Ley 17/2021, cit.).

Las medidas definitivas son modificables a instancia de las partes o del Ministerio Fiscal (art. 775.1, modificado en 2021), si hubieren variado sustancialmente las circunstancias tenidas en cuenta para adoptarlas (v. arts. 99 y 100 CC), por el procedimiento fijado en el art. 770 LEC, o, si las partes presentan convenio regulador sobre ello, por el procedimiento previsto en el art. 777 (art. 775.2). Es posible incluso pedir la modificación de las medidas definitivas en un pleito anterior, sustanciándose entonces por los trámites del art. 773 (art. 775.3 LEC).

La ejecución forzosa de las medidas definitivas se regula en el art. 776 LEC, destacando la posibilidad de multas coercitivas al cónyuge que no pague las cantidades económicas fijadas. Es posible también ejecutar gastos extraordinarios no previstos en las medidas cumpliendo lo dispuesto en el art. 776.4. A las prestaciones alimenticias se refiere en particular el art. 608 LEC.

V. RELACIONES FAMILIARES

La Ley 43/2003, de 21 de noviembre, de modificación del CC y de la LEC en materia de relaciones familiares de los nietos con los abuelos, aparte de establecer en el art. 160 del CC, que no podrán impedirse sin justa causa las relaciones personales de los niños con sus progenitores (teniendo en cuenta que el interés del menor está siempre por encima de las normas procesales, v. S TC 178/2020, de 14 de diciembre), aunque estén en prisión o no ejerzan ya la patria potestad, salvo que se disponga otra cosa por resolución judicial o por la Entidad Pública en los casos establecidos en el artículo 161, con sus abuelos y con otros parientes y allegados, introdujo un nuevo número en el art. 250.1 de la LEC. Ese número es el 13º, conforme al cual se conocerán por el juicio verbal las demandas en que se pretenda la efectividad de los derechos reconocidos en el art. 160 del CC, añadiéndose que en estos casos el juicio verbal se sustanciará con las peculiaridades dispuestas en el Capítulo I del Título I del Libro IV de la LEC, efectuándose así una remisión, no a las normas generales del juicio verbal, sino a las especiales de los arts. 749 a 755.

VI. EFICACIA DE LAS RESOLUCIONES ECLESIÁSTICAS

En virtud de los Acuerdos entre España y la Santa Sede, particularmente el de Asuntos Jurídicos, de 3 de enero de 1979, tratado internacional firmado al amparo del art. 16.3 CE, determinadas cuestiones matrimoniales decididas por la Iglesia Católica, en concreto las que afectan a la nulidad del matrimonio y a la decisión del Papa sobre matrimonio rato y no consumado (pero no a la separación, pues es competencia exclusiva del Estado; ni al divorcio, no reconocido por la Iglesia), tienen eficacia en el Derecho interno, es decir, alcanzan los efectos de cosa juzgada como si de una sentencia de un juez civil español se tratara.

Pero ello no ocurre automáticamente, pues es necesario desarrollar ante el juez civil un procedimiento de homologación, llamado de exequatur («procédase»), tal y como se establece en el art. VI, 2) de dicho Acuerdo y se recoge en el art. 80 CC, que ha de ponerse en relación con los arts. 52 a 55 de la Ley 29/2015, de 30 de julio, de Cooperación Jurídica Internacional en Materia Civil (esta ley ha derogado finalmente los arts. 951 a 958 LEC de 1881 por los que todavía se regulaba este tema).

Si concurren los requisitos, el procedimiento se regula en el art. 778 LEC, que establece que la solicitud de eficacia civil de las resoluciones dictadas por los tribunales eclesiásticos sobre nulidad de matrimonio canónico, o las decisiones pontificias sobre matrimonio rato y no consumado, da paso a un proceso especial a considerar dentro de los procesos matrimoniales, puesto que comienza por demanda, si bien lo estructura con base en dos posibilidades procedimentales distintas:

1ª) Si en la demanda se pide la adopción o la modificación de medidas cautelares matrimoniales, la petición de reconocimiento de eficacia civil se sustancia conjuntamente con la relativa a las medidas, siendo de aplicación el art. 775, anteriormente visto.

2ª) Si en la demanda no se piden medidas cautelares matrimoniales o si, existiendo, no se solicita su modificación, el juez de primera instancia (o de familia) da audiencia al otro cónyuge por plazo de 10 días, y también al Fiscal, y resuelve por medio de auto lo que corresponda acerca de dicha eficacia.

Nada dice la LEC acerca de la posibilidad de que el otro cónyuge, o el Fiscal, se opongan a la homologación, pero a pesar de la parquedad debe entenderse que el juez competente (el previsto en el art. 769 LEC por aplicación supletoria) resolverá lo que considere procedente en el seno de este mismo procedimiento (art. 778.1 inciso final LEC), sin que se pueda acudir a un juicio ordinario, o al especial de nulidad matrimonial.

El problema es que el art. 54 de la Ley 29/2015 establece un procedimiento de homologación, que no puede entenderse que deroga al art. 778.2 in fine LEC, sino que forzosamente deben complementarse, pues el art. 778 LEC es norma especial respecto al procedimiento de homologación general regulado en aquella ley. En este sentido, para salvar la falta de regulación de la oposición del demandado, debe estarse hoy a su art. 54.5. También es importante el art. 55, que establece los recursos de apelación y de casación contra los autos de homologación.

VII. PROCESOS PARA LA TUTELA, ACOGIMIENTO O GUARDA DE LOS MENORES, ASÍ COMO PARA LA PRESTACIÓN DE ALIMENTOS

Los procesos que versen sobre la tutela, acogimiento o guarda de los hijos menores (arts. 172 a 174 CC última reforma de 2021), siempre que no estén a cargo de una entidad pública, en cuyo caso son de naturaleza administrativa y no civil, con intervención del MF, o que versen sobre alimentos reclamados por un progenitor contra el otro en nombre de los hijos menores, con fundamento en los arts. 143 y 144 CC, son procesos no dispositivos (art. 748-4º).

Del tenor literal de esta norma debemos deducir que si el acogimiento (familiar o residencial) o la guarda es pretensión «exclusiva», es decir, única, porque no va acumulada a otra, el juicio que corresponde es el verbal (art. 753 LEC); y si la pretensión de alimentos es exclusiva se tratará también del juicio verbal (art. 250.1-8º LEC). Estas pretensiones suelen ir acumuladas a los procesos matrimoniales de nulidad, separación o divorcio, en cuyo caso ya no estamos ante procesos que versen exclusivamente sobre esas materias.

Es competente territorialmente el Juez de Primera Instancia del lugar del último domicilio común de los progenitores, y si residen en distintos partidos, a elección del demandante, el del domicilio del demandado o el de residencia del menor (art. 769.3), norma que es indisponible (art. 769.4).

En estos casos de pretensiones «exclusivas», para la adopción de las medidas cautelares que sean idóneas para la tutela deseada a través de dichos procesos, se seguirán los trámites establecidos para la adopción de medidas previas, simultáneas o definitivas en los procesos de nulidad, separación o divorcio (art. 770-6ª).

VIII. LOS PROCESOS PARA LA TUTELA DE LA INFANCIA Y LA ADOLESCENCIA Y LA ADOPCIÓN

La tutela de los menores de edad (menores, adolescentes), que es un acto de jurisdicción voluntaria (arts. 43 y ss. Ley 15/2015, de 2 de julio, de la Jurisdicción Voluntaria), fue revisada en lo sustantivo y en lo procesal, primero mediante la LO 8/2015, de 22 de julio, de modificación del sistema de protección a la infancia y a la adolescencia, y por la Ley 26/2015, de 28 de julio, de modificación del sistema de protección a la infancia y a la adolescencia, para los casos en los que hay que tomar decisiones que requieren un juicio contradictorio; y últimamente por la Ley Orgánica 8/2021, de 4 de junio, de protección integral a la infancia y la adolescencia frente a la violencia.

En esencia, por lo que afecta a los procesos civiles no dispositivos, se distinguen ahora cinco procesos distintos cuyo nexo común es la mejor protección del menor con base en su superior interés, debiendo observarse las debidas garantías del proceso (ahora explicitado en el art. 2 LO 1/1996, de 15 de enero, de Protección Jurídica del Menor, y de modificación parcial del CC y de la LEC, modificado en 2021).

Por un lado se regulan dos nuevos procesos, introduciéndose las correspondientes normas en la LEC; y por otro, se reforman dos procesos que estaban ya regulados en la LEC relativos al tema de la filiación por adopción que afectan a menores de edad, intercalados ambos entre los correspondientes actos de jurisdicción voluntaria que se estén desarrollando conforme a las normas de la Ley 15/2015, de 2 de julio, de la Jurisdicción Voluntaria (arts. 33 y ss.), y del CC (arts. 175 a 180, reformados por esta ley). El quinto proceso, relativo a la adopción internacional está regulado fuera de la LEC:

1º) Pretensión de ingreso de un menor con problemas de conducta en un centro de protección específico (art. 778 bis LEC, en relación con el art. 26 LO 1/1996, de 15 de enero).

Su objeto es obtener la autorización del JPI para el ingreso de un menor problemático (con problemas de conducta) en centros de protección especiales. Están legitimadas la entidad pública que ostente la tutela o guarda del menor y el MF. El menor debe ser oído, así como también quienes en su día ostentaron la patria potestad o tutela. Un dictamen pericial médico es obligatorio. El procedimiento se detalla en el precepto indicado.

Si fuese necesario entrar en el domicilio en el que se encuentra el menor para la ejecución de una medida que le favorezca, actuará como juez de garantías no como hasta ahora el JCA, sino el JPI del lugar en donde radique el domicilio de la entidad pública, la única legitimada para pedir autorización para entrada y, en su caso, traslado del menor (se supone, ante la falta de precisión legal), o que hubiera dictado el auto de ejecución. El procedimiento se fija en el nuevo art. 778 ter LEC. Las medidas de seguridad, de contención, aislamiento y registros que se pueden adoptar se regulan en los art. 27 a 30 LO 1/1996, de 15 de enero, modificados en 2021.

2º) Pretensión sobre medidas relativas a la restitución de menores en los supuestos de sustracción internacional (art. 748-6º LEC).

Dos posibilidades procedimentales existen:

a) Arts. 778 quáter y 778 quinquies LEC): Proceso previsto para aquellos supuestos en los que, siendo aplicables un convenio internacional o las disposiciones de la Unión Europea, se pretenda la restitución de un menor o su retorno al lugar de procedencia por haber sido objeto de un traslado o retención ilícitos y se encuentre en España, siempre que sea conforme con una norma internacional o supranacional.

Este proceso se prevé para resolver el lamentablemente frecuente problema del menor hijo de padres de diferente nacionalidad, que ha sido «secuestrado» ilegalmente por uno de ellos, el de nacionalidad española probablemente, y traído a España o retenido ilegalmente en nuestro país para evitar su traslado legal con el otro padre.

Es competente el Juez de Familia o JPI de la capital de provincia, Ceuta y Melilla con esas competencias. Están legitimadas las personas, instituciones u organismos que tengan atribuida la guarda y custodia o un régimen de visitas, relación o comunicación del menor, la autoridad central española fijada en el convenio, o la persona que ésta designe en su representación. Los requisitos y el procedimiento, demasiado complejo en nuestro parecer, se fijan con detalle en esos preceptos. Este proceso no es aplicable en los casos en los que el menor procediera de un Estado que no forma parte de la Unión Europea ni sea parte de algún convenio internacional.

b) Art. 778 sexies LEC: Aunque la LEC no es lo suficientemente clara, en nuestra opinión debe acudirse al juicio verbal (porque es el previsto en el Título I del Libro IV de la LEC a los que se refiere la norma), cuando un menor con residencia habitual en España sea objeto de un traslado o retención internacional, conforme a lo establecido en el correspondiente convenio o norma internacional aplicable.

Aquí se trata de obtener, previamente a la demanda para que se ordene la restitución del menor (la primera posibilidad de las tratadas aquí), una decisión judicial que acredite que el traslado o retención del menor es ilícito (conforme a los arts. 3 y 15 del Convenio de la Haya de 25 de octubre 1980, sobre los aspectos civiles de la sustracción internacional de menores).

La competencia recae en la última autoridad judicial que haya conocido en España de cualquier proceso sobre responsabilidad parental afectante al menor. En defecto de ello, será competente el Juzgado de Primera Instancia del último domicilio del menor en España. La legitimación la tiene cualquier persona interesada, que puede pedir asistencia a la Autoridad Central española fijada en el Convenio, y al margen del proceso que se inicie para pedir su restitución internacional. Dicha persona podrá dirigirse en España a la autoridad judicial competente para conocer del fondo del asunto con la finalidad de obtener una resolución que especifique que el traslado o la retención han sido ilícitos. El precepto dice también que son aplicables las medidas del art. 158 (se entiende que del Código Civil, norma modificada en 2021).

3°) Pretensión de oposición a las resoluciones administrativas en materia de protección de menores (art. 748-7° LEC).

Sus actos procesales básicos se contienen en el art. 780, redactado de nuevo en 2021: Es competente el JPI del domicilio de la entidad pública y, en su defecto o en los supuestos de los artículos 179 y 180 CC, el JPI del domicilio del adoptante. No es necesaria la reclamación administrativa previa, regulándose el escrito de oposición del legitimado, la reclamación por el LAJ del expediente administrativo y el emplazamiento del actor para que formule la demanda en el plazo de 10 días, continuándose después por los trámites del juicio verbal. Si existen varios procedimientos de oposición, pueden acumularse. El menor puede designar a su propio abogado. La tramitación del procedimiento es preferente y debe finalizar en un plazo de 3 meses, sin que sean posibles suspensiones ni siquiera por acumulación de procesos (art. 779, I LEC, modificado también en 2021).

4º) Pretensión sobre la necesidad de asentimiento en la adopción (art. 748-8º LEC).

El procedimiento se regula en el art. 781 LEC, reformado en 2021: Comparecencia de los padres en el expediente de adopción para solicitar su asentimiento, suspensión del expediente por el letrado y señalamiento de plazo para formular la correspondiente demanda, que se tramitará si se interpone como si fuera un juicio verbal, dándose por finalizado el trámite en caso contrario, sin posibilidad ninguna de poder reiterar el trámite.

En ambos casos es juez territorialmente competente el del domicilio de la entidad protectora y, en su defecto, o en los supuestos de los arts. 179 y 180 CC, el del domicilio del adoptante (art. 779).

5º) Fuera de la LEC, la Ley 54/2007, de 28 de diciembre, regula la adopción internacional, y en concreto fija la competencia para el conocimiento de las diversas cuestiones sustantivas relacionadas con ella en su art. 16.1, pero erróneamente considera que todas ellas deben tramitarse como si fueran actos de jurisdicción voluntaria (la doble remisión a su art. 41 no resuelve nada), cuando hay algunas, como la pretensión de declaración de nulidad de la adopción (art. 15.1), que por ser contenciosas, deben tramitarse por los cauces del proceso civil ordinario.

La competencia se atribuye al Juez de Violencia sobre la Mujer si se dan los requisitos para que éste tenga atribuida la misma (art. 87 ter 2 y 3 LOPJ).

En todos los casos judiciales que le afecten el menor debe ser escuchado siempre y rodeado en su caso de garantías especiales, conforme al art. 9 LO 1/1996, de 15 de enero, teniendo derecho a solicitar asistencia legal y a que se le nombre un defensor judicial para emprender acciones judiciales a favor de sus derechos e intereses, sin perjuicio de las facultades al respecto del MF (art. 10.2, e) LO 1/1996, de 15 de enero).

IX. LOS PROCESOS SOBRE OPOSICIÓN A LAS RESOLUCIONES Y ACTOS DE LA DIRECCIÓN GENERAL DE LOS REGISTROS Y DEL NOTARIADO EN MATERIA DE REGISTRO CIVIL

Se ha introducido en la LEC por la LRCivil de 2011 un nuevo art. 781 bis, que regula la oposición a las resoluciones y actos de la Dirección General de los Registros y del Notariado en materia de Registro Civil, para el que es competente el JPI de la capital de provincia del domicilio del recurrente (art. 87.1 LRCivil). Se trata de un proceso no dispositivo por decisión legal, al tramitarse por el art. 753 LEC.

En realidad, el precepto establece un trámite previo al juicio verbal por el que se ventilará la correspondiente demanda (art. 781bis.4 LEC), consistente en que el futuro demandante debe presentar un escrito inicial en el que sucintamente exprese su pretensión e indique la resolución a la que se opone. El LAJ reclamará el expediente a la Dirección General y, cuando llegue, emplazará al actor por 20 días para que presente la demanda (art. 781 bis 2 a 4 LEC).

X. ESPECIALIDADES EN CASO DE TUTELA DE LOS DERECHOS FUNDAMENTALES EN EL ÁMBITO PROCESAL CIVIL

1. Objeto

La LEC no regula como proceso especial la tutela de los derechos fundamentales en el ámbito procesal civil, y por tanto no debemos considerarlo como tal. Pero es cierto que la pretensión que se interpone en estos procesos es de carácter no dispositivo, por lo que científicamente es más correcto tratar esta cuestión al final de esta lección. La razón es que la LEC ha derogado los arts. 11, 12, 13, 14 y 15 de la Ley 62/1978, de 26 de diciembre, de protección jurisdiccional de los derechos fundamentales de la persona (Disp. Derogatoria 2, 3ª), que regulaban un proceso civil especial, y ha establecido normas particulares. La LEC nada dice sobre la LO 1/1982, de 5 de mayo, de protección civil del derecho al honor, a la intimidad personal y familiar y a la propia imagen, por lo que queda en vigor al ser formalmente superior.

Las pretensiones aquí consideradas se dirigen, de acuerdo con el art. 249.1-2º, a obtener la tutela de cualquier derecho fundamental, menos los relativos a los derechos al honor, a la intimidad, a la propia imagen y el derecho de rectificación (tratados en la lección anterior). Por ejemplo, la vulneración del derecho a la igualdad jurídica en el reparto de una indemnización excluyendo a ciertos beneficiarios (art. 14 CE). Debe incluirse ahora la tutela de los derechos constitucionales a la igualdad de trato y no discriminación (art. 28 Ley 15/2022, de 12 de julio); y la tutela del derecho a la igualdad de trato y no discriminación por razón de orientación e identidad sexual, expresión de género o características sexuales (DF-5ª Ley 4/2023, de 328 de febrero, para la igualdad real y efectiva de las personas trans y para la garantía de los derechos de las personas LGTBI.

A los efectos del art. 53.2 CE, éste es ahora el procedimiento previo a la vía del amparo constitucional, una vez cumplidos los demás requisitos, como es natural, entendiéndose el término «sumario» como equivalente a rápido. De acuerdo con la Constitución, es un procedimiento «preferente».

2. Competencia y procedimiento adecuado

Es juez territorialmente competente el del domicilio del demandante, y, cuando no lo tuviere en territorio español, el juez del lugar en donde se hubiera producido el hecho que haya vulnerado el derecho fundamental de que se trate (art. 52.1-6º), norma que es de carácter imperativo (art. 54.1).

El procedimiento adecuado es el juicio ordinario en todo caso (art. 249.1-2º).

No se dispone nada acerca del plazo para presentar la demanda, por lo que debe ser aplicable el de 4 años del art. 9.5 de la Ley 1/1982, de 5 de mayo, de protección civil del derecho al honor, a la intimidad personal y familiar y a la propia imagen, dado que estamos ante otros derechos fundamentales también.

3. Partes

La intervención del Ministerio Fiscal se dispone expresamente, con carácter preceptivo y en calidad de parte defensora de la legalidad, en el art. 249.1-2º, en consonancia con la naturaleza no dispositiva de esta pretensión, vista al principio de esta lección.

4. Especialidades procesales

Son varias:

1ª) No hay posibilidad en ningún caso de ejecución provisional, salvo los aspectos puramente patrimoniales de la pretensión, *v.gr.*, la indemnización fijada (art. 525.1-1ª).

2ª) Estos procesos tienen garantizado el acceso al recurso de casación por la materia, ya que se consideran expresamente como resolución recurrible las sentencias que se dicten para la tutela judicial civil de derechos fundamentales, con exclusión de los derechos fundamentales del art. 24.2 CE, es decir, de los procesales, por ser objeto de otro recurso, el extraordinario por infracción procesal (art. 477.2-1º), teniendo en cuenta transitoriamente la Disp. Final 16ª LEC.

3ª) La tutela de los derechos constitucionales a la igualdad de trato y no discriminación prevé normas particulares respeto a legitimación, intervención del Ministerio Fiscal, carga de la prueba y medidas cautelares (arts. 28 a 32 Ley 15/2022, de 12 de julio), así como medidas de apoyo específicas para las víctimas de estos hechos (arts. 53 y 54 Ley 15/2022, de 12 de julio). Han sido necesarias reformas de la LEC en esta materia, ya tratadas en las lecciones correspondientes.

4ª) Lo mismo ocurre con la tutela del derecho a la igualdad de trato y no discriminación por razón de orientación e identidad sexual, expresión de género o características sexuales, previéndose normas particulares acerca de la legitimación, intervención litisconsorcial, publicidad e inversión de la carga probatoria (arts. 11 ter, 15 quater y 217.5 LEC, reformados por la DF-5ª Ley 4/2023, de 328 de febrero, para la igualdad real y efectiva de las personas trans y para la garantía de los derechos de las personas LGTBI).

XI. PROCESO PARA LA DISOLUCIÓN O SUSPENSIÓN DE UN PARTIDO POLÍTICO

Se regula en los arts. 10 a 12 de la LO 6/2002, de 27 de junio, de Partidos Políticos, en donde se contienen también especialidades procesales penales, en las que no entramos. Se trata de un nuevo proceso civil, por cierto escrito, de naturaleza no dispositiva, fundado en los arts. 1, 6, 22 y 23 CE, por el que se quiere dar cauce a la declaración de ilegal de un partido político que atente contra el sistema democrático y las libertades esenciales de los ciudadanos. Se ha aplicado ya una vez (v. STS, Sala Especial del art. 61 LOPJ, de 27 de marzo de 2003, RJ 2003\3072, *caso Batasuna y otros*). Incomprensiblemente, el proceso para la extinción de un partido político no es civil, a la vista de esas normas, sino administrativo (art. 127 quinquies LJCA).

Es competente la Sala Especial del art. 61 LOPJ del TS (art. 10.5). Parte demandante es el Gobierno, a instancia propia o del Congreso de los Diputados o del Senado, o el Ministerio Fiscal (art. 11.1), que debería ser también parte en todo caso aunque no sea demandante y a pesar de que la LPP no diga nada al respecto, porque de acuerdo con su Estatuto defiende la legalidad. Demandado es el partido político afectado (art. 11.3). Admitida la demanda y recibida la contestación, la práctica de la prueba es eventual (art. 11.5), único acto oral del proceso si se produce. Se prevé expresamente el trámite de alegaciones escritas sobre la prueba practicada, pero se trata más bien de las clásicas conclusiones (art. 11.6). La sentencia es irrecurrible en el orden jurisdiccional ordinario (art. 11.7). Siendo condenatoria, su ejecución es muy compleja (v. arts. 11.7 y 12).

Lección 33ª
EL PROCESO MONITORIO

JUAN-LUIS GÓMEZ COLOMER

BIBLIOGRAFÍA BÁSICA

BELTRÁN MONTOLIU, A., *Proceso europeo de escasa cuantía. El Derecho Procesal de la Unión Europea*, Tirant lo Blanch, Valencia 2021.

PICÓ I JUNOY J./ ADÁN DOMÉNECH, J., *La tutela judicial del crédito. Estudio práctico de los procesos monitorio y cambiario*, J. M. Bosch, Barcelona 2005.

PLANCHADEL GARGALLO, A., *La tutela del crédito en el proceso monitorio*, La Ley, Madrid, 2015.

PLANCHADELL GARGALLO, A., *Reclamación de créditos en la Unión Europea: El proceso monitorio europeo*, Tirant lo Blanch, Valencia 2021.

I. EL PROCESO MONITORIO

El último Título del Libro IV LEC se dedica a procesos cuyo objeto se fundamenta en el pago de una cantidad de dinero debida a la existencia de un documento, en unos casos de apariencia jurídica no indubitada pero suficiente (proceso monitorio), en otros, legalmente protegido (proceso cambiario).

Finalidad común a ambos procesos es la protección privilegiada del crédito, ante la insatisfacción que proporcionan los mecanismos normales del juicio declarativo ordinario o verbal previstos por la LEC (ejecución forzosa, ejecución provisional, medidas cautelares), o la imposibilidad de una tutela que, aunque específica, está prevista para otros objetos (impugnaciones de acuerdos sociales, protección de propiedades especiales como la intelectual o la industrial, etc.). Parten ambos del hecho de la preocupación social causada por una determinada clase de morosidad, puesto que puede afectar al desarrollo económico adecuado de los países (mercado interior), con repercusión transnacional, ya que el riesgo económico en el tráfico jurídico-mercantil internacional no debería suponer mayores peligros que el nacional.

De ahí que, en lo que afecta a nuestro ámbito económico más inmediato, la Unión Europea haya exigido una intervención procesal común y directa frente a impagados (Directiva 2000/35/CE del Parlamento Europeo y del Consejo, de 29 de junio de 2000, por la que se establecen medidas de lucha contra la morosidad en las operaciones comerciales, que se ha transpuesto en España mediante Ley 3/2004, de 29 de diciembre, por la que se establecen medidas de lucha contra la morosidad en las operaciones comerciales. Esta Ley, de mínimo contenido procesal, solamente se aplica en las relaciones entre empresarios, o entre éstos y la Administración, no cuando los contratos sean firmados por consumidores (arts. 1 y 3). La intención de la Directiva anterior y de la Ley española es que se aplique a las grandes deudas. Tras varios años de espera se han aprobado por fin dos reglamentos europeos que intentan cubrir todo el espectro de la tutela del crédito: 1°) El Reglamento del Parlamento Europeo y del Consejo núm. 1896 de 12 de diciembre de 2006, por el que se establece un proceso monitorio europeo (DOCE de 30 de diciembre de 2006), norma basada en el Libro Verde sobre el proceso monitorio europeo y las medidas para simplificar y acelerar los litigios de escasa cuantía, Comisión de las Comunidades Europeas (Bruselas, 20 de diciembre de 2002), instrumento procesal adecuado en asuntos transfronterizos relativos a créditos pecuniarios no impugnados; y 2°) Con fundamento en el mismo Libro Verde también, el Reglamento del Parlamento Europeo y del Consejo núm. 861 de 11 de julio de 2007, por el que se establece un proceso europeo de escasa cuantía (DOCE de 31 de julio de 2007), que sería el apropiado para las deudas transfronterizas de menor entidad y en donde las partes serían también consumidores. Complementariamente, téngase en cuenta el Reglamento (UE) núm. 655/2014 del Parlamento Europeo y del Consejo, de 15 de mayo de 2014, por el que se establece el procedimiento relativo a la orden europea de retención de cuentas, a fin de simplificar el cobro transfronterizo de deudas en materia civil y mercantil.

La Ley 4/2011, de 24 de marzo, ha añadido dos largas disposiciones finales a la LEC, para implementar en España el Reglamento 1896/2006 (la 23ª), y el Reglamento 861/2007 (la 24ª), ambos del Parlamento Europeo, antes citados, además de una nueva disposición final 25ª. Destaquemos la atribución de la competencia al JPI en el primer caso y al JMerc en el segundo, siendo las normas procesales previstas (que regulan ampliamente los procedimientos a seguir facilitando la utilización de formularios) subsidiarias respecto a las normas europeas citadas.

No puede decirse que toda la LEC esté pensada como instrumento que sirve para satisfacer pretensiones fundadas en el Derecho privado, esto es, en el derecho de propiedad y en los derechos de crédito, ya que hay pretensiones civiles que ni tutelan, ni pueden proteger la propiedad o el crédito, como las relativas a las relaciones familiares o paterno-filiales, o las que afectan al honor de las personas, aunque en muchos de estos temas alguna relación podríamos encontrar con la propiedad y con el crédito.

A través de esos dos procesos el legislador ha querido encontrar unas vías específicas, mucho mejores que las ordinarias, para que determinados créditos puedan encontrar una pronta satisfacción judicial, una tutela jurisdiccional plenamente efectiva (art. 24.1 CE), básicamente por la seguridad que proporciona la rapidez de la tramitación, ya que el tráfico jurídico-mercantil exige perentoriamente que el acreedor impagado se vea repuesto en su patrimonio cuanto antes. En aquellas parcelas económicas en las que, por la existencia de documentos particulares, ello sea posible, es en donde esos medios deben encontrar su campo idóneo de actuación. De ahí la gran utilización en la práctica de este proceso, no así del juicio cambiario.

1. Concepto

Ahora vamos a fijarnos en la primera de estas posibilidades. En este sentido, el proceso monitorio es un instrumento pensado para crear rápidamente un título ejecutivo sin necesidad de un proceso ordinario previo, con la sola base de que la parte interesada presente ante el tribunal un documento con el que pueda acreditarse una deuda dineraria por cualquier importe, líquida, determinada, vencida y exigible. Se regula en los arts. 812 a 818 LEC.

El adjetivo monitorio se deriva del significado de advertencia o intimación, realizada por una autoridad, la judicial, que tiene el sustantivo «monición» (la amenaza es «o pagas, o ejecuto»), y del documento en el que se hace constar, que con el paso del tiempo dio lugar a una identificación plena entre esta clase de protección procesal y proceso documental, no del todo exacta, pues como tal proceso documental, es decir, como proceso que se haga depender de la presentación de un documento, nuestra propia LEC reconoce otros muchos procesos (*v.gr.*, el cambiario), e incluso el propio ordinario o el verbal pueden ser por sí mismos procesos documentales, atendidos los arts. 249 y 250. Es más, frente a posibilidades que permitirían iniciar un monitorio con base exclusivamente en las afirmaciones del acreedor, o en declaraciones de testigos u opiniones de peritos, nuestro sistema opta correctamente por el proceso monitorio basado en documento.

Y en este sentido, se constata en la vida práctica la realidad de la existencia de documentos que, sin ser títulos ejecutivos por no tener ciertas garantías, debido normalmente a la ausencia de fedatarios públicos que acrediten su autenticidad, sí que gozan sin embargo de una mínima fehaciencia por responder a créditos y débitos absolutamente normales en el tráfico económico diario (*v.gr.*, determinadas facturas de profesionales o empresarios medianos y pequeños, como fontaneros, pintores, mecánicos, tenderos o libreros por ejemplo, albaranes de compra o entrega de mercancías, o minutas de honorarios médicos, arquitectónicos, informáticos, etc., por trabajos y servicios prestados), es decir, que identifican realmente deudas verdaderas, con la particularidad añadida de tener un significado muy importante en la vida económica del país.

Pues bien, el proceso monitorio se crea precisamente para conseguir una protección rápida y eficaz de los acreedores de esos créditos líquidos dinerarios frente a sus deudores que no han pagado por la razón que fuere, prestaciones y cuantías justificadas debidamente por aquellos documentos (EM, XIX, pár. 6).

La forma técnica de lograr aquella tutela, puesto que no hay declaración previa del derecho en forma ordinaria (pero sí hay cierta cognición, v. *infra*) por un órgano jurisdiccional, consiste en conformar de la manera más diligente posible un título ejecutivo, sobre todo válido para los casos, frecuentes, en que no hay oposición del deudor, que una vez creado permite abrir la vía de la ejecución forzosa. Ello, porque sin la intervención judicial su ejecutividad inmediata resulta en nuestro sistema imposible.

El problema es que hasta la nueva LEC no se sabía muy bien cómo hacerlo, ni siquiera qué era exactamente el proceso monitorio, constatándose diferencias esenciales en las diversas regulaciones de Derecho comparado a tomar como modelos posibles, lo que agravaba sin duda la cuestión.

2. *Naturaleza*

No es clara la naturaleza del proceso monitorio, pues se discute si es un proceso declarativo especial o un proceso ejecutivo. A lo que hay que atender verdaderamente es a las dos fases en que se divide el proceso monitorio, pues cada una de ellas responde a criterios distintos:

a) En nuestra opinión, la primera fase hasta la creación del título es un proceso declarativo especial, porque hay necesidad de declaración previa antes de poder dar satisfacción a la pretensión de creación del título ejecutivo interpuesta, en la que se dicte una resolución judicial que sancione la validez y eficacia del documento presentado, transformándolo en título ejecutivo, y permitiéndose así iniciar la ejecución (arts. 814 y 815 LEC).

Existe, por tanto, función cognoscitiva, consistente en preparar un título ejecutivo. El tribunal debe analizar el documento y vigilar si concurren los demás requisitos legales, y ha de dar traslado al deudor de la demanda (petición), y eso es conocer procesalmente hablando.

b) La segunda fase implica a su vez dos posibilidades de transformación distintas, en ambos casos con cambio de naturaleza, es decir, el proceso monitorio deja de ser proceso declarativo especial, aunque sólo la primera de ellas afecta estrictamente al proceso que estamos considerando en esta lección:

> Atendida la fundamentación documental y la conducta del demandado, si no comparece (esta «rebeldía» material del demandado, al igual que comparecer y no pagar como veremos, se traduce en despachar la ejecución, art. 816.1 LEC), se transforma esa naturaleza en una ejecución, que a su vez es especial también, como veremos con detalle *infra*. Ésta es verdaderamente la continuación natural del procedimiento del juicio monitorio;

> Si el deudor no está de acuerdo con la pretensión monitoria del acreedor y se opone a ella, es decir, se niega a pagar la deuda reclamada y justificada documentalmente, esta conducta transforma el proceso declarativo especial de la primera fase del monitorio en un proceso ordinario, a seguir estrictamente desde el punto de vista del procedimiento adecuado con las precisiones del art. 818 LEC.

Aquí no estamos ya ante el verdadero monitorio, pues el legislador decide abandonar la tutela especial del crédito, y canaliza la oposición a través de un medio de tutela absolutamente general. Ante la oposición la celeridad cede, pues carece de sentido la creación inmediata del título por la discusión jurídica que se avecina. Es mejor por ello volver a las situaciones procesales normales, y ésa es la técnica seguida por los países que tradicionalmente son nuestro modelo jurídico (Alemania e Italia).

Su naturaleza es, por tanto, mixta, pues estamos en la primera fase ante un proceso civil declarativo especial, y en la segunda si cumple sus fines ante un proceso de ejecución, también especial.

3. Objeto y características

El proceso monitorio es el adecuado para tutelar las pretensiones fundadas en la exigencia de pago de una deuda dineraria por cualquier cantidad, líquida, determinada, vencida y exigible, que venga justificada documentalmente conforme a la Ley (art. 812, I LEC).

Su objeto es la pretensión monitoria, consistente en pedir que el documento que se aporta se transforme por el tribunal en un título que lleve aparejada ejecución.

Para el legislador, la introducción de este proceso en España se articula con base en las siguientes consideraciones: «...Punto clave de este proceso es que con la solicitud se aporten documentos de los que resulte una buena apariencia jurídica de la deuda. La ley establece casos generales y otros concretos y típicos. Es de señalar que la eficacia de los documentos en el proceso monitorio se complementa armónicamente con el reforzamiento de la eficacia de los genuinos títulos ejecutivos extrajudiciales.

Si se trata de los documentos que la ley misma considera base de aquella apariencia o si el tribunal así lo entiende, quien aparezca como deudor es inmediatamente colocado ante la opción de pagar o «dar razones», de suerte que si el deudor no comparece o no se opone, está suficientemente justificado despachar ejecución, como se dispone. En cambio, si se «dan razones», es decir, si el deudor se opone, su discrepancia con el demandante se sustancia por los cauces procesales del juicio verbal, según la cuantía de la deuda reclamada...» (EM XIX, pár. 7 y 8).

Del objeto indicado se desprenden las siguientes características:

A) En primer lugar, ser un instrumento válido para la protección específica privilegiada del crédito desde un punto de vista procesal, pues se permite que determinados documentos, los no cualificados, es decir, sin suficientes garantías, pero con acreditados visos de ser válidos (buena apariencia jurídica), puedan dar lugar a través de un rápido procedimiento a su inmediata satisfacción judicial, y ese procedimiento es el monitorio.

Este proceso tiene por finalidad, pues, tras declarar el derecho del acreedor, proporcionarle el título ejecutivo que le permita exigir judicialmente el pago de la deuda. Esos documentos se enumeran en el art. 812 LEC, siempre como *numerus apertus* por lo que en principio es posible cualquiera, y no sólo la factura o el albarán típicos, de acuerdo eso sí con los usos mercantiles o civiles acostumbrados. Ni siquiera se exige firma del deudor o su autenticación (v. art. 812.1-1ª LEC), pues pueden servir los creados conforme a ley o costumbre unilateralmente por el acreedor (art. 812.1-2ª LEC), o cualquier otro documento comercial sin firma (art. 812.2 LEC).

Que no se exija la firma del deudor puede plantear problemas prácticos de suma importancia, por la alteración de nuestra tradición que supone, acostumbrada a mecanismos de control de su autenticidad totalmente fiables, ya que no siendo necesaria la firma, cuando no conste no se podrá acudir a su reconocimiento por el deudor, o ante su negativa o alegación de falsedad, al cotejo con otros documentos firmados que sean indubitados si es posible (lo que no es fácil en caso de ser el documento público, pues sólo consta en archivos), o, directamente o como solución final, a la prueba pericial caligráfica.

B) En segundo lugar, caracteriza al proceso monitorio la ausencia de audiencia inmediata del deudor, que queda aplazada en el siguiente sentido: La LEC no opta porque el tribunal dicte directamente sentencia de condena ante el impago del demandado, sino que prevé la transformación del proceso especial en ordinario si el deudor demandado se opone (art. 818 LEC), o permite entrar directamente en ejecución si no comparece (art. 816 LEC). El proceso monitorio en sentido estricto, si triunfa, es decir, si se crea el título y se entra en ejecución forzosa, se habrá desarrollado sin ejercicio de su derecho a la contradicción por el deudor.

Ni que decir tiene que el que reste deferida la contradicción, no significa que se suprima, en absoluto, sino que se aplaza. Por tanto, al existir la posibilidad real de oponerse, el art. 24.1 CE no queda en modo alguno vulnerado, al igual que ocurre en el proceso cambiario (lección siguiente), o como hemos visto que ocurre en el decretamiento del embargo preventivo. Recordemos que en el proceso civil, el principio de contradicción queda cumplido con su reconocimiento y posibilidad de ejercicio, no con su práctica real.

C) Desde la Ley 37/2011, de 10 de octubre, ya no hay tope en cuanto a la cuantía, de manera que el monitorio es adecuado para cualquier deuda (art. 812, I LEC). Inicialmente la LEC de 2000 limitó la cuantía a 30.000 €, que fue elevada a 250.000 € por la reforma de la Ley 13/2009, de 3 de noviembre.

El documento exige además el requisito de expresar una deuda dineraria determinada, vencida y exigible (art. 812.1 LEC), por tanto, ha de estar cuantificada, ser líquida y pura, y no estar sujeta a obligación o contraprestación del acreedor.

El acreedor no tiene la carga de requerir de pago al deudor, notarialmente, privadamente o en cualquier forma constatable, antes de iniciar el proceso monitorio. Se priva así al deudor, de un lado, de una oportunidad extrajudicial de pagar que evite el proceso, y de otro, de que tome conocimiento indubitado de la cantidad exacta que le será reclamada judicialmente con posterioridad, si no paga. Este segundo fin habría sido realmente importante consignarlo en la LEC, pues, siendo verdad que no es necesario el reconocimiento judicial de la firma para que la petición sea admitida a trámite, el deudor podría haber evitado su curso inmediato si, ante aquella notificación, hubiera probado que negó expresamente la autenticidad del documento. El legislador ha optado por regular el pago (art. 817 LEC), o la oposición al pago (art. 818 LEC), una vez iniciado el proceso, y no también antes, lo que es un error.

A la vista de lo anterior, se confirma la gran importancia práctica del monitorio que se auguró en el momento de su creación, porque poco a poco va convirtiéndose en el mejor medio para luchar contra la morosidad y, por tanto, es prácticamente el único instrumento jurídico eficaz para la protección procesal del crédito. Ello ha ocurrido en otros países también y el nuestro no tiene por qué ser una excepción. Si funciona correctamente, acabará convirtiéndose en el único proceso documental para la protección del crédito, incluso desvalorizando el ejecutivo cambiario, con un porcentaje escasísimo de oposiciones. De hecho, según estadísticas judiciales oficiales representa hoy el proceso civil más utilizado en nuestros juzgados y tribunales.

II. COMPETENCIA Y PROCEDIMIENTO ADECUADO

1. Tras otorgar la competencia objetiva al Juez de Primera Instancia (art. 813, I), la LEC establece en cuanto a la competencia territorial tres fueros:

   ➢ Se otorga la competencia territorial, en primer lugar, al Juez de Primera Instancia del domicilio o residencia del deudor o demandado (art. 813, I LEC).

   También conoce en la realidad práctica el Juez de lo Mercantil si los monitorios tienen que ver con sus competencias por razón de la materia (art. 86 ter Ley Orgánica del Poder Judicial), lo que desde luego no es el espíritu de la ley ni la letra, ya que la competencia de los juzgados de primera instancia es según ese precepto exclusiva, pero así lo admite una parte de la jurisprudencia.

   ➢ A continuación, se dispone que, si el domicilio o residencia del deudor no fueran conocidos, será Juez de primera Instancia competente el del lugar en el que el deudor pudiera ser hallado a efectos del requerimiento de pago por el tribunal (art. 813, I, segundo inciso LEC), frase poco clara, pero que pretende asegurar la localización judicial del demandado.

   ➢ Tratándose de las reclamaciones de deudas por cantidades debidas en concepto de gastos comunes a las comunidades de propietarios de inmuebles urbanos, es también competente territorialmente el tribunal del lugar donde se halle la finca, a elección del solicitante.

   La LEC fija dichos fueros con carácter exclusivo, de manera que queda excluido cualquier pacto expreso o tácito al respecto, prohibiéndose tanto la sumisión expresa como la tácita (y así se dice expresamente en el art. 813, II LEC).

   La orientación competencial hacia el domicilio del deudor puede perjudicar sin duda alguna al acreedor, particular o pequeño empresario normalmente, que no ha cobrado sus servicios recordemos, en caso de tener la sede social de la empresa o su negocio en ciudad distinta. En Alemania rige la solución contraria, es decir, es Juez competente el del domicilio del acreedor, a quien se procura no complicar más las cosas.

La no localización del deudor, o su localización en otro partido judicial implica la terminación del proceso monitorio, sin perjuicio del derecho del acreedor de instar de nuevo el proceso ante el Juzgado competente, en los términos del art. 813, III, introducido por la Ley 4/2011, de 24 de marzo.

2. En cuanto al procedimiento adecuado, hay que distinguir igualmente dos posibilidades, a las que antes con relación a otro tema hemos ya aludido:

➢ Si no hay oposición del deudor, rigen las normas del proceso monitorio que consideramos en esta lección, que implican entrar directamente en la ejecución forzosa de sentencias judiciales, una vez creado el título por el Juez (arts. 549 y ss.).

➢ Si hay oposición del deudor al pago de la cantidad exigida por el acreedor, el trámite procedimental correspondiente se transforma en un proceso ordinario y plenario (el juicio ordinario o el juicio verbal), que finalizará en su día mediante sentencia con eficacia de cosa juzgada, de acuerdo con el art. 818.2 LEC.

III. PETICIÓN INICIAL Y DOCUMENTOS

El proceso comienza por petición inicial del acreedor (art. 814.1 LEC). Aunque la LEC quiera huir del nombre de demanda, no sólo por la ausencia de contradicción y por la rapidez procedimental, sino también porque se trata de un escrito muy sencillo resumido y sucinto, que será informatizado o que se podrá vender en tipo formulario (art. 814.1, II LEC), y consecuentemente que podrá adquirirse en los Palacios de Justicia, en los Juzgados, o en aquellos lugares en los que se puedan vender documentos públicos, como los estancos, debe tratarse de una verdadera demanda, en tanto en cuanto éste es el escrito inicial de todo proceso declarativo ordinario o especial (arts. 399 y 437 LEC). Se augura un gran desarrollo de su tramitación electrónica con la extensión de la IA (Inteligencia Artificial), sobre todo si no hay oposición del deudor.

En esa demanda (petición), además de los datos de identificación del acreedor y del deudor, al igual que su domicilio o lugar en el que residan o puedan ser hallados, hay que hacer constar el origen de la deuda, es decir, describir el negocio causal, y expresar exactamente su cuantía, acompañando el documento o documentos que dan origen al proceso monitorio (art. 814.1, I LEC).

Los documentos a acompañar a la demanda pueden ser alguno o algunos de los encuadrados en estos cuatro grupos, en los que conste materialmente la deuda (no hay ninguno formal, salvo el impreso o escrito inicial de acuerdo con la ley, pues no se exige que se haya requerido de pago al deudor), fijados con carácter abierto por la LEC:

1. Aquellos documentos, cualquiera que sea su forma y clase o el soporte físico en que se encuentren, que aparezcan firmados por el deudor o con su sello, impronta o marca o con cualquier otra señal, física o electrónica, proveniente del deudor (art. 812.1-1ª). Por ejemplo, la carta remitida por la librería de una población pidiendo al distribuidor nacional la remisión de determinados libros por valor de 775 euros, aceptando el precio.

2. Aquellos otros documentos, como facturas, albaranes de entrega, certificaciones, telegramas, telefax o cualesquiera otros que, aun unilateralmente creados por el acreedor, sean los que habitualmente documentan los créditos y deudas en relaciones de la clase que aparezca existente entre demandante y demandado (art. 812.1-2ª). El «numerus apertus» permite, pues, incorporar a esta clase de documentos las compras realizadas por Internet o por correo electrónico, sobre todo después de la regulación de la firma electrónica (por Ley 59/2003, de 19 de diciembre).

3. Fundamenta documentalmente el proceso monitorio igualmente el documento comercial que acredite una relación duradera entre acreedor y deudor, pero habrá que aportar necesariamente el documento en el que conste la deuda (art. 812.2-1º). Por ejemplo, el contrato de transporte, o de suministro, por el que ambas partes, ahora en disputa, comprometían de manera duradera y sinalagmática sus relaciones comerciales, aun de ámbito restringido a determinados productos, más la factura impagada.

4. También se fundamenta documentalmente el proceso monitorio, por último, cuando la deuda se acredite mediante certificaciones de impago de cantidades debidas en concepto de gastos comunes de comunidades de propietarios de inmuebles urbanos (art. 812.2-2º). La explicación de este apartado se entiende mejor si se considera el proceso monitorio especial en materia de propiedad horizontal que la Ley 8/1999, de 6 de abril, introdujo en el art. 21 de la Ley de Propiedad Horizontal de 1960, precepto que de acuerdo con la DF 1ª LEC se reforma de nuevo para adaptarlo al proceso monitorio que estamos contemplando en estas páginas, aunque también permite acudir al proceso ordinario. La tutela específica de la comunidad frente a propietarios morosos presenta la particularidad, cuando se utilice el proceso monitorio, de permitirse expresamente el embargo preventivo, y contemplarse la condena en costas (v. art. 21.5 y 6 LPH, en la redacción dada por la DF 1ª LEC).

5. Expresamente, el desahucio por falta de pago de la renta o cantidades debidas, se tramita por un procedimiento muy similar al monitorio, regulado en el art. 440.3 LEC, reformado en 2011 (v. lecc. 31ª).

Finalmente, hay que indicar que para la petición inicial del proceso monitorio en cualquier caso y, por tanto, independientemente de la cuantía concreta, incluso si supera la cantidad de 2.000 euros, no es necesario procurador (art. 814.2, en relación con el art. 23.2, 1º LEC), ni abogado (art. 814.2, en relación con el art. 31.2, 1º LEC), pudiendo acreedor y deudor comparecer por sí mismos, a salvo de lo dispuesto en el art. 32 LEC. Existiendo oposición del deudor, y dando lugar al juicio que corresponda, es necesario complementar la capacidad de postulación procesal mediante la concurrencia de esos profesionales si la cuantía supera aquellos 2.000 € (art. 818.1, II, LEC).

IV. ADMISIÓN DE LA PETICIÓN, REQUERIMIENTO DE PAGO Y POSIBLES CONDUCTAS DEL DEMANDADO

Aquí es donde tiene realmente importancia la regulación procesal del juicio monitorio civil. En efecto, el deudor toma conocimiento de la demanda monitoria una vez ha sido admitida a trámite.

El proceso monitorio termina en su fase inicial, quedando a salvo el derecho del acreedor para volver a intentarlo de nuevo, si a efectos de notificación de la demanda, el deudor no es localizado o vive en otro partido judicial (art. 813, III LEC).

Si está localizado, la admisión la realiza el LAJ controlando de oficio un presupuesto procesal básico, a saber, que el documento acompañado es uno de los recogidos en el art. 812 LEC. La inadmisión a trámite de la demanda monitoria es de exclusiva competencia judicial (art. 815.1, I LEC).

La Ley 42/2015, de 5 de octubre ha modificado el art. 815 LEC, introduciendo un número 4 en dicho precepto, concediendo facultades de control de oficio al órgano jurisdiccional en el trámite posterior a la admisión de la demanda monitoria y con carácter previo al requerimiento de pago, lo que en verdad es acrecentar notablemente la «publicización» del proceso civil, consistentes en vigilar si tratándose, y sólo en este supuesto, de relaciones contractuales entre empresarios y profesionales con consumidores y usuarios, existen cláusulas abusivas para éstos que constituyan el fundamento de la petición o que hubiesen determinado la cantidad exigible, cumpliendo así la jurisprudencia sentada por el TJUE en su Sentencia de 14 de junio de 2012 (*caso Banco Español de Crédito*). Tras la preceptiva audiencia a las partes, resolverá la improcedencia de la pretensión si la cláusula es abusiva (debe ser un auto de sobreseimiento, porque la demanda ya está admitida a trámite), o la continuación del procedimiento si no lo es.

Debe tenerse presente que el documento a acompañar a la demanda es el presupuesto procesal que condiciona la misma razón de ser del juicio monitorio. Ese documento ha sido admitido por el legislador porque ofrece una apariencia de existencia de la relación jurídica material y de la deuda, pero desde el punto de vista del proceso estamos ante un presupuesto del mismo. No se trata, por tanto, de discutir sobre si el documento «prueba» o no el derecho subjetivo material, sino sólo de controlar su regularidad formal.

En este proceso monitorio no existe una enumeración cerrada de los documentos que lo permiten y por ello el art. 815.1 dice que el LAJ controlará si el o los documentos constituyen «un principio de prueba del derecho del peticionario», pero ello no supone que el LAJ deba examinar si del o de los documentos se desprende la prueba de la existencia de ese derecho. En el proceso monitorio no cabe hablar propiamente de prueba, como tampoco cabe hablar de ella en el juicio cambiario, sino sólo de apariencia formal, y por ello el documento no juega como medio de prueba sino como presupuesto procesal de admisión de la demanda.

Es decir, se admite la demanda o petición si se acompaña, por ejemplo, una factura aparentemente correcta en donde se describen unos trabajos, lleva el membrete, sello y firma de la empresa y persona que la autoriza, y expresa la cuantía concreta que se adeuda. Obsérvese que esta norma, en definitiva, también implica que el LAJ ha de ver acreditada inicialmente la concurrencia del presupuesto de la legitimación, reflejado indiscutiblemente en el documento que se exige.

Aunque la LEC no lo diga expresamente, deben existir más causas de inadmisión de la demanda monitoria, por ejemplo, desde un punto de vista formal, la falta de competencia territorial del tribunal, dados los términos del art. 813, o que el escrito, incluso informatizado, no sea efectivamente el que corresponde a este proceso de acuerdo con el art. 814 (téngase en cuenta que la existencia de formularios y el tratamiento automatizado no implican nunca, de momento, que el procedimiento avance automáticamente, pero es probable que con un desarrollo más concreto de la IA ése sea el futuro).

Si la cuantía de la cantidad reclamada es incorrecta, por ejemplo, porque no se corresponde con la documentación aportada, se está a lo dispuesto en el art. 815.3: Resuelve el juez la disputa y si el acreedor no está de acuerdo, se le tiene por desistido.

La admisión a trámite significa que el LAJ requiere de pago al deudor demandado (en la forma expresada en el art. 815.1, que se remite al art. 161), dándole un plazo de 20 días para que satisfaga la deuda con el acreedor, acreditándolo ante el órgano jurisdiccional, o que comparezca y se oponga, por escrito y de forma fundada y motivada a la totalidad o parte de la deuda (art. 815.1 LEC).

La LEC ha eludido todos los problemas prácticos derivados del rigor formal del requerimiento, limitándose a una remisión a la norma general propia de la comunicación por medio de la entrega de copia de la resolución o de cédula. Es evidente que las graves consecuencias que supone la incomparecencia del deudor deberían llevar a exigir mayores garantías sobre que el mismo tenga conocimiento de la existencia del proceso. El art. 815.1, II LEC admite en ciertos casos el requerimiento al demandado por medio de edictos.

Norma especial existe sólo para el caso de reclamaciones de cantidades debidas en concepto de gastos comunes de comunidades de propietarios de inmuebles urbanos, conforme a la cual el requerimiento se notificará, primero, en el domicilio previamente designado por el deudor para las notificaciones y citaciones de toda índole relacionadas con los asuntos de la comunidad de propietarios, después, y si no existiere esa designación, en el piso o local y, en último caso, conforme a lo dispuesto en el art. 164, el que prevé la notificación edictal (art. 815.2).

La negativa a pagar se traduce en que el procedimiento continúa adelante, es decir, se entra en la fase de ejecución, despachándose la ejecución correspondiente (art. 815.1, II, segundo inciso LEC).

Ahora bien, el demandado puede realizar más conductas que las indicadas hasta ahora. Veámoslas todas ellas:

1. Puede pagar extraprocesalmente: La LEC silencia esta cuestión, pues sólo contempla el pago tras el requerimiento judicial (art. 817). Se entiende que regirán las normas generales, por lo que, una vez el pago se ha acreditado ante el tribunal, se le hará entrega del documento en que conste la deuda y terminará el procedimiento archivándose las actuaciones, imponiéndose las costas al deudor conforme al principio del vencimiento (art. 394 LEC). Únicamente podría impedirse esta condena si justificara el deudor que no pudo pagar antes, a los efectos del art. 394, I *in fine*, pero no es claro que estemos ante una seria duda de hecho en este caso.

2. Puede no pagar extraprocesalmente, en cuyo caso la cuestión se dilucida entre si comparece o no:

   ➤ Si no comparece, no atiende el requerimiento de pago, o no alega las razones de su voluntad de no pagar, el LAJ mediante decreto da por terminado el proceso monitorio en su fase de proceso declarativo especial y pide al acreedor que inste ante el juez el despacho de ejecución por la cantidad adeudada, en el sentido antes indicado (arts. 815.1, II, segundo inciso, y 816.1 LEC), que incluye siempre los intereses legales (art. 816.2, II, LEC). No comparecer debe ser equivalente a comparecer y no oponerse. En ambos casos el proceso civil especial entra en su fase de ejecución.

   El auto despachando ejecución es el título ejecutivo realmente en este caso, y por ello la ejecución lo es de títulos judiciales (art. 816.2. I LEC). Por tanto, se ha creado así el título ejecutivo, que es el fin pretendido por el proceso monitorio, como ya sabemos. De la LEC puede deducirse, al omitir cualquier referencia al tema, sin duda alguna porque se prevé un trámite específico de oposición del deudor, que esta resolución no es susceptible de recurso alguno.

Se inicia, en consecuencia, el proceso de ejecución forzosa correspondiente (arts. 549 y ss. LEC). El deudor no pierde las oportunidades de oposición, aunque no puede conseguir ya transformar el procedimiento puesto que no ha comparecido, pues puede formular oposición a la ejecución, de acuerdo con las normas generales (art. 818.2, en relación con el art. 556 básicamente, de la LEC).

➤ Si comparece, puede o pagar o realizar varias conductas de oposición, que en ningún caso cabría entender que son técnicamente equivalentes a un escrito de contestación a la demanda, que implican que el procedimiento monitorio sigue a partir de ahora los cauces del juicio ordinario, a las que por su importancia nos referimos a continuación en epígrafe aparte.

V. LA OPOSICIÓN DEL DEUDOR Y LA TRANSFORMACIÓN DEL PROCEDIMIENTO

En efecto, una vez comparece el deudor puede realizar dos tipos de conductas relevantes procesalmente:

1. Atender el requerimiento de pago, en cuyo caso y tan pronto como lo acredite ante el LAJ, se archivarán las actuaciones (art. 817 LEC). Este es el único momento que prevé formalmente la LEC para pagar la deuda, con el efecto de poner fin al proceso monitorio. Un pago extraprocesal previo en el sentido antes visto debería tener el mismo efecto, pero un pago también extraprocesal si bien posterior al requerimiento no evitará el auto despachando ejecución, aunque ponga fin a la misma.

2. Oponerse al pago, en todo o en parte (art. 818.1 LEC). No se especifican las causas (razones) de esta oposición, pero indiscutiblemente se podrán alegar todas las excepciones procesales y todas las materiales que pueden oponerse en los procesos declarativos. Con la oposición, el asunto pasa a resolverse en el juicio que corresponda (art. 818.1). Con mayor precisión, las posibilidades son:

A) Si la cuantía de la pretensión no supera la propia del juicio verbal (6.000 euros de acuerdo con el art. 250.2 LEC), el LAJ dictará decreto dando por terminado el proceso monitorio y acordando seguir la tramitación del juicio verbal. Pero la oposición del deudor abre ahora un trámite de análisis de la misma difícil de encajar en el procedimiento, porque ya estamos en el ...icio verbal a causa de esa oposición. Sin embargo, el art. 818.2 LEC ...dena que la oposición del deudor sea comunicada al demandante ...proceso monitorio del que el verbal trae ahora causa, para que p... impugnarla. No se dice en la ley qué ocurre si la impug-na, ni ta...ación ...qué efectos tiene la decisión que tome el Juez respecto a esa ir...do. Sólo se indica que tanto el actor impugnante, como el de... opositor, podrán pedir en sus respectivos escritos la ce-leb... de la vista del juicio verbal (arts. 438 y ss.). Si ninguno de los ...que se celebre vista en sus escritos, parece razonable pensar ...ez pase directamente a dictar sentencia sin ulteriores trámites ...ase en el art. 438.4, I LEC), lo cual implica crear subrepticiamen-...nuevo procedimiento, no exento de problemas; mientras que si ...n vista, entonces el juicio verbal es el auténtico, rigiendo las normas ...erales.

...ero si el importe de la reclamación excede de esa cantidad (más de 6.000 euros) hay, a su vez, dos situaciones a considerar, teniendo en cuenta que si la cuestión de fondo es la reclamación de rentas o cantidades debidas en materia arrendaticia urbana, el procedimiento adecuado es siempre el del juicio verbal (art. 818.3 LEC):

➢ El acreedor puede proceder a presentar la demanda ordinaria correspondiente, dentro del plazo de un mes a contar desde que se le dio traslado del escrito de oposición, con lo que, si se admite la demanda, se inicia el juicio ordinario, y por eso existe una remisión a los arts. 404 y siguientes (art. 818.2, tercer inciso LEC). Esto supone que el mismo juez de primera instancia debe conocer de ese proceso, sin nuevas normas de competencia ni de reparto.

➢ Si el acreedor no presenta la demanda dentro del plazo dicho, el LAJ procederá a sobreseer las actuaciones, condenándole en las costas (y en ellas debe incluirse los honorarios y derechos del abogado y procurador del demandado por el escrito de oposición), de acuerdo con el art. 818.2, segundo inciso LEC).

Supuesto especial es el de que la oposición del deudor se funde en la existencia de pluspetición, remitiéndose el art. 818.1, III al art. 21. Se trata entonces de la existencia de un allanamiento parcial, caso en el que:

a) Respecto de la cantidad por la que se produce el allanamiento, el actor puede pedir al tribunal que se dicte de inmediato auto acogiendo el objeto del allanamiento, auto que es título ejecutivo conforme a las reglas generales.

b) Respecto de la cantidad por la que existe oposi... *podrá seguirse con el* juicio verbal o habrá de presentarse la demanda d... *uicio ordinario, según* la cuantía.

No resuelve la LEC en el art. 818, finalmente, qué hac... ción totalmente infundada, incluso temeraria, del deudor. *nte a una oposi-* ser la de proseguir con el proceso monitorio dictando el Juez *ción debería* do ejecución, considerando esa conducta como equivalente a l... *despachan-* cia (art. 816.1). Desde luego, imponer una sanción que quedara ... *parecen-* en la condena en costas sería ridículo, y sin embargo parece que es... *ente* puede hacerse hoy por hoy. *ue*

Por otra parte, que el deudor diga simplemente que se opone sin... nes es, evidentemente, manifestar con claridad una oposición a la crea... título ejecutivo. No es para la LEC, sin embargo, suficiente, pues el art... I *in fine* dice expresamente que el deudor comparecerá y alegará ante el j... sucintamente, «las razones por las que, a su entender, no debe, en todo o... parte, la cantidad reclamada». Por ello, en nuestra opinión, de oponerse ta... vaga y generalmente, por tanto, sin dar ni una sola explicación, la consecuencia debe ser también que se le tenga por no opuesto y, en consecuencia, que se dicte auto despachando ejecución, equivaliendo igualmente a una incomparecencia esta manera de actuar (art. 816.1). Optar, al contrario, por dar validez a esta oposición no concretada, pensando quizás en que la amenaza de la condena en costas puede ser suficiente, podría abrir en realidad totalmente el camino a una oposición generalizada absolutamente contraproducente, lo que no ocurre en los países de nuestro entorno jurídico.

Finalmente, el deudor podría comparecer y realizar conductas que no son estrictamente de oposición, *v.gr.*, formular reconvención. Estas posibilidades deben descartarse de plano, no sólo por razones formales, ya que la reconvención se propone en el escrito de contestación de la demanda (art. 406.1 LEC) y en el proceso monitorio no existe tal escrito, sino también porque su tratamiento es absolutamente inadecuado en el proceso monitorio, sólo previsto para lograr que un Juez dicte una resolución en la que dé naturaleza ejecutiva a una deuda acreditada documentalmente, faltando, por tanto, el requisito esencial de la homogeneidad de procedimientos (art. 406.2, I LEC).

VI. LA COSA JUZGADA

Que el juicio que corresponda, a que da lugar la oposición del deudor a la creación de un título ejecutivo mediante el proceso monitorio, termine un día por sentencia con efectos de cosa juzgada, no plantea ningún problema dogmático. Así se dice en el art. 818.1, I, *in fine* LEC, y se explica en la EM XIX, pár.

8, pues ese juicio declarativo se entiende «como proceso ordinario y plenario y encaminado, por tanto, a finalizar, en principio, mediante sentencia con fuerza de cosa juzgada».

Ello es totalmente correcto, pues se ha abandonado el cauce del monitorio en tanto tutela procesal privilegiada del crédito, para pasar a una tutela procesal no privilegiada o general del crédito, el juicio declarativo que corresponda, en donde deben ser aplicables todas las instituciones procesales ordinarias. Por tanto y en nuestra opinión, gozaría la sentencia que se dictara en él de la cosa juzgada material aunque nada se dijera expresamente al respecto.

La cuestión que se discute es si el auto que crea el título ejecutivo ante la no oposición del deudor o ante su incomparecencia, en los términos antes vistos (art. 816.1 LEC), es decir, sin salirnos del propio proceso monitorio, alcanza igualmente la eficacia de cosa juzgada.

Existe una respuesta indirecta a esta cuestión en el art. 816.2, I. Si el solicitante del proceso monitorio y el deudor ejecutado no pueden pretender ulteriormente en proceso ordinario la cantidad reclamada en el monitorio o la devolución de la que con la ejecución se obtuviere, la conclusión tiene que ser la que el auto por el que se despacha la ejecución, una vez constatado el silencio del deudor, sí produce los efectos propios de la cosa juzgada material.

Sólo desde esta constatación se comprende también que el mismo artículo diga que, despachada la ejecución, proseguirá ésta conforme a lo dispuesto para la de sentencias judiciales, pudiendo formularse la oposición prevista en estos casos. Se está haciendo así una remisión, primero, a la ejecución única pero, sobre todo, a la oposición a los títulos judiciales, con lo que la oposición sobre el fondo tiene todos los límites del art. 556, límites que sólo se explican desde la existencia de cosa juzgada material.

Lección 34ª
EL PROCESO CONCURSAL

JUAN-LUIS GÓMEZ COLOMER

BIBLIOGRAFÍA BÁSICA

CACHÓN CADENAS, M. *et alii. Problemas procesales del concurso de acreedores*, Atelier, Barcelona, 2013.

CONDE FUENTES, J., *Los sujetos del proceso concursal*, Aranzadi, Pamplona, 2014.

CORDÓN MORENO, F., *Proceso concursal* (3ª ed.), Aranzadi, Pamplona, 2013.

GUERRERO PALOMARES, S., *Derecho Procesal Concursal*, Tirant lo Blanch, Valencia, 2020.

LÓPEZ SÁNCHEZ, J., *El proceso concursal*, Ed. Aranzadi, Pamplona, 2012.

PEINADO GRACIA, J. I./ SANJUÁN Y MUÑOZ, E. (Dir.), *Comentarios al articulado del Texto Refundido de la Ley Concursal*, SEPIN, Madrid, 2020.

PULGAR EZQUERRA, J. (Dir.), *Comentario a la Ley Concursal. Texto Refundido de la Ley Concursal*, La Ley, Madrid, 2020.

ROJO, A./ BELTRÁN, E. (Dir.), *Comentario a la Ley Concursal*, Thomson-Civitas, Madrid, 2004.

VEIGA COPO, A. B. (Dir.), *Comentario al Texto Refundido de la Ley Concursal*, Thomson-Civitas, Cizur Menor, 2021.

I. EL PROCESO CONCURSAL: REGULACIÓN Y PRINCIPIOS

La regulación de la tutela procesal de los acreedores frente a un deudor común, generalmente empresario, obligado a responder con todo su patrimonio de sus deudas e incapaz de hacer frente a sus obligaciones, normas que conforman lo que internacionalmente se llama el proceso concursal, era caótica, asistemática, vetusta, dispersa, ineficaz e inadecuada a la realidad económica actual, hasta que en 2003 se afrontó su reforma radical, modernizando las instituciones concursales.

El cambio se concretó, inicialmente, en la aprobación de dos leyes distintas. Una básica, la llamada Ley Concursal (Ley 22/2003, de 9 de julio), que desarrolló el contenido sustantivo y procesal de la única institución que disciplina la bancarrota a partir de entonces, el concurso; y otra orgánica, la Ley Orgánica 8/2003, de 9 de julio, que modificó la LOPJ para crear el Juez de lo Mercantil (JMerc) y establecer sus competencias, así como regular los efectos del concurso sobre los derechos fundamentales del concursado.

Pero la crisis económica en que vivimos desde entonces, avatares insospechados como la pandemia del COVID-19 (que motivó regulaciones específicas para el concurso, v., por ejemplo, los Reales Decretos-leyes 16/2020, de 28 de abril; 34/2020, de 17 de noviembre; y 5/2021, de 12 de marzo), y un sinnúmero de problemas ocasionados en la práctica por la aplicación de estas leyes, han obligado a varias reformas desde entonces, sobre todo de aspectos de gran trascendencia muy complejos técnicamente (reformas también propiciadas por la UE, como el Reglamento 2015/848, de 20 de mayo, sobre procedimientos de insolvencia, y la Directiva 2019/1023, de 20 de junio), que culminaron con la aprobación de un Texto Refundido de la Ley Concursal (TRLConc), Real Decreto Legislativo 1/2020, de 5 de mayo, que entonces fue el último intento de regularizar, sistematizar, ordenar, aclarar y mejorar todas las normas y todos los problemas suscitados hasta la fecha en esta materia, aunque a veces ha ido un poco más allá, pero que recientemente ha tenido que volver a ser profundamente reformado por la Ley 16/2022, de 5 de septiembre, de reforma del texto refundido de la Ley Concursal, aprobado por el Real Decreto Legislativo 1/2020, de 5 de mayo, para la transposición de la Directiva (UE) 2019/1023 del Parlamento Europeo y del Consejo, de 20 de junio de 2019, sobre marcos de reestructuración preventiva, exoneración de deudas e inhabilitaciones, y sobre medidas para aumentar la eficiencia de los procedimientos de reestructuración, insolvencia y exoneración de deudas, y por la que se modifica la Directiva (UE) 2017/1132 del Parlamento Europeo y del Consejo, sobre determinados aspectos del Derecho de sociedades (Directiva sobre reestructuración e insolvencia). Y las reformas de lo concursal no paran, v. RD-Ley 5/2023, de 28 de junio. Una reforma orgánica ha sido también necesaria, lo que se ha efectuado por la Ley Orgánica 7/2022, de 27 de julio, de modificación de la Ley Orgánica 6/1985, de 1 de julio, del Poder Judicial, en materia de Juzgados de lo Mercantil, que, entre otras disposiciones, reordena las competencias entre el JMerc y el JPI.

Objetivo común de todas estas normas fue y es la satisfacción de los acreedores, bien a través de la salvación de la empresa en crisis, bien llegando a su liquidación si no hay más remedio. La nueva situación es propia, además, de la economía de mercado, pues el deudor deja de encontrarse cómodo en una situación que le favorecía enormemente por la gran confusión existente, y el acreedor sabe que tiene mejor garantizados sus derechos económicos ante la mayor claridad normativa y una evidente simplificación procedimental de la nueva regulación.

La legislación concursal acepta como principios concursales los tres siguientes:

➢ Unidad de regulación, en cuya virtud el concurso pasa a contenerse, tanto en lo que afecta a lo material como a lo procesal, en una única ley, a salvo de las cuestiones orgánicas (desaparecen por tanto las antiguas instituciones del Derecho de insolvencia:

El concurso, la quita y espera, la suspensión de pagos y la quiebra);

➢ Unidad de destinatario legal, por la que el concurso se aplica tanto a empresarios como a no empresarios, si bien lógicamente tiene una mayor incidencia respecto a los primeros; y

➢ Unidad de procedimiento, es decir, los procedimientos concursales dejan de ser cuatro para convertirse en uno sólo (con la especialidad para microempresas), pero ello no garantiza una buena regulación, como veremos luego.

Además, la ley permite fijarnos en los siguientes aspectos relevantes, que constituyen novedades importantes:

➢ Reducción y simplificación de los órganos del concurso, pues ahora sólo es órgano del concurso la administración concursal;

➢ El mediador y el experto en reestructuración sólo intervienen ocasionalmente. La junta de acreedores desaparece con la última reforma;

➢ Mejora de la situación jurídica del deudor, pues la declaración del concurso no le priva necesariamente de la capacidad de administrar su patrimonio, y se sustituye la retroacción absoluta por medidas que le favorecen más;

➢ Mayor efectividad del principio *par conditio creditorum*, es decir, que el tratamiento de los créditos tiene que ser igual en todos los casos, lo que se traduce en la desaparición de numerosos privilegios y preferencias de los acreedores; y

➢ Facilitación del convenio, frente a la liquidación del patrimonio del deudor, para favorecer que éste pueda pagar y los acreedores cobrar sus créditos. Se establece un procedimiento para la segunda oportunidad más eficaz.

II. SUJETOS DEL CONCURSO

Son los tres siguientes: El juez, los órganos del concurso y las partes.

1. Juzgados de lo Mercantil

El proceso concursal es competencia de los Juzgados de lo Mercantil (órgano jurisdiccional ordinario especializado, regulado en el art. 86 bis LOPJ, e introducido por la LO 8/2003 y últimamente reformado en 2022). El legislador ha preferido la creación de estos nuevos Juzgados con base en la necesidad de operar una concentración competencial en ellos de todas las materias concursales y de gozar de una preparación especializada, por la obvia complejidad de la realidad social y económica. Se crean también Secciones Especializadas en lo Concursal en las AP (art. 82.4 LOPJ).

Los JMerc tienen competencia exclusiva y excluyente (art. 86 ter.1 LOPJ), en las materias especificadas en los arts. 44 y 52 TRLConc (éste último habla erróneamente de jurisdicción, cuando es competencia objetiva), lo que significa que conocen de todos los aspectos jurídicos del concurso, salvo disposición en contrario, por su carácter universal.

2. Órganos del concurso

El concurso requiere en estos momentos sólo de una organización, dentro de lo que llama órganos del concurso, que ayuda al JMerc en sus funciones y que colabora en la solución del conflicto jurídico que provoca la insolvencia del deudor. Se trata de una figura profesional en la materia, ajena al poder judicial. Es la administración concursal, que trataremos por su importancia con detalle *infra*.

3. Partes

Determinar las partes que ocupan el lado activo y el lado pasivo en el proceso concursal no es cuestión fácil. El TRLConc, que rubrica oficialmente la norma sobre las partes bajo el título, de manera totalmente equivocada en lo procesal, de presupuesto subjetivo (art. 1), se refiere a los acreedores, al deudor o deudores, a las personas que tengan un interés legítimo, al Fondo de Garantía Salarial y al Ministerio Fiscal:

> ➢ Los acreedores: Si instan la declaración de concurso del deudor (art. 3.1 TRLConc), tienen la cualidad de parte actora del proceso. Si es el deudor quien pide su propio concurso (art. 3.1 TRLConc), son al contrario parte demandada. Deben comparecer en forma y estar defendidos por letrado y representados por procurador (para realizar los actos previstos en el art. 512.1 TRLConc). Si no comparecen en forma, sólo tienen derecho a examinar los autos (art. 512.2, I TRLConc).

➢ El deudor concursado, persona natural o jurídica: Es parte pasiva o activa del proceso en función de si los acreedores instan el concurso, o de si es él mismo quien pide la declaración de su propio concurso (arts. 1.1 y 3.1 TRLConc). No es necesario que comparezca en forma, pero debe estar defendido por letrado y representado por procurador (art. 510 TRLConc). En caso de microempresas hay normas específicas (art. 1.2 TRLConc). Si el deudor es una persona jurídica, decide sobre la presentación de la solicitud de concurso el órgano de administración o liquidación, no la junta general (art. 3.1, II). El deudor goza de protección específica en materia de derechos fundamentales que puedan verse alterados por la investigación de los hechos durante el desarrollo del procedimiento concursal, pues de acuerdo con el art. 1 LO 8/2003, el JMerc puede decretar la intervención de sus comunicaciones, obligarle a residir en un lugar concreto, y ordenar la entrada y registro de su domicilio, con las garantías de la Constitución y de la LECRIM, previa audiencia del MF y mediante decisión especialmente motivada, recurrible en apelación con carácter preferente ante la AP. Finalmente, las personas públicas enumeradas en el art. 1.3 TRLConc están fuera del concurso.

➢ Las personas que tengan un interés legítimo: Si el deudor es una persona jurídica, están también legitimados activamente para presentar la solicitud de su declaración de concurso los socios que sean personalmente responsables de las deudas de aquélla (art. 3.3 TRLConc).

➢ El Fondo de Garantía Salarial es parte demandada si en el proceso concursal puede derivarse su responsabilidad para el abono de salarios o de indemnizaciones a los trabajadores (art. 514 TRLConc).

➢ El Ministerio Fiscal defiende la legalidad en la sección 6ª (trámite de calificación) del concurso (art. 450 TRLConc), único momento procedimental en el que interviene además de con ocasión de la posible restricción de derechos fundamentales del concursado, por lo que puede estar al lado de la parte actora, o al lado de la demandada, en función de esa defensa en el caso concreto. También comunica al JMerc la posible insolvencia del deudor puesta de manifiesto en un proceso penal a los efectos previstos en el art. 4 TRLConc.

III. LA FASE PRECONCURSAL

La ley prevé, antes del proceso concursal general, una fase preconcursal, que en 2020 obtuvo un reconocimiento procesal propio (libro II, arts. 583 a 720), si bien ya desde 2011 se permitió en el proceso concursal que antes de la declaración del concurso el deudor pudiera entablar negociaciones con sus acreedores para llegar a un convenio que lo evitara. El TRLConc se refería a dos manifestaciones concretas, los acuerdos de refinanciación y el acuerdo extrajudicial de pagos, que eran consecuencia del deseo del legislador de evitar, siempre que sea posible, la declaración de concurso, y no sólo por los altos costes que implica su tramitación, favoreciendo alternativas previas al concurso que permitan salvar la empresa.

La reforma de 2022 ha suprimido esas dos posibilidades y ha creado una fase preconcursal nueva, a la que llama "planes de reestructuración". Las finalidades de las instituciones anteriores se mantienen, sólo que ahora se refunden en una sola, con cambio de nombre. Obviamente, se introducen novedades.

Los planes de reestructuración se regulan en los arts. 614 a 664 TRLConc. Es un instrumento preconcursal dirigido a evitar la insolvencia, o a superarla, con características que incrementan su eficacia respecto a la legislación derogada. El legislador quiere con estos planes que se incentive una reestructuración más temprana, y por tanto con mayores probabilidades de éxito, y que contribuya a la descongestión de los juzgados y por tanto a una mayor eficiencia del concurso. Para ello, se permite que las empresas puedan acogerse a los planes de reestructuración en una situación de probabilidad de insolvencia, previa a la insolvencia inminente. En la regulación de los planes de reestructuración se ha preservado el carácter flexible (poco procedimental) que conlleva toda negociación que quiere evitar el concurso y se han incorporado elementos que les otorgan mayor eficacia.

Los planes son consecuencia de la Directiva europea, que exige la introducción en la legislación nacional de uno o varios marcos o procedimientos de reestructuración preventiva, cuya finalidad es asegurar la continuidad de empresas y negocios que son viables pero que se encuentran en dificultades financieras que pueden amenazar la solvencia y acarrear el consiguiente concurso.

Se introduce la figura del experto en reestructuración (arts. 671 a 681 TRLConc), nueva en nuestro Derecho. La Directiva exige la designación obligatoria de este experto en determinados supuestos, fuera de los cuales tampoco en la norma de transposición es necesario el nombramiento, salvo que el deudor o una mayoría de acreedores lo solicite. La ley establece cómo se nombre al experto y regula su estatuto, funciones, deberes y régimen de responsabilidad. Para el legislador es como un mediador, porque su misión es facilitar la negociación entre las partes, ayudar a deudores con poca experiencia o conocimientos en materia de reestructuración, y eventualmente facilitar las decisiones judiciales cuando surja alguna controversia entre las partes. No obstante, tiene la responsabilidad de elaborar un informe sobre el valor en funcionamiento de la empresa en ciertos casos.

El régimen aplicable a los planes de reestructuración descansa sobre un principio de intervención judicial mínima y a posteriori. La negociación y votación del plan es informal y al margen de cualquier proceso reglado o de la intervención de ninguna autoridad judicial, sin perjuicio de la posible designación de un experto en la reestructuración, cuando proceda imperativamente o a instancias de las partes. El juez solo interviene al final del proceso, para homologar el plan ya aprobado por las clases y mayorías exigidas por la ley.

La ley opta por una definición muy amplia del concepto de «planes de reestructuración» e incluye las medidas de reestructuración que afectan tanto al pasivo como al activo. La ley también acoge la opción, permitida por la Directiva, de homologar un plan de reestructuración que prevea la venta de partes o incluso de la totalidad de la empresa, los llamados planes liquidativos.

Los planes de reestructuración, en principio pues no siempre es necesario, deben ser homologados judicialmente. El procedimiento se regula en los arts. 635 y ss. TRLConc. Se opta por el principio de intervención judicial mínima, para conseguir un procedimiento lo más ágil y abreviado posible. Después de un control de oficio y a instancia de parte de la competencia del tribunal, el procedimiento se basa en el principio mayoritario. Si una mayoría lo quiere, es aceptable. El juez sólo ha de verificar que se cumplen los presupuestos legales, dictando el auto de homologación correspondiente, que es impugnable, mediante recurso de apelación (que exige la concurrencia de motivos), o mediante escrito de oposición ante el mismo juez como alternativa.

Es posible que los planes se incumplan. La ley quiere entonces que las partes prevean esta situación y acuerden como solucionarla si se plantea.

IV. EL PROCESO CONCURSAL EN GENERAL

El proceso concursal es un proceso civil especial, de ahí su tratamiento en este volumen del manual. No se regula en la LEC por su complejidad, aunque es supletoria (art. 521 TRLConc), si bien ello no desvirtúa su naturaleza, pues a través de él se ventilan asuntos de Derecho privado, lo que es materia propia del orden jurisdiccional civil (art. 9.2 LOPJ). Pero en este proceso se resuelven temas de ejecución universal, ya que concurren todos los acreedores para obtener la satisfacción de todos sus créditos con cargo al patrimonio del deudor considerado en su totalidad. Por ello, en nuestra opinión, a la vista de la naturaleza material de las pretensiones que deben resolverse en él, estamos ante una mezcla de proceso declarativo (por cierto, con alguna regulación propia de los procesos no dispositivos), y de ejecución.

El TRLConc, en desarrollo del principio de simplificación procedimental, ha partido de una idea básica muy mal regulada: Establecer unos trámites esenciales (a los que llama legalmente de manera indistinta procedimiento de declaración o «declaración del concurso», en donde mezcla muchas cosas que no son procedimiento, ni tampoco proceso, «fase común» del procedimiento, o «normas generales»), y luego unas particularidades, a las que llama «proceso especial para microempresas» e «incidente concursal». Finaliza con la regulación de los recursos. Con la reforma de 2022 se ha derogado el proceso concursal abreviado.

La naturaleza de proceso civil especial mixto, declarativo y ejecutivo a un tiempo, tiene como consecuencia más visible que el legislador ha visto casi imposible poder adoptar como proceso concursal básico el juicio ordinario de la LEC, modelo de oralidad, con las especialidades pertinentes, no habiendo tenido más remedio que optar por un trámite diferente mucho más complicado, que en ningún caso puede identificarse ni siquiera parcialmente con el juicio ordinario, con fuerte predominio además del principio de la escritura, propio de la ejecución forzosa singular civil. El buscar ante todo eficacia ha llevado a esta mezcla sin duda alguna.

Pero para facilitar su estudio es mejor partir de la existencia de dos procedimientos concursales. El primero sería el ordinario (recordemos, éste no denominado así por el TRLConc, que habla de un proceso general), en donde se englobarían todas las instituciones procesales, y el segundo el especial previsto para microempresas, en donde se consignarían las especialidades respecto al anterior que prevé el mismo texto legal, dejando aparte el incidente concursal. Veamos ahora el que denominamos proceso ordinario.

Analicemos ahora el primero de ellos. Muchos de los preceptos que le afectan han sido reformados en 2022. La ley quiere ante todo un proceso concursal más ágil y efectivo, considerando prácticamente un fracaso el vigente hasta entonces, por su escasa utilización (especialmente de los instrumentos preconcursales) y su excesiva duración (5 años de promedio), principalmente.

El proceso concursal ordinario consta de las siguientes cuatro fases: Solicitud de declaración de concurso, análisis judicial de la solicitud, fase común de tramitación, y terminación del concurso.

1. Solicitud (demanda) de declaración de concurso

Si ha existido negociación previa sobre un plan de reestructuración que ha fracasado, o si no ha existido, el proceso concursal ordinario se inicia formalmente mediante escrito de solicitud de declaración de concurso (la ley evita denominar a este escrito demanda, pero indudablemente lo es), que puede ser presentada tanto por los acreedores o demás personas legitimadas (así el mediador concursal), en cuyo caso se llama concurso necesario, como por el deudor, en cuyo caso estamos ante el concurso voluntario (art. 29, en relación con el art. 3.1 TRLConc).

El proceso concursal nunca se inicia de oficio, de manera que rige plenamente el principio dispositivo. El Ministerio Fiscal tiene facultades específicas en el inicio del proceso, en los términos del art. 4 TRLConc (en caso de insolvencia punible, delitos contra el patrimonio o contra el orden socioeconómico), si creyera, durante la investigación de hechos delictivos contra el patrimonio o el orden socioeconómico, que se dan las circunstancias para declarar el concurso, pero no es parte pública que pueda iniciarlo tampoco.

> Concurso voluntario: Para el deudor es obligatorio presentar el escrito si conoce su insolvencia, en los términos del art. 6 TRLConc. Deberá expresar en su escrito si su estado de insolvencia es actual o inminente, acompañando todos los documentos generales, contables y complementarios exigidos por los arts. 7 y 8 TRLConc.

El deudor tiene en este caso la posibilidad de presentar con su demanda una propuesta de convenio (art. 337 TRLConc). La propuesta de convenio, salvo que esté prohibido expresamente (art. 318 TRLConc), dándose los requisitos de los arts. 342 a 344 TRLConc, puede ir acompañada de adhesiones, que consisten fundamentalmente en afirmar que los acreedores la apoyan y que la administración concursal la evalúa favorablemente. Si el JMerc la aprueba, se abre durante la fase común un plazo de dos meses desde la admisión a trámite (desde el auto de declaración), para que se puedan presentar adhesiones a la propuesta de convenio (arts. 343.1 y 358.2 TRLConc); si no la aprueba, se inicia el procedimiento de liquidación (art. 409-3º TRLConc).

> Concurso necesario: Los acreedores u otras personas legitimadas podrán instar la declaración del concurso expresando en el escrito todo lo que es relevante en cuanto a los créditos. Deberán además expresar en el escrito los medios de prueba, con exclusión de la testifical si es la única, de que se valgan o intenten valerse para acreditar los hechos del concurso (art. 13 TRLConc).

Para que la solicitud pueda ser admisible se requiere la concurrencia de determinados requisitos materiales, a los que la ley llama presupuesto objetivo en la rúbrica oficial de su art. 2, consistentes, según ese precepto, en demostrar documentalmente el estado de insolvencia del deudor.

El presupuesto de la insolvencia tiene tres grados: La insolvencia real o actual ya producida, demostrable porque el deudor no puede cumplir regularmente sus obligaciones exigibles (art. 2.3); la insolvencia inminente o amenazante, que es la previsión fundada de que el deudor no va a poder cumplir regular y puntualmente con sus obligaciones exigibles en un muy breve plazo de tiempo (art. 2.3); y la insolvencia, también actual, revelada por determinados hechos externos muy graves regulados en el art. 2.4 (por ejemplo, haber sido declarado judicialmente insolvente o el sobreseimiento en el pago de obligaciones).

Si la demanda la presenta el propio deudor, los documentos se establecen en los arts. 7 (documentos generales), y 8 TRLConc (documentos contables y complementarios). En resumen, una memoria sobre la justificación de su endeudamiento y de su estado de insolvencia, y si la presentan los acreedores, en el art. 13.1 TRLConc (por ejemplo, los documentos acreditativos del estado de insolvencia del deudor, con varias posibilidades).

2. *Análisis judicial de la demanda y declaración del concurso*

La demanda se presenta ante el JMerc competente objetiva, funcional y territorialmente, de acuerdo con las normas orgánicas (art. 86 ter.1 LOPJ) y ordinarias (arts. 44 y ss. TRLConc). Se prevén normas particulares sobre extensión y límites de la jurisdicción, con el fin de resolver problemas específicos de concursos internacionales (art. 56 TRLConc). El JMerc debe controlar de oficio su propia competencia, pero el demandado puede oponerse mediante declinatoria, que no suspende la tramitación, ni impide la validez de lo actuado si se estima (arts. 50 y 51 TRLConc).

El JMerc procede a examinar la admisibilidad de la demanda prácticamente sin levantar mano (art. 14 TRLConc). Si la demanda tiene defectos subsanables, se concede un plazo para subsanar. Si no los tiene, o se han subsanado, y por tanto la demanda y sus documentos están completos, el JMerc dicta auto inmediatamente (art. 17 TRLConc), con el siguiente posible contenido:

➢ Si el deudor ha sido el demandante, se declara el concurso en caso de que se constate por la documentación aportada la existencia de alguno de los hechos que acreditan su insolvencia (art. 10.2 TRLConc), ordenando en el auto el juez la formación de la sección (pieza) primera del concurso (arts. 14.3 y 508-1-1º TRLConc).

➢ Si la demanda la ha presentado cualquier otro legitimado distinto del deudor, se admite a trámite si está completa, lo que tiene como consecuencia inicial la declaración del concurso (art. 17.1 TRLConc), la formación de la sección (pieza) primera del concurso antes aludida, y se abre un procedimiento específico contradictorio para darle la oportunidad al deudor de que se manifieste al respecto, teniendo el juez facultades probatorias de oficio (arts. 20 a 27 TRLConc), así como para realizar otros actos procesales, como por ejemplo, adopción de medidas cautelares o de actos restrictivos de derechos fundamentales (art. 18 TRLConc, y art. 1 LO 8/2003).

Cumplidos los trámites anteriores pertinentes, el JMerc dicta auto decidiendo la declaración del concurso o no (art. 24 TRLConc), recurrible en los términos del art. 25 TRLConc. Si el deudor se allana a la solicitud de los acreedores o no se opone, se declara el concurso de acreedores (art. 19 TRLConc). El auto que declara el concurso tiene un contenido complejo (art. 28 TRLConc). Es inmediatamente ejecutivo, independientemente de si se recurre o no, abre la fase común del procedimiento o su tramitación como proceso abreviado, y tiene como efecto principal la formación de las secciones segunda, tercera y cuarta (v. arts. 28, 30 y 508.1-2ª, 3ª y 4ª TRLConc). En caso de concursos conexos, los arts. 38 a 43 TRLConc, permiten la acumulación. A partir de la declaración de concurso, el impulso procesal es de oficio (art. 515 TRLConc).

Es de destacar en particular que existe la posibilidad de que el deudor presente ahora, si no lo ha hecho antes al solicitar su concurso voluntario, una propuesta de convenio tras la declaración del concurso (que tiene una amplia regulación en los arts. 315 a 405 TRLConc). Lo importante es que, si es aceptada por los acreedores, el JMerc la aprueba y dicta sentencia. Si no la aprueba, se procede conforme a los arts. 391 y 392 TRLConc.

El concurso puede concluir, archivándose las actuaciones, por las causas del art. 465 TRLConc, por ejemplo, por haberse apelado el auto declarando el concurso y ser revocado por la AP. Frente a la declaración de concluso el concurso por el JMerc, los acreedores se pueden oponer por los trámites del incidente concursal (arts. 469 y 475 TRLConc), cabiendo recurso de apelación en este caso contra el auto que se dicte si deniega la conclusión del concurso (art. 481 TRLConc), con los efectos favorables al deudor en cuanto a la disponibilidad de su patrimonio que se fijan en el art. 483 TRLConc.

Las causas de conclusión del concurso se regulan en el art. 477, por ejemplo la íntegra satisfacción de los acreedores. El fallecimiento del concursado no implica por sí sólo la conclusión del mismo (art. 571 TRLConc). Es posible reabrir el concurso en los casos previstos en el art. 505 TRLConc, por ejemplo, por aparecer nuevos bienes una vez liquidado el patrimonio del deudor.

3. *Fase común de tramitación*

En la llamada por el TRLConc fase común de tramitación del concurso, o normas procesales generales, podemos distinguir los siguientes aspectos:

A) Inicio y contenido (las secciones o piezas del concurso)

Se abre esta fase con el auto de declaración del concurso (art. 30), y comprende los trámites procedimentales previstos para las siguientes actuaciones, distribuidos en secciones o piezas del concurso por la ley (v. art. 508.1 TRLConc):

➢ Declaración del concurso (sección o pieza primera, Título I del Libro I, arts. 1 a 43 TRLConc), que comprende a su vez lo relativo a la declaración de concurso, a las medidas cautelares, a la resolución final de la fase común, a la conclusión y, en su caso, a la reapertura del concurso.

➢ Cumplimentación de la administración concursal (sección o pieza segunda, Título II del Libro I, arts. 57 a 104 TRLConc, v. a continuación, en la que se incluirá el informe con su documentación (Título VI del Libro I, arts. 289 a 314 TRLConc).

➢ Determinación de la masa activa (sección o pieza tercera, Título IV del Libro I, arts. 192 a 250 TRLConc), comprendiendo las autorizaciones para la enajenación de bienes y derechos de la masa activa, a la sustanciación, decisión y ejecución de las acciones de reintegración y de reducción y a los créditos contra la masa.

➢ Determinación de la masa pasiva (sección o pieza cuarta, Título V del Libro I, arts. 251 a 288 TRLConc), comprendiendo la comunicación, reconocimiento, graduación y clasificación de los créditos concursales y al pago de los acreedores. En esta sección se incluirán también, en pieza separada, los juicios declarativos que se hubieran acumulado al concurso de acreedores y las ejecuciones que se inicien o se reanuden contra el concursado.

➢ Lo relativo al convenio y a la liquidación (sección o pieza quinta, Títulos VII, VIII y IX del Libro I, arts. 315 a 440 TRLConc).

➢ Los temas relacionados con la calificación del concurso, incluida su ejecución si es culpable (sección o pieza sexta, Título X del Libro I, arts. 441 a 464 TRLConc).

B) La administración concursal

El tema central para el buen fin del concurso es la administración concursal, órgano del concurso como sabemos, debido a las importantes tareas que corresponden al mismo. El administrador concursal se nombra conforme al art. 62 TRLConc. Se pretende que sea unipersonal o única en la mayor parte de los casos, compuesta de un abogado o de un profesional económico experimentados, de manera tal que sea un órgano más profesionalizado, pudiendo ser designada igualmente una persona jurídica, aunque también es posible una administración dual (arts. 57 y 58 TRLConc., que requieren de desarrollo reglamentario para entrar en vigor). Sus miembros tienen un estatuto jurídico propio (regulado con detalle en los arts. 62 a 71 TRLConc). Debe aceptar el cargo ante el JMerc (art. 66 TRLConc), y puede delegar determinadas funciones en auxiliares delegados si la complejidad del caso lo exige (art. 75 TRLConc). Los administradores están sujetos al deber de abstención (art. 67.3 TRLConc), pudiendo ser recusados (arts. 72 a 74 TRLConc). Están sujetos también a responsabilidad civil por los daños causados a la masa, al deudor, a los acreedores o a terceros con ocasión del ejercicio de su cargo (arts. 94 y ss. TRLConc y RD 1333/2012, de 21 de septiembre), y pueden ser separados del cargo judicialmente si existe causa justa (art. 100 TRLConc). Son retribuidos mediante arancel con cargo a la masa del concurso (arts. 84 a 90 TRLConc, que todavía no han entrado en vigor). Sus funciones no se detallan en un precepto, sino que se reparten por todo el articulado del TRLConc., de entre ellas podemos destacar: La rescisión de los actos perjudiciales para la masa y la intervención de los actos patrimoniales realizados por el deudor, la elaboración de un informe sobre su gestión, hacer el inventario de la masa activa, elaborar el listado de acreedores y la evaluación de las propuestas de convenio presentadas.

C) Los efectos de la declaración del concurso

Debemos considerar los efectos sobre el deudor, los acreedores, los contratos y los actos perjudiciales para la masa activa.

➤ Sobre el deudor concursado: El deudor tiene los deberes de comparecencia ante el JMerc, de colaborar con él y de informarle (art. 135 TRLConc).

En caso de concurso voluntario, goza de las facultades patrimoniales previstas en el art. 106.1 TRLConc, por ejemplo, conserva las de administrar y disponer de su patrimonio, si bien intervenidas por la administración concursal; y en caso de concurso necesario, se suspenden estas facultades, que serán ejercidas a partir de ahora por los administradores concursales (art. 106.2 TRLConc). Existe posibilidad de alterar este régimen (art. 106.3 TRLConc).

Si el deudor actúa vulnerando estas disposiciones, cabe pretensión de anulación de actos del deudor en contra de las limitaciones impuestas, a tramitar por el incidente concursal (art. 109 TRLConc). Desaparece el arresto carcelario del quebrado, pero puede imponerse su arresto domiciliario (art. 1.1-2ª LO 8/2003).

En caso de ser el deudor persona jurídica los efectos se fijan en los arts. 126 a 133 TRLConc: Se mantienen los órganos de la persona jurídica, sin perjuicio de la supervisión que ejercen los administradores concursales, y existe posibilidad de decretar como medida cautelar el embargo de bienes y derechos de los administradores del deudor.

➤ Sobre los acreedores: Sus créditos quedan integrados por mor de la ley en la masa pasiva del concurso (art. 251 TRLConc).

Es importante fijar los efectos con relación a las pretensiones individuales del acreedor frente al deudor en concurso. A este respecto, los juicios declarativos civiles y laborales con ese objeto pasan a ser, con excepciones, competencia del JMerc (art. 136 TRLConc), suspendiéndose su tramitación en algunos supuestos (art. 139 TRLConc); se acumulan también con excepciones los procesos civiles declarativos pendientes (art. 138 TRLConc); se suspenden los efectos de los convenios arbitrales o de los pactos de mediación suscritos que puedan perjudicar al concurso, tramitándose los que estén en curso (art. 140 TRLConc); y el JMerc queda vinculado a sentencias y laudos arbitrales firmes, previos o posteriores a la declaración del concurso (art. 140 TRLConc), salvo que haya existido fraude (art. 140.4 TRLConc).

La administración concursal, estando suspendido el deudor en las facultades de administración y disposición de su patrimonio, está legitimada para interponer pretensiones de índole no personal (art. 120 TRLConc).

Declarado el concurso, no podrán iniciarse ejecuciones singulares, judiciales o extrajudiciales, ni seguirse apremios administrativos o tributarios contra el deudor (art. 142 TRLConc), aunque la ley prevé particularidades para los procedimientos administrativos de ejecución ya iniciados (arts. 143 y 144), y en caso de ejecuciones de garantías reales y acciones de recuperación asimiladas (arts. 145 a 151 TRLConc).

En cuanto a los créditos en particular, hay prohibición de compensación de créditos y deudas del concursado, salvo que sus requisitos se cumplieran antes de la declaración de concurso (a saber, que se trate de dos créditos líquidos, vencidos y exigibles), e incluso después en ciertos casos (si ambos créditos provienen de una misma relación jurídica, la liquidación de un contrato por ejemplo), resolviéndose la controversias por el incidente concursal (art. 153 TRLConc); se suspende el devengo de intereses (art. 152 TRLConc); y el derecho de retención (art. 154 TRLConc); y se interrumpe la prescripción (art. 155 TRLConc).

➤ Sobre los contratos: El TRLConc dedica una especial atención a esta materia, previendo los casos más comunes y los más problemáticos en sus arts. 156 y ss.: Contratos con obligaciones recíprocas, contratos de trabajo, contratos de alta dirección, contratos con administraciones públicas, y, entre otros, el supuesto de enervación del desahucio en arrendamientos urbanos (v. art. 168 TRLConc).

La idea general es mantener la vigencia de todos los contratos firmados por el deudor en todos los casos en que sea posible y no perjudique a los fines del propio concurso. Si ello no pudiera ser, la administración concursal tiene facultades para resolverlos.

➤ Efectos sobre los actos perjudiciales para la masa activa: Lo básico es establecer el régimen jurídico de las pretensiones de rescisión de actos perjudiciales para la masa activa, aunque no haya existido intención fraudulenta por parte del deudor (arts. 226 y ss. TRLConc).

La legitimación activa corresponde a la administración concursal (art. 231), y en ciertos casos a los acreedores (art. 232); la pasiva al deudor y a quienes hayan sido parte en el acto impugnado (art. 233), tramitándose por el procedimiento previsto para el incidente concursal (art. 234). Si la sentencia estima la rescisión, sus efectos particulares se prevén en el art. 235, básicamente la ineficacia del acto y la restitución de prestaciones, con frutos e intereses.

➤ Sobre los planes preconcursales de reestructuración, se aplica la legislación citada *supra*, de manera tal que, si cumplen con lo dispuesto en la ley, no pueden ser objeto de una pretensión de reintegración o de rescisión concursal, siempre que hayan sido homologados judicialmente (art. 635-3º TRLConc).

➤ Ténganse en cuenta los concursos especiales regulados en los arts. 567 a 582 TRLConc, que afectan a la herencia, a la persona del deudor en función de sus particularidades, entidades de crédito, de seguros, concesionarias de obras públicas, entidades deportivas, etc., cuyas normas influyen en estas materias.

➤ Para normas de colisión cuando intervengan bienes y personas extranjeras, hay que estar a los arts. 721 a 752 TRLConc, que establecen las disposiciones de Derecho Internacional Privado a aplicar.

D) El informe de la administración concursal y la determinación de las masas activa y pasiva del concurso

La actividad y funciones desarrolladas por la administración concursal se concretan en la elaboración de un informe, dentro de los plazos fijados por el art. 290 TRLConc, y cuyo contenido se fija en el art. 292 TRLConc, al que se deben acompañar estos cinco documentos (art. 293 TRLConc):

➤ Inventario de la masa activa, a elaborar conforme a las precisas normas de los arts. 198 a 203 TRLConc;

➢ Determinación de la masa pasiva, a saber, la lista de acreedores incluidos con sus créditos e importes, así como la de los excluidos;

➢ Escrito de evaluación de las propuestas de convenio que se hubieran presentado, en su caso;

➢ En su caso, el plan de liquidación; y

➢ Valoración de la empresa en su conjunto y de las unidades productivas (establecimientos o explotaciones que producen bienes o servicios, v. art. 200 TRLConc), que la integran bajo la hipótesis de continuidad de las operaciones y liquidación.

Este informe con sus documentos puede ser impugnado por cualquier interesado, siendo aplicables los trámites del incidente concursal (arts. 297 y ss. TRLConc).

La declaración del concurso tiene un régimen propio de publicidad (telemático) del mismo (arts. 552 a 559 TRLConc), siendo inscrito en el Registro Público Concursal (arts. 560 a 566 TRLConc, pendientes de desarrollo reglamentario, estando vigente de momento el RD 892/2013, de 15 de noviembre).

4. *Terminación*

El concurso puede terminar por convenio o por liquidación. Ya no es preciso que el inventario de la masa activa y la lista de acreedores sean definitivos, pues el convenio pude aprobarse antes (art. 358 TRLConc).

A) Por convenio

El convenio debe estar redactado por escrito y firmado por el deudor, si es su propuesta, y en otro caso por todos sus acreedores proponentes (art. 316 TRLConc). Sus contenidos posibles son, de acuerdo con los arts. 317 a 332, proponer: 1) Quita y/o espera; 2) Proposiciones alternativas; y 3) Proposiciones de enajenación de bienes y derechos. A él se debe acompañar un plan de pagos, y, en su caso, un plan de viabilidad si la empresa debe seguir produciendo (arts. 331 y 332 TRLConc). Existe prohibición, en principio, de cesión de bienes y derechos, y de propuestas condicionadas. Y no se admite propuesta de liquidación de la masa activa para satisfacción de los créditos.

Pero antes de llegar al convenio es preciso prepararlo procedimentalmente. En realidad, la fase de convenio ha desaparecido, solapándose con la fase común. Por eso dispone el art. 296 bis TRLConc que el LAJ dictará decreto poniendo fin a la fase común del concurso en los casos en esa norma previstos, y abrirá la fase de liquidación, salvo que se hubiera presentado propuesta de convenio (art. 296 bis.2 TRLConc).

Una vez finalizada la fase común, ya no puede presentarse una propuesta de convenio (arts. 296 bis y 337 a 339 TRLConc).

Es importante mencionar que se abre un trámite específico de oposición a la aprobación judicial del convenio aceptado por el concursado y los acreedores, con amplia legitimación pero con motivos tasados (arts. 382 y ss. TRLConc), por ejemplo, por infracción de norma legal reguladora del contenido del convenio, que se tramita por los cauces del incidente concursal, permitiéndose medidas cautelares específicas y resolviéndose el incidente de oposición por sentencia con el contenido y los efectos previstos en los arts. 390 y 391 TRLConc, trascendentes en caso de que triunfando la oposición se rechace el convenio. Si no hay o no triunfa la oposición, el JMerc dicta sentencia aprobando el convenio (art. 389 TRLConc), salvo que *ex officio* considere que es ilegal, lo que, según el caso, obliga a repetir la Junta de Acreedores, o comporta el rechazo definitivo del convenio y la apertura de la fase de liquidación (v. arts. 391 y 392, en relación con el art. 409 TRLConc).

El auto aprobando el convenio es recurrible conforme al complejo sistema diseñado en los arts. 544 y ss. TRLConc, que permite en ciertos casos el efecto no suspensivo (v. art. 549).

El TRLConc regula específicamente la eficacia temporal, subjetiva y novatoria del convenio, así como su extensión en cuanto a las facultades patrimoniales: El convenio es plenamente eficaz desde la aprobación judicial por sentencia salvo recurso suspensivo cesando los efectos de la declaración del concurso, vinculando a los firmantes de la propuesta y a quienes se hubieren adherido, a los demás acreedores ordinarios y a los subordinados, así como, en ciertos casos, a los acreedores privilegiados (arts. 393 a 399).

➢ El cumplimiento de lo acordado obliga al JMerc a dictar un auto de cumplimiento (art. 401 TRLConc), que una vez firme implica que el propio juez dicte otro auto, éste de conclusión del procedimiento concursal (art. 467 TRLConc).

➢ El convenio puede ser modificado en los términos del art. 401 bis TRLConc.

➢ El incumplimiento, a demostrar por los acreedores, se tramita por el incidente concursal, suponiendo en caso afirmativo la rescisión del convenio (arts. 402 y ss. TRLConc).

Si no se presenta ninguna propuesta de convenio, se está abocado a la fase de terminación del proceso concursal por liquidación (art. 340 TRLConc).

B) Por liquidación

Procede abrir la fase de liquidación como medio de terminación del proceso concursal por las causas previstas en los arts. 406 a 409 TRLConc, tanto a instancias del deudor, por ejemplo, cuando prevea el impago durante la vigencia del convenio, como por la administración concursal, o *ex officio* por el JMerc (por las causas específicas señaladas en el art. 409).

La liquidación implica efectos trascendentales sobre las facultades dispositivas patrimoniales del concursado (art. 413 TRLConc), sobre la transmisión de las unidades productivas (art. 222 TRLConc) y sobre los créditos, pues vencen anticipadamente (art. 414 TRLConc).

La administración concursal debe presentar un plan de liquidación o de realización de los bienes y derechos integrados en la masa activa del concurso, susceptible de discusiones previas a su aprobación por el JMerc. Si no se aprueba el plan, el art. 415 TRLConc detalla las operaciones de liquidación del patrimonio del deudor, con reglas particulares en los arts. 207 y 208 TRLConc.

La administración debe rendir informes trimestralmente sobre la liquidación (art. 424 TRLConc), siendo posible su separación del cargo en caso de liquidación prolongada indebidamente (art. 427 TRLConc).

El pago a los acreedores se detalla en los arts. 429 a 440 TRLConc. Una vez pagados los acreedores, el JMerc debe dictar un auto de conclusión del concurso (ex art. 465-6° TRLConc).

5. La calificación del concurso

La finalización de la fase común implica la apertura de la sección (pieza) sexta de calificación del concurso (con el contenido fijado en el art. 508.1-6ª TRLConc: Calificación del concurso y sus efectos), que lleva a la declaración del concurso como culpable, sin efectos prejudiciales penales ni administrativos (arts. 442, 443 y 462 TRLConc), o fortuito (art. 441 TRLConc), pieza que se tramita conforme a las disposiciones de los arts. 446 a 462 TRLConc, notificándose al MF (art. 450 bis), permitiéndose una oposición a la calificación a tramitar por los cauces del incidente concursal, y dictándose sentencia, que implica el archivo de las actuaciones si el concurso es fortuito (art. 450.6), o las graves consecuencias fijadas en los arts. 455 y 456 si es culpable (art. 450): Fijación de autoría, inhabilitación, pérdida de derechos y responsabilidad concursal de los administradores del deudor persona jurídica. Se admite presunción de culpabilidad (arts. 443 y 444), pero la decisión del JMerc, como hemos avanzado, no vincula ni al juez penal, ni al contencioso-administrativo (art. 462).

Hay particularidades importantes cuando la calificación del concurso es obligada por la adopción de medidas administrativas de disolución y liquidación de una entidad, que excluyan la posibilidad de declarar el concurso (arts. 463 y 464).

6. La segunda oportunidad

Tratándose de personas naturales deudoras, cuando el concurso haya concluido por liquidación o insuficiencia de la masa activa, se permite al ciudadano de buena fe que ha fracasado económicamente una nueva posibilidad de rehacer su vida sin arrastrar deudas imposibles de pagar, estableciendo los necesarios controles para evitar los siempre posibles fraudes. La reforma de 2022 quiere que sea mucho más eficaz. El mecanismo consiste en concederle el beneficio de exoneración del pasivo insatisfecho, rebajando razonablemente sus deudas (arts. 486 a 502 TRLConc). Los planes de reestructuración no son, en rigor, mecanismos de segunda oportunidad.

V. EL PROCESO CONCURSAL ESPECIAL PARA MICROEMPRESAS

la supresión del proceso concursal abreviado ha conllevado la creación de un nuevo proceso concursal, de naturaleza especial, previsto para concursos de microempresas, un problema social y económico muy relevante. Se regula en los arts. 685 a 720 TRLConc.

Por microempresas (o micropymes, como dice la EM de la reforma) se entienden aquellas empresas que hayan empleado durante el año anterior a la solicitud de inicio del procedimiento especial una media de menos diez trabajadores y tengan un volumen de negocio anual inferior a 700.000 €, o un pasivo inferior a 350.000 € según las últimas cuentas cerradas en el ejercicio anterior a la presentación de la solicitud.

Este nuevo proceso concursal tiene las siguientes características:

➢ Reducir los costes del procedimiento, eliminando todos los trámites que no sean necesarios y dejando reducida la participación de profesionales e instituciones a los mínimos supuestos posibles, o cuyo coste sea voluntariamente asumido por las partes.

➢ Mínima intervención del juez (tomará las decisiones más relevantes del procedimiento, el trámite incidental será escrito y, si hubiere vistas, serán telemáticas).

➢ Por regla general, las decisiones judiciales no serán recurribles.

➢ Simplificación procesal para las partes basado en que la comunicación en el seno del procedimiento se realizará a través de formularios normalizados oficiales accesibles en línea, sin coste.

➢ La participación de profesionales (mediador, administrador concursal, experto en reestructuración) se exige solo para ejecutar determinadas funciones o cuando lo soliciten las partes y asuman el coste.

➢ La base del nuevo proceso reside en la veracidad de la información aportada. Por ello, la ocultación de información relevante, la manipulación de datos o la aportación de documentación incorrecta o no enteramente veraz tiene consecuencias severas (posible delito).

➢ Este proceso especial es único: las microempresas no tienen acceso al concurso ni a los acuerdos de reestructuración.

➢ Los dos elementos en los que se basa este proceso especial único son la negociación y el modo de finalización de ésta.

Lo fundamental para salvar la microempresa es que deudor y acreedores sean capaces de elaborar un plan de continuación, que les permitirá acudir a este proceso concursal especial para poder continuar la pyme pequeña con su trabajo y producción. Puede intervenir el mediador concursal, a solicitud del deudor o de los acreedores cuyos créditos representen al menos un veinte por ciento del total del pasivo, para la negociación del plan de continuación entre el deudor y los acreedores (art. 702 TRLConc). En otro caso la liquidación de la empresa es inevitable, también en el mismo cauce procesal (art. 685.5 TRLConc).

VI. EL INCIDENTE CONCURSAL

La tramitación del proceso concursal, sobre todo del ordinario, puede implicar que se susciten multitud de cuestiones incidentales que deban resolverse para llevar a buen término el mismo. En unos casos, esas cuestiones tienen un tratamiento específico en todo o en parte, bien en el propio TRLConc, bien en la LEC (*v.gr.*, las causas de recusación de un administrador concursal, a la que se remite el art. 73 TRLConc), bien especialmente en el propio TRLConc aunque exista regulación general en la LEC (*v.gr.*, la declinatoria, regulada en el art. 51 TRLConc). Pero en otros, ello no es posible. Por eso el TRLConc ha creado un incidente concursal en donde se establece un procedimiento común para la resolución de todas esas cuestiones, regulado en los arts. 532 a 543. Ninguna de estas disposiciones ha sido reformada en 2022.

Es competente funcionalmente para tramitarlo el JMerc que esté conociendo del proceso concursal ordinario, o del proceso concursal especial para microempresas. La doctrina suele distinguir entre un incidente concursal común y uno especial. El común será el que trataremos más ampliamente, y el especial sería el laboral, que veremos sucintamente al final de este apartado.

1. Objeto

El incidente concursal es el cauce, pues, para resolver todos los incidentes que no tengan una tramitación especial ni en el TRLConc, ni en la LEC por remisión expresa de aquélla. Leído con detenimiento el TRLConc, a través del incidente concursal se resuelven numerosísimas cuestiones, *v.gr.*, la resolución de contratos por incumplimiento, o las pretensiones individuales de carácter social que los trabajadores ejerciten contra el auto relativo a la modificación, suspensión o extinción colectiva de los contratos de trabajo.

Pero el verdadero problema que plantea el incidente concursal, así concebido, es que en absoluto sirve para resolver todos los temas que en un sentido amplio son incidentales. En ocasiones el propio TRLConc impide o excluye expresamente el planteamiento del incidente concursal, por ejemplo, en materia de ejercicio del cargo de los administradores concursales; y en otros, el TRLConc prevé simplemente un procedimiento de solución diferente, por ejemplo, la oposición a la declaración de concurso; finalmente, en otros es sencillamente dudoso que se pueda aplicar el incidente concursal, como por ejemplo para separar a un administrador concursal del cargo, o para fijar alimentos al concursado en el supuesto de que se encuentre en situación de suspensión de sus facultades patrimoniales.

2. Partes

Se regulan en el art. 534, de manera defectuosa y confusa:

➤ Es parte actora del incidente concursal quien lo inste, por tanto, cualquiera de los que sean parte en el proceso concursal ordinario o en el abreviado, en función del acto concreto objeto del incidente que deba resolverse. El TRLConc no lo dice expresamente, pero ello es obvio.

➤ Parte demandada es aquélla contra la que se dirige la demanda.

➤ Finalmente, se regula la figura del interviniente, pues la ley permite que cualquier persona comparecida en forma en el concurso pueda intervenir, en los términos fijados en el art. 534.2 TRLConc y, por remisión, en el art. 13 LEC.

3. *Procedimiento*

En esencia el procedimiento adecuado es el correspondiente al juicio verbal civil con especialidades, alguna de ellas muy importante. Debemos fijarnos en los siguientes trámites:

➢ Demanda: El incidente se inicia mediante demanda, cuyo contenido formal es el previsto en el art. 399 LEC (juicio ordinario). El JMerc resuelve sobre su admisión, denegándola si la cuestión planteada es impertinente (curiosa expresión, más propia de la prueba), o carece de la suficiente entidad para tramitarla por vía incidental. El auto de inadmisión es apelable. Si la admite a trámite, se traslada la demanda incidental a las partes demandadas para que la contesten por escrito (como si fuera un juicio ordinario civil).

➢ Hay normas específicas para la acumulación de demandas incidentales, la resolución de cuestiones procesales planteadas y la proposición de medios de prueba.

➢ Celebración de vista por los trámites del juicio verbal únicamente con carácter excepcional: El TRLConc opta porque se dicte sentencia a continuación sin más trámites, a no ser que deba convocarse una vista por darse los requisitos del art. 540. Llama la atención que sea el JMerc quien decida si el hecho discutido es relevante a efectos de celebrar la vista.

➢ Sentencia y recursos: El incidente termina por sentencia, que debe dictar el JMerc en el plazo de diez días. La sentencia se pronunciará sobre las costas y gozará de los efectos de cosa juzgada. Si el incidente se promovió en lo que el TRLConc llama la fase común o en la de convenio, no cabe recurso alguno contra la sentencia, aunque puede la parte reproducir la cuestión en la apelación (diferida) más próxima conforme al art. 547 TRLConc. Pero si se promovió con posterioridad o en la fase de liquidación, cabe apelación preferente (art. 548 TRLConc).

Finalmente, el art. 541 TRLConc regula un incidente en materia laboral, competencia igualmente del JMerc, con normas procedimentales propias tomadas del proceso laboral, pero siguiendo en esencia también el juicio verbal civil, cuyo objeto es resolver las pretensiones ejercitadas por los trabajadores contra el auto que acuerde la extinción o suspensión colectiva de los contratos de trabajo, en cuestiones que se refieran a la relación jurídica individual. El recurso procedente es laboral principalmente el de suplicación (art. 551).

Lección 35ª

LA EJECUCIÓN HIPOTECARIA. LOS PROCEDIMIENTOS PARA LA DIVISIÓN JUDICIAL DE PATRIMONIOS. EL JUICIO CAMBIARIO

JOSÉ FRANCISCO ETXEBERRÍA GURIDI

BIBLIOGRAFÍA BÁSICA

ADÁN DOMÉNECH, F., *La ejecución hipotecaria,* Bosch, Barcelona, 2009.

BONET NAVARRO, J., *Juicio cambiario y oposición del deudor,* La Ley, Madrid, 2004.

CASERO LINARES, L., *El proceso de ejecución hipotecaria en la ley de enjuiciamiento civil,* Bosch, Barcelona, 2014.

DE LA SERNA BOSCH, J., *División judicial de patrimonios. Aspectos procesales,* Bosch, Barcelona, 2017.

GARBERÍ LLOBREGAT, J., *El juicio cambiario en la Ley de Enjuiciamiento Civil,* Bosch, Barcelona, 2012.

MONTERO AROCA, J., *Ejecución de la hipoteca inmobiliaria,* Tirant lo Blanch, Valencia, 2012.

I. LA EJECUCIÓN HIPOTECARIA

1. *Opciones del acreedor hipotecario*

El titular de un derecho de crédito garantizado mediante una hipoteca o garantía de prenda sin desplazamiento de la posesión tiene diversas opciones al hacer efectivo su derecho, dependiendo ello de varios factores, entre los que cabe mencionar el interés del acreedor en acumular varias pretensiones, los concretos bienes sobre los que se pretende actuar, el valor de los mismos o, simplemente, si se dan los requisitos exigidos por la ley, más allá de la voluntad del acreedor hipotecario.

Las opciones del acreedor hipotecario a las que nos referimos son las de naturaleza ejecutiva, pues, aunque no tenga mucho sentido en estos supuestos, el titular del derecho de crédito puede acudir para el ejercicio de su acción al procedimiento ordinario que corresponda y pretender un pronunciamiento de condena. Las alternativas ejecutivas entre las que puede optar serían:

➤ El procedimiento ejecutivo de venta extrajudicial previsto en la Ley Hipotecaria (LH). En el marco de este procedimiento, se procede a la venta del bien hipotecado en caso de incumplimiento de la obligación garantizada. Esta posibilidad está contemplada en el CC como elemento esencial de los contratos de hipoteca y prenda «para pagar al acreedor» (art. 1858). A este último precepto se remite el art. 129 LH que contempla que sea el Notario quien realice la enajenación extrajudicial y con las formalidades establecidas en el Reglamento Hipotecario. En todo caso, requisito imprescindible de esta opción es que se haya pactado y recogido en la escritura de constitución de la hipoteca.

➤ El acreedor hipotecario puede acudir igualmente al proceso de ejecución común. A veces puede venir forzado a ello, por ejemplo, porque no se satisfacen los requisitos exigidos para optar al proceso especial de ejecución hipotecaria a que nos referiremos (requisitos de contenido de la escritura de constitución de la hipoteca). En otras ocasiones puede resultar de interés para el acreedor hipotecario. Así, cuando prevea que el valor que obtendrá con la ejecución forzosa de los bienes hipotecados no será suficiente para satisfacer su crédito y quiera extender la ejecución a otros bienes del deudor. También cuando pretenda acumular más pretensiones ejecutivas junto a la de ejecución hipotecaria, por ser además acreedor personal del deudor, por ejemplo.

➤ La tercera opción de naturaleza ejecutiva es la del proceso especial de ejecución hipotecaria que será objeto de análisis y se encuentra regulado en los arts. 681 y ss. LEC. Esta alternativa está condicionada a que la ejecución se dirija exclusivamente contra los bienes pignorados o hipotecados en garantía de la deuda y a que se cumplan determinados requisitos de contenido en la escritura pública de constitución de la hipoteca (título ejecutivo) y de inscripción en el Registro.

2. *Proceso especial de ejecución hipotecaria*

A) Concepto y ámbito de aplicación

Se trata de un proceso especial de ejecución y de tutela judicial privilegiada del crédito garantizado mediante hipoteca o prenda sin desplazamiento. Si la ejecución se dirige directa y exclusivamente contra bienes pignorados o hipotecados en garantía de una deuda, el procedimiento a seguir será el contemplado en el Capítulo V («Particularidades de la ejecución sobre bienes hipotecados o pignorados» —arts. 681 y ss.—) y supletoriamente lo dispuesto en el Título IV, relativo a la ejecución dineraria, en el que se integra.

También implica un procedimiento de tutela judicial privilegiada, pese a que el título ejecutivo sea extrajudicial y precisamente por ello, por su particular fuerza ejecutiva. Los requisitos de contenido y de inscripción registral vinculados a la escritura de constitución de la hipoteca y el nada desdeñable hecho de que se actúe contra determinados bienes de forma exclusiva que sirven de garantía, contribuyen a ello. También las limitadas posibilidades de defensa u oposición del ejecutado.

Este procedimiento especial de ejecución es el que ha de seguirse cuando la pretensión ejecutiva se dirige exclusivamente contra bienes que garantizan la obligación principal mediante hipoteca inmobiliaria, hipoteca mobiliaria y prenda sin desplazamiento o hipoteca naval. Se unifican de esta manera en la LEC los procedimientos especiales antes dispersos en la LH, en la Ley de hipoteca mobiliaria y prenda sin desplazamiento de la posesión (1954) y en la Ley sobre Hipoteca Naval (derogada por la Ley 14/2014, de Navegación Marítima).

Este proceso especial de ejecución hipotecaria es aplicable cuando se pretenda la ejecución por la parte impagada del capital o de los intereses en los casos en que el pago deba hacerse a plazos y han vencido sin cumplirse el equivalente en plazos o en cuotas a tres meses. También es aplicable en los supuestos de reclamación de la totalidad de lo adeudado por capital y por intereses en el caso de vencimiento anticipado por mora o por impago de cuotas vencidas. En este último caso han de tenerse en cuenta las modificaciones incorporadas por la Ley 5/2019, reguladora de los contratos de crédito inmobiliario, en atención a la tutela de la persona física (consumidor) que ha concluido un préstamo o crédito garantizado mediante hipoteca sobre vivienda o para la adquisición de inmuebles para uso residencial. Modificación legislativa derivada de la jurisprudencia del TJUE acerca del carácter abusivo en determinadas circunstancias de las cláusulas de vencimiento anticipado conforme a la Directiva 93/13/CEE, sobre cláusulas abusivas en la contratación con consumidores (entre otras, STJUE de 26 de marco 2019, C-70/17 y C-179/17).

Tanto en un caso como en otro, esas posibilidades tienen que constar en la escritura de constitución de la hipoteca por el Notario y en el asiento registral respectivo por el Registrador (art. 693 LEC).

B) El título ejecutivo y sus requisitos

El título ejecutivo en que se fundamenta el proceso especial de ejecución hipotecaria es la escritura pública de constitución de la hipoteca. A estos efectos, la escritura ha de cumplir con requisitos específicos de contenido (art. 682.2 LEC), además del general exigible a las escrituras públicas de que se trate de primera copia, con las salvedades previstas (art. 517.2.4ª LEC):

➢ En la misma se ha de determinar el precio en que los interesados tasan el bien hipotecado para que el mismo sirva de tipo en la subasta, que no puede ser inferior al 75 por ciento de la tasación. Se evita así la necesidad de acudir al trámite de valoración de los bienes.

➢ También se ha de constar un domicilio para la práctica de los requerimientos y notificaciones, que será el que fije el deudor o el hipotecante no deudor. También podrá fijarse, además, una dirección electrónica para recibir las notificaciones que se hagan de ese modo. En caso de hipoteca sobre establecimiento mercantil, el domicilio será necesariamente el local en que estuviera instalado el establecimiento hipotecado.

➢ Los cambios del domicilio fijado a los efectos anteriores requieren de una serie de formalidades. En ocasiones se precisa el consentimiento del acreedor: 1) si se trata de hipoteca mobiliaria; 2) si se trata de hipoteca inmobiliaria y el cambio de domicilio a otra población altera la competencia territorial del tribunal. Cuando el cambio de domicilio no afecta a la competencia del tribunal siendo la hipoteca inmobiliaria no es necesario el consentimiento de aquél. Si se trata de hipoteca naval, será suficiente con poner el cambio de domicilio en conocimiento del acreedor (arts. 682.2 y 683 LEC).

Tanto el precio de tasación, como los domicilios a los que hemos hecho referencia a los efectos de requerimientos y notificaciones, se han de hacer constar en la inscripción de la hipoteca por parte del Registrador y también los cambios de domicilio mediante nota al margen de la inscripción.

C) Competencia

La competencia objetiva para conocer de la ejecución hipotecaria corresponde al JPI. La competencia territorial se determina en función de la naturaleza del bien hipotecado o pignorado (art. 684 LEC):

> ➤ Si se trata de un inmueble, el JPI del lugar en que radique la finca. Si radica en más de un partido judicial o siendo varias las fincas radicaren en distintos partidos, el demandante podrá elegir el JPI de cualquiera de ellos.

> ➤ Si se trata de buque, el JPI al que se han sometido las partes en el título constitutivo de la hipoteca y, en su defecto, el demandante podrá elegir entre el del lugar de constitución de la hipoteca, el del puerto en que se encuentre el buque, el del domicilio del demandado o el del lugar donde radique el Registro en que se inscribió.

> ➤ Tratándose de hipoteca mobiliaria, el JPI al que se han sometido las partes en la escritura de constitución de la hipoteca y, en su defecto, el del partido judicial en que se ha inscrito. Si los bienes hipotecados son varios y están inscritos en diversos Registros, el demandante podrá elegir el JPI de cualquiera de los partidos judiciales en que radiquen.

> ➤ Si se trata de un bien pignorado, también el JPI al que se hubieran sometido las partes en la escritura o póliza de constitución de la garantía y, en su defecto, el del lugar en que los bienes se hallen, estén almacenados o se entiendan depositados.

El tribunal ha de examinar de oficio su propia competencia territorial (art. 684 LEC), lo que no obsta, evidentemente, a que se pueda instar por el demandado mediante declinatoria.

D) Legitimación

La legitimación activa corresponde al acreedor con escritura de hipoteca debidamente inscrita a su favor en el Registro. Si por cesión del crédito o préstamo se produce un cambio en la titularidad de la hipoteca que lo garantice, la cesión se ha de hacer en escritura pública e inscribirse en el Registro (art. 149 LH).

La demanda ha de dirigirse frente al deudor y, en su caso, frente al hipotecante no deudor o frente a terceros poseedores de los bienes hipotecados, que serán los legitimados pasivamente. Los terceros poseedores han de acreditar al acreedor la adquisición del bien hipotecado (art. 685.1 LEC).

E) Procedimiento

a) Demanda ejecutiva y documentos que han de acompañarla

No se contempla ninguna especialidad relativa a la demanda ejecutiva para este procedimiento, por lo que habrá de estarse a lo previsto con carácter general para la misma (art. 549 LEC) y a lo previsto también acerca de la representación y defensa mediante procurador y abogado (art. 539 LEC).

A la demanda ejecutiva se acompañará el título o títulos de crédito revestidos de los requisitos exigidos por la ley para el despacho de la ejecución (art. 685.2 LEC). En este caso, la escritura pública de constitución de la hipoteca en la que se hará constar la nota acreditativa de la inscripción extendida por el Registrador. Primera copia, en principio (art. 517.2.4ª LEC). Si no pudiera presentarse el título inscrito, se acompañará al que se presente —segunda copia— certificación del Registro que acredite la inscripción y la subsistencia de la hipoteca.

La anterior certificación del Registro bastará también, si se completa con cualquier copia de la escritura de hipoteca, para la ejecución de las hipotecas sobre bienes inmuebles constituidas a favor de una entidad de las que legalmente pueden emitir cédulas hipotecarias o que garanticen créditos y préstamos afectos a una emisión de bonos hipotecarios (art. 685.4 LEC).

Se ha de indicar y, en su caso, acompañar la documentación que acredite si el inmueble objeto de ejecución constituye la vivienda habitual del deudor, si éste se encuentra en situación de vulnerabilidad económica y si en la parte ejecutante concurre la condición de gran tenedora de vivienda. Estas últimas circunstancias se acreditarán en el modo contemplado en el art. 685.2 LEC.

En el caso de la hipoteca naval, será título suficiente el documento privado de constitución de la misma inscrito en el Registro de Bienes Muebles conforme a la Ley de Navegación Marítima (art. 685.3 LEC).

Además del título suficiente, se habrán de acompañar los restantes documentos que han de presentarse de ordinario con la demanda ejecutiva (art. 550 LEC) y los documentos específicos en el caso de la demanda ejecutiva por saldo de cuenta (art. 573 LEC) y en el caso de cálculo de intereses variables (art. 574 LEC). Si se hubiera optado por practicar el requerimiento de pago extrajudicialmente —notarial—, habrá de acreditarse esta circunstancia con la demanda acompañando acta notarial (art. 686.2.I LEC).

b) Despacho de ejecución y requerimiento de pago

Presentada debidamente la demanda ejecutiva acompañada de los documentos necesarios para ello, el juez dictará auto autorizando y despachando la ejecución o denegándola en caso contrario. Teniendo en cuenta su carácter supletorio, entendemos de aplicación en este momento el deber del tribunal de examinar de oficio si alguna de las cláusulas contenidas en el título ejecutivo puede ser calificada como abusiva, con los efectos contemplados con carácter general para el despacho de ejecución (art. 552.1 LEC).

En la misma resolución en que se despacha ejecución se mandará requerir de pago al deudor y, en su caso, al hipotecante no deudor o al tercer poseedor contra quienes se hubiera dirigido la demanda y en el domicilio que resulte vigente en el Registro. En este requerimiento de pago han de incluirse las indicaciones contenidas en el art. 441.5 LEC por si pudiera concurrir una situación de vulnerabilidad social y/o económica (art. 686.1 LEC). Este requerimiento judicial de pago no será preciso, aunque sí la notificación del despacho de ejecución, cuando el acreedor hipotecario hubiera optado por realizar dicho requerimiento extrajudicialmente, esto es, a través de Notario y con las formalidades previstas en la ley (art. 686.2 LEC): a) en el domicilio que conste en el Registro respecto de cada uno y en la persona del destinatario, si se hallare, y en caso negativo en otra persona mayor de edad que se encuentre en el mismo; b) excepcionalmente fuera del domicilio que consta en el Registro, siempre que se haga en la persona del destinatario y con su consentimiento; c) también se hará en el domicilio que conste en el Registro cuando el destinatario sea una persona jurídica y se practicará con la persona mayor de edad que se encuentre en el mismo y acredite funciones de administración, dirección o recepción de requerimientos. Si el requerimiento judicial de pago no puede llevarse a cabo en el domicilio indicado y hechas las averiguaciones pertinentes relativas al domicilio del deudor, éste no se ha conseguido determinar, se ordenará publicar mediante edictos (art. 686.3 LEC).

c) *Actividades anteriores a la realización del bien*

Desde que se dicta auto despachando ejecución y requiriendo judicialmente al pago, si no se ha hecho extrajudicialmente, y si dicho requerimiento no ha sido atendido, se practicarán unas diligencias con finalidades bien diversas.

1°) Con la finalidad de que quede constancia de cuál es la situación registral del bien hipotecado, se reclamará del Registrador certificación relativa a la titularidad del dominio y demás derechos reales sobre el bien afectado y a los derechos y cargas inscritas que lo gravan —o que se halla libre de cargas—, con inserción literal de la inscripción de la hipoteca a ejecutar y con expresión de si la misma subsiste y no ha sido cancelada. Si de la certificación resulta que la hipoteca sobre el bien afectado no existe o ha sido cancelada, el LAJ dictará decreto poniendo fin a la ejecución (art. 688 LEC).

2º) Con la finalidad de que personas titulares de derechos sobre el bien hipotecado tengan conocimiento de la existencia del procedimiento de ejecución, se procederá a: a) notificar dicha existencia a quien, apareciendo en la certificación registral como favorecido por la última inscripción del dominio, no haya sido requerido de pago, ni judicial, ni notarialmente; éste puede, si lo estima conveniente, intervenir en la ejecución o satisfacer antes del remate el importe del crédito y los intereses y costas en la parte asegurada con la hipoteca de su finca; b) comunicar la existencia de la ejecución a los titulares de cargas y derechos constituidos con posterioridad a la hipoteca que garantiza el crédito del actor; esta comunicación se efectuará por el Registrador en los domicilios que consten en el Registro (arts. 689 y 659 LEC); c) comunicar también la misma a los arrendatarios y ocupantes de hecho del bien hipotecado, ya sea a través del procurador de la parte actuante que así lo solicite, ya sea por el LAJ si lo estima oportuno (art. 661 LEC).

3º) Con una finalidad de conservación o aprovechamiento de los bienes afectados por la ejecución, contempla la ley: a) si se trata de bienes pignorados o vehículos de motor hipotecados, el LAJ acordará mediante decreto que se depositen en poder del acreedor o de la persona que éste designe, una vez se haya realizado un requerimiento extrajudicial de pago o, en su defecto, un requerimiento judicial de pago no atendido; si los bienes anteriores no pudieran ser aprehendidos, ni fuera posible constituir el depósito sobre los mismos, no se seguirá adelante con el procedimiento (art. 687 LEC); b) si se trata de finca o bien hipotecado, el acreedor podrá solicitar la administración o posesión interina de los mismos, desde que transcurren diez días desde el requerimiento de pago judicial o desde el despacho de ejecución si el requerimiento ha sido notarial. Si son varios los acreedores interesados se contempla un orden de prelación y de actuación en beneficio común. La duración máxima de la administración es diversa dependiendo de si la hipoteca es inmobiliaria (hasta dos años) o mobiliaria o naval (hasta un año). Si la ejecución hipotecaria concurre con un proceso concursal se estará a lo que disponga el tribunal que conozca del último (art. 690 LEC).

d) *Realización forzosa de los bienes hipotecados y pignorados*

Una vez realizadas las actuaciones previas procedentes y transcurridos veinte días desde que tuvieron lugar el requerimiento de pago y las notificaciones respectivas, se procederá a la subasta pública de la finca o bienes hipotecados. La subasta, así como su publicidad, se ajustará a lo dispuesto con carácter general para el proceso ordinario de ejecución, sustanciándose conforme a lo previsto para la subasta de bienes inmuebles, aunque los hipotecados sean muebles. Las especialidades son escasas y referidas a la publicidad cuando la hipoteca recaiga sobre establecimiento mercantil o a la suspensión y reanudación de la subasta, en su caso, cuando conste la declaración de concurso del deudor (art. 691 LEC).

La subasta judicial no es la única opción de realización forzosa de los bienes hipotecados, pues pueden utilizarse también las de realización mediante convenio y de realización por medio de persona o entidad especializada (art. 691.6 LEC).

e) *Pago del crédito hipotecario y aplicación del sobrante (o insuficiencia)*

Realizados los bienes hipotecados y pignorados, y obtenido el precio de remate, se le dará el siguiente destino (art. 692 LEC):

1º) Se pagará al ejecutante el principal de su crédito, los intereses devengados y las costas causadas, sin que pueda exceder del límite de cobertura de la hipoteca que consta en el título ejecutivo.

2º) Si pagado lo anterior sobrare alguna cantidad, se depositará a disposición de los titulares de derechos posteriores inscritos o anotados sobre el bien hipotecado.

3º) Si el bien ejecutado fuera propiedad del deudor y si satisfechos los anteriores conceptos hubiera todavía remanente, se destinará, en lo que exceda del límite de cobertura de la hipoteca, al pago de todo lo que se deba al ejecutante por el mismo crédito garantizado, salvo que el deudor se encuentre en suspensión de pagos, concurso o quiebra.

4º) Satisfechos, en su caso, los conceptos anteriores, se entregará el remanente al propietario del bien hipotecado, sin perjuicio del destino que deba darse al remanente si estuviera sujeto a otra ejecución singular o a cualquier proceso concursal.

Puede ocurrir, por el contrario, que el producto de la subasta de los bienes pignorados o hipotecados sea insuficiente para cubrir el crédito. En estos casos, el acreedor hipotecario puede pedir que se despache ejecución por la cantidad que falte y contra quienes proceda, siguiendo la ejecución con arreglo a las normas ordinarias aplicables a la ejecución (art. 579.1 LEC). De esta forma se podrá pedir que se despache ejecución contra los avalistas o fiadores, pero para ello será preciso que se les haya notificado la demanda ejecutiva inicial que podrá practicarse por el procurador de la parte ejecutante o, si procede atendiendo a las circunstancias, por el LAJ (art. 685.5 LEC).

f) Suspensión de la ejecución

El proceso especial de ejecución hipotecaria se suspenderá únicamente en los siguientes supuestos: a) cuando el ejecutado formule oposición a la ejecución, a la que nos referiremos en el apartado siguiente; b) cuando por existencia de causa criminal se plantee una cuestión prejudicial de esa naturaleza; c) por interponerse una tercería de dominio; y d) por concurso del deudor, al que nos hemos referido ya al tratar de las disposiciones específicas sobre la subasta.

1º) El proceso de ejecución hipotecaria se suspenderá por prejudicialidad penal cuando se acredite la existencia de causa criminal sobre cualquier hecho de apariencia delictiva que determine la falsedad del título, la invalidez o ilicitud del despacho de ejecución (art. 697 LEC). No es suficiente con que se presente la denuncia o interponga la querella para que se suspenda la ejecución, sino que queda condicionada a que los hechos aparentemente delictivos, de ser ciertos, determinen las falsedades e ilicitudes indicadas. La ejecución puede seguir adelante en estos casos si el ejecutante presta caución suficiente para responder de lo que perciba y de los daños y perjuicios que la ejecución produzca al ejecutado (art. 569 LEC).

2º) La ejecución hipotecaria se suspende igualmente cuando se interponga y admita una demanda de tercería de dominio. Frente a la tercería de dominio a que se refiere el art. 601 LEC, la que nos interesa no se dirige al alzamiento del embargo trabado, pues no se realiza ninguno en la ejecución hipotecaria, sino que pretende la exclusión del bien hipotecado o de determinados bienes muebles del proceso de ejecución.

La admisión de la demanda de tercería de dominio se condiciona a que a la misma se acompañe el título de la propiedad de fecha anterior a la de constitución de la garantía. Si se trata de bienes cuyo dominio es susceptible de inscripción en algún Registro, dicho título ha de estar inscrito a favor del tercerista o de su causante también con fecha anterior a la de inscripción de la garantía. Estas circunstancias han de acreditarse mediante certificación registral expresiva de la inscripción del título y certificado de no aparecer extinguido ni cancelado el asiento correspondiente. Si se admite la demanda de tercería y los bienes afectados por ésta fueran sólo parte de los comprendidos en la garantía, el acreedor puede solicitar que el procedimiento continúe respecto de los demás (art. 696 LEC).

g) Oposición a la ejecución

Como muestra de que nos hallamos ante un proceso de tutela privilegiada del crédito garantizado con hipoteca, la ley restringe al máximo las posibilidades de alegación por parte del ejecutado de motivos de oposición, esto es, de causas que impidan la realización de los bienes que garantizan el crédito. Si con anterioridad a la LEC 2000 el ejecutado no tenía opción alguna de oposición, con grave merma de su derecho a la defensa, en la actualidad se admite, pero «sólo» cuando se funde en las causas expresamente previstas (art. 695 LEC).

Estas causas o motivos son relativos al fondo. Su condición exclusiva y excluyente impide que puedan alegarse los motivos de oposición de idéntica naturaleza previstos para el proceso ordinario de ejecución (arts. 556 y 557 LEC). Nada dice acerca de la posibilidad de plantear como motivos de oposición los de índole procesal previstos igualmente para el proceso de ejecución común. Entendemos sin duda que estos motivos de oposición procesales (arts. 559 y 562 LEC) son también alegables en el proceso de ejecución hipotecaria. Los motivos que recoge expresamente la ley son los siguientes:

1°) Extinción de la garantía o de la obligación garantizada. En realidad son dos motivos. En el primero se alega la extinción de la hipoteca. Para ello se ha de presentar, o bien certificación del Registro expresiva de la cancelación de la hipoteca o de la prenda sin desplazamiento, o bien escritura pública de cancelación otorgada por el acreedor. En el segundo se alega la extinción de la obligación cuyo cumplimiento se garantizó con la hipoteca. Para ello se ha de presentar escritura pública de carta de pago. Llama la atención que no se mencione ninguna otra forma de acreditación documental del pago.

2°) Error en la determinación de la cantidad exigible, cuando la deuda garantizada sea el saldo que arroje el cierre de una cuenta entre el ejecutante y el ejecutado. Para ello el ejecutado presentará libreta con los asientos de su cuenta, cuyo saldo ha de ser distinto del que presente el ejecutante. Será suficiente, en lugar de las libretas, la certificación expedida por la entidad de crédito, ahorro o financiación acreedora con el saldo resultante del cierre de cuentas corrientes u operaciones similares, pero el ejecutado habrá de expresar con precisión los puntos de la liquidación de los que discrepa.

3°) Estar sujetos los bienes muebles hipotecados o sobre los que se haya constituido prenda sin desplazamiento, a otra prenda, hipoteca mobiliaria o inmobiliaria o embargo inscritos con anterioridad al gravamen que motiva la ejecución. También en este caso habrá de acreditarse mediante la correspondiente certificación registral.

4°) El carácter abusivo de una cláusula contractual que constituya el fundamento de la ejecución o que hubiese determinado la cantidad exigible. Este motivo no se hallaba inicialmente comprendido en la redacción de la LEC y se incorpora con la Ley 1/2013, de medidas para reforzar la protección a los deudores hipotecarios, reestructuración de deuda y alquiler social. En el propio Preámbulo de la ley se reconoce que es deudora de la interpretación que el TJUE ha realizado acerca de la Directiva 93/13/CEE, sobre las cláusulas abusivas en la contratación con consumidores (sentencia de 14 de marzo de 2013, C-415/11). Son numerosos los pronunciamientos del TJUE acerca de la existencia de este tipo de cláusulas contractuales en el marco de la ejecución hipotecaria (cláusulas suelo, vencimiento anticipado, etc.).

En ausencia de previsión expresa al respecto, el escrito de oposición se presentará en el plazo de diez días desde la notificación conforme a lo dispuesto con carácter general para la oposición a la ejecución (arts. 556 y 557 LEC). Si el motivo de oposición es la existencia de una cláusula contractual abusiva, ha de tenerse en cuenta la jurisprudencia del TJUE y del TC acerca de la posibilidad de plantear el incidente de oposición con posterioridad a dicho plazo si el órgano judicial no hubiera examinado anteriormente la cláusula denunciada (STC 31/2019 en relación a la Directiva 93/13/CEE y las SSTJUE citadas).

Formulada la oposición en los términos indicados, el LAJ acordará la suspensión de la ejecución y convocará a las partes a una comparecencia ante el tribunal, debiendo mediar quince días desde la citación. En dicha comparecencia el juez oirá a las partes, admitirá los documentos que se presenten y resolverá sin más mediante auto sobre la oposición planteada (art. 695.2 LEC).

El auto sobreseerá la ejecución si se estima la extinción de la garantía o de la obligación garantizada o la sujeción de los bienes muebles ejecutados a otras garantías o embargos anteriores. También se sobreseerá la ejecución si se estima la oposición por cláusula abusiva, siempre que dicha cláusula sea la que fundamente la ejecución, en otro caso, continuará con la inaplicación de la misma. Si el auto estima la oposición por error en la determinación de la cantidad exigible al calcular el saldo, se corregirá la cantidad y seguirá la ejecución (art. 695.3 LEC).

Cabe recurso de apelación contra los autos que sobreseen la ejecución. También contra los que acuerdan la inaplicación de una cláusula abusiva o los que desestiman la oposición que se fundamenta en dichas cláusulas. Los autos que resuelven la oposición en los restantes supuestos no son susceptibles de recurso, pero sus efectos se circunscriben exclusivamente al proceso de ejecución en que se dicte (art. 695.4 LEC).

F) Especialidades en la ejecución de la prenda sin desplazamiento

Cuando el proceso especial de ejecución se dirige contra bienes pignorados en garantía de un crédito, se aplican, en principio, las disposiciones hasta ahora analizadas. Las especialidades serían:

➤ La competencia corresponde al JPI al que se hubieran sometido las partes en la escritura o póliza de constitución de la garantía y, en su defecto, el del lugar en que los bienes se hallen, estén almacenados o se entiendan depositados.

➤ No es necesario que el título constitutivo incorpore el precio de tasación de los bienes ni el domicilio del deudor a efectos de requerimientos y notificaciones.

➤ A la demanda se acompañará el título (escritura o póliza) inscrito y, en su defecto, se acompañará al que se presente la certificación del Registro que acredite la inscripción y subsistencia de la prenda.

➤ Se ordenará mediante auto el depósito de los bienes pignorados en poder del acreedor o de la persona que éste designe.

➤ Constituido el depósito de los bienes pignorados, la realización forzosa de los mismos se hará conforme a lo dispuesto para el procedimiento de apremio, esto es, se procederá también a la subasta pública, salvo que se trate de bienes susceptibles de entrega directa al ejecutante o acciones u otras formas de participación social que tienen sus propias formas de realización (art. 694 LEC).

➤ La ley contempla un motivo específico de oposición a la ejecución en el caso de que los bienes pignorados estén sujetos a un gravamen anterior al que se ejecuta, siempre que se acredite mediante la correspondiente certificación registral.

II. LOS PROCEDIMIENTOS PARA LA DIVISIÓN JUDICIAL DE PATRIMONIOS

En el Libro IV relativo a los procesos especiales y bajo la rúbrica de «división judicial de patrimonios» (Título II) se comprenden varios procedimientos relativos, por un lado, a la división judicial de la herencia, y, por otro lado, a la liquidación del régimen económico matrimonial.

Aunque respondan a dos situaciones bien diversas, existen elementos en común que caracterizan dichos procedimientos: 1) se trata de procedimientos que persiguen la división y adjudicación de una masa patrimonial común, que tiene su origen en una herencia o en el régimen económico matrimonial; 2) se recurre con tal fin a la tutela judicial por ausencia de acuerdo de las partes o interesados (arts. 782 y 806 LEC), pero el carácter dispositivo de los derechos afectados no priva de protagonismo a la voluntad de las partes durante todo el desarrollo de estos procedimientos (art. 789 LEC sobre la terminación del procedimiento por acuerdo de los coherederos); 3) salvo en el supuesto de la liquidación del régimen económico matrimonial, nos hallamos ante procesos universales, pues inciden sobre la totalidad del patrimonio común y no sobre determinados bienes o derechos; 4) si no hubiera conformidad con las operaciones divisorias practicadas por el contador y hubiera que acudir al juicio verbal para solventar la discrepancia, la sentencia que se dicte carece de efectos de cosa juzgada (arts. 787.5 y, por remisión, 810.5 LEC), aproximándose así a la naturaleza jurídica de los procesos sumarios.

1. División judicial de la herencia

Bajo esta rúbrica la ley contempla tres procedimientos diversos vinculados entre sí en la mayoría de las ocasiones, pero no necesariamente. Por un lado, nos encontramos con el procedimiento orientado propiamente a la liquidación del patrimonio hereditario; por otro lado, contamos con el procedimiento que persigue el aseguramiento de los bienes de la herencia mediante la intervención del caudal hereditario, frente a posibles sustracciones u ocultaciones y, en el marco de este último, con el procedimiento sobre la administración de dicho caudal hereditario si resultare necesario. Son procedimientos autónomos, y puede, por ejemplo, solicitarse cautelarmente la intervención del caudal hereditario a la vez que se insta ante notario la declaración de herederos, y una vez obtenida ésta, alcanzar un acuerdo extrajudicial para la división de la herencia.

A) El proceso para la división judicial de herencia

Tiene por objeto poner fin al patrimonio hereditario mediante su liquidación y adjudicación entre los herederos y legatarios de parte alícuota. En el caso de la sucesión intestada, quienes se crean con derecho a ello deberán instar con carácter previo la declaración de herederos *ab intestato* conforme al expediente de jurisdicción voluntaria previsto en la Ley 15/2015. Además tiene carácter supletorio, en cuanto que se excluye si la división deba realizarla un contador-partidor designado por el testador, por los coherederos o por el LAJ o el notario (art. 782.1 LEC).

a) Competencia

La competencia objetiva para conocer de la solicitud corresponde al JPI al no existir atribución expresa a favor de ningún otro tribunal (art. 45.1 LEC) y la territorial al del lugar en que el finado tuvo su último domicilio y si lo hubiera tenido en el extranjero, el del lugar de su último domicilio en España, o donde estuviere la mayor parte de sus bienes, a elección del demandante (art. 52.1.4º LEC).

b) Legitimación

Corresponde, como se ha dicho, a los herederos y legatarios de parte alícuota, que habrán de demandar a quienes con idéntica condición no se han mostrado conformes hasta ese momento con la división. Los acreedores, si bien no están legitimados para solicitar la división, son considerados por la ley al poder hacer valer sus derechos de diversa forma: 1) los acreedores de la herencia o de los coherederos podrán ejercitar sus acciones mediante el juicio declarativo que corresponda, acumulándose, en su caso, al proceso universal (art. 98 LEC); 2) los acreedores de los coherederos podrán, a su costa, intervenir en la partición para evitar que se haga en fraude o perjuicio de sus derechos; y 3) los acreedores privilegiados —reconocidos en el testamento o por los coherederos o con título ejecutivo— pueden oponerse a la partición de la herencia si no se pagan o afianzan sus créditos (art. 782 LEC).

c) Procedimiento

1º) Comienza con una *solicitud* (no demanda) firmada por abogado y procurador a la que se acompaña el certificado de defunción del causante y los documentos que acrediten la condición de heredero o legatario. En este momento puede también instarse la adopción de medidas de aseguramiento mediante la intervención judicial del caudal hereditario.

2º) Operaciones divisorias. La práctica de las operaciones divisorias corresponde a un contador-partidor e intervienen igualmente uno o varios peritos para valorar los bienes. Se ha de proceder, por lo tanto, a su designación. Con ese objeto, el LAJ convoca a una junta a los herederos, a los legatarios de parte alícuota y al cónyuge sobreviviente, señalando día dentro de los diez siguientes. Si entre ellos hubiera algún menor sin representación legítima o se encontrara ausente ignorándose su paradero, se convocará igualmente al MF para que los represente hasta que ello deje de ser necesario. Si en la junta presidida por el LAJ no se alcanza un acuerdo sobre el nombramiento de contador o peritos, se designarán por sorteo, en los términos previstos para los segundos en el art. 341 LEC. El de contador se hará entre abogados ejercientes con especiales conocimientos en la materia y con despacho profesional en el lugar del juicio (arts. 783 y 784 LEC).

Si hubiere acuerdo en el nombramiento o se designaren por sorteo, se pondrán a disposición de los anteriores, previa aceptación, los autos, bienes y documentos que integran la masa hereditaria, para que se proceda a las operaciones divisorias consistentes en: 1°) inventario de los bienes que forman el caudal, si no estuviera hecho con anterioridad; 2°) el avalúo de los anteriores; y 3°) liquidación del caudal, su división y adjudicación a cada uno de los partícipes. Estas operaciones las realizará el contador conforme a la ley aplicable a la sucesión del causante, salvo que éste hubiera dispuesto en el testamento reglas distintas, y las presentará en un escrito firmado en el plazo máximo de dos meses (arts. 785 y 786 LEC).

Del resultado de las operaciones divisorias anteriores se da traslado a las partes que pueden, conformarse con ellas, oponerse a las mismas o dejar pasar el plazo de diez días para oponerse sin hacerlo. Si no hubiera oposición, el LAJ aprobará mediante decreto las operaciones divisorias y mandará protocolizarlas. Si se formula oposición, el LAJ convocará a las partes y al contador a una comparecencia, pero en este caso ante el tribunal. Si en la misma se alcanzara la conformidad de todos los interesados, se incorporarán las reformas convenidas y se aprobarán las operaciones en la forma anteriormente indicada. Si no hubiera conformidad, el procedimiento continuará por los trámites del juicio verbal. Sin embargo, la sentencia que recaiga en este último caso no produce efectos de cosa juzgada (art. 787 LEC).

3°) Una vez aprobadas las operaciones, el procedimiento de división concluye con la entrega a cada uno de los interesados de los bienes adjudicados, así como de los títulos de propiedad para su protocolización notarial, salvo que se opusiera a la adjudicación alguno de los acreedores privilegiados del art. 782.4 LEC y hasta que no sea pagado o garantizado.

B) Aseguramiento del caudal hereditario: su intervención y administración

El fallecimiento de la persona conlleva una situación provisional de ausencia de titularidad sobre un concreto patrimonio y, a su vez, la expectativa de derecho sobre el mismo por parte de unas determinadas personas llamadas a sucederle. Ante esa situación de interinidad, no es de extrañar la existencia de un interés legítimo por quien, teniendo ya reconocida la condición de heredero o legatario de parte alícuota, o creyendo tener derecho a la sucesión legítima, se adopten las medidas de aseguramiento del caudal hereditario ante posibles riesgos de sustracción u ocultación. Con esta finalidad contempla la ley los procedimientos de intervención y administración del patrimonio hereditario.

a) La intervención judicial

Puede ser acordada de oficio por el tribunal o a instancia de parte. Se procederá en el primer caso cuando se tenga noticia del fallecimiento de una persona y no conste la existencia de parientes llamados a la sucesión legítima o estuvieran estos ausentes o se tratare de menores que no cuenten con representación legal. En este supuesto, adoptará el tribunal dos tipos de medidas, por un lado, las indispensables para el enterramiento del difunto y las de aseguramiento de sus bienes y documentos; por otro lado, las orientadas a averiguar si el fallecido ha dispuesto testamento o no (mediante el Registro de Actos de Última Voluntad) y si aquél tiene parientes con derecho a la sucesión legítima (arts. 790 y 791.1 LEC).

Si comparecen los sucesores legítimos o se nombra representante legal a los menores se les hace entrega de los bienes y efectos, cesando la intervención judicial. Pero si el fallecido no otorgó testamento o no hay parientes llamados a sucederle, el tribunal mandará por auto que se ocupen los libros y documentos del difunto y se proceda al inventario y depósito de los bienes y su administración. A su vez, oficiará a la Administración correspondiente (Estado o Comunidad Autónoma) para que inicie el procedimiento para su declaración como heredero abintestato.

Junto a la acordada de oficio, la intervención judicial de la herencia la pueden solicitar igualmente (art. 792 LEC): 1) quienes tienen ya reconocida previamente la condición de herederos o de legatarios de parte alícuota, al solicitar la división judicial de la misma; 2) el cónyuge y quienes se crean con derecho a la sucesión, siempre que acrediten haber promovido la declaración notarial de herederos abintestato o se haga simultáneamente; 3) la Administración pública que haya iniciado un procedimiento para su declaración como heredero abintestato; y 4) los acreedores privilegiados previstos en el art. 782.4 LEC.

Acordada la intervención judicial, de oficio o a instancia de parte, se ordenará por el tribunal la adopción de las medidas de aseguramiento sobre bienes y documentos indicadas si no se hubieran adoptado hasta entonces. A continuación, el LAJ convocará a los interesados a una comparecencia para la formación del inventario (art. 793 LEC), esto es, a quienes pueden instar la intervención judicial, y también al MF si procede (sucesores legítimos desconocidos, herederos o legatarios sin residencia conocida o menores sin representación legal).

El inventario ha de contener la relación de bienes de la herencia y las escrituras y documentos de importancia. Para ello se tendrán en cuenta, si las hubiera, las reglas específicas contenidas en el testamento. Si el LAJ no pudiera formar el inventario por existir controversias sobre la inclusión o exclusión de bienes en el mismo, citará a las partes ante el juzgado para continuar la tramitación conforme a lo previsto para el juicio verbal, pero la sentencia que se dicte en este caso no afectará a los derechos de terceros (art. 794 LEC).

Una vez formado el inventario, el tribunal determinará mediante auto lo que corresponda acerca de la administración, custodia y conservación del caudal. Para ello tendrá en cuenta lo dispuesto por el testador pero, en su defecto, dispone la ley que se procederá a ordenar el depósito del metálico y de los efectos públicos y a nombrar un administrador del caudal hereditario.

b) La administración del patrimonio hereditario

La administración del patrimonio hereditario acordada en el marco de la intervención judicial se regula con detalle en la ley. Será nombrado administrador el cónyuge sobreviviente y, en su defecto, los herederos o legatarios con mayor parte en la herencia, pero si lo considera oportuno el tribunal cualquier otro o un tercero. El administrador nombrado deberá prestar caución bastante para responder de los bienes, aunque puede ser dispensado de ello, y el LAJ le dará posesión del cargo (arts. 795 y 797 LEC).

El administrador de la herencia ostenta la representación de la misma y para acreditarlo, el LAJ le dará testimonio del nombramiento y de la posesión del cargo. En esa condición representa a la herencia en los procesos judiciales entablados o que se hayan de promover, pero sólo hasta la aceptación de la herencia por los herederos. A partir de ese momento su representación se limitará a lo que sea directamente administración, custodia y conservación del caudal hereditario (art. 798 LEC).

De entre las obligaciones del administrador destacan: 1) conservar los bienes de la herencia realizando las reparaciones indispensables para ello y procurando que den las rentas y productos que correspondan (art. 801 LEC); 2) depositar a disposición del tribunal las cantidades que recaude (art. 802 LEC); 3) proponer al tribunal la enajenación de los bienes inventariados cuando resulte necesario —por deterioro, conservación costosa, para el pago de deudas, etc.— (art. 803 LEC); 4) controlar las administraciones subalternas que respecto de sus bienes hubiera acordado el fallecido (art. 805 LEC); 5) rendir cuenta de su gestión en los plazos que señale el tribunal y al cesar en el desempeño de su cargo, que serán aprobadas por el LAJ si no se plantea oposición y mediante vista por los trámites del juicio verbal en caso contrario (arts. 799 y 800 LEC).

En contraprestación, el administrador de la herencia recibirá la retribución correspondiente por la prestación de sus servicios y conforme a los porcentajes legalmente previstos (art. 804 LEC).

c) Cesación de la intervención judicial

Puede tener lugar por dos razones (art. 796 LEC): 1) Por concluir el procedimiento o expediente al que sirve con carácter instrumental, esto es, el procedimiento de solicitud de división judicial de la herencia o el expediente de declaración de herederos abintestato. En estos casos, una vez concluida la división judicial de la herencia mediante la entrega a cada heredero de los bienes adjudicados o efectuada la declaración de herederos, cesa la intervención. Salvo, en este último caso, si cualquiera de los herederos declarados solicita posteriormente la división judicial de la herencia. Si los acreedores privilegiados del art. 782.4 LEC se hubieran opuesto a la partición hasta el pago o afianzamiento de sus créditos, no cesará la intervención judicial hasta que tengan lugar uno u otro; 2) Por petición de los herederos de común acuerdo, considerando que en este procedimiento se prioriza la voluntad de los interesados.

2. Liquidación del régimen económico matrimonial

El régimen económico del matrimonio será el que estipulen los cónyuges en capitulaciones matrimoniales y en su defecto el que prevean las disposiciones legales al respecto, dependiendo de si es de aplicación el Derecho civil común —sociedad de gananciales— o el Derecho civil autonómico correspondiente. Como consecuencia de lo anterior se puede formar una masa común de bienes y derechos sujeta a cargas y obligaciones. Si se disuelve el matrimonio o se modifica el régimen económico y se sustituye por otro o si se da alguna de las situaciones legalmente previstas para ello en el art. 1393 CC, se procederá a la liquidación de la masa patrimonial. Ello puede hacerse por acuerdo de los cónyuges, pero en su defecto prevé la ley un proceso especial de liquidación que, en realidad, son dos procedimientos distintos, el uno para la formación de inventario y el otro para la liquidación de los bienes y derechos que lo integran.

A) Competencia

La competencia para conocer del procedimiento de liquidación corresponde al JPI, al JVM que esté conociendo, o haya conocido o hubiere tenido la competencia para conocer del proceso de nulidad, separación o divorcio, o a aquel ante quien se sigan o se hayan seguido las actuaciones sobre disolución del régimen económico matrimonial por alguna de las causas previstas en la legislación civil (art. 807 LEC).

B) Procedimiento para la formación de inventario

La formación de inventario puede ser solicitada por cualquiera de los cónyuges o sus herederos una vez admitida la demanda de nulidad, separación o divorcio, o una vez iniciado el proceso en que se haya demandado la disolución del régimen económico matrimonial. Junto a la solicitud se ha de acompañar una propuesta en la que se hagan constar las diferentes partidas del activo y del pasivo de la masa común y los documentos que las justifican (art. 808 LEC).

Presentada la solicitud, convocará el LAJ a los cónyuges o a sus herederos a una comparecencia en el plazo de diez días para la formación del inventario conforme a lo dispuesto en la legislación civil común o autonómica que corresponda. Si hubiera acuerdo entre los comparecientes se consignará el mismo en acta por el LAJ. Puede ocurrir que alguno de los convocados deje de comparecer, sin causa justificada, en el día señalando, en cuyo caso se le tendrá por conforme con la propuesta presentada por los comparecientes. También en este caso se recoge en acta y concluye el acto. Si se suscita controversia sobre la inclusión o exclusión de conceptos en el inventario o sobre el importe de las partidas, se cita a los interesados a una vista ante el tribunal que resolverá siguiendo los trámites del juicio verbal. Tanto en un caso como en el otro, corresponde siempre al tribunal pronunciarse acerca de la administración y disposición de los bienes del inventario (art. 809 LEC).

C) Procedimiento para la liquidación del régimen económico del matrimonio

Si bien la solicitud de formación de inventario puede tramitarse simultáneamente a la demanda de separación, nulidad o divorcio o a la de disolución del régimen económico matrimonial, la solicitud de liquidación requiere, en cambio, una resolución firme declarando disuelto dicho régimen económico.

La solicitud ha de acompañarse también de una propuesta, en este caso de liquidación, que incluya las indemnizaciones y reintegros a cada cónyuge y la división del remanente en la proporción que corresponda. De forma similar a la petición de inventario, procederá el LAJ a convocar a los cónyuges o a sus herederos a una comparecencia, también en el plazo de diez días. Si en la misma se alcanza un acuerdo se consigna en acta. Si alguno de los cónyuges o sus herederos no comparece sin causa justificada, se le tiene por conforme con la propuesta de liquidación del cónyuge o heredero compareciente y también se recoge en acta por el LAJ. Pero si no se alcanza un acuerdo sobre la liquidación, se procede a la designación de contador y de peritos, en su caso, y se tramitará en los mismos términos indicados para la división de la herencia (art. 810 LEC).

D) Liquidación del régimen económico de participación

Junto al procedimiento anteriormente indicado, el legislador ha previsto una serie de especialidades para el caso de la liquidación del régimen económico de participación en las ganancias (art. 811 LEC). En este caso no existe una masa patrimonial común y, durante su vigencia, el régimen es próximo al de separación de bienes, pero una vez extinguido, cada cónyuge tiene derecho a participar en las ganancias obtenidas por su consorte (arts. 1411 a 1413 CC).

Al no haber patrimonio común, no procede pedir el inventario de bienes, sino que se solicita directamente la liquidación, siempre y cuando sea firme la resolución que declara disuelto el régimen económico matrimonial. A esta solicitud se ha de acompañar también una propuesta de liquidación, pero, teniendo en cuenta la naturaleza de este régimen, la misma incluirá una estimación del patrimonio inicial y final de cada cónyuge y expresará la cantidad que haya de pagar el cónyuge con mayor incremento patrimonial.

Los trámites a seguir son similares al caso anterior: comparecencia ante el LAJ en el plazo de diez días para alcanzar un acuerdo que se hará constar en acta; también se hará constar en acta la propuesta de liquidación del cónyuge compareciente si el otro no lo hace; si no se alcanza un acuerdo, resolverá el juez conforme a los trámites del juicio verbal, resolviendo las cuestiones suscitadas, esto es, los patrimonios iniciales y finales de cada cónyuge y la cantidad que haya de satisfacer al otro el cónyuge con mayor incremento patrimonial.

III. EL JUICIO CAMBIARIO

1. *Concepto y naturaleza*

La LEC concluye el Libro IV relativo a los procesos especiales con un Título común dedicado a los «procesos monitorio y cambiario». Aún tratándose de procesos que presentan notables diferencias, el proceso o juicio cambiario comparte con el primero su carácter de proceso dirigido a la tutela judicial privilegiada del crédito. En el caso del juicio cambiario, la especial protección del crédito no tiene su razón de ser en la relación jurídico material del que surge, sino en el documento en el que queda reflejado dicho crédito —título valor— que no es otro que el título cambiario (letra de cambio, cheque o pagaré). Tutela privilegiada del crédito que se aprecia también en su función ejecutiva, esto es, la finalidad del juicio cambiario de obtener prontamente un título ejecutivo.

También comparte con el proceso monitorio el recurso a la denominada técnica monitoria que consiste en el requerimiento judicial de pago hecho al deudor que puede efectivamente atender dicho requerimiento o puede oponerse al juicio cambiario. Pero en el caso de que el deudor no atienda el requerimiento de pago o no interponga demanda de oposición, el tribunal despachará ejecución mediante auto.

Se trata, por último, de un proceso de naturaleza declarativa. Aunque en alguna ocasión se refiera la ley al título cambiario como título ejecutivo (art. 821.2.2ª LEC) no ha de entenderse que aquél resulte suficiente título para despachar ejecución cuando acompaña a la demanda ejecutiva. La Ley 19/1985, cambiaria y del cheque (LCCH en adelante), es más correcta cuando afirma que los títulos cambiarios «llevan aparejada ejecución a través del juicio cambiario que regula la LEC» (arts. 66, 96 y 153 LCCH). El verdadero título ejecutivo surge con la tramitación del juicio cambiario y no puede ser otro que la resolución judicial en forma de auto despachando ejecución cuando el deudor ni paga ni interpone demanda de oposición (art. 825 LEC) o la sentencia que resuelve sobre la oposición cambiaria (art. 827 LEC).

2. Competencia

La competencia para conocer del juicio cambiario corresponde objetivamente al JPI y territorialmente al del domicilio del demandado. En el supuesto de que el tenedor del título cambiario demande a varios deudores cuya obligación surge del mismo título, será competente el del domicilio de cualquiera de ellos, a elección del primero. Sobre la competencia territorial excluye expresamente la ley toda posibilidad de sumisión, ya sea expresa, ya tácita (art. 820 LEC), por lo que habrá de ser apreciada de oficio por el propio tribunal (art. 58 LEC).

El domicilio del demandado será el que conste en el propio documento conforme a lo que prevé la LCCH al regular el contenido de los distintos títulos cambiarios, previsiones no siempre coincidentes.

3. Legitimación

La legitimación activa corresponde a quien se encuentre en posesión legítima del título cambiario. Al regular cada título en concreto y su respectivo contenido se ha de hacer constar el nombre de la persona a quien se ha de hacer el pago o a cuya orden se ha de efectuar o puede ser también librado al portador (arts. 1, 94 y 111 LCCH). Sin embargo, estos títulos son transmisibles mediante endoso, entrega o cesión y el tenedor último se considerará tomador legítimo en las condiciones previstas en la LCCH.

Legitimado pasivamente será el obligado cambiario, esto es, el que asume con el título respectivo la obligación de pagar y que consta en el mismo como tal. En el caso concreto del cheque, ha de ser necesariamente un Banco. Sin embargo, los títulos son transmisibles o susceptibles de garantía mediante aval y pueden resultar obligados al pago quienes hubieran librado, aceptado, endosado o avalado la letra de cambio o el pagaré (arts. 57 y 96, por remisión, LCCH) y quienes hubieran librado, endosado o avalado un cheque (art. 148 LCCH). En este caso, dispone la ley que responden todos ellos solidariamente frente al tenedor, que puede proceder contra ellos, individual o conjuntamente. Considera la doctrina que, más que ante un supuesto de litisconsorcio pasivo cuasi necesario, nos hallamos ante un caso de acumulación de acciones subsidiaria.

4. Demanda

El juicio cambiario comienza con la interposición de una demanda sucinta a la que se ha de acompañar el título cambiario correspondiente, esto es, letra de cambio, cheque o pagaré, si bien enfatiza la ley procesal que los títulos que acompañan a la demanda han de reunir los requisitos previstos en la LCCH (arts. 819 y 821 LEC). Además, la admisión de la demanda y sus inmediatas consecuencias —requerimiento de pago y embargo preventivo de bienes— dependerán de que el título cambiario sea formalmente correcto a juicio del tribunal.

La exigencia de corrección formal del título y del correspondiente cumplimiento de los requisitos exigidos respecto de cada uno de ellos, implica una remisión a la LCCH en cuanto a los necesarios para su válida constitución (denominación del título, mandato o promesa de pago de una cantidad determinada, datos personales de quien ha de pagar y la persona a quien ha de hacerse el pago o a cuya orden se ha de efectuar, vencimiento y lugar de pago, fecha y lugar de emisión, firma de quien emite el título, etc.). En cuanto a la obligación documentada en el título ha de ser líquida y sobre su vencimiento habrá de estarse a las diversas formas admisibles conforme a la LCCH respecto de cada título cambiario.

La demanda se interpondrá siguiendo las reglas generales sobre postulación y defensa mediante procurador y abogado, pues para el juicio cambiario no se contempla una exclusión expresa como la prevista para el proceso monitorio (art. 814.2 LEC). En ella se pedirá, no una declaración de condena al deudor, sino un requerimiento de pago al mismo y que se despache ejecución si aquél no es atendido sin formular oposición.

5. Admisión: requerimiento de pago y embargo preventivo

El tribunal examinará su competencia objetiva y la territorial atendiendo al carácter imperativo de la misma en este supuesto. Posteriormente analizará si se cumplen los requisitos relativos al título que ha de acompañar a la demanda, en esencia, que se trata de alguno de los títulos cambiarios indicados en la ley (art. 819 LEC) y que el mismo satisface los requisitos de contenido y de forma expresados en la LCCH.

Examinados los anteriores extremos, el tribunal resolverá en todo caso mediante auto si admite o no la demanda. En caso de inadmisión, el auto es recurrible directamente en apelación, si bien el recurrente puede facultativamente intentar con carácter previo el recurso de reposición en los términos previstos para el auto denegando el despacho de la ejecución (art. 821.3 LEC). Si se admite la demanda porque el título es conforme a lo exigido, en el mismo auto en que se acuerde adoptará el tribunal las siguientes medidas:

➤ Requerir al deudor para que pague en el plazo de diez días (frente a los veinte del proceso monitorio).

➤ Ordenar el inmediato embargo preventivo de los bienes del deudor por la cantidad que figure en el título cambiario, más otra para intereses de demora, gastos y costas, por si no se atendiera el requerimiento de pago.

La orden de embargo es inmediata, y aunque esté orientada a responder de la eventualidad de que no se atienda el requerimiento de pago, no será preciso que transcurran los diez días concedidos al deudor para que se lleve a efecto. Este embargo cautelar puede ser levantado o alzado si el deudor se persona dentro de los cinco días siguientes a aquél en que se le requirió de pago y niega categóricamente la autenticidad de su firma o alega falta absoluta de representación. Para ello, examinará el tribunal las circunstancias del caso y la documentación aportada, pero, si lo estima conveniente, puede condicionar el alzamiento del embargo a que se preste la caución o garantía adecuada.

Sin embargo, las dudas que pueda plantear el deudor acerca de la autenticidad de su firma o de la falta de representación resultan inaceptables cuando en las actuaciones cambiarias cuestionadas interviene la autoridad judicial o algún fedatario público. Por consiguiente, no se procederá al alzamiento del embargo en los siguientes casos (art. 823.2 LEC):

➤ Cuando en el libramiento, la aceptación, el aval o el endoso haya intervenido Corredor de comercio o Notario.

➤ Cuando el deudor cambiario no haya negado la autenticidad de la firma o la falta de representación en el protesto o en el requerimiento notarial del pago.

➤ Cuando el obligado cambiario haya reconocido su firma judicialmente o en documento público.

6. *Opciones del deudor cambiario requerido al pago*

A) Pago

El deudor cambiario puede, evidentemente, atender al requerimiento de pago que se le formuló y hacerlo efectivo en el plazo de los diez días concedidos. En este supuesto se procederá, por remisión, conforme a lo dispuesto para el pago por el ejecutado en la ejecución dineraria: el LAJ pondrá a disposición del acreedor cambiario la suma de dinero correspondiente y entregará al deudor cambiario justificante del pago realizado; pero en todo caso, las costas serán por cuenta del deudor, sin que sea de aplicación la excusa de que no pudo efectuar el pago antes del requerimiento por una causa que no le sea imputable (arts. 822 y 583 LEC). Obviamente, el pago pone fin al juicio cambiario y el embargo preventivo se alzará.

B) Inactividad del deudor cambiario: despacho de ejecución

Si el deudor cambiario no atiende al requerimiento de pago, ni interpone demanda de oposición cambiaria en el plazo de los diez días concedidos para ello, el tribunal despachará ejecución por las cantidades reclamadas y el LAJ trabará embargo si no se hubiera podido practicar o hubiera sido alzado. De este modo, se alcanza el objetivo inmediato característico de la técnica monitoria que no es otro que la constitución de un título ejecutivo. Es más, dispone la ley que la ejecución se sustancie en estos casos conforme a lo previsto en la misma para las sentencias y resoluciones judiciales y arbitrales (art. 825 LEC).

Aunque nada diga la ley al respecto, la resolución judicial por la que se despacha ejecución adoptará la forma de auto. No se aclara en la ley si el ejecutado puede oponerse a la ejecución alegando los motivos de fondo o los de carácter procesal (arts. 556 y 559 LEC) o si puede oponerse denunciando la infracción de normas que regulan los actos concretos del proceso de ejecución (art. 562 LEC). Pero la remisión general a lo dispuesto para la ejecución de sentencias y resoluciones judiciales y arbitrales que se hace en el art. 825.II LEC ha de interpretarse en sentido favorable.

C) Oposición cambiaria: demanda y motivos

Si el deudor cambiario no contempla atender el requerimiento de pago, pero quiere evitar a toda costa el despacho de ejecución que se deriva de su inactividad, puede acogerse a una tercera opción cual es el planteamiento de la oposición cambiaria.

La oposición al juicio cambiario se hace en forma de demanda. Esto significa que se produce una inversión en la posición procesal de las partes. El deudor cambiario demandado inicialmente no puede limitarse en la oposición a negar simplemente los hechos, sino que su oposición le convierte en actor en el proceso y se le traslada la carga de alegar y probar las causas y motivos de dicha oposición.

La demanda en que se fundamenta la oposición cambiaria ha de interponerse en el mismo plazo de diez días siguientes al del requerimiento de pago (art. 824 LEC). En cuanto a los motivos o causas que el deudor cambiario puede oponer al tenedor del título de la misma naturaleza, hace la ley una remisión a lo previsto en el art. 67 LCCH (art. 824.2 LEC). Las causas de oposición contempladas en el precepto en cuestión son amplias, pues abarcan las relativas a la propia obligación cambiaria y también las que afectan a la relación jurídica causal subyacente.

Las causas de oposición, o excepciones como las denomina la LCCH, que puede alegar el obligado cambiario en su demanda respecto de la relación cambiaria son las siguientes:

> La inexistencia o falta de validez de su propia declaración cambiaria. Aquí la ley menciona expresamente la falsedad de la firma, pudiendo añadirse la concurrencia de violencia, intimidación o error, la falta de capacidad, la falsedad del propio título, haberse completado el título, incompleto en el momento de la emisión, en contra de lo acordado, etc.

> La falta de legitimación del tenedor o de las formalidades necesarias del título cambiario. La legitimación del tenedor supone que éste ha de constar en el propio título, bien inicialmente, bien mediante endoso a su favor. El respeto de los requisitos formales del documento es esencial en un proceso con función ejecutiva como el que nos ocupa (arts. 819 y 821 LEC) y la propia LCCH afirma que no se consideran tales, los documentos cambiarios que no cumplen con aquellos requisitos (arts. 2, 95 y 107).

> La extinción del crédito cambiario cuyo cumplimiento se exige al demandado. Sobre este punto puede alegarse el pago, la consignación o la prescripción de las acciones cambiarias.

Junto a los motivos de oposición que se fundamentan en la propia relación cambiaria, ya vistos, la ley permite además al deudor cambiario oponer al tenedor del título las excepciones basadas en sus relaciones personales con él (art. 67 LCCH). Esto posibilita la entrada en el proceso cambiario a las excepciones que pudiera formular el deudor frente al tenedor con fundamento en la relación jurídica causal subyacente existente entre ambos. La jurisprudencia del TS ha afirmado que la alegación de hechos pertenecientes a la relación causal subyacente «es admisible de forma completa y total» cuando se superponen en el litigio las condiciones de acreedor y obligado cambiarios, por un lado, y acreedor y deudor extracambiarios por otro.

Aunque la anterior posibilidad se limita a las excepciones basadas en las relaciones personales entre deudor y tenedor, permite la ley que el primero pueda oponer aquellas excepciones personales que él tenga frente a los tenedores anteriores si al adquirir el título el tenedor procedió a sabiendas en perjuicio del deudor (*exceptio doli*).

Aunque la ley material disponga que frente al ejercicio de la acción cambiaria sólo serán admisibles las excepciones enunciadas en el art. 67 LCCH, no cabe duda, pese a la omisión, de que el demandado puede oponer las excepciones de naturaleza procesal que se deriven de la demanda cambiaria.

D) Sustanciación y decisión de la oposición cambiaria

Interpuesta la demanda de oposición en al plazo señalado, el LAJ dará traslado de la misma al acreedor para que lo impugne por escrito en el plazo de diez días. Aunque no se diga nada al respecto, se examinará la admisibilidad de la primera. Las partes pueden en sus respectivos escritos (demanda de oposición-escrito de impugnación) solicitar la celebración de vista siguiendo los trámites del juicio verbal.

Si no se solicita la celebración de vista o el tribunal estima que no es procedente, resolverá éste sin más trámite la oposición. Pero si se celebra vista y no comparece a la misma el deudor, el tribunal le tendrá por desistido de la oposición. Si quien no comparece es el acreedor cambiario, decidirá el tribunal sobre la oposición, pero sin oírle (art. 826 LEC).

La oposición cambiaria se resuelve mediante sentencia del tribunal que se dictará en el plazo de diez días y en la que deberá pronunciarse sobre los motivos de oposición alegados:

> ➢ Si la sentencia desestima lo pedido en la demanda de oposición y es recurrida, podrá ejecutarse provisionalmente conforme a lo previsto al respecto en la ley (arts. 524 y ss. LEC).

> ➢ Si la sentencia estima la oposición y es recurrida por el acreedor cambiario se procederá al alzamiento del embargo preventivo acordado, pero éste podrá solicitar en el recurso su mantenimiento o la adopción de alguna medida cautelar distinta (arts. 827 y 744 LEC por remisión).

Una vez firme la sentencia dictada en el juicio cambiario, producirá efectos de cosa juzgada. Sin embargo, estos efectos no se limitan a las cuestiones efectivamente alegadas y debatidas en el juicio cambiario, sino que se extienden «a las cuestiones que pudieron ser en él alegadas y discutidas». Las restantes cuestiones podrán plantearse en el juicio que corresponda (art. 827 LEC).

CAPÍTULO XII
JURISDICCIÓN VOLUNTARIA

Lección 36ª
LA JURISDICCIÓN VOLUNTARIA

ELENA MARTÍNEZ GARCÍA

SUMARIO: I. INTRODUCCIÓN. II. DISPOSICIONES GENERALES APLICABLES A LA JURIS-DICCIÓN VOLUNTARIA. 1. Competencia para conocer de los expedientes de jurisdicción voluntaria. 2. La función de los Letrados de la Administración de Justicia. 3. Legitimación y postulación. 4. La intervención del Ministerio Fiscal. III. CARACTERÍSTICAS PROCEDIMEN-TALES DE ESTOS EXPEDIENTES DE JURISDICCIÓN VOLUNTARIA. IV. PROCEDIMIENTO DE TRAMITACIÓN DEL EXPEDIENTE. V. CLASIFICACIÓN DE LOS TIPOS DE EXPEDIENTES DE JURISDICCIÓN VOLUNTARIA. 1. Expedientes de jurisdicción voluntaria en materia de perso-nas. 2. Expedientes de jurisdicción voluntaria en materia de familia. 3. Expedientes en materia de jurisdicción voluntaria relativos a Derecho sucesorio. 4. De los expedientes de jurisdicción voluntaria relativos al derecho de obligaciones. 5. De los expedientes de jurisdicción voluntaria relativos a derechos reales. 6. Expedientes de jurisdicción voluntaria de subastas voluntarias. 7. De los expedientes de jurisdicción voluntaria en materia mercantil. 8. Expediente de jurisdic-ción voluntaria sobre la conciliación.

BIBLIOGRAFÍA BÁSICA

BRAN TEIXIDO, N./ PÉREZ CASTRO, C., *Jurisdicción Voluntaria. Paso a Paso: Guía práctica sobre todos los expedientes recogidos en la Ley 15/2015, de 2 de julio*, Colex, Madrid, 2021.

I. INTRODUCCIÓN

La Ley 15/2015 de 2 de julio, de la Jurisdicción Voluntaria, introduce una nueva forma más diferente de entender el sistema procesal para determinados asuntos civiles, mercantiles y otros regulados en la legislación especial de dere-cho privado, relativos aspectos de las personas y del patrimonio.

En los *expedientes* de *jurisdicción voluntaria* no existe un conflicto en el sentido clásico o contencioso, de conformidad con lo aprendido en el proceso civil. En esta «jurisdicción» se acude a un *Juez* u a otro *funcionario público* determinado *ex lege* para que aplique la ley en el ámbito de Derecho privado, cuando la natura-leza de los intereses en juego o el estatus de las persona interesada o afectada, lo justifique.

Aunque la ley autoriza junto al Juez, a otros órganos públicos diferentes a éstos para que resuelvan estas controversias, siempre que no se exija ejercicio de potestad jurisdiccional, aquí solo vamos a contemplar el primer caso; que-da fuera por tanto la jurisdicción voluntaria ante Notarios, Registradores de la Propiedad y Mercantiles, todos ellos juristas y fedatarios públicos. Sin duda es su *auctoritas* lo que justifica la intervención de todos estos sujetos en el ámbito del derecho privado, como miembros del poder judicial y fedatarios públicos y esta es la idea importante que debemos entender.

Se trata, en última instancia, de una suerte de desjudicialización de determinados conflictos o materias, hasta ahora atribuidas a Jueces y Magistrados, por no ser exigible ejercicio de potestad jurisdiccional en ese caso concreto; de manera colateral, como reza la exposición de Motivos de la Ley, esta forma de impartir justicia beneficia tanto a la ciudadanía, a los servidores públicos citados y, por último, para los propios jueces y magistrados, que pueden centrar sus esfuerzos en los asuntos que sí requiere la función jurisdiccional con exclusividad.

A partir de aquí, delimitar la naturaleza jurídica de la jurisdicción voluntaria impone optar entre darle un sentido administrativo o jurisdiccional. En esta lección se explica que:

> ➢ Los jueces y los Letrados de la Administración de Justicia que intervienen en los actos de jurisdicción voluntaria no ejercen jurisdicción, porque no actúan irrevocablemente el derecho en el caso concreto, respondiendo a una determinada pretensión, inexistente al faltar la controversia. Si ello es así, no hay proceso, por tanto, tampoco hay partes, ni cosa juzgada de la resolución de fondo.

> ➢ Sin embargo, no por ello deja de actuar un juez (o el LAJ) aplicando el derecho privado, es decir, ejerce en este caso el juez una función expresamente atribuida por la ley en garantía de un derecho (arts. 117.4 CE y 2.2 LOPJ) y ello le convierte «per se» en una institución de naturaleza jurisdiccional.

II. DISPOSICIONES GENERALES APLICABLES A LA JURISDICCIÓN VOLUNTARIA

1. *Competencia para conocer de los expedientes de jurisdicción voluntaria*

En la Ley de Jurisdicción Voluntaria se regula, con carácter principal, los diferentes expedientes en la materia que se desarrollan ante órganos jurisdiccionales (art. 2.1) y el Letrado de la Administración de Justicia (art. 2.3 *fine*), sin perjuicio de que en otras leyes civiles y mercantiles donde regulen otros expedientes de jurisdicción voluntaria desarrollados ante Notarios y Registradores Mercantiles.

El criterio legal a la hora de distribuir la competencia objetiva ha sido claro:

> ➢ Se reserva la decisión de fondo al Juez en aquellos expedientes que afectan al interés público o al estado civil de las personas, los que precisan una específica actividad de tutela de las normas sustantivas, los que pueden traer

consigo actos de disposición o de reconocimiento, creación o extinción de derechos subjetivos o cuando estén en juego los derechos de menores o personas con discapacidad con medidas de apoyo para el ejercicio de su capacidad jurídica.

➢ Es decir, con carácter general, el Juez debe de decidir sobre materias de personas y familia y también algunos expedientes mercantiles y de derecho de obligaciones y sucesorio que no se encomienden expresamente a los LAJ, Notarios o Registradores por la importancia del interés a tutelar.

➢ Respecto a la delimitación de la competencia entre el Juez y el LAJ, se distingue entre la decisión sobre el fondo del asunto (Juez o LAJ) y el impulso y dirección del proceso (LAJ).

2. La función de los Letrados de la Administración de Justicia

La función del LAJ consiste en:

➢ El impulso del expediente de jurisdicción voluntaria,

➢ La decisión de fondo, según corresponda por Ley (art. 2.3 *fine*), siempre y cuando no implique el reconocimiento de un derecho subjetivo (como sería el nombramiento de un defensor judicial, la declaración de ausencia y fallecimiento).

➢ Dictar las resoluciones interlocutorias pertinentes a través de los servicios comunes de las oficinas judiciales (art. 438.3 y 5 de la LOPJ).

3. Legitimación y postulación

Podrán promover estos expedientes e intervenir en ellos quienes sean titulares de derechos e intereses legítimos o, cuya legitimación les venga conferida legalmente sobre la materia que constituya su objeto, sin perjuicio de los casos en los que pueda actuar de oficio a instancia del Ministerio Fiscal.

La Ley determina los supuestos en los que no es necesaria la postulación por abogado y procurador, permitiendo en todos los casos, si se desea, asistir defendido y representado por abogado y procurador. La justicia gratuita cubrirá estos supuestos de postulación obligatoria. La revisión y apelación, en su caso, siempre requerirá de postulación.

4. La intervención del Ministerio Fiscal

Como es lógico, al igual que acontece en el proceso civil, la intervención del Ministerio Fiscal está prevista en los expedientes de jurisdicción voluntaria, cuando se trate de asuntos que afectan al estado civil o la condición de la persona o se encuentre comprometido el interés de un menor o persona con discapacidad con medidas de apoyo para el ejercicio de su capacidad jurídica y en todos los casos que la Ley lo disponga.

III. CARACTERÍSTICAS PROCEDIMENTALES DE ESTOS EXPEDIENTES DE JURISDICCIÓN VOLUNTARIA

Las características principales comunes a todos los expedientes de jurisdicción voluntarias son las que se relatan a continuación, sin perjuicio de que cada expediente tenga sus propias especialidades, a las que nos remitimos.

➢ *Prueba*: Corresponde al Juez o LAJ, según quien conozca del fondo, decidir sobre la admisión de los medios de prueba que se le propongan, pudiendo ordenar prueba de oficio cuando el interés público, el del menor o persona con discapacidad con medidas de apoyo para el ejercicio de su capacidad jurídica, lo justifique. Esta facultad llama la atención por dotar al órgano decisor en un expediente no jurisdiccional, de un poder jurisdiccional claro que, como se ha visto es de naturaleza excepcional para el proceso civil.

➢ *Efectos*: El resultado del expediente no goza de eficacia de cosa juzgada respecto de un posible proceso jurisdiccional, pero sí respecto de otros expedientes de jurisdicción voluntaria (art. 19).

- No podrá iniciarse nuevo expediente por los mismos hechos e idéntico objeto, salvo que cambien las circunstancia que lo originaron.

- No podrá incoarse expediente cuando exista proceso jurisdiccional abierto por esa causa (art. 6.2).

- Por último, cuando exista proceso contencioso o jurisdiccional que pudiera afectar a la resolución de fondo del expediente civil, se archivará este último, de conformidad con el artículo 43 LEC.

➢ *Gastos*: No rige el criterio del vencimiento en la causa, dado que por la naturaleza de este tipo de expedientes no hay vencedores ni vencidos. En concreto, los gastos generados por la intervención de testigos y peritos correrán a cargo de quien los proponga.

➢ *Oposición*: La oposición puede darse, pero la característica principal es que no convierte al expediente en proceso contencioso, con la excepción de dos casos: la oposición a la remoción de la tutela o también a la adopción.

➢ *Norma supletoria*: La Ley de Enjuiciamiento Civil será supletoria en aquello que nada diga esta regulación.

➢ *Normas de Derecho internacional privado*: El título I se centra en todo lo relativo a las normas de derecho internacional privado. Las resoluciones que ponen fin a expedientes de jurisdicción voluntaria extranjeros podrán ser inscritas en un registro español tras recibir el oportuno *exequatur*, hasta entonces solo podrán ser objeto de anotación preventiva. Cuando sean firmes surtirán los efectos en España.

IV. PROCEDIMIENTO DE TRAMITACIÓN DEL EXPEDIENTE

Estas normas procedimentales que expresamos a continuación, serán de común aplicación a todos los procedimientos de jurisdicción voluntaria, salvo cuando medie norma específica al respecto.

➢ *Incoación*: El inicio del expediente puede ser de oficio, a instancia del MF o de parte legítima. Junto a los datos de la persona solicitante de la tutela, se expondrán los hechos y fundamentos jurídicos en los que basa su petición, acompañando los documentos, dictámenes de interés para la defensa de su petición y tantas copias como interesados se hallaren en el expediente. Esta iniciación se da en la oficina judicial, donde se le facilitará la posibilidad, en su caso, de solicitar abogado y procurador mediante impreso normalizado.

➢ *Acumulación de procesos*: Cuando haya dos o más expedientes con conexión de objetos ante un mismo órgano competente, que pudieran entre ellos afectarse o conllevar el riesgo de generar resoluciones contradictorias, el Juez o LAJ, acordará de oficio o a instancia de parte interesada o MF, la acumulación de los mismos. No se podrá acordar dicha acumulación cuando la resolución de estos expedientes corresponda a órganos competenciales diferentes y en ningún caso cabe la acumulación de un expediente de jurisdicción voluntaria a uno contencioso. Para la acumulación de procesos se estará a lo dispuesto en la LEC para los juicios verbales con ciertas especialidades.

➢ *Funciones específicas del LAJ:* Corresponde al LAJ corroborar que el expediente cumple todos los requisitos, así como las normas de competencia objetiva y territorial, adoptando las decisiones oportunas ante la falta de competencia objetiva y territorial. En caso de no ser admisible la solicitud planteada en el expediente, corresponde archivar la causa mediante decreto o procederá a dar cuenta al Juez cuando fuera de su competencia. Si por el contrario sí admite la solicitud, el LAJ citará a una comparecencia a quienes hayan de intervenir en el expediente, siempre que concurra alguna de las siguientes circunstancias:

a) Cuando deba oírse a personas distintas de la parte solicitante.

b) Que hubiera de practicarse prueba ante Juez o LAJ.

c) Que el Juez o LAJ considere necesaria la celebración de la comparecencia para una mejor solución del expediente.

d) De no concurrir alguna de estas circunstancias y solo hubiera que oír al MF, éste emitirá su informe en los 10 días siguientes.

➢ *Comparecencia*: Las partes serán convocadas con quince días de antelación a la celebración de la comparecencia, informándoles que deben asistir acompañados de los medios de prueba que estimen acordes a su derecho. Dicha comparecencia deberá interpretarse conforme con el art. 7 bis de esta Ley y 7 bis LEC, sobre los ajustes necesarios para las personas con discapacidad.

- Si alguno de los interesados fuera a formular oposición, deberá hacerlo en los 5 días siguientes a su citación. De dicha oposición se le dará traslado a la otra parte (art. 17).

- La comparecencia se celebrará ante el Juez o el LAJ, según quien sea competente para conocer del fondo del asunto, en los treinta días siguientes a la admisión de su solicitud. Dicha comparecencia se celebrará por los tramites de la LEC para el juicio verbal con las siguientes especialidades:

  a) La ausencia del solicitante provocará el desistimiento de la causa y, por tanto, su archivo. La ausencia de cualquiera de las otras partes no impedirá la celebración del acto y continuación del expediente.

  b) El Juez o LAJ, según su competencia objetiva, oirá al solicitante y demás partes, incluida el MF, en su caso, garantizando la intervención de pleno derecho de las personas que tengan alguna discapacidad.

  c) Si se plantearan cuestiones procesales, incluidas las de competencia, se resolverán en el acto por el Juez o LAJ, oídos los comparecientes, resolviendo en ese mismo acto.

  d) Cuando el expediente afecte a menores o personas con discapacidad, se practicarán en el mismo acto o en los diez días siguientes, sino fuere posible, las diligencias relativas a sus derechos o intereses, acordadas de oficio o a instancia del MF. En todo caso, podrá decidirse que la audiencia de estas personas especialmente vulnerables se practique en actos separados, sin interferencias de otras personas y con asistencia, en su caso, del MF. «En todo caso, se garantizará que puedan ser oídas en condiciones idóneas, en términos que les sean accesibles, comprensibles y adaptados a su edad, madurez y circunstancias, recabando el auxilio de especialistas cuando ello fuera necesario».

- Una vez realizada la práctica de prueba, se permitirá a los interesados formular sus propias conclusiones.

- De dicha comparecencia se extenderá acta detallada y, siempre que sea posible, grabada en soporte audiovisual, dando traslado de la misma a las partes para que realicen alegaciones a la misa en los cinco días siguientes

- El expediente se resolverá por medio de auto o decreto, según sea competente el Juez o LAJ respectivamente, en los 5 días siguientes desde la comparecencia o, si ésta no se hubiera celebrado, desde la última diligencia practicada.

- En caso de que se trate de asuntos que afecten a menores o personas con capacidad judicialmente modificada, la decisión podrá fundarse en cualesquiera hechos alegados por estos, aunque no hayan sido aportados por el solicitante u otros interesados.

➢ *Resolución del expediente*: La resolución produce eficacia de cosa juzgada respecto de otros expedientes de jurisdicción voluntaria (art. 19) y no podrá iniciarse nuevo expediente por los mismos hechos e idéntico objeto, salvo que cambien las circunstancia que lo originaron. Queda fuera del ámbito de la eficacia de cosa juzgada jurisdiccional.

➢ *Recursos*:

- Contra las resoluciones interlocutorias del expediente cabrá recurso de reposición ante el mismo órgano que dictó dicha resolución, en los términos previstos por la Ley.

- Contra las resoluciones definitivas dictadas por el Juez en dicho expediente, se podrá recurrir en apelación por cualquier interesado perjudicado —lo que hace pensar que puede ser un tercero no parte en el expediente—, de conformidad con lo dispuesto en la LEC.

- Por su lado, si la decisión definitiva proviene del LAJ deberá interponerse recurso de revisión ante el Juez competente, en los términos previstos en las LEC. El recurso de apelación no producirá los efectos suspensivos, salvo mención legal expresa en la regulación de cada expediente.

➢ *Efectos de la inactividad de parte*: La caducidad del expediente de jurisdicción voluntaria, que se declarará por el LAJ, se producirá por abandono de la acción si, pese al impulso de oficio, no hay actividad instancia de la parte interesada durante seis meses desde la última notificación practicada. Contra el decreto que declara la caducidad solo cabe recurso de revisión (art. 21).

> *Ejecución*: Para la ejecución de la resolución firme del expediente se estará a lo dispuesto en los arts. 521 y 522 de la LEC, pudiéndose instar de forma inmediata la realización de aquellos actos que resulten precisos para dotar de eficacia la resolución.

V. CLASIFICACIÓN DE LOS TIPOS DE EXPEDIENTES DE JURISDICCIÓN VOLUNTARIA

En los Títulos II a VIII se regulan los diferentes expedientes de jurisdicción voluntaria que reconoce la Ley ante Jueces y Magistrados y Letrados de la Administración de Justicia. Los bloques de asuntos que ha elegido el legislador versan sobre las personas, la familia, derecho sucesorio, derecho de obligaciones, derechos reales, asuntos mercantiles y, por último, la conciliación.

1. *Expedientes de jurisdicción voluntaria en materia de personas*

El Título II regula los expedientes de jurisdicción voluntaria en materia de personas (arts. 23 a 80):

> ➢ Sobre la autorización judicial del reconocimiento de filiación no matrimonial (ante el Juez del Juzgado de Primera Instancia del domicilio del reconocido o, si no lo tuviera en territorio nacional, el de su residencia en dicho territorio o, en su defecto, el del progenitor que va a realizar el reconocimiento).

> ➢ Sobre la habilitación para comparecer en juicio y el nombramiento de defensor judicial (ante Letrado de la Administración de Justicia del Juzgado de Primera Instancia del domicilio o, en su defecto, de la residencia del menor o persona con medidas de apoyo para el ejercicio de su capacidad jurídica o, en su caso, aquel correspondiente al Juzgado de Primera Instancia que esté conociendo del asunto que exija el nombramiento de defensor judicial).

> ➢ Sobre la adopción (ante el Juez del Juzgado de Primera Instancia correspondiente a la sede de la Entidad Pública que tenga encomendada la protección del adoptando y, en su defecto, el del domicilio del adoptante).

> ➢ Sobre la tutela, curatela y guarda de hecho (ante el Juez del Juzgado de Primera Instancia del domicilio o, en su defecto, de la residencia del menor o persona con discapacidad con medidas de apoyo para el ejercicio de su capacidad jurídica).

➢ Sobre la concesión judicial de la emancipación y del beneficio de la mayoría de edad (ante el Juez del Juzgado de Primera Instancia del domicilio del menor).

➢ Sobre la protección del patrimonio de personas con discapacidad (ante el Juez del Juzgado de Primera Instancia del domicilio o, en su defecto, de la residencia de la persona con discapacidad)

➢ Sobre la obtención de aprobación judicial del consentimiento prestado a las intromisiones legítimas del derecho al honor, a la intimidad o a la propia imagen de menores o personas con capacidad modificada legalmente (ante el Juez del Juzgado de Primera Instancia del domicilio o, en su defecto, de la residencia del menor o «persona con discapacidad con medidas de apoyo para el ejercicio de su capacidad jurídica»).

➢ Sobre la autorización o aprobación judicial para la realización de actos de disposición, gravamen u otros que se refieran a los bienes y derechos de los menores y personas con medidas integradoras de su capacidad (ante el Juez del Juzgado de Primera Instancia del domicilio o, en su defecto, de la residencia del menor o persona con capacidad integrada judicialmente).

➢ Sobre la declaración de ausencia y fallecimiento (ante el LAJ del Juzgado de Primera Instancia del último domicilio de la persona cuya declaración de ausencia o fallecimiento se trate o, en su defecto, su última residencia).

➢ De los expedientes de jurisdicción voluntaria relativos a declaraciones judiciales sobre hechos pasados, introducido por la Ley 10/2022, de 19 de octubre, de Memoria Democrática (ante Juzgado de Primera Instancia del domicilio del solicitante).

➢ Sobre la extracción de órganos de donantes vivos (ante el Juez de Primera Instancia de la localidad donde haya de realizarse la extracción o trasplante, a elección del solicitante).

➢ Sobre el expediente de provisión de medidas judiciales de apoyo a las personas con personas con necesidad de integración de su capacidad (arts. 42 bis A, 42 bis B, 42 bis C con competencia para el Juzgado de Primera Instancia de la residencia de la persona con discapacidad. El letrado de la Administración de Justicia realizará las adaptaciones y los ajustes necesarios para que la persona con discapacidad comprenda el objeto, la finalidad y los trámites del expediente que le afecta).

➢ Sobre la aprobación judicial de la modificación de la mención registral del sexo de personas mayores de doce años y menores de 14, introducido por la Ley 4/2023, de 28 de febrero se introduce un nuevo Capítulo I bis, donde establece el procedimiento para el cambio registral de sexo y la modificación posterior por reversión (ante el Juez de Primera Instancia del domicilio de la persona cuya mención registral pretenda rectificarse o si no lo tuviera en territorio nacional, el de su residencia en dicho territorio).

2. *Expedientes de jurisdicción voluntaria en materia de familia*

El Título III regula los expedientes de jurisdicción voluntaria en materia de familia y aspectos relacionados con dicha institución objeto de protección (arts. 81 a 90):

- ➢ Sobre la dispensa del impedimento de muerte dolosa del cónyuge anterior (ante el Juez del Juzgado de Primera Instancia del domicilio o, en su defecto, de la residencia de cualquiera de los contrayentes)
- ➢ Sobre el del parentesco para contraer matrimonio (ante el Juez del Juzgado de Primera Instancia del domicilio o, en su defecto, de la residencia de cualquiera de los contrayentes).
- ➢ Sobre el de intervención judicial en relación con la adopción de medidas específicas para el caso de desacuerdo en el ejercicio de la patria potestad o para el caso de ejercicio inadecuado de potestad de guarda o administración de los bienes del menor o persona con discapacidad con medidas de apoyo para el ejercicio de su capacidad jurídica (ante el Juez del Juzgado de Primera Instancia del domicilio o, en su defecto, la residencia del menor o persona con discapacidad con medidas de apoyo para el ejercicio de su capacidad jurídica).
- ➢ Sobre el desacuerdo conyugal y en la administración de bienes gananciales (ante el Juez del Juzgado de Primera Instancia del que sea o hubiera sido su último domicilio o residencia de los cónyuges).

A este respecto, véase la reforma operada por la Ley 4/2017, de 28 de junio por la que se modifica la disposición transitoria 4, párrafo 1, apartado 2 de la LJV, así como el artículo 56 CC. De esta forma, se establece que los expedientes que se inicien en esta materia antes de la entrada en vigor de la Ley 20/2011, de 21 de julio reguladora del Registro Civil, seguirán tramitándose ante el encargado del registro Civil.

3. *Expedientes en materia de jurisdicción voluntaria relativos a Derecho sucesorio*

El Título IV regula los expedientes de jurisdicción voluntaria que se atribuyen a los órganos jurisdiccionales en materia de derecho sucesorio (arts. 91 a 95):

- ➢ Sobre el albaceazgo (ante el Juez del Juzgado de Primera Instancia del último domicilio o residencia habitual del causante, o donde estuviera la mayor parte de su patrimonio o del lugar en que hubiera fallecido, siempre que estuvieran en España, a elección del solicitante. En su defecto, primará el domicilio del solicitante. Cuando se trate de un expediente sobre la renuncia del albacea, la competencia corresponderá al LAJ).

➢ Sobre los contadores-partidores (ante el LAJ del Juzgado de Primera Instancia del último domicilio o residencia habitual del causante, o donde estuviera la mayor parte de su patrimonio o del lugar en que hubiera fallecido, siempre que estuvieran en España, a elección del solicitante. En su defecto, primará el domicilio del solicitante).

➢ Sobre la aceptación y repudiación de una herencia (ante el Juez del Juzgado de Primera Instancia del último domicilio o, en su defecto, de la última residencia del causante y, si lo hubiere tenido en el extranjero, el del lugar del último domicilio en España o donde tuviere la mayor parte de sus bienes, a elección del solicitante).

4. De los expedientes de jurisdicción voluntaria relativos al derecho de obligaciones

El Título V contempla los expedientes relativos al derecho de obligaciones y la consignación judicial:

➢ Sobre la fijación del plazo para el cumplimiento de las obligaciones cuando proceda (ante el Juez del Juzgado de Primera Instancia del domicilio del deudor o del domicilio del acreedor en los casos establecidos legalmente).

➢ Sobre la consignación (ante el Juez del Juzgado de Primera Instancia correspondiente al lugar donde deba cumplirte la obligación y si pudiera cumplirse en diferentes lugares, cualquiera de ellos a elección del solicitante; en su defecto, será competente el del domicilio del deudor).

5. De los expedientes de jurisdicción voluntaria relativos a derechos reales

El Título VI relativo a los expedientes de jurisdicción voluntaria relativa a los derechos reales (arts. 100 a 107):

➢ Sobre la autorización judicial al usufructuario para reclamar créditos vencidos que formen parte del usufructo (ante el Juez del Juzgado de Primera Instancia del último domicilio o, en su defecto, de la última residencia del solicitante).

➢ Sobre el expediente de deslinde sobre fincas que no estuvieran inscritas en el registro de la propiedad (ante el LAJ correspondiente al lugar donde estuviere inscrita la finca o la mayor parte de ella).

6. Expedientes de jurisdicción voluntaria de subastas voluntarias

El Título VII incluye la regulación de las subastas voluntarias (arts. 108 a 111), atribuyendo la competencia al LAJ Juzgado de Primera Instancia del domicilio del titular y, si fueran varios, el correspondiente a cualquiera de ellos. Tratándose de bienes inmuebles, el del lugar donde radiquen.

7. De los expedientes de jurisdicción voluntaria en materia mercantil

El Título VIII relativo a los expedientes de jurisdicción voluntaria en materia mercantil atribuidos a los Jueces de lo Mercantil:

➢ Sobre la exhibición de libros por parte de los obligados a llevar la contabilidad (ante el Juzgado de los Mercantil del domicilio de la persona obligada a la exhibición o del establecimiento a cuya contabilidad se refieran los libros y documentos de cuya exhibición se trate).

➢ Sobre la disolución judicial de sociedades (ante el Juzgado de los Mercantil de su domicilio social).

➢ Sobre el nombramiento y revocación del liquidador, auditor o interventor de una entidad (ante el Juzgado de los Mercantil de su domicilio social).

En manos del LAJ, con competencia compartida con Registradores de lo Mercantil:

➢ Sobre la convocatoria de juntas generales o asamblea general de obligacionistas (ante el Juzgado de los Mercantil del domicilio social de la entidad emisora de las obligaciones).

➢ Sobre los expedientes de robo, hurto, o extravío, o destrucción de títulos valores o representación de partes de sociedad (ante el Juzgado de lo Mercantil del lugar de pago cuando se trate de un título de crédito, del lugar del depósito en el caso de los títulos de depósito o el del lugar del domicilio de la entidad emisora cuando los títulos fueran mobiliarios).

➢ Sobre el nombramiento de perito en los contratos de seguro, cuya competencia también está atribuida a notarios (ante el Juzgado de lo Mercantil del domicilio del asegurado).

8. Expediente de jurisdicción voluntaria sobre la conciliación

El Título IX desarrolla el régimen jurídico de la conciliación de forma completa (arts. 139 a 148), según se ha visto en el tema 7. A lo dicho allí nos remitimos.